GRACIAS POR CONFIAR EN COLEX

Disfrute gratuitamente **DURANTE UN AÑO** de los eBook y Colex Copilot de las obras de Editorial Colex*

ACTIVA TU CÓDIGO PARA ACCEDER A LOS SERVICIOS

1. Accede a **www.colex.es**.
2. Inicia sesión o regístrate como usuario.
3. Dirígete al menú de usuario y haz clic en **«Mis códigos»**.
4. Introduce el siguiente código **(RASCA PARA VER EL CÓDIGO)**:

- Una vez se valide el código, aparecerá una ventana de confirmación y su eBook / Colex copilot estarán activos **durante 1 año desde su activación** en la pestaña «Mis libros» en el menú de usuario.

* Los audiolibros están disponibles en las ediciones más recientes de nuestras obras. Se excluyen expresamente las colecciones «Códigos comentados», «Biblioteca digital» y los productos de www.vademecumlegal.es. Colex Copilot únicamente está disponible en las ediciones más recientes de las colecciones «Paso a paso» y «Vademecum».

No se admitirá la devolución si el código promocional ha sido manipulado y/o utilizado.

¡Gracias por confiar en nosotros!

Acceda online a Vademecum en varios formatos

Acceso a eBook desde cualquier dispositivo con conexión a internet

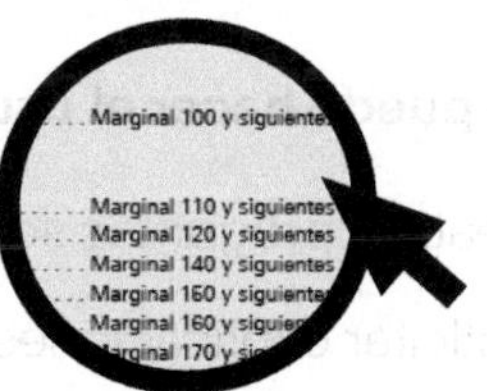

Índice de marginales

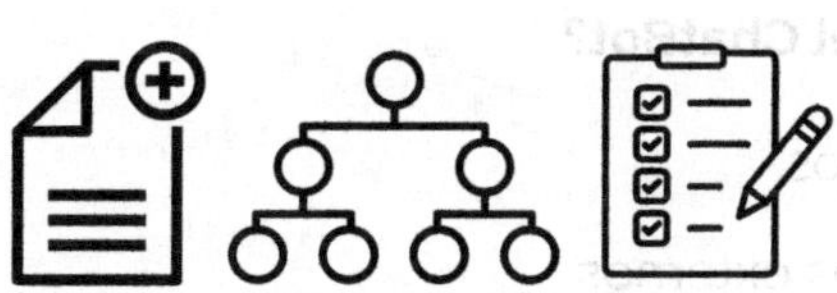

Formularios, esquemas y casos prácticos

Actualización online automática de los formularios, esquemas, casos prácticos y marginales contenidos en este Vademecum

Síguenos en.     

NUEVA FUNCIONALIDAD CON INTELIGENCIA ARTIFICIAL EN LOS LIBROS DE COLEX

| Una cortesía de Iberley.es |

En Colex damos un paso más en innovación jurídica. Desde ahora, las guías «Paso a paso» y los «Vademecum» incorporan una nueva funcionalidad basada en **inteligencia artificial**, gracias a la tecnología de **Iberley IA**.

El lector podrá interactuar directamente con el contenido del libro de forma inmediata, útil y centrada exclusivamente en su materia.

☑ ¿Qué puede hacer el usuario en el libro?

- Realizar preguntas sobre el contenido del libro.
- Solicitar explicaciones de artículos, conceptos o normativa.
- Utilizar un ChatBot inteligente, contextualizado y acoplado al contenido legal del libro.
- Resolver dudas puntuales mientras se estudia o trabaja con la obra.

☒ ¿Qué no puede hacer esta versión del ChatBot?

- ✗ No permite generar escritos jurídicos.
- ✗ No analiza ni responde documentos externos.
- ✗ No responde a consultas de otras materias distintas a la del libro.

Esta herramienta está pensada para enriquecer la experiencia de lectura y consulta del libro. Su uso es exclusivo sobre su contenido.

¿QUIERES IR MÁS ALLÁ? DESCUBRE IBERLEY IA

Si necesitas una **solución avanzada de inteligencia legal**, con cobertura total de materias y documentos, entra en **www.iberley.es** y accede a todas las funcionalidades profesionales:

CUADRO SIMBÓLICO DE FUNCIONALIDADES		
Funcionalidad	**En los libros Colex**	**En Iberley.es**
Preguntar sobre el contenido del libro	✓	✓
Solicitar explicaciones jurídicas	✓	✓
ChatBot integrado al contenido del libro	✓	✓
Consultas sobre otras materias	✗	✓
Análisis de documentos externos	✗	✓
Generación de escritos jurídicos	✗	✓
Traducción jurídica	✗	✓
Informes y resúmenes legales automáticos	✗	✓
Contratos, guías prácticas y emails para clientes	✗	✓
Estrategias judiciales y jurisprudencia instantánea	✗	✓

- 1. Propiedad horizontal: la comunidad de propietarios
- 2. Organización de la comunidad de propietarios
- 3. Obras y reparaciones en las comunidades de propietarios
- 4. Procedimientos judiciales en materia de propiedad horizontal
- 5. Especialidades procedimentales: cese de actividades molestas, insalubres, nocivas y peligrosas
- 6. Fiscalidad de la comunidad de propietarios
- 7. Especialidades del tratamiento de datos respecto a las comunidades de propietarios
- 8. La propiedad horizontal en Cataluña
- Anexo. Formularios

Revocac
Separación
ADMINISTRAC
Efectos sobre
Ver CONTF
Excepción pa
No se pued
FRONAVE

ÍNDICES ANALÍTICOS PARA ACCESO A INFORMACIÓN

SUMARIO
isa activa. . . . .
activa . . . .
cción de la masa

ÍNDICES SISTEMÁTICOS EN CADA CAPÍTULO

Competencia
declarar y tramitar
deudor el centro
intereses principa
odo habitual y r
(Ver com

EXPLICACIONES TÉCNICAS EN LOS CAPÍTULOS

JURISPRUDENC
Sentencia Tribun
"Los citados arg
sal, ***obligan a con***
adquisición de la
cedimiento cor
cuando

JURISPRUDENCIA

SUPUESTO:
Una empresa c
europeo, y sin
de despido a s
En este caso
tido el ***art. 1***

CUESTIONES PRÁCTICAS

215

NUMERACIÓN MARGINAL

COLEX

Personas Trabajadoras

Un mes desde

ESQUEMAS

Vademecum

Explicaciones técnicas en los capítulos

Todos los capítulos del Vademecum disponen de explicaciones técnicas actualizadas y concordadas con legislación, resoluciones y jurisprudencia.

Cuestiones prácticas

Vademecum contiene planteamientos prácticos que permiten al profesional profundizar en cada explicación y resolver las dudas más frecuentes.

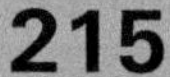

Numeración marginal

El contenido se estructura en marginales con una doble finalidad: enlazar con el índice analítico e identificar fácilmente las actualizaciones con el número afectado.

Índices sistemáticos

Al principio de cada capítulo dispondrá de un índice sistemático que le facilitará el acceso a la información.

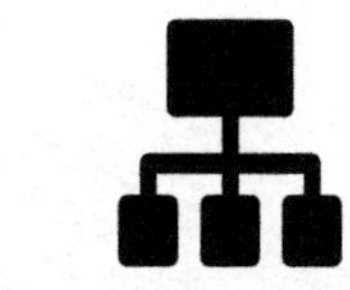

Esquemas

A lo largo del Vademecum encontrará útiles gráficos para entender a la perfección el contenido de los capítulos.

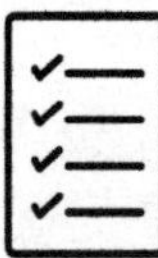

Índices analíticos

Dispondrá de índices analíticos, concordados con los marginales, desde los que podrá acceder fácilmente a cualquier parte del Vademecum.

VADEMECUM DE PROPIEDAD HORIZONTAL

VADEMECUM DE PROPIEDAD HORIZONTAL

4.ª EDICIÓN 2026

(Edición actualizada a 15 de junio de 2026)

Obra realizada por el Departamento de Documentación de Iberley

COLEX

Calle Costa Rica, número 5, 3º B (local comercial)
A Coruña, C.P. 15004
info@colex.es
www.colex.es

I.S.B.N.: 979-13-7011-882-2
Depósito legal: C 1176-2026

SUMARIO

1. PROPIEDAD HORIZONTAL: LA COMUNIDAD DE PROPIETARIOS 21

1.1. Introducción 23

1.2. Normas reguladoras 26

1.3. Fondo de reserva 39

1.4. Presupuesto anual 46

1.5. Obligaciones de los propietarios y la comunidad de propietarios 49

1.6. Extinción del régimen de propiedad horizontal 54

2. ORGANIZACIÓN DE LA COMUNIDAD DE PROPIETARIOS 59

2.1. Órganos de gestión y administración 61

2.1.1. Tipos 61

2.1.2. La junta de propietarios 62

2.1.3. Presidente, secretario y administrador 77

2.2. División de la finca. Elementos comunes y privativos 84

2.3. Los complejos inmobiliarios 107

3. OBRAS Y REPARACIONES EN LAS COMUNIDADES DE PROPIETARIOS 115

3.1. Calificación de las obras a realizar 117

3.1.1. Obras en elementos comunes o privativos 117

3.1.2. Obras en zonas privativas 118

3.1.3. Obras en zonas comunes 126

3.1.4. El pago de las obras 145

3.1.5. Responsabilidad por las obras 153

3.1.6. Análisis jurisprudencial de los supuestos más comunes de obras en las comunidades de propietarios 159

3.2. Humedades en viviendas y locales. ¿A quién reclamar? El origen de las humedades 198

3.2.1. Reclamación por humedades en viviendas y locales 198

3.2.2. Humedades con origen en elementos comunes 202

3.2.3. Humedades con origen en elementos privativos 216

3.3. Defectos de la construcción. Supuesto de las viviendas de nueva construcción. Reclamación a los agentes de la edificación 223

4. PROCEDIMIENTOS JUDICIALES EN MATERIA DE PROPIEDAD HORIZONTAL 235
4.1. Tipos de procedimientos en materia de propiedad horizontal 237
4.2. El juicio monitorio en materia de comunidad de propietarios 248
4.3. Impugnación de acuerdos de la junta de propietarios 269
4.3.1. Acuerdos impugnables 269
4.3.2. Legitimación 276
4.3.3. Plazo 285
4.4. Servidumbres en materia de propiedad horizontal 287
4.5. El juicio de equidad 299
4.6. Reclamación por daños en comunidad de propietarios 305
4.7. La ejecución de sentencias condenatorias a la comunidad de propietarios 317

5. ESPECIALIDADES PROCEDIMENTALES: CESE DE ACTIVIDADES MOLESTAS, INSALUBRES, NOCIVAS Y PELIGROSAS 321
5.1. Aspectos generales 323
5.2. Actividades prohibidas por los estatutos 325
5.3. Actividades dañosas para la finca 341
5.4. Actividades que contravengan las disposiciones generales sobre actividades molestas, insalubres, nocivas, peligrosas o ilícitas 343
5.5. El procedimiento para promover el cese de actividad molesta 358
5.5.1. Aspectos generales 358
5.5.2. Requisitos de procedibilidad 360
5.5.3. Procedimiento judicial 376
5.5.4. Posibles medidas impuestas en la resolución judicial 388
5.6. Casuística más habitual que da lugar a la acción de cesación 409

6. FISCALIDAD DE LA COMUNIDAD DE PROPIETARIOS 441
6.1. El ITPyAJD en la constitución o modificación de la comunidad de propietarios 443
6.1.1. ITPyAJD y constitución del régimen de propiedad horizontal 443
6.1.2. Tributación de otros actos de las comunidades de propietarios en el ITPyAJD 447
6.2. Obligaciones fiscales de la comunidad de propietarios 466
6.2.1. Aspectos preliminares 466
6.2.2. Contratación de empleados propios o de empresas, empresarios o profesionales externos 478
6.2.3. Percepción de ingresos por la comunidad de propietarios 503
6.2.3.1. Aspectos generales 503
6.2.3.2. Fiscalidad del arrendamiento o la cesión del uso de elementos comunes 504

6.2.3.3. Fiscalidad de la venta de elementos comunes 528
6.2.3.4. Fiscalidad de la percepción de subvenciones e indemnizaciones 551
6.2.4. Operaciones con terceras personas superiores a 3.005,06 euros 559
6.2.5. Pago de tributos municipales...566

7. ESPECIALIDADES DEL TRATAMIENTO DE DATOS RESPECTO A LAS COMUNIDADES DE PROPIETARIOS 573

7.1. Aspectos generales 575
7.1.1. Normativa aplicable 575
7.1.2. Obligaciones: registro de actividades de tratamiento y evaluación de riesgos 576
7.1.3. Designación del delegado de protección 587
7.1.4. La figura del administrador de fincas como encargado del tratamiento .. 588

7.2. Tratamientos especiales de datos sujetos a cuórums especiales 597
7.2.1. Tratamiento de datos con fines de videovigilancia 597
7.2.2. Datos biométricos para el acceso a la propiedad 612

7.3. Utilización de los datos en las comunidades de propietarios 613
7.3.1. Publicación de datos en el tablón de la comunidad de propietarios 613
7.3.2. Protección de datos en la documentación de la comunidad de propietarios 620

8. LA PROPIEDAD HORIZONTAL EN CATALUÑA 623

8.1. Aspectos generales 625
8.1.1. Concepto y regulación 625
8.1.2. Cuota de participación y deudas comunitarias 631
8.1.3. Constitución y extinción de la comunidad de propietarios 640
8.1.4. Órganos de la comunidad de propietarios...................................650

8.2. Acuerdos de la junta de propietarios...660
8.2.1. Adopción de acuerdos comunitarios 660
8.2.2. Impugnación de acuerdos comunitarios 668

8.3. Formas de constitución 675
8.3.1. Propiedad horizontal simple 675
8.3.2. Propiedad horizontal compleja y propiedad horizontal por parcelas 691

8.4. La acción de cesación 700

ANEXO. FORMULARIOS

Contestación a la demanda reclamando cantidad por daños derivados de filtraciones (propiedad horizontal).. 711

Demanda contra propietario de comunidad por realización de obras inconsentidas 714

Demanda de petición inicial del proceso monitorio. Reclamación de cuotas por comunidad de propietarios 719

Demanda de juicio ordinario contra comunidad de propietarios para reparación de elemento (tejado) común y reclamación de cantidad 726

Demanda contra la comunidad de propietarios por daños a elemento privativo .. 733

ÍNDICE ANALÍTICO 739

ABREVIATURAS

AEAT	Agencia Española de Administración Tributaria
AEPD	Agencia Española de Protección de Datos
ANFAAC	Asociación Nacional de Fabricantes de Alimentos para Animales de Compañía
Art.	Artículo
CCCat	Código Civil de Cataluña
CC	Real Decreto de 24 de julio de 1889 por el que se publica el Código Civil
CE	Constitución Española
CEDH	Convenio Europeo de Derechos Humanos
CGPJ	Consejo General del Poder Judicial
DPD	Delegado de Protección de Datos
DPO	Data Protection Officer
D.T.	Disposición Transitoria
EE.MM.	Estados Miembros
EIPD	Evaluación de Impacto de Protección de Datos
IBI	Impuesto sobre Bienes Inmuebles
IIVTNU	Impuesto sobre el Incremento del Valor de los Terrenos de Naturaleza Urbana
INE	Instituto Nacional de Estadística
IRPF	Impuesto sobre la Renta de las Personas Físicas
IS	Impuesto sobre sociedades
ITC	Instrucción Técnica Complementaria
ITPyAJD	Impuesto sobre Transmisiones Patrimoniales y Actos Jurídicos Documentados
IVA	Impuesto sobre el Valor Añadido

LEC	Ley 1/2000, de 7 de enero, de Enjuiciamiento Civil
LGT	Ley 58/2003, de 17 de diciembre, General Tributaria
LIRPF	Ley 35/2006, de 28 de noviembre, del Impuesto sobre la Renta de las Personas Físicas y de modificación parcial de las leyes de los Impuestos sobre Sociedades, sobre la Renta de no Residentes y sobre el Patrimonio
LIS	Ley 27/2014, de 27 de noviembre, del Impuesto sobre Sociedades
LIVA	Ley 37/1992, de 28 de diciembre, del Impuesto sobre el Valor Añadido
LOPDG-DD	Ley orgánica 3/2018, de 5 de diciembre, de Protección de Datos Personales y garantía de los derechos digitales
LOPJ	Ley Orgánica 6/1985, de 1 de julio, del Poder Judicial
LPH	Ley 49/1960, de 21 de julio, sobre propiedad horizontal.
LRHL	Real Decreto Legislativo 2/2004, de 5 de marzo, por el que se aprueba el texto refundido de la Ley Reguladora de las Haciendas Locales
LSP	Ley 5/2014, de 4 de abril, de Seguridad Privada
NIF	Número de Identificación Fiscal
RAE	Real Academia Española
RAT	Registro de Actividades de Tratamiento
RDGRN	Resolucion de la Dirección General de los Registros y del Notariado
RGAT	Reglamento General de las actuaciones y los procedimientos de gestión e inspección tributaria y de desarrollo de las normas comunes de los procedimientos de aplicación de los tributos
RGPD	Reglamento General de Protección de Datos (Reglamento 2016/679)
RIRPF	Reglamento del Impuesto sobre la Renta de las Personas Físicas y modificación del Reglamento de Planes y Fondos de Pensiones
SAP	Sentencia de la Audiencia Provincial
SATE	Sistema de Aislamiento Térmico Exterior
SSTS	Sentencias del Tribunal Supremo
STS	Sentencia del Tribunal Supremo
TS	Tribunal Supremo
UE	Unión Europea

1 PROPIEDAD HORIZONTAL: LA COMUNIDAD DE PROPIETARIOS

SUMARIO

1.1. Introducción .... Marginal 100 y siguientes

1.2. Normas reguladoras .... Marginal 110 y siguientes

1.3. Fondo de reserva .... Marginal 160 y siguientes

1.4. Presupuesto anual .... Marginal 190 y siguientes

1.5. Obligaciones de los propietarios y la comunidad de propietarios .... Marginal 200 y siguientes

1.6. Extinción del régimen de propiedad horizontal .... Marginal 220 y siguientes

1.1. INTRODUCCIÓN

Concepto y regulación de propiedad horizontal 100

➢ ¿Qué podemos entender por propiedad horizontal?

La propiedad horizontal se puede definir, siguiendo en este punto al *Diccionario del español jurídico de la RAE y el CGPJ*, como aquella «forma de copropiedad o condominio que se establece entre los propietarios de un inmueble dividido en pisos o locales susceptibles de aprovechamiento independiente por tener salida propia a un elemento común de aquel o a la vía pública».

La **Ley 49/1960, de 21 de julio, de propiedad horizontal** (en adelante LPH), nos da una primera aproximación al concepto de propiedad horizontal en su art. 3, en el que se recoge que a cada piso o local le corresponde:

> «a) El derecho singular y exclusivo de propiedad sobre un espacio suficientemente delimitado y susceptible de aprovechamiento independiente, con los elementos arquitectónicos e instalaciones de todas clases, aparentes o no, que estén comprendidos dentro de sus límites y sirvan exclusivamente al propietario, así como el de los anejos que expresamente hayan sido señalados en el título, aunque se hallen situados fuera del espacio delimitado.
>
> b) La copropiedad, con los demás dueños de pisos o locales, de los restantes elementos, pertenencias y servicios comunes».

Para poder encontrar una definición más completa debemos acudir a la **jurisprudencia existente** en esta materia, ya que a través de diversas sentencias se ha venido a precisar su concepto.

JURISPRUDENCIA

Sentencia del Tribunal Supremo n.º 25/2007, de 1 de febrero, ECLI:ES:TS:2007:352

«La Propiedad Horizontal constituye una figura jurídica en la que, junto a una propiedad exclusiva sobre un espacio concreto, coexiste una copropiedad obligada, necesaria e indivisible sobre unos elementos comunes, y su Ley reguladora pretende configurar o ajustar esa forma de goce mediante determinadas reglas, para conseguir una pacífica coexistencia entre copropietarios cuyas relaciones de vecindad son susceptibles de conflicto por la interconexión existente por razón de la cosa, como ha declarado la STS 19 de febrero de 1971».

Sentencia del Tribunal Supremo n.º 57/2004, de 5 de febrero, ECLI:ES:TS:2004:679, que cita a su vez su sentencia de 30 de mayo de 1997, ECLI:ES:TS:1997:3808

*«(...) La **propiedad horizontal** no es un tipo común de comunidad de bienes —copropiedad romana pro indiviso regulada en los artículos 392 y ss. del Código civil— sino un **supuesto de coexistencia de propiedad privada de los elementos privativos y comunidad,***

inseparable de la anterior, sobre los elementos comunes. Es el único que es contemplado en el ordenamiento español, en la Ley de Propiedad Horizontal de 21 de julio de 1960. Es decir, ante la realidad de un edificio, o de un complejo urbanístico, o de un centro comercial u otros casos de igual o mayor complejidad, en que coexistan elementos privativos y comunes, tan solo es posible acogerse a la Ley de Propiedad Horizontal para sancionar tal coexistencia y regular sus complejas relaciones de derechos y deberes, toma de acuerdos y participación en los gastos. Así, en un principio, dicha ley supuso un avance ciertamente importante en la sociedad y en el derecho, pero es inexorable el paso del tiempo y la verdad de aquel aforismo "el tiempo no está quieto y la norma jurídica, por así decir, le acompaña" traducción literal de die Zeit steht nicht still, und die Rechtsnorm geht sozusagen mit ihr, lo cual se refleja en el artículo 3.1 del Código civil cuando incluye como elemento de interpretación de la ley, la realidad social. ***La propiedad horizontal era concebida en un principio como un edificio en que sus viviendas y locales pertenecían en propiedad privada a diversos sujetos****, que eran copropietarios de los elementos comunes. Pero este fácil concepto se va complicando cuando llega a extremos en que no hay comunidad de vida, sino tan sólo comunidad de intereses económicos.*

Lo cual ha sido, en parte, corregido por la reforma de la Ley de Propiedad Horizontal producida por Ley 8/1999, de 6 de abril, no aplicable al presente caso, en que se da un complejo entramado de una (1) supracomunidad general, que es el Centro como núcleo, una serie de (2) espacios y elementos comunes y los (3) normales elementos propios del edificio en propiedad horizontal».

Sentencia del Tribunal Supremo n.º 294/2004, de 21 de abril, ECLI:ES:TS:2004:2598

*«**Caracteriza a la propiedad horizontal la yuxtaposición de dos clases de propiedad** (Sentencia de 16 de junio de 1.976, entre otras). De un lado, **una singular y exclusiva**, que recae sobre un espacio suficientemente delimitado y susceptible de aprovechamiento independiente **y, de otro lado, una copropiedad**, compartida con los demás dueños de pisos o locales, sobre los restantes elementos, pertenencias y servicios comunes (artículo 3 de la Ley 49/1.960). Como señala la exposición de motivos de la Ley, el sistema de derechos y deberes en el seno de la propiedad horizontal aparece estructurado en atención a los intereses en juego. Por ello la **coexistencia de derechos exclusivos de cada titular con derechos compartidos por una colectividad de personas** impuso la creación de órganos de gestión y administración y la distribución de competencias en la defensa de los correspondientes derechos e intereses. A la comunidad, representada por su presidente, incumbe la defensa de sus intereses en todos los asuntos que le afecten, según establece el artículo 12 de la Ley (13.3 en la redacción dada por la Ley 8/1.999), y a cada propietario la de los suyos propios en cuanto derivados de los elementos privativos».*

CUESTIONES

1. ¿Cuándo existe plenamente constituida una propiedad horizontal?

Cuando concurren tres elementos:

- Un elemento volitivo consistente en la decisión del propietario o propietarios del inmueble de constituir una propiedad horizontal.
- Un elemento material, el edificio que se va a dividir horizontalmente que además reúna las características necesarias para poderse dividir bajo las reglas de este régimen.
- Un elemento formal, el título constitutivo de la propiedad horizontal.

2. ¿En qué consiste conceptualmente la denominada «prehorizontalidad»?

«Puede entenderse por prehorizontalidad "aquella situación por la cual, existiendo la voluntad y unas ciertas condiciones para la constitución del régimen de propiedad horizontal, este, sin embargo, no llega a nacer por faltar alguno de sus requisitos".

(...)

Pues bien, hay una situación de prehorizontalidad cuando existe el elemento volitivo pero falta uno de los otros dos (el formal o el material)». ***(STS n.º 419/2013, de 25 de junio, ECLI:ES:TS:2013:4089).***

3. ¿Cuáles son los pasos a seguir para poner en marcha una comunidad de propietarios?

En una obra nueva, los pasos que se seguirán en la mayoría de los supuestos para para poner en marcha una comunidad de propietarios serán, resumidamente, los siguientes:

1. Escritura de obra nueva y división horizontal del edificio.
2. Convocar y celebrar la primera junta de propietarios. Normalmente la convocará el promotor y en el orden del día se tratarán los asuntos fundamentales para iniciar la comunidad: elección de órganos de gobierno, apertura de cuenta bancaria, contratos de servicios y suministros, autorización para legalizar el libro de actas y solicitar NIF, etc.
3. Legalización del libro de actas en el registro de la propiedad.
4. Solicitud de NIF ante la delegación de Hacienda correspondiente.

A TENER EN CUENTA. El art. 4 de la LPH aclara que para el cese de la propiedad horizontal no procede la acción de división. Esta solamente podrá ser ejercitada por cada propietario proindiviso sobre un piso o local determinado, circunscrita al mismo, y siempre que la proindivisión no se haya establecido de intento para el servicio o utilidad común de todos los propietarios.

➢ ¿Dónde se regula la propiedad horizontal?

Si bien originariamente la propiedad horizontal era tratada como una modalidad de la comunidad de bienes prevista en el artículo 396 del Código Civil donde se establece que: «Los diferentes pisos o locales de un edificio o las partes de ellos susceptibles de aprovechamiento independiente por tener salida propia a un elemento común de aquél o a la vía pública podrán ser objeto de propiedad separada, que llevará inherente un derecho de copropiedad sobre los elementos comunes del edificio, que son todos los necesarios para su adecuado uso y disfrute (...)», con la publicación de la **Ley de Propiedad Horizontal** (LPH) se dota a esta figura de una regulación completa reconociendo el derecho de propiedad sobre pisos o locales individualizados que forman parte de un mismo edificio, pero compartiendo derechos y obligaciones sobre los elementos comunes de este; y así se determina en su artículo 1 que el objeto de esta ley es «(...) la regulación de la forma especial de propiedad establecida en el artículo 396 del Código Civil, que se denomina propiedad horizontal».

Finalmente queremos detenernos en el ámbito de aplicación de la LPH y sobre este particular citar el artículo 2 que establece que la mentada ley se aplicará:

«a) A las comunidades de propietarios constituidas con arreglo a lo dispuesto en el artículo 5.

b) A las comunidades que reúnan los requisitos establecidos en el artículo 396 del Código Civil y no hubiesen otorgado el título constitutivo de la propiedad horizontal.

Estas comunidades se regirán, en todo caso, por las disposiciones de esta Ley en lo relativo al régimen jurídico de la propiedad, de sus partes privativas y elementos comunes, así como en cuanto a los derechos y obligaciones recíprocas de los comuneros.

c) A los complejos inmobiliarios privados, en los términos establecidos en esta Ley.

d) A las subcomunidades, entendiendo por tales las que resultan cuando, de acuerdo con lo dispuesto en el título constitutivo, varios propietarios disponen, en régimen de comunidad, para su uso y disfrute exclusivo, de determinados elementos o servicios comunes dotados de unidad e independencia funcional o económica.

e) A las entidades urbanísticas de conservación en los casos en que así lo dispongan sus estatutos».

1.2. NORMAS REGULADORAS

110 **Normas reguladoras propias del régimen jurídico de la propiedad horizontal**

Las comunidades de propietarios cuentan con normas propias y específicas para regular las relaciones entre los distintos miembros de las mismas, que varían de una comunidad a otra.

Estas normas son:

- El título constitutivo o escritura de propiedad horizontal.
- Los estatutos de la comunidad de propietarios.
- Las normas o reglamento de régimen interno.

El Tribunal Supremo, en la **STS n.º 487/2007, de 25 de abril, ECLI:ES:TS:2007:2381**, nos da las claves para clasificar y diferenciar estas normas en los siguientes términos:

«(...) viene a proclamar que existen dos clases de normas, de muy distinto rango: unas, las contenidas en el **título constitutivo de la propiedad y en los estatutos**, que regulan la constitución y el ejercicio del derecho de cada propietario, en orden al uso y destino del edificio; y otras, integradas en el **reglamento de régimen interior**, para regular los detalles de la convivencia y la adecuada utilización de los servicios y las cosas comunes (...)».

También la **STS n.º 930/2011, de 12 de diciembre, ECLI:ES:TS:2011:8310**, se refiere a estas normas estableciendo la jerarquía entre las mismas:

«Evidentemente, una de las características de la propiedad horizontal es la de estar regida por normas de derecho necesario. Siendo incuestionable que el orden de fuentes normativas por las que ha de regirse la comunidad de propietarios está constituido, en primer lugar, por los estatutos de la comunidad contenidas en el título, y después, en este orden y con carácter supletorio, por las normas del Código Civil sobre la comunidad de bienes y por la Ley de Propiedad Horizontal de 21 de julio de 1960, lo que no implica que, respecto a dicha clase de propiedad, no sea de aplicación, en ningún caso, el principio de la autonomía de la voluntad, consignado en el artículo 1.255, del Código Civil cuando los estatutos aprobados por la Junta de Propietarios no contradigan lo establecido en la misma».

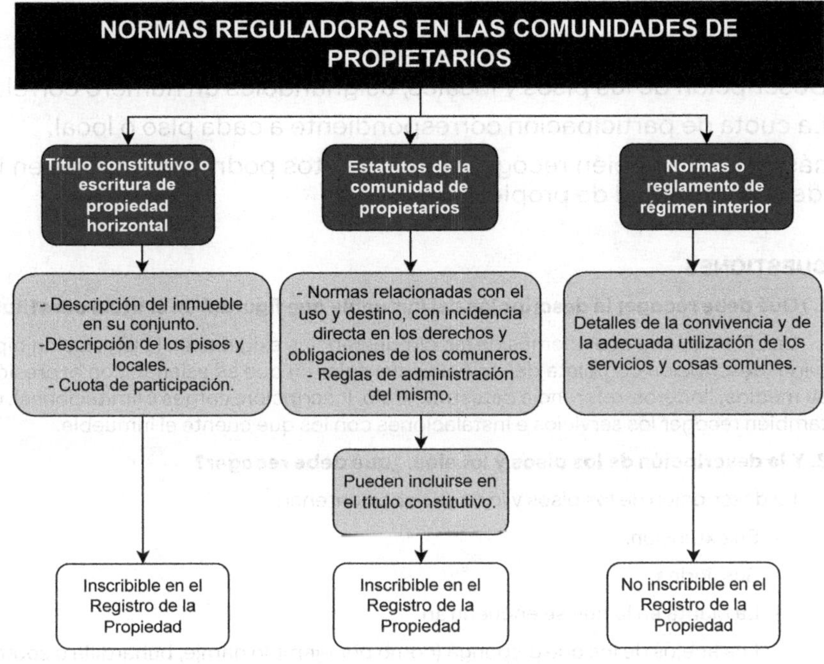

El título constitutivo o escritura de división horizontal 120

A la hora de analizar el título constitutivo, hay que partir del artículo 5 de la LPH, que dispone lo siguiente:

> «El título constitutivo de la propiedad por pisos o locales describirá, además del inmueble en su conjunto, cada uno de aquéllos al que se asignará número correlativo. La descripción del inmueble habrá de expresar las circunstancias exigidas en la legislación hipotecaria y los servicios e instalaciones con que cuente el mismo. La de cada piso o local expresará su extensión, linderos, planta en la que se hallare y los anejos, tales como garaje, buhardilla o sótano.
>
> En el mismo título se fijará la cuota de participación que corresponde a cada piso o local, determinada por el propietario único del edificio al iniciar su venta por pisos, por acuerdo de todos los propietarios existentes, por laudo o por resolución judicial. Para su fijación se tomará como base la superficie útil de cada piso o local en relación con el total del inmueble, su emplazamiento interior o exterior, su situación y el uso que se presuma racionalmente que va a efectuarse de los servicios o elementos comunes.
>
> El título podrá contener, además, reglas de constitución y ejercicio del derecho y disposiciones no prohibidas por la ley en orden al uso o destino del edificio, sus diferentes pisos o locales, instalaciones y servicios, gastos, administración y gobierno, seguros, conservación y reparaciones, formando un estatuto privativo que no perjudicará a terceros si no ha sido inscrito en el Registro de la Propiedad.
>
> En cualquier modificación del título, y a salvo lo que se dispone sobre validez de acuerdos, se observarán los mismos requisitos que para la constitución».

Es decir, podría afirmarse que el título constitutivo, también llamado escritura de división horizontal, debe contener:

- Descripción del inmueble en su conjunto.
- Descripción de los pisos y locales, asignándoles un número correlativo.
- La cuota de participación correspondiente a cada piso o local.

Además, la LPH también recoge qué conceptos podrán integrarse en los estatutos de la comunidad de propietarios.

CUESTIONES

1. ¿Qué debe recoger la descripción del inmueble que figurará en el título constitutivo?

La LPH dispone que además de las circunstancias exigidas en la legislación hipotecaria (descripción completa del edificio y del solar en que se asienta, con expresión de su medida, linderos, referencia catastral, título, inscripción, cargas y limitaciones), debe también recoger los servicios e instalaciones con los que cuente el inmueble.

2. Y la descripción de los pisos y locales, ¿qué debe recoger?

La descripción de los pisos y locales debe contener:

- Su extensión.
- Sus lindes.
- La planta en la que se encuentran.
- Los anejos de los que disponga (como por ejemplo garaje, buhardilla o sótano).

En conclusión, tal y como se expone en la **sentencia de la Audiencia Provincial de Toledo n.º 93/2021, de 29 de abril, ECLI:ES:APTO:2021:841**: «(...) es al título constitutivo de la comunidad de propietarios al que le corresponde determinar los diferentes bienes inmuebles que integran la comunidad y la cuota de participación de cada uno de estos en aquélla».

Con relación a la **cuota de participación** que debe de venir recogida en el título constitutivo, el art. 3 de la LPH en su párrafo 4.º regula que: «A cada piso o local se atribuirá una cuota de participación con relación al total del valor del inmueble y referida a centésimas del mismo. Dicha cuota servirá de módulo para determinar la participación en las cargas y beneficios por razón de la comunidad. Las mejoras o menoscabos de cada piso o local no alterarán la cuota atribuida, que sólo podrá variarse de acuerdo con lo establecido en los artículos 10 y 17 de esta Ley». En el preámbulo de la citada LPH se recoge que la cuota «(...) no es ya la participación en lo anteriormente denominado elementos comunes, sino que expresa, activa y también pasivamente, como módulo para cargas, el valor proporcional del piso y a cuanto él se considera unido, en el conjunto del inmueble, el cual, al mismo tiempo que se divide física y jurídicamente en pisos o locales se divide así económicamente en fracciones o cuotas».

En la fijación de la cuota se tendrán en cuenta los siguientes criterios:

- La superficie útil de cada piso o local en relación con el total del inmueble.
- Su emplazamiento interior o exterior.
- Su situación.

– El uso que previsiblemente vaya a realizar de los servicios o elementos comunes.

Podrán fijarse las cuotas de participación:

a) **Por el propietario único**. Es lo normal en nuevas promociones en las que el promotor, antes de la venta, otorga la escritura de división horizontal y realiza la descripción del edificio, de los pisos y locales, anejos y asigna los coeficientes.

b) **Por acuerdo de todos los propietarios**. Se requiere la unanimidad de todos los propietarios, lo que en la práctica supone notables dificultades al tener que concurrir acuerdo de múltiples voluntades. En este punto cabe destacar la **sentencia del Tribunal Supremo n.º 194/2011, de 16 de febrero, ECLI:ES:TS:2012:1682**, que califica la unanimidad de los propietarios como un requisito esencial, cuyo incumplimiento conlleva la nulidad: «(...) el otorgamiento del título de declaración de obra nueva y constitución de la propiedad horizontal carece de un requisito esencial, como es el consentimiento de todos los copropietarios, (...) supone la declaración de nulidad del título constitutivo de declaración de obra nueva y división de propiedad horizontal, la consiguiente cancelación de la inscripción en el Registro de la Propiedad del título y la consiguiente necesidad de que se otorgue una nueva declaración de obra nueva y división de propiedad horizontal conforme a los dispuesto en el artículo 5 LPH».

c) **Por laudo o resolución judicial**. Cuando los dos sistemas anteriores no han dado resultado, se podrá formular una demanda de juicio ordinario para que sea el juez quien fije los coeficientes con base en los informes técnicos que se aporten como prueba al proceso y de conformidad con los criterios del artículo 5 de la LPH.

CUESTIONES

1. ¿Es imprescindible inscribir el título constitutivo en el Registro de la Propiedad?

No, tal y como dice el **Tribunal Supremo en el auto de 24 de marzo de 2021, rec. 5293/2018, ECLI:ES:TS:2021:3582A**: «La falta de inscripción del título constitutivo de la Comunidad de Propietarios en el Registro de la Propiedad no implica inexistencia de la misma porque la inscripción registral no es un requisito constitutivo». Eso sí, a efectos de publicidad y de su oponibilidad frente a terceros si deberá ser inscrito, ya que el propio art. 5 de la LPH recoge que «(...) no perjudicará a terceros si no ha sido inscrito en el Registro de la Propiedad».

2. ¿Podría oponerse en algún caso el contenido del título no inscrito en el Registro de la Propiedad a un tercero?

La **sentencia de la Audiencia Provincial de Burgos n.º 215/2014, de 14 de octubre, ECLI:ES:APBU:2014:870**, da respuesta a esta cuestión considerando que para que el título no inscrito pueda perjudicar a un tercero tendrá que demostrarse que era conocedor del mismo, y que actuó con mala fe:

«En relación con los terceros, se ha criticado la formulación del art. 5 LPH en términos negativos, pues induce a una cierta confusión. Atendiendo al sentido literal de la expresión utilizada («no perjudicará a terceros si no ha sido inscrito en el Registro de la Propiedad»), podría entenderse que los estatutos no perjudicarán a tercero, ni siquiera si este tercero los conoce, si no han sido inscritos en el Registro de la Propiedad o si no se han inscrito sus modificaciones. Sin embargo, la finalidad del precepto es precisamente que el tercero tenga conocimiento de los estatutos a través de un sistema oficial, finalidad que se cumple plenamente cuando el tercero ya conoce los estatutos.

Por tanto, y sin perjuicio de lo que después precisaremos, debe entenderse que los Estatutos perjudicarán al tercero que los conoció suficientemente aunque no hayan tenido acceso al Registro de la Propiedad (...).

Los estatutos o acuerdos de modificación no inscritos podrán perjudicar a terceros, pero para ello será necesario demostrar que este tercero los ***conocía suficientemente****, y que no actuó de* ***buena fe****, recayendo la prueba sobre aquél que defiende la oponibilidad de los estatutos (...)».*

En el mismo sentido se ha pronunciado nuestro Alto Tribunal en la **STS n.º 300/2013, de 25 de abril, ECLI:ES:TS:2013:2161**, que sobre el art. 5 de la LPH recoge que: «(...) Es cierto, a la vista de dicho precepto, en relación con el artículo 34 de la Ley Hipotecaria, que las modificaciones que se introduzcan en el Titulo con posterioridad, también deberán tener reflejo en el Registro de la Propiedad, y que la falta de inscripción determinará la inoponibilidad del acuerdo a todos aquéllos que en la fecha en que se acordó la modificación estatutaria no eran propietarios de pisos o locales en el edificio de que se trate, pero **solo a los terceros de buena fe** (...)».

La LPH prevé que el título constitutivo pueda modificarse, recogiendo en el último párrafo del artículo 5 que: «En cualquier modificación del título, y a salvo lo que se dispone sobre validez de acuerdos, se observarán los mismos requisitos que para la constitución». Como norma general, tanto la aprobación como la modificación del título constitutivo requieren de unanimidad del total de los propietarios que representen el total de las cuotas de participación (art. 17.6 de la LPH), si bien a lo largo de la ley se recogen distintas excepciones que requieren otras mayorías, como por ejemplo:

- El art. 10.1 de la LPH recoge varios supuestos que se consideran de carácter obligatorio y no requieren acuerdo previo de la junta de propietarios, ya impliquen o no una modificación del título constitutivo, como por ejemplo los trabajos y obras que resulten necesarias para el mantenimiento y la conservación del inmueble.
- También el art. 17 de la LPH se refiere a varios supuestos en los que se fijan distintas mayorías aun cuando se modifique el título constitutivo, como por ejemplo el apartado segundo en el que se dispone que las obras para eliminar barreras arquitectónicas requieren el voto favorable de la mayoría de los propietarios que representen la mayoría de las cuotas, o para la realización de obras o actuaciones que contribuyan a la mejora de la eficiencia energética, o a la implantación de fuentes de energía renovable, que requiere el voto favorable de la mayoría simple de las cuotas de participación, que representen a la mayoría simple de las cuotas de participación, siempre que su coste no supere 12 mensualidades ordinarias, o el apartado tercero que establece una mayoría de tres quintas partes de los propietarios, que representen al mismo porcentaje de cuotas de participación para establecer o suprimir servicios de portería, conserjería, vigilancia...

El Tribunal Supremo se ha pronunciado en el sentido de entender que para considerar que existe una comunidad, y que por tanto resulta aplicable la Ley de Propiedad Horizontal, no es necesaria la existencia del título constitutivo. Así lo confirman, con cita a otras resoluciones, las **SSTS n.º 489/2021,**

de 6 de julio, ECLI:ES:TS:2021:2705, y **n.º 549/2021, de 13 de septiembre, ECLI:ES:TS:2021:3306**, que reconocen «(...) la existencia de propiedades horizontales de facto, incluso en casos de falta de constitución y de funcionamiento formal de la propiedad horizontal». Según ambas resoluciones:

«[...] la posibilidad de que haya situaciones regidas por las normas de la propiedad horizontal sin que haya habido título constitutivo de la misma es evidente y así la reconoce el artículo 2 de la Ley de Propiedad Horizontal, en la redacción que le dio la Ley 8/1999, de 6 de abril, cuando dice que la ley será de aplicación no sólo a las comunidades de propietarios constituidas con arreglo a lo establecido en el artículo 5, mediante otorgamiento de título, sino también a aquéllas comunidades que, reuniendo los requisitos del artículo 396 del Código Civil, no lo hubiesen otorgado».

La cuota de participación 130

➢ Concepto de cuota de participación

Debemos entender la **cuota de participación** como el valor proporcional que cada piso o local tiene en relación con el valor del inmueble en su totalidad, y tiene como finalidad servir para ordenar correcta y equitativamente el ejercicio de los derechos y el cumplimiento de las obligaciones y de las cargas que derivan del régimen de la propiedad horizontal. El Tribunal Supremo considera la cuota de participación como un elemento esencial de la propiedad horizontal, así en su **STS n.º 572/2020, de 3 de noviembre, ECLI:ES:TS:2020:904**, establece:

«Por su parte, el art. 3 LPH norma que a cada piso o local se atribuirá una cuota de participación con relación al total del valor del inmueble y referida a centésimas del mismo. Dicha cuota servirá de módulo para determinar la participación en las cargas y beneficios por razón de la comunidad.

La cuota de participación deviene pues en un elemento esencial de la propiedad horizontal, en tanto en cuanto fija un módulo que ordena el sistema de derechos y obligaciones que dimanan de dicho régimen jurídico [arts. 9.1 e) y f); 16, 17, 19.2 d) LPH] y en concreto determina en cuánto ha de contribuir cada propietario al sostenimiento de la finca o inmueble en su conjunto».

Tal y como se especifica en el art. 3.b) de la LPH, párrafo segundo, «A cada piso o local se atribuirá una cuota de participación con relación al total del valor del inmueble y referida a centésimas del mismo. Dicha cuota servirá de módulo para determinar la participación en las cargas y beneficios por razón de la comunidad. Las mejoras o menoscabos de cada piso o local no alterarán la cuota atribuida, que sólo podrá variarse de acuerdo con lo establecido en los artículos 10 y 17 de esta Ley».

La cuota de participación determina la contribución que deben hacer los copropietarios a los gastos comunes y al fondo de reserva. Así se dispone en el art. 9 de la LPH que establece:

«1. Son obligaciones de cada propietario:

(...)

e) Contribuir, con arreglo a la cuota de participación fijada en el título o a lo especialmente establecido, a los gastos generales para el adecuado sostenimiento del inmueble, sus servicios, cargas y responsabilidades que no sean susceptibles de individualización.

(...)

f) Contribuir, con arreglo a su respectiva cuota de participación, a la dotación del fondo de reserva que existirá en la comunidad de propietarios para atender las obras de conservación, de reparación y de rehabilitación de la finca, la realización de las obras de accesibilidad recogidas en el artículo diez.1.b) de esta ley, así como la realización de las obras de accesibilidad y eficiencia energética recogidas en el artículo diecisiete.2 de esta ley.

(...)».

En cuanto a la obligación de contribuir a los gastos generales, la distribución de gastos puede diferir de la cuota de participación ya que el precepto recoge la posibilidad de establecer especialidades. En este sentido, se ha pronunciado la **sentencia del Tribunal Supremo n.º 340/2018, de 7 de junio, ECLI:ES:TS:2018:2061**, que señala:

«Así, la sentencia de esta sala n.º 1139/2004, de 3 diciembre, viene a decir que "los propietarios tienen la obligación de contribuir a los gastos comunes con arreglo a las cuotas fijadas en el Título, o a lo especialmente establecido al efecto, sin que por ello se vulnere ningún precepto imperativo de dicha Ley; en la STS de 2 de febrero de 1991, se expresa que la solución, en sede de teoría general, de la cuestión que se plantea ha de venir dada por una doble consideración: 1ª, **el sistema de distribución de los gastos generales** que, en principio, ha de tener por base la cuota de participación fijada en el Título constitutivo en régimen de Propiedad Horizontal, **puede ser modificado por medio de los Estatutos**, en los que cabe establecer un régimen de participación distinto o incluso consignar ciertas exclusiones en favor de determinados elementos privativos y así se desprende del artículo 9.5 de la Ley de Propiedad Horizontal, cuando dice que cada propietario contribuirá a los gastos generales con arreglo a la cuota de participación fijada en el Título o a lo especialmente establecido, y 2ª, a dicho sistema estatutario de distribución de gastos habrá de atenerse la Comunidad en tanto no sea modificado por la misma con observancia de los requisitos legales establecidos en la norma primera del artículo 16 de la Ley de Propiedad Horizontal de 1960, que exige el acuerdo unánime de todos los propietarios que integran la Comunidad para poder modificar las reglas contenidas en los Estatutos"».

La cuota también determina la participación de los propietarios en la junta. Así el art. 16 de la LPH recoge que para alcanzar el *quorum* de la primera convocatoria deben concurrir la mayoría de los propietarios que represente a su vez la mayoría de cuotas de participación. El art. 17 de la LPH con relación a las mayorías necesarias para la adopción de acuerdos se tiene en cuenta no solo los votos de los propietarios sino también las cuotas de participación que representan. Derivado de lo anterior, el art. 19 de la LPH señala que en el acta de la junta de propietarios debe hacerse constar la relación de todos los asistentes y sus respectivos cargos, así como de los propietarios representados, con indicación, en todo caso, de sus cuotas de participación y los acuerdos adoptados, con indicación, en caso de que ello fuera relevante para la validez del acuerdo, de los nombres de los propietarios que hubieren votado a favor y en contra de los mismos, así como de las cuotas de participación que respectivamente representen.

RESOLUCIÓN RELEVANTE

SAP de Tenerife n.º 275/2020, de 29 de junio, ECLI:ES:APTF:2020:1395

«CUARTO.- Aplicados los citados preceptos y doctrina al supuesto de autos, la participación de los copropietarios en la Junta debe ser acorde a la cuota de participación establecida en el Título Constitutivo, por más que, de acuerdo a los Estatutos vigentes, no impugnados, la cuota de mantenimiento o de participación en los gatos comunes sea distinta o diferente a aquella. Y, en consecuencia, habiéndose celebrado la Junta impugnada de acuerdo a las cuotas de mantenimiento o de participación en los gastos, y no de participación en la Comunidad, la misma resulta contraria a la Ley y al Título constitutivo, y deben ser declarados nulos sus acuerdos».

➤ Fijación de la cuota de participación

La cuota se determinará en el título constitutivo de la propiedad horizontal, según se indica en el párrafo segundo del art. 5 de la LPH, «En el mismo título se fijará la cuota de participación que corresponde a cada piso o local, determinada por el propietario único del edificio al iniciar su venta por pisos, por acuerdo de todos los propietarios existentes, por laudo o por resolución judicial. Para su fijación se tomará como base la superficie útil de cada piso o local en relación con el total del inmueble, su emplazamiento interior o exterior, su situación y el uso que se presuma racionalmente que va a efectuarse de los servicios o elementos comunes».

De este artículo deriva que la cuota de participación puede ser fijada por:

- El propietario único del edificio al iniciar su venta por pisos.
- Acuerdo de todos los propietarios existentes.
- Laudo.
- Resolución judicial.

En este mismo precepto se establecen los criterios que deben tenerse en cuenta para establecer la cuota de participación, recogiendo los siguientes:

- La superficie útil de cada piso o local en relación con el total del inmueble.
- Su emplazamiento interior o exterior.
- Su situación y el uso que se presuma racionalmente que va a efectuarse de los servicios o elementos comunes.

Los tribunales han señalado que esta enumeración no es *numerus clausus*, pudiendo valorarse otros aspectos, así la **SAP de Málaga n.º 64/2008, de 4 de febrero, ECLI:ES:APMA:2008:420**, establece:

«1.- Es mayoritario el sentir de la doctrina científica y de la jurisprudencia en el sentido de considerar que el artículo 5 de la LPH contiene los criterios para la fijación de la cuota de participación que corresponde a cada piso o local, con carácter de derecho necesario (ius cogens), en cuanto que han de ser observados, so pena de incurrir en nulidad, y entre ellos, concretamente, los parámetros relativos a la superficie útil de cada piso o local, el emplazamiento interior o exterior, y su situación, mientras que el otro criterio, relativo al uso que se presuma racionalmente que va a efectuarse de los servicios o elementos comunes, por su mayor relatividad y falta de objetividad, abre paso al ejercicio de la autonomía de la voluntad. Al lado de estos criterios legales, sin embargo, el contenido del párrafo segundo del artículo 5º LPH no agota los criterios que pueden tenerse en consideración para llevar a cabo la distribución de los gastos de la comunidad, es decir, que el citado artículo no establece un numerus clausus de extremos a tener en cuenta (en este sentido SSAAPP Barcelona, 25 julio 2006, Pontevedra, 18 octubre 2006 y Baleares, 16 octubre 2003)».

➢ Modificación de la cuota de participación

Para modificar la cuota de participación es necesario modificar el título constitutivo y, por tanto, se exige unanimidad conforme al art. 17.6 de la LPH que aclara que «Los acuerdos no regulados expresamente en este artículo, que impliquen la aprobación o modificación de las reglas contenidas en el título constitutivo de la propiedad horizontal o en los estatutos de la comunidad, requerirán para su validez la unanimidad del total de los propietarios que, a su vez, representen el total de las cuotas de participación». En este sentido, se ha pronunciado el Tribunal Supremo en su **sentencia n.° 86/2012, de 20 de febrero, ECLI:ES:TS:2012:904,** que confirma la sentencia de la audiencia en atención a que: «(...) La *ratio decidendi* [razón decisoria] de la sentencia se centra en que, tras examinar los acuerdos que se impugnan, se concluye que en ellos se imputan gastos comunes de una manera absolutamente discrecional, implicando una alteración al régimen de cuotas de participación fijado, lo que supone una modificación estatutaria que exige la unanimidad para su validez. Esta exigencia es conforme con la jurisprudencia de esta Sala que ha fijado, como doctrina jurisprudencial, que **la cuota de participación en los gastos comunes establecida en el título constitutivo** únicamente **puede ser modificada por acuerdo unánime de los propietarios** (STS 30 de abril de 2010 [RC n.° 2569/2005])».

Una excepción a esta exigencia de unanimidad se recoge en los supuestos en los que la modificación de cuotas de participación deriva de una alteración de la superficie de los pisos o locales, conforme establece el art. 10.3.b) de la LPH:

> «b) Cuando así se haya solicitado, previa aprobación por las tres quintas partes del total de los propietarios que, a su vez, representen las tres quintas partes de las cuotas de participación, la **división material de los pisos o locales y sus anejos**, para formar otros más reducidos e independientes; el **aumento de su superficie por agregación** de otros colindantes del mismo edificio o su **disminución por segregación** de alguna parte; la **construcción de nuevas plantas** y cualquier otra alteración de la estructura o fábrica del edificio, incluyendo el cerramiento de las terrazas y la modificación de la envolvente para mejorar la eficiencia energética, o de las cosas comunes, cuando concurran los requisitos a que alude el artículo 17.6 del texto refundido de la Ley de Suelo, aprobado por el Real Decreto Legislativo 2/2008, de 20 de junio.
>
> En estos supuestos deberá constar el consentimiento de los titulares afectados y corresponderá a la Junta de Propietarios, de común acuerdo con aquéllos, y por mayoría de tres quintas partes del total de los propietarios, la determinación de la indemnización por daños y perjuicios que corresponda. **La fijación de las nuevas cuotas de participación**, así como la determinación de la naturaleza de las obras que se vayan a realizar, **en caso de discrepancia sobre las mismas, requerirá la adopción del oportuno acuerdo de la Junta de Propietarios, por idéntica mayoría**. A este respecto también podrán los interesados solicitar arbitraje o dictamen técnico en los términos establecidos en la Ley».

JURISPRUDENCIA

Sentencia del Tribunal Supremo n.º 818/2011, de 17 de noviembre, ECLI:ES:TS:2011:8904

«A) La cuestión jurídica planteada se centra en determinar si la segregación de fincas, autorizada genéricamente en los estatutos, comporta automáticamente una modificación o alteración de las cuotas de participación del conjunto del edificio, por lo que, para su validez y posterior inscripción, requerirá de un posterior acuerdo adoptado unánimemente por la junta de propietarios de conformidad con lo dispuesto en el artículo 5 de la LPH.

Es doctrina jurisprudencial de esta Sala contenida, entre otras, en SSTS de 26 de noviembre de 2007 [RC 1381/1990], 1 de abril de 2009 [RC 2479/2005] y 9 de junio de 2010 [RC 2458/2010], la que determina, con carácter general, la imposibilidad de que el título constitutivo de la comunidad pueda contener normas que contraríen los preceptos de naturaleza imperativa recogidos en la Ley de Propiedad Horizontal. Partiendo de lo anterior, y en lo que respecta a la validez o no de las segregaciones o divisiones de fincas, se precisará en primer lugar que estas se efectúen según lo indicado y previsto en los estatutos y en segundo lugar que no se contraríen las normas de derecho imperativo que rigen la vida de la comunidad. De este modo ***serán válidas las segregaciones efectuadas, sin necesidad de posterior acuerdo adoptado en junta de propietarios, cuando aquellas no impliquen una modificación o alteración de las cuotas de participación*** *del conjunto del edificio, para lo cual se deberá estar al supuesto concreto y a la valoración de las circunstancias específicas que permitan concluir si efectivamente se han alterado o no las referidas cuotas. En este sentido resulta destacable la STS de 23 de febrero de 2006 [RC n.º 2868/1999] que declara que: «[...] acreditada en el proceso la no alteración o modificación de las cuotas de participación, la autorización de segregación o división prevista en el título constitutivo o estatutos de la comunidad de propietarios, valida tal actuación sin que se precise posteriormente de acuerdo posterior de la junta de propietarios convocada a tal efecto.*

B) Se fija como doctrina jurisprudencial la validez de las segregaciones o divisiones autorizadas por los estatutos de la comunidad de propietarios, sin necesidad de posterior acuerdo adoptado en junta de propietarios, siempre que las mismas se realicen según la previsión contenida en aquellos y no comporten alteración de las cuotas de participación».

Los estatutos de la comunidad

140

Los estatutos son normas relacionadas con el **uso de un inmueble** constituido en propiedad horizontal, y por lo tanto, con el uso de sus diferentes pisos, locales y elementos comunes, así como **reglas de administración** del mismo, es decir, podemos entender que son normas que establecen las reglas concretas para el ejercicio de derechos y obligaciones de los propietarios respecto de la comunidad y del resto de los copropietarios relativas a la utilización del edificio, sus pisos y locales, instalaciones y servicios, gastos, administración y gobierno, conservación, seguros y reparaciones. El Tribunal Supremo, en su **STS, rec. 245/2003, de 22 de octubre de 2008, ECLI:ES:TS:2008:5456**, se refiere a los estatutos en los siguientes términos:

> «En verdad, el Estatuto tiene como finalidad la de que se puedan establecer derechos y facultades esenciales, como la exoneración de gastos, la autorización o prohibición de que en las viviendas o locales haya establecimientos profesionales, comerciales o industriales, la posibilidad de división, segregación o agrupación, la determinación de qué elementos comunes son para todos, o cuales para determinados propietarios, la utilización privativa de terrazas en áticos o patios, etc.; no cabe hacer una enumeración de todas las cuestiones que puede contener el Estatuto, pues la posibilidad de fijar reglas es amplísima si no vulneran las disposiciones de la propia Ley».

CUESTIÓN

¿Es obligatorio para la comunidad de propietarios tener estatutos para regir su funcionamiento?

No, los estatutos son potestativos, no existe ninguna exigencia legal que obligue a su creación. El propio preámbulo de la LPH recoge que: «(...) la formulación de Estatutos no resultará indispensable, si bien podrán éstos cumplir la función de desarrollar la ordenación legal y adecuarla a las concretas circunstancias de los diversos casos y situaciones».

Los estatutos de la comunidad de propietarios pueden ir incluidos en el propio título constitutivo (es decir, en la propia escritura de división horizontal) o pueden recogerse en un documento aparte, ahora bien, para su inscripción en el registro de la propiedad se precisa que formen parte de una escritura pública. Si los estatutos no se inscriben en el registro de la propiedad solo vincularán a los propietarios de pisos o locales que hayan prestado su consentimiento, tal y como se dispone en párrafo tercero del artículo 5 de la LPH.

Para poder modificar los estatutos es necesario que se convoque la junta de propietarios, ya que el art. 14 de la LPH recoge entre las funciones de la junta de propietarios: «d) Aprobar o reformar los estatutos y determinar las normas de régimen interior». Al igual que ocurre con el título constitutivo, la Ley de Propiedad Horizontal establece que, como norma general, para su modificación se requiere la unanimidad del total de los propietarios que representen el total de las cuotas de participación (art. 17.6 de la LPH), si bien, se establecen distintas excepciones como, por ejemplo, las actuaciones que se consideran como obligatorias y que vienen recogidas en el art. 10 de la LPH, que no requieren de acuerdo previo de la junta, las actuaciones dirigidas a eliminar barreras arquitectónicas [sin perjuicio de lo establecido en el art. 10.1 b)] o a mejorar la eficiencia energética que requieren una mayoría simple, o para establecer o suprimir los servicios de portería, conserjería... que se exige una mayoría de tres quintos.

El art. 13.1 de la LPH, en su último párrafo, tras enumerar los órganos de gobierno de la comunidad, recoge que en los estatutos podrán establecerse otros órganos de gobierno, especificando que esta opción no podrá suponer menoscabo alguno de las funciones y responsabilidades frente a terceros que la ley atribuye a los mentados órganos de gobierno. El mismo artículo en su apartado 8 también establece la posibilidad de que los estatutos recojan la facultad de acogerse al régimen de administración del art. 398 del Código Civil, cuando el número de propietarios en un edificio no exceda de cuatro.

CUESTIÓN

¿Cuál es el régimen de administración recogido en el art. 398 del Código Civil por el que se podrá optar en los estatutos cuando no existan más de 4 propietarios?

El art. 398 del Código Civil recoge que:

«Para la administración y mejor disfrute de la cosa común serán obligatorios los acuerdos de la mayoría de los partícipes.

No habrá mayoría sino cuando el acuerdo esté tomado por los partícipes que representen la mayor cantidad de los intereses que constituyan el objeto de la comunidad.

Si no resultare mayoría, o el acuerdo de ésta fuere gravemente perjudicial a los interesados en la cosa común, el Juez proveerá, a instancia de parte, lo que corresponda, incluso nombrar un administrador.

Cuando parte de la cosa perteneciere privadamente a un partícipe o a algunos de ellos, y otra fuere común, sólo a ésta será aplicable la disposición anterior».

Con relación a los distintos procedimientos judiciales que afectan habitualmente a las comunidades de propietarios, hay que destacar el importante papel que juegan los estatutos. Así, por ejemplo, uno de los motivos que puede dar lugar a la acción de cesación es la realización de actividades prohibidas en los estatutos (art. 7.2 de la LPH) y, por otra parte, también hay que tener en cuenta que uno de los supuestos en los que cabe la impugnación de acuerdos de la junta de propietarios es cuando estos sean contrarios a los estatutos, fijándose en estos casos un plazo de caducidad de un año (art. 18 de la LPH).

A TENER EN CUENTA. La interpretación de los estatutos corresponde a los tribunales de instancia, tal como se desprende de la **STS n.º 364/2022, de 4 de mayo, ECLI:ES:TS:2022:1708**: «En efecto, la sentencia 233/2015, de 5 de mayo, señala que "la interpretación de reglas de los estatutos de la propiedad horizontal es tarea de los órganos de instancia, lo mismo que las cláusulas de un contrato, y no es revisable en casación salvo que sea ilógica o contraria a normas legales". En el mismo sentido, con cita de dicha resolución, la reciente sentencia 7/2022, de 7 de enero».

Normas de régimen interior de las comunidades de propietarios 150

Las normas de régimen interior de las comunidades de propietarios vienen previstas en el art. 6 de la LPH con el siguiente tenor literal:

«Para regular los detalles de la convivencia y la adecuada utilización de los servicios y cosas comunes, y dentro de los límites establecidos por la Ley y los estatutos, el conjunto de propietarios podrá fijar normas de régimen interior que obligarán también a todo titular mientras no sean modificadas en la forma prevista para tomar acuerdos sobre la administración».

Es decir, en palabras de nuestro Alto Tribunal: «El Reglamento de Régimen Interior se refiere a cuestiones de mero funcionamiento de los servicios y elementos comunes». **STS, rec. 245/2003, de 22 de octubre de 2008, ECLI:ES:TS:2008:5456**.

Nuestras audiencias provinciales han establecido los requisitos que deben cumplir este tipo de normas, y así, entre otras, la **sentencia de la Audiencia Provincial de Madrid n.º 38/2019, de 24 de enero, ECLI:ES:APM:2019:1733**, o la **sentencia de la Audiencia Provincial de Tenerife n.º 208/2020, ECLI:ES:APTF:2020:1260**, recogen el siguiente listado:

«Con ello, las primeras reglas que deben respetar las Normas de Régimen Interno son:

1.- No pueden ser contrarias a la Ley.

2.- No pueden contener menciones contrarias a los estatutos.

3.- Su objetivo es regular los detalles de la convivencia y la adecuada utilización de los servicios y cosas comunes.

4.- Obligan a todos los comuneros, pero también a cualquiera que ocupe el inmueble, con lo que se extienden a los arrendatarios, sea cual sea el régimen de posesión: arrendamiento de larga duración, de temporada o alquiler vacacional.

5.- Para adoptar acuerdos que incluyan normas de régimen interno solo se exigirá mayoría simple del art. 17.7 LPH, con lo que se votan entre presentes el día de la junta.

6.- No deben inscribirse en el registro de la propiedad para su eficacia ante terceros, por lo que cualquier adquirente de inmueble debe reclamar al vendedor estas normas para su conocimiento».

Es importante resaltar la importancia de los límites que tienen las normas de régimen interno, que no podrán abarcar los aspectos reservados a los estatutos, ni contradecir la LPH en ningún caso. Así se recoge en la **sentencia de la Audiencia Provincial de Málaga n.º 12/2019, de 10 de enero, ECLI:ES:APMA:2019:12**, que establece: «(...) Estas normas tienen un **doble límite normativo**, consecuencia del principio de jerarquía normativa y del carácter imperativo de la Ley de Propiedad Horizontal, por lo que no podrán regular materias reservadas por Ley a los Estatutos, ni contradecir lo establecido por la legislación aplicable, especialmente la Ley de Propiedad Horizontal, ni en los Estatutos (...)».

La **sentencia de la Audiencia Provincial de Tenerife n.º 208/2020, de 1 de junio, ECLI:ES:APTF:2020:1260**, realiza un interesante análisis de las diferencias entre los estatutos y las normas de régimen interior:

«(...) el Reglamento de Régimen interior que regula el artículo 6 (...) se refiere al funcionamiento interno de la Comunidad en cuanto a servicios y elementos generales, para regular la convivencia y la adecuada utilización de ellos, sin que proceda su inscripción, estando sometido para su modificación a la forma prevista para tomar acuerdos sobre la administración, mientras que el Estatuto incide directamente sobre derechos y obligaciones de la Ley. 4. Corolario de ello es que para determinar su naturaleza se haya de estar más al contenido de la norma que a su inclusión nominal (...).

(...)

Ambas clases de reglas son potestativas y la diferencia esencial entre ellas, al margen del régimen para su adopción o variación ya citado, está en que el reglamento se refiere a cuestiones de mero funcionamiento de los servicios y elementos comunes, mientras que el Estatuto, que aparece como complemento del Título, regula cuestiones de mayor enjundia, entre ellas, de especial importancia, las atinentes al uso y destino del edificio.

(...)

Frente a la importancia del Estatuto, que cabe definir como el documento que incide directamente sobre los derechos y obligaciones de los comuneros establecidos en la ley, el reglamento presenta un carácter y finalidad más pragmático y de detalle, referido al funcionamiento interno de los servicios y elementos comunes generales, así como a las normas de convivencia comunitaria. Los contenidos más habituales de los reglamentos internos, de acuerdo con los diversos supuestos que pueden darse en cada comunidad, son los de regulación de asuntos tales como los horarios de las piscinas o zonas deportivas, el uso de ascensores y montacargas, aparcamiento en garajes, horarios de recogida de basuras, etc., y es frecuente, en casos de centros comerciales, que se regulen temas referentes a los servicios de seguridad, horarios de apertura, actividades de dinamización, e incluso reglas para la decoración y publicidad, aunque siempre sin restricciones innecesarias, como indican, entre otras, las sentencias de las Audiencias Provinciales de Zaragoza de 22-1-86, de Valencia de 14-3-98 o las de Asturias de 3-10-00 y 22-6-02».

A pesar de que su rango normativo sea inferior a los estatutos, la norma de régimen interior (de existir) es obligatoria, con lo que los propietarios pueden exigir su cumplimiento judicialmente, tal y como se desprende de la **sentencia de la Audiencia Provincial de A Coruña n.º 28/2015, de 5 de febrero, ECLI:ES:APC:2015:167**, que en un supuesto en que se recogía en el reglamento de régimen interior la prohibición de la tenencia de animales, establece que los propietarios están obligados a respetar las normas de régimen interno, y los distintos propietarios están facultados para exigir su observancia, sin perjuicio de que puedan instar la modificación de la misma a la junta de propietarios, e incluso impugnar el acuerdo que se adopte.

CUESTIÓN

¿Pueden incluirse sanciones en las normas de régimen interior?

La respuesta a esta pregunta la encontramos en la SAP Tenerife n.º 208/2020, de 1 de junio, ECLI:ES:APTF:2020:1260, que reconoce esta posibilidad cuando no se afecte a los derechos dominicales u otros establecidos legalmente:

«Por otra parte, se discute en la doctrina si el incumplimiento de estos reglamentos puede dar lugar a sanciones; dado que por medio de un acuerdo válidamente adoptado en Junta pueden los propietarios establecer, siempre dentro de la legalidad, determinadas prohibiciones u obligaciones y tales acuerdos deben respetarse por los comuneros, nada obsta, en principio, para que se prevean sanciones en caso de incumplimiento, y de igual manera pueden establecerse prohibiciones u obligaciones en los Reglamentos; pero aún en este caso, parece lógico que tales acuerdos afecten a incumplimientos de cierta gravedad, como por ejemplo, estableciéndose el pago de intereses de demora para el caso de no abonarse las cuotas comunitarias.

Lo que es evidente es que el reglamento no puede suplantar ni modificar la ley ni los estatutos, que no puede imponer restricciones y prohibiciones a la propiedad privada, por lo que debe concluirse que el régimen sancionador, en su caso, no puede nunca afectar a los derechos dominicales o a cualesquiera otros establecidos en la ley».

1.3. FONDO DE RESERVA

Fondo de reserva en la comunidad de propietarios 160

El fondo de reserva aparece regulado en el art 9.1 en su apartado f) de la LPH entre las obligaciones que les corresponde a los propietarios y establece:

«1. Son obligaciones de cada propietario:

(...)

f) Contribuir, con arreglo a su respectiva cuota de participación, a la dotación del fondo de reserva que existirá en la comunidad de propietarios para atender las obras de conservación, de reparación y de rehabilitación de la finca, la realización de las obras de accesibilidad recogidas en el artículo diez.1.b) de esta ley, así como la realización de las obras de accesibilidad y eficiencia energética recogidas en el artículo diecisiete.2 de esta ley.

El fondo de reserva, cuya titularidad corresponde a todos los efectos a la comunidad, estará dotado con una cantidad que en ningún caso podrá ser inferior al 10 por ciento de su último presupuesto ordinario.

Con cargo al fondo de reserva la comunidad podrá suscribir un contrato de seguro que cubra los daños causados en la finca o bien concluir un contrato de mantenimiento permanente del inmueble y sus instalaciones generales».

La regulación del fondo de reserva se introdujo en la Ley de Propiedad Horizontal por medio de la Ley 8/1999, de 6 de abril, con la finalidad de dotar a la comunidad de propietarios de medios para combatir la morosidad. Originalmente, estaba previsto que el fondo de reserva no podía ser inferior al 5 % de su último presupuesto ordinario, pero por medio del Real Decreto Ley 7/2019, de 1 de marzo, se incrementó el porcentaje mínimo del fondo de reserva y se estableció que estará dotado con una cantidad que no podrá ser inferior al 10 % de su último presupuesto ordinario.

El propio artículo art. 9 de la LPH recoge la **finalidad** de este fondo de reserva y establece que este existe para atender:

- Las **obras de conservación, de reparación y de rehabilitación** de la finca. Por ejemplo, tal como reconoce la SAP **de Valladolid n.º 195/2022, de 6 de junio, ECLI:ES:APVA:2022:913**, en este concepto es encuadrable la utilización del fondo de reserva para afrontar el gasto extraordinario correspondiente a la sustitución del sistema de «telefonillo» por el de «videoportero», al considerarse una obra de mantenimiento y conservación de la comunidad:

  «(...) los fondos de reserva de las comunidades de propietarios son aquellas reservas de capital destinadas precisamente a sufragar a los gastos extraordinarios de conservación y reparación de la finca que pudieran plantearse. Están formados por la contribución de cada uno de los propietarios, de acuerdo con su cuota de participación, siendo por consiguiente legítimo utilizar el fondo de reserva para pagar los trabajos de montantes generales de cableado de la instalación del videoportero al tratarse de obras de mantenimiento y conservación de la propia Comunidad».

- La realización de las **obras de accesibilidad** recogidas en el art. 10.1.b) de la LPH, esto es:

  «b) Las obras y actuaciones que resulten necesarias para garantizar los ajustes razonables en materia de accesibilidad universal y, en todo caso, las requeridas a instancia de los propietarios en cuya vivienda o local vivan, trabajen o presten servicios voluntarios, personas con discapacidad, o mayores de setenta años, con el objeto de asegurarles un uso adecuado a sus necesidades de los elementos comunes, así como la instalación de rampas, ascensores u otros dispositivos mecánicos y electrónicos que favorezcan la orientación o su comunicación con el exterior, siempre que el importe repercutido anualmente de las mismas, una vez descontadas las subvenciones o ayudas públicas, no exceda de doce mensualidades ordinarias de gastos comunes. No eliminará el carácter obligatorio de estas obras el hecho de que el resto de su coste, más allá de las citadas mensualidades, sea asumido por quienes las hayan requerido».

- La realización de las **obras de accesibilidad y eficiencia energética** recogidas en el art. 17.2 de la LPH:

  «2. Sin perjuicio de lo establecido en el artículo 10.1.b), la realización de obras o el establecimiento de nuevos servicios comunes que tengan por finalidad la supresión de barreras arquitectónicas que dificulten el acceso o movilidad de personas con discapacidad y, en todo caso, el establecimiento de los servicios de ascensor, incluso cuando impliquen la modificación del título constitutivo, o de los estatutos, requerirá el voto favorable de la mayoría de los propietarios, que, a su vez, representen la mayoría de las cuotas de participación.

  Cuando se adopten válidamente acuerdos para la realización de obras de accesibilidad, la comunidad quedará obligada al pago de los gastos, aun cuando su importe repercutido anualmente exceda de doce mensualidades ordinarias de gastos comunes.

  La realización de obras o actuaciones que contribuyan a la mejora de la eficiencia energética acreditables a través de certificado de eficiencia energética del edificio o la implantación de fuentes de energía renovable de uso común, incluyendo en su caso la modificación de la envolvente del edificio, así como la solicitud de ayudas y subvenciones, préstamos o cualquier tipo de financiación por parte de la comunidad de propietarios a entidades públicas o privadas para la realización de tales obras o actuaciones, requerirá el voto favorable de la mayoría simple de los propietarios, que, a su vez, representen la mayoría simple de las cuotas de participación, siempre que su importe repercutido anualmente, una vez descontadas las subvenciones o ayudas públicas y aplicada en su caso la financiación, no supere la cuantía de doce mensualidades ordinarias de gastos comunes. El propietario disidente no tendrá el derecho reconocido en el apartado 4 de este artículo y el coste de estas obras, o las cantidades necesarias para sufragar los préstamos o financiación concedida para tal fin, tendrán la consideración de gastos generales a los efectos de la aplicación de las reglas establecidas en la letra e) del artículo noveno.1 de esta ley».

- Con cargo al fondo de reserva la comunidad podrá suscribir un contrato de seguro que cubra los daños causados en la finca o bien concluir un contrato de mantenimiento permanente del inmueble y sus instalaciones generales.

RESOLUCIÓN RELEVANTE

SAP de A Coruña n.º 401/2013, de 4 de octubre, ECLI:ES:APC:2013:2417

«(...) También se solicita que se declare la nulidad del acuerdo que aprobó el presupuesto de gastos, sosteniendo que los de mantenimiento deben imputarse al fondo de reserva, y que otros como administración, primas de seguros, servicios y tributos no son gastos necesarios.

El motivo no puede ser estimado: 1º.- Una cosa son los gastos ordinarios de mantenimiento habitual y ordinario del edificio (artículo 9.1.c de la Ley de Propiedad Horizontal), y otra los gastos de rehabilitación u obras de conservación y reparación, que son las que deben ser sufragadas con cargo al fondo de reserva (artículo 9.1.f de la Ley de Propiedad Horizontal). El mantenimiento ordinario no puede imputarse al fondo de reserva. Como se indica de adverso, a modo de ejemplo, no puede pretenderse que el cambio de las bombillas de las escaleras que se fundan se impute al fondo de reserva».

La obligación establecida en el art. 9 de la LPH señala que la contribución al fondo de reserva se realizará siempre con arreglo a la cuota de participación de cada propietario, aunque existan locales o pisos que estén exentos de contribuir a ciertos gastos. En este sentido se ha pronunciado la **SAP de Soria n.° 163/2002, de 31 de julio, ECLI:ES:APSO:2002:245**, que establece:

«Los argumentos en los que se funda este motivo del recurso de apelación —en el que se sostiene que la contribución de los apelantes al fondo de reserva de la Comunidad de Propietarios debería hacerse valorando tan solo el importe de los gastos comunes de los que los actores no están exentos— no pueden prevalecer sobre las consideraciones plenamente acertadas y ajustadas a Derecho que se contienen en el fundamento jurídico cuarto de la sentencia objeto del recurso de apelación. Como se señala por la Juez "a quo", la contribución de cada uno de los condueños en el régimen de propiedad horizontal a la dotación del fondo de reserva para atender las obras de reparación y conservación de la finca debe hacerse "con arreglo a su respectiva cuota de participación", tal como se desprende del tenor literal del art. 9.1f) pár. 1° L.P.H. en su redacción vigente. Esto no supone que, en los supuestos de exención de algunas de las viviendas o locales a la contribución a determinados gastos de la comunidad en régimen de propiedad horizontal, tal exención no tenga reflejo en la dotación de cada uno de los elementos privativos, porque el art. 5 par. 2° de la propia L.P.H. establece de forma expresa que para la fijación de la cuota de participación de cada piso o local en el régimen de propiedad horizontal se tomará como base, además de la superficie útil de cada piso o local en relación con el total del inmueble, "su emplazamiento interior o exterior, su situación y el uso que se presuma racionalmente que va a efectuarse de los servicios o elementos comunes". En consecuencia, es evidente que la exención a la contribución de diversos gastos comunes (gastos de limpieza, reparación, mantenimiento y conservación del portal, escaleras y ascensores y alumbrado de todo ello), derivada del hecho de que el local del que son titulares los actores no tenga acceso a dichos elementos y reflejada en la escritura de declaración de obra nueva y división horizontal, habrá sido tenido en cuenta en el propio título constitutivo del régimen de propiedad horizontal para asignar la cuota de participación del local de los hoy apelantes en dicho régimen, ya que la L.P.H. impone que para la fijación de dicha cuota se valore la situación del local y el uso que vaya a efectuarse de los servicios o elementos comunes. Además el hecho de que los hoy apelantes contribuyan a la dotación del fondo de reserva de la Comunidad de Propietarios del inmueble con arreglo a la cuota de participación del local del que son titulares no impide que se realicen las oportunas compensaciones en el supuesto de que dicho fondo fuese destinado a la conservación o reparación de los elementos y servicios comunes del inmueble (portal, escaleras y ascensores del inmueble y alumbrado de todo ello) respecto de los que opera la exención que ampara a dicho local».

CUESTIÓN

En una comunidad de propietarios se acuerda instalar por primera vez un ascensor en un edificio que hasta entonces no lo tenía. Los estatutos establecen que los locales comerciales de la planta baja están exentos de pagar los gastos de limpieza, alumbrado y reparación del portal y de las escaleras. El propietario de uno de los locales se opone a pagar la derrama del ascensor porque no usa el portal ni las escaleras y entiende que esa exención estatutaria también le libera del coste de la nueva instalación. ¿Tiene razón?

No. El propietario del local debe contribuir a los gastos de instalación del ascensor con arreglo a su cuota de participación, salvo que exista una exención estatutaria expresa y específica para ese supuesto. La razón es que el art. 9.1.e) LPH impone a cada propietario la obligación de contribuir a los gastos generales del inmueble, y las cláusulas de exención deben interpretarse restrictivamente. Por ello, una exención referida a gastos de limpieza, alumbrado o reparación del portal y escaleras no alcanza, por sí sola, a la instalación «ex novo» de un ascensor, que no se considera un simple gasto de conservación o mantenimiento, sino una nueva instalación necesaria para la accesibilidad y que revaloriza el inmueble en su conjunto. Ese es precisamente el criterio que recoge la sentencia, apoyándose además en la jurisprudencia del Tribunal Supremo.

Constitución del fondo de reserva 170

El régimen de constitución del fondo de reserva se encuentra regulado en la disposición adicional 1.ª de la LPH. Esta disposición establece:

«1. Sin perjuicio de las disposiciones que en uso de sus competencias adopten las Comunidades Autónomas, la constitución del fondo de reserva regulado en el artículo 9.1.f) se ajustará a las siguientes reglas:

a) El fondo deberá constituirse en el momento de aprobarse por la Junta de propietarios el presupuesto ordinario de la comunidad correspondiente al ejercicio anual inmediatamente posterior a la entrada en vigor de la presente disposición.

Las nuevas comunidades de propietarios constituirán el fondo de reserva al aprobar su primer presupuesto ordinario.

b) En el momento de su constitución el fondo estará dotado con una cantidad no inferior al 2,5 por 100 del presupuesto ordinario de la comunidad. A tal efecto, los propietarios deberán efectuar previamente las aportaciones necesarias en función de su respectiva cuota de participación.

c) Al aprobarse el presupuesto ordinario correspondiente al ejercicio anual inmediatamente posterior a aquel en que se constituya el fondo de reserva, la dotación del mismo deberá alcanzar la cuantía mínima establecida en el artículo 9.

2. La dotación del fondo de reserva no podrá ser inferior, en ningún momento del ejercicio presupuestario, al mínimo legal establecido.

Las cantidades detraídas del fondo durante el ejercicio presupuestario para atender los gastos de las obras o actuaciones incluidas en el artículo 10 se computarán como parte integrante del mismo a efectos del cálculo de su cuantía mínima.

Al inicio del siguiente ejercicio presupuestario se efectuarán las aportaciones necesarias para cubrir las cantidades detraídas del fondo de reserva conforme a lo señalado en el párrafo anterior».

A TENER EN CUENTA. La modificación operada por la LO 1/2025, de 2 de enero, (en vigor desde el 03/04/2025) renumeró como D.A. 1.ª la antigua «D.A. Única» de la LPH.

La constitución del fondo de reserva debe realizarse con la aprobación del primer presupuesto ordinario de la comunidad, en el caso de las comunidades anteriores a la reforma se preveía que lo constituyeran en el ejercicio anual posterior a la entrada en vigor de la disposición. Esta disposición establece la obligación de las comunidades de propietarios de establecer un fondo de reserva por lo que si no lo hace cualquier propietario puede instar a la comunidad a que lo constituya, la **SAP de La Rioja n.º 141/2017, de 7 de septiembre, ECLI:ES:APLO:2017:261**, señala en este sentido: «Es cierto que **la constitución del fondo de reserva es obli-**

gatoria e imperativa para la Comunidad de Propietarios conforme al artículo 9.1.º f) de la Ley de Propiedad Horizontal, y que debió de constituirse ya en la primera junta que probó los presupuestos celebrada tras la entrada en vigor de la ley 8/99, tal como establece esa disposición adicional antes transcrita. Si no se hizo en la primera junta tras la entrada en vigor de dicha Ley ni en las posteriores, **es facultad de cualquiera de los comuneros solicitar esa constitución** del fondo de reserva al ser convocado para cualquiera de las juntas sucesivas, dirigiendo un escrito al presidente para que se incluya esa cuestión en el orden del día (artículo 16.2 Ley de Propiedad Horizontal); si luego la Comunidad de Propietarios decide no constituir ese fondo o no se pronuncia, o fija un fondo que el peticionario considera incorrecto, cabe la impugnación de la misma. Sin embargo, nunca sea hecho nada de esto; ni por la presidencia de la Comunidad de Propietarios, ni por ninguno de los demás propietarios, incluida la actora».

Además, esta obligación no caduca por no constituir el fondo de reserva en el momento legalmente establecido, así lo ha recogido la Audiencia Provincial de A Coruña en su **sentencia n.º 21/2012, de 24 de enero, ECLI:ES:APC:2012:365:**

> «En el escrito de demanda se impugna el acuerdo de la comunidad de propietarios de crear un fondo de reserva del 5 % conforme a los presupuestos de los años 2008 y 2009, ascendente a la cantidad de 613,13 euros, fundamentándose dicha impugnación en que la comunidad debió constituir el fondo de reserva con la aprobación del primer presupuesto ordinario, y que, al hacerlo ahora, no está legalmente habilitada para ello, por lo que el acuerdo es contrario a la Ley.
>
> Ante los razonamientos de la sentencia de instancia de que la constitución del fondo de reserva no sólo no es contraria a la Ley, sino que es exigida legalmente, por lo que **no caduca dicha obligación aunque no se haya realizado con la celeridad que prescribe la ley** (...)
>
> II.- El Fondo de Reserva se constituyó por la comunidad de propietarios demandada con el 5 % de los presupuestos de los años 2008 y 2009, haciendo cumplimiento estricto de la legalidad vigente. Por lo que resulta inadmisible la pretensión de que se declare la nulidad del acuerdo de la comunidad de propietarios de constitución del fondo de reserva».

A TENER EN CUENTA. Las sentencias mencionadas hacen referencia al 5 % del fondo de reserva por ser asuntos anteriores a la reforma llevada a cabo por el Real Decreto Ley 7/2019, de 1 de marzo por la que se incrementó el mínimo legal del fondo de reserva y se estableció en el 10 % del último presupuesto ordinario de la comunidad.

La ley establece que el primer año el fondo de reserva estará dotado con una cantidad no inferior al 2,5 % del presupuesto ordinario de la comunidad. Será en el presupuesto ordinario correspondiente al ejercicio anual posterior a aquel en que se constituya cuando la dotación del mismo debe alcanzar el mínimo legal que establece el art. 9 de la LPH, esto es, el 10 % del presupuesto ordinario. Cada propietario contribuye a la dotación en función de su respectiva cuota de participación.

La D.A. 1.ª no solo se encarga de regular la constitución del fondo de reserva, sino que también establece los mecanismos para que la dotación nunca sea inferior al mínimo legal establecido. Para ello señala que:

- Las cantidades del fondo de reserva de las que se haga uso durante el ejercicio presupuestario para atender a los gastos de las obras o actuaciones incluidas en el art. 10 de la LPH se computarán como parte integrante del mismo a los efectos del cálculo de su cuantía mínima.

- Al inicio del ejercicio presupuestario siguiente se efectuarán las aportaciones que sean necesarias para cubrir las cantidades de las que se haya dispuesto. Al igual que en la constitución del fondo de reserva cada propietario contribuirá según su cuota de participación.

Para los supuestos en que un propietario no aporte la cuantía que le corresponde al fondo de reserva, la LPH faculta a la junta de propietarios para utilizar los medios que recoge el art. 21 de la LPH para hacer frente a los impagos de gastos comunes. Los instrumentos con los que la Ley de Propiedad Horizontal dota a la junta de propietarios para los supuestos de impago son:

- Medidas disuasorias frente a la morosidad mientras el propietario se encuentre en esa situación. En todo caso, los créditos a favor de la comunidad devengarán intereses desde el momento en que deba efectuarse el pago y este no se realice.
- La comunidad podrá acudir al juicio monitorio para la reclamación de las cantidades que le sean debidas, así lo establece el art. 21.2 de la LPH que establece «La comunidad podrá, sin perjuicio de la utilización de otros procedimientos judiciales, reclamar del obligado al pago todas las cantidades que le sean debidas en concepto de gastos comunes, tanto si son ordinarios como extraordinarios, generales o individualizables, o fondo de reserva, y mediante el proceso monitorio especial aplicable a las comunidades de propietarios de inmuebles en régimen de propiedad horizontal (...)».

Fondo de reserva en complejos inmobiliarios privados 180

Los complejos inmobiliarios privados se encuentran regulados en el art. 24 de la LPH, que se introdujo por medio de la reforma llevada a cabo por la Ley 8/1999, de 6 de abril. En este precepto se contempla que los complejos inmobiliarios pueden constituirse en una sola comunidad o como una agrupación de comunidades.

En cuanto a la agrupación de comunidades, el art. 24.3 de la LPH establece:

«3. La agrupación de comunidades a que se refiere el apartado anterior gozará, a todos los efectos, de la misma situación jurídica que las comunidades de propietarios y se regirá por las disposiciones de esta Ley, con las siguientes especialidades:

a) La Junta de propietarios estará compuesta, salvo acuerdo en contrario, por los presidentes de las comunidades integradas en la agrupación, los cuales ostentarán la representación del conjunto de los propietarios de cada comunidad.

b) La adopción de acuerdos para los que la ley requiera mayorías cualificadas exigirá, en todo caso, la previa obtención de la mayoría de que se trate en cada una de las Juntas de propietarios de las comunidades que integran la agrupación.

c) **Salvo acuerdo en contrario de la Junta no será aplicable a la comunidad agrupada lo dispuesto en el artículo 9 de esta Ley sobre el fondo de reserva.**

La competencia de los órganos de gobierno de la comunidad agrupada únicamente se extiende a los elementos inmobiliarios, viales, instalaciones y servicios comunes. Sus acuerdos no podrá menoscabar en ningún caso las facultades que corresponden a los órganos de gobierno de las comunidades de propietarios integradas en la agrupación de comunidades».

Este apartado recoge una serie de especialidades en cuanto a la regulación de las comunidades de propietarios entre las que se encuentra que, en el caso de complejos inmobiliarios privados que se constituyen como una agrupación de comunidades, no es obligatorio constituir un fondo de reserva, salvo que se acuerde lo contrario por la junta de propietarios.

JURISPRUDENCIA

Sentencia del Tribunal Supremo n.º 489/2021, de 6 de julio, ECLI:ES:TS:2021:2705

«Conforme al apartado 2 del art. 24LPH, estos complejos inmobiliarios privados pueden constituirse como una sola comunidad de propietarios, o bien como una «agrupación de comunidades de propietarios». En concreto, respecto de este segundo supuesto, la letra b) de aquel precepto dispone:

"b) Constituirse en una agrupación de comunidades de propietarios. A tal efecto, se requerirá que el título constitutivo de la nueva comunidad agrupada sea otorgado por el propietario único del complejo o por los presidentes de todas las comunidades llamadas a integrar aquélla, previamente autorizadas por acuerdo mayoritario de sus respectivas Juntas de propietarios. El título constitutivo contendrá la descripción del complejo inmobiliario en su conjunto y de los elementos, viales, instalaciones y servicios comunes. Asimismo fijará la cuota de participación de cada una de las comunidades integradas, las cuales responderán conjuntamente de su obligación de contribuir al sostenimiento de los gastos generales de la comunidad agrupada. El título y los estatutos de la comunidad agrupada serán inscribibles en el Registro de la Propiedad".

A esta segunda modalidad responde la caracterización de la "Macrocomunidad DIRECCION000". ***Para esta modalidad de complejo inmobiliario*** *el apartado 3 del mismo art. 24 prevé la aplicación de la Ley de Propiedad Horizontal si bien sujeta a una serie de* ***especialidades****: su composición por los presidentes de las comunidades integradas en la agrupación, la exigencia de la obtención de las mayorías cualificadas exigidas en cada caso en cada una de las juntas de propietarios que integran la agrupación,* ***la exención de la aplicación del art. 9 LPH sobre el fondo de reserva,*** *y la limitación de la competencia de los órganos de gobierno de la comunidad agrupada únicamente a «los elementos inmobiliarios, viales, instalaciones y servicios comunes». No se excluye, sin embargo, el régimen común de contribución a los gastos generales, con arreglo a la cuota de participación fijada en el título o lo especialmente establecido. Esos gastos son los necesarios para "el adecuado sostenimiento del inmueble, sus servicios, cargas y responsabilidades que no sean susceptibles de individualización" (del art. 9.1,e) LPH)».*

Esta especialidad solo se refiere a los complejos inmobiliarios previstos en el art 24.2.b) de la LPH, por lo que, en el caso de que se constituya como una comunidad de propietarios única, quedarán sometidos al régimen de las demás comunidades de propietarios y, por tanto, deben constituir el fondo de reserva conforme a la regulación del art. 9 de la LPH y la D.A. 1.ª.

1.4. PRESUPUESTO ANUAL

190 Presupuesto de la comunidad de propietarios

La comunidad de propietarios debe aprobar anualmente unos presupuestos en los que se recojan las previsiones de ingresos y gastos. El art. 14 de la LPH establece que la junta de propietarios es la encargada de aprobar los presupuestos: «Corresponde a la Junta de propietarios: (...) c) Aprobar los presupuestos y la ejecución de todas las obras de reparación de la finca, sean ordinarias o extraordinarias, y ser informada de las medidas urgentes adoptadas por el administrador de conformidad con lo dispuesto en el artículo 20.c) (...)».

Con relación a esta aprobación, el art. 16 de la LPH señala:

«1. La Junta de propietarios se reunirá por lo menos una vez al año para aprobar los presupuestos y cuentas y en las demás ocasiones que lo considere conveniente el presidente o lo pidan la cuarta parte de los propietarios, o un número de éstos que representen al menos el 25 por 100 de las cuotas de participación.

2. La convocatoria de las Juntas la hará el presidente y, en su defecto, los promotores de la reunión, con indicación de los asuntos a tratar, el lugar, día y hora en que se celebrará en primera o, en su caso, en segunda convocatoria, practicándose las citaciones en la forma establecida en el artículo 9. La convocatoria contendrá una relación de los propietarios que no estén al corriente en el pago de las deudas vencidas a la comunidad y advertirá de la privación del derecho de voto si se dan los supuestos previstos en el artículo 15.2.

Cualquier propietario podrá pedir que la Junta de propietarios estudie y se pronuncie sobre cualquier tema de interés para la comunidad; a tal efecto dirigirá escrito, en el que especifique claramente los asuntos que pide sean tratados, al presidente, el cual los incluirá en el orden del día de la siguiente Junta que se celebre.

Si a la reunión de la Junta no concurriesen, en primera convocatoria, la mayoría de los propietarios que representen, a su vez, la mayoría de las cuotas de participación se procederá a una segunda convocatoria de la misma, esta vez sin sujeción a "quórum".

La Junta se reunirá en segunda convocatoria en el lugar, día y hora indicados en la primera citación, pudiendo celebrarse el mismo día si hubiese transcurrido media hora desde la anterior. En su defecto, será nuevamente convocada, conforme a los requisitos establecidos en este artículo, dentro de los ocho días naturales siguientes a la Junta no celebrada, cursándose en este caso las citaciones con una antelación mínima de tres días.

3. La citación para la Junta ordinaria anual se hará, cuando menos, con seis días de antelación, y para las extraordinarias, con la que sea posible para que pueda llegar a conocimiento de todos los interesados. La Junta podrá reunirse válidamente aun sin la convocatoria del presidente, siempre que concurran la totalidad de los propietarios y así lo decidan».

RESOLUCIÓN RELEVANTE

SAP de Madrid n.º 34/2015, de 22 de enero, ECLI:ES:APM:2015:1978

«Por el contrario, las deudas contraídas por las Comunidades existen y son exigibles desde el momento mismo en que, al aprobarse el Presupuesto anual por la Junta para el ejercicio que comienza, los representantes de la Comunidad celebran con los terceros los contratos amparados en esos Presupuestos, comprometiéndose al pago de un precio. Y así ocurre en el supuesto enjuiciado, en el que se aprobaron determinados Presupuestos incluyendo la contratación de distintos servicios (entre ellos de vigilancia y de administración), cuyo precio es exigible, máxime considerando que esos servicios fueron efectivamente prestados a favor de la Comunidad. En este sentido, las obligaciones contraídas por las Comunidades no se apartan del régimen general de las obligaciones previsto en los arts. 1091, 1258 y concordantes del Cc.

En el sentido expresado, la Ley de Propiedad Horizontal atribuye a la Junta, en su art. 14.b), la facultad de "aprobar el plan de gastos e ingresos previsibles y las cuentas correspondientes", y en su art. 16.b), relativo a las Juntas ordinarias, impone reuniones anuales para "Aprobar el plan de gastos e ingresos previsibles y las cuentas correspondientes". Y, una vez aprobados los Presupuestos para el ejercicio siguiente, el acuerdo es ejecutivo de conformidad con el art. 19.3 L.P.H».

El presupuesto de la comunidad de propietarios es una previsión de gastos e ingresos, así lo ha señalado al **SAP de Madrid n.º 24/2022, de 27 de enero, ECLI:ES:APM:2022:1005**, «(...) Por definición los presupuestos deben presentarse y aprobarse con carácter previo y como previsión de gastos e ingresos futuros (...)».

La función de elaborar el presupuesto de la comunidad le corresponde al administrador, tal y como se deduce del art. 20. b) de la LPH que establece que le corresponde al administrador «Preparar con la debida antelación y someter a la Junta el plan de gastos previsibles, proponiendo los medios necesarios para hacer frente a los mismos», debiendo someterlos a la aprobación de la junta conforme al art. 14 de la LPH.

En cuanto a la forma que debe adoptar el presupuesto anual de la comunidad de propietarios, la ley no establece ninguna disposición concreta, limitándose a establecer la obligación de su aprobación en los artículos ya referenciados. La **SAP de Cantabria n.º 1198/2010, de 6 de octubre, ECLI:ES:APS:2010:1039**, establece «2.- En cuanto al presupuesto de gastos, se alega que no existe, cuando en el propio acuerdo se indica que se aprueba como tal el mismo que en el ejercicio anterior, dicción suficiente y bastante para haber de afirmarse su existencia por remisión, siendo de significar que lo que la ley contempla es un simple plan de gastos e ingresos previsibles, pero no la necesidad de un presupuesto anual detallado que concrete cada partida de gastos ordinarios y extraordinarios, sin perjuicio de que la Junta deba aprobar los presupuestos concretos de ejecución de obras (...)». Se deduce de la citada sentencia que no es necesario que se concrete con exactitud cada una de las partidas siendo suficiente que se contemple una previsión de ingresos y gastos.

El presupuesto determina la cuota que deberá abonar cada propietario durante el ejercicio presupuestario para cumplir con la obligación establecida en el art. 9.1.e) de la LPH que establece en su primer párrafo «Contribuir, con arreglo a la cuota de participación fijada en el título o a lo especialmente establecido, a los gastos generales para el adecuado sostenimiento del inmueble, sus servicios, cargas y responsabilidades que no sean susceptibles de individualización».

RESOLUCIÓN RELEVANTE

SAP de Alicante n.º 566/2023, de 10 de noviembre, ECLI:ES:APA:2023:2356

«Partiendo de este principio general la jurisprudencia del Alto Tribunal pasa a aclarar qué extremos son los que entran dentro del ámbito de la excepción y por ello permiten el ejercicio de las acciones de impugnación a un propietario moroso. Por un lado, como señala la STS de 22 de octubre de 2014, existe un principio general por el cual la legitimación para impugnar queda condicionada a que el impugnante esté al corriente de las cuotas vencidas o las consigne judicialmente "...sin distinguir según sea el fundamento de la impugnación o la finalidad de esta...". La diferencia se plantea dentro de la propia excepción, de forma que como señala la STS de 22 de octubre de 2013, número 613/13 "se incluyen en el ámbito de la excepción no solo los acuerdos que modifiquen

la cuota de participación fijada en el título y prevista en el párrafo segundo del artículo 5 de la Ley de Propiedad Horizontal, sino también los demás acuerdos que establezcan un sistema de distribución de gastos, bien sea de manera general, bien para algunos gastos en particular, y tanto cuanto el referido sistema de distribución de gastos se acuerde con vocación de permanencia o para una determinada ocasión". Continúa dicha sentencia señalando que "Pero no puede aceptarse, como pretenden los recurrentes, que cualquier acuerdo que afecte al pago que los propietarios deben hacer de su correspondiente participación en los gastos de la comunidad, cualquier acuerdo del que resulte la "cantidad de dinero concreta que deba pagar el sujeto para atender los gastos comunitarios", en palabras del recurso, haya de incluirse en esta excepción. Los acuerdos que liquidan la deuda de un propietario con la comunidad, los que aprueban el presupuesto del ejercicio o lo liquidan y fijan de este modo el importe de lo que cada propietario debe pagar, los que establecen derramas extraordinarias para atender determinadas contingencias, etc., no pueden considerarse incluidos en la excepción referida en tanto no se altere el sistema de distribución de gastos que se venía aplicando por la comunidad, que puede ser el que correspondía al coeficiente o cuota previsto en el título constitutivo (art. 5.2 de la Ley de Propiedad Horizontal) o el "especialmente establecido' en un acuerdo anterior de la comunidad que no haya sido anulado o al menos suspendido cautelarmente en su eficacia"».

Finalmente, el presupuesto también resulta relevante en la fijación del fondo de reserva, ya que la ley remite al mismo para establecer la cantidad de la que debe estar dotado, así el art 9.1.f) de la LPH en el párrafo segundo señala «El fondo de reserva, cuya titularidad corresponde a todos los efectos a la comunidad, estará dotado con una cantidad que en ningún caso podrá ser inferior al 10 por ciento de su último presupuesto ordinario».

1.5. OBLIGACIONES DE LOS PROPIETARIOS Y LA COMUNIDAD DE PROPIETARIOS

¿Cuáles son las obligaciones de los propietarios reconocidas en la LPH? 200

Es el artículo 9 de la Ley de Propiedad Horizontal el encargado de detallar las obligaciones propias de los propietarios dentro de la comunidad (de propietarios):

a) Respetar las **instalaciones generales de la comunidad** y **demás elementos comunes**, ya sean de uso general o privativo de cualquiera de los propietarios, estén o no incluidos en su piso o local, haciendo un uso adecuado de los mismos y evitando en todo momento que se causen daños o desperfectos.

b) Mantener en **buen estado de conservación su propio piso o local e instalaciones privativas**, en términos que no perjudiquen a la comunidad o a los otros propietarios, resarciendo los daños que ocasione por su descuido o el de las personas por quienes deba responder.

c) **Consentir** en su vivienda o local las **reparaciones** que exija el servicio del inmueble y permitir en él las servidumbres imprescindibles requeridas para la realización de obras, actuaciones o la creación de servicios comunes llevadas a cabo o acordadas conforme a lo establecido la LPH, teniendo derecho a que la comunidad le resarza de los daños y perjuicios ocasionados.

d) **Permitir la entrada** en su piso o local a los efectos prevenidos en los tres puntos anteriores.

e) Contribuir, con arreglo a la cuota de participación fijada en el título o a lo especialmente establecido, a los **gastos generales** para el **adecuado sostenimiento del inmueble**, sus servicios, cargas y responsabilidades que no sean susceptibles de individualización.

Los créditos a favor de la comunidad derivados de la obligación de contribuir al sostenimiento de los gastos generales correspondientes a las cuotas imputables a la parte vencida de la anualidad en curso y los tres años anteriores tienen la condición de preferentes a efectos del artículo 1.923 del Código Civil y preceden, para su satisfacción, a los citados en los números 3.°, 4.° y 5.° de dicho precepto, sin perjuicio de la preferencia establecida a favor de los créditos salariales en el Estatuto de los Trabajadores.

El adquirente de una vivienda o local en régimen de propiedad horizontal, incluso con título inscrito en el registro de la propiedad, responde con el propio inmueble adquirido de las cantidades adeudadas a la comunidad de propietarios para el sostenimiento de los gastos generales por los anteriores titulares hasta el límite de los que resulten imputables a la parte vencida de la anualidad en la cual tenga lugar la adquisición y a los tres años naturales anteriores. El piso o local estará legalmente afecto al cumplimiento de esta obligación.

En el instrumento público mediante el que se transmita, por cualquier título, la vivienda o local el transmitente, deberá declarar hallarse al corriente en el pago de los gastos generales de la comunidad de propietarios o expresar los que adeude. El transmitente deberá aportar en este momento certificación sobre el estado de deudas con la comunidad coincidente con su declaración, sin la cual no podrá autorizarse el otorgamiento del documento público, salvo que fuese expresamente exonerado de esta obligación por el adquirente. La certificación será emitida en el plazo máximo de siete días naturales desde su solicitud por quien ejerza las funciones de secretario, con el visto bueno del presidente, quienes responderán, en caso de culpa o negligencia, de la exactitud de los datos consignados en la misma y de los perjuicios causados por el retraso en su emisión.

f) Contribuir, con arreglo a su respectiva cuota de participación, a la **dotación del fondo de reserva** que existirá en la comunidad de propietarios para atender las obras de conservación, de reparación y de rehabilitación de la finca, la realización de las obras de accesibilidad recogidas en el artículo 10.1.b) de la LPH, así como la realización de las obras de accesibilidad y eficiencia energética recogidas en el artículo 17.2 de la LPH.

A TENER EN CUENTA. La letra f) del apartado 1 del artículo 9 de la LPH ha sido modificada por la Ley 10/2022, de 14 de junio, con efectos desde el 16/6/2022.

El fondo de reserva, cuya titularidad corresponde a todos los efectos a la comunidad, estará dotado con una cantidad que en ningún caso podrá ser inferior al 10 % de su último presupuesto ordinario.

Con cargo al fondo de reserva la comunidad podrá suscribir un contrato de seguro que cubra los daños causados en la finca o bien concluir un contrato de mantenimiento permanente del inmueble y sus instalaciones generales.

g) Observar la **diligencia debida en el uso del inmueble** y en sus relaciones con los demás titulares y responder ante estos de las infracciones cometidas y de los daños causados.

h) Comunicar a quien ejerza las funciones de secretario de la comunidad, por cualquier medio que permita tener constancia de su recepción, el domicilio en España a efectos de **citaciones y notificaciones** de toda índole relacionadas con la comunidad. En defecto de esta comunicación se tendrá por domicilio para citaciones y notificaciones el piso o local perteneciente a la comunidad, surtiendo plenos efectos jurídicos las entregadas al ocupante del mismo.

Si intentada una citación o notificación al propietario fuese imposible practicarla en el lugar prevenido en el párrafo anterior, se entenderá realizada mediante la colocación de la comunicación correspondiente en el tablón de anuncios de la comunidad, o en lugar visible de uso general habilitado al efecto, con diligencia expresiva de la fecha y motivos por los que se procede a esta forma de notificación, firmada por quien ejerza las funciones de secretario de la comunidad, con el visto bueno del presidente. La notificación practicada de esta forma producirá plenos efectos jurídicos en el plazo de tres días naturales.

i) Comunicar a quien ejerza las funciones de secretario de la comunidad, por cualquier medio que permita tener constancia de su recepción, el **cambio de titularidad** de la vivienda o local.

Quien incumpliere esta obligación seguirá respondiendo de las deudas con la comunidad devengadas con posterioridad a la transmisión de forma solidaria con el nuevo titular, sin perjuicio del derecho de aquel a repetir sobre este.

Lo dispuesto en el párrafo anterior no será de aplicación cuando cualquiera de los órganos de gobierno establecidos en el artículo 13 haya tenido conocimiento del cambio de titularidad de la vivienda o local por cualquier otro medio o por actos concluyentes del nuevo propietario, o bien cuando dicha transmisión resulte notoria.

A TENER EN CUENTA. Para la aplicación de estas reglas se reputarán generales los gastos que no sean imputables a uno o varios pisos o locales, sin que la no utilización de un servicio exima del cumplimiento de las obligaciones correspondientes, sin perjuicio de lo establecido en el artículo 17.4 de la LPH.

OBLIGACIONES DE LOS PROPIETARIOS

CONSERVACIÓN DE INSTALACIONES

- Respetar las instalaciones generales de la comunidad y demás elementos comunes (tanto de uso general como privativo).
- Mantener en buen estado su propio piso o local e instalaciones privativas, resarciendo los daños que pueda ocasionar su descuido.
- Consentir en su vivienda o local las reparaciones que exija el servicio del inmueble.
- Permitir las servidumbres imprescindibles para la realización de obras, actuaciones o creación de servicios comunes acordados conforme a la LPH.
- Permitir la entrada en su piso o local a los efectos prevenidos en los puntos anteriores.

APORTACIONES ECONÓMICAS

- Contribuir, en función de su cuota de participación, a los gastos generales para el adecuado sostenimiento del inmueble, sus servicios, cargas y responsabilidades que no sean susceptibles de individualización.
- Contribuir, en función de su cuota de participación, a la dotación del fondo de reserva.
- Contribuir, al pago de las obras realizadas en la comunidad, conforme a lo establecido en LPH para los diferentes tipos de obras.

COMUNICACIONES

- Comunicar a quien ejerza de secretario el domicilio a efecto de citaciones y comunicaciones relacionadas con la comunidad.
- Comunicar a quien ejerza de secretario el cambio de titularidad de la vivienda o local.
- Dar cuenta al representante de la comunidad de las modificaciones de los elementos arquitectónicos, instalaciones o servicios que lleve a cabo en su piso o local.

CONVIVENCIA

- Observar la diligencia debida en el uso del inmueble y en sus relaciones con los demás titulares.
- No desarrollar actividades prohibidas en los estatutos, que resulten dañosas para la finca o que contravengan las disposiciones generales sobre actividades molestas, insalubres, nocivas, peligrosas o ilícitas.
- Ejercer de presidente cuando sea nombrado por la junta y no se solicite el relevo al juez, o este no sea aceptado.

Las obligaciones de la comunidad de propietarios según la LPH 210

El artículo 10 de la Ley de Propiedad Horizontal señala una serie de obligaciones a cumplir por la comunidad de propietarios y giran en torno a la **conservación del inmueble**. Se establece que tendrán carácter obligatorio y no requerirán de acuerdo previo de la junta de propietarios, impliquen o no modificación del título constitutivo o de los estatutos, y vengan impuestas por las Administraciones públicas o solicitadas a instancia de los propietarios, las siguientes actuaciones:

a) Los **trabajos y las obras que resulten necesarias para el adecuado mantenimiento y cumplimiento del deber de conservación** del inmueble y de sus servicios e instalaciones comunes, incluyendo, en todo caso, las necesarias para satisfacer los requisitos básicos de seguridad, habitabilidad y accesibilidad universal, así como las condiciones de ornato y cualesquiera otras derivadas de la imposición, por parte de la Administración, del deber legal de conservación.

b) Las **obras y actuaciones que resulten necesarias para garantizar los ajustes razonables en materia de accesibilidad universal** y, **en todo caso**, las **requeridas a instancia de los propietarios en cuya vivienda o local vivan, trabajen o presten servicios voluntarios, personas con discapacidad, o mayores de 70 años**, con el objeto de asegurarles un uso adecuado a sus necesidades de los elementos comunes, así como la instalación de rampas, ascensores u otros dispositivos mecánicos y electrónicos que favorezcan la orientación o su comunicación con el exterior, siempre que el importe repercutido anualmente de las mismas, una vez descontadas las subvenciones o ayudas públicas, no exceda de doce mensualidades ordinarias de gastos comunes. No eliminará el carácter obligatorio de estas obras el hecho de que el resto de su coste, más allá de las citadas mensualidades, sea asumido por quienes las hayan requerido.

   También será **obligatorio realizar estas obras** cuando las **ayudas públicas** a las que la comunidad pueda tener acceso alcancen el **75 % del importe de las mismas**.

c) La **ocupación de elementos comunes** del edificio o del complejo inmobiliario privado durante el tiempo que duren las obras a las que se refieren las letras anteriores.

d) La **construcción de nuevas plantas y cualquier otra alteración de la estructura o fábrica del edificio o de las cosas comunes**, así como la constitución de un complejo inmobiliario, tal y como prevé el artículo 26.5 del Real Decreto Legislativo 7/2015, de 30 de octubre, por el que se aprueba el texto refundido de la Ley de Suelo y Rehabilitación Urbana, que resulten preceptivos a consecuencia de la inclusión del inmueble en un ámbito de actuación de rehabilitación o de regeneración y renovación urbana.

e) Los **actos de división material de pisos o locales y sus anejos** para formar otros más reducidos e independientes, el aumento de su superficie por agregación de otros colindantes del mismo edificio, o su disminución por segregación de alguna parte, realizados por voluntad y a instancia de sus propietarios, cuando tales actuaciones sean posibles a consecuencia de la inclusión del inmueble en un ámbito de actuación de rehabilitación o de regeneración y renovación urbanas.

1.6. EXTINCIÓN DEL RÉGIMEN DE PROPIEDAD HORIZONTAL

220 **La extinción del régimen de propiedad horizontal**

De conformidad con el artículo 23 de la LPH, el **régimen de propiedad horizontal se extingue:**

a) Por la destrucción del edificio, salvo pacto en contrario. Se estimará producida aquella cuando el coste de la reconstrucción exceda del cincuenta por ciento del valor de la finca al tiempo de ocurrir el siniestro, a menos que el exceso de dicho coste esté cubierto por un seguro.

b) Por conversión en propiedad o copropiedad ordinarias.

➢ La destrucción del edificio

Como punto de partida cabe citar aquí la **sentencia del Tribunal Supremo n.º 360/1999, de 24 de abril, ECLI:ES:TS:1999:2747,** cuyas referencias al art. 21 de la LPH deben entenderse hechas al actual art. 23 de la LPH:

> «(...) Como evidencia la redacción del art. 21, viene a contemplar dos supuestos de extinción del régimen de propiedad horizontal, totalmente diferenciados e independientes entre sí, refiriéndose el primero al de la destrucción física o material del inmueble, el que tan sólo toma en consideración la total del edificio, si bien, a la misma viene a equiparar aquella en que el coste de la reconstrucción exceda del 50 % del valor de la finca, a menos que el exceso esté cubierto por un seguro, con lo cual, parece estar aludiendo a un caso en que no se produce la total destrucción física del edificio, aunque por la transcendencia económica del coste de la reconstrucción merece igual consideración que el de ruina total. La única salvedad para que la destrucción del edificio no lleve aparejada la extinción del régimen de propiedad horizontal es la existencia del pacto en contrario».

Con relación a la **destrucción del edificio**, en primer lugar, se debe aclarar que los términos destrucción y reconstrucción no solo hacen referencia a los supuestos de ruina total, sino también a aquellos en que el inmueble adolezca de graves daños o defectos cuya reparación supere el 50 % de su valor. Así, la **sentencia de la Audiencia Provincial de Asturias n.º 423/2012, de 21 de septiembre, ECLI:ES:APO:2012:2723**, recoge:

> «Es decir, que el régimen de propiedad horizontal se extingue cuando el edificio se destruyó totalmente o cuando exige reparaciones que exceden del 50 % de su valor, esto es, cuando concurre la denominada ruina económica, lo que se revela como una cuestión de índole civil, no vinculada al concepto de ruina en el ámbito administrativo».

En segundo lugar, también conviene citar la **sentencia del Tribunal Supremo n.º 239/2019, de 24 de abril, ECLI:ES:TS:2019:1341**, en la que se dispone que:

> «(...) a efectos de la extinción del régimen de propiedad horizontal, se equipara a la destrucción del edificio el supuesto en el que "el coste de la reconstrucción exceda del cincuenta por ciento del valor de la finca al tiempo de ocurrir el siniestro"».

Hay que destacar que la LPH permite que el **título constitutivo o los Estatutos puedan contener una cláusula que mantenga el régimen de propiedad horizontal, reconstruyendo el edificio**, aun cuando esa reconstrucción exceda del 50 % del valor de la finca al tiempo de ocurrir el siniestro, en este sentido podemos citar la **sentencia de la Audiencia Provincial de Cantabria n.º 552/2019, de 29 de octubre, ECLI:ES:APS:2019:754**, que determina:

> «(...) acontecida la destrucción del edificio, no puede dudarse de que se ha extinguido el régimen de propiedad horizontal, pues no existe justificación de que exista algún pacto en contrario en cuya virtud haya sido voluntad de los copropietarios la de continuar sometidos al régimen de propiedad horizontal».

Cuando hablamos del coste de reconstrucción será primordial conocer en primer lugar la cuantía de dicha reparación, para lo que será necesario acudir a informes de peritos. En caso de existir disconformidad con el valor de reconstrucción solo cabrá acudir a la vía judicial para que el juez decida sobre este extremo.

En caso de que la reconstrucción supere ese 50 % del valor, salvo que exista unanimidad de los propietarios, ninguno de estos estará obligado a asumirla, aunque estén a favor el resto de los comuneros.

Si el coste de reconstrucción no supera el 50 % del valor, salvo acuerdo en contrario por unanimidad, cada comunero deberá contribuir a la reconstrucción en proporción a su cuota de participación. Si en este supuesto una mayoría de los propietarios no quisiese reconstruir, los restantes deberán acudir al tribunal formulando demanda de impugnación de acuerdos por los cauces del artículo 18 de la LPH.

RESOLUCIÓN RELEVANTE

Sentencia de la Audiencia Provincial de Bizkaia n.º 193/2013, de 27 de marzo, ECLI:ES:APBI:2013:2503

«En la doctrina se ha señalado, sobre este precepto, que el pacto en contra debe estar previsto en los Estatutos o bien adoptarse con unanimidad. Por otro lado, y como quiera que a la destrucción se asimila el supuesto en que el coste de la reconstrucción exceda del 50 % del valor de la finca al tiempo de ocurrir el siniestro, la posibilidad de llevarla a cabo si supera ese límite requiere el acuerdo unánime de los comuneros, pues como se ha señalado en la misma doctrina en tal caso ningún comunero está obligado a aceptar las obras de reconstrucción, es decir que aunque la mayor parte de los propietarios decida levantar otra vez el inmueble, la sola oposición de un propietario impedirá que tal acuerdo prospere. Así la sentencia del Tribunal Supremo de 24 abril de 1999 «pero si la cuantía es menor ocurrirá lo contrario, que nadie podrá exonerarse del compromiso y tendrá que pagar lo que le corresponda según la cuota a tenor del art. 9 regla c de la Ley». En igual sentido el Tribunal Supremo en la sentencia de 22 julio 2008 declaró «la propiedad horizontal se constituye y cabe su extinción cuando se dan las circunstancias que la Ley contempla, es decir, la destrucción del edificio o la conversión en propiedad o copropiedad ordinaria. En el supuesto del debate nos encontramos ante la destrucción del edificio, lo que en principio provoca la extinción de la propiedad horizontal». Asimismo la sentencia de la Audiencia Provincial de Valencia de 7 febrero 2008 señala que «como consecuencia una vez extinguida la propiedad horizontal los comuneros dejan de ser dueños de un concreto espacio, pasando a ser titulares de una participación indivisa en el total solar del inmueble, en régimen de comunidad ordina-

ria». Todo ello según el propio art. 23.1 salvo pacto en contrario. Pues bien, ese pacto en contrario puede estar previsto en los estatutos, lo que no ocurre en caso de autos, o puede adoptarse con posterioridad. En el presente caso ni consta en los estatutos ni se ha logrado un pacto al respecto, debiendo recordar que el art. 23 alude a pacto y no a los acuerdos a los que se refiere la Ley de Propiedad Horizontal. Mas lo cierto es que todos los comuneros están de acuerdo en que las obras de rehabilitación tienen un coste excesivo y ello conlleva, dada la declaración legal de ruina, la extinción de la comunidad de propietarios sujeta a la Ley de Propiedad Horizontal.

La sentencia la Audiencia Provincial de Madrid de fecha 17 de junio 2010, el hecho de acudir al art. 23 de la Ley de Propiedad Horizontal que contempla dos causas de disolución del régimen de propiedad horizontal, por la destrucción del edificio, salvo pacto en contrario, con declaración interpretativa de cuándo se entiende destruido un edificio, y por conversión en propiedad o en copropiedad ordinaria, nos conduce a colegir que el objetivo de dicho precepto legal no es la extinción del derecho de propiedad, ni siquiera de la Comunidad de Propietarios, sino del régimen especial de la propiedad horizontal, en tanto que da lugar a la finalización de dicho régimen por otro título, o conversión en comunidad ordinaria cuando desaparece la dimensión de la propiedad horizontal».

Pese a lo señalado hasta ahora, si existiese **seguro** y este cubriese el exceso sobre el porcentaje del 50%, la propiedad horizontal no se extinguirá y deberá procederse a la reconstrucción. Como se estableció con anterioridad, si una mayoría se opusiese a la reconstrucción, los restantes propietarios deberán impugnar dicho acuerdo de conformidad con el artículo 18 de la LPH.

CUESTIONES

1. En el supuesto de que se realice una declaración de obra nueva y división horizontal de un edificio, constituyendo una comunidad, cuando se pretende construir un edificio que aún no existe, si finalmente no se construye ¿procede la extinción del régimen de propiedad horizontal?

La sentencia de la Audiencia Provincial de Sevilla n.º 354/2020, de 23 de octubre, ECLI:ES:APSE:2020:852, da respuesta a esta cuestión, y concluye que: «(...) Por lo que si, con arreglo a dicho artículo, en caso de destrucción del edificio, salvo pacto en contrario se extingue el régimen de propiedad horizontal, con mucha mas razón, cuando no ha llegado a existir dicho edificio, tendrá que desaparecer y retrotraerse su constitución formal, amen del principio de concordancia entre el Registro de la Propiedad y la realidad, que exige que se adapte el registro a la realidad, no debiendo existir una titularidad sobre fincas inexistentes, no llegando siquiera los formalmente titulares de las fincas resultantes de esa división horizontal a ser copropietarios, pues no han podido tomar posesión de un bien inmueble inexistente, teniendo sólo el titulo y faltando la traidito o entrega al ser esta imposible, siendo inasumible que, uno de los copropietarios, "BP SEVILLA, S.A.", de inmuebles inexistentes se opongan a la desaparición formal de esos títulos sobre fincas inexistentes, sin perjuicio de los derechos que pudieran asistirles a ejercitar en el ámbito del derecho de obligaciones frente a quien o quienes corresponda, que quedan a extramuros de este proceso».

2. Un edificio antiguo estaba distribuido entre varios propietarios en distintas «partes de casa», con uso exclusivo de determinadas dependencias y participación en elementos comunes. Tras el derribo total del inmueble, solo queda el solar. Uno de los propietarios sostiene que sigue conservando su derecho exclusivo sobre la antigua zona de fachada que antes le correspondía. Conforme al art. 23 de la LPH, ¿se extingue automáticamente la propiedad horizontal por la demolición del edificio?

Sí. Con carácter general, el régimen se extingue por la destrucción del edificio, y una vez extinguida la propiedad horizontal los comuneros pasan a ser titulares de una participación indivisa sobre el solar en régimen de comunidad ordinaria. Ese es el criterio seguido en la **SAP de Ciudad Real n.º 297/2023, de 16 de noviembre, ECLI:ES:AP-CR:2023:1183**, que rechaza que, demolido el inmueble, subsistan como realidades autónomas las antiguas «partes de casa», y concluye que lo que existe desde ese momento es una copropiedad sobre el solar.

Ahora bien, la extinción no opera de forma incondicionada, porque a tenor del propio art. 23 de la LPH, si existiera un pacto en contrario claro, previo o posterior, orientado a mantener el régimen para proceder a la reconstrucción, la propiedad horizontal podría no extinguirse. Ese mantenimiento es excepcional y debe resultar claramente acreditado.

Con respecto a la posibilidad de **pacto en contra para el supuesto de destrucción del edificio** se pronuncia la **sentencia de la Audiencia Provincial de Alicante n.º 139/2016, de 8 de junio, ECLI:ES:APA:2016:1901**, que establece que:

«En el supuesto de destrucción del edificio, el régimen de propiedad horizontal se extingue, salvo que los copropietarios hayan excluido dicha posibilidad por pacto, o le hayan querido dar un alcance distinto, al amparo de la autonomía de la voluntad. Así el Tribunal Supremo en su sentencia de 24 de abril de 1999, ha mantenido que la única salvedad para que la destrucción del edificio no lleve aparejada la extinción del régimen de propiedad horizontal es la existencia del pacto en contrario.

También se ha mantenido por RDGRN de 20 de junio de 2005, que este pacto, al no indicar otra cosa el artículo, podrá hacerse antes o después de la destrucción del edificio, y la finalidad de la norma, interpretada según el art. 3 del Código Civil, es lograr la reconstrucción del edificio, pues sólo dirigiéndose hacia la reconstrucción se comprende el párrafo segundo del propio artículo. En consecuencia, se suele mantener el régimen de propiedad horizontal cuando la finalidad es la reedificación.

En otras resoluciones judiciales se ha considerado que ese pacto o voluntad de los comuneros contraria a la extinción del régimen de propiedad horizontal, puede perfectamente desprenderse de la conducta desplegada por los miembros de la comunidad de propietarios, en un supuesto en el que los acuerdos se adoptaron con una voluntad clara y con un propósito bien definido, que no es otro que la continuidad de aquél régimen por el que ya se regían las relaciones de los copropietarios; pues la ley no exige que el pacto sea expreso. Siendo suficiente para entender la existencia de dicho pacto, los propios actos de los condóminos dirigidos a la reedificación del inmueble. En todo caso, se ha considerado que la continuidad del régimen debe quedar meridianamente clara, sin sombra alguna de que esa fue la voluntad de los copropietarios cuando lo establecieron, bien originariamente bien por acuerdo unánime posterior, porque la regla general es indiscutiblemente la extinción y lo excepcional es la continuidad, siendo del todo lógico pues se vendría a imponer a los copropietarios un sacrificio económico de reconstrucción que no siempre estarían dispuestos a realizar».

La **sentencia del Tribunal Supremo n.º 715/2008, de 22 de julio, ECLI:ES:TS:2008:4826**, también se ha pronunciado sobre este pacto y así, en relación a un litigio que partía del hecho de que en la escritura de compraventa se había estipulado que el propietario de la planta del sótano tendría siempre el derecho de construir esa planta en el caso de que se tuviera que reconstruir el edificio por siniestro, el TS argumentó lo siguiente:

«La propiedad horizontal se constituye y cabe su extinción cuando se dan las circunstancias que la Ley contempla, es decir, la destrucción del edificio o la conversión en propiedad o copropiedad ordinaria.

En el supuesto del debate nos encontramos ante la íntegra destrucción del edificio, lo que, en principio, provoca la extinción de la propiedad horizontal.

La problemática reside en la determinación de si la cláusula reseñada puede o no ser considerada como el pacto en contrario a que se refiere el artículo 23.1, inciso primero, de la Ley de Propiedad Horizontal.

(...)

En efecto, al interpretar los términos de la repetida cláusula, corresponde concluir que sólo hace referencia al derecho del actor de construir la planta inferior en la coyuntura de que se tuviera que reconstruir el edificio, de modo que la última situación no se establece sino como eventualidad, y sólo podrá realizarse si los copropietarios deciden ejecutarla de mutuo acuerdo, pero sin ninguna exigencia obligacional de hacerlo».

➢ **La conversión en propiedad ordinaria**

El segundo supuesto de extinción que se recoge en el artículo 23 de la LPH es el de **conversión en propiedad o copropiedad ordinaria.** Esta opción incluye dos situaciones distintas:

1. Cuando una persona adquiere la totalidad de los pisos y locales que componen la comunidad.
2. Cuando los comuneros deciden extinguir el régimen de propiedad horizontal y pasar a ser propietarios en proindiviso de todo el edificio. En todo caso, será necesaria la unanimidad de todos los propietarios. Sobre esta posibilidad se ha pronunciado la **Audiencia Provincial de Madrid, en su sentencia n.º 363/2010, de 2 de julio, ECLI:ES:APM:2010:12097**: «(...) siendo preciso que para esa conversión en copropiedad ordinaria se alcanzara el **acuerdo unánime de los propietarios, no bastando la mayoría**, de modo que en ningún caso la conversión se produce de forma automática, requiriendo en todo caso, el acuerdo unánime de los propietarios que integran la Comunidad demandada, salvo que se produzca una cadena de enajenaciones deviniendo un propietario único (...)».

2 ORGANIZACIÓN DE LA COMUNIDAD DE PROPIETARIOS

SUMARIO

2.1. Órganos de gestión y administración
2.1.1. Tipos.. Marginal 230 y siguientes
2.1.2. La junta de propietarios .... Marginal 240 y siguientes
2.1.3. Presidente, secretario y administrador........... Marginal 270 y siguientes
2.2. División de la finca. Elementos comunes y privativos...Marginal 290 y siguientes
2.3. Los complejos inmobiliarios .... Marginal 340 y siguientes

2.1. ÓRGANOS DE GESTIÓN Y ADMINISTRACIÓN

2.1.1. Tipos

Órganos de gestión y administración de las comunidades de propietarios 230

La concurrencia de una colectividad de personas en la titularidad de derechos que recaen sobre fracciones de un mismo edificio y dan lugar a relaciones de interdependencia entre los diversos titulares hace indispensable la creación de órganos de gestión y administración.

Para conocerlos es preciso acudir al art. 13 de la Ley de Propiedad Horizontal, en el que se establece que los órganos de gobierno de la comunidad de propietarios son los siguientes:

a) La junta de propietarios.

b) El presidente y, en su caso, los vicepresidentes.

c) El secretario.

d) El administrador.

Tanto los estatutos, como la junta de propietarios mediante un acuerdo mayoritario, pueden establecer otros órganos de gobierno distintos, sin que puedan verse afectadas las funciones y responsabilidades frente a terceros que la LPH atribuye a los ya mentados.

CUESTIÓN

¿Tienen carácter obligatorio todos los órganos de gobierno de la comunidad mencionados en el art. 13.1 de la LPH?

No, si bien la junta de propietarios y el presidente de la comunidad sí que son considerados como obligatorios. A lo largo de la propia LPH encontramos distintas referencias a la no obligatoriedad de determinados órganos. Por ejemplo, podemos citar el art. 13.4 de la LPH que dispone que la figura del vicepresidente será facultativa, o el art. 13.5 de la LPH que recoge: «las funciones del secretario y del administrador serán ejercidas por el presidente de la comunidad, salvo que los estatutos o la Junta de propietarios por acuerdo mayoritario, dispongan la provisión de dichos cargos separadamente de la presidencia».

2.1.2. La junta de propietarios

240 **La junta de propietarios como órgano de gobierno de la comunidad**

La junta de propietarios se constituye como el órgano de gobierno de la comunidad y estará compuesto por todos los titulares. Sus cometidos son los propios de un órgano rector colectivo y deberá reunirse una vez año de forma obligatoria.

La Audiencia Provincial de Pontevedra nos da una definición de la junta en su **sentencia n.° 352/2017, de 17 de julio, ECLI:ES:APPO:2017:1610**, con cita de la **STS n.° 42/2008, de 4 de febrero, ECLI:ES:TS:2008:322**, en los siguientes términos:

> «(...) la Junta de Propietarios es el órgano superior, que decide todas las cuestiones comunitarias y goza plenamente de las facultades para las actuaciones en el inmueble y, de hecho, nadie puede suplir sus competencias; la aprobación de cuentas, los presupuestos ordinarios y extraordinarios, las normas de funcionamiento, la autorización de obras, el nombramiento y cese de cargos y, en definitiva, cualquier decisión pasa por el previo acuerdo de la Junta (...)».

El artículo 14 de la Ley de Propiedad Horizontal recoge las **principales funciones** de la junta:

- Nombrar y remover a las personas que ejerzan los ya citados cargos del art. 13 de la LPH (presidente, vicepresidente, en su caso, secretario y administrador), así como resolver las reclamaciones que se presenten contra estos por su actuación en el cargo.
- Aprobar tanto el plan de gastos e ingresos previsibles, como las cuentas correspondientes.
- Aprobar los presupuestos y la ejecución de las obras de reparación de la finca, ya sean ordinarias o extraordinarias. La junta también deberá ser informada de las medidas de carácter urgente que haya adoptado el administrador.
- Aprobar, y en su caso modificar, los estatutos y también determinar las normas de régimen interior.
- Conocer y decidir en los asuntos de interés general para la comunidad, adoptando las medidas necesarias o convenientes.

Sin embargo, hay que tener en cuenta, que a lo largo de la LPH nos encontramos con más atribuciones a la junta, pudiendo citar, a modo de ejemplo, las siguientes:

- Autorizar la división o agrupación de departamentos, determinar la indemnización por daños y perjuicios que corresponda, fijar las nuevas cuotas de partición y determinar la naturaleza de las obras que se vayan a realizar.
- Establecer otros órganos de gobierno de la comunidad sin menoscabar las funciones y responsabilidades de los recogidos en el art. 13.1 de la LPH. También fijar los términos en los que el vicepresidente sustituirá o asistirá al presidente y, en su caso, disponer que los cargos de secretario y administrador se ejerzan separadamente al de presidente (art. 13 de la LPH).

- Atendiendo a lo establecido en el artículo 21, apartados 1 y 2, de la LPH, la junta podrá acordar medidas disuasorias frente a la morosidad, tales como el establecimiento de intereses superiores al interés legal o la privación temporal del uso de servicios, siempre que no puedan considerarse abusivas o desproporcionadas o que afecten a la habitabilidad del inmueble, así como aprobar la exigencia judicial a través del proceso monitorio del pago de la deuda.
- Acordar la creación o supresión de servicios comunes de interés general.
- Acordar nuevas instalaciones y servicios o mejoras no requeridos para la adecuada conservación, habitabilidad, seguridad y accesibilidad del inmueble.
- Autorizar al presidente para el ejercicio de la acción de cesación contra el propietario y el ocupante del piso o local que desarrollen en él o en el resto del inmueble actividades prohibidas en los estatutos, dañosas para la finca o que contravengan las disposiciones sobre actividades molestas, insalubres, nocivas, peligrosas o ilícitas (art. 7.2 de la LPH).

A TENER EN CUENTA. El art. 21 de la LPH ha sido modificado con efectos desde el 16/6/2022, por la publicación de la Ley 10/2022, de 14 de junio, de medidas urgentes para impulsar la actividad de rehabilitación edificatoria en el contexto del Plan de Recuperación, Transformación y Resiliencia.

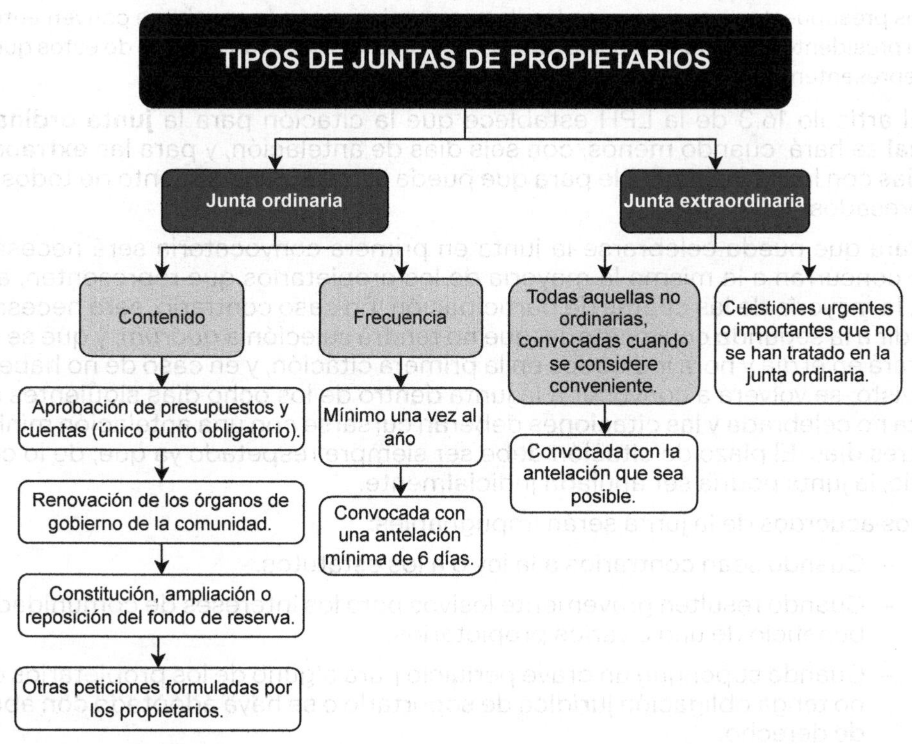

La asistencia a la junta debe de llevarse a cabo de forma personal o a través de un representante (legal o voluntario), siendo suficiente un escrito firmado por el propietario para acreditar la representación.

CUESTIONES

1. ¿Qué ocurre con las viviendas y locales que pertenezcan a distintos propietarios?

En estos casos en los que la vivienda o local pertenece proindiviso a varios propietarios, deben nombrar a un representante para asistir y votar en las juntas.

2. ¿Y cuando la vivienda o local tiene un usufructuario?

La LPH nos dice que tanto la asistencia como el voto corresponderán al nudo propietario, y que se entenderá representado por el usufructuario, salvo que exista manifestación en contra. La delegación al usufructuario debe ser expresa cuando los acuerdos se refieran a obras extraordinarias y de mejora, o cuando se trate del supuesto previsto en el art. 17.1 de la citada LPH, es decir, acuerdos sobre la instalación o adaptación de infraestructuras para el acceso a los servicios de telecomunicaciones, de aprovechamiento de energía renovables, o de nuevos suministros energéticos.

No tendrán derecho de voto, si bien podrán participar en las deliberaciones de la junta, los propietarios que no se encontrasen al corriente de pago de todas las deudas vencidas con la comunidad y no hubiesen impugnado judicialmente las mismas, o no hubiesen procedido a su consignación judicial o notarial.

El art. 16.1 de la LPH recoge que:

> «1. La Junta de propietarios se reunirá por lo menos una vez al año para aprobar los presupuestos y cuentas y en las demás ocasiones que lo considere conveniente el presidente o lo pidan la cuarta parte de los propietarios, o un número de éstos que representen al menos el 25 por 100 de las cuotas de participación».

El artículo 16.3 de la LPH establece que la citación para la **junta ordinaria anual** se hará, cuando menos, con seis días de antelación, y para las **extraordinarias** con la que sea posible para que pueda llegar a conocimiento de todos los interesados.

Para que pueda celebrarse la junta en primera convocatoria será necesario que concurran a la misma la mayoría de los propietarios que representen, a su vez, la mayoría de las cuotas de participación. En caso contrario, será necesario acudir a la segunda convocatoria, que no tendrá sujeción a *quorum,* y que se celebrará en el día y hora indicados en la primera citación, y en caso de no haberse previsto, se volverá a convocar a la junta dentro de los ocho días siguientes a la junta no celebrada y las citaciones deberán cursarse con una antelación mínima de tres días. El plazo de citación debe ser siempre respetado ya que, de lo contrario, la junta podría ser anulada judicialmente.

Los acuerdos de la junta serán impugnables:

- Cuando sean contrarios a la ley o a los estatutos.
- Cuando resulten gravemente lesivos para los intereses de comunidad en beneficio de uno o varios propietarios.
- Cuando supongan un grave perjuicio para alguno de los propietarios que no tenga obligación jurídica de soportarlo o se haya adoptado con abuso de derecho.

CUESTIONES

1. ¿En qué plazo pueden impugnarse los acuerdos de las juntas de propietarios?

Hay que diferenciar distintos plazos de impugnación en función del motivo por el que se lleva a cabo dicha impugnación:

- De 3 meses: para impugnar acuerdos gravemente lesivos a los intereses de la propia comunidad en beneficio de uno varios propietarios o acuerdos que supongan un grave perjuicio para algún propietario o que se haya adoptado con abuso de derecho.
- De 1 año: para los acuerdos contrarios a la LPH o a los estatutos.
- Sin plazo: cuando se impugnan acuerdos contrarios a cualquier otra ley imperativa o prohibitiva, que no tenga establecido un efecto distinto para el caso de contravención, o que, por ser contrarios a la moral o el orden público o por implicar un fraude de ley, hayan de ser conceptuados nulos de pleno derecho. (**STS n.º 12/2022, de 12 de enero, ECLI:ES:TS:2022:36**).

2. ¿Cuándo comienza a contarse el plazo para la impugnación?

El *dies a quo* en el que comienza el plazo para impugnar será el día en que se adoptó el acuerdo para aquellos que se encontraban presentes en la junta, o el día en el que haya tenido lugar la notificación en el caso de los ausentes en la celebración de la junta.

Los acuerdos de la junta de propietarios 250

La junta de propietarios es el órgano que adopta los acuerdos que afectan a las comunidades de propietarios, y se encuentra regulada en los artículos 14 y siguientes de la Ley de Propiedad Horizontal.

En concreto, los acuerdos de la junta de propietarios se encuentran regulados en el art. 17 de la LPH y su impugnación en el art. 18 del mismo texto legal.

➤ El orden del día en la junta de propietarios

En la convocatoria de la junta de propietarios deberá fijarse el orden del día de los asuntos a tratar en la reunión, **no pudiendo discutirse o tomarse acuerdos sobre asuntos no incluidos en el orden del día.**

De conformidad con el párrafo segundo del apartado 2 del artículo 16 de la LPH, **cualquier propietario puede pedir la inclusión de un punto a tratar en el orden del día** para que la junta se pronuncie al respecto. Para ello deberá dirigir escrito al presidente de la comunidad especificando los asuntos a tratar, que deberán incluirse en el orden del día de la siguiente junta que se celebre.

Sobre la exigencia de incluir en el orden del día los asuntos que serán debatidos en la junta se pronuncia el Tribunal Supremo en distintas sentencias, por ejemplo, en la **STS n.º 2/2021, de 13 de enero, ECLI:ES:TS:2021:5**, o la **STS n.º 51/2015, de 5 de febrero, ECLI:ES:TS:2015:263**, que recogen la postura del Alto Tribunal en sentencias anteriores, estableciendo esta última que:

> «(...) las sentencias de 10 noviembre 2004 y 18 septiembre 2006 apuntan en el tema de que el orden del día deben incluirse los acuerdos que deben ser discutidos. Así, la primera de ellas dice:
>
> "la jurisprudencia de esta Sala exige que en el orden del día se consignen los asuntos a tratar en la Junta, para que puedan llegar a conocimiento de los interesados, porque de otra forma, siendo la asistencia meramente voluntaria, sería fácil

prescindir de la voluntad de determinados propietarios. Por ello no es admisible con carácter general la adopción de acuerdos que no estén en el orden del día, ni tan siquiera bajo el epígrafe de ruegos y preguntas, por considerarse sorpresivo para la buena fe de los propietarios (S.s. 16 diciembre 1.987 y 26 junio 1.995)".

Lo que ratifica la segunda, de 18 septiembre 2006 al decir:

"el acuerdo adoptado, tal y como previene la Audiencia, requiere, por la naturaleza del mismo, la previa convocatoria, en la medida en que la falta de constancia en el Orden del día, puede generar indefensión para el propietario afectado, en la medida en la que no solo se trata, como sostiene la parte, de ejecutar un acuerdo previo, sino que en el punto 8° se adopta la decisión de que la puerta controvertida permanezca cerrada, con entrega de una llave al Presidente, cuestión que afecta directamente a los derechos dominicales del actor"».

➢ Mayorías para la adopción de acuerdos por la junta de propietarios

♦ a) Unanimidad

Se precisa la unanimidad del total de propietarios, que representen el total de las cuotas de participación, para aquellos acuerdos no regulados en el artículo 17 de la LPH que impliquen la modificación de las reglas contenidas en el título constitutivo de la propiedad horizontal o en los estatutos, salvo supuestos concretos que se mencionarán a continuación.

♦ b) Mayoría de 3/5 partes

La mayoría de tres quintas partes del total de los propietarios que representen las tres quintas partes de las cuotas de participación se exige para:

- La división material de los pisos o locales y sus anejos, para formar otros más reducidos e independientes (artículo 10.3 de la LPH).
- El aumento de la superficie de los pisos o locales y sus anejos por agregación de otros colindantes del mismo edificio o su disminución por segregación de alguna parte (artículo 10.3 de la LPH).
- La construcción de nuevas plantas y cualquier otra alteración de la estructura o fábrica del edificio, incluyendo el cerramiento de las terrazas y la modificación de la envolvente para mejorar la eficiencia energética, o de las cosas comunes, cuando concurran los requisitos a que alude el artículo 26.6 de la Ley del Suelo, aprobado por el Real Decreto 7/2015, de 30 de octubre, por el que se aprueba el texto refundido de la Ley de Suelo y Rehabilitación Urbana (artículo 10.3 de la LPH).

A TENER EN CUENTA. En estos supuestos recogidos en el art. 10.3 de la LPH se exige que «deberá constar el consentimiento de los titulares afectados y corresponderá a la Junta de Propietarios, de común acuerdo con aquéllos, y por mayoría de tres quintas partes del total de los propietarios, la determinación de la indemnización por daños y perjuicios que corresponda. La fijación de las nuevas cuotas de participación, así como la determinación de la naturaleza de las obras que se vayan a realizar, en caso de discrepancia sobre las mismas, requerirá la adopción del oportuno acuerdo de la Junta de Propietarios, por idéntica mayoría. A este respecto también podrán los interesados solicitar arbitraje o dictamen técnico en los términos establecidos en la Ley».

- El establecimiento o supresión de los servicios de portería, conserjería, vigilancia u otros servicios comunes de interés general, supongan o no modificación del título constitutivo o de los estatutos (artículo 17.3 de la LPH).
- El arrendamiento de elementos comunes que no tengan asignado un uso específico en el inmueble y el establecimiento o supresión de equipos o sistemas que tengan por finalidad mejorar la eficiencia energética o hídrica del inmueble (artículo 17.3 de la LPH).
- Las innovaciones, nuevas instalaciones, servicios o mejoras no requeridos para la adecuada conservación, habitabilidad, seguridad y accesibilidad del inmueble, no exigibles y cuya cuota de instalación exceda del importe de tres mensualidades ordinarias de gastos comunes. El disidente no resultará obligado, ni se modificará su cuota, incluso en el caso de que no pueda privársele de la mejora o ventaja (artículo 17.4 de la LPH).
- La división material de los pisos o locales y sus anejos, para formar otros más reducidos e independientes; el aumento de su superficie por agregación de otros colindantes del mismo edificio o su disminución por segregación de alguna parte; la construcción de nuevas plantas y cualquier otra alteración de la estructura o fábrica del edificio, incluyendo el cerramiento de las terrazas o la modificación de las cosas comunes (artículo 17.4 de la LPH; novedad introducida por el Real Decreto-ley 8/2023, de 27 de diciembre, con entrada en vigor el 29/12/2023).
- Alquileres turísticos. El acuerdo expreso por el que se apruebe, limite, condicione o prohíba el ejercicio de la actividad a que se refiere la letra e) del artículo 5 de la Ley 29/1994, de 24 de noviembre, de Arrendamientos Urbanos (alquiler turístico), en los términos establecidos en la normativa sectorial turística, suponga o no modificación del título constitutivo o de los estatutos. Asimismo, esta misma mayoría se requerirá para el acuerdo por el que se establezcan cuotas especiales de gastos o un incremento en la participación de los gastos comunes de la vivienda donde se realice dicha actividad, siempre que estas modificaciones no supongan un incremento superior al 20 %. Estos acuerdos no tendrán efectos retroactivos. (Artículo 17.12 de la LPH).

A TENER EN CUENTA. La LO 1/2025, de 2 de enero, modifica el apartado 12 del artículo 17 de la LPH, con efectos desde el 03/04/2025. La modificación consiste en determinar el **carácter expreso del acuerdo por el que se limite o condicione el ejercicio de la actividad de alquiler turístico, así como del acuerdo expreso para aprobar o prohibir dicha actividad. En estos casos también será necesaria esta mayoría de 3/5 quintos.**

♦ c) Mayoría de propietarios

Se requiere la mayoría de propietarios que, a su vez, representen la mayoría de cuotas de participación, para:

- Sin perjuicio de lo dispuesto en la letra b) del apartado 1 del art 10 de la LPH, la realización de obras o el establecimiento de nuevos servicios comunes que tengan por finalidad la supresión de barreras arquitectónicas que dificulten el acceso o movilidad de personas con discapacidad y, en todo caso, el establecimiento de los servicios de ascensor, incluso cuando impliquen la modificación del título constitutivo, o de los estatutos (artículo 17.2 de la LPH).

- La realización de obras o actuaciones que contribuyan a la mejora de la eficiencia energética acreditables a través de certificado de eficiencia energética del edificio o la implantación de fuentes de energía renovable de uso común, incluyendo en su caso la modificación de la envolvente del edificio, así como la solicitud de ayudas y subvenciones, préstamos o cualquier tipo de financiación por parte de la comunidad de propietarios a entidades públicas o privadas para la realización de tales obras o actuaciones, requerirá el voto favorable de la mayoría simple de los propietarios, que, a su vez, representen la mayoría simple de las cuotas de participación, siempre que su importe repercutido anualmente, una vez descontadas las subvenciones o ayudas públicas y aplicada en su caso la financiación, no supere la cuantía de doce mensualidades ordinarias de gastos comunes. En estos casos, el propietario disidente no tendrá el derecho reconocido en el apartado 4 de este artículo y el coste de estas obras, o las cantidades necesarias para sufragar los préstamos o financiación concedida para tal fin, tendrán la consideración de gastos generales a los efectos de la aplicación de las reglas establecidas en la letra e) del artículo 9.1 de esta ley (artículo 17.2 de la LPH).

A TENER EN CUENTA. El apartado 2 del artículo 17 de la LPH se ha visto modificado por el Real Decreto-ley 8/2023, de 27 de diciembre, con entrada en vigor el 29/12/2023. Se incluye la «modificación de la envolvente del edificio» como un supuesto más en el que se requiere el voto de la mayoría de propietarios que a su vez representen la mayoría de cuotas, para poder llevar a cabo dicha obra.

- Los demás acuerdos, que no supongan una modificación del título (unanimidad) ni estén recogidos en otros apartados de la LPH, necesitarán el voto de la mayoría del total de los propietarios que, a su vez, representen la mayoría de las cuotas de participación. En segunda convocatoria serán válidos los acuerdos adoptados por la mayoría de los asistentes, siempre que esta represente, a su vez, más de la mitad del valor de las cuotas de los presentes (artículo 17.7 de la LPH).

♦ d) Voto favorable de 1/3

Es preciso el voto favorable de un tercio de los propietarios que representen a su vez un tercio de las cuotas de participación (apartados 1 y 3 del artículo 17 de la LPH) para:

- La instalación de las infraestructuras comunes para el acceso a los servicios de telecomunicación sobre infraestructuras comunes en los edificios para el acceso a los servicios de telecomunicación, o la adaptación de los existentes.
- La instalación de sistemas comunes o privativos, de aprovechamiento de energías renovables, incluyendo la aerotermia y geotermia. (Esta inclusión de la aerotermia y geotermia ha sido realizada por el Real Decreto-ley 7/2026, de 20 de marzo, en vigor desde el 22/03/2026).
- Las infraestructuras necesarias para acceder a nuevos suministros energéticos colectivos.
- El establecimiento o supresión de equipos o sistemas distintos de los anteriores, que tengan por finalidad mejorar la eficiencia energética o hídrica del inmueble, en el caso de que estos tengan un aprovechamiento privativo.

CUESTIÓN

En estos casos, ¿quién asume el coste de la instalación o adaptación de estas infraestructuras comunes?

El apartado 1 del art. 17 de la LPH nos da la respuesta a esta cuestión en su segundo párrafo que dispone que: «La comunidad no podrá repercutir el coste de la instalación o adaptación de dichas infraestructuras comunes, ni los derivados de su conservación y mantenimiento posterior, sobre aquellos propietarios que no hubieren votado expresamente en la Junta a favor del acuerdo. No obstante, si con posterioridad solicitasen el acceso a los servicios de telecomunicaciones o a los suministros energéticos, y ello requiera aprovechar las nuevas infraestructuras o las adaptaciones realizadas en las preexistentes, podrá autorizárseles siempre que abonen el importe que les hubiera correspondido, debidamente actualizado, aplicando el correspondiente interés legal». Añade a continuación que «No obstante lo dispuesto en el párrafo anterior respecto a los gastos de conservación y mantenimiento, la nueva infraestructura instalada tendrá la consideración, a los efectos establecidos en esta Ley, de elemento común».

♦ e) Sin acuerdo

Finalmente, el artículo 10 de la LPH permite la realización de determinadas obras sin acuerdo previo de la junta de propietarios por ser estas imperativas:

- Trabajos y obras que resulten necesarias para el adecuado mantenimiento y cumplimiento del deber de conservación del inmueble y de sus servicios e instalaciones comunes, incluyendo en todo caso, las necesarias para satisfacer los requisitos básicos de seguridad, habitabilidad y accesibilidad universal, así como las condiciones de ornato y cualesquiera otras derivadas de la imposición, por parte de la Administración, del deber legal de conservación.
- Obras y actuaciones que resulten necesarias para garantizar los ajustes razonables en materia de accesibilidad universal y, en todo caso, las re-

queridas a instancia de los propietarios en cuya vivienda o local vivan, trabajen o presten servicios voluntarios, personas con discapacidad, o mayores de setenta años, con el objeto de asegurarles un uso adecuado a sus necesidades de los elementos comunes, así como la instalación de rampas, ascensores u otros dispositivos mecánicos y electrónicos que favorezcan la orientación o su comunicación con el exterior, siempre que el importe repercutido anualmente de las mismas, una vez descontadas las subvenciones o ayudas públicas, no exceda de doce mensualidades ordinarias de gastos comunes. No eliminará el carácter obligatorio de estas obras el hecho de que el resto de su coste, más allá de las citadas mensualidades, sea asumido por quienes las hayan requerido. También será obligatorio realizar estas obras cuando las ayudas públicas a las que la comunidad pueda tener acceso alcancen el 75 % del importe de las mismas [artículo 10.1.b) de la LPH].

- La ocupación de elementos comunes del edificio o del complejo inmobiliario privado durante el tiempo que duren las obras a las que se refieren los puntos anteriores [artículo 10.1.c) de la LPH].
- La construcción de nuevas plantas y cualquier otra alteración de la estructura o fábrica del edificio o de las cosas comunes, así como la constitución de un complejo inmobiliario, tal y como prevé el artículo 26.5 de la Ley del Suelo, aprobado por el Real Decreto 7/2015, de 30 de octubre, por el que se aprueba el texto refundido de la Ley de Suelo y Rehabilitación Urbana, que resulten preceptivos a consecuencia de la inclusión del inmueble en un ámbito de actuación de rehabilitación o de regeneración y renovación urbana [artículo 10.1.d) de la LPH].
- Los actos de división material de pisos o locales y sus anejos para formar otros más reducidos e independientes, el aumento de su superficie por agregación de otros colindantes del mismo edificio, o su disminución por segregación de alguna parte, realizados por voluntad y a instancia de sus propietarios, cuando tales actuaciones sean posibles a consecuencia de la inclusión del inmueble en un ámbito de actuación de rehabilitación o de regeneración y renovación urbanas [artículo 10.1.e) de la LPH].

♦ g) Comunicación previa

La instalación de un punto de recarga de vehículos eléctricos para uso privado en el aparcamiento del edificio, siempre que este se ubique en una plaza individual de garaje, solo requerirá la comunicación previa a la comunidad (art. 17.5 de la LPH).

JURISPRUDENCIA

Sentencia del Tribunal Supremo n.º 1745/2025, de 1 de diciembre, ECLI:ES:TS:2025:5363

Se avala la instalación de puntos de recarga en garajes privativos con solo comunicarlo a la comunidad de propietarios aunque se usen elementos comunes, salvo perjuicio relevante o desproporcionado.

«La cuestión controvertida, que constituye el objeto de este proceso y del recurso de casación, consiste en determinar si la expresión normativa empleada en el art. 17.5 LPH acerca de que la instalación del punto de recarga «sólo requerirá la comunicación

previa a la comunidad», implica que dicha comunicación faculta para que pueda llevarse a cabo la instalación sin más requisitos, afecte o no a elementos comunes, o, si, por el contrario, una decisión de tal clase constituye un acto jurídico contra legem, impugnable por la vía del art. 18 LPH, porque, con arreglo a la interpretación por la que opta la sentencia de primera instancia, la mencionada expresión no exime de la necesidad de recabar la autorización de la Comunidad en la medida que la instalación altere o afecte a elementos comunes, conforme al art. 7.1 LPH.

En otras palabras, se trata de dilucidar si la redacción del art. 17.5 LPH condiciona la instalación de un punto de recarga en una plaza individual, en el caso de que incida en elementos comunes, sean por naturaleza (aquellos que son imprescindibles para asegurar el uso y disfrute de los diferentes pisos o locales y no pueden ser desafectados, como forjado, fachada, muros de carga, pilares, vigas, cubiertas, portal escaleras, ascensor...) o por destino o conveniencia (cuando así se acuerde en el título constitutivo o en los estatutos, para un mejor disfrute de los elementos privativos, como sucede con la azotea, terrazas...), a la autorización de la Comunidad o basta la mera comunicación previa.

(...)

***el espíritu y finalidad de la norma propician la interpretación de que, para realizar la instalación de un punto de recarga, basta la mera comunicación a la Comunidad, con independencia de que pueda afectar tangencialmente a elementos comunes, como ocurre al fijar el cableado al techo del garaje.** La voluntad del legislador es facilitar la ejecución de obras o infraestructuras, la implantación de sistemas y la instalación de nuevos servicios que contribuyan a la consecución de los objetivos de rehabilitación, regeneración y renovación urbanas, incluida la mayor eficiencia, el ahorro energético y la lucha contra la pobreza energética, es decir, a análogos propósitos a los que se orienta la progresiva sustitución de los vehículos de combustión interna por los vehículos eléctricos, cuya implantación se pretende fomentar facilitando la posibilidad de recargar la batería en el propio aparcamiento.*

Desde la perspectiva semántica o gramatical, la expresión legal «solo requerirá la comunicación previa a la comunidad», tampoco deja margen a posibles elucubraciones. El precepto no dice nada acerca de la existencia o de la posible afectación de elementos comunes como consecuencia de la instalación del punto de recarga, no hace distinción en función de si el cableado discurre o se apoya en dichos elementos, ni establece excepciones de ninguna clase, sino que se limita a ordenar, con carácter general, que, en caso de que se instale un punto de recarga para vehículos eléctricos en una plaza de garaje individual, es suficiente con que se comunique previamente a la Comunidad, por lo que cabe inferir que se trata de una actuación que, en todo caso y salvo que se aprecie una afectación innecesaria o desproporcionada en elementos comunes o entrañe un perjuicio para los demás copropietarios, no precisa de otra autorización que la que pueda corresponder a la Administración competente.

(...)

Se trata de una instalación a realizar en un aparcamiento de un edificio en régimen de propiedad horizontal, esto es, en un espacio común, diáfano, en el que se accede a las concretas plazas de estacionamiento, delimitadas por líneas pintadas en el suelo, a través de carriles o calles, lo que significa que cada plaza linda con otra, con un carril o con la pared. Si tenemos en cuenta que el forjado (suelo y techo) y las paredes son elementos comunes y que la instalación de recarga exige un suministro eléctrico, que únicamente puede obtenerse a través de la oportuna conducción, es obvio que la misma deberá discurrir forzosamente por tales elementos. Dicho de otra manera, el legislador tuvo que representarse forzosamente que el cableado atravesaría elementos comunes. Si ello no obstante, introdujo esta norma sin aludir a dicha circunstancia ni al acuerdo de la Comunidad, es porque consideró que esta particular actuación quedaba excluida o al margen de las facultades de decisión de la Comunidad, que no podía oponerse a la práctica de la instalación, a salvo los supuestos antes mencionados».

CUESTIONES

1. Para el cómputo de las mayorías exigibles, ¿se tienen en cuenta los votos de todos los propietarios?

No, la LPH en su art. 15.2 dispone que: «Los propietarios que en el momento de iniciarse la junta no se encontrasen al corriente en el pago de todas las deudas vencidas con la comunidad y no hubiesen impugnado judicialmente las mismas o procedido a la consignación judicial o notarial de la suma adeudada, podrán participar en sus deliberaciones si bien no tendrán derecho de voto. El acta de la Junta reflejará los propietarios privados del derecho de voto, cuya persona y cuota de participación en la comunidad no será computada a efectos de alcanzar las mayorías exigidas en esta Ley».

2. A estos efectos, ¿en qué momento hay que comprobar la morosidad de un propietario?

Podemos encontrar la respuesta a esta cuestión en la **STS n.º 466/2009, de 2 de julio, ECLI:ES:TS:2009:4151**, que establece que «No porque un comunero conste como moroso en la citación de la Junta se encuentra en tal situación, toda vez que desde entonces hasta el día de la celebración ha podido abonar su débito con la Comunidad; el momento de concretar esta circunstancia ha de verificarse al inicio de la reunión, pues de seguir en dicha condición no podrá votar, salvo que antes haya pagado la deuda, hecha la correspondiente consignación, o acredite haberla impugnado judicialmente, ya que, en este último caso, la suspensión del derecho queda sin efecto hasta que se resuelva por los Tribunales».

➢ Recuento de votos

Será necesario contar tanto los votos emitidos en la junta como también las ausencias, que serán contadas como votos favorables si no se manifiesta su discrepancia mediante comunicación al secretario en el plazo de 30 días. No obstante, esto no será aplicable en los supuestos expresamente previstos en los que no se pueda repercutir el coste de los servicios a aquellos propietarios que no hubieren votado expresamente en la junta a favor del acuerdo, o en los casos en los que la modificación o reforma se haga para un aprovechamiento privativo (art. 17.8 de la LPH).

CUESTIONES

1. ¿Cómo se le comunica el resultado de los acuerdos a los ausentes?

Las comunicaciones que la comunidad tenga que realizar a los propietarios se regulan en la letra h) del apartado 1 del art. 9 de la LPH. En el mentado artículo se establece la obligación del propietario de comunicar a quién ejerza las funciones de secretario un domicilio en España a efectos de citaciones y notificaciones. Si no lo hiciera se tendrá por domicilio para citaciones y notificaciones el piso o local perteneciente a la comunidad. Si intentada la notificación en el domicilio facilitado o, en su defecto, en el de la vivienda perteneciente a la comunidad, no fuese posible practicarla, se entenderá realizada mediante la colocación de la comunicación correspondiente en el tablón de anuncios de la comunidad, o en lugar visible de uso general habilitado al efecto.

2. ¿Qué requisitos se exigen a las notificaciones realizadas mediante publicación en el tablón de anuncios de la comunidad?

La LPH dispone que la notificación realizada mediante la colocación de la comunicación correspondiente en el tablón de anuncios de la comunidad, o en lugar visible de uso general habilitado al efecto, deberá incluir la fecha y motivos por los que se procede a esta forma de notificación, e ir firmada por quien ejerza las funciones de secretario de la comunidad, con el visto bueno del presidente. Añade también el art. 9.1 h) que la notificación practicada de esta forma producirá plenos efectos jurídicos en el plazo de tres días naturales.

Mención aparte merece el tema de la abstención en las votaciones de la junta de propietarios, es decir, cuando un propietario presente en la junta no vota ni a favor ni en contra de un acuerdo.

En estos casos, cuando el acuerdo requiera para su aprobación de mayoría simple no se tendrán en cuenta las abstenciones, pero si el acuerdo requiere de una mayoría cualificada o incluso de unanimidad habría que esperar al resultado del voto de los ausentes, y una vez computado este las abstenciones se sumarán a favor de la mayoría de la decisión. El considerar la abstención como un voto en el sentido mayoritario conlleva que no se permita al que se abstuvo que impugnar el acuerdo.

Acta y libro de actas de la junta de propietarios 260

➢ Contenido del acta

Las reuniones de la junta de propietarios deben hacerse constar por escrito, por medio de un **acta** que, conforme establece el art. 19 de la LPH, deberá contener como mínimo:

- La fecha y el lugar de celebración de la reunión.
- El autor de la convocatoria y, en su caso, los propietarios que la hubiesen promovido.
- Su carácter ordinario o extraordinario y la indicación sobre su celebración en primera o segunda convocatoria.
- Relación de todos los asistentes y sus respectivos cargos, así como de los propietarios representados, con indicación, en todo caso, de sus cuotas de participación.
- El orden del día de la reunión.
- Los acuerdos adoptados, con indicación, en caso de que ello fuera relevante para la validez del acuerdo, de los nombres de los propietarios que hubieren votado a favor y en contra de los mismos, así como de las cuotas de participación que respectivamente representen.

El acta deberá cerrarse con las firmas del presidente y del secretario al terminar la reunión o dentro de los diez días naturales siguientes. Desde su cierre los acuerdos serán ejecutivos, es decir, se podrán poner en práctica, salvo que la ley prevenga lo contrario. Y deberá remitirse a los propietarios de acuerdo con el procedimiento establecido en el artículo 9 de la LPH.

➢ Custodia del libro de actas

El encargado de custodiar los **libros de actas** será el secretario o, en su caso, el administrador, que deberá conservar durante el plazo de cinco años las convocatorias, comunicaciones, apoderamientos y demás documentos relevantes de las reuniones (artículo 19.4 de la LPH).

Los libros de actas serán diligenciados por el registrador de la propiedad, con arreglo a las reglas contenidas en el artículo 415 del Reglamento Hipotecario. Las principales reglas al respecto son las siguientes:

- El libro de actas debe diligenciarse antes de utilizarlo.
- Dicha diligencia le corresponde al registrador de la propiedad donde radique el inmueble.
- La solicitud de diligencia se efectuará mediante instancia, en la que deben constar:
    - La identidad del solicitante y la afirmación de que actúa por encargo del presidente de la comunidad.
    - La identificación de la comunidad y, en su caso, de los datos de su identificación registral.
    - Las fechas de la apertura y cierre del último libro de actas, salvo que el solicitante afirme, bajo su responsabilidad, que no ha sido diligenciado con anterioridad ningún otro libro.
- Presentada la instancia y el libro se practicará el correspondiente asiento. Debe constar la fecha, el solicitante y la comunidad de propietarios.
- La diligencia será realizada por el registrador que la practicará dentro de los cinco días siguientes a la solicitud realizada en debida forma, o de los quince días si existiere justa causa.
- Contra la denegación cabe recurso directo, durante quince días hábiles, ante la Dirección General de Seguridad Jurídica y Fe Pública.
- Una vez que se ha practicado la diligencia, se pondrá una nota marginal en el folio abierto en el Libro de inscripciones al edificio o conjunto sometido al régimen de propiedad horizontal con el número de orden del libro diligenciado, las hojas de que se compone y, si fuese el caso, que se expidió por sustitución de uno anterior desaparecido.

CUESTIONES

1. ¿Qué ocurre cuando se pierde el libro de actas?

El art. 415 del Reglamento Hipotecario, con relación a los libros de actas y a la exigencia de que los mismos se encuentren diligenciados, recoge que «No podrá diligenciarse un nuevo libro mientras no se acredite la íntegra utilización del anterior. En caso de pérdida o extravío del libro anterior, podrá diligenciarse un nuevo libro siempre que el Presidente o el Secretario de la comunidad afirme, bajo su responsabilidad, en acta notarial o ante el Registrador, que ha sido comunicada la desaparición o destrucción a los dueños que integran la comunidad o que ha sido denunciada la substracción».

2. ¿Cuáles son los requisitos que recoge el Reglamento Hipotecario sobre la diligencia del libro de actas?

El Reglamento Hipotecario establece que la diligencia, que deberá ir firmada por el registrador, será extendida en la primera hoja, y deberá recoger:

- La fecha.
- Los datos de identificación de la comunidad.
- El número que cronológicamente corresponda al libro dentro de los diligenciados por el registrador en favor de la comunidad.
- El número de hojas de que se componga, y que todas ellas tienen el sello del registrador, indicándose el sistema de sellado.
- Si se realiza en un libro nuevo por haberse perdido el anterior, deberá hacerse constar esta circunstancia, indicando que, en el anterior, aunque aparezca, no podrían extenderse nuevas actas.

3. Si no se retira el libro de actas que se presentó para diligenciar, ¿qué debe de hacer el registrador?

El Reglamento Hipotecario establece que transcurridos 6 meses desde la presentación del libro sin que fuera retirado, el registrador procederá a su destrucción, y lo hará constar en el folio del edificio o conjunto o, en su defecto, en el libro-fichero y, además, al pie de la instancia y del asiento de presentación.

➤ Incidencia de la protección de datos en las actas de las comunidades de propietarios

Las comunidades de propietarios se sirven de numerosos datos personales, principalmente de las personas integrantes de la propia comunidad, que necesariamente implican un tratamiento que debe ajustarse a lo dispuesto en el Reglamento General de Protección de Datos (RGPD).

La Agencia Española de Protección de Datos (AEPD) ha publicado una «guía de administradores de fincas» que da respuesta a dos cuestiones relevantes con relación a los datos personales que manejan las comunidades de propietarios, particularmente en las convocatorias y en las actas de las juntas.

En primer lugar, se plantea la duda sobre si se pueden **publicar en el tablón de anuncios** las convocatorias de las juntas de propietarios, o las actas de las mismas, que contengan la identidad de los propietarios deudores.

La Guía de la AEPD para administradores de fincas analiza este punto partiendo del hecho de que con carácter general dicha publicación no estaría amparada por la normativa de protección de datos. Sin embargo, la LPH da la posibilidad de dar publicidad a través de la convocatoria de la junta de la identidad de las personas que no se encuentran al corriente de pago de sus obligaciones con la comunidad. Esto conlleva que todos los propietarios puedan conocer la identidad de los deudores, así como el importe de la deuda sin necesidad del consentimiento de estos. Excepcionalmente, cuando no exista constancia del domicilio de algún propietario, al no haber facilitado este dato a la comunidad, se podrá publicar en el tablón de anuncios de la comunidad —o en otro lugar visible de uso general habilitado al efecto— la convocatoria de la junta de propietarios. Aclara la mentada guía que «El tablón de avisos no deberá colocarse en un lugar de tránsito fácilmente accesible por cualquier persona».

Es decir, cabría la publicación de las convocatorias en el tablón de anuncios con los datos de los propietarios morosos, siempre y cuando se haya seguido el procedimiento de notificación recogido en el art. 9.1. h), e intentado en primer lugar la notificación en el domicilio facilitado para notificaciones y, en su defecto, en el piso o local perteneciente a la comunidad.

JURISPRUDENCIA

Sentencia del Tribunal Supremo n.º 135/2014, de 21 de marzo, ECLI:ES:TS:2014:2394

El TS analiza un supuesto en el que un vecino demanda a la comunidad de propietarios por entender que se vulnera su derecho al honor, a la intimidad y a la propia imagen, por la publicación de la convocatoria de la junta de propietarios, en la que se incluía un listado de morosos, en la puerta de acceso al residencial, así como en la puerta de la piscina. Entendía el actor que dichos carteles no se encontraban situados en un tablón de anuncios u otro lugar acondicionado para ello, y que tal y como se habían colocados los carteles eran visibles tanto para los propietarios de la comunidad como para personas ajenas a ella. Concluye nuestro Alto Tribunal que debe prevalecer el derecho a la libertad de información y comunicación que asiste a la comunidad por los siguientes motivos:

«En efecto, en primer término, porque la información difundida no solo es de interés para la comunidad de propietarios, sino que viene amparada por la legislación específica en materia de propiedad horizontal. En segundo término, porque dicha información cumple el presupuesto de veracidad, sin que el alegado acuerdo transaccional al respecto, que no fue aportado a los autos, desvirtúe el contenido de la información, esto es, la situación de morosidad de la parte actora. En tercer término, porque del comunicado en cuestión, conforme con los requisitos de la LPH, no se constata intencionalidad alguna de menoscabar el honor del recurrente, sin contener juicios valorativos, ni expresiones injuriosas o insultantes que pudieran ser atentatorias contra su honor, resultando adecuada su difusión en el marco de los interesados. Por último, debe señalarse que se intentó, previamente, la notificación personal de la convocatoria en la vivienda de la parte actora, sin que se haya designado, específicamente, otro domicilio a tales efectos».

RESOLUCIÓN RELEVANTE

Sentencia de la Audiencia Nacional, rec. 652/2018, de 27 de septiembre de 2019, ECLI:ES:AN:2019:3471

En un supuesto en el que se recurre una sanción impuesta por la AEPD por exponer la publicación de la convocatoria de una junta, con el listado de deudores, en el tablón de anuncios de la comunidad, siendo visible no solo a los propietarios sino también a terceros que pudiesen transitar por dicha zona, concluye la audiencia que constando facilitado un domicilio a efectos de comunicaciones, no se ha probado que se intentara la notificación en el mismo, y por tanto procede confirmar la sanción.

«Por tanto, hay que entender que no se ha cumplido la obligación contenida en la letra h) del art. 9 de la Ley de Propiedad Horizontal por la Comunidad recurrente. Por otro lado, como se deriva del acta notarial de 7 de febrero de 2017, que se acompañó con la denuncia, y las fotos que contiene la misma, el tablón de anuncios de la Comunidad de Propietarios, donde se expuso la convocatoria de la junta, se podía ver no solo por los inquilinos del edificio, de los que muchos no son propietarios, sino también por terceras personas ajena a la Comunidad que visitasen el edificio.

Por tanto, la infracción por la que ha sido sancionada la parte demandante es conforme a derecho, por lo que procede desestimar el presente recurso contencioso-administrativo».

En segundo lugar, también se analiza **el acceso y la obtención de copias de la documentación de la comunidad** por parte de los propietarios de las viviendas. Resulta especialmente relevante en el caso de las actas, que contienen datos personales de los propietarios. La AEPD, en su «guía de administradores de fincas», recuerda que el art. 19 de la LPH regula la remisión de las actas a los propietarios, si bien recalca que deben tenerse en consideración los principios del RGPD, en especial el relativo a la minimización de datos. Se recoge en la guía de la AEPD que «(...) la comunicación de datos deberá limitarse a aquellos que —en cada caso— resulten "adecuados, pertinentes y limitados" para el cumplimiento de la finalidad que legitima el acceso a los mismos, que en estos supuestos viene referido al buen gobierno de la comunidad y a su control».

Sobre el art. 20.e) de la LPH, que recoge entre las funciones del administrador el custodiar, a disposición de los titulares, la documentación de la comunidad (entre la que se incluyen las actas), recuerda que debe ser interpretado conforme a la normativa de protección de datos, lo que conlleva que no se permita un acceso generalizado a toda la documentación de los archivos de la comunidad que pueda contener datos personales, si no que únicamente se podrá acceder a aquellos datos que sean estrictamente pertinentes, adecuados y limitados en relación con los fines para los que son tratados. Es decir, «fuera de los supuestos en los que expresamente la LPH obliga a la comunicación a otros propietarios de determinados datos personales, deberá examinarse en cada caso si el acceso a los documentos cumple el principio de proporcionalidad resultando idóneo, necesario y equilibrado para obtener la finalidad perseguida, según señala el Tribunal Constitucional. En otro caso, no procederá el acceso directo al documento» («guía de administradores de fincas»).

En este sentido, podemos citar la **sentencia de la Audiencia Provincial de Bizkaia n.º 151/2019, de 3 de julio, ECLI:ES:APBI:2019:2255**, que citando a distintas audiencias, dispone que:

> «En este sentido se pronuncian las ya mencionadas Sentencias de las AAPP de Palma de Mallorca, Sec. 3ª, de 21/2/14 y de Valencia, Sec. 8ª, de 8/4/09 en la que se cita a la SAP de Madrid de 16/12/05 que dispone lo siguiente: el derecho a la información no puede entenderse como la facultad de todo propietario a obtener cuanta documentación quiera y le venga en gana o con fines inespecíficos, sino como el derecho a examinarla en el lugar donde está a su disposición, o eventualmente obtener copia, en función de circunstancias que así lo aconsejen por la complejidad o interés específico del asunto, dado que ha de compatibilizarse el derecho a la información con el deber de los órganos de la Comunidad de proteger el interés general, evitando conductas con fines obstruccionistas (STS 28 de febrero de 2005, ya citada) o de control o fiscalización general, más propio de una auditoria que de una petición de información para la intervención en la Junta en los términos legalmente exigidos (SAP de Santa Cruz de Tenerife de 13 de Mayo de 2.000). Así, el derecho de información del que es tributario el actor ha de ponderarse con el de la comunidad a no ver dificultado su funcionamiento y se justifica en la medida que resulta imprescindible para el primero a los efectos de ilustrarse sobre los asuntos sometidos a su consideración en la junta a la que ha sido convocado pues solo entonces podrá votar sobre aquéllos con pleno conocimiento de causa (STS de 28 de febrero de 2.005)».

2.1.3. Presidente, secretario y administrador

La figura del presidente de las comunidades de propietarios 270

La figura del presidente en las comunidades de propietarios aparece regulada en el artículo 13 de la Ley de Propiedad Horizontal, que establece que debe ser nombrado entre los propietarios por elección o, en su defecto, mediante turno rotatorio o sorteo. Cuando no fuese posible designar presidente en la junta, se podrá acudir al juez que resolverá en equidad, tal y como se establece en el art. 17.7 de la LPH.

CUESTIÓN

¿El cargo de presidente es obligatorio?

La LPH recoge que el nombramiento será obligatorio pero permite que el propietario designado solicite al juez su relevo en el mes siguiente a su acceso al cargo, alegando las razones que le asistan para ello. El juez resolverá en equidad lo que proceda dentro de veinte días (art. 17.7 de la LPH), designando al propietario que deba sustituir al presidente, en su caso, en tanto no se proceda a realizar una nueva designación en el plazo establecido en la resolución judicial.

Sobre la exigencia de que el presidente sea uno de los propietarios se ha pronunciado el Tribunal Supremo en el sentido de considerar «(...) la **nulidad de pleno derecho del nombramiento como presidente de la comunidad de propietarios de quien no es propietario** (...)», sin que ello implique la invalidez de los actos realizados por este, «(...) pues lo contrario significaría el absurdo lógico y jurídico de anular todos los actos de gestión que pudiera haber realizado para la comunidad la presidenta nombrada indebidamente; actos que, siquiera tácitamente, venían siendo confirmados por los comuneros (...)». **STS n.º 52/2017, de 27 de enero, ECLI:ES:TS:2017:173.**

Para la elección del presidente se requiere el voto favorable de la mayoría de los propietarios que, a su vez, representen la mayoría de las cuotas de participación en primera convocatoria, y cuando se trata de la segunda convocatoria se requiere la mayoría de los asistentes, siempre que esta represente, a su vez, más de la mitad del valor de las cuotas de los presentes.

CUESTIONES

1. ¿Cuál es la duración del cargo de presidente?

En la LPH, en su art. 13.7, se recoge que el nombramiento se hará por el plazo de un año, salvo que los estatutos dispongan otra cosa.

2. ¿Puede la junta de propietarios decidir el cambio de presidente antes del plazo de un año?

Sí, por acuerdo de la junta de propietarios, convocada en sesión extraordinaria, los designados podrán ser removidos de su cargo antes de la expiración del mandato.

La principal función del presidente es la de **ostentar legalmente la representación de la comunidad**, en juicio y fuera de él, con todo lo que ello implica, pero a lo largo de la propia LPH encontramos muchas otras atribuciones:

- Requerir a quién realice actividades prohibidas en el art. 7.2 de la LPH para la inmediata cesación de las mismas, y previa autorización de la junta, entablar contra él la acción de cesación si persiste en su conducta.
- Exigir judicialmente las cantidades debidas a la comunidad por los miembros de esta, a través del procedimiento monitorio, y con previa autorización de la junta.
- Dar el visto bueno a la certificación de deuda emitida por el secretario, a las comunicaciones que por no haberse podido realizar en el domicilio, deban

hacerse mediante el tablón de anuncios, y a la certificación del acuerdo de la junta aprobando la liquidación de la deuda con la comunidad, previa al procedimiento monitorio, salvo que el secretario sea un secretario-administrador con cualificación profesional necesaria y legalmente reconocida que no vaya a intervenir profesionalmente en la reclamación judicial de la deuda, en cuyo caso no será precisa la firma del presidente.

- Actuar como secretario y administrador, salvo que por acuerdo mayoritario de la junta de propietarios se acuerde el desempeño de dichos cargos por personas diferentes a la del presidente, o cuando así se prevea en los estatutos.
- Convocar y presidir las juntas de propietarios.
- Incluir en el orden del día de la siguiente junta las cuestiones que le solicite cualquier propietario.
- Firmar las actas de las juntas, juntamente con el secretario, para cerrarlas.

A TENER EN CUENTA. La LO 1/2025, de 2 de enero, introduce el apartado 3 en el art. 7 de la LPH con efectos desde el 03/04/2025. Desde esa fecha, el presidente, a iniciativa propia o de cualquiera de los propietarios u ocupantes, podrá requerir al propietario que explote una vivienda turística sin aprobación expresa por parte de la comunidad, a la inmediata cesación de la actividad, bajo apercibimiento de iniciar las acciones judiciales procedentes.

Cabe citar aquí la **sentencia de la Audiencia Provincial de Pontevedra n.º 352/2017, de 17 de julio, ECLI:ES:APPO:2017:1610**, que recoge que la representación que el presidente realiza de la comunidad tiene su base en los acuerdos de la junta, no estándole permitido tomar decisiones trascendentes unilateralmente:

> «Y es que, como enseña una reiterada doctrina jurisprudencial, el Presidente si bien representa a la comunidad, **tal representación ha de tener por base la ejecución de acuerdos de la Junta** sobre asuntos de interés general, porque la representación de la comunidad en juicio y fuera de él del Presidente, no tiene un contenido "en blanco", de tal forma que esa representación sirva para legitimarle en cualquiera de sus actuaciones. Es la Junta de propietarios la que acuerda lo conveniente a sus intereses y el Presidente ejecuta, por lo que su voluntad no suple, corrige o anula la de la Junta. Y, en definitiva, no resulta razonable sostener que la facultad de representación que se atribuye al Presidente de modo genérico, permita decidir unilateralmente sobre asuntos de trascendencia para la comunidad y los límites a las facultades de representación del Presidente deben buscarse en las competencias del resto de los órganos comunitarios, de tal forma que si el Presidente, puede realizar actos de gestión ordinaria, para otros requerirá el preceptivo acuerdo de la Junta por tratarse de asuntos que deben ser sometidos a su decisión (sentencias del Tribunal Supremo de 20 octubre 2004, 10 octubre 2011, 27 marzo 2012, 14 febrero 2014 y 30 diciembre 2014)».

Con relación a la responsabilidad del presidente con la comunidad hay que tener en cuenta que la misma deriva del contrato de mandato recogida en los art. 1101 y 1718 y siguientes del Código Civil, tal y como señala la **sentencia de la Audiencia Provincial de Pontevedra n.º 197/2018, de 6 de julio, ECLI:ES:APPO:2018:822**:

> «Por tanto, el presidente de la comunidad únicamente ostenta la representación de la junta de propietarios a través de acuerdos válidos y en los términos de los mismos, por lo que, **dentro del cumplimiento de sus obligaciones, no puede**

traspasar los límites del mandato, debe atenerse a las instrucciones de la junta de propietarios. Si en el ejercicio de sus funciones el presidente se extralimita, o actúa unilateralmente de forma que perjudique los intereses generales de la Comunidad, los propietarios pueden exigir responsabilidad civil con base en el art. 1101 y 1726 del Código civil (hace al mandatario, al presidente de la comunidad, responsable no solamente del dolo, sino también de la culpa, que deberá estimarse con más o menos rigor por los Tribunales) en relación a las normas complementarias de la LPH.

Esa responsabilidad consistirá, aparte de una remoción del cargo, en una indemnización económica por los daños y perjuicios ocasionados, que será exigible según prevén las normas del mandato, que es precisamente la acción ejercitada en nuestro caso».

CUESTIÓN

¿Todo incumplimiento que realice el presidente de los acuerdos de la junta puede conllevar la exigencia de responsabilidad por parte de la comunidad?

La **sentencia de la Audiencia Provincial de León n.° 458/2020, de 17 de julio, ECLI:ES:APLE:2020:921**, da respuesta a esta cuestión en un supuesto en el que se aludía a un acuerdo de la junta en el que además de autorizar para acudir a la vía judicial, se recogía también que se intentase un acuerdo extrajudicial, que el presidente no intentó, acudiendo con éxito a la vía judicial en la que obtuvo una sentencia favorable para la comunidad: «Incluso admitiendo un incumplimiento por parte del presidente de la comunidad en relación con el mandato otorgado, solo se trataría de una extralimitación que, como se indica en el artículo 1715 del Código Civil, no produce efecto alguno cuando el mandato se hubiera cumplido de manera más ventajosa para el mandante».

A TENER EN CUENTA. La LPH también recoge la figura del **vicepresidente** de la comunidad de propietarios (art. 13.4 de la LPH). Su existencia es facultativa y su nombramiento sigue el procedimiento establecido para el presidente. Su función es la de sustituir al presidente en los casos de ausencia, vacante o imposibilidad de este y también asistir al presidente en el ejercicio de sus funciones en los términos que establezca la junta de propietarios.

280 Las figuras del secretario y administrador de la comunidad de propietarios

El **administrador de la comunidad de propietarios** es un órgano de gobierno de la comunidad, de los recogidos en el art. 13.1 de la LPH, que carece de carácter obligatorio ya que las funciones atribuidas al mismo serán ejercidas por el presidente de la comunidad, salvo que los estatutos o la junta de propietarios por acuerdo mayoritario, dispongan la provisión de dicho cargo separadamente de la presidencia (art. 13.5 de la LPH). Los cargos de secretario y administrador podrán acumularse en una misma persona o bien nombrarse independientemente.

La **sentencia de la Audiencia Provincial de Alicante n.° 355/2020, de 16 de septiembre, ECLI:ES:APA:2020:2475**, se refiere a la figura del administrador en los siguientes términos:

«(...) En este sentido, la Sentencia de la Audiencia Provincial de Asturias de 7 de abril de 2008, ha señalado que "... el administrador de fincas es un colaborador activo de la comunidad de propietarios, de cuyos órganos de gobierno forma parte —art. 13 L.P.H—, al que en atención a sus especiales conocimientos y formación, se le atribuyen distintas competencias y funciones concretas de gestión y gobierno de la comunidad de propietarios, entendiéndose dicha relación como un mandato sui generis, donde es fundamental el carácter 'in tuitu personae', donde prima la confianza que imprimen las cualidades de la persona con la que se contrata"».

Como decimos, el cargo de administrador podrá ser desempeñado tanto por cualquier propietario como por personas físicas con cualificación profesional suficiente y legalmente reconocida para el ejercicio de estas funciones. Cabe destacar la **sentencia de la Audiencia Provincial de Huesca n.° 46/2011, de 22 de febrero, ECLI:ES:APHU:2011:65**, que recalca que: «4. La ley se limita a precisar que la persona ajena a la comunidad que ejerza los puestos de secretario o administrador tenga "cualificación profesional suficiente y legalmente reconocida", pero no indica el alcance mínimo o la titulación, ni quien ha de apreciar la suficiencia. Destaca la doctrina que no existe una titulación académica que acredite una idoneidad objetiva y previa para la administración de fincas urbanas (...)».

CUESTIÓN

¿Es necesario que el administrador se encuentre colegiado como tal?

No, no es necesaria la colegiación. Cabe citar aquí la **sentencia de la Audiencia Provincial de Bizkaia n.° 410/2013, de 30 de octubre, ECLI:ES:APBI:2013:2261**, que recoge que: «(...) el hecho de que el Administrador actual no se halle colegiado no conlleva per se que carezca de cualificación adecuada para el cargo que desempeña (...)». También la **sentencia de la Audiencia Provincial de Asturias n.° 17/2020, de 20 de mayo, ECLI:ES:APO:2020:1822**, que establece: «En todo caso, cuando el artículo 13.6 de la Ley de Propiedad Horizontal se refiere al administrador profesional como aquel que cuenta con cualificación suficiente y legalmente reconocida para ejercer tales funciones, no impone una titulación determinada, y menos aún una colegiación obligatoria».

El administrador de la comunidad de propietarios **será nombrado por la junta**, pues, tal y como establece la LPH al enumerar sus funciones, en el art. 14 señala que le corresponde a esta: «a) Nombrar y remover a las personas que ejerzan los cargos mencionados en el artículo anterior y resolver las reclamaciones que los titulares de los pisos o locales formulen contra la actuación de aquéllos».

En lo que respecta a la **duración del cargo de administrador**, atendiendo a lo establecido en el art. 13.7 de la LPH, esta será de **un año**, salvo que en los estatutos se prevea lo contrario. En este artículo también se prevé la posibilidad de que el administrador (al igual que el secretario) puedan ser **removidos de su cargo** antes de la expiración del mandato por acuerdo de la junta de propietarios, convocada en sesión extraordinaria.

La remoción del cargo debe ser notificada al administrador de manera fehaciente, y puede dar lugar a una indemnización por daños y perjuicios cuando el cese se realice sin causa que lo justifique. Resulta ilustrativa en este punto la **sentencia de la Audiencia Provincial de Baleares n.° 112/2020, de 19 de marzo, ECLI:ES:APIB:2020:599**, que en un supuesto en el que el administrador reclamaba las partidas de los meses no trabajados entendiendo que su contrato era por un año (art. 13.7 de la LPH) y se le había cesado con anterioridad, la sala establece que:

> «(...) el contrato de administración de una comunidad de propietarios tiene una naturaleza jurídica enmarcable en el contrato mandato, correspondiendo al admi-

nistrador las actividades previstas en el art. 20 LPH, y, dada la naturaleza del contrato, se trata de una relación "intuitu personae" por ser un cargo de confianza de la comunidad. Por lo tanto, partiendo de dicha naturaleza contractual, la revocación por el mandante del mandato retribuido, con anterioridad al plazo pactado, es posible, pero si no es justificado surge el derecho de indemnización a favor del mandatario por los daños y perjuicio ocasionados, que podrían comprender, no solo el valor de la pérdida sufrida, sino también el de la ganancia dejada de obtener. No así, sin embargo, si el mandatario hubiera incurrido en una justa causa para la revocación (sentencias del Tribunal Supremo de 21 de diciembre de 1963, 25 de noviembre de 1983, y 3 de marzo de 1998). De modo que, **para que la Comunidad de propietarios tenga que abonar el lucro cesante** reclamado ex artículos 1.101 y 1.106 del Código Civil, **sería preciso que tal cese no hubiera sido justificado**».

CUESTIÓN

¿Puede incluirse en los contratos de los administradores de fincas una cláusula estableciendo un plazo para la devolución de la documentación a la comunidad en caso de cese?

La **Audiencia Provincial de Burgos en sentencia n.º 364/2017, de 30 de junio, ECLI:ES:APBU:2017:697**, da respuesta a esta cuestión considerando que:

«Se entiende que desde el momento en que el administrador es removido, con o sin causa justificada, debe devolver la documentación que le fue confiada, sin mayores dilaciones que la de cerrar la liquidación y cuentas pendientes de la mensualidad en que se produce. Por lo tanto, debe reputarse ***abusiva conforme a la normativa protectora de consumidores y usuarios*** *(artículo 85.7 y 87.6 del Texto Refundido) la cláusula cuarta del contrato en cuanto establece que el administrador deberá entregar a la Comunidad toda la documentación y datos de la misma que obre en su poder con motivo de la relación contractual, dentro del plazo de 60 días.*

Se trata de un plazo excesivo, que juega en contra del consumidor y únicamente beneficia al administrador».

Dentro de las **causas jurisprudencialmente consideradas como justas** por los distintos tribunales para proceder al cese del administrador, se encuentran las siguientes:

- Actuación negligente. (**SAP Alicante n.º 355/2020, de 16 de septiembre, ECLI:ES:APA:2020:2475**).
- Pérdida de confianza e incumplimiento de obligaciones. (**SAP Valencia n.º 243/2011, de 15 de abril, ECLI:ES:APV:2011:3956**, y **SAP Madrid, n.º 357/2011, de 13 de julio, ECLI:ES:APM:2011:9921**).
- Ocultación contable o graves errores producidos en las cuentas de la comunidad. (**SAP Alicante n.º 276/2014, de 30 de septiembre, ECLI:ES:APA:2014:2950**).
- Desidia en el desempeño de su cargo. (**SAP Madrid n.º 3/2006, de 2 de enero, ECLI:ES:APM:2006:177**).
- Apropiación indebida de fondos. (**STS n.º 324/2016, de 19 de abril, ECLI:ES:TS:2016:1683**).

- No informar de las consecuencias económicas y jurídicas de su propio cese. (**SAP Madrid n.º 288/2021, de 9 de julio, ECLI:ES:APM:2021:8552**).

Las **funciones** del administrador de la comunidad de propietarios se encuentran recogidas en el art. 20 de la LPH:

> «a) Velar por el buen régimen de la casa, sus instalaciones y servicios, y hacer a estos efectos las oportunas advertencias y apercibimientos a los titulares.
>
> b) Preparar con la debida antelación y someter a la Junta el plan de gastos previsibles, proponiendo los medios necesarios para hacer frente a los mismos.
>
> c) Atender a la conservación y entretenimiento de la casa, disponiendo las reparaciones y medidas que resulten urgentes, dando inmediata cuenta de ellas al presidente o, en su caso, a los propietarios.
>
> d) Ejecutar los acuerdos adoptados en materia de obras y efectuar los pagos y realizar los cobros que sean procedentes.
>
> e) Actuar, en su caso, como secretario de la Junta y custodiar a disposición de los titulares la documentación de la comunidad.
>
> f) Todas las demás atribuciones que se confieran por la Junta».

El administrador está sujeto a responsabilidad por los actos que realice en el desempeño de sus funciones.

En el caso del **secretario de la comunidad de propietarios**, sus funciones serán ejercidas por el presidente de la comunidad, salvo que los estatutos o la junta de propietarios, por acuerdo mayoritario, dispongan que dicho cargo debe ejercerse de forma separada a la presidencia (art. 13.5 de la LPH).

El cargo de secretario podrá acumularse al de administrador o bien ejercerse separadamente, y podrá ser desempeñado por cualquier propietario, o por personas físicas con cualificación profesional suficiente y legalmente reconocida para ejercer dichas funciones. También podrá recaer en corporaciones y otras personas jurídicas en los términos establecidos en el ordenamiento jurídico.

Al igual que ocurre con el cargo de administrador o presidente, su nombramiento se hace por un año, si bien pueden ser removidos de su cargo en cualquier momento por acuerdo de la junta de propietarios.

Entre las funciones encomendadas al secretario se encuentran, entre otras:

- Recibir la comunicación del domicilio de los propietarios a efectos de citaciones y notificaciones [art. 9.1.h) de la LPH].
- Firmar, con el visto bueno del presidente las notificaciones que serán publicadas en el tablón de anuncios de la comunidad [art. 9.1.h) de la LPH].
- Recibir la comunicación sobre el cambio de la titularidad del piso o local [art. 9.1. i) de la LPH].
- Recibir la comunicación del voto discrepante de los propietarios [art. 17.8 de la LPH].

- Emitir y certificar, con el visto bueno del presidente, el estado de deudas al que se refiere el art. 9.1.e) de la LPH, así como el certificado del acuerdo de liquidación de la deuda que debe acompañar la demanda de procedimiento monitorio.
- Levantamiento de las actas tras la celebración de las juntas [art. 19.3 de la LPH].
- Custodiar los libros de actas de la junta de propietarios [art. 19.4 de la LPH].
- Conservar durante el plazo de cinco años, las convocatorias, comunicaciones, apoderamientos y demás documentos relevantes de las reuniones.

2.2. DIVISIÓN DE LA FINCA. ELEMENTOS COMUNES Y PRIVATIVOS

290 **Calificación como elemento común o privativo**

Recogiendo los pronunciamientos de nuestro Alto Tribunal: «La Propiedad Horizontal constituye una figura jurídica en la que, **junto a una propiedad exclusiva sobre un espacio concreto**, **coexiste** una **copropiedad obligada, necesaria e indivisible sobre unos elementos comunes**, y su ley reguladora pretende configurar o ajustar esa forma de goce mediante determinadas reglas, para conseguir una pacífica coexistencia entre copropietarios cuyas relaciones de vecindad son susceptibles de conflicto por la interconexión existente por razón de la cosa, como ha declarado la STS 19 de febrero de 1971» (**sentencia del Tribunal Supremo n.º 25/2007, de 1 de febrero, ECLI:ES:TS:2007:352**). En el mismo sentido, también la reciente **STS n.º 364/2022 de 4 de mayo, ECLI:ES:TS:2022:1708**, señala:

> «En la Ley de Propiedad Horizontal confluye el **derecho singular y exclusivo** de cada propietario sobre un espacio suficientemente delimitado y susceptible de aprovechamiento independiente, y la **copropiedad**, conjuntamente con los demás dueños de pisos o locales, de los restantes elementos, pertenencias y servicios comunes, con la fijación de una cuota de participación con relación al total del valor del inmueble y referida a centésimas del mismo, que opera de módulo para determinar la participación en las cargas y beneficios por razón de la comunidad».

Por tanto, toda propiedad horizontal se caracteriza por aglutinar dos tipos de propiedad: una exclusiva sobre la vivienda o local, y una copropiedad sobre los elementos comunes, lo que a su vez se traduce en la concurrencia de diversidad de derechos particulares y comunes sobre un mismo elemento, y multitud de derechos particulares sobre elementos privativos que encuentran como límite otros tantos derechos particulares con la misma y merecida protección.

El artículo 3 de la LPH, con mención al artículo 396 del CC, **distingue elementos privativos y comunes** disponiendo que:

> «En el régimen de propiedad establecido en el artículo 396 del Código Civil corresponde a cada piso o local:
>
> a) El derecho singular y exclusivo de propiedad sobre un espacio suficientemente delimitado y susceptible de aprovechamiento independiente, con los elementos arquitectónicos e instalaciones de todas clases, aparentes o no, que estén comprendidos dentro de sus límites y sirvan exclusivamente al propietario, así como el de los anejos que expresamente hayan sido señalados en el título, aunque se hallen situados fuera del espacio delimitado.
>
> b) La copropiedad, con los demás dueños de pisos o locales, de los restantes elementos, pertenencias y servicios comunes.
>
> A cada piso o local se atribuirá una cuota de participación con relación al total del valor del inmueble y referida a centésimas del mismo. Dicha cuota servirá de módulo para determinar la participación en las cargas y beneficios por razón de la comunidad. Las mejoras o menoscabos de cada piso o local no alterarán la cuota atribuida, que sólo podrá variarse de acuerdo con lo establecido en los artículos 10 y 17 de esta Ley.
>
> Cada propietario puede libremente disponer de su derecho, sin poder separar los elementos que lo integran y sin que la transmisión del disfrute afecte a las obligaciones derivadas de este régimen de propiedad».

La calificación de un elemento como común o privativo adquiere mayor relevancia jurídica cuando existe la necesidad de determinar el cumplimiento de las obligaciones o la atribución de derechos que corresponde a cada copropietario en atención a las disposiciones de la Ley de Propiedad Horizontal. Así, entre aquellas consecuencias que surgen con motivo de la calificación, encontramos en la LPH algunos ejemplos en el artículo 3, participación en las cargas, o en el artículo 7, facultad de modificación de los elementos, y que se traducen, en definitiva, en cómo se dividen los gastos sobre ese elemento, o quién viene obligado al mantenimiento y cuidado de un determinado elemento.

Los elementos privativos, comunes y de uso privativo 291

Podemos definirlos de la siguiente manera:

- **Elementos privativos**: son los espacios de propiedad exclusiva de cada titular, siempre que estén suficientemente delimitados, sean susceptibles de aprovechamiento independiente y tengan salida a un elemento común o a la vía pública. Dentro de ellos se comprenden también los elementos arquitectónicos e instalaciones incluidos en sus límites que sirvan en exclusiva a su propietario. Asimismo, pueden tener esta condición los anejos —por ejemplo, garaje, buhardilla o sótano— si así aparecen configurados en el título constitutivo.
- **Elementos comunes**: son aquellos elementos, pertenencias o servicios que sirven al conjunto del edificio y resultan necesarios o útiles para el adecuado uso y disfrute tanto del inmueble como de los distintos elementos privativos. Su titularidad corresponde en copropiedad a todos los propietarios, siendo inseparables del elemento privativo al que van

unidos. Pueden distinguirse elementos comunes por naturaleza —esenciales para la edificación— y elementos comunes por destino —no esenciales, pero adscritos al servicio común—.

- **Elementos comunes de uso privativo**: son elementos que siguen siendo comunes en su titularidad, pero cuyo uso o disfrute exclusivo se atribuye a uno o varios propietarios concretos. Es decir, no se transforman en elementos privativos por el hecho de que su utilización corresponda singularmente a un comunero; continúan siendo comunes, aunque con un régimen especial de uso exclusivo.

300 **Concepto de elementos privativos**

Podemos definir los elementos privativos como el espacio suficientemente delimitado y susceptible de aprovechamiento independiente, con salida a un elemento común o a la vía pública, junto con los elementos arquitectónicos e instalaciones que estén incluidos dentro de sus límites y que sirvan en exclusiva al propietario.

Además, se considerarán privativos aquellos anejos (plazas de garaje, sótano, trastero, etc.) que así aparezcan definidos en el título constitutivo.

Las notas características de estos elementos privativos son:

- Se trata de un espacio delimitado.
- Debe ser susceptible de aprovechamiento independiente.
- Con salida a elemento común o vía pública.
- Incluye los elementos arquitectónicos cuando estén dentro de sus límites y le sirvan en exclusiva.
- Sus anejos lo serán también si así se ha determinado en el título constitutivo. Así, el artículo 5 de la LPH cita, a modo ejemplificativo, que se considerarán anejos el garaje, la buhardilla o el sótano.

Cabe citar aquí la **sentencia de la Audiencia Provincial de Madrid n.º 43/2022, de 17 de febrero, ECLI:ES:APM:2022:2322**, que establece lo siguiente:

> «Dos son, de acuerdo con la doctrina mayoritaria, las notas que caracterizan los elementos privativos:
> a. La territorialidad deben encontrarse dentro de los límites de la propiedad singular (el artículo 396 CC dice "hasta la entrada al espacio privativo").
> b. Y el servicio, ya que deben servir exclusivamente a su propietario».

➢ **Facultad de disponer sobre los elementos privativos**

Dispone el artículo 3 de la LPH que cada propietario tendrá facultad para disponer de su derecho libremente, y fija como único límite la imposibilidad de separar los elementos que lo integran. Es importante tener en cuenta que la transmisión del disfrute no afecta a sus obligaciones.

El artículo 396 del CC, en concordancia con esta libertad de disposición, dispone que «en caso de enajenación de un piso o local, los dueños de los demás, por este solo título, no tendrán derecho de tanteo ni de retracto».

➢ Facultad de modificación de elementos arquitectónicos

Otra de las facultades de todo propietario sobre los elementos privativos viene prevista en el apartado 1 del artículo 7 de la LPH cuando dispone: «1. El propietario de cada piso o local podrá modificar los elementos arquitectónicos, instalaciones o servicios de aquél cuando no menoscabe o altere la seguridad del edificio, su estructura general, su configuración o estado exteriores, o perjudique los derechos de otro propietario, debiendo dar cuenta de tales obras previamente a quien represente a la comunidad».

Por tanto, el artículo 7 de la LPH comprende la facultad de los propietarios para realizar las modificaciones y obras que consideren necesarias, fijando como únicos límites que no afecten a la seguridad del edificio, su estructura general, su configuración o estado exteriores, o a los derechos de otro propietario, y con la obligación de comunicar su realización a la comunidad de propietarios.

La **sentencia del Tribunal Supremo n.º 542/2013, de 1 de octubre, ECLI:ES:TS:2013:5095,** establece que a falta de prohibición expresa en los estatutos que limite el propio derecho a efectuar división sin contar con el consentimiento de la comunidad, a la junta de propietarios solo le queda vigilar que las obras no perjudiquen elementos comunes ni a otros propietarios, y no afecten a la estructura, la seguridad, configuración o estado exterior del edificio, pues respetándose esas limitaciones, la junta únicamente podrá fijar nuevas cuotas de participación: «(iv) Si los estatutos permiten efectuar operaciones de división sin necesidad del consentimiento de la comunidad, la junta de propietarios sólo tendrá que efectuar una actividad de control referente a que las obras no perjudiquen a elementos comunes ni a otros propietarios, y no afecten a la estructura, la seguridad, configuración o estado exterior del edificio, pues si se respetan estas limitaciones, la junta lo único que tiene reservado es la atribución de nuevas cuotas de los espacios afectados por la reforma (STS 30 de septiembre 2010)».

Cabe mencionar aquí, por lo ilustrativa que resulta, la **sentencia de la Audiencia Provincial de Málaga n.º 38/2020, de 31 de enero, ECLI:ES:APMA:2020:936**, que citando al Tribunal Supremo recoge que:

> «(...) Así en sentencias de su Sala Primera como la de 15 de diciembre de 2008, entre otras, indica que la jurisprudencia «ha tratado de delimitar el contenido y alcance de la normativa sobre la base de que el artículo 7.º de la Ley de Propiedad Horizontal limita las facultades del propietario, el cual, si bien usará de su piso o local según le convenga, carece de capacidad para alterar cualquier parte del resto del inmueble, distinguiendo entre la propiedad privada y los elementos comunes del edificio: para la primera, **el titular tiene plena libertad de realizar modificaciones, pero no en los servicios generales de la Comunidad, pues sus derechos dominicales terminan allí donde su propia superficie se acaba, conforme al artículo 3º. de la Ley de Propiedad Horizontal"»**.

CUESTIÓN

¿Cuándo se entiende rebasada esta facultad de modificación?

Cuando del conjunto de obras que vengan a modificar esos elementos privativos se vean directamente afectados elementos comunes en su seguridad, estructura e incluso apariencia, es decir, si la modificación excede los límites propios del elemento privativo afectando elementos que afectan al común de los vecinos, se estará excediendo la facultad de modificación atribuida. Ejemplo de ello lo encontramos en la **sentencia del Tribunal Supremo n.º 406/2011, de 13 de junio, ECLI:ES:TS:2011:4042:**

*«(...) **son obras que exceden de la facultad otorgada en el título constitutivo y han sido hechas en beneficio exclusivo del recurrente** para la construcción de una piscina y un altillo en el local, no para reforzar la estructura del edificio, que no prueba que lo necesitara, y ello **comporta en si mismo una alteración estructural y una ocupación de elementos comunes, aunque ello no repercuta en la seguridad**.*

(...)

***Las obras realizadas chocan con el prevalente respeto a los elementos comunes** y la necesidad de impedir actuaciones indiscriminadas y fuera de control de uno de los comuneros contra los que la Comunidad actúa para salvaguardar su legítimo derecho, sin que ello le impida disfrutar tanto de los elementos propios como de los comunes, sí bien en el marco impuesto por la Ley de Propiedad Horizontal (SSTS 28 de noviembre 2008; 7 de marzo 2011)».*

JURISPRUDENCIA

Sentencia del Tribunal Supremo n.º 89/2024, de 24 de enero, ECLI:ES:TS:2024:199

Asunto: Cuando se trate de modificar elementos comunes la comunidad podrá denegar la autorización, aunque se ocasione un perjuicio al interesado.

«Como observa en este punto la sentencia de primera instancia con acertado criterio, al margen las quejas de algún vecino directamente afectado por residir en el piso NUM003, se trata de no sentar un precedente y, en todo caso, de evitar el riesgo y no alentar la idea de que, al autorizarse la apertura de las dos puertas, la comunidad puede verse obligada a asumir en el futuro y en beneficio exclusivo de alguno o algunos de los comuneros otras posibles alteraciones de los elementos comunes al no sufrir perjuicio por no verse afectada la seguridad ni la estructura ni la estabilidad del inmueble.

*Y también **se trata de que el criterio de actuación de la comunidad no prime ni haga prevalecer el interés individual y exclusivo de un comunero sobre el interés colectivo y el beneficio general de la comunidad**, ya que, tratándose de la alteración de los elementos comunes y no existiendo concordancia entre aquellos intereses ni concierto entre el comunero y la comunidad, la regla general debe ser la contraria en razón de primarios deberes de convivencia y elementales reglas democráticas con reflejo en las que se establecen en el art. 17 para la adopción de acuerdos, lo que no excluye, aunque en el presente caso no ocurra, que puedan concurrir razones cumplidas y justificadas para exceptuarla.*

*Además, **que el acuerdo perjudique a los recurridos no supone, tampoco, que se haya adoptado con intención de perjudicarlos ni que la comunidad tenga que obrar en contra de su voluntad y renunciar a su capacidad de control** para dar salida a una situación a la que no se habría llegado si la obra de transformación del local original en las dos viviendas actuales no se hubiera llevado a cabo hasta obtener el consentimiento de aquella para la apertura de las dos puertas de acceso por el interior del edificio o haber contado, en su caso, con una decisión judicial que respaldará tal posibilidad. De ahí que la sentencia de primera instancia observe, también con acierto, que el perjuicio no es imputable a la comunidad, sino a la propia actuación de los demandantes que son los que decidieron acometer una obra de cambio de destino y comenzar su ejecución sin contar con la previa autorización de la comunidad para alterar un elemento común.*

*Finalmente, tampoco cabe sustentar que el acuerdo ha sido adoptado con **abuso de derecho** por vulnerar el principio de igualdad o dispensar a los recurridos un trato discriminatorio, ya que no consta que con anterioridad la comunidad recurrente haya autorizado a algún otro copropietario una actuación igual (ni siquiera semejante o similar) a la que dicho acuerdo deniega».*

➢ Obligaciones de los propietarios respecto a los elementos privativos

Con relación a la facultad de modificación a la que previamente se ha hecho alusión, tenemos que aclarar que, al igual que todo propietario dispone de esta facultad respecto de elementos privativos, ello no obsta a que tengan la obligación de guardar diligencia en los términos dispuestos por el apartado 1 del artículo 7 de la LPH (no menoscabar o alterar la seguridad del edificio, su estructura general, su configuración o estado exteriores, ni perjudicar los derechos de otro propietario), en concordancia con la letra g) del apartado 1 del artículo 9 de la LPH (observar la diligencia debida en el uso del inmueble y en sus relaciones con los demás titulares), evitando afectar los derechos de terceros y los elementos comunitarios al acometer la modificación del elemento privativo en cuestión.

Otra de las obligaciones sobre los elementos privativos viene impuesta por el apartado 2 del art. 7 de la LPH, que impide a todo propietario desarrollar en los pisos o locales actividades prohibidas, dañosas o que contravengan las disposiciones generales sobre actividades molestas, insalubres, nocivas, peligrosas o ilícitas.

En el mencionado apartado 1 del artículo 9 de la LPH también encontramos otro tipo de obligaciones, pudiendo citar como ejemplos:

- El deber de mantener en buen estado de conservación tanto los pisos o locales como sus instalaciones privativas, de modo que no se perjudique a la comunidad, pero tampoco a los restantes propietarios, debiendo resarcir por los daños ocasionados en su caso.
- Consentir en los elementos privativos, las reparaciones que exija el inmueble, y consentir servidumbres para que se puedan llevar a cabo obras, actuaciones o la creación de servicios comunes.
- Permitir el acceso a los pisos o locales para dar cumplimiento a las restantes obligaciones advertidas.

Concepto de elementos comunes 310

Podemos definir los elementos comunes como aquellos que son necesarios y útiles para el adecuado uso y disfrute del edificio y de cada uno de los elementos privativos, y a los que el art. 3 de la LPH se refiere al hablar de una copropiedad con los demás dueños de pisos o locales, de los restantes elementos, pertenencias y servicios comunes.

Destacamos, por tanto, respecto de los elementos comunes, las siguientes notas características:

- Sirven al conjunto de la comunidad de vecinos, no necesariamente debe servir a todos por igual, pero de su finalidad ha de inferirse el que preste un servicio a los intereses comunes, no particularizados de uno en concreto, un ejemplo claro de ello son las vigas o las cimentaciones.
- Sobre ellos recaen derechos y obligaciones del conjunto de los propietarios. Tampoco esta cuestión debe entenderse en sentido estricto, pues los derechos y obligaciones de cada propietario individualmente no tienen que ser equitativos.

- Son elementos accesorios a los elementos privativos a los que sirven y es que, como señala el artículo 396 del CC, las partes en copropiedad no pueden enajenarse, gravarse ni embargarse sino conjuntamente con la parte privativa de la que son inseparables.

En concordancia con la jurisprudencia reiterada de nuestro Alto Tribunal, puede establecerse una **calificación de los elementos comunes** diferenciando:

- Los elementos comunes atendiendo a su propia **naturaleza,** por cumplir una función esencial para la edificación.
- Los elementos comunes atendiendo a su **destino**, de modo que puede atribuirse el uso y disfrute de modo privativo a un propietario particular, pero sin que por ello el elemento pierda su condición y titularidad conjunta.

La jurisprudencia del Tribunal Supremo advertida la encontramos, entre otras, en la **STS n.º 402/2012, de 18 de junio, ECLI:ES:TS:2012:577**, que sobre los diversos elementos afirma: «A) Los edificios sometidos al régimen de propiedad horizontal se componen por elementos comunes y privativos. Dentro de los denominados **elementos comunes,** algunos tienen tal consideración **por su propia naturaleza** y otros **por destino.** La diferencia estriba en que los primeros no pueden quedar desafectados, por resultar **imprescindibles para asegurar el uso y disfrute** de los diferentes pisos o locales que configuran el edificio, **mientras que los denominados elementos comunes por destino, a través del título constitutivo del edificio en régimen de propiedad horizontal, o por acuerdo unánime de la comunidad de propietarios, podrían ser objeto de desafectación** (...)».

También la **STS n.º 80/2024, de 23 de enero, ECLI:ES:TS:2024:171**, diferencia estos dos tipos de elementos comunes en los siguientes términos:

> «Dentro de los elementos comunes, cabe distinguir entre **elementos comunes por naturaleza o esenciales**, imprescindibles para asegurar el uso y disfrute de los diferentes pisos o locales; **y por destino**, o no esenciales, entre los que se encuentran las terrazas, respecto de los que se admite que puedan ser desafectados de su destino común y dedicados a un uso privado o exclusivo, en favor de uno o varios de los propietarios de pisos o locales, excluyendo en ese uso al resto».

Este tribunal ha venido precisando y ejemplificando cuándo puede determinarse que un elemento comporta un verdadero elemento común por naturaleza, considerados elementos en puridad estructurales, imprescindibles para asegurar el uso y disfrute del común de los vecinos, y cuando, por el contrario, se trata de un elemento común por destino permitiendo sobre aquel cierta disposición. Así, citamos con efecto ilustrativo, la **sentencia del Tribunal Supremo n.º 273/2013, de 24 de abril, ECLI:ES:TS:2013:2162**, que dispone lo siguiente:

> «(...) **Las terrazas** de los edificios constituidos en el régimen de propiedad horizontal son **elementos comunes por destino**, lo que **permite atribuir el uso privativo de las mismas a uno de los propietarios**. Lo que no es posible es atribuir la propiedad exclusiva en favor de algún propietario, de **las cubiertas** de los edificios configurados en régimen de propiedad horizontal **donde se sitúan las cámaras de aire, debajo del tejado y encima del techo, con objeto de aislar del frío y del calor y que resulta ser uno de los elementos esenciales de la comunidad de propietarios tal como los cimientos o la fachada del edificio por ser el elemento común que**

limita el edificio por la parte superior. La **cubierta del edificio no puede perder su naturaleza** de elemento común **debido a la función que cumple** en el ámbito de la propiedad horizontal, y ello pese a que la terraza situada en la última planta del edificio, se configure como privativa (SSTS 17 de febrero 1993, 8 de abril de 2011; 18 de junio 2012, entre otras)».

CUESTIÓN

¿Puede privarse a alguno de los propietarios del uso de servicios o instalaciones comunes cuando tengan deudas por impago de cuotas de la comunidad?

Sí, el apartado 1 del artículo 21 de la LPH tras la última modificación llevada a cabo por la Ley 10/2022, de 14 de junio, de medidas urgentes para impulsar la actividad de rehabilitación edificatoria en el contexto del Plan de Recuperación, Transformación y Resiliencia, que ha entrado en vigor el 16 de junio de 2022, recoge que: «1. La junta de propietarios podrá acordar medidas disuasorias frente a la morosidad por el tiempo en que se permanezca en dicha situación, tales como el establecimiento de intereses superiores al interés legal o la privación temporal del uso de servicios o instalaciones, siempre que no puedan reputarse abusivas o desproporcionadas o que afecten a la habitabilidad de los inmuebles. Estas medidas no podrán tener en ningún caso carácter retroactivo y podrán incluirse en los estatutos de la comunidad. En todo caso, los créditos a favor de la comunidad devengarán intereses desde el momento en que deba efectuarse el pago correspondiente y éste no se haga efectivo».

➢ Facultad de disposición sobre elementos comunes

Dispone el artículo 396 del CC en su párrafo segundo que: «Las partes en copropiedad no son **en ningún caso susceptibles de división** y sólo podrán ser enajenadas, gravadas o embargadas juntamente con la parte determinada privativa de la que son anejo inseparable», de modo que, para poder disponer en el sentido expuesto por este artículo, se requiere de una disposición conjunta sobre los elementos privativos y los elementos comunes que se entienden como accesorios.

Al respecto se señala en el preámbulo de la ley que «(...) Mientras sobre el piso "stricto sensu", o espacio, delimitado y de aprovechamiento independiente, el uso y disfrute son privativos, sobre el "inmueble", edificación, pertenencias y servicios —abstracción hecha de los particulares espacios— tales usos y disfrute han de ser, naturalmente, compartidos; pero unos y otros derechos, aunque distintos en su alcance, se reputan inseparablemente unidos, **unidad que también mantienen respecto de la facultad de disposición** (...)».

El apartado 3 del artículo 17 de la LPH, por su parte, hace alusión brevemente a una facultad de disposición sobre este tipo de elementos, si bien condicionando tal facultad al acuerdo de las mayorías fijadas por el precepto (se requiere de un voto favorable de 3/5 partes para llevar a cabo los actos en él previstos) y es que, al tratarse de un elemento común, sobre el que pesa la copropiedad de los restantes comuneros, debe alcanzarse acuerdo:

«3. El **establecimiento o supresión de los servicios de portería, conserjería, vigilancia u otros servicios comunes de interés general,** supongan o no modificación del título constitutivo o de los estatutos, requerirán el voto favorable de las tres quintas partes del total de los propietarios que, a su vez, representen las tres quintas partes de las cuotas de participación.

Idéntico régimen se aplicará al **arrendamiento de elementos comunes que no tengan asignado un uso específico en el inmueble** y el establecimiento o supresión de equipos o sistemas, no recogidos en el apartado 1, que tengan por finalidad mejorar la eficiencia energética o hídrica del inmueble. En este último caso, los acuerdos válidamente adoptados con arreglo a esta norma obligan a todos los propietarios. No obstante, si los equipos o sistemas tienen un aprovechamiento privativo, para la adopción del acuerdo bastará el voto favorable de un tercio de los integrantes de la comunidad que representen, a su vez, un tercio de las cuotas de participación, aplicándose, en este caso, el sistema de repercusión de costes establecido en dicho apartado».

Otra facultad de disposición sobre los elementos comunes es la denominada **desafectación**. El término desafectar según la RAE supone declarar formal o tácitamente que un bien de dominio público queda desvinculado de uso o servicio público, lo que trasladado al ámbito de la propiedad horizontal conlleva que por la comunidad se acuerde declarar que un elemento común deja de estar afectado al uso comunitario para pasar a tener un uso privativo.

El Tribunal Supremo se refiere a la desafectación, entre otras, en la **STS n.° 488/2009, de 22 de junio, ECLI:ES:TS:2009:3876**, en la que establece que: «Esta posibilidad de que un elemento en principio común pueda ser desafectado de tal calificación comunitaria convirtiéndose en privado, puede operarse en la Ley de Propiedad Horizontal cuando así se ha constatado en el título constitutivo (STS 22 de diciembre 1994)».

Hay que puntualizar que la desafectación resulta posible respecto de aquellos elementos comunes por destino, aquellos, podríamos decir, no estructurales o que permiten cierta individualización. Sobre esta cuestión se ha pronunciado nuestro Alto Tribunal en **STS n.° 27/2007, de 22 de enero, ECLI:ES:TS:2007:162**, o en la **STS n.° 419/2007, de 30 de marzo, ECLI:ES:TS:2007:2042**, que afirma:

«Por otra parte, también ha señalado esta Sala que, dentro de los elementos comunes, cabe distinguir entre elementos comunes por naturaleza o esenciales, imprescindibles para asegurar el uso y disfrute de los diferentes pisos o locales; y **por destino**, o no esenciales, admitiéndose que estos últimos, entre los que se encuentran las terrazas comunitarias, pueden ser, por esta razón, **"desafectados" de su destino común** y dedicados a un uso privado o exclusivo, en favor de uno o varios de los propietarios de pisos o locales, excluyendo en ese uso al resto. La desafectación de elementos comunes no esenciales es posible en la medida que el art. 396 no es en su totalidad de «ius cogens», sino de «ius dispositivum» (sentencias de esta Sala de 23 de mayo de 1984, 17 de junio de 1988, entre otras), «lo que permite que bien en el originario título constitutivo del edificio en régimen de propiedad horizontal, bien por acuerdo posterior de la Comunidad de propietarios (siempre que dicho acuerdo se adopte por unanimidad: regla 1ª del art. 16 de la Ley de 21 de julio de 1960) pueda atribuirse carácter de privativos (desafectación) a ciertos elementos comunes que no siéndolo por naturaleza o esenciales, como el suelo, las cimentaciones, los muros, las escaleras, etc., lo sean sólo por destino o accesorios, como los patios interiores, las terrazas a nivel o cubiertas de parte del edificio, etc.» (sentencias de 31 de enero y 15 de marzo de 1985, 27 de febrero de 1987, 5 de junio y 18 de julio de 1989, entre otras). La desafectación de un elemento común no esencial, como las terrazas, no implica que el bien deje de tener tal consideración; tan sólo supone una variación respecto del uso del mismo que cabrían hacer todos los copropietarios con arreglo a su cuota, configurándose el uso privado o exclusivo como una excepción a lo que constituye regla general en el régimen de propiedad horizontal (...)».

En términos muy similares se ha pronunciado la reciente **STS n.º 80/2024, de 29 de enero, ECLI:ES:TS:2024:171.**

CUESTIONES

1. ¿Es posible efectuar una desafectación tácitamente?

Si bien de la lectura de diversas sentencias de audiencias provinciales surge la duda de que se pueda llevar a cabo una desafectación tácita, lo cierto es que de la lectura de la **sentencia del Tribunal Supremo n.º 419/2007, de 30 de marzo, ECLI:ES:TS:2007:2042**, parece inferirse precisamente lo contrario, dando una respuesta en sentido negativo a esta cuestión:

«(...) Consecuentemente, lo relevante a la hora de estimar producida una desafectación, que destine a un uso privativo lo que, en principio, permitía un uso común, no es la realidad física, sino la jurídica que existía en el momento en que el recurrente adquirió la vivienda de la primera planta; y partiendo de esa realidad jurídica, no era posible atisbar ningún límite o restricción, ni en el título ni en los estatutos comunitarios, que privara a todo copropietario, y por ende, también al adquirente, de su derecho a usar, con arreglo a su cuota, todos y cada uno de los elementos comunitarios al servicio del inmueble, incluyendo, obviamente, la terraza. Los argumentos de la sentencia impugnada, que vienen a otorgar validez a la desafectación tácitamente producida, atendiendo a la situación del inmueble y al consentimiento del adquirente, carecen de cobertura legal y de fundamento en la doctrina de esta Sala (...) En todo caso, queda dicho que ***esta Sala sólo admite la desafectación ajustada a los procedimientos legalmente previstos****, ninguno de los cuales ha tenido lugar, sin que, tampoco quepa hablar de un acuerdo posterior unánime interpretando la conducta del adquirente ya que, como señala la STS de 10 de junio de 2002, la inactividad del actor desde la adquisición de la vivienda hasta la fecha de iniciación del litigio no supone un consentimiento tácito sanador de la falta del consentimiento unánime de los copropietarios exigido por el citado artículo 11 de la Ley de Propiedad».*

2. ¿Se puede usucapir un elemento común?

Esta cuestión se ha suscitado ante la Audiencia Provincial de Madrid que ha resuelto recientemente sobre la misma tomando como punto de partida la distinción entre elementos comunes por naturaleza y los elementos comunes por destino susceptibles de desafectación. Así, la **sentencia n.º 22/2022, de 27 de enero, ECLI:ES:APM:2022:172**, recoge que:

«Así, en el régimen de propiedad horizontal, (...) se distingue, a su vez, entre elementos comunes por naturaleza y por destino, siendo aquéllos los que son absolutamente imprescindibles para la propia existencia de la propiedad horizontal, por cuanto sin la copropiedad sobre los mismos no puede entenderse el régimen especial y se haría imposible de raíz el disfrute de las partes privativas, mientras que los elementos comunes por destino, serían aquellos en que el carácter común nace del título o de acuerdo de los propietarios, siendo susceptibles, por modificación de uno u otro, de cambiar su naturaleza. Aquellos elementos comunes por naturaleza son, por su propia esencia, imperativos, mientras que sobre los elementos comunes por destino caben los actos de disposición de los propietarios, siempre que se realicen válidamente. (...) Por tanto ***hay que descartar****, de raíz, por su propia configuración y funcionalidad,* ***la posibilidad de usucapión de elementos comunes por naturaleza****.*

Y, en relación con ***los elementos comunes por destino, se requeriría un acto de desafectación del elemento común que lo hiciera susceptible de la posesión exclusiva, excluyente y en concepto de dueño, que se requiere para usucapir****».*

➢ Facultad de modificación sobre elementos comunes

Al igual que sucede respecto de los actos de disposición, las modificaciones a efectuar sobre elementos comunes requieren con carácter general que se cuente con las mayorías dispuestas en el cuerpo de la LPH.

Como punto de partida, la mentada LPH en el apartado 1 de su artículo 7, párrafo segundo, tras hacer alusión a los elementos privativos, determina que: «En el resto del inmueble **no podrá realizar alteración alguna** y si advirtiere la necesidad de **reparaciones urgentes deberá comunicarlo** sin dilación al administrador».

Por su parte, el artículo 10 de la LPH alude a aquellas actuaciones que dado su **carácter obligatorio** no requieren de acuerdo previo de la junta de propietarios cuando vengan impuestas por Administraciones públicas o solicitadas a instancia de los propietarios, recogiendo a lo largo del precepto un listado de obras y actuaciones permitidas sobre los elementos comunes:

> «a) Los trabajos y las obras que resulten necesarias para el adecuado **mantenimiento y cumplimiento del deber de conservación del inmueble** y de sus servicios e instalaciones comunes, incluyendo en todo caso, las necesarias para satisfacer los requisitos básicos de seguridad, habitabilidad y accesibilidad universal, así como las condiciones de ornato y cualesquiera otras derivadas de la imposición, por parte de la Administración, del deber legal de conservación.
>
> b) Las obras y actuaciones que resulten necesarias para garantizar los **ajustes razonables en materia de accesibilidad universal** y, en todo caso, las requeridas a instancia de los propietarios en cuya vivienda o local vivan, trabajen o presten servicios voluntarios, personas con discapacidad, o mayores de setenta años, con el objeto de asegurarles un uso adecuado a sus necesidades de los elementos comunes, así como la instalación de rampas, ascensores u otros dispositivos mecánicos y electrónicos que favorezcan la orientación o su comunicación con el exterior, siempre que el importe repercutido anualmente de las mismas, una vez descontadas las subvenciones o ayudas públicas, no exceda de doce mensualidades ordinarias de gastos comunes. No eliminará el carácter obligatorio de estas obras el hecho de que el resto de su coste, más allá de las citadas mensualidades, sea asumido por quienes las hayan requerido.
>
> También será obligatorio realizar estas obras cuando las ayudas públicas a las que la comunidad pueda tener acceso alcancen el 75 % del importe de las mismas.
>
> c) La **ocupación de elementos comunes del edificio o del complejo inmobiliario privado durante el tiempo que duren las obras** a las que se refieren las letras anteriores.
>
> d) La **construcción de nuevas plantas y cualquier otra alteración de la estructura o fábrica del edificio o de las cosas comunes**, así como la constitución de un complejo inmobiliario, tal y como prevé el artículo 17.4 del texto refundido de la Ley de Suelo, aprobado por el Real Decreto Legislativo 2/2008, de 20 de junio, **que resulten preceptivos** a consecuencia de la inclusión del inmueble en un ámbito de actuación de rehabilitación o de regeneración y renovación urbana.
>
> e) Los actos de división material de pisos o locales y sus anejos para formar otros más reducidos e independientes, el aumento de su superficie por agregación de otros colindantes del mismo edificio, o su disminución por segregación de alguna parte, realizados por voluntad y a instancia de sus propietarios, cuando tales actuaciones sean posibles a consecuencia de la inclusión del inmueble en un ámbito de actuación de rehabilitación o de regeneración y renovación urbanas».

CUESTIÓN

¿Pueden realizarse modificaciones en los elementos comunes sin cumplir los procedimientos establecidos en la LPH cuando resulten ventajosas para el conjunto de la comunidad?

No, quitando los procedimientos recogidos en la LPH y con las mayorías establecidas en la mentada ley, no caben las modificaciones aun cuando estas resulten en beneficio de la comunidad. Así lo recoge la **sentencia de la Audiencia Provincial de Baleares n.º 301/2015, de 29 de diciembre, ECLI:ES:APIB:2015:2349**:

«Y, sobre el USO Y DISFRUTE DE LOS ELEMENTOS COMUNES, cabe decir:

A) Sobre elementos comunes de usos comunitarios, el artículo 397 del Código Civil, por su parte, establece el principio de inalterabilidad de la cosa común, sin consentimiento unánime de todos los copropietarios, aunque pudieran resultar ventajas para todos».

➢ Obligaciones de los propietarios respecto de los elementos comunes

Entre las obligaciones que vienen atribuidas por la ley al común de los propietarios respecto de los elementos comunitarios nos encontramos, que el artículo 9.1 de la LPH comprende algunas de ellas.

En primer lugar, el apartado a) del artículo 9.1 de la LPH obliga a **respetar las instalaciones generales** de la comunidad **y demás elementos comunes, ya sean de uso general o privativo de cualquiera de los propietarios**, estén o no incluidos en su piso o local, haciendo un uso adecuado de los mismos y evitando en todo momento que se causen daños o desperfectos, de modo que se trata de una obligación genérica y que afecta a todos los elementos comunes, con independencia de que estos se califiquen de comunes por naturaleza o por destino.

De otra parte, en los apartados e) y f), se alude a otros deberes comunes de los propietarios, concretamente a **dos deberes económicos**, que se concretan:

- De una parte, apartado e), en el **deber de contribuir,** con arreglo a la cuota de participación fijada en el título conforme con el artículo 5 de la LPH, **a los gastos generales** para el adecuado sostenimiento del inmueble, sus servicios, cargas y responsabilidades que no sean susceptibles de individualización.
- Y de otra, tal como se prevé en la letra f), en el deber de contribuir, también con arreglo a su cuota de participación, a **dotar a la comunidad de propietarios de un fondo de reserva,** cuya titularidad corresponde a todos los efectos a la comunidad, con el fin de que se puedan acometer obras de reparación, rehabilitación o conservación de la finca, aquellas obras dispuestas en el artículo 10.1 b) de la LPH denominadas obras de accesibilidad así como la realización de las obras de accesibilidad y eficiencia energética recogidas en apartado 2 del artículo 17 de la LPH.

La comunidad de propietarios puede dirigir la acción de condena también contra la arrendataria que ocupa materialmente el elemento común, aunque las obligaciones del art. 9.1 de la LPH incumban al propietario frente a la comunidad.

CUESTIÓN

¿Puede la comunidad demandar también al arrendatario que ocupa un elemento común sin autorización o contra un acuerdo comunitario firme?

Sí. Conforme a la **STS n.º 42/2026, de 20 de enero, ECLI:ES:TS:2026:139**, aunque las obligaciones del apdo. 1 del art. 9 de la LPH vinculan al propietario frente a la comunidad, la relación jurídico-procesal puede integrarse también con el arrendatario u ocupante que realiza materialmente la ocupación del elemento común, a fin de obtener la cesación efectiva del uso inconsentido y facilitar la ejecución de la sentencia: «*La comunidad de propietarios puede dirigir la acción de condena también contra la arrendataria que ocupa materialmente el elemento común, aunque las obligaciones del art. 9.1 de la LPH incumban al propietario frente a la comunidad*».

La misma sentencia aclara asimismo que la falta de legitimación del arrendatario para impugnar acuerdos comunitarios, conforme al apdo. 2 del art. 18 de la LPH, no desvirtúa la eficacia del acuerdo firme frente a quien trae causa posesoria del propietario. En el caso enjuiciado, el acuerdo comunitario había sido conocido tanto por la propietaria como por la arrendataria mediante burofax, sin que la propietaria lo impugnase en plazo. Por ello, el Tribunal Supremo considera que el acuerdo devino firme y vinculante, de modo que la arrendataria no podía oponerse a su cumplimiento alegando su propia falta de legitimación para impugnarlo.

320 Concepto de elementos comunes de uso privativo

Los elementos comunes de uso privativo son aquellos elementos que a pesar de pertenecer a la comunidad de propietarios tienen su uso y disfrute atribuido de forma exclusiva a uno o más propietarios.

Para que pueda hablarse este tipo de elementos es necesario que aparezcan recogidos como tales en el título constitutivo o que se haya autorizado en junta de propietarios de forma unánime.

Respecto del uso privativo de los elementos comunes recoge la **sentencia de la Audiencia Provincial de Baleares n.º 301/2015, de 29 de diciembre, ECLI:ES:APIB:2015:2349**, un listado de sus características principales:

«B) Sobre uso privativo de los elementos comunes: la Jurisprudencia y doctrina admiten la atribución del uso exclusivo de algún elemento común al propietario de una parte privativa, siempre que no se trate de un elemento común esencial o por naturaleza.

Ello crea un régimen jurídico específico para estos elementos comunes, regido por los siguientes principios:

a) **La atribución del uso exclusivo de un elemento común no confiere al beneficiario la condición de propietario del mismo**, señalando la jurisprudencia que el uso privativo de un patio no da derecho a incorporarlo a la parte privativa (Sentencia de 3 de abril de 1990 y que el uso exclusivo no empere el carácter común del elemento (Sentencia de 14 de octubre de 1991).

b) **No pueden realizarse obras en un elemento común de uso privativo sin consentimiento** unánime de los copropietarios (Sentencia de 30 de junio de 1986, ni puede tampoco disponerse de él en favor de quien no sea titular de la parte privativa a la que sirve (Sentencia de 6 de noviembre de 1992).

c) En términos generales, y salvo que en el título constitutivo se establezca otra cosa, **los gastos ordinarios y el mantenimiento del elemento común correspon-**

de a quien tiene concedido su uso exclusivo, mientras que los gastos extraordinarios son a cargo de la comunidad (Sentencias del Tribunal Supremo de 6 de noviembre de 1992 [1992, 9229] y 17 de febrero de 1993 [1993, 1239]). La Sentencia de 11 de octubre de 1993 declara nula la cláusula que impone sólo a los usuarios de una terraza común la obligación de pagar los gastos de reparación de! filtraciones de agua.

d) El titular del derecho de uso exclusivo está **obligado a permitir el acceso a la comunidad para realizar reparaciones y tareas de mantenimiento y conservación** más allá de las que le corresponden como usuario (Sentencia de 17 de julio de 1993).

e) El uso y disfrute en exclusiva **no es título apto para la usucapión** porque quien lo tiene atribuido no posee a título de dueño ni tiene justo título (Sentencia de 25 de enero de 1994)».

La **sentencia de la Audiencia Provincial de Barcelona n.° 258/2025, de 10 de abril, ECLI:ES:APB:2025:3864**, aporta un criterio reciente y particularmente ilustrativo sobre el régimen de estos elementos cuando se trata de terrazas o jardines comunitarios de uso exclusivo. La resolución recuerda que el titular del uso exclusivo no puede asimilar su posición a la del propietario de un elemento privativo y que, por ello, no puede ampararse en la facultad general de modificación del apdo. 1 del art. 7 de la LPH para alterar el elemento común.

La Audiencia rechaza, además, que la existencia de otras instalaciones en la urbanización permita apreciar actos propios o trato discriminatorio cuando consta que unas habían sido autorizadas por la comunidad y otras habían sido igualmente impugnadas judicialmente. También descarta el consentimiento tácito cuando no ha transcurrido el plazo legal previsto desde la finalización de las obras.:

«En elementos comunes de uso privativo, la comunidad puede exigir la reposición al estado originario cuando se ejecutan obras sin autorización, sin que la mera tolerancia respecto de otros supuestos equivalga necesariamente a consentimiento ni permita apreciar vulneración del principio de igualdad».

En la misma línea, la **sentencia de la Audiencia Provincial de Navarra n.° 1294/2025, de 10 de octubre, ECLI:ES:APNA:2025:1774**, analiza un supuesto de filtraciones procedentes de un patio de luces comunitario utilizado de hecho en exclusiva por uno de los propietarios y alterado mediante una obra no autorizada. La resolución parte de que el uso exclusivo de un elemento común por destino no altera su naturaleza jurídica ni habilita a su beneficiario para ejecutar libremente obras que modifiquen su configuración, destino o estructura sin consentimiento comunitario.

La Audiencia razona, además, que aunque no constara acuerdo expreso de la comunidad atribuyendo ese uso exclusivo ni autorizando la obra, la comunidad no puede desentenderse por completo frente al propietario perjudicado cuando, conociendo una ocupación exclusiva de hecho y una actuación unilateral sobre un elemento común, mantuvo una conducta pasiva y no desplegó una actuación diligente para evitar, reparar o reponer la situación. En el caso, esa pasividad determinó la apreciación de responsabilidad de la comunidad por los daños derivados de las filtraciones, sin perjuicio de la eventual relación interna con el propietario que ejecutó la obra:

> «El uso exclusivo de hecho de un elemento común por destino no transforma su naturaleza jurídica ni legitima obras unilaterales sobre él. Si la comunidad conoce esa ocupación y la actuación inconsentida y permanece pasiva, puede responder frente al copropietario perjudicado por los daños causados, sin perjuicio de repetir internamente frente al causante».

CUESTIONES

1. ¿Puede el titular de un elemento común de uso privativo instalar una pérgola u otra construcción auxiliar sin autorización de la comunidad?

Conforme al criterio recogido en la **SAP Barcelona n.º 258/2025, de 10 de abril, ECLI:ES:APB:2025:3864**, no. Aunque el elemento sea de uso exclusivo, sigue siendo común, por lo que las obras o construcciones que lo alteren requieren autorización comunitaria. Este criterio cobra especial relevancia cuando la actuación tiene vocación de permanencia, altera la configuración exterior del inmueble o puede perjudicar luces, vistas o derechos de otros propietarios.

2. ¿La existencia de obras similares en otras viviendas implica consentimiento tácito o trato discriminatorio si la comunidad exige la reposición?

No necesariamente. La **SAP Barcelona n.º 258/2025, de 10 de abril**, niega que exista contradicción en la actuación comunitaria cuando unas obras fueron autorizadas y otras han sido igualmente combatidas. Tampoco aprecia consentimiento tácito si no ha transcurrido el plazo legal aplicable desde la finalización de las obras.

3. ¿Puede la comunidad quedar obligada frente al perjudicado por daños causados desde un elemento común usado en exclusiva de hecho por otro propietario?

Sí, en los términos apreciados por la **SAP Navarra n.º 1294/2025, de 10 de octubre**. Si la comunidad conoce la ocupación exclusiva de hecho y la realización de una obra inconsentida sobre el elemento común y, pese a ello, no actúa diligentemente para impedirla o repararla, puede responder frente al propietario perjudicado por los daños producidos, sin perjuicio de la ulterior depuración de responsabilidades en la relación interna con el propietario causante.

4. ¿Puede modificarse la autorización de la junta de propietarios a utilizar como privativo un elemento común?

El Tribunal Supremo se ha pronunciado sobre este supuesto en la **STS n.º 467/2006, de 19 de mayo, ECLI:ES:TS:2006:3317**, exigiendo para su modificación el voto favorable de la unanimidad de los propietarios, lo que implica que sea difícil en la práctica llegar a dicho acuerdo, porque implicaría el voto favorable del propietario que está haciendo uso exclusivo del elemento común: «Cuando el título constitutivo, bien inicialmente, bien por las modificaciones que autoriza la ley mediante acuerdos adoptados por unanimidad con arreglo al artículo 16 de la LPH, se produce una autorización de un uso privativo de un elemento común con carácter definitivo, **se exigirá para su modificación la unanimidad necesaria para la modificación del título constitutivo**. Sólo si se acredita que dicha autorización de uso tiene un carácter precario, provisional o temporal podrá admitirse que la revocación de dicho uso y la reintegración del elemento común al pleno uso por parte de la comunidad con arreglo al régimen general reviste los caracteres un acto de administración y, consecuentemente, exige únicamente, con arreglo al régimen general de acuerdos previsto en la LPH, la mayoría por parte de los comuneros y de las cuotas de participación (artículo 16 I.2.ª LPH)».

➢ Facultad de disposición y de modificación de elementos comunes de uso privativo

No podemos perder de vista que, aunque el uso del elemento se encuentre atribuido en exclusiva a un propietario, dicho elemento no pierde su naturaleza de elemento común y, por tanto, hay que remitirse a los dispuesto para los elementos comunes en cuanto a la facultad de disponer de dicho elemento y a la de modificarlo u obrar en el mismo.

A este respecto, la **SAP Barcelona n.º 258/2025, de 10 de abril**, vuelve a poner de manifiesto que la atribución del uso exclusivo no desplaza la necesidad de autorización comunitaria para ejecutar obras sobre el elemento, ni neutraliza la relevancia de la configuración exterior del edificio como interés común a preservar.

En igual sentido, la **SAP Navarra n.º 1294/2025, de 10 de octubre, ECLI:ES:APNA:2025:1774**, recuerda que la atribución o el ejercicio de hecho de un uso exclusivo sobre un patio de luces no comporta mutación de su naturaleza jurídico-real a elemento privativo, de modo que el beneficiario de tal uso no puede realizar libre o unilateralmente obras que comporten una afectación o modificación sustancial del destino, estructura o configuración del elemento común.

➢ Obligaciones de los propietarios sobre elementos comunes de uso privativo

Con relación a los elementos comunes de uso privativo, diferenciamos las obligaciones de la comunidad y las obligaciones del propietario que disfruta de su uso exclusivo. A la comunidad le corresponde asumir las obras y reparaciones no derivadas del uso ordinario cuando no intervenga el dolo del beneficiario del uso privativo, mientras que el propietario que disfruta del uso del bien debe asumir el mantenimiento ordinario derivado del uso normal del elemento.

Cabe citar aquí la **sentencia de la Audiencia Provincial de Baleares n.º 81/2022, de 22 de febrero, ECLI:ES:APIB:2022:170**, que, con relación al deber de mantenimiento que tiene el propietario sobre los elementos comunes sobre los que tiene atribuido un uso exclusivo, recoge que:

> «(...) cuando el expresado deber de mantenimiento afecte a las instalaciones generales o a elementos comunes del edificio cuyo uso exclusivo corresponda un propietario individual, o que están incluidos en su piso o local, la obligación que éste tiene de respetarlos y cuidarlos **no se extiende, en principio, a la realización de obras de conservación o reparación, salvo que su necesidad provenga de un uso inadecuado** o poco diligente de los mismos susceptible de causar daños o desperfectos, según se desprende del art. 9.1 a) y g) de la LPH, sin que baste a tal efecto el simple deterioro producido por el paso del tiempo o por el uso normal dichos elementos o instalaciones. Además, las limitaciones y obligaciones sobre la utilización privativa de un elemento común por el dueño del piso o vivienda al que está unido, con la finalidad de preservar su función estructural, **no deben hacer recaer sobre el propietario las consecuencias derivadas de un uso del mismo conforme a su destino** que no perjudiquen ni menoscaben su empleo como elemento común, debiendo en todo caso **interpretarse restrictivamente las limitaciones y obligaciones impuestas** en los estatutos a los propietarios individuales que tienen su disfrute exclusivo, especialmente cuando tales disposiciones no se ajusten a lo regulado imperativamente en los arts. 9.1 y 10.1 de la LPH, en los términos expuestos».

También el Tribunal Supremo se pronuncia sobre las obligaciones de la comunidad y del propietario que disfruta del uso en la **STS n.º 80/2024, de 23 de enero, ECLI:ES:TS:2024:171**, en la que se señala lo siguiente:

«Ahora bien, las terrazas pueden desafectarse y quedar como elementos privativos, pero, en todo caso, si hubiera daños por filtraciones provenientes de **defectos estructurales del edificio debe responder la comunidad**, lo que suele ocurrir en el caso de filtraciones, ya que el comunero es extraño a ello cuando la filtración provenga de defecto estructural cuyo mantenimiento no compete al propietario.

Cuestión distinta es que se hubiera probado la existencia de un defecto de mantenimiento del comunero en su terraza. Pero esto no se declara probado en la sentencia recurrida».

La **SAP Navarra n.º 1294/2025, de 10 de octubre, ECLI:ES:APNA:2025:1774** añade, en un supuesto de patio de luces comunitario usado en exclusiva de hecho por un propietario, que la comunidad responde frente al perjudicado cuando, conociendo la alteración inconsentida del elemento común y el daño derivado de ella, no actúa diligentemente para impedir la obra, reparar sus efectos o garantizar la debida estanqueidad del elemento común. La resolución condena, además de a indemnizar los daños acreditados, a acometer o costear las obras necesarias para asegurar esa estanqueidad, sin perjuicio de la ulterior depuración de la relación interna con el propietario causante:

«La pasividad comunitaria ante la ocupación exclusiva de hecho y la alteración inconsentida de un elemento común puede generar responsabilidad frente al copropietario perjudicado, incluyendo la obligación de acometer o costear las obras necesarias para restablecer la funcionalidad del elemento común».

330 **Reglas para calificar un elemento de privativo o común**

Partiendo de lo dispuesto en el artículo 3 de la LPH y en el artículo 396 del CC, extraemos las siguientes reglas de las que podremos servirnos cuando resulte necesario calificar de comunes o privativos los elementos que integran la propiedad horizontal:

➢ **Lo que no aparece recogido como privativo se considera común**

Como recoge el Tribunal Supremo en la **STS n.º 606/2021, de 15 de septiembre, ECLI:ES:TS:2021:3314**, lo que no es privativo es común, independientemente de que no sea usado por todos los propietarios:

«(...) no deduciéndose del título constitutivo, de forma clara, el carácter privativo de dicho espacio, este goza (a falta de prueba en contra) de la presunción de ser común, conforme a la regla general de que, "[...] **en régimen de Propiedad Horizontal, lo que no es privativo es común** [...]» (sentencia 452/2009, de 4 de junio, FD 2.º).

De otra parte, que dicho espacio solo sea utilizado por el titular del predio núm. seis (para acceder a su vivienda y dado que es a la única a la que presta acceso) y no por los titulares del resto de predios o fincas que integran la comunidad (dado que no les resulta necesario para acceder a las suyas) no es óbice a su consideración como elemento común. **Los elementos comunes, como los privativos, admiten el uso por solo alguno/s del/los propietario/s.** El uso por todos ellos no constituye presupuesto necesario e inexcusable de su existencia».

En el mismo sentido cabe citar la **sentencia de la Audiencia Provincial de A Coruña n.º 411/2021, de 9 de noviembre, ECLI:ES:APC:2021:2491**, que expone con claridad la mentada regla:

> «1.º) **La regla general** es que, en régimen de Propiedad Horizontal, **lo que no es privativo es común.** Los espacios resultantes de la construcción de un edificio que no se describen como elementos privativos con su correspondiente asignación de cuota tienen la condición de elementos comunes, quedando adscritos al uso de todos los propietarios singulares. Por lo que, como regla general, en régimen de Propiedad Horizontal, lo que no es privativo es común [SSTS 606/2021, de 15 de septiembre (Roj: STS 3314/2021, recurso 4735/2018); 338/2016, de 20 de mayo (Roj: STS 2141/2016, recurso 1388/2014); 452/2009, de 4 de junio (Roj: STS 3605/2009, recurso 2345/2004); 23/2009, de 11 de febrero (Roj: STS 591/2009, recurso 231/2003) y 128/1994, de 24 de febrero (Roj: STS 1200/1994, recurso 1017/1991)]. **El que alguno de esos espacios, por su ubicación o destino, sea utilizado exclusivamente por el titular de una finca horizontal privativa, y no tengan acceso los restantes copropietarios, no altera su condición de elemento común**».

- **Son comunes los elementos enumerados en el art. 396 del Código Civil**

Todos **los elementos** del edificio **enumerados** en el párrafo primero del artículo **396 del Código Civil son siempre y en todo caso comunes, sin que jamás y en caso alguno se les pueda considerar elementos privativos**. «En el párrafo primero del artículo 396 del Código Civil se enumeran una serie de elementos del edificio que son necesarios para su adecuado uso y disfrute. Y que son los siguientes: "el suelo, vuelo, cimentaciones y cubiertas; elementos estructurales y entre ellos los pilares, vigas, forjados y muros de carga; las fachadas, con los revestimientos exteriores de terrazas, balcones y ventanas, incluyendo su imagen o configuración, los elementos de cierre que las conforman y sus revestimientos exteriores; el portal, las escaleras, porterías, corredores, pasos, muros, fosos, patios, pozos y los recintos destinados a ascensores, depósitos, contadores, telefonías o a otros servicios e instalaciones comunes, incluso aquéllos que fueren de uso privativo; los ascensores y las instalaciones, conducciones y canalizaciones para el desagüe y para el suministro de agua, gas o electricidad, incluso las de aprovechamiento de energía solar; las de agua caliente sanitaria y calefacción, aire acondicionado, ventilación o evacuación de humos; las de detección y prevención de incendios; las de portero electrónico y otras de seguridad del edificio, así como las de antenas colectivas y demás instalaciones para los servicios audiovisuales o de telecomunicación, todas ellas hasta la entrada al espacio privativo; las servidumbres y cualesquiera otros elementos materiales o jurídicos que por su naturaleza o destino resulten indivisibles"». (**SAP Madrid n.º 43/2022, de 17 de febrero, ECLI:ES:APM:2022:2322**).

- **Son comunes los elementos que aparezcan recogidos como tales en el título constitutivo**

Además de los elementos comunes enumerados en el artículo 396 del CC, pueden existir **otros elementos comunes sin ser los expresamente aludidos por la norma,** y es que la enumeración del citado artículo, tal como dice el Tribunal Supremo en su **sentencia n.º 26/2007, de 18 de enero, ECLI:ES:TS:2007:92,** se trata de una **enumeración *ad exemplum***, y debe ser **interpretada de un modo meramente enunciativo y no taxativo,** tal como se recoge en la **sentencia del Tribunal Supremo n.º 25/2019, de 17 de enero, ECLI:ES:TS:2019:44**.

Tal y como se desarrolla en la **sentencia del Tribunal Supremo n.º 419/2007, de 30 de marzo, ECLI:ES:TS:2007:2042**:

> «(...) según doctrina reiterada de esta Sala (Sentencia de 6 de mayo de 1991, entre otras), en correspondiente interpretación lógica-práctica del precepto, la enumeración del mismo **no es ni puede entenderse como cerrada, fija y radical**, sino que, por contrario, **sólo es indicativa y abierta a las necesidades varias que impone la propiedad horizontal**, que, al ser especial, exige un cuidadoso tratamiento, no sólo por la función social que cumple, sino también atendiendo a las dificultades y complejidades que produce su desarrollo dinámico en los presentes tiempos"».

Es por ello que la **sentencia de la Audiencia Provincial de Madrid n.º 43/2022, de 17 de febrero, ECLI:ES:APM:2022:2322**, concluye que «(...) cualesquiera que fueran las características de un elemento de un edificio y su posible utilidad, **si, en el título constitutivo, se dice que es común, ese elemento es común** (sin perjuicio de su posterior desafección de elemento común para convertirlo en elemento privativo por acuerdo de la Comunidad de Propietarios) (...)». Añadiendo «(...) **el criterio determinante para atribuir, a un elemento de un edificio** (que no sea uno de los enumerados en el artículo 396 del Código Civil), **el carácter de común o de privativo es el título constitutivo** de la propiedad horizontal (al que se refiere el artículo quinto de la Ley 49/1996 de 21 de julio sobre Propiedad Horizontal)».

Pero, **¿qué ocurre cuando el espacio común o privativo no aparece descrito en el título constitutivo?** En este sentido, la **sentencia de la Audiencia Provincial de Málaga n.º 340/2023, de 15 de marzo, ECLI:ES:APMA:2023:2241**, resuelve un supuesto en el que se discutía la naturaleza de un espacio existente entre la fachada exterior de varias viviendas y el lindero del edificio con el paseo marítimo, espacio que no figuraba expresamente descrito en el título constitutivo ni como elemento privativo ni como elemento común.

La resolución parte de una idea central: **en el régimen de propiedad horizontal, el derecho singular y exclusivo de propiedad debe recaer sobre un espacio suficientemente delimitado, con expresión en el título constitutivo de su extensión, linderos, planta y, en su caso, anejos**. Desde esa premisa, **lo que no aparezca claramente configurado como privativo ha de reputarse, en principio, común.**

La Audiencia declara que, cuando un espacio físicamente existente no consta en el título constitutivo como integrado en los elementos privativos, ni aparece delimitado como anejo o parte de estos, su consideración como elemento común resulta de la propia lógica del sistema de propiedad horizontal, al quedar los elementos comunes determinados por exclusión respecto de los privativos debidamente descritos.

Además, la sentencia destaca que la incorporación de tales espacios a un elemento privativo alteraría la superficie útil de este y, con ello, la determinación de la cuota de participación, lo que exigiría la correspondiente modificación del título constitutivo.

➢ La ubicación de los elementos

Lo cierto es que, pese a que pueda parecer, con sujeción a lo previamente advertido, que resulta determinable cuándo estamos ante un elemento privativo por recaer sobre él un derecho exclusivo y cuándo estamos ante un elemento común, por pesar sobre él una copropiedad, en la práctica tal delimitación no es muchas veces sencilla, y no basta con acudir a las reglas previamente expuestas, sino que se requiere de un estudio individualizado del elemento en cuestión y las circunstancias que le afectan en el sentido que ofrece la **sentencia de la Audiencia Provincial de Pontevedra n.º 59/2022, de 18 de febrero, ECLI:ES:APPO:2022:281,** que señala al respecto de estas circunstancias: «13. En la interpretación de la sentencia de instancia no se considera de manera adecuada la delimitación legal de los elementos privativos en el régimen de la propiedad horizontal **en atención no sólo a su destino, finalidad, o aprovechamiento, sino también a su ubicación** en el interior de la vivienda o local al que han de servir de manera exclusiva».

En el supuesto de hecho al que alude la **sentencia de la Audiencia Provincial de Sevilla n.º 513/2009, de 27 de octubre, ECLI:ES:APSE:2009:3486**, tenemos que explicar que, a falta de título constitutivo y tomando como punto de partida la enumeración dispuesta en el artículo 396 del CC que atribuye el carácter común a las conducciones y canalizaciones para desagüe, esta audiencia viene a desarrollar la inclusión de la red de desagüe como elemento comunitario:

> «En el caso concreto analizado en la presente litis, es evidente que **tendrán la naturaleza de comunes** todos aquellos **elementos que integran la red de desagüe general del edificio**, es decir, **tuberías y arquetas, con independencia de su ubicación o lugar por donde discurran**, dado que **han de interconectar todo** y cada uno de los cuartos de baños y cocinas de los distintos pisos **hasta desaguar en la red general de alcantarillado**. En **principio**, se entenderán que serán **privativas las conducciones cuando prestan servicio exclusivamente al piso concreto, pero necesariamente serán comunes una vez que tiene lugar estas conexiones**. Desde luego, siempre serán **comunes las arquetas sifónicas**, con independencia de su ubicación, **cuya finalidad**, como sabemos, es **facilitar el acceso a la red general** cuando existe atasco y evitar que se dispersen los olores por el interior del inmueble».

Como vemos, resulta necesario en ocasiones hacer una interpretación de la finalidad a que obedece el elemento, su destino, por donde discurre y todas aquellas circunstancias que permitan determinar al elemento como privativo o común, una necesidad que surge, toda vez que no debe olvidarse que el hecho de calificar un elemento como privativo o comunitario no se limita a su mera calificación, sino que tiene importantes consecuencias jurídicas, entre ellas, delimitar quién se encuentra sujeto al deber de correr con los gastos de ese elemento o quién se ve obligado por el mismo en cuánto a su mantenimiento y cuidado de todo tipo, no sencillamente económico.

➢ Elementos comunes por naturaleza y por destino

La jurisprudencia más reciente insiste en la necesidad de diferenciar entre **elementos comunes por naturaleza y elementos comunes por destino**. Los primeros son aquellos imprescindibles para el uso y disfrute de las fincas privativas y, por ello, inseparables del propio régimen de propiedad horizontal; los segundos, en cambio, son accesorios o de conveniencia y pueden ser objeto de desafectación.

La **STS n.º 1007/2025, de 25 de junio, ECLI:ES:TS:2025:2923**, en línea con la **STS n.º 623/2024, de 8 de mayo, ECLI:ES:TS:2024:2180**, recuerda que los elementos comunes por naturaleza no pueden transmutar su condición en privativa, mientras que los comunes por destino o accesorios sí pueden mudar su naturaleza jurídica, bien por previsión en el título constitutivo, bien por acuerdo unánime posterior, y, en determinados casos, por prescripción adquisitiva.

Esta distinción, implica que:

- **Si el elemento es común por naturaleza**, no cabe su apropiación privativa ni su adquisición por usucapión.
- **Si el elemento es común por destino**, habrá que examinar si concurren título, acuerdo unánime o una posesión apta para producir la prescripción adquisitiva.

➢ Desafectación y consentimiento de la comunidad

La desafectación de elementos comunes no esenciales exige, con carácter general, previsión en el título constitutivo o acuerdo unánime de la comunidad de propietarios. Ahora bien, la jurisprudencia admite que, en determinados supuestos, el consentimiento de la comunidad pueda ser tácito, siempre que de las circunstancias concurrentes resulte una manifestación inequívoca de conformidad y no un mero conocimiento pasivo de la situación.

CUESTIONES

1. ¿Cabe adquirir por usucapión un elemento común en propiedad horizontal?

Sí, pero no de forma indiscriminada. Conforme a la **STS n.º 1007/2025, de 25 de junio, ECLI:ES:TS:2025:2923**, solo cabe respecto de elementos comunes por destino, no respecto de los comunes por naturaleza. Además, la posesión ha de exteriorizar un ejercicio exclusivo y excluyente del dominio, con actos públicos de inequívoca significación dominical y durante el plazo legalmente exigido.

La citada sentencia resuelve un litigio relativo a dos trasteros usados en exclusiva por determinadas propietarias durante más de treinta años y declara que, al tratarse de elementos comunes por destino, susceptibles de entrar en el tráfico jurídico y de ser desafectados, pueden ser objeto de prescripción adquisitiva si concurren los requisitos legales de una posesión en concepto de dueño, pública, pacífica, no interrumpida y exclusiva.

La sentencia precisa igualmente que el artículo 1933 del CC, cuando establece que la prescripción ganada por un comunero aprovecha a los demás, no impide que, dentro de la propia comunidad, pueda operar la prescripción en provecho exclusivo de uno solo de los comuneros si se produce una inversión del título posesorio y una posesión exclusiva incompatible con la copropiedad.

2. ¿Puede la junta de propietarios declarar por sí sola que un espacio es elemento común y obligar a su desalojo?

No. La calificación de un elemento como común o privativo no puede quedar al arbitrio de un simple acuerdo comunitario cuando con ello se pretende resolver una verdadera controversia dominical. La **STS n.º 1007/2025, de 25 de junio, ECLI:ES:TS:2025:2923**, declara que es radicalmente nulo el acuerdo de la comunidad que, sin decisión judicial, proclama la condición común de unos trasteros y ordena su restitución a la comunidad, privando a quienes los poseían de su eventual titularidad dominical.

La razón es que un acuerdo de junta no puede dirimir por sí mismo una contienda de dominio afectante a preceptos ajenos al bloque normativo de la LPH, como los relativos al derecho de propiedad y a la tutela judicial efectiva.

JURISPRUDENCIA

La jurisprudencia ha venido precisando diversidad de conceptos en relación con el artículo 396 del CC, entre los que podemos destacar los que vemos a continuación.

1. Derecho inherente de copropiedad sobre elementos comunes necesarios para su adecuado uso y disfrute, teniendo en consideración su propia naturaleza

Sentencia del Tribunal Supremo n.º 411/2022, de 23 de mayo, ECLI:ES:TS:2022:2094

«Esta sala debe declarar que de acuerdo con el art. 394 del C. Civil cada partícipe podrá servirse de las cosas comunes, siempre que disponga de ellas conforme a su destino, lo que debe complementarse conforme al art. 396 del C. Civil, cuando determina que los diferentes pisos y locales de un edificio llevarán inherente un derecho de copropiedad sobre los demás elementos del edificio necesarios para su adecuado uso y disfrute.

En función de ello debe declararse que una piscina, por su propia naturaleza está al servicio de los propietarios que tengan en el edificio su residencia.

Los titulares de los garajes son propietarios de los mismos, pero no por ello son residentes sino usuarios de una plaza de estacionamiento.

***La piscina en cuanto elemento común no tiene como destino natural servir de disfrute a los titulares de los aparcamientos,** los cuales los adquieren para estacionar un vehículo y no por las particularidades recreacionales de la edificación.*

*El **uso de la piscina es extraño, por ello, a la propia naturaleza y finalidad de la adquisición de un garaje.***

En este sentido la sentencia 67/2006, de 2 de febrero:

"Si a lo dicho se une que el uso de una piscina comunitaria siempre ha de entenderse, por pura lógica, como para el uso y disfrute de los titulares de las viviendas de la comunidad; y que desde luego el dueño de una plaza de garaje, que no es titular de una vivienda, nunca puede utilizar un elemento común de la comunidad que nada tiene que ver ni sirve para una mejor utilización de una plaza de garaje. Con ello, se comprende lo dicho anteriormente"».

2. Muros

Sentencia del Tribunal Supremo n.º 459/2005, de 15 de junio, ECLI:ES:TS:2005:3892

*«Este primer submotivo ha de ser rechazado, pues, como acertadamente se señala en la sentencia impugnada, **dentro del vocablo "muros"** (que expresamente mencionaba el artículo 396 del Código Civil en su redacción vigente en el momento en que se interpuso la demanda) **han de entenderse comprendidos no solo las paredes maestras, sino también los paramentos horizontales que forman parte de la estructura y esqueleto, metálico o de cemento, que sustenta la edificación.***

El carácter de elemento común de los forjados (que actualmente se hace constar en el precepto mencionado, según la reforma introducida por Ley 8/1999, de 6 de abril), nunca ha sido puesto en duda y, de hecho los estatutos de la Comunidad en litigio lo daban por supuesto, "a contrario sensu", al incluir en su artículo 5° como elementos pertenecientes en exclusiva al propietario de cada finca los cielos rasos y pavimentos de los pisos, es decir, únicamente el revestimiento inferior y superior de los forjados en la superficie que corresponde a cada vivienda, pero no, naturalmente, los forjados mismos.

De ahí, que la destrucción parcial en mayor o menor medida, de estos paramentos no pueda llevarse a cabo sin autorización de los demás copropietarios».

3. Sótano

Sentencia del Tribunal Supremo n.° 488/2009, de 22 de junio, ECLI:ES:TS:2009:3876

*«(...) **Para determinar el carácter común o privativo del sótano** habrá de estarse **en primer y preferente lugar a lo establecido en el título constitutivo**, que en este concreto supuesto se encuentra integrado en la escritura de división y constitución del edificio en régimen de propiedad horizontal. En la primitiva redacción del Código Civil en el artículo 396 se incluía a los sótanos como elemento común, pero ha sido objeto de supresión por la modificación operada por la Ley de 21 de julio de 1960, sobre Propiedad Horizontal, que los excluyó, y su calificación conceptual como elemento del edificio es privativa cuando no figura en el título constitutivo del régimen de propiedad horizontal; es decir, **los sótanos no tienen la consideración de elemento común por si mismos y sí la de anejo de las partes privativas**, mas sin que ello implique imposibilidad de que los mismos puedan merecer la consideración de "elemento común", dado que ni el artículo 396 del Código Civil ni el 3 de la Ley de Propiedad Horizontal hacen una descripción cerrada y por lo tanto exclusiva de ellos en este régimen y sí meramente enunciativa, por lo cual puede perfectamente ser modificada por la voluntad de los propietarios de cada inmueble, siempre que el acuerdo se adopte por unanimidad (SSTS 15 de marzo 1985; 30 de junio 2003, y las que cita) (...)».*

4. Galerías

Sentencia del Tribunal Supremo n.° 26/2007, de 18 de enero, ECLI:ES:TS:2007:92

*«(...) cuando las fachadas presentan los balcones o galerías, es indudable que forman parte de la fachada misma y de la estructura del inmueble..., por más que el espacio que delimitan sea privativo, como lo es el delimitado por los forjados y los paramentos verticales». Y esta calificación es conforme con la disposición que de los elementos comunes hace el artículo 396 del Código Civil, y demás concordantes de la Ley 49/1.960, de Propiedad Horizontal, antes y después de la redacción dada por Ley 9/1.999, de 6 de Abril. Las **galerías del inmueble además de ser inseparables de su fachada** hacen la función de muro delimitador de los pisos al exterior, y son, obviamente, **elementos necesarios para el uso y disfrute del edificio, razón por la cual gozan de igual protección que ésta** en cuanto a sus posibles modificaciones y alteraciones, por más que el espacio que delimitan sea privativo, lo que determina la responsabilidad directa de la Comunidad sobre este elemento común de cierre del edificio, en lo que hace a su conservación y, en su caso, reparación o sustitución, y de quien lo disfruta en lo demás, en la forma que establezca el título constitutivo o resuelvan en forma legal los comuneros sobre el uso y disfrute de las mismas».*

5. Subsuelo

Sentencia del Tribunal Supremo n.° 565/2011, de 5 de septiembre, ECLI:ES:TS:2011:5533

*«También procede **reiterar como doctrina jurisprudencial que el subsuelo** de una comunidad de propietarios, cuando no tenga atribuida naturaleza privativa en el título constitutivo de la propiedad horizontal, ni exista una causa válida que justifique su atribución a un copropietario, tiene naturaleza de elemento común».*

2.3. LOS COMPLEJOS INMOBILIARIOS

Complejos inmobiliarios privados 340

Los complejos inmobiliarios privados aparecen regulados en el artículo 24 de la Ley de Propiedad Horizontal. Este artículo fue introducido en la ley por medio de la reforma que realizó la Ley 8/1999, de 6 de abril, a través de esta se refleja en la ley la doctrina establecida por la **sentencia del Tribunal Supremo de 28 de mayo de 1986, ECLI:ES:TS:1986:8192**, que establece:

«Se acepta la situación de copropiedad similar a la conocida como propiedad horizontal, por la existencia de un derecho de propiedad singular sobre cada parcela y un derecho de copropiedad sobre un conjunto de elementos comunes y por la voluntad manifiesta de las partes de aplicar el régimen de la propiedad horizontal.

La servidumbre no es el único derecho limitativo del dominio en relaciones de vecindad, sino que las limitaciones nacen, por vía contractual, con apoyo legal, en otras situaciones, como la que se contempla, en las que existe una especial comunidad, como la que deriva de las urbanizaciones cuya analogía con la propiedad horizontal es patente por la particular situación de distintos elementos, unos propios y otros comunes, y porque, en este caso, la aplicación de las normas de la propiedad horizontal ha sido buscada de propósito».

A partir de la reforma, el art. 2. c) de la LPH establece que esta ley se aplicará «A los complejos inmobiliarios privados, en los términos establecidos en esta Ley». Por su parte, el artículo objeto de este tema se encarga de la regulación de los complejos inmobiliarios privados.

Artículo 24 de la LPH

«1. El régimen especial de propiedad establecido en el artículo 396 del Código Civil será aplicable aquellos complejos inmobiliarios privados que reúnan los siguientes requisitos:

a) Estar integrados por dos o más edificaciones o parcelas independientes entre sí cuyo destino principal sea la vivienda o locales.

b) Participar los titulares de estos inmuebles, o de las viviendas o locales en que se encuentren divididos horizontalmente, con carácter inherente a dicho derecho, en una copropiedad indivisible sobre otros elementos inmobiliarios, viales, instalaciones o servicios.

2. Los complejos inmobiliarios privados a que se refiere el apartado anterior podrán:

a) Constituirse en una sola comunidad de propietarios a través de cualquiera de los procedimientos establecidos en el párrafo segundo del artículo 5. En este caso quedarán sometidos a las disposiciones de esta Ley, que les resultarán íntegramente de aplicación.

b) Constituirse en una agrupación de comunidades de propietarios. A tal efecto, se requerirá que el título constitutivo de la nueva comunidad agrupada sea otorgado por el propietario único del complejo o por los presidentes de todas las comunidades llamadas a integrar aquélla, previamente autorizadas por acuerdo mayoritario de sus respectivas Juntas de propietarios. El título constitutivo contendrá la descripción del complejo inmobiliario en su conjunto y de los elementos, viales, instalaciones y servicios comunes. Asimismo fijará la cuota de participación de cada una de las comunidades integradas, las cuales responderán conjuntamente de su obligación de contribuir al sostenimiento de los gastos generales de la comunidad agrupada. El título y los estatutos de la comunidad agrupada serán inscribibles en el Registro de la Propiedad.

3. La agrupación de comunidades a que se refiere el apartado anterior gozará, a todos los efectos, de la misma situación jurídica que las comunidades de propietarios y se regirá por las disposiciones de esta Ley, con las siguientes especialidades:

a) La Junta de propietarios estará compuesta, salvo acuerdo en contrario, por los presidentes de las comunidades integradas en la agrupación, los cuales ostentarán la representación del conjunto de los propietarios de cada comunidad.

b) La adopción de acuerdos para los que la ley requiera mayorías cualificadas exigirá, en todo caso, la previa obtención de la mayoría de que se trate en cada una de las Juntas de propietarios de las comunidades que integran la agrupación.

c) Salvo acuerdo en contrario de la Junta no será aplicable a la comunidad agrupada lo dispuesto en el artículo 9 de esta Ley sobre el fondo de reserva.

La competencia de los órganos de gobierno de la comunidad agrupada únicamente se extiende a los elementos inmobiliarios, viales, instalaciones y servicios comunes. Sus acuerdos no podrá menoscabar en ningún caso las facultades que corresponden a los órganos de gobierno de las comunidades de propietarios integradas en la agrupación de comunidades.

4. A los complejos inmobiliarios privados que no adopten ninguna de las formas jurídicas señaladas en el apartado 2 les serán aplicables, supletoriamente respecto de los pactos que establezcan entre sí los copropietarios, las disposiciones de esta Ley, con las mismas especialidades señaladas en el apartado anterior».

El apartado primero de art. 24 de la LPH señala que para poder aplicar el régimen del art. 396 del CC es necesario que el complejo inmobiliario esté integrado por dos o más edificaciones o parcelas independientes entre sí y una copropiedad indivisible sobre elementos inmobiliarios, viales, instalaciones o servicios. A esta coexistencia de propiedades se ha referido la **sentencia del Tribunal Supremo n.º 489/2021, de 6 de julio, ECLI:ES:TS:2021:2705**, que señala «Junto a los inmuebles en general sujetos al régimen de propiedad previsto en el artículo 396 CC y desarrollado por la LPH, existen urbanizaciones o conjuntos constructivos en los que **coexisten dos tipos de propiedades**: la **propia y exclusiva de cada vivienda o parcela,** y **la de la urbanización en general**, con sus servicios comunitarios, generándose para su administración una comunidad de intereses, tanto en lo relativo al destino y utilización de cada una de las fincas, que debe respetar una integración en el conjunto, como en lo concerniente a las relaciones de los propietarios entre sí y con respecto al todo, a la ordenada convivencia de sus miembros y al disfrute y conservación de los elementos privativos y de los de naturaleza común, cuya puesta a disposición de los condóminos hace surgir la necesidad de subvenir a su mantenimiento. En definitiva, se produce la coexistencia de dos tipos de comunidades entrelazadas: la propia y exclusiva de cada parcela y la de su urbanización, cada una con sus propios cometidos, pero hallándose ambas sometidas, a falta de una específica regulación de la segunda, en cuanto a la constitución y funcionamiento al régimen de la Ley de Propiedad Horizontal (SSTS de 13 noviembre de 1985; 28 enero 1995; 26 mayo 1995; 5 julio 1996 y 2 febrero 1997)».

Para la existencia de un complejo inmobiliario privado no es necesario que las fincas estén construidas siendo suficiente que se haya proyectado edificar. En este sentido se ha manifestado la **sentencia del Tribunal Supremo n.º 247/2009, de 1 de abril, ECLI:ES:TS:2009:1842**:

«La Jurisprudencia de esta Sala en las sentencias de 26 de junio de 1995 y 5 de julio de 1996 tiene reconocida la validez de las supracomunidades, comunidades planas o de urbanizaciones, respecto de las cuales se admite la coexistencia de dos tipos de comunidades entrelazadas para su administración: la propia y exclusiva de cada edificio ya construido, integrado por una pluralidad de viviendas; y la comunidad sobre la propia urbanización. Lo relevante es que de ésta última son parte integrante todos y cada uno de los propietarios de elementos incluidos en la misma, **susceptibles de un aprovechamiento individual**, ya se trate de edificios o de cada uno de los pisos o locales que lo compongan de estar dividido en régimen de propiedad horizontal típica, ya, como es el caso, de **meras fincas en las que se ha proyectado edificar**. Por tanto, **a los efectos de hablar de urbanización susceptible de regularse por las normas de la propiedad horizontal, no es imprescindible**, como defiende la parte recurrente, **que se hayan edificado los terrenos**, sino que basta con la acreditación de la coexistencia de diferentes unidades inmobiliarias —con independencia de que unas sean edificios, incluso a su vez divididos en régimen de propiedad horizontal, y otras meros terrenos parcelados y dispuesto para su edificación—, que existan propietarios distintos y que la propiedad singular y exclusiva sobre cada uno de esos elementos lleve aparejada la participación, con arreglo a una cuota, sobre elementos comunes o, al menos, sobre elementos inmobiliarios, viales, instalaciones o servicios —artículo 24 LPH —, es decir, servicios generales destinados al mejor uso y disfrute o aprovechamiento de los privativos (RDGRN de 5 de abril de 2002). En esta línea, la Sentencia de 27 de octubre de 2008, dispone que "basta para la calificación como complejo inmobiliario la existencia de un régimen de copropiedad o de titularidad compartida sobre instalaciones o servicios inherente al derecho de propiedad privativo sobre los respectivos inmuebles que conforman el complejo, aunque no se trate de una copropiedad en sentido propio. En la Carta de Roma (V Congreso Internacional de Derecho Registral de 1982) se caracteriza a los complejos inmobiliarios "por la existencia de una pluralidad de inmuebles conectados entre sí, a través de elementos o servicios comunes, o de un régimen de limitaciones y deberes entre los mismos, con vocación de pertenecer a una multiplicidad de titulares, para la consecución y mantenimiento de los intereses generales y particulares de los partícipes". Según la doctrina científica, la característica de los conjuntos inmobiliarios a que se refiere la LPH es, pues, la existencia de una pluralidad de fincas ligadas por un punto de conexión cifrado en la titularidad compartida, inherente a los derechos privativos sobre cada una de ellas, de elementos inmobiliarios de utilidad común, viales, instalaciones o servicios».

Constitución de los complejos inmobiliarios privados 350

La Ley de Propiedad Horizontal en su art. 24.2 señala dos posibles formas en la que pueden constituirse los complejos inmobiliarios privados:

- En una sola comunidad de propietarios, en cuyo caso le resulta de aplicación íntegramente lo dispuesto para la propiedad horizontal.
- En una agrupación de comunidades, para lo que la ley establece una serie de especialidades.

➢ Una sola comunidad de propietarios

Como hemos establecido, en este caso se aplica íntegramente la LPH. En cuanto a la forma de constitución lo habitual es que se otorgue un título constitutivo, pero la inexistencia del mismo no impide la aplicación del régimen de propiedad horizontal. El art 2.b) de la LPH señala que la ley será de aplicación «A las comunidades que reúnan los requisitos establecidos en el artículo 396 del Código Civil y no hubiesen otorgado el título constitutivo de la propiedad horizontal. Estas comunidades se regirán, en todo caso, por las disposiciones de esta Ley en lo relativo al régimen jurídico de la propiedad, de sus partes privativas y elementos comunes, así como en cuanto a los derechos y obligaciones recíprocas de los comuneros». La aplicación de este precepto a los complejos inmobiliarios ha sido admitido por el Tribunal Supremo en su **sentencia n.º 594/2021, de 13 de septiembre, ECLI:ES:TS:2021:3306**:

> «Esta sala ha admitido también la existencia de propiedades horizontales de facto, incluso en casos de falta de constitución y de funcionamiento formal de la propiedad horizontal. Como afirmamos en la sentencia de 28 de mayo de 2009, que cita otras anteriores como las de 7 abril 2003 y 17 julio 2006, y que reproduce la más reciente 489/2021, de 6 de julio:
>
> "[...] la posibilidad de que haya situaciones regidas por las normas de la propiedad horizontal sin que haya habido título constitutivo de la misma es evidente y así la reconoce el artículo 2 de la Ley de Propiedad Horizontal, en la redacción que le dio la Ley 8/1999, de 6 de abril, cuando dice que la ley será de aplicación no sólo a las comunidades de propietarios constituidas con arreglo a lo establecido en el artículo 5, mediante otorgamiento de título, sino también a aquéllas comunidades que, reuniendo los requisitos del artículo 396 del Código Civil, no lo hubiesen otorgado".
>
> La jurisprudencia se ha manifestado también reiteradamente a favor de la aplicación analógica de la LPH a complejos inmobiliarios existentes con anterioridad a la reforma realizada por la Ley 8/1999 (sentencias 357/2003, de 7 de abril y 489/2021, de 6 de julio)».

En el mismo sentido se pronuncia la **sentencia del Tribunal Supremo n.º 33/2020, de 21 de enero, ECLI:ES:TS:2020:114**, «Ese reconocimiento ha sido producto de una obviedad, pues **cuando se ha constituido una situación de facto idéntica o semejante a las tipificadas en la legislación de propiedad horizontal, no puede dejar de aplicarse esa legislación**. Ello no es predicable sólo de los bloques de pisos, sino también de las urbanizaciones. Si se ha dividido en parcelas independientes una finca y se han formado viales, no podría sostenerse que respecto a esos viales pudiese ejercitarse una pretensión de cese en la indivisión. Tampoco sería procedente respecto de otros terrenos puestos al servicio del conjunto, por ejemplo para instalaciones recreativas o deportivas, como ocurre en el presente caso. Los terrenos, en principio segregables del conjunto, pero destinados a instalaciones de uso común, constituyen en realidad elementos comunes accidentales o por destino afectados al uso común por voluntad de los propietarios y que en principio pueden quedar desafectados para de esa utilización conjunta, pero siempre conforme a las normas jurídicas aplicables a este régimen de propiedad».

Con relación a esta aplicabilidad de la Ley de Propiedad Horizontal, aun cuando no se ha otorgado un título constitutivo, el art 24.4 de la LPH señala «A los complejos inmobiliarios privados que no adopten ninguna de las formas jurídicas señaladas en el apartado 2 les serán aplicables, supletoriamente respecto de los pactos que establezcan entre sí los copropietarios, las disposiciones de esta Ley, con las mismas especialidades señaladas en el apartado anterior».

En los supuestos en que estamos ante una comunidad de propietarios, los órganos de gobierno y las mayorías que se exigen para la adopción de acuerdos se rigen por lo establecido en la Ley de Propiedad Horizontal con carácter general.

➢ Agrupación de comunidades

Para que un complejo inmobiliario se constituya en una agrupación de comunidades es necesario título constitutivo que será otorgado por el propietario único o por los presidentes de todas las comunidades que la van a integrar previamente autorizados por el acuerdo mayoritario de la junta de propietarios. El título contendrá la descripción del complejo inmobiliario en su conjunto y de los elementos, viales, instalaciones y servicios comunes y establecerá la cuota de participación de cada una de las comunidades. El título y los estatutos deberán inscribirse en el registro de la propiedad.

El art. 24.3 de la LPH recoge una serie de especialidades respecto a la regulación de los complejos inmobiliarios privados que estén constituidos en agrupación de comunidades, y en este sentido establece:

«3. La agrupación de comunidades a que se refiere el apartado anterior gozará, a todos los efectos, de la misma situación jurídica que las comunidades de propietarios y se regirá por las disposiciones de esta Ley, con las siguientes especialidades:

a) La Junta de propietarios estará compuesta, salvo acuerdo en contrario, por los presidentes de las comunidades integradas en la agrupación, los cuales ostentarán la representación del conjunto de los propietarios de cada comunidad.

b) La adopción de acuerdos para los que la ley requiera mayorías cualificadas exigirá, en todo caso, la previa obtención de la mayoría de que se trate en cada una de las Juntas de propietarios de las comunidades que integran la agrupación.

c) Salvo acuerdo en contrario de la Junta no será aplicable a la comunidad agrupada lo dispuesto en el artículo 9 de esta Ley sobre el fondo de reserva.

La competencia de los órganos de gobierno de la comunidad agrupada únicamente se extiende a los elementos inmobiliarios, viales, instalaciones y servicios comunes. Sus acuerdos no podrá menoscabar en ningún caso las facultades que corresponden a los órganos de gobierno de las comunidades de propietarios integradas en la agrupación de comunidades».

Imposibilidad de división en los complejos inmobiliarios privados 360

Como ya hemos señalado a los complejos inmobiliarios privados les resulta de aplicación el régimen de propiedad horizontal. Ello implica que están sujetos al art. 4 de la LPH que señala «La acción de división no procederá para hacer cesar la situación que regula esta ley. Sólo podrá ejercitarse por cada propietario proindiviso sobre un piso o local determinado, circunscrita al mismo, y siempre que la proindivisión no haya sido establecida de intento para el servicio o utilidad común de todos los propietarios». No es posible, por tanto, que un propietario solicite el fin de la copropiedad en ninguno de los elementos comunes del complejo inmobiliario, y así lo ha establecido el Tribunal Supremo en su **sentencia n.º 398/2009, de 28 de mayo, ECLI:ES:TS:2009:3492**, al señalar:

«Ambos motivos se desestiman pues parten de las propias consideraciones que sobre la realidad material y jurídica de las fincas sostiene la recurrente al desgajar las número NUM001 y NUM002 de la NUM000 en contra de lo razonado por la

Audiencia. Se prescinde para ello de los acertados razonamientos de la sentencia impugnada según los cuales nos encontramos ante un **conjunto que integra una situación de propiedad horizontal** de hecho existente sobre un complejo inmobiliario de carácter privado (artículo 24 LPH), con la **consecuencia de indivisibilidad que prevé el artículo 4 de la propia LPH**, lo que determina que no resulten de aplicación los preceptos del Código Civil referidos a la cesación en la situación de comunidad que se citan como infringidos».

Una cuestión especial es la de la cesión de las zonas comunes al ayuntamiento correspondiente para que se encargue de su conservación. Recordemos que para la existencia del complejo inmobiliario privado es necesario la coexistencia de una propiedad individual sobre las edificaciones y parcelas y una copropiedad sobre elementos inmobiliarios, viales, instalaciones o servicios. Por tanto, si se cede el mantenimiento de los elementos comunes al ayuntamiento cesará la situación de propiedad horizontal al desaparecer uno de los requisitos. En este sentido se manifiesta la **sentencia del Tribunal Supremo n.º 992/2008, de 27 de octubre, ECLI:ES:TS:2008:6001:**

«Para que se pueda entender aplicable a las urbanizaciones el art. 24 LPH es preciso que se cumplan dos requisitos: 1.º. Estar integrados por dos o más edificaciones o parcelas independientes entre sí. 2º. Participar los titulares de estos inmuebles de una copropiedad indivisible sobre varios elementos inmobiliarios, viales, instalaciones...

Pues bien, si bien el primer requisito se cumple, el segundo no se cumple, pues lo único que comparte la zona de Rocabayera con el resto de vecinos es el agua, pero ninguna otra instalación o viales, de cuya conservación se ocupa el Ayuntamiento de Badalona, al tratarse de una zona cedida».

Para que la cesión al ayuntamiento pueda ser determinante de la inexistencia del complejo inmobiliario privado es necesario la receptación por el ayuntamiento de los elementos comunes, pues en tanto el mantenimiento lo deban hacer los propietarios se siguen sometiendo al régimen de propiedad horizontal. Así lo ha fijado el Tribunal Supremo en su **sentencia n.º 363/2020, de 29 de junio, ECLI:ES:TS:2020:2259:**

«Por otro lado, en la sentencia recurrida, pese a la cesión de los viales y demás elementos, entiende que siguen siendo mantenidos por la supracomunidad al no haber sido recepcionados por el Ayuntamiento de Benahavís, por lo que los comuneros, incluidos los demandados, deben hacer frente a su mantenimiento.

Bajo estas premisas esta Sala declaró en sentencia 992/2008, de 27 de octubre: "No obsta a la conclusión obtenida, según la interpretación que acaba de formularse, la doctrina sobre mantenimiento del régimen de propiedad horizontal sobre las urbanizaciones, en tanto éstas no hayan sido recibidas por el Ayuntamiento. En efecto, en el caso examinado la receptación (sic) por parte del Ayuntamiento de los terrenos de uso común correspondientes a los inmuebles propiedad de los demandados no comportaba la asunción de la titularidad de importantes servicios comunes que continuaban en régimen de titularidad compartida"».

370 Diferencia complejo inmobiliario privado y propiedad horizontal tumbada

Es importante diferenciar el complejo inmobiliario privado de la denominada propiedad horizontal «tumbada». En esta diferenciación es determinante la existencia o no de división en el terreno sobre el que se edifica de tal forma que si existe una parcelación estamos ante un complejo inmobiliario, mientras que, si se mantiene una unidad en el vuelo del edificio, hablamos de propiedad horizontal tumbada.

En este sentido se manifiesta la Resolución de 21 de enero de 2014, de la Dirección General de seguridad jurídica y fe pública (anteriormente Dirección General de los registros y del notariado) que establece:

> «Por eso, bajo el calificativo de "tumbada" que se aplica a la propiedad horizontal suelen cobijarse (indebidamente), situaciones que responden a ambos tipos, el de complejo inmobiliario con fincas o edificaciones jurídica y físicamente independientes, pero que participan en otros elementos en comunidad, o bien auténticas propiedades horizontales en las que el suelo es elemento común y a las que se atribuye dicho adjetivo tan sólo en razón de la distribución de los elementos que la integran que no se superponen en planos horizontales sino que se sitúan en el mismo plano horizontal. La formación de las fincas que pasan a ser elementos privativos en un **complejo inmobiliario** en cuanto crean nuevos espacios del suelo objeto de propiedad totalmente separada a las que se vincula en comunidad ob rem otros elementos, que pueden ser también porciones de suelo cómo otras parcelas o viales, evidentemente **ha de equipararse a una parcelación** a los efectos de exigir para su inscripción la correspondiente licencia si la normativa sustantiva aplicable exige tal requisito (cfr. art. 17.2.° del Texto Refundido de la Ley de Suelo). En la actualidad el artículo 17.6 exige en todo caso una licencia específica para este tipo de situaciones jurídicas. Por el contrario, la **propiedad horizontal** propiamente tal, aunque sea tumbada, desde el momento en que **mantiene la unidad jurídica de la finca —o derecho de vuelo—** que le sirve de soporte no puede equipararse al supuesto anterior, pues no hay división o fraccionamiento jurídico del terreno al que pueda calificarse como parcelación, pues no hay alteración de forma "la que se produzca será fruto de la edificación necesariamente amparada en una licencia o con prescripción de las infracciones urbanísticas cometidas", superficie o linderos».

3 OBRAS Y REPARACIONES EN LAS COMUNIDADES DE PROPIETARIOS

SUMARIO

3.1. Calificación de las obras a realizar

3.1.1. Obras en el elementos comunes o privativos .... Marginal 380 y siguientes

3.1.2. Obras en zonas privativas .... Marginal 390 y siguientes

3.1.3. Obras en zonas comunes........................ Marginal 400 y siguientes

3.1.4. El pago de las obras............................ Marginal 450 y siguientes

3.1.5. Responsabilidad por las obras.................. Marginal 490 y siguientes

3.1.6. Análisis jurisprudencial de los supuestos más comunes de obras en las comunidades de propietarios .... Marginal 520 y siguientes

3.2. Humedades en viviendas y locales. ¿A quién reclamar? El origen de las humedades

3.2.1. Reclamación por humedades en viviendas y locales .... Marginal 600 y siguientes

3.2.2. Humedades con origen en elementos comunes ... Marginal 620 y siguientes

3.2.3. Humedades con origen en elementos privativos ... Marginal 650 y siguientes

3.3. Defectos de la construcción. Supuesto de las viviendas de nueva construcción. Reclamación a los agentes de la edificación .... Marginal 680 y siguientes

3.1. CALIFICACIÓN DE LAS OBRAS A REALIZAR

3.1.1. Obras en elementos comunes o privativos

Tipos de obras en las comunidades de propietarios 380

A la hora de hablar de las obras en las comunidades de propietarios, resulta fundamental partir de la diferenciación entre las que se realizan en los elementos privativos de cada propietario y las que se llevarán a cabo en los elementos comunes. Son precisamente estas últimas las que suelen generar numerosas discrepancias entre los comuneros.

En ambos casos resulta recomendable informarse sobre los requisitos que se exigen en el ayuntamiento en el que está ubicada la finca, a efectos de permisos, ya que estamos ante una competencia municipal. En función del ayuntamiento del que se trate, podemos encontrarnos con que las obras pequeñas requieran únicamente de una comunicación previa, o en otros casos que se requieran licencias de obra mayor o menor.

Como primera aproximación a una clasificación de las obras, podemos citar la **sentencia de la Audiencia Provincial de Málaga n.° 38/2020, de 31 de enero, ECLI:ES:APMA:2020:936**, que realiza una distinción entre los tipos de obras que se pueden llevar a cabo en las comunidades de propietarios en los siguientes términos:

> «Es preciso asimismo traer a colación como la realización de obras en fincas sometidas al régimen de propiedad horizontal previsto en la ley especial puede clasificarse en la siguiente forma: 1) Obras que pueden realizarse por la sola voluntad de cada propietario en sus **elementos privativos**, sin más requisito que el de dar cuenta de ellas al representante de la comunidad; 2) **Obras de conservación y entretenimiento del edificio**, a las que ha de atender y, consiguientemente puede realizar el administrador sin necesidad de previo acuerdo en junta, así como las medidas urgentes, dando inmediata cuenta a la junta o a los propietarios en cuanto a las reparaciones extraordinarias, y 3) **Las demás, que requieren aprobación de la junta de propietarios**, por el régimen de mayorías previsto en cada supuesto, si alteran la estructura, fábrica, seguridad o configuración del edificio o afectan al título constitutivo que exigirán, estas últimas, el acuerdo unánime de los propietarios (...)».

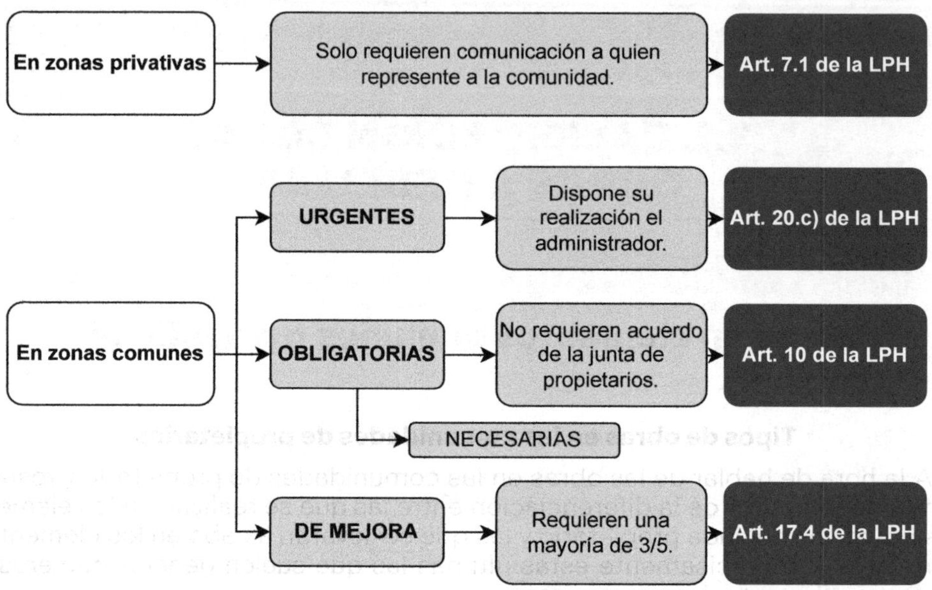

3.1.2. Obras en zonas privativas

390 Las obras en zonas privativas de la comunidad de propietarios

A la hora de analizar las obras que los propietarios pueden llevar a cabo en sus inmuebles, el punto de partida nos lo da el apartado 1 del art. 7 de la LPH:

«1. El propietario de cada piso o local podrá modificar los elementos arquitectónicos, instalaciones o servicios de aquél cuando no menoscabe o altere la seguridad del edificio, su estructura general, su configuración o estado exteriores, o perjudique los derechos de otro propietario, debiendo dar cuenta de tales obras previamente a quien represente a la comunidad.

En el resto del inmueble no podrá realizar alteración alguna y si advirtiere la necesidad de reparaciones urgentes deberá comunicarlo sin dilación al administrador».

Por su parte, el Tribunal Supremo en la **STS n.º 709/2009, de 11 de noviembre, ECLI:ES:TS:2009:7203**, con relación a unas subdivisiones realizadas en elementos privativos ha recogido que:

«En principio, todo aquello que se encuentre en el **interior de la superficie que cada titular tiene asignada** se considera como privativo, con la **limitación** de respetar los servicios comunes del inmueble; fuera de esta salvedad no hay inconveniente en que se derriben tabiques de separación, y que se utilice la zona particular para instalaciones que no perjudiquen a otros».

Es decir, la LPH faculta a los propietarios a realizar en su inmueble todas aquellas obras que consideren oportunas, estableciendo tanto límites espaciales (las obras deben de realizarse dentro de sus elementos privativos), como límites materiales, que consisten en:

- No menoscabar o alterar la seguridad del edificio.
- No menoscabar o alterar la su estructura general del edificio.
- No menoscabar o alterar la configuración o estado exteriores del edificio.
- No perjudicar los derechos de ningún otro propietario.

CUESTIÓN

¿Qué se entiende por alteración de la configuración o estado del edificio?

La **sentencia de la Audiencia Provincial de A Coruña n.º 126/2022, de 30 de marzo, ECLI:ES:APC:2022:700**, nos da respuesta a esta cuestión con el siguiente tenor literal:

«Cuando se trata de discernir si una obra en concreto altera el estado o la configuración exterior de un edificio, debe partirse de que ***la configuración es un concepto jurídico y no técnico****. Así se ha entendido que se varía la configuración de un edificio cuando se transforma lo abierto en cerrado, o se amplía el volumen edificado, o se altera el aspecto externo, rompiendo la armonía que se supone en la obra arquitectónica. Es el aspecto que ofrece una particularidad en relación con el conjunto [SSTS 470/2003, de 19 de mayo (Roj: STS 3354/2003, recurso 2705/1997); 524/1996, de 27 de junio (Roj: STS 3929/1996, recurso 3595/1992); 376/1993, de 20 de abril (Roj: STS 17449/1993) y 62/1991, de 30 de enero (Roj: STS 501/1991)]».*

Nuestro Alto Tribunal se ha pronunciado sobre el alcance del art. 7 de la LPH y sus límites, entre otras en la **STS n.º 640/2009, de 15 de octubre, ECLI:ES:TS:2009:5979**, en la que recoge que:

«(...) el artículo 7.1 de la Ley de Propiedad Horizontal establece que «el propietario de cada piso o local podrá modificar los elementos arquitectónicos, instalaciones o servicios de aquél cuando no menoscabe o altere la seguridad del edificio, su estructura general, su configuración o estado exteriores, o perjudique los derechos de otro propietario, debiendo dar cuenta de tales obras previamente a quién represente a la Comunidad»; de este precepto se deduce que **todo el espacio que se encuentre en el interior de la superficie asignada a cada propietario se considera como privativo**, con la limitación de respetar los servicios comunes del inmueble; aparte de esta salvedad, no hay inconveniente en que se derriben tabiques de separación, se efectúe una redistribución interior, se decore interiormente como mejor parezca al titular y se utilice la zona particular para instalaciones que no perjudiquen a otros; amén de lo hasta ahora manifestado, el artículo 3 de la Ley de Propiedad Horizontal dispone que "en el régimen de propiedad establecido en el artículo 396 del Código Civil corresponde al dueño de cada piso o local: a) el derecho singular y exclusivo de propiedad sobre un espacio suficientemente delimitado y susceptible de aprovechamiento independiente, con los elementos arquitectónicos e instalaciones de todas clases, aparentes o no, que estén comprendidos dentro de sus límites y sirvan exclusivamente al propietario, así como el de los anejos que expresamente hayan sido señalados en el título, aunque se hallen situados fuera del espacio delimitado"».

También la **STS n.º 320/2020, de 18 de junio, ECLI:ES:TS:2020:2183**, aborda la cuestión del control limitado que puede ejercitar la comunidad de propietarios en los siguientes términos:

«Con base en esta doctrina, reiterada en las sentencias de 4 de marzo y 25 de junio de 2013, esta Sala ha concluido que si los estatutos permiten efectuar operaciones de división sin necesidad del consentimiento de la comunidad, la junta de propietarios sólo tendrá que efectuar una actividad de control referente a que las obras no perjudiquen a elementos comunes ni a otros propietarios, y no afecten a la estructura, la seguridad, configuración o estado exterior del edificio, pues si se respetan estas limitaciones, la junta lo único que tiene reservado es la atribución de nuevas cuotas de los espacios afectados por la reforma (STS 30 de septiembre 2010) (...)».

La facultad de modificación de los elementos privativos se entiende rebasada cuando implique que se vean directamente afectados elementos comunes en su seguridad, estructura e incluso apariencia, es decir, si la modificación excede los límites propios del elemento privativo, afectando elementos que afectan al común de los vecinos, se estará excediendo la facultad de modificación atribuida. Destacar que el Tribunal Supremo en su **STS n.º 406/2011, de 13 de junio, ECLI:ES:TS:2011:4042**, recoge como límite el respeto a los elementos comunes:

«Las obras realizadas chocan con el **prevalente respeto a los elementos comunes** y la necesidad de impedir actuaciones indiscriminadas y fuera de **control de uno de los comuneros** contra los que la Comunidad actúa para salvaguardar su legítimo derecho, sin que ello le impida disfrutar tanto de los elementos propios como de los comunes, sí bien en el marco impuesto por la Ley de Propiedad Horizontal (SSTS 28 de noviembre 2008; 7 de marzo 2011)».

Y en la misma línea de resaltar la importancia del control que realizan los comuneros, se recoge en la **sentencia de la Audiencia Provincial de Madrid n.º 71/2022, de 14 de febrero, ECLI:ES:APM:2022:2268**, que: «En primer lugar, ha de señalarse que a tenor de lo establecido en el párrafo segundo del artículo 7 de la Ley de Propiedad Horizontal, y tal y como señala el Tribunal Supremo en Sentencia de 7 de octubre de 1999, **ningún propietario puede realizar obras que afecten a los elementos comunes, siendo preciso que se aprueben las obras que comporten dicha alteración por la Junta de Propietarios** a tenor de lo establecido en el artículo 12 y 17 de la Ley de Propiedad Horizontal, debiendo destacarse que una alteración en un elemento común afecta al título constitutivo, tal y como establece el artículo 12, y debe someterse al régimen establecido para las modificaciones del mismo (...)».

Resulta ilustrativo el análisis que realiza la **Audiencia Provincial de Baleares, en la sentencia n.º 301/2015, de 29 de diciembre, ECLI:ES:APIB:2015:2349**, en la que resume las restricciones de esta facultad de modificación en los elementos privativos de la siguiente manera:

«Con todo, el punto de partida de la Ley en la actuación del comunero privado en materia de obras es la libertad de modificar la parte privativa o de hacer obras en ella, pero se establecen **tres restricciones básicas** a dicha facultad, que son las siguientes:

a) **Que no se menoscabe o altere la seguridad del edificio, su estructura general y su configuración o estado exteriores**. Se trata de una limitación lógica, esencial para la existencia del régimen de propiedad horizontal, por lo que esta norma debe considerarse como de "ius cogens" (STS de 10 julio 1991). Por lo tanto, todo propietario en régimen de Propiedad Horizontal, como recuerda la SAP de Badajoz de fecha 13 diciembre 1996, citada por la SAP de Las Palmas (Sección 1ª) de 19 marzo 1999 debe de prestar acatamiento de la normativa reguladora de dicha forma de Comunidad, entre la que figuran los preceptos que prohíben al propietario realizar obras que alteren la estructura del inmueble o de alguno de sus elementos comunes o afecten a su configuración, sin haber obtenido para ello la autorización de la Junta de Propietarios, alcanzada por unanimidad de sus miembros (SSTS de 4 marzo 1985, 16 diciembre 1985, 24 junio 1987 y 26 noviembre 1990, entre otras). Es más, tal obligación, según recuerda con acierto la SAP de Madrid (Sección 9 de 4 enero 2006, "en esencia, **es inmune a que las obras de referencia favorezcan, beneficien o perjudiquen a la Comunidad a la que el ejecutante pertenece**, así como que sea o no asumido por éste el íntegro importe del coste de las mismas, cuestiones casi irrelevantes, que en nada afectan a la esencia o razón del precepto, destinado a regular una mínima convivencia entre comuneros, de la que nace, como exigencia primaria, la obligación, reclamable de todo condómino que pretenda la ejecución de una obra que afecte o interese a elementos comunes de la edificación o a su configuración, de obtener el consentimiento previo y unánime de los restantes, en atención al interés legítimo, reconocido y protegido que a éstos asiste, de igual entidad al menos que el de la contraparte, cuya lesión presupone la nulidad de los acuerdos, si éstos se adoptaran en Junta de Propietarios, o la orden de reposición si se tratase de vías de hecho".

b) **Que no perjudique a los derechos de otro propietario**. A diferencia de la anterior, esta limitación no parece de derecho necesario o imperativo, de manera que cabe que el perjudicado o perjudicados (que son quienes ostentan dicha facultad, no la comunidad de propietarios), autoricen una obra en la parte privativa de otro copropietario que, en caso de no afectar a elementos comunes y no sobrepasar los otros límites establecidos en este art. 7.1 de la LPH, habrá de considerarse plenamente lícita.

c) **Que se dé cuenta de tales obras en elementos privativo previamente a quien represente a la comunidad**, cuyos efecto analizaremos con posterioridad, aún cuando ya se puede adelantar que se trata de una norma sin sanción específica».

CUESTIÓN

¿Qué se entiende por alteración de la configuración o estado del edificio?

La **sentencia de la Audiencia Provincial de A Coruña n.º 126/2022, de 30 de marzo, ECLI:ES:APC:2022:700**, nos da respuesta a esta cuestión con el siguiente tenor literal:

«Cuando se trata de discernir si una obra en concreto altera el estado o la configuración exterior de un edificio, debe partirse de que ***la configuración es un concepto jurídico y no técnico****. Así se ha entendido que se varía la configuración de un edificio cuando se transforma lo abierto en cerrado, o se amplía el volumen edificado, o se altera el aspecto externo, rompiendo la armonía que se supone en la obra arquitectónica. Es el aspecto que ofrece una particularidad en relación con el conjunto [SSTS 470/2003, de 19 de mayo (Roj: STS 3354/2003, recurso 2705/1997); 524/1996, de 27 de junio (Roj: STS 3929/1996, recurso 3595/1992); 376/1993, de 20 de abril (Roj: STS 1/449/1993) y 62/1991, de 30 de enero (Roj: STS 501/1991)]».*

A modo de ejemplo, cabe citar la **sentencia de la Audiencia Provincial de Álava n.º 482/2026, de 7 de abril, ECLI:ES:APVI:2026:509**, que analiza un supuesto de obras de rehabilitación y reforma ejecutadas en tres plantas privativas de un edificio antiguo con estructura de madera para su transformación en residencia de ancianos, la Audiencia aprecia en este caso la vulneración del apdo. 1 del art. 7 de la LPH al entender acreditado que el derribo de tabiques y paredes interiores menoscabó o alteró la estructura general del edificio y perjudicó la vivienda de otro propietario. La resolución considera que, aunque las obras no se realizaran directamente sobre elementos comunes, era previsible y prevenible su incidencia estructural por las características y antigüedad del inmueble, y admite el resarcimiento de los daños causados al amparo del citado precepto.

La anterior resolución incide, además, en que el límite relativo a la estructura general del edificio no queda circunscrito a los supuestos en que la obra recaiga materialmente sobre un elemento común. Según el caso enjuiciado, también puede apreciarse infracción del apdo. 1 del art. 7 de la LPH cuando, atendidas la antigüedad, tipología constructiva y características del inmueble, las obras en elementos privativos hagan previsible una afectación estructural indirecta que termine perjudicando a otro propietario.

Nuestro Alto Tribunal se ha pronunciado sobre el alcance del art. 7 de la LPH y sus límites, entre otras, en la **STS n.º 640/2009, de 15 de octubre, ECLI:ES:TS:2009:5979**, en la que recoge:

> «(...) el artículo 7.1 de la Ley de Propiedad Horizontal establece que «el propietario de cada piso o local podrá modificar los elementos arquitectónicos, instalaciones o servicios de aquél cuando no menoscabe o altere la seguridad del edificio, su estructura general, su configuración o estado exteriores, o perjudique los derechos de otro propietario, debiendo dar cuenta de tales obras previamente a quién represente a la Comunidad»; de este precepto se deduce que **todo el espacio que se encuentre en el interior de la superficie asignada a cada propietario se considera como privativo**, con la limitación de respetar los servicios comunes del inmueble; aparte de esta salvedad, no hay inconveniente en que se derriben tabiques de separación, se efectúe una redistribución interior, se decore interiormente como mejor parezca al titular y se utilice la zona particular para instalaciones que no perjudiquen a otros; amén de lo hasta ahora manifestado, el artículo 3 de la Ley de Propiedad Horizontal dispone que "en el régimen de propiedad establecido en el artículo 396 del Código Civil corresponde al dueño de cada piso o local: a) el derecho singular y exclusivo de propiedad sobre un espacio suficientemente delimitado y susceptible de aprovechamiento independiente, con los elementos arquitectónicos e instalaciones de todas clases, aparentes o no, que estén comprendidos dentro de sus límites y sirvan exclusivamente al propietario, así como el de los anejos que expresamente hayan sido señalados en el título, aunque se hallen situados fuera del espacio delimitado"».

También la **STS n.º 320/2020, de 18 de junio, ECLI:ES:TS:2020:2183**, aborda la cuestión del control limitado que puede ejercitar la comunidad de propietarios en los siguientes términos:

> «Con base en esta doctrina, reiterada en las sentencias de 4 de marzo y 25 de junio de 2013, esta Sala ha concluido que si los estatutos permiten efectuar operaciones de división sin necesidad del consentimiento de la comunidad, la junta de propietarios

sólo tendrá que efectuar una actividad de control referente a que las obras no perjudiquen a elementos comunes ni a otros propietarios, y no afecten a la estructura, la seguridad, configuración o estado exterior del edificio, pues si se respetan estas limitaciones, la junta lo único que tiene reservado es la atribución de nuevas cuotas de los espacios afectados por la reforma (STS 30 de septiembre 2010) (...)».

La facultad de modificación de los elementos privativos se entiende rebasada cuando implique que se vean directamente afectados elementos comunes en su seguridad, estructura e incluso apariencia, es decir, si la modificación excede los límites propios del elemento privativo, afectando elementos que afectan al común de los vecinos, se estará excediendo la facultad de modificación atribuida. Destacar que el Tribunal Supremo en su **STS n.º 406/2011, de 13 de junio, ECLI:ES:TS:2011:4042**, recoge como límite el respeto a los elementos comunes:

> «Las obras realizadas chocan con el **prevalente respeto a los elementos comunes** y la necesidad de impedir actuaciones indiscriminadas y fuera de **control de uno de los comuneros** contra los que la Comunidad actúa para salvaguardar su legítimo derecho, sin que ello le impida disfrutar tanto de los elementos propios como de los comunes, sí bien en el marco impuesto por la Ley de Propiedad Horizontal (SSTS 28 de noviembre 2008; 7 de marzo 2011)».

Y en la misma línea de resaltar la importancia del control que realizan los comuneros, se recoge en la **sentencia de la Audiencia Provincial de Madrid n.º 71/2022, de 14 de febrero, ECLI:ES:APM:2022:2268**, que: «En primer lugar, ha de señalarse que a tenor de lo establecido en el párrafo segundo del artículo 7 de la Ley de Propiedad Horizontal, y tal y como señala el Tribunal Supremo en Sentencia de 7 de octubre de 1999, **ningún propietario puede realizar obras que afecten a los elementos comunes, siendo preciso que se aprueben las obras que comporten dicha alteración por la Junta de Propietarios** a tenor de lo establecido en el artículo 12 y 17 de la Ley de Propiedad Horizontal, debiendo destacarse que una alteración en un elemento común afecta al título constitutivo, tal y como establece el artículo 12, y debe someterse al régimen establecido para las modificaciones del mismo (...)».

A la vista de la **sentencia de la Audiencia Provincial de Álava n.º 482/2026, de 7 de abril, ECLI:ES:APVI:2026:509**, cabe añadir que, en determinados supuestos, la infracción del art. 7.1 de la LPH puede fundamentar el resarcimiento de los daños causados a otro propietario cuando se acredita que las obras en el elemento privativo menoscabaron o alteraron la estructura general del edificio y ocasionaron un perjuicio efectivo en otra vivienda o local. En el caso resuelto, la Audiencia considera aplicable a tal pretensión el plazo general de prescripción de cinco años.

CUESTIÓN

¿Existe alguna diferenciación entre las obras llevadas a cabo en viviendas y las realizadas en locales comerciales?

Sí, el Tribunal Supremo se ha pronunciado sobre esta cuestión en el sentido de entender que en los locales cabe más flexibilidad a la hora de interpretar el art. 7.1 de la LPH. Así, podemos citar, por ejemplo, la **STS n.º 679/2020, de 15 de diciembre,**

ECLI:ES:TS:2020:421, que resume el criterio adoptado por nuestro Alto Tribunal de la siguiente manera:

«Esta Sala se ha expresado en diferentes ocasiones sobre la problemática expuesta. Para su resolución se establece un ***criterio flexible*** *y no exento de la inevitable casuística, a los efectos de determinar la conformidad a derecho de las* ***obras de adecuación de los locales comerciales a los distintos fines de explotación susceptibles de ser destinados,*** *lo que conduce a darles un tratamiento específico diferente del que merecen las obras ejecutadas en los pisos, sitos en las plantas altas de los inmuebles, sometidos al régimen jurídico de la propiedad horizontal, si bien* ***respetando, como no puede ser de otra forma, los límites derivados de la aplicación del art. 7.1 de su ley reguladora,*** *que condiciona la viabilidad de tales modificaciones a no menoscabar o alterar la seguridad del edificio, su estructura general, su configuración o estado exteriores, y a no perjudicar los derechos de otro propietario. En definitiva, ponderando tales circunstancias es como procederá la decisión de las controversias relativas a la legalidad de las obras llevadas a efecto en los locales comerciales (...)».*

Véase al respecto la **SAP Cantabria n.º 193/2022, de 4 de abril, ECLI:ES:APS:2022:493.**

En la LPH también se establece un requisito para la realización de obras en elementos privativos: la **comunicación a quien represente a la comunidad de propietarios**. Esta comunicación debe ser previa a las obras. En la práctica se incumple este requisito con mucha frecuencia, ya que la ley no contempla ningún tipo de sanción ante la falta de notificación a la comunidad.

Con relación al requisito de la notificación, resulta aclaratoria la **sentencia de la Audiencia Provincial de Baleares n.º 424/2012, de 8 de octubre, ECLI:ES:APIB:2012:2000**, que, tras analizar los tres problemas que se plantean con relación a la misma (si se trata de una mera comunicación o una petición de permiso, si es una obligación o una facultad, y si su ausencia tiene algún tipo de efecto), concluye estableciendo los siguientes criterios de interpretación y aplicación:

«1. El deber de previa comunicación se justifica, por un lado, en que tratándose de una cuestión técnica, el propietario no puede calibrar si la modificación afecta o no a elementos comunes o a los derechos de los demás propietarios, y, por otro, se trata de **prevenir eventuales discrepancias** entre el dueño del piso o local afectado por las obras y demás propietarios.

2. La tesis doctrinal mayoritaria entiende que ese aviso previo **no es una solicitud de permiso** que requiere una contestación de la comunidad sino que se trata de **un mero aviso** para que la comunidad conozca el inicio de las obras y su contenido y alcance. No se trata de un permiso sino de una comunicación.

3. Aún cuando se trata de una obligación y no de una mera facultad, pues el precepto dice deber de "dar cuenta", sin embargo, **no existe sanción prevista** alguna para el caso de que el comunero incumpla o retrase el deber de comunicación, por lo que procede considerar que la falta del cumplimiento de este requisito no afecta en principio a la licitud o ilicitud de las obras iniciadas por el propietario de la vivienda o local.

4. **La omisión del requisito** estudiado tendría como efecto el poder **potenciar la responsabilidad del propietario** en el caso de que realizara las obras de manera oculta o subrepticia y, además, cuando tales obras fueran consideradas ilegales por afectar elementos comunes.

5. **La ley no distingue el tipo de obras, ni los supuestos en lo que es preciso realizar el aviso**. En este sentido, se viene entendiendo que sólo es precisa esa comunicación cuando existan dudas sobre la incidencia de la obra en los elementos comunes o en la propiedad ajena. Ahora bien, esta conclusión puede desvirtuar la naturaleza de la propia comunicación y por ello sería más conveniente entender que la comunicación debe de realizarse en todo caso cuando se afecten de manera directa o indirecta a elementos comunes, y con independencia de la naturaleza alcance o extensión de la obra.

6. Es claro que el propietario **puede acompañar a su comunicación los informes técnicos, los planos o los proyectos** que considere oportunos para poder de manifiesto la licitud de su obra y para evitar futuros procesos judiciales, o siniestros precedentes cubiertos o no por su asegurador».

Cuando el propietario incumple los límites establecidos en el apartado 1 del art. 7 de la LPH puede acudirse a lo establecido en la **acción de cesación** regulada en el siguiente apartado del mentado artículo (apartado 2 del art. 7 de la LPH).

CUESTIONES

1. ¿En qué consiste la acción de cesación?

El apartado 2 del art. 7 de la LPH regula una acción específica del ámbito de la propiedad horizontal por la que al propietario y al ocupante del piso o local, no les está permitido desarrollar en él o en el resto del inmueble actividades prohibidas en los estatutos que resulten dañosas para la finca o que contravengan las disposiciones generales sobre actividades molestas, insalubres, nocivas, peligrosas o ilícitas, y se les requiere para que cesen en dicha conducta, pudiendo entablar acciones legales en el caso de que el requerimiento no sea efectivo.

2. ¿Cuáles son las consecuencias de la acción de cesación?

Si la sentencia fuese estimatoria, podrá disponer, además de la cesación definitiva de la actividad prohibida y la indemnización de daños y perjuicios que proceda, la privación del derecho al uso de la vivienda o local por tiempo no superior a tres años, en función de la gravedad de la infracción y de los perjuicios ocasionados a la comunidad. Si el infractor no fuese el propietario, la sentencia podrá declarar extinguidos definitivamente todos sus derechos relativos a la vivienda o local, así como su inmediato lanzamiento.

Es importante mencionar la reforma introducida por la **Ley Orgánica 1/2025, de 2 de enero**, por la cual se añade un apartado 3 al artículo 7 de la LPH, con efectos desde el 03/04/2025:

«3. El propietario de cada vivienda que quiera realizar el ejercicio de la actividad a que se refiere la letra e) del artículo 5 de la Ley 29/1994, de 24 de noviembre, de Arrendamientos Urbanos, en los términos establecidos en la normativa sectorial turística, deberá obtener previamente la aprobación expresa de la comunidad de propietarios, en los términos establecidos en el apartado 12 del artículo diecisiete de esta Ley.

El presidente de la comunidad, a iniciativa propia o de cualquiera de los propietarios u ocupantes, requerirá a quien realice la actividad del apartado anterior, sin que haya sido aprobada expresamente, la inmediata cesación de las mismas, bajo apercibimiento de iniciar las acciones judiciales procedentes, siendo de aplicación lo dispuesto en el apartado anterior».

3.1.3. Obras en zonas comunes

400 **Las obras en zonas comunes de la comunidad de propietarios**

Para comenzar el análisis de las obras que pueden llevarse a cabo en las zonas comunes de las comunidades de propietarios, conviene partir de la diferenciación entre los distintos tipos de obras, entre los que podemos destacar:

1. Obras urgentes.
2. Obras obligatorias.
3. Obras necesarias.
4. Obras de mejora.

410 **Obras urgentes en la comunidad de propietarios**

Por obras urgentes se entienden aquellas que se realizan para la conservación o reparación de elementos comunes, y que resultan imprescindibles y urgentes, ya que de no realizarse podrían ocasionar daños.

La **Audiencia Provincial de Granada en su sentencia n.º 202/2020, de 11 de septiembre, ECLI:ES:APGR:2020:964**, se refiere a ellas con el siguiente tenor literal:

> «La resolución apelada justifica la actuación de la demandada en el carácter necesario y urgente de las obras, entendidas como aquellos supuestos en que **la reparación correspondiente no admite espera**, o bien cuando la misma no sea afrontada, no obstante su conocimiento, por parte de la comunidad, supuesto en que pueden ser realizadas por cualquier propietario».
>
> La competencia para gestionar este tipo de obras le corresponde al administrador, y así lo recoge el art. 20 de la LPH, que entre las funciones del mentado administrador recoge la de:
>
> «c) Atender a la conservación y entretenimiento de la casa, disponiendo las reparaciones y medidas que resulten urgentes, dando inmediata cuenta de ellas al presidente o, en su caso, a los propietarios».

Y así se recoge, entre otras, en la **sentencia de la Audiencia Provincial de Baleares n.º 424/2012, de 8 de octubre, ECLI:ES:APIB:2012:2000**: «Por el contrario en materia de reparaciones y medidas urgentes, con independencia de su carácter ordinario o extraordinario, el Administrador está facultado en virtud del art. 20 c) LPH para decidir su realización, es decir aquellas reparaciones relativas a la conservación y mantenimiento del edificio urgentes, es el administrador el que tiene la obligación de realizarlas, aunque deba dar cuenta al Presidente o en su caso a los propietarios».

También resulta aclaratoria la **sentencia de la Audiencia Provincial de Pontevedra n.º 212/2018, de 13 de junio, ECLI:ES:APPO:2018:1040**, que se refiere a la existencia de responsabilidad del administrador cuando amparándose en el art. 20 de la LPH dispone la realización de obras que no son urgentes:

> «Y el art. 20 c) de la misma ley, señala que corresponde al administrador «Atender a la conservación y entretenimiento de la casa, disponiendo las reparaciones y medidas que resulten urgentes, dando inmediata cuenta de ellas al Presidente o, en su caso, a los propietarios».

Evidentemente si la **responsabilidad** se fundamenta en este caso en la ausencia de aprobación de las obras por la Junta de propietarios, **habría de acreditarse que las ejecutadas no tienen el carácter de urgentes**, por cuanto respecto a estas el art. 20 LPH autoriza al administrador a disponer las que tengan tal carácter.

A la vista de la naturaleza de las obras que describe la propia reconvención, no resultaría forzado calificarlas (desinsectación y obras de fontanería) como urgentes. Y en cualquier caso, si efectivamente han sido ejecutadas y, por tanto, debían ser satisfechas por la comunidad (lo que excluye que el gasto pueda ser calificado como perjuicio), el haber ordenado su ejecución sin aprobación de la Junta de propietarios, podrá determinar otro tipo de responsabilidad, pero de ninguna manera la obligación de asumir su coste el administrador».

CUESTIÓN

¿Puede una obra calificarse como urgente aunque implique una modificación de alguna instalación comunitaria?

Sí, tal y como afirma la **sentencia de la Audiencia Provincial de Sevilla n.º 35/2021, de 4 de febrero, ECLI:ES:APSE:2021:1334**: «El art. 20.1 impone al administrador de la comunidad la obligación, entre otras de "atender a la conservación y entretenimiento de la casa, disponiendo las reparaciones y medidas que resulten urgentes, dando inmediata cuenta de ellas al presidente o, en su caso, a los propietarios". Habla de reparaciones y medidas que resulten urgentes en general y **sin excluir**, como pretende la parte, **reparaciones de envergadura que supongan una modificación de una instalación comunitaria**, como no puede ser de otra manera, pues si una conducción general de agua se rompe los daños para los comuneros pueden ser importantes y ello comporta una situación de urgencia cuya solución ha de ser inmediata, cosa incompatible con la dilación temporal que supone activar los mecanismos ordinarios de toma de acuerdos en una Comunidad de Propietarios».

Obras obligatorias en la comunidad de propietarios 420

➢ Concepto, regulación y tipos

Lo que se conoce como obras obligatorias en las comunidades de propietarios vienen definidas en el art. 10 de la LPH:

«1. Tendrán carácter obligatorio y no requerirán de acuerdo previo de la Junta de propietarios, impliquen o no modificación del título constitutivo o de los estatutos, y vengan impuestas por las Administraciones Públicas o solicitadas a instancia de los propietarios, las siguientes actuaciones:

a) Los trabajos y las obras que resulten necesarias para el adecuado mantenimiento y cumplimiento del deber de **conservación del inmueble** y de sus servicios e instalaciones comunes, incluyendo en todo caso, las necesarias para satisfacer los requisitos básicos de seguridad, habitabilidad y accesibilidad universal, así como las condiciones de ornato y cualesquiera otras derivadas de la imposición, por parte de la Administración, del deber legal de conservación.

b) Las obras y actuaciones que resulten necesarias para garantizar los **ajustes razonables en materia de accesibilidad universal** y, en todo caso, las requeridas a instancia de los propietarios en cuya vivienda o local vivan, trabajen o presten servicios voluntarios, **personas con discapacidad, o mayores de setenta años**, con el objeto de asegurarles un uso adecuado a sus necesidades de los elementos comunes, así como la instalación de rampas, ascensores u otros dispositivos mecánicos y electrónicos que favorezcan la orientación o su comunicación con el exterior, siempre que el importe repercutido anualmente de las mismas, una vez descontadas las subvenciones o ayudas públicas, no exceda de doce mensualidades ordinarias de gastos comunes. No eliminará el carácter obligatorio de estas obras el hecho de que el resto de su coste, más allá de las citadas mensualidades, sea asumido por quienes las hayan requerido.

También será obligatorio realizar estas obras cuando las ayudas públicas a las que la comunidad pueda tener acceso alcancen el 75 % del importe de las mismas.

c) La ocupación de elementos comunes del edificio o del complejo inmobiliario privado durante el tiempo que duren las obras a las que se refieren las letras anteriores.

d) **La construcción de nuevas plantas y cualquier otra alteración de la estructura o fábrica del edificio o de las cosas comunes**, así como la constitución de un complejo inmobiliario, tal y como prevé el artículo 17.4 del texto refundido de la Ley de Suelo, aprobado por el Real Decreto Legislativo 2/2008, de 20 de junio, que **resulten preceptivos a consecuencia de la inclusión del inmueble en un ámbito de actuación de rehabilitación o de regeneración y renovación urbana**.

e) **Los actos de división material de pisos o locales y sus anejos para formar otros más reducidos e independientes**, el aumento de su superficie por agregación de otros colindantes del mismo edificio, o su disminución por segregación de alguna parte, realizados por voluntad y a instancia de sus propietarios, **cuando tales actuaciones sean posibles a consecuencia de la inclusión del inmueble en un ámbito de actuación de rehabilitación o de regeneración y renovación urbanas**».

Este tipo de obras, precisamente por su carácter obligatorio, deberán ser abonadas por el conjunto de propietarios de la comunidad y no requieren acuerdo de la junta, independientemente de que modifique o no el título constitutivo o los estatutos. Dicha junta únicamente se limitará a acordar la distribución de la derrama pertinente así como determinar los términos en los que habrá de abonarse.

CUESTIÓN

¿Debe responder el nuevo propietario por los gastos de las obras obligatorias?

Sí, el apdo. 2 del art. 10 de la LPH, en su letra c), recoge que: «Los pisos o locales quedarán afectos al pago de los gastos derivados de la realización de dichas obras o actuaciones en los mismos términos y condiciones que los establecidos en el artículo 9 para los gastos generales». Es decir, tal y como establece el art. 9.1. f) de la LPH, el adquirente de una vivienda o local en régimen de propiedad horizontal, incluso con título inscrito en el Registro de la Propiedad, responde con el propio inmueble adquirido, de las cantidades adeudadas a la comunidad de propietarios para el sostenimiento de los gastos generales por los anteriores titulares, hasta el límite de los que resulten imputables a la parte vencida de la anualidad en la cual tenga lugar la adquisición y a los tres años naturales anteriores. **El piso o local estará legalmente afecto al cumplimiento de esta obligación.**

Es importante tener en cuenta que, para el caso del propietario que se oponga o demore injustificadamente la ejecución de las órdenes dictadas por la autoridad competente, la LPH en su apdo. 2.b) del art. 10 prevé la consecuencia de responder individualmente de las sanciones que puedan imponerse en la vía administrativa.

Por su parte, la Audiencia Provincial de Asturias realiza una clasificación de las obras obligatorias, diferenciando **tres tipos**: «1) Las impuestas por la Administración (rehabilitación, regeneración y renovación urbana). 2) Las solicitadas por los comuneros y que sean necesarias para el adecuado mantenimiento y cumplimiento del deber de conservación del inmueble (seguridad, habitabilidad, ornato). (...) 3) Las obras de accesibilidad que no superen las doce mensualidades ordinarias repercutidas anualmente o si se superan, cuando el interesado soporte el exceso de las doce mensualidades». (**SAP Asturias n.º 376/2018, de 29 de octubre, ECLI:ES:APO:2018:3258**).

Por su parte, el apartado 3 del art. 10 de la LPH, recoge lo siguiente:

«3. Estarán sujetas al **régimen de autorización administrativa** que corresponda:

a) La constitución y modificación del complejo inmobiliario a que se refiere el artículo 26.6 del texto refundido de la Ley de Suelo y Rehabilitación Urbana, aprobado por el Real Decreto Legislativo 7/2015, de 30 de octubre, en sus mismos términos.

b) Cuando así se haya solicitado, y de acuerdo con el régimen establecido en la legislación de ordenación territorial y urbanística, previa aprobación por la mayoría de propietarios que en cada caso proceda de acuerdo con esta Ley, la división material de los pisos o locales y sus anejos, para formar otros más reducidos e independientes, el aumento de su superficie por agregación de otros colindantes del mismo edificio o su disminución por segregación de alguna parte, la construcción de nuevas plantas y cualquier otra alteración de la estructura o fábrica del edificio, incluyendo el cerramiento de las terrazas y la modificación de la envolvente para mejorar la eficiencia energética, o de las cosas comunes.

En estos supuestos deberá constar el consentimiento de los titulares afectados y corresponderá a la Junta de Propietarios, de común acuerdo con aquéllos, y según la mayoría de los propietarios que en cada caso proceda de acuerdo con esta Ley, la determinación de la indemnización por daños y perjuicios que corresponda. La fijación de las nuevas cuotas de participación, así como la determinación de la naturaleza de las obras que se vayan a realizar, en caso de discrepancia sobre las mismas, requerirá la adopción del oportuno acuerdo de la Junta de Propietarios, por idéntica mayoría. A este respecto también podrán los interesados solicitar arbitraje o dictamen técnico en los términos establecidos en la Ley».

➢ Las especialidades de las obras necesarias

Dentro de las obras obligatorias merecen una mención especial las **obras necesarias**. Se califican como tales las obras «que resulten necesarias para el adecuado mantenimiento y cumplimiento del deber de conservación del inmueble y de sus servicios e instalaciones comunes, incluyendo en todo caso, las necesarias para satisfacer los requisitos básicos de seguridad, habitabilidad y accesibilidad universal, así como las condiciones de ornato y cualesquiera otras derivadas de la imposición, por parte de la Administración, del deber legal de conservación». [Art. 10.1 a) de la LPH].

Es decir, se trata de obras destinadas a:

- La conservación del inmueble, así como de sus servicios e instalaciones comunes.
- El mantenimiento de los requisitos básicos de seguridad, habitabilidad y accesibilidad universal.

- Las derivadas de una imposición por parte de la Administración del deber de conservación.

Hay que tener en cuenta que tal y como se recoge en la **sentencia de la Audiencia Provincial de A Coruña n.º 291/2020, de 4 de diciembre, ECLI:ES:APC:2020:2647**, no todas las obras necesarias tienen el carácter de urgente:

> «3. La discusión sobre **la urgencia de la obra no tiene relevancia** para decidir si la obra se podía realizar sin previo acuerdo de la Junta de Propietarios al amparo del artículo 10.1 a) de la LPH. Este precepto no menciona la urgencia como requisito necesario para realizar las actuaciones sin acuerdo previo. En lo que nos interesa sólo se refiere a conceptos como necesidad, mantenimiento y conservación de servicios, con especial mención a las necesarias para mantener la seguridad. La posible discordancia con lo previsto en el artículo 14 c) de la LPH no ha sido planteada y podría resolverse en favor de la actual redacción del artículo 10 por ser ley posterior».

Una importante fuente de conflictos en este tipo de obras es delimitar hasta dónde llega la obligación de la comunidad de propietarios de llevar a cabo las obras necesarias para el mantenimiento y la conservación del inmueble, existiendo una gran cantidad de sentencias que se pronuncian sobre este tema. A modo de ejemplo, podemos citar la **sentencia de la Audiencia Provincial de Asturias n.º 127/2019, de 29 de marzo, ECLI:ES:APO:2019:1049**: «(...) Lo que permite el art. 10 de la Ley de Propiedad Horizontal es exigir a la Comunidad "las obras que resulten necesarias para el adecuado mantenimiento y cumplimiento del deber de conservación del inmueble y de sus servicios e instalaciones, incluyendo en tales las necesarias para satisfacer los requisitos básicos de seguridad, habitabilidad, y accesibilidad universal". (...). A lo que la Comunidad no está obligada es a la realización de mejoras no requeridas para cumplir esas condiciones de conservación, habitabilidad, seguridad y accesibilidad del inmueble según su naturaleza y características».

Por su parte, en la **sentencia de la Audiencia Provincial de Baleares n.º 300/2019, de 16 de septiembre, ECLI:ES:APIB:2019:2118**, se establece que:

> «El artículo 10.1 de la LPH dispone que las obras de carácter necesario tendrán carácter obligatorio y **no requerirán de acuerdo previo de la junta de propietarios, impliquen o no modificación del título constitutivo o de los estatutos**, y vengan impuestas por las Administraciones Públicas o solicitadas a instancia de los propietarios al Presidente o al Secretario-Administrador.
>
> Tales obras de carácter necesario se refieren al **adecuado mantenimiento y cumplimiento del deber de conservación del inmueble y de sus servicios e instalaciones comunes, así como los ajustes razonables en materia de accesibilidad universal.** El artículo 17.10 LPH dispone que en caso de discrepancia sobre la naturaleza de las obras a realizar resolverá lo procedente la junta de propietarios».

También la **sentencia de la Audiencia Provincial de A Coruña n.º 64/2014, de 12 de marzo, ECLI:ES:APC:2014:1467**, se pronuncia sobre el **alcance** del citado precepto 10.1 de la LPH y, citando a nuestro Alto Tribunal, recoge que:

> «Según señala la **STS de 3 de enero de 2007**: "La conclusión a que llega la sentencia de apelación ante los expresados hechos, en el sentido de que 'los actores no tienen el deber jurídico de soportar las humedades, deficiencias e incomodidades que repercuten no sólo en su calidad de vida sino en su propio derecho a la salud',

y la consiguiente imposición a la comunidad del deber de efectuar las oportunas reparaciones se muestra acorde con la obligación que el artículo 10.1 LPH, que se cita como infringido, impone a la comunidad de realizar las obras necesarias para el adecuado sostenimiento y conservación del inmueble y de sus servicios, de modo que reúna las debidas condiciones estructurales, de estanqueidad, habitabilidad, accesibilidad y seguridad... En consonancia con ello, **la obligación de sostener y reparar los elementos comunes que corresponde a la comunidad no puede limitarse a una mera conservación de aquéllos cuando presenten defectos que afecten a la estructura, estanqueidad, habitabilidad, accesibilidad y seguridad del edificio**, como ocurre en el caso de las humedades, **sino que comporta la realización de las obras pertinentes para superar los expresados defectos con arreglo a las técnicas constructivas en cada momento vigentes,** con independencia de las acciones que pudieran proceder respecto de los agentes de la construcción para exigir responsabilidad por los daños materiales sufridos por el inmueble"».

CUESTIONES

1. ¿La comunidad de propietarios tiene que asumir los posibles daños ocasionados a algún propietario por la no realización de las obras recogidas en el art. 10.1 a) de la LPH?

Sí, tal y como se recoge en la **sentencia de la Audiencia Provincial de Gipuzkoa n.º 231/2019, de 18 de marzo, ECLI:ES:APSS:2019:370**: «(...) todas las comunidades de propietarios vienen obligadas a realizar dichas obras y, a asumir, de acuerdo con el principio "alterum non laedere" (no causar daño a los demás), el coste de los daños que su falta de realización haya podido ocasionar en el propietario perjudicado».

2. ¿Cuál es el plazo para poder reclamar por estos daños?

El Tribunal Supremo se ha pronunciado entendiendo que sería aplicable el plazo de 5 años. Así, la **STS n.º 491/2018, de 14 de septiembre, ECLI:ES:TS:2018:3102**, establece que:

«TERCERO. -Para resolver la cuestión controvertida es necesario tener en cuenta que la acción de reclamación de indemnización de daños y perjuicios causados parte de la afirmación, no discutida, de que los daños y perjuicios que se dicen producidos nacen precisamente del incumplimiento de una obligación legal que a las comunidades de propietarios impone el artículo 10 de la Ley de Propiedad Horizontal en el sentido de llevar a cabo las obras que resulten necesarias para el mantenimiento y conservación de los elementos comunes, de modo que no causen daño alguno a otros bienes comunes o a los privativos. Se trata de una obligación legal, en el sentido a que se refiere el artículo 1089 del Código Civil, que no resulta asimilable a las derivadas de actos u omisiones ilícitas, que comprenden un ámbito distinto y a las que resulta de aplicación el plazo de prescripción anual del artículo 1968-2.º. No cabe disociar el plazo de prescripción para exigir el cumplimiento de las obligaciones legales del correspondiente a la acción para exigir las consecuencias dañosas de dicho incumplimiento, por lo que no puede ser compartida la posición sostenida al respecto por la sentencia impugnada que, en consecuencia, habrá de ser casada puesto que la acción de reclamación de daños y perjuicios ejercitada no está prescrita al ser aplicable el plazo de cinco años, según la redacción del artículo 1964 del Código Civil que resulta aplicable».

Es importante tener en cuenta el supuesto en el cual este tipo de obras de conservación se dan en **elementos comunes que tienen atribuido el uso privativo** a uno de los propietarios. En estos casos, a la comunidad le corresponde asumir las obras y reparaciones no derivadas del uso ordinario cuando no intervenga el dolo del beneficiario del uso privativo, mientras que el propietario que disfruta del uso del bien debe asumir el mantenimiento ordinario derivado del uso normal del elemento. Se pronuncia sobre este asunto la **sentencia de la Audiencia Provincial de Baleares n.º 81/2022, de 22 de febrero, ECLI:ES:APIB:2022:170**, que afirma: «(...) cuando el expresado deber de mantenimiento afecte a las instalaciones generales o a elementos comunes del edificio cuyo uso exclusivo corresponda un propietario individual, o que están incluidos en su piso o local, la obligación que éste tiene de respetarlos y cuidarlos no se extiende, en principio, a la realización de obras de conservación o reparación, salvo que su necesidad provenga de un uso inadecuado o poco diligente de los mismos susceptible de causar daños o desperfectos, según se desprende del art. 9.1 a) y g) de la LPH, sin que baste a tal efecto el simple deterioro producido por el paso del tiempo o por el uso normal dichos elementos o instalaciones (...)».

Concluye la **sentencia de la Audiencia Provincial de Albacete n.º 450/2019, de 18 de noviembre, ECLI:ES:APAB:2019:768**, que:

> «El artículo 10,1,a) de la Ley de Propiedad Horizontal establece que «(t)endrán carácter obligatorio y no requerirán de acuerdo previo de la Junta de propietarios, impliquen o no modificación del título constitutivo o de los estatutos, y vengan impuestas por las Administraciones Públicas o solicitadas a instancia de los propietarios, (...) los trabajos y las obras que resulten necesarias para el adecuado mantenimiento y cumplimiento del deber de conservación del inmueble y de sus servicios e instalaciones comunes, incluyendo en todo caso, las necesarias para satisfacer los requisitos básicos de seguridad, habitabilidad y accesibilidad universal, así como las condiciones de ornato y cualesquiera otras derivadas de la imposición, por parte de la Administración, del deber legal de conservación».
>
> Las notas que definen las actuaciones a las que se refiere el precepto, por lo tanto, son el **carácter necesario y que tengan por objeto el mantenimiento o la conservación del inmueble**, y no tanto que sean urgentes.
>
> De su carácter necesario resulta que **no es posible evitar su realización**, por lo que la posible decisión negativa de la junta de propietarios previa a su realización se convierte, a ojos del legislador, en improbable y en indigna de protección. Y de ahí que en la ley se prescinda de ella.
>
> De la exigencia de que se trate de actuaciones de mantenimiento o conservación se deriva, en parecido sentido, la falta de necesidad de que la junta elija los detalles de las mismas, pues vienen determinadas por la lógica de las cosas. "Mantenimiento" es, según el DRAE, el "conjunto de operaciones y cuidados necesarios para que instalaciones, edificios, industrias, etc., puedan seguir funcionando adecuadamente", mientras que "conservación" es la "acción y efecto de conservar", y "conservar" es "mantener o cuidar de la permanencia o integridad de algo o de alguien". **Ni la conservación ni el mantenimiento implican la modificación del inmueble**, por lo que ninguna precisa de la toma de decisiones, o si la precisa es en mucho menor grado que las modificaciones. **Ello explica que el legislador las haya exceptuado de la necesidad de acuerdo previo de la junta** para su realización».

CUESTIONES

1. ¿Qué debe de hacer el propietario que quiere que se repare un elemento común?

Podemos encontrar la respuesta a esta cuestión en la **sentencia de la Audiencia Provincial de Baleares n.º 300/2019, de 16 de septiembre, ECLI:ES:APIB:2019:2118**, que establece el procedimiento a seguir:

«Por tanto, si un propietario requiere la reparación de algún elemento común, deberá seguir los siguientes pasos:

1. Avisar de ello al Presidente o al Secretario-Administrador.

2. Si pese al requerimiento previo a éstos, la Comunidad muestra una actitud pasiva ante el problema (incumpliendo así con el art. 10 de la LPH) caben dos posibilidades: 1. Si la obra tiene carácter necesario y urgente, el propietario estará autorizado a realizar la obra por su cuenta y posteriormente reclamar los gastos de la misma a la Comunidad, aun cuando el artículo 7.1 LPH prohíbe de forma expresa la realización de obras en elementos comunes por parte de propietarios sin la debida autorización. Así lo dispone la Sentencia del Tribunal Supremo 16/2016 de 2 de febrero, que sienta jurisprudencia.

2. Si la obra no tiene carácter urgente, deberá volver a requerir de nuevo al Presidente o al Administración su realización, pedir que el tema se aborde en la siguiente junta de la Comunidad (o pedir que se convoque una junta extraordinaria), artículo 16 LPH, y en última instancia acudir a los tribunales.

Lo que el articulo 10 A) de la LPH por tanto permite sin necesidad de acuerdo de la Junta de Propietarios son reparaciones urgentes en elementos comunes (...)».

2. ¿Cuáles son los requisitos para poder exigir el reembolso de los gastos efectuados por el propietario particular cuando ha realizado una obra en un elemento común?

La **sentencia de la Audiencia Provincial de Córdoba n.° 442/2021, de 22 de abril, ECLI:ES:APCO:2021:337**, se refiere a estos requisitos y hace un repaso de la doctrina del Tribunal Supremo y de su aplicación en la jurisprudencia menor:

«C) La determinación de dichos requisitos viene claramente resulta doctrina fijada por la referida STS de 2 de febrero de 2016, en base a la cual procede remarcar, que la procedencia del reembolso en estos casos de ejecución unilateral de obras en zonas comunes, queda necesariamente supeditada («sólo procederá el reembolso») a la acreditación de: ***requerimiento previo al Secretario-Administrador o al Presidente*** *(o imposibilidad material de efectuar dicho requerimiento); la urgencia y necesidad de las obras;* ***y la pasividad*** *en la que incidieron los órganos de gobierno requeridos a la hora de acometer la solución del problema.*

Téngase presente que la doctrina fijada en dicha sentencia fue expresamente asumida por ATS de 5 de junio de 2019, y que la misma ha encontrado cumplido eco en la denominada jurisprudencia menor, entre otras, SAP de Valladolid de 18 de diciembre de 2020, SAP A Coruña de 14 de noviembre de 2019 y SAP de Ourense de 30 de junio de 2020, sustancialmente expresivas de que la justificación de la actuación unilateral del propietario requiere la acreditación de que se practicó un requerimiento a la comunidad y que se advirtió a ésta de la urgencia de las obras; de forma, que únicamente procederá reembolso cuando la Comunidad haya incidido en pasividad en la realización de las obras que se han urgentes y necesarias y no en los demás casos, pues un comunero no puede proceder unilateralmente a la ejecución de tales obras a costa de todos los copropietarios sin haberles comunicado las deficiencias existentes de forma previa (y ello sin que la falta de acreditación de dichos requisitos conduzca, ante la efectiva constatación de la realización de las obras, a la aplicación de la doctrina del enriquecimiento injusto, pues, tal y como indica la STS primeramente indicada, no se produce enriquecimiento injusto cuando hay una ley que prevé expresamente el caso —los citados artículos de LPH— y el hecho cuyo pago se pretende lo ha sido a espaldas, sin conocimiento y sin autorización de la Comunidad)».

Las obras de mejora en la comunidad de propietarios 430

Las obras de mejora en las comunidades son aquellas que no pueden ser exigibles por los propietarios, dado que no pueden considerarse necesarias, pero sí pueden ser propuestas y votadas en la junta de propietarios, con la finalidad de mejorar la calidad y la comodidad de los elementos comunes.

El art. 17.4 de la LPH recoge que:

«Ningún propietario podrá exigir nuevas instalaciones, servicios o mejoras no requeridos para la adecuada conservación, habitabilidad, seguridad y accesibilidad del inmueble, según su naturaleza y características.

No obstante, cuando por el voto favorable de las tres quintas partes del total de los propietarios que, a su vez, representen las tres quintas partes de las cuotas de participación, se adopten válidamente acuerdos, para realizar innovaciones, nuevas instalaciones, servicios o mejoras no requeridos para la adecuada conservación, habitabilidad, seguridad y accesibilidad del inmueble, no exigibles y cuya cuota de instalación exceda del importe de tres mensualidades ordinarias de gastos comunes, el disidente no resultará obligado, ni se modificará su cuota, incluso en el caso de que no pueda privársele de la mejora o ventaja. Si el disidente desea, en cualquier tiempo, participar de las ventajas de la innovación, habrá de abonar su cuota en los gastos de realización y mantenimiento, debidamente actualizados mediante la aplicación del correspondiente interés legal.

Sin perjuicio de lo dispuesto en los apartados anteriores, estarán sujetas al voto favorable de las tres quintas partes del total de los propietarios que, a su vez, representen las tres quintas partes de las cuotas de participación, la división material de los pisos o locales y sus anejos, para formar otros más reducidos e independientes; el aumento de su superficie por agregación de otros colindantes del mismo edificio o su disminución por segregación de alguna parte; la construcción de nuevas plantas y cualquier otra alteración de la estructura o fábrica del edificio, incluyendo el cerramiento de las terrazas o la modificación de las cosas comunes.

No podrán realizarse innovaciones que hagan inservible alguna parte del edificio para el uso y disfrute de un propietario, si no consta su consentimiento expreso».

La LPH no da una definición clara de lo que son las obras de mejora, pero podemos concluir, a raíz de lo dispuesto por el anterior artículo, que las características de este tipo de obras son:

- No son exigibles.
- Deben de ser votadas en junta de propietarios y aprobarse con el voto favorable de 3/5 partes del total de propietarios, que representen el mismo porcentaje de cuotas de participación.
- El propietario que vote en contra no estará obligado al pago si el coste supera el de 3 mensualidades ordinarias de gastos comunes, y podrá ser privado del beneficio implementado cuando por su naturaleza esto sea posible.

Es importante diferenciar las **obras de mejora de las obras de mantenimiento**, siendo una cuestión que genera controversia en la práctica. La **sentencia de la Audiencia Provincial de A Coruña n.º 291/2020, de 4 de diciembre, ECLI:ES:APC:2020:2647**, en un supuesto en el que se sustituye el sistema de telefonillos deteriorado por un sistema de video-porteros con un coste similar, nos da unas pautas para diferenciar estos dos tipos de obras:

«4. La otra cuestión esencial es decidir si estamos ante una obra de mantenimiento o conservación o ante una obra de mejora.

La distinción entre ambos conceptos no siempre es fácil. Con carácter general y en referencia a viviendas se dice que son **obras de conservación aquellas obras de repara-**

ción necesarias para mantener la vivienda en un estado idóneo para poder ser habitada. Son **obras de mejora** aquellas que no son indispensables para el mantenimiento de la vivienda sino que únicamente **aumentan la calidad y comodidad del inmueble.** Desde un punto de vista fiscal y contable, a efectos del impuesto de sociedades, se ha dicho que debe entenderse que constituyen reparaciones y conservaciones las destinadas a mantener la vida útil del inmueble y su capacidad productiva o de uso, mientras que cabe considerar como ampliaciones o mejoras las que redundan, bien en un aumento de la capacidad o habitabilidad del inmueble, bien en un alargamiento de su vida útil.

Desde la perspectiva de la LPH puede encontrarse un criterio distintivo en la dicción de los artículos 10 y 17 de la LPH, en especial de este último en su apartado 4 cuando dice que "ningún propietario podrá exigir nuevas instalaciones, servicios o mejoras no requeridos para la adecuada conservación, habitabilidad, seguridad y accesibilidad del inmueble".

La interpretación del artículo 10 ha de realizarse teniendo en cuenta que la Ley 8/2013 de 27 de junio de 2013, que le dio su actual redacción "tuvo por objetivos, entre otros, el potenciar la rehabilitación edificatoria y la regeneración y renovación urbanas, tratando de generar bienestar económico y social y garantizar la calidad de vida sus habitantes".

(...)

No estamos ante un nuevo servicio o instalación. Se trata de la sustitución de un sistema deteriorado, que no funciona y no puede ser reparado, por otro nuevo. El mantenimiento de la instalación o servicio exigía la sustitución. Esta **no tiene por qué consistir en la instalación de un sistema idéntico al sustituido**, que el paso del tiempo habrá vuelto obsoleto. La sustitución **puede consistir en un nuevo sistema que, de acuerdo con el actual estado de la técnica, preste servicios funcionalmente similares.** En este caso los servicios que presta el sistema satisfacen un requisito básico de seguridad, el del control de acceso al edifico de personas no residentes. Si el coste es similar la instalación de un sistema de video-porteros, el habitual en la actualidad en las nuevas edificaciones, no supone mejora del edificio, sino mantenimiento en las mismas condiciones de habitabilidad y de seguridad. Es razonable considerarla como una obra necesaria para el mantenimiento de un servicio con el que ya contaba el inmueble y para satisfacer las exigencias básicas de seguridad».

CUESTIÓN

¿Puede la comunidad de propietarios adoptar algún tipo de «sanción» para el propietario que no paga su parte de la obra?

Sí. Tal y como recoge el propio art. 17.4 de la LPH, podrá ser privado de la mejora o ventaja cuando esto sea posible en atención a la naturaleza de la mejora. También se recoge en la ley que, si el disidente en cualquier momento quiere participar de la mejora, deberá abonar su cuota en los gastos de realización y mantenimiento actualizada mediante la aplicación del interés legal. A modo de ejemplo, cabe citar aquí la **STS n.º 586/2018, de 18 de octubre, ECLI:ES:TS:2018:4462**, que con relación a una piscina instalada por la comunidad de propietarios, concluye que tras ponderar el interés del disidente con el del resto de los copropietarios afirma que tal privación de uso es posible porque:

«(...) fuera de la cubeta de la piscina, único espacio que no puede ser usado por la parte actora, aquí recurrida, existe un espacio de patio y jardín suficientemente amplio como para que la parte que impugna el acuerdo pueda ver colmado su uso como patio de recreo.

Con tal solución quedan satisfechos los intereses de todos los comuneros, sin que la parte actora quede privada, de modo relevante y sustancial, del uso y disfrute del patio común».

Con relación a la exención del pago del propietario que expresamente se haya manifestado en contra de las obras, cabe citar la **sentencia de la Audiencia Provincial de A Coruña n.º 70/2021, de 5 de marzo, ECLI:ES:APC:2021:551**, que recoge: «(...) para que el disidente no resulte obligado a afrontar el pago **no sólo es necesario que se repute mejora sino que es preciso que su cuota exceda del importe de tres mensualidades ordinarias de gastos comunes** (artículo 17.4.2º LPH). Obviamente esto no ha sucedido por cuanto al parecer la variación del material de aislamiento no ha supuesto incremento alguno. La obra se haya realizada y pagada sin incremento alguno para el actor. Por lo demás, el artículo 17.4 y 6 de la LPH la aprobación de mejoras no exige unanimidad aun afectando a un elemento común».

Por su parte, la **sentencia de la Audiencia Provincial de Málaga n.º 526/2017, de 11 de septiembre, ECLI:ES:APMA:2017:2786**, recalca la competencia de la junta de propietarios para adoptar este tipo de acuerdos: «Es así que la **Junta de Propietarios**, órgano supremo de gobierno de la comunidad, **se encuentra legalmente facultada para la adopción de acuerdos dirigidos a la realización de innovaciones, nuevas instalaciones, servicios o mejoras**, con independencia de que los mismos sean o no requeridos para la adecuada conservación, habitabilidad, seguridad y accesibilidad del inmueble, siempre que tales acuerdos se adopten válidamente (en el caso no consta ninguna causa de invalidez, limitándose la causa de nulidad subsistente en esta alzada a la innecesariedad de la mejora) y por el voto favorable de las tres quintas partes del total de los propietarios que, a su vez, representen las tres quintas partes de las cuotas de participación (hecho probado)».

CUESTIÓN

¿Qué ocurre cuando concurre una obra necesaria con una mejora?

La **sentencia de la Audiencia Provincial de Zaragoza n.º 410/2018, de 17 de septiembre, ECLI:ES:APZ:2018:2317**, se plantea esta disyuntiva con relación a un supuesto en el que se junta la supresión de barreras arquitectónicas (art. 17.2 de la LPH), con la realización de mejoras (art. 17.4 de la LPH), y concluye que:

«(...) la supresión de barreras arquitectónicas no es, desde el punto de vista económico, un derecho sin limitaciones: pues una cosa es que se eliminen barreras arquitectónicas, lo cual es admisible y obligado; y otra cosa es que la eliminación de barreras arquitectónicas se lleva a cabo de forma suntuaria, lujosa o fastuosa, y ello en perjuicio del propietario del local, que tiene una mayor cuota de participación, y por ende, una mayor repercusión en el gasto.

*Por ello, **no cabría repercutir en el local aquellos gastos que exceden del básico de supresión de barreras arquitectónicas**, como son por ejemplo los porteros automáticos, cristaleras, cerramientos, que son elementos que no están dirigidos a suprimir barreras, sino que están integrados en el artículo 17.4 LPH, "nuevas instalaciones, servicios o mejoras no requeridos para la adecuada conservación, habitabilidad, seguridad y accesibilidad del inmueble". (...)*

*Pues como hemos referido, la supresión de barreras arquitectónicas **debe tener el límite en cuanto excede de un gasto necesario y pasa a ser un gasto lujoso**, este último en beneficio exclusivo de los propietarios —incremento de superficie de sus viviendas, porteros automáticos, acristalamientos, etcétera—. Piénsese por ejemplo en el hipotético supuesto de que la comunidad hubiera tomado el acuerdo de colocar un ascensor con vistas panorámicas como los que existen en algunos inmuebles u hoteles de lujo».*

Es importante tener en cuenta que el art. 9.2 de la LPH dispone que la no utilización de un servicio no exime del cumplimiento de las obligaciones correspondientes relativas al pago de los gastos, independientemente de lo establecido en el artículo 17.4 de la LPH para las obras de mejora.

La **sentencia de la Audiencia Provincial de las Palmas n.º 152/2021, de 17 de marzo, ECLI:ES:APGC:2021:943**, realiza una interpretación de este artículo:

> «(...) Quiere esto decir dos cosas:
> a.- Que el hecho de que algunos comuneros no utilicen los servicios comunes no les quita la obligación de tener que satisfacer los gastos generales, aunque esta referencia al art. 17.4 LPH debe interpretarse en el sentido de que podría darse el caso de que si un comunero se opone a que se lleven a cabo obras de mejora por afectarles directamente que no se le obligue a pagar su derrama, bien porque no pueda usar de la misma, o bien porque le pueda afectar, incluyendo, en su caso, una indemnización. Es algo semejante al tema de la expropiación de parte de un local para instalar un ascensor y que el titular, además de ser indemnizado, no tenga que pagar nada por la instalación y mantenimiento del mismo. Por ello, **esta remisión del art. 9.2 LPH al art. 17.4 relativo a las mejoras debe interpretarse como una excepción a la obligación de pagar gastos respecto a los que causan los elementos comunes si alguna mejora conlleva perjuicios para algún comunero o este no pueda disponer de la mejora o su uso**. No obstante, debe entenderse que en estos casos también se aplicaría el quórum de 3/5 para aprobar no solo la mejora, sino la exención del pago de gastos del comunero que quede afectado por la mejora y en virtud de lo cual no se opondría a su aprobación e instalación.
> b.- También debe entenderse que **los disidentes a la aprobación de mejoras con importe en el gasto superior en la cuota de instalación a tres mensualidades ordinarias de gastos comunes no deben pagar estos gastos** como excepción a la regla general del art. 9.2 de que el no uso de un servicio no exime de su pago».

Puntos a tener en cuenta para la realización de obras en las comunidades de propietarios 440

Existen tres cuestiones que afectan a las obras en las comunidades de propietarios y que suelen generar una amplia problemática en las mismas:

- Discrepancia sobre la naturaleza de las obras.
- Consentimiento tácito.
- Abuso de derecho.

Dado que los distintos tipos de obras presentan características distintas y exigen mayorías diferentes, en muchos casos surgen las dudas sobre si la obra en cuestión se encuadra en uno u otro tipo. Por ejemplo, son habituales los supuestos en los que ante una obra se plantea la cuestión de si estamos ante una obra obligatoria o una obra de mejora.

La propia LPH contempla esta posibilidad en el apartado 10 del art. 17, en donde se dispone que:

> «10. En caso de discrepancia sobre la naturaleza de las obras a realizar resolverá lo procedente la Junta de propietarios. También podrán los interesados solicitar arbitraje o dictamen técnico en los términos establecidos en la Ley».

Tal y como se recoge en la **sentencia de la Audiencia Provincial de Asturias n.º 155/2020, de 14 de mayo, ECLI:ES:APO:2020:1634**:

«Tal regulación permite concluir que, **como regla general, es la Junta de propietarios la competente para decidir qué obras considera tiene que ejecutar**, pues a ella se le encomienda la decisión sobre "la naturaleza de las obras a realizar"; o bien la discrepancia entre el copropietario (o los copropietarios) que solicitan las obras y la Junta de propietarios puede ser decidida por arbitraje o por dictamen técnico. **Debe existir, por tanto, un acuerdo de la Junta de propietarios sobre la ejecución de las obras que es el que el comunero podrá impugnar judicialmente para defender la procedencia de las mismas.** No cabe, en cambio, que por su propio criterio decida unilateralmente cuales son procedentes y demande para ello a la Comunidad para obtener la condena a su realización, cuando la Junta de propietarios no ha tenido la oportunidad de pronunciarse sobre las mismas. Antes al contrario, debe promoverse con carácter previo en el seno de la Junta de Propietarios la adopción de un acuerdo sobre la ejecución de las obras que es el que el comunero podrá impugnar judicialmente para defender la procedencia de las mismas. No es por ello posible, con la sola excepción de tratarse de obras necesarias que no precisen de ese acuerdo previo, —lo que, por cuanto seguidamente se razonara no concurre en ninguna de las que aquí el actor reclama acometa la CP— que el unilateral criterio de un propietario, sea suficiente para justificar una reclamación judicial, antes de que la Junta de Propietarios hubiera tenido oportunidad de pronunciarse sobre las mismas».

Es decir, cuando exista discrepancia sobre el carácter de la obra deberá acudirse a la junta de propietarios para que sea esta la que decida sobre el tipo de obra de que se trata, y los propietarios que no estén conformes con la decisión que adopte la junta podrán impugnar judicialmente el acuerdo. También se da la posibilidad de acudir a un procedimiento de arbitraje o de solicitar dictamen técnico.

Por su parte, la **sentencia de la Audiencia Provincial de Illes Balears n.º 881/2025, de 10 de diciembre, ECLI:ES:APIB:2025:3055**, precisa el alcance del citado apdo. 10 del art. 17. de la LPH al señalar que este precepto se refiere a las discrepancias sobre la naturaleza de las **obras a realizar, no a obras ya ejecutadas.** En el supuesto enjuiciado, la sala rechaza que la junta pudiera ampararse en dicho apartado para no examinar una propuesta relativa a la legalidad de obras ya realizadas y al eventual ejercicio de acciones frente al propietario que las ejecutó.

Otra cuestión relevante que se da en las obras en las comunidades de propietarios es el conocido como **consentimiento tácito,** que puede ocurrir en las obras que no han obtenido un consentimiento expreso por parte de la comunidad, pero que a raíz del tiempo transcurrido desde que las mismas se llevaron a cabo, pueden entenderse consentidas por la misma.

La figura del consentimiento tácito es una figura no exenta de polémica, y sobre la que existe numerosa jurisprudencia. Cabe citar aquí la **sentencia del Tribunal Supremo n.º 540/2016, de 14 de septiembre, ECLI:ES:TS:2016:4048**, que aclara que:

«(...) **el conocimiento no equivale a consentimiento**, ni el silencio supone genéricamente una declaración, pues aunque no puede ser indiferente para el Derecho, corresponde estar a los hechos concretos para decidir si cabe ser apreciado como consentimiento tácito, es decir, como manifestación de una determinada voluntad, de manera que el problema no está en decidir si puede ser expresión de consentimiento, sino en determinar bajo qué condiciones debe aquél ser interpretado como tácita manifestación de ese consentimiento (sentencias 135/2012, de 29 febrero y 171/2013, de 6 marzo, entre las más recientes).

También que "los actos propios tienen su fundamento último en la **protección de la confianza y en el principio de la buena fe**, lo que impone un deber de coherencia y autolímita la libertad de actuación cuando se han creado expectativas razonables, declarando asimismo que solo pueden merecer esta consideración aquellos que, por su carácter trascendental o por constituir convención, causan estado, definen de forma inalterable la situación jurídica de su autor o aquellos que vayan encaminados a crear, modificar o extinguir algún derecho, lo que no puede predicarse en los supuestos de error, ignorancia, conocimiento equivocado o mera tolerancia (sentencias de 27 de octubre 2005 y 15 de junio de 2007)"».

También en la misma línea, la **STS n.º 617/2013, de 15 de octubre, ECLI:ES:TS:2013:4922**, se pronuncia sobre el consentimiento tácito en las comunidades de propietarios y lo hace estableciendo cuáles son los parámetros que deberán ser tenidos en cuenta a la hora de apreciar si existe o no consentimiento en el caso concreto:

«En esta sede se ha manifestado como posible que el consentimiento prestado por la comunidad pueda ser tácito; en concreto, con valor de doctrina jurisprudencial, se ha declarado que ha de estarse a los hechos concretos para decidir si el silencio puede ser apreciado como consentimiento tácito o manifestación de una determinada voluntad; de este modo, para poder establecer si en un determinado supuesto se ha producido un silencio por parte de la comunidad de propietarios capaz de ser interpretado como un consentimiento tácito, **deberán valorarse las relaciones preexistentes entre las partes, la conducta o comportamiento de éstas y las circunstancias que preceden y acompañan al silencio susceptible de ser interpretado como asentimiento** (SSTS de 26 de noviembre de 2010 [RC nº 2401/2005] y 16 de julio de 2009 [RC nº 1007/2005], aparte de otras). (STS, Civil del 05 de Julio del 2011. Recurso: 1434/2008)».

Por su parte, conviene citar aquí la sentencia de la Audiencia Provincial de A Coruña n.º 126/2022, de 30 de marzo, ECLI:ES:APC:2022:700, que realiza un amplio análisis de la figura del consentimiento tácito en los temas de propiedad horizontal, destacando que:

«Ahora bien, la doctrina del consentimiento tácito debe aplicarse de forma muy ponderada, pues el mero conocimiento, y la mera inactividad no pueden confundirse con el consentimiento; ya que una interpretación laxa conllevaría que, por esta vía se acortasen los tiempos de prescripción de las acciones que establece el Código Civil, como recuerda la sentencia 600/2002, de 10 de junio (Roj: STS 4213/2002, en el recurso 3779/1996). Es por ello que la sentencia de 1187/2007, de 20 de noviembre (Roj: STS 7455/2007, recurso 4347/2000), matiza que:

(a) Es conocida la jurisprudencia que establece que el mero conocimiento no equivale a consentimiento; el conocimiento de los actos sancionables no supone su consentimiento;

(b) el silencio absoluto no es productor de efectos jurídicos;

(c) no tiene trascendencia jurídica el retraso en el ejercicio de la demanda, porque quien está legitimado para ello es dueño de su acción mientras no pueda oponerse la prescripción por el transcurso del tiempo necesario a tal efecto;

(d) el consentimiento tácito ha de resultar de actos inequívocos que demuestren de manera segura la conformidad del agente;

(e) quienes alegan la existencia de un consentimiento tácito de los demás comuneros deben probar que éstos conocían las obras en los elementos comunes; e igualmente deben acreditar su aceptación; sin que pueda acudirse a la prueba de presunciones;

(f) esta doctrina solamente es aplicable:

1) con carácter excepcional, nunca como regla general;

2) siempre referida a alteraciones que resulten inocuas para los demás comuneros;

3) que hayan sido toleradas durante años;

4) y, además, que la oposición no reporte beneficio alguno para la comunidad, entendida como el conjunto de comuneros».

JURISPRUDENCIA

Sentencia del Tribunal Supremo n.º 107/2024, de 30 de enero, ECLI:ES:TS:2024:396

Prescripción de la acción de declaración de ilegalidad de obras

Se pronuncia el Alto Tribunal sobre un supuesto en el que se debatía si la acción que ejercía la comunidad contra un propietario que había realizado obras sin autorización en una zona común era extemporánea por haber transcurrido un año desde la junta en la que se abordó el tema sobre aquellas obras. En este caso la sala entendió que no estábamos ante la impugnación de un acuerdo, puesto que este nunca llegó a adoptarse, si no que se acordó debatirlo en una junta posterior que no llegó a celebrarse.

Señala la mentada sentencia que la acción ejercitada es la de declaración de ilegalidad de las obras ejecutadas en elementos comunes del edificio, como son sus patios (art. 396 del CC), solicitando la demolición de la obra, y que por tanto se trata de una acción de naturaleza real sometida al plazo de prescripción del art. 1963 del CC (30 años).

Recuerda que ya se pronunció sobre esta cuestión en otras ocasiones, y citando distintas sentencias, recoge lo siguiente:

«Así, en la sentencia 1043/2002, de 11 de noviembre, se consideró que la acción ejercitada dirigida a obtener el reintegro a la Comunidad de Propietarios, del espacio ocupado de naturaleza común, es una acción de carácter real. Y así se razonó:

"No puede aceptarse la declaración que hace la Sala de instancia al declarar prescrita la acción por el transcurso de quince años [...] olvida el Tribunal de instancia que la acción ejercitada, dirigida a obtener el reintegro del espacio ocupado a la titularidad de la Comunidad de Propietarios, como elemento común, es una acción de carácter real, a la que son aplicables los arts. 1959 y 1963 del Código Civil".

Se insiste en tal doctrina en la sentencia 3/2012, de 6 de febrero, según la cual:

"[...] tienen una naturaleza real las acciones ejercitadas en el ámbito de la propiedad horizontal que se dirigen a obtener el reintegro de espacios comunes de titularidad comunitaria que son o han sido ocupados por algún copropietario. Se trata de acciones reivindicatorias tendentes a recuperar el dominio de un concreto espacio, que teniendo naturaleza común, ha sido objeto de apropiación por parte de un copropietario".

En la sentencia 540/2016, de 14 de septiembre, se consideró también que:

"[...] las acciones por las que la comunidad reclama la restitución de cualquier elemento común a su estado anterior frente al titular del elemento privativo que pudiera beneficiarse de dicha alteración, es de carácter real y por tanto el plazo de prescripción aplicable a las mismas es el de treinta años establecido en el artículo 1963 CC"».

Finalmente, también conviene hacer mención del **abuso de derecho** que en ocasiones estiman los tribunales con relación a las obras en las comunidades de propietarios.

CUESTIÓN

¿En qué consiste el abuso de derecho?

El art. 7 del Código Civil nos da la definición de esta figura en los siguientes términos:

«1. Los derechos deberán ejercitarse conforme a las exigencias de la buena fe.

2. La Ley no ampara el abuso del derecho o el ejercicio antisocial del mismo. ***Todo acto u omisión que por la intención de su autor, por su objeto o por las circunstancias en que se realice sobrepase manifiestamente los límites normales del ejercicio de un derecho, con daño para tercero****, dará lugar a la correspondiente indemnización y a la adopción de las medidas judiciales o administrativas que impidan la persistencia en el abuso».*

Como punto de partida, cabe citar la **STS n.º 970/2011, de 9 de enero de 2012, ECLI:ES:TS:2012:236**, que **reitera la doctrina jurisprudencial** consistente en que:

«(...) en materia de propiedad horizontal, el abuso de derecho, se traduce en el **uso de una norma**, por parte de la comunidad o de un propietario, **con mala fe, en perjuicio de otro u otros copropietarios, sin que por ello se obtenga un beneficio amparado por la norma**».

En la práctica son numerosos los supuestos que llegan a nuestros tribunales y en los que se discute sobre si existe o no abuso de derecho en obras realizadas en la comunidad de propietarios, como podría darse, por ejemplo, cuando la comunidad autoriza obras similares a unos propietarios sí y a otros no, o cuando se solicita por la comunidad la demolición de alguna obra de escasa relevancia que no le ocasiona perjuicio alguno.

Por citar un ejemplo, la **STS n.º 12/2022, de 12 de enero, ECLI:ES:TS:2022:36**, se pronuncia sobre la existencia de abuso de derecho en un supuesto en el que la obra realizada supuso la unión física del garaje y un local, y la comunidad de propietarios no actuó hasta 20 años después:

«14.2. La doctrina del abuso de Derecho, en palabras de la sentencia de 1 de febrero de 2006 (RC n.º 1820/2000), se sustenta en la existencia de unos límites de orden moral, teleológico y social que pesan sobre el ejercicio de los derechos, y como institución de equidad, **exige para poder ser apreciado, una actuación aparentemente correcta que, no obstante, representa en realidad una extralimitación a la que la ley no concede protección alguna**, generando efectos negativos (los más corrientes daños y perjuicios), al resultar patente la circunstancia subjetiva de ausencia de finalidad seria y legítima, así como la objetiva de exceso en el ejercicio del derecho (sentencias de 8 de julio de 198, 12 de noviembre de 1988, 11 de mayo de 1991 y 25 de septiembre de 1996). Su apreciación exige, en palabras de la sentencia de 18 de julio de 2000, una base fáctica que proclame las circunstancias objetivas (anormalidad en el ejercicio) y subjetivas (voluntad de perjudicar o ausencia de interés legítimo).

14.3. En materia de propiedad horizontal, la sentencia de 16 de julio de 2009 (RC n.º 2204/2004) ha entendido que el abuso de derecho, referido en el artículo 18.1 c) de la Ley, **consiste en la utilización de la norma por la comunidad con mala fe**

civil en perjuicio de un propietario, sin que pueda considerase general el beneficio de la comunidad y, sin embargo, afecta de manera peyorativa a uno de sus partícipes. En definitiva, la actuación calificada como abusiva no puede entenderse fundada en una justa causa y su finalidad no será legítima.

14.4. La jurisprudencia reseñada es plenamente aplicable al caso de la litis, en el que concurre el **doble elemento propio del abuso del derecho**: (i) el objetivo (anormalidad en el ejercicio), cuando ahora se alega la inexistencia de la autorización por la comunidad de una obra que ha sido consentida tácitamente durante veinte años; y (ii) el subjetivo (voluntad de perjudicar o ausencia de interés legítimo) (...)».

Por su parte, la Audiencia Provincial de Bizkaia, en su **sentencia n.º 18/2014, de 31 de enero, ECLI:ES:APBI:2014:667**, nos da una definición del abuso del derecho en los siguientes términos:

«(...) El abuso de derecho es una institución, de creación netamente jurisprudencial —STS 14-2-1944— ha sido introducida el art. 7.2 CC por la reforma llevada a cabo por la Ley de Bases de 17-3-1973 articulada por el D de 31-5-1974, y en su interpretación constante el TS ha entendido que **su aplicación es de índole excepcional** y ha de hacerse con **criterio singularmente restrictivo**, que constituye un concepto jurídico indeterminado cuya aplicación ha de ser hecha caso por caso, y que su apreciación exige la concurrencia de los siguientes elementos esenciales:

1º Uso de un derecho objetivo y externamente legal.

2º Daño a un interés no protegido por una específica prerrogativa jurídica.

3º Inmoralidad o antisocialidad de ese daño, manifestada en forma subjetiva, cuando la actuación de su titular obedezca al deseo de producir un perjuicio a un tercero, es decir, a un "animus nocendi" o intención dañosa que carezca del correspectivo de una compensación equivalente, de tal modo que se entiende que no incurre en esta clase de ejercicio de derechos quien se limita a hacer uso de su derecho (STS 31-3-1995, 6-2-1999, 15-2-2000, 18-6-2000 y 16-5-2001).

En relación con el ejercicio de los derechos nacidos del régimen jurídico de la propiedad horizontal la STS de 13 de febrero de 1995, tras declarar que "es reiterada doctrina de esta Sala la de que el abuso de derecho, que proscribe el artículo 7.2 del Código Civil ha de resultar claramente patentizado por la concurrencia de las circunstancias que lo configuran, es decir, las subjetivas de intención de perjudicar o de falta de un interés serio y legítimo, y las objetivas de exceso o anormalidad en el ejercicio del derecho y producción de un perjuicio injustificado (Sentencias de 26 de abril de 1976, 2 de junio de 1981, 22 de abril de 1983, 25 de junio de 1985, 14 de febrero de 1986, 12 de noviembre de 1988, 11 de mayo de 1991, 5 de abril de 1993, entre otras muchas)" dice a continuación, "es plenamente legítimo y serio, y en modo alguno excesivo o anormal, el interés jurídico de los demandantes, aquí recurridos, en su calidad de copropietarios de un edificio en régimen de propiedad horizontal, en oponerse a que se alteren los elementos comunes de su edificio (...)"».

JURISPRUDENCIA

Sentencia del Tribunal Supremo n.º 89/2024, de 24 de enero, ECLI:ES:TS:2024:199

«"Si los estatutos permiten efectuar operaciones de división sin necesidad del consentimiento de la comunidad, la junta de propietarios sólo tendrá que efectuar una actividad de control referente a que las obras no perjudiquen a elementos comunes ni a otros propietarios, y no afecten a la estructura, la seguridad, configuración o

estado exterior del edificio, pues si se respetan estas limitaciones, la junta lo único que tiene reservado es la atribución de nuevas cuotas de los espacios afectados por la reforma".

El razonamiento de la Audiencia Provincial tampoco se ajusta a nuestra doctrina sobre el abuso de derecho en materia de propiedad horizontal. En la sentencia 10/2022, de 12 de enero dijimos:

"La doctrina del abuso de Derecho, en palabras de la sentencia de 1 de febrero de 2006 (RC n.º 1820/2000), se sustenta en la existencia de unos límites de orden moral, teleológico y social que pesan sobre el ejercicio de los derechos, y como institución de equidad, exige para poder ser apreciado, una actuación aparentemente correcta que, no obstante, representa en realidad una extralimitación a la que la ley no concede protección alguna, generando efectos negativos (los más corrientes daños y perjuicios), al resultar patente la circunstancia subjetiva de ausencia de finalidad seria y legítima, así como la objetiva de exceso en el ejercicio del derecho (sentencias de 8 de julio de 198, 12 de noviembre de 1988, 11 de mayo de 1991 y 25 de septiembre de 1996). Su apreciación exige, en palabras de la sentencia de 18 de julio de 2000, una base fáctica que proclame las circunstancias objetivas (anormalidad en el ejercicio) y subjetivas (voluntad de perjudicar o ausencia de interés legítimo).

"[E]n materia de propiedad horizontal, la sentencia de 16 de julio de 2009 (RC nº. 2204/2004) ha entendido que el abuso de derecho, referido en el artículo 18.1 c) de la Ley, consiste en la utilización de la norma por la comunidad con mala fe civil en perjuicio de un propietario, sin que pueda considerase general el beneficio de la comunidad y, sin embargo, afecta de manera peyorativa a uno de sus partícipes. En definitiva, la actuación calificada como abusiva no puede entenderse fundada en una justa causa y su finalidad no será legítima".

En la sentencia 318/2016, de 13 de mayo, con cita de la de 16 de julio de 2009, declaramos:

"´Es cierto que las reglas para la aprobación de acuerdos comunitarios han de ser objeto de una interpretación adecuada a la realidad social actual, como autoriza el artículo 3 del Código Civil, para evitar supuestos de abuso notorio del derecho, que impidan lograr la más ordenada convivencia de los cotitulares y preservar la paz vecinal (SSTS 13 de marzo de 200; 19 de diciembre de 2008). Ahora bien, son circunstancias que configuran el abuso de derecho, las subjetivas, de intención de perjudicar o de falta de interés serio y legítimo, y las objetivas, de exceso o anormalidad en el ejercicio de un derecho y producción de un perjuicio injustificado (SSTS 8 de mayo y 28 de noviembre de 2008), y es plenamente legítimo y serio y en ningún modo excesivo o anormal, el interés de los comuneros disidentes de que no se alteren los elementos comunes en beneficio exclusivo de uno de ellos, a partir de un acuerdo de cuya adopción es responsable la comunidad demandada, haciendo uso del derecho que le concede la normativa de la propiedad horizontal para impedirlo´".

Y en la sentencia 423/2011, de 20 de junio, manifestamos en la misma línea:

"Son circunstancias que configuran el abuso de derecho, las subjetivas, de intención de perjudicar o de falta de interés serio y legítimo, y las objetivas, de exceso o anormalidad en el ejercicio de un derecho y producción de un perjuicio injustificado (STS 8 de mayo de 2008), y es plenamente legítimo y serio y en ningún modo excesivo o anormal, el interés de la comunidad de que no se alteren los elementos comunes en beneficio exclusivo de uno de los comuneros, haciendo uso del derecho que le concede la normativa de la propiedad horizontal para impedirlo. De lo contrario, se vería abocada a soportar no solo una modificación de sus elementos comunes, sino la servidumbre originada a su amparo."».

A lo largo de la LPH se mencionan distintos tipos de obras en los que se exigen unas mayorías distintas en función de la obra y su finalidad.

OTRAS OBRAS CON DISTINTAS MAYORÍAS

- División material de los pisos o locales y sus anejos, o agregación de otros colindantes del mismo edificio.
- Construcción de nuevas plantas.
- Cualquier otra alteración de la estructura o fábrica del edificio (incluido cerramiento de terrazas y modificación de la envolvente para mejorar la eficiencia energética).
- Establecimiento o supresión de los servicios de portería, conserjería, vigilancia y otros servicios de interés general.
- Establecimiento o supresión de equipos o sistemas (no incluidos en el art. 17.1 de la LPH) que tengan por finalidad mejorar la eficiencia energética o hídrica del inmueble.
- Innovaciones, nuevas instalaciones, servicios o mejoras.

→ **Mayoría de 3/5 partes del total**

- Instalación de las infraestructuras comunes para el acceso a los servicios de telecomunicación, o la adaptación de los existentes.
- Instalación de sistemas comunes o privativos de aprovechamiento de energías renovables.
- Instalación de las infraestructuras necesarias para acceder a nuevos suministros energéticos colectivos.
- Establecimiento o supresión de equipos o sistemas (no incluidos en el art. 17.1 de la LPH) que tengan por finalidad mejorar la eficiencia energética o hídrica del inmueble cuando tengan un aprovechamiento privativo.

→ **Mayoría de 1/3 de los integrantes de la comunidad**

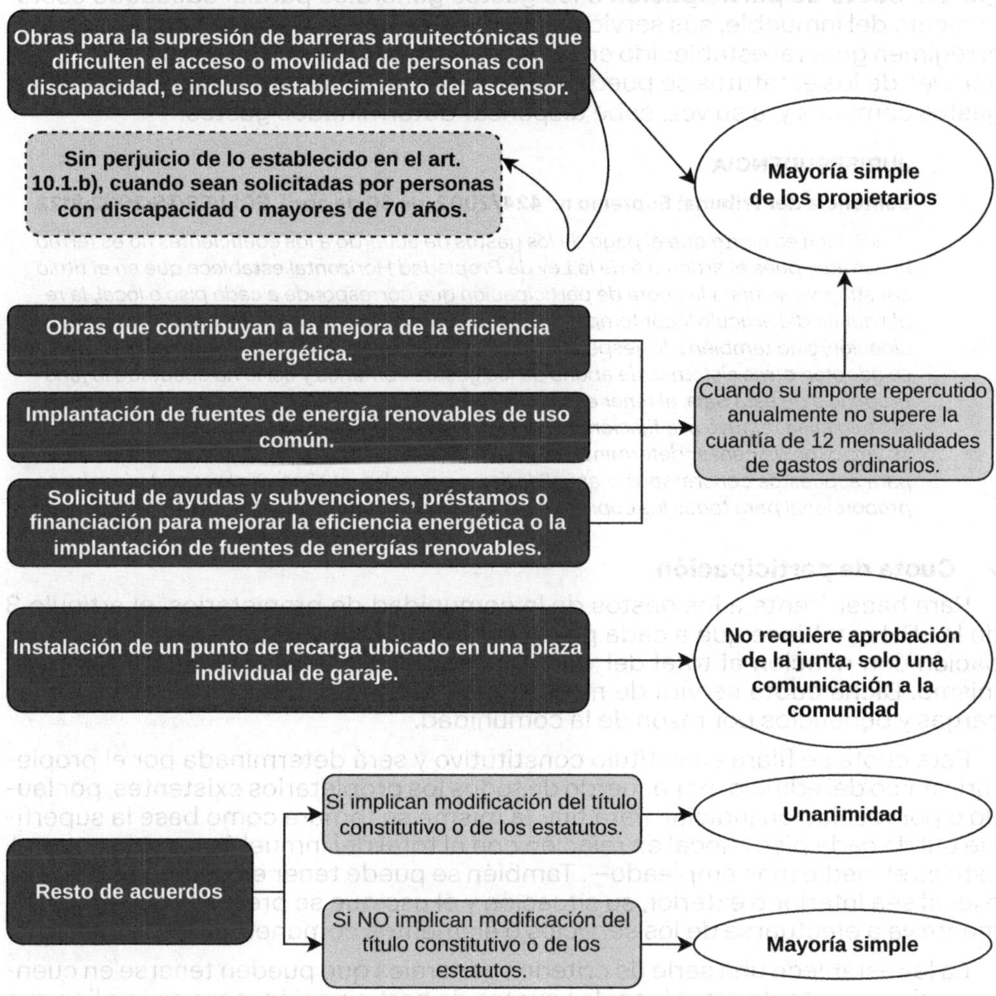

3.1.4. El pago de las obras

El pago de las obras realizadas en la comunidad de propietarios

450

La concurrencia de una colectividad de personas en la titularidad de los elementos comunes de un edificio hace necesario establecer un sistema para hacer frente a los gastos que derivan tanto de los servicios necesarios para el funcionamiento de la comunidad de propietarios (portería, luz, ascensor...), así como de las obras que se realicen en las partes comunes del inmueble.

➢ Obligación de contribuir en el pago de las obras

El apdo. 1.e) del art. 9 de la LPH establece la obligación de **contribuir con arreglo a la cuota de participación** a los gastos generales para el adecuado sostenimiento del inmueble, sus servicios, cargas y responsabilidades. Si bien este es el régimen general establecido en la Ley de Propiedad Horizontal, es posible que a través de los estatutos se puedan establecer otros sistemas de abonos de los gastos comunes y, a su vez, cabe dispensar determinados gastos.

JURISPRUDENCIA

Sentencia del Tribunal Supremo n.º 424/2002, de 30 de abril, ECLI:ES:TS:2002:3123

«Si bien es cierto que el pago de los gastos de acuerdo a los coeficientes no es férreo ni cerrado, pues el artículo 5 de la Ley de Propiedad Horizontal establece que en el título constitutivo se fijará la cuota de participación que corresponde a cada piso o local, la regla quinta del artículo 9 contempla la contribución no sólo con arreglo a la cuota de participación, sino también a lo «especialmente establecido», no prohibiéndose por tanto que se adopten otros sistemas de abono de los gastos comunes y así lo ha aceptado la jurisprudencia de esta Sala, al tener en cuenta que mediante los Estatutos puede modificarse el título en lo relativo a la fijación de cuotas de participación (Sentencia de 2-2-1991), y, a su vez, cabe dispensar determinados gastos (Sentencia de 6-7-1991), y también procede, para supuestos concretados o anualidades precisadas, el sistema de reparto igual y no proporcional para todos los copropietarios (Sentencias de 22-4-1974 y 10-3-1993)».

➢ Cuota de participación

Para hacer frente a los gastos de la comunidad de propietarios, el artículo 3 de la LPH establece que a cada piso o local se le atribuirá una cuota de participación con relación al total del valor del inmueble y referida a centésimas del mismo. Dicha cuota servirá de módulo para determinar la participación en las cargas y beneficios por razón de la comunidad.

Esta cuota se fijará en el título constitutivo y será determinada por el propietario único del edificio, por acuerdo de todos los propietarios existentes, por laudo o por resolución judicial. Para fijar la misma se tomará como base la superficie útil de cada piso o local en relación con el total del inmueble —por lo general, este es el medio más empleado—. También se puede tener en cuenta que el piso o local sea interior o exterior, su situación y el uso que se presuma que racionalmente va a efectuarse de los servicios o elementos comunes.

La ley establece una serie de criterios generales que pueden tenerse en cuenta en el momento de establecer las cuotas de participación, pero no implica que deban tenerse en cuenta todas, quedando a elección de quien la establece el criterio o criterios que serán determinantes. Así, el Tribunal Supremo señala la necesidad de ajustarse a lo establecido en el artículo 5 de la LPH, no siendo necesario motivar la asignación de cuota a cada uno de los pisos o locales.

JURISPRUDENCIA

Sentencia del Tribunal Supremo n.º 7/2022, de 7 de enero, ECLI:ES:TS:2022:25

«(...) En efecto, en primer término, la fijación se hizo por quienes tenían capacidad para ello, afecta y es oponible a terceros adquirentes, cualidad que concurre en la demandante, desde el momento en que quedó inscrito el título constitutivo en el Registro de la Propiedad. Y, desde el punto de vista objetivo, los Estatutos, también inscritos y

también oponibles a los adquirentes, explican las razones por las que se adoptan criterios distintos para fijar la cuota de copropiedad y la cuota de contribución a los gastos. Ciertamente que no se desciende al detalle de especificar por qué a cada uno de los locales se les asigna una concreta cuota, dejando señaladas únicamente las razones generales de tal atribución, pero la Ley de Propiedad Horizontal, al reconocer el derecho a fijar las cuotas, no exige que haya tal razonamiento o especificación, de manera que tampoco por esta vía o desde este enfoque se advierte ilegalidad alguna (...)».

El hecho de que no sea necesario justificar la asignación de cuota de participación no implica que las mismas puedan establecerse de manera arbitraria, sino que el porcentaje que se establezca debe ajustarse a alguno de los criterios establecidos en la ley. Y así lo señala el TS que, con relación a una comunidad que estableció las cuotas de participación atendiendo a la superficie que aparece en la certificación registral y no a la superficie útil, tal y como señala el artículo 5 de la LPH, declara la nulidad de las mismas.

JURISPRUDENCIA

Sentencia del Tribunal Supremo n.º 572/2020, de 3 de noviembre, ECLI:ES:TS:2020:3624

«Por su parte, el art. 3 LPH norma que a cada piso o local se atribuirá una cuota de participación con relación al total del valor del inmueble y referida a centésimas del mismo. Dicha cuota servirá de módulo para determinar la participación en las cargas y beneficios por razón de la comunidad.

La cuota de participación deviene pues en un elemento esencial de la propiedad horizontal, en tanto en cuanto fija un módulo que ordena el sistema de derechos y obligaciones que dimanan de dicho régimen jurídico [arts. 9.1 e) y f); 16, 17, 19.2 d) LPH] y en concreto determina en cuánto ha de contribuir cada propietario al sostenimiento de la finca o inmueble en su conjunto.

Pues bien, si tenemos en cuenta la fundamentación jurídica de la sentencia de la Audiencia resulta que la misma se basa en la superficie de los pisos y locales que aparecen en la certificación registral, sin tener en cuenta la superficie útil, como señala el art. 5 de la LPH, es decir la comprendida dentro del perímetro de cada una de las fincas litigiosas. Además, se atribuye una cuota a la terraza lo que constituye patente error al no ser una finca independiente, constituir cubierta del edificio, y resultar descrita dentro del piso tercero, y no se motivan las cuotas de participación fijadas en relación con los otros criterios que señala el mentado precepto: emplazamiento interior o exterior; su situación entendida en la doble dimensión de la ubicación de los pisos y locales en el inmueble, así como la zona urbana en que se encuentre radicado el edificio, y el uso que se presuma racionalmente se va a efectuar de los servicios o elementos comunes».

Gastos de la comunidad de propietarios 460

En el estudio de los gastos de la comunidad de propietarios debemos diferenciar:

- Los gastos generales de la comunidad de propietarios. Conforme establece el apdo. 2 del artículo 9 de la LPH consideramos que un gasto es general cuando no sea imputable a uno o varios pisos o locales y que son necesarios para el adecuado sostenimiento del inmueble.
- Al fondo de reserva que está previsto para atender las obras de conservación, de reparación y de rehabilitación del edificio, así como las obras de accesibilidad recogidas en el apdo. 1. b) del artículo 10 de la LPH y

realización de obras de accesibilidad y eficiencia energética del apdo. 2 del artículo 17 del CC. Con cargo al fondo de reserva, la comunidad podrá suscribir un contrato de seguro que cubra los daños causados en la finca o bien concluir un contrato de mantenimiento permanente del inmueble y sus instalaciones generales.

- Las derramas previstas para el pago de las obras extraordinarias recogidas en el artículo 17 de la LPH.

➢ Gastos generales

Los gastos generales por afectar a los elementos comunes del edificio deben ser asumidos por todos los propietarios en función de la cuota de participación que se halla establecido para cada uno de los pisos y locales. Si bien el Tribunal Supremo ha reconocido la posibilidad de que, por medio de los estatutos de la comunidad de propietarios, se exima a determinados copropietarios del pago de determinados gastos.

JURISPRUDENCIA

Sentencia del Tribunal Supremo n.º 86/2012, de 20 de febrero, ECLI:ES:TS:212:904

«La jurisprudencia citada por el recurrente, a través del primer motivo de su recurso, declara la posibilidad de que, a través de los estatutos de la comunidad, determinados copropietarios pueden verse eximidos del pago de determinados gastos. La Audiencia Provincial no contradice esta conclusión jurídica pues no niega la posibilidad de que, a través de los estatutos de la comunidad de propietarios puedan establecerse determinadas exenciones a la contribución de gastos, siempre que se cumplan los presupuestos legalmente establecidos, sino que se limita, una vez examinadas las peculiaridades físicas de la comunidad de propietarios, a analizar los estatutos de la comunidad de propietarios, de los que extrae consecuencias muy diferentes a las expuestas por la parte recurrente. Considera la sentencia que la fórmula de exoneración de gastos prevista en el apartado 1 de los estatutos es imprecisa y no se ajusta a las normas de especial determinación del artículo 9 LPH, pero, sobre todo, considera que en la determinación de la contribución de los propietarios a los gastos generales, se establecieron las cuotas de participación de cada uno, que fueron fijadas en atención a las singularidades del edificio».

➢ Fondo de reserva

El fondo de reserva se encuentra previsto en el apdo. 1.f) del artículo 9 de la LPH, el mismo se introdujo en la Ley de Propiedad Horizontal como un medio para luchar contra la morosidad en las comunidades de propietarios. Los copropietarios deben contribuir a la dotación con arreglo a su respectiva cuota de participación. La titularidad de este fondo corresponde a todos los efectos a la comunidad y estará dotado con una cantidad que en ningún caso podrá ser inferior al 10 % de su último presupuesto ordinario. Para el cómputo del fondo de reserva las cantidades detraídas durante el ejercicio presupuestario para los gastos de las obras o actuaciones que deban ser cubiertas por el fondo se computarán como parte integrante del mismo.

También se recoge en la ley la posibilidad de suscribir un contrato de seguro que cubra los daños causados en la finca o bien concluir un contrato de mantenimiento permanente del inmueble y sus instalaciones generales.

➤ Derrama

La derrama se contempla para aquellos supuestos en los que surge un gasto que no está previsto en los presupuestos de la comunidad. Este gasto puede obedecer tanto a una obra obligatoria como a una obra extraordinaria.

En el caso de las obras obligatorias, ya que conforme a la ley no es necesario el acuerdo de la junta para la realización de estas, el artículo 10.2 de la LPH establece que el acuerdo de la junta se limitará a establecer la distribución de la derrama pertinente y a la determinación de los términos de su abono.

Para el supuesto de obras extraordinarias, la ley fija que las derramas para el pago de mejoras realizadas o por realizar serán a cargo de quien sea propietario en el momento de exigibilidad de las cantidades.

CUESTIÓN

Si compro un piso o local en un edificio que ha aprobado una derrama, ¿tengo que pagarla?

El apdo. 11 del artículo 17 de la LPH señala «Las derramas para el pago de mejoras realizadas o por realizar en el inmueble serán a cargo de quien sea propietario en el momento de la exigibilidad de las cantidades afectas al pago de dichas mejoras». Ello supone que, si se compra un piso o local y ya se ha aprobado la derrama, pero el pago de esta todavía no ha sido exigido en el momento del contrato de compraventa, el nuevo propietario queda obligado al pago cuando deba hacerse el mismo.

Exenciones de la obligación de pago de gastos de la comunidad de propietarios 470

Como hemos visto, la regla general es que todos los copropietarios tienen la obligación de contribuir a los gastos de la comunidad de propietarios. Sin embargo, existen ciertos supuestos en los que alguno pueda estar exento del pago de determinados gastos, estos supuestos se recogen en la propia LPH y en ocasiones también se establecen en los estatutos de la comunidad de propietarios.

En relación con los casos de exención previstos en la ley, los mismos se refieren a aquellos supuestos en los que para la realización de la obra es necesario la aprobación por acuerdo de la junta de propietarios y se refieren a los copropietarios que hayan votado en contra:

- El apdo. 1.b) del artículo 10 de la LPH establece la obligatoriedad de las obras y actuaciones necesarias para garantizar la accesibilidad universal y, en todo caso, cuando vivan, trabajen o presten servicios voluntarios personas con discapacidad o mayores de setenta años. No es obligatorio el pago cuando el importe repercutido anualmente de las mismas, una vez descontadas las subvenciones o ayudas públicas, exceda de doce mensualidades ordinarias de gastos comunes. Debe tenerse en cuenta que, aun cuando supere ese importe, serán igualmente obligatorio el pago cuando quien haya solicitado las obras asuma el coste que excede las citadas mensualidades o cuando las ayudas públicas a las que la comunidad pueda tener acceso alcancen el 75 % del importe de estas.
- El apdo. 1 del artículo 17 de la LPH señala que la comunidad no podrá repercutir el coste a los propietarios que no hubieran votado expresamen-

te en la junta a favor del acuerdo. Esta exención se refiere a la instalación de las infraestructuras comunes para el acceso a los servicios de telecomunicación, la adaptación de los existentes, así como la instalación de sistemas comunes o privativos de energías renovables, incluyendo la aerotermia y geotermia, o de las infraestructuras necesarias para acceder a nuevos suministros energéticos colectivos. No obstante, los gastos de conservación y mantenimiento de la nueva infraestructura tendrán la consideración de elemento común y por tanto los gastos deben ser cubiertos por todos los propietarios. (El art. 17 de la LPH en su apartado 1 ha sido reformado por el Real Decreto-ley 7/2026, de 20 de marzo, con entrada en vigor el 22/03/2026).

- El apdo. 4 del artículo 17 de la LPH señala que cuando se apruebe la realización de innovaciones, nuevas instalaciones, servicios o mejoras no requeridos para la adecuada conservación, habitabilidad, seguridad y accesibilidad del inmueble y cuya instalación exceda del importe de tres mensualidades ordinarias de gastos comunes, el copropietario disidente no resultará obligado al pago aun cuando no pueda privársele de la mejora o ventaja.

JURISPRUDENCIA

Sentencia del Tribunal Supremo n.º 620/2010, de 20 de octubre, ECLI:ES:TS:2010:5167

«3) Es cierto que en caso de innovaciones innecesarias el artículo 11 de la propia Ley de Propiedad Horizontal bajo ciertas condiciones exime a los disidentes de contribuir a los gastos, pese a que los acuerdos hayan sido válidamente adoptados, precisando la Sentencia número 1151/2008, de 18 de diciembre, el carácter necesario o no de las innovaciones debe entenderse «de acuerdo con la realidad social del tiempo en que ha de ser aplicada (artículo 3 del Código Civil), y las normas sobre la construcción exigen su existencia cuando en un edificio se elevan tres o más plantas, cuyo presupuesto viene también impuesto por el mercado inmobiliario, y con referencia a fincas antiguas, aparte de satisfacer las referidas necesidades de personas minusválidas, es un elemento esencial para la utilización de un edificio, que redunda en beneficio, sin excepción, de los propietarios de un inmueble, no solo a los efectos de las mentadas atenciones y del bienestar material, sino también porque incrementa el valor de los pisos o apartamentos y revaloriza la finca en su conjunto, y resultaría abusivo que la contribución a su pago no tuviera que ser asumida por todos los condueños».

4) El principio de autonomía de la voluntad imperante en las relaciones privadas expresamente recogido en el artículo 396, último párrafo, del Código Civil, autoriza las normas estatutarias que en determinadas circunstancias fijan el régimen de contribución a algunos gastos comunitarios de forma diferente a la cuota de participación fijada en el título, pudiendo en determinadas circunstancias incluso eximir de la obligación de contribuir a determinados gastos a algunas viviendas o locales (en este sentido, sentencia número 720/2009, de 18 de noviembre).

5) Tratándose de acuerdos de instalación de un ascensor en el edificio comunitario, la sentencia núm. 1181/2008 de 18 diciembre fija la regla de que: "el acuerdo obliga a todos los comuneros, tanto a los que hayan votado favorablemente, como a los que han disentido, y eso supone que deben permitir que se lleve a efecto y abonar lo que corresponda, sin perjuicio de la impugnación judicial si concurren las circunstancias del artículo 18 de la Ley".

6) Finalmente, la sentencia número 927/2008, de 21 de octubre, reiterada en la 720/2009, de 18 de noviembre, tras el análisis de la línea jurisprudencial mantenida en las sentencias 702/1994, de 13 de julio, 695/1995, de 5 de julio, 22 de septiembre de 1997 y 929/2006, 28 de septiembre de 2006, concluye que en aquellos casos en los que la instalación de un ascensor en un edificio que carecía del mismo y que es necesario para la habitabilidad del inmueble, constituye un servicio o mejora exigible y que todos los comuneros tienen la obligación de contribuir a los mismos, sin que las cláusulas de exención del deber de participar en las reparaciones ordinarias y extraordinarias correspondientes al portal, escalera y ascensor, permitan considerar a los propietarios de los locales afectados liberados también del deber de contribuir los gastos de la instalación de ascensor».

CUESTIÓN

Si no utilizo un servicio del edificio, ¿tengo que pagarlo?

El apdo. 2 del artículo 9 de la LPH señala «(...) sin que la no utilización de un servicio exima del cumplimiento de las obligaciones correspondientes, sin perjuicio de lo establecido en el artículo 17.4». Por tanto, aunque no se utilice un determinado servicio se debe pagar el coste de este, salvo que sea un servicio que se haya votado en contra y cuyo coste exceda del importe de tres mensualidades ordinarias de gastos comunes..

Impago de los gastos

480

El artículo 21 de la LPH establece los medios de los que dispone la comunidad de propietarios para reclamar el pago de las deudas que tengan los copropietarios. Se establecen tres posibles vías la adopción de medidas disuasorias, acudir al proceso monitorio especial aplicable a las comunidades de propietarios y la mediación-conciliación o arbitraje.

Los medios que la LPH regula para reclamar el pago de las deudas de los copropietarios tienen naturaleza muy variada. Estos medios son los siguientes:

- Se podrá instar al pago de las deudas a través del establecimiento de medidas disuasorias de la morosidad. Para adoptar estas medidas disuasorias será necesario el acuerdo de la junta de propietarios. Estas medidas podrán consistir en establecer que la deuda genere intereses superiores al legal o la privación temporal del uso servicios o instalaciones. Las medidas encaminadas a evitar la morosidad pueden establecerse en los estatutos. En la adopción de este acuerdo la junta ve limitada su voluntad en tanto que las medidas que se fijen no pueden ser abusivas ni desproporcionadas, ni pueden afectar a la habitabilidad de los inmuebles; así mismo en el ámbito temporal las mismas no podrán tener carácter retroactivo.
- Otra de las posibles vías de las que dispone la comunidad de propietarios para reclamar el pago es la judicial. Sin perjuicio de que la comunidad pueda acudir a otros procedimientos judiciales, el artículo 21 de la LPH recoge un procedimiento monitorio especial aplicable a las comunidades de propietarios. Para acudir a este proceso es necesario que lo acuerde la junta de propietarios. La legitimación pasiva corresponde al titular registral a efectos de soportar la ejecución sobre el inmueble y la legitimación activa la ostenta el secretario administrador profesional.

Apdo. 3 del artículo 21 LPH

«Para instar la reclamación a través del procedimiento monitorio habrá de acompañarse a la demanda un certificado del acuerdo de liquidación de la deuda emitido por quien haga las funciones de secretario de la comunidad con el visto bueno del presidente, salvo que el primero sea un secretario-administrador con cualificación profesional necesaria y legalmente reconocida que no vaya a intervenir profesionalmente en la reclamación judicial de la deuda, en cuyo caso no será precisa la firma del presidente. En este certificado deberá constar el importe adeudado y su desglose. Además del certificado deberá aportarse, junto con la petición inicial del proceso monitorio, el documento acreditativo en el que conste haberse notificado al deudor, pudiendo también hacerse de forma subsidiaria en el tablón de anuncios o lugar visible de la comunidad durante un plazo de, al menos, tres días. Se podrán incluir en la petición inicial del procedimiento monitorio las cuotas aprobadas que se devenguen hasta la notificación de la deuda, así como todos los gastos y costes que conlleve la reclamación de la deuda, incluidos los derivados de la intervención del secretario administrador, que serán a cargo del deudor».

- Finalmente, la reclamación de los gastos de comunidad y del fondo de reserva o cualquier cuestión relacionada con la obligación de contribuir en ellos, también podrá ser objeto de mediación-conciliación o arbitraje.

La ley protege de manera especial los créditos a favor de la comunidad derivados de la obligación de contribuir al sostenimiento de los gastos generales correspondientes a las cuotas imputables a la parte vencida de la anualidad en curso y los tres años anteriores. Estos créditos tendrán la condición de preferentes a efectos del artículo 1923 del Código Civil. Los créditos a que hace referencia el apdo. 1.e) del artículo 9 de la LPH preceden, para su satisfacción, a los citados en los números 3.°, 4.° y 5.° de dicho precepto, sin perjuicio de la preferencia establecida a favor de los créditos salariales en el texto refundido de la Ley del Estatuto de los Trabajadores, aprobado por el Real Decreto Legislativo 2/2015, de 23 de octubre.

El adquiriente de una vivienda o local responde con el propio inmueble de las deudas de cuotas de la comunidad de propietarios para el sostenimiento de los gastos generales de la comunidad que hayan contraído los anteriores titulares. El límite que le resulta imputable es el de la parte vencida de la anualidad en la cual tenga lugar la adquisición y a los tres años naturales anteriores. El piso o local estará legalmente afecto al cumplimiento de la obligación.

Por esta razón es importante que, en la transmisión de cualquier inmueble en régimen de propiedad horizontal, el transmitente aporte certificación sobre el estado de deudas con la comunidad. La certificación será emitida en el plazo máximo de siete días naturales desde su solicitud por quien ejerza las funciones de secretario, con el visto bueno del presidente. En caso de que los datos de la certificación sean inexactos o que se retrasen en su emisión, el secretario y el presidente responderán de los perjuicios que se hayan ocasionado tanto por culpa como por negligencia.

La ley señala que no se podrá autorizar el otorgamiento del documento público si no se ha aportado el certificado al que hemos hecho alusión, salvo que el adquiriente haya exonerado al transmitente de su obligación de presentarlo.

3.1.5. Responsabilidad por las obras

Responsabilidad por daños originados por obras en la comunidad 490

Cuando en una comunidad de propietarios se llevan a cabo obras se plantea la cuestión de quién debe responder de los posibles daños que se produzcan por la ejecución de estas. Los sujetos susceptibles de ser responsables son el empresario o profesional que va a ejecutar la obra y la comunidad de propietarios que es quien contrata la obra.

La importancia de delimitar esta responsabilidad radica en establecer la parte demandada en el proceso para reclamar los daños que se hayan causado como consecuencia de las obras.

Entre las obligaciones que tiene cada propietario en el ámbito de la comunidad, el apdo. 1.c) del artículo 9 de la LPH establece la de consentir en su vivienda o local las reparaciones que exija el servicio del inmueble y permitir en él las servidumbres imprescindibles requeridas para la realización de obras, actuaciones o la creación de servicios comunes, además en este precepto se recoge in fine el derecho del propietario a que la comunidad le resarza de los daños y perjuicios ocasionados. Del análisis de este artículo deriva la responsabilidad de la comunidad frente a los daños que se produzcan en los bienes privativos a consecuencia de las obras que se realicen.

CUESTIÓN

En base al apdo. 1.c) del artículo 9 de la LPH, ¿se puede exigir a los propietarios servidumbres permanente sobre elementos de uso privativo?

Sí, para la creación de servicios comunes siempre que estos sean imprescindibles para la ejecución de los acuerdos aprobados con las mayorías necesarias y responden a un interés general de todos los comuneros. Véase al respecto la **sentencia de la Audiencia Provincial de Madrid n.º 143/2026, de 26 de marzo, ECLI:ES:APM:2026:4266**.

Desde la perspectiva del CC, la responsabilidad por los posibles daños deriva del artículo 1902: «El que por acción u omisión causa daño a otro, interviniendo culpa o negligencia, está obligado a reparar el daño causado». De este artículo podemos deducir la responsabilidad del empresario que ejecuta la obra, pues es quien causa el daño directamente —por culpa o por negligencia—. Para atribuirle responsabilidad a la comunidad de propietarios debemos acudir al apdo. 1 del artículo 1903 del CC, que señala «La obligación que impone el artículo anterior es exigible no sólo por los actos u omisiones propios, sino por los de aquellas personas de quienes se debe responder».

También podemos determinar la responsabilidad de la comunidad de propietarios a través de la Ley de Ordenación de la Edificación. La comunidad de propietarios responde de estos daños en su calidad de promotor de la obra, conforme a lo establecido en el artículo 9.1 de la citada norma: «Será considerado promotor cualquier persona, física o jurídica, pública o privada, que, individual o colectivamente, decide, impulsa, programa y financia, con recursos propios o ajenos, las obras de edificación para sí o para su posterior enajenación, entrega o cesión a terceros bajo cualquier título». En los supuestos en que no pueda individualizarse la causa de los daños o exista concurrencia de culpa se dará una responsabilidad solidaria, conforme se establece en el artículo 17.3 de la Ley de Ordenación de la Edificación.

La comunidad podrá ser responsable de los daños que se produzcan con motivo de las obras cuando se contrata a una empresa o profesional que no cumple con los requisitos de capacitación necesarios para la ejecución de la obra que se va a realizar. Esta responsabilidad por culpa in eligendo ha sido reconocida por nuestro Alto Tribunal en numerosas resoluciones.

JURISPRUDENCIA

Sentencia del Tribunal Supremo n.º 835/2008, de 17 de septiembre, ECLI:ES:TS:2008:5026

«(...) para que el dueño de la obra no responda de los actos realizados por terceros en la ejecución aquella, además de no estar unidos por una relación de jerarquía o dependencia, ha de haber elegido diligentemente a los profesionales encargados de dicha ejecución, de suerte que, de haber encargado la realización de las labores a personas no cualificadas, incurre en una responsabilidad directa ex art. 1903 CC por «culpa in eligendo». En este sentido, la reciente Sentencia de esta Sala de 25 de enero de 2007, en un supuesto similar, establece que «es asimismo jurisprudencia de esta Sala la que señala que puede también incorporarse al vínculo de responsabilidad extracontractual a la empresa comitente en aquellos supuestos en los cuales se demuestre la existencia de culpa en la elección, cuya concurrencia depende de que las características de la empresa contratada para la realización de la obra no sean las adecuadas para las debidas garantías de seguridad, caso en el que podrá apreciarse la existencia de responsabilidad —que la más moderna doctrina y jurisprudencia no consideran como una responsabilidad por hecho de otro amparada en el artículo 1903 CC, sino como una responsabilidad derivada del artículo 1902 CC por incumplimiento del deber de diligencia en la selección del contratista— (SSTS de 18 de julio de 2005; 3 de abril y 7 diciembre de 2006)». En parecidos términos se pronunció la posterior Sentencia de 30 de marzo de 2007, que apreció, asimismo, culpa «in eligendo» e «in vigilando» en los daños producidos por una empresa contratista poco cualificada a terceros, en la figura del comitente, en aplicación de la interpretación jurisprudencial del art. 1903 CC».

La responsabilidad directa por culpa in eligendo concurre cuando se demuestra que la empresa contratada para la ejecución de la obra no tiene las características adecuadas para realizar la misma. Para apreciar la responsabilidad de la comunidad, la falta de capacitación y cualificación de quienes realicen la obra debe ser objetiva, así pues, en principio, la asignación de la obra a profesionales titulados con la experiencia necesaria sería suficiente. Esto sería así, en principio, pero el Tribunal Supremo ha matizado qué se considera por diligencia necesaria para eximir de responsabilidad a la comunidad, en su **sentencia n.º 548/2008, de 11 de junio, ECLI:ES:TS:2008:2730**:

«En primer lugar ha de significarse que, en aplicación del artículo 1903 del Código Civil, no puede entenderse que el deber de diligencia del buen padre de familia del promotor se haya agotado en la elección de un técnico facultativo habilitado oficialmente o, en palabras de la sentencia alegada por el recurrente «aquellos a quienes legal y técnicamente corresponda la realización de una actividad», pues es evidente, del examen de los hechos declarados probados, que los técnicos elegidos por el promotor no resultaron ser tan diligentes como se pretende. Afirmar lo contrario sería exonerar de responsabilidad al promotor siempre que contrate a técnicos con título oficial y, en su caso, colegiados, realizando una generalización inaceptable que, a la vez que libera al promotor de toda responsabilidad fuera cual fuere el caso concreto, amplía la responsabilidad de los técnicos de forma cuasi-universal».

Otra posibilidad es que la responsabilidad de la comunidad se produzca por culpa in vigilando. La misma se produce cuando la comunidad de propietarios se haya reservado facultades de dirección o control sobre los trabajos que se van a realizar. En este caso, al no existir una autonomía del contratista para realizar las labores encargadas, no asume los riegos en exclusiva, sino que comparte responsabilidad con la persona encargada de exigir especificaciones. Esta responsabilidad se ha desarrollado en varias sentencias del TS, como ejemplo se cita la **sentencia del Tribunal Supremo n.º 68/2007, de 25 de enero, ECLI:ES:TS:2007:354**:

> «En segundo, el artículo 1.903 del CC ha sido interpretado de forma reiterada por esta Sala en el sentido de que en los casos en los que la realización de la obra se encarga a un contratista, la responsabilidad corresponde exclusivamente a éste, como contratista independiente, siempre que dicho contrato no sea determinante de una relación de subordinación o dependencia entre la empresa promotora y la contratista, asumiendo de manera exclusiva sus propios riesgos (SSTS de 4 de enero de 1982; 8 de mayo de 1999), dependencia que se produce cuando el contratista no actúa formalmente como autónomo si, de hecho, está sujeto al control de la propiedad o promotora de la obra o se encuentra incardinado en su organización correspondiéndole el control, vigilancia y dirección de las labores encargadas, de tal forma que será posible responsabilizarle del daño en aquellos supuestos en que no solo encarga la obra a personal especializado y cualificado profesionalmente con suficientes conocimientos para un ejercicio normalmente correcto de la «lex artis», sino que designa a un director facultativo de la obra a quien compete exigir el cumplimiento de las especificaciones del proyecto, las normas de buena ejecución y las de Seguridad e Higiene en el Trabajo, pues ello es determinante de la responsabilidad por hecho de otro, según la interpretación jurisprudencial del artículo 1903, y ésta no puede ser enervada por la existencia de un pacto en contrario entre los responsables, que no puede producir efectos en perjuicio de terceros ajenos al ámbito contractual en virtud del principio de relatividad del contrato».

De todo lo expuesto, concluimos que la exigencia de responsabilidad en los supuestos de daños en bienes privativos se verá condicionada por las circunstancias propias del caso. Cuando estemos ante una concurrencia de culpas, la responsabilidad se exigirá solidariamente. Atendiendo al ámbito procesal, lo anterior supone que estamos ante un litisconsorcio pasivo voluntario.

CUESTIÓN

Han hecho obras en mi comunidad y me han ocasionado daños en mi piso. ¿A quién tengo que demandar?

Al tratarse de responsabilidad solidaria, la demanda puede dirigirse contra cualquiera de los responsables. Por tanto, la demanda podría dirigirse contra el empresario que realiza la obra o contra la comunidad de propietarios. Así mismo, también se podría interponer frente a los dos.

500 Responsabilidad de la comunidad de propietarios en materia de prevención de riesgos laborales

Cuando una comunidad de propietarios contrata a una empresa o autónomo para realizar una obra en el edificio adquiere la condición de promotor, conforme se establece en el apdo. 1.c) del artículo 2 de Real Decreto 1627/1997, de 24 de octubre, por el que se establecen disposiciones mínimas de seguridad y de salud en las obras de construcción. Esta disposición define al promotor como cualquier persona física o jurídica por cuenta de la cual se realice una obra.

La condición de promotor supone la asunción de una serie de obligaciones con relación a prevención de riesgos laborales que debe cumplir la comunidad de propietarios para evitar una posible responsabilidad.

Entre las obligaciones que asume la comunidad de propietarios como promotor de la obra, encontramos las siguientes:

- Cuando en la elaboración del proyecto de obra intervengan varios proyectistas, el promotor designará un coordinador en materia de seguridad y de salud durante la elaboración del proyecto de obra.
- Cuando en la ejecución de la obra intervenga más de una empresa, o una empresa y trabajadores autónomos o diversos trabajadores autónomos, designará un coordinador en materia de seguridad y salud durante la ejecución de la obra.
- El promotor está obligado a que en la fase de redacción del proyecto se elabore un estudio de seguridad y salud. Para realizar este estudio el promotor designará un técnico competente.

El incumplimiento de alguna de estas obligaciones puede suponer responsabilidad para la comunidad de propietarios en virtud del artículo 42 de la Ley 31/1995, de 8 de noviembre, de prevención de Riesgos Laborales, el cual establece que «El incumplimiento por los empresarios de sus obligaciones en materia de prevención de riesgos laborales dará lugar a responsabilidades administrativas, así como, en su caso, a responsabilidades penales y a las civiles por los daños y perjuicios que puedan derivarse de dicho incumplimiento».

La posición de los tribunales en relación con la responsabilidad del promotor por el incumplimiento de las obligaciones que se le imponen en materia de riesgos laborales no es unánime. El reconocimiento de responsabilidad se sostiene sobre lo dispuesto en el apdo. 2 del artículo 3 del Real Decreto 1627/1997, de 24 de octubre, que señala que la designación de los coordinadores no eximirá al promotor de sus responsabilidades. Los tribunales que mantienen una posición contraria desarrollan su argumentación desde la interpretación del apdo. 3 del artículo 24 de la Ley de prevención de riesgos laborales.

RESOLUCIONES RELEVANTES

Sentencia del TSJ de Castilla y León n.º 117/2017, de 26 de enero, ECLI:ES:TSJCL:2017:213

«Esta Sala se inclina por esta última tesis atendiendo a las obligaciones de coordinación que el Real Decreto 1627/1997, de 24 de octubre, impone al promotor de la obra, entre las que se encuentra designar un coordinador en materia de seguridad y de salud

cuando en la ejecución de la obra intervenga más de una empresa (artículo 3.2), añadiendo el número 4 del mismo artículo que la designación de los coordinadores no eximirá al promotor de sus responsabilidades, precepto que ha de ser entendido, como lo hace la Sala de lo Social del Tribunal Superior de Justicia de Galicia de 21 de marzo de 2013 (rec. 1549/2010), en el sentido de que los incumplimientos en que haya podido incurrir el coordinador son directamente imputables a la empresa promotora. A mayor abundamiento, el artículo 12.24.d) tipifica como falta grave el incumplimiento de las obligaciones correspondientes al promotor «No cumplir los coordinadores en materia de seguridad y salud las obligaciones establecidas en el artículo 9 del Real Decreto 1627/1997 como consecuencia de su falta de presencia, dedicación o actividad en la obra»; y en la letra e)»No cumplir los coordinadores en materia de seguridad y salud las obligaciones, distintas de las citadas en los párrafos anteriores, establecidas en la normativa de prevención de riesgos laborales cuando tales incumplimientos tengan o puedan tener repercusión grave en relación con la seguridad y salud en la obra»; preceptos que parecen derivar al promotor la responsabilidad por la actuación del coordinador por él designado».

Sentencia del TSJ de Andalucía n.º13/2015, de 14 de enero, ECLI:ES:TSJAND:2015:691

«No obstante, se debe precisar en respuesta a lo interesado, que la responsabilidad solidaria pretendida deriva de los requisitos contenidos en los artículos 42.3 y 24.3 de la Ley de Prevención de Riesgos Laborales, requiriéndose para que concurra en el promotor la condición de empresario infractor del artículo 11.2 del RD 1627/1997, en relación a las infracciones del constructor y del subcontratista, dos elementos: a) que la infracción se haya producido en el centro del empresario principal, y b) que los servicios u obras contratados o subcontratados correspondan a la propia actividad.

La Promotora en los presentes hechos, solo promueve la edificación de unas viviendas, mientras que el constructor construye, por lo que al no existir la misma actividad, resulta de aplicación el artículo 24.3 de la Ley 31/1995, de 8 de noviembre, de Prevención de Riesgos Laborales, en el que se dispone, en relación con la coordinación de actividades empresariales, que "las empresas que contraten o subcontraten con otras la realización de obras o servicios correspondientes a la propia actividad de aquéllas y que se desarrollen en sus propios centros de trabajo deberán vigilar el cumplimiento por dichos contratistas y subcontratistas de la normativa de prevención de riesgos laborales".

Lo que en sentido contrario implica que si las obras no son "correspondientes a la propia actividad" de la promotora, no surge en ésta la obligación de vigilar al contratista o al subcontratista para que cumplan la normativa sobre prevención de riesgos laborales, por lo que se debe concluir rechazando la infracción de los preceptos que se invocan».

Responsabilidad del presidente de la comunidad por obras realizadas en la misma 510

El presidente de la comunidad de propietarios se configura como uno de los órganos de gobierno. El apdo. 3 del artículo 13 de la LPH establece que el mismo ostentará legalmente la representación de la comunidad en juicio y fuera de él, en todos los asuntos que la afecten. La LPH no establece el tipo de responsabilidad que tiene el presidente por sus actos. Por ello, debemos recurrir a la regulación que recoge el Código Civil respecto a la figura del mandato. El artículo 1709 del Código Civil establece que «Por el contrato de mandato se obliga una persona a prestar algún servicio o hacer alguna cosa, por cuenta o encargo de otra».

El artículo 1718 del Código Civil señala que el mandatario queda obligado en el momento de la aceptación del cargo, en el supuesto del presidente de la comunidad de propietarios, la LPH establece la obligatoriedad del cargo, por lo cual queda obligado desde el momento del nombramiento. En lo referente a la posible responsabilidad del presidente, el artículo 1726 del CC establece que el mandatario es responsable por dolo y culpa, que deberá estimarse con más o menos rigor por los tribunales según que el mandato haya sido o no retribuido.

Los tribunales en el momento de determinar una posible responsabilidad del presidente valoran tanto el hecho de que se trate de un cargo obligatorio como que el mismo no es retribuido. Por este motivo, la jurisprudencia menor entiende que el hecho de la culpa o negligencia del presidente debe atribuirse de manera restrictiva, ya que nadie está obligado a conocer y actuar con total acierto ante cualquiera de las situaciones que puedan presentarse.

Se reconoce la responsabilidad del presidente de la comunidad en los supuestos en que la persona que ostenta el cargo se excede de sus atribuciones o actúa con exceso sobre el mandato que ha recibido. Esta circunstancia se produce por no someter a votación de la junta de propietarios la decisión o cuando, habiendo discutido los propietarios sobre la cuestión a determinar, el presidente no actúa conforme a lo acordado. En este sentido se han pronunciado diversas resoluciones judiciales.

RESOLUCIONES RELEVANTES

Sentencia de la Audiencia provincial de Alicante n.°84/2010, de 17 de febrero, ECLI:ES:APA:2010:329

«(...) Ahora bien, si bien conforme a lo dicho, el presidente puede llegar a incurrir en responsabilidad en caso de dolo o negligencia, con la correspondiente obligación de indemnizar los daños y perjuicios que se hubiesen podido generar, especialmente cuando adopte decisiones que no le correspondían, en orden a enjuiciar tal responsabilidad, no regulada la misma en la Ley de Propiedad Horizontal, debe partirse para ello del hecho de la culpa o negligencia en el proceder del presidente debe ser atribuida de forma restrictiva, ya que nadie está obligado a conocer y actuar con total acierto, ante cualesquiera de las situaciones que puedan presentársele, que pueden incluso ser de solución compleja, y porque en todo caso, y aún cuando no puedan serle aplicadas al presidente de la Comunidad la totalidad de las normas que rigen el contrato de mandato, pues su poder surge ex lege y es de carácter obligatorio y gratuito (...)».

Sentencia de la Audiencia provincial de Las Palmas n.°210/2016, de 5 de mayo, ECLI:ES:APGC:2016:931

«(...) Resultando un hecho evidente que no existen en la LPH normas específicas sobre la responsabilidad del presidente, es por lo que habrá que aplicar al caso las reglas generales de la responsabilidad del representante —como el artículo 1725— y las de responsabilidad por culpa de los artículos 1902 y siguientes del Código Civil, pero como pauta a seguir en el presente caso ha de tenerse en cuenta que el demandado era en la fecha de los hechos Presidente por designación de la Junta de Propietarios con carácter obligatorio y sin cobrar remuneración alguna; que al no constar en la LPH, como acabamos de decir, normas sobre la responsabilidad del cargo de Presidente, las decisiones sobre su actuación han de ser de interpretación muy restrictiva y, por último, que la culpa o negligencia en su proceder, por disposición legal, ha de ser igualmente interpretada de forma restrictiva, según dispone el artículo 1726 del Código Civil por ser el mandato en todo caso gratuito (...)».

Sentencia de la Audiencia provincial de Madrid n.° 385/2017, de 28 de diciembre, ECLI:ES:APM:2017:18244

«Se trata de una representación de naturaleza mixta, entre la representación orgánica y la voluntaria, de un lado en cuanto órgano de la Comunidad creado por la ley con

las funciones legalmente asignadas, y de otra parte con las notas propias del mandato representativo. Precisamente sobre ese fundamento, cuando el Presidente ejecuta actos o contrae obligaciones excediéndose de sus atribuciones no obliga a la Comunidad (con excepciones asociadas a la apariencia de su actuación y buena fe de los terceros), y de igual forma, cuando actúa con exceso sobre el mandato recibido, traspasando sus límites, contrae responsabilidad personal, en la forma que contempla el art. 1725 Cc. (Por todas, Ss T.S. 24.Jun.2016, 25.Abr.1992 o 14.Jul.1989)».

CUESTIÓN

En mi comunidad han hecho unas obras que han producido un daño en mi propiedad. La empresa que realiza la obra no es la que se decidió en la junta, sino que el presidente la contrató por amistad con el dueño. ¿Quién es responsable? ¿La comunidad o el presidente?

En este caso, el presidente otorga el contrato de la obra por su propia voluntad sin ajustarse a lo que se había decidido en la junta de propietarios. Este es un supuesto claro de extralimitación en el cumplimiento del mandato y, por tanto, en el caso de que concurra *culpa in eligendo*, el presidente es responsable de los daños solidariamente con la empresa que realiza los trabajos.

3.1.6. Análisis jurisprudencial de los supuestos más comunes de obras en las comunidades de propietarios

Obras para la recarga de vehículos eléctricos 520

Con el auge de los vehículos eléctricos se plantean distintas cuestiones en las comunidades de propietarios, desde la posibilidad de instalar un punto de recarga, hasta quién debe de asumir el coste. La Ley de Propiedad Horizontal da respuesta a estas cuestiones en el apdo. 5 del art. 17, recogiendo:

«5. La instalación de un punto de recarga de vehículos eléctricos para uso privado en el aparcamiento del edificio, siempre que éste se ubique en una plaza individual de garaje, sólo requerirá la comunicación previa a la comunidad. El coste de dicha instalación y el consumo de electricidad correspondiente serán asumidos íntegramente por el o los interesados directos en la misma».

CUESTIÓN

¿Qué se entiende por vehículo eléctrico?

Por vehículo eléctrico se entiende aquel cuya energía de propulsión procede, total o parcialmente, de la electricidad de sus baterías utilizando para su recarga la energía de una fuente exterior al vehículo, por ejemplo, la red eléctrica. [Instrucción Técnica Complementaria (ITC) BT-52].

De la regulación de la LPH cabe destacar que **no es necesario un consentimiento o autorización de la comunidad de propietarios**, pero sí una notificación previa a la misma que, aunque no cuente con ningún requisito formal, sería recomendable realizarla por escrito y por cualquier medio fehaciente.

El **coste**, tanto de la instalación como de los posteriores consumos, será **a cargo del propietario** que instale el punto de recarga.

CUESTIÓN

¿Puede negarse la comunidad de propietarios a que un vecino instale un punto de recarga en su plaza?

No, la comunidad no puede negarse a la instalación, ya que la instalación está avalada por la ley.

La regulación de las instalaciones necesarias para la recarga de estos vehículos se recoge en la ITC BT-52 (Real Decreto 1053/2014, de 12 de diciembre, por el que se aprueba una nueva Instrucción Técnica Complementaria (ITC) BT 52 «Instalaciones con fines especiales. Infraestructura para la recarga de vehículos eléctricos», del Reglamento electrotécnico para baja tensión, aprobado por Real Decreto 842/2002, de 2 de agosto, y se modifican otras instrucciones técnicas complementarias del mismo), que contiene la regulación de las instalaciones en aparcamientos o estacionamientos colectivos en edificios o conjuntos inmobiliarios en régimen de propiedad horizontal.

La falta de notificación previa no conlleva necesariamente la retirada de la instalación

Sentencia de la Audiencia Provincial de Málaga n.º 627/2019, de 28 de noviembre, ECLI:ES:APMA:2019:2968

a. Antecedentes de hecho

Se presenta recurso de apelación contra la sentencia de primera instancia del Juzgado de Torrox, de 27 de noviembre de 2017, que desestimaba la demanda presentada por la comunidad de propietarios en la que se solicitaba que se condenara al demandado a la retirada del punto de recarga eléctrico instalado en su plaza de aparcamiento, y a toda la instalación eléctrica de dicho punto.

b. Fundamentos de derecho

En primer lugar, se discute sobre la legitimación del presidente y su legitimación por la junta de propietarios:

«Es decir, pese a que la Ley de Propiedad Horizontal reconozca al presidente de la comunidad de propietarios la representación de la misma en juicio y fuera de él, la jurisprudencia ha matizado que «esto no significa que esté legitimado para cualquier actuación por el mero hecho de ostentar el cargo de presidente ya que no puede suplir o corregir la voluntad de la comunidad expresada en las juntas ordinarias o extraordinarias» (sentencia 659/2013, de 19 de febrero, citada por la más reciente 622/2015, de 5 de noviembre).

(...)

(...) En definitiva, aplicando la anterior doctrina jurisprudencial, siendo necesaria la autorización de la Junta al Presidente de la Comunidad para el inicio de acciones legales, dicho requisito debe entenderse cumplido en el presente caso en el que consta expresamente en la Junta de 19 de Marzo de 2011, como punto sexto del orden del día "contador electricidad para cochera instalado por parte del propietario sin permiso de la comunidad.

Medidas a adoptar, si procede", acordándose "requerir al Sr. Isidoro la retirada de su contador", de donde se deriva que era voluntad de la junta de propietarios autorizar al presidente para el ejercicio de acciones judiciales en caso de no ser atendido el requerimiento, debiendo, por tanto, entenderse concurrente la legitimación activa de la parte actora».

A continuación, y ya sobre el fondo del asunto, se pronuncia la AP entendiendo que la falta de comunicación previa no conlleva la retirada de la instalación:

«Por tanto resulta claro que **el demandado no necesitaba autorización de la Comunidad para la instalación del punto de recarga, resultando clara la voluntad del legislador de facilitar la utilización de este tipo de vehículos**, de tal manera que la inexistencia de autorización no pueda suponer un freno para su adquisición. Así las cosas **el hecho de que no existiera una comunicación expresa de manera previa no puede conducir a la condena a la retirada de la instalación**, cuando la misma como demuestra toda la documental que acompaña a la contestación a la demanda se ha realizado por técnicos autorizados y conforme a la normativa eléctrica, contando con el debido certificado de instalación eléctrica de baja tensión. Resulta evidente para esta Sala que la Comunidad tuvo conocimiento de la voluntad del demandado dado que la instalación requiere la realización de una serie de actuaciones que serían observadas por los comuneros al tener lugar en la zona de aparcamientos».

c. Resolución

Se estima parcialmente el recurso de apelación, si bien, se confirma la parte dispositiva de la sentencia recurrida.

Sentencia del Tribunal Supremo n.º 1745/2025, de 1 de diciembre, ECLI:ES:TS:2025:5363

a. Antecedentes de hecho

Un propietario de una vivienda, trastero y garaje comunica al administrador de fincas su intención de instalar en su plaza de garaje un punto de recarga de vehículos eléctricos para uso privativo, aportando informe técnico y normativa aplicable.

El administrador le responde que no se pueden ocupar elementos comunes para instalaciones privativas sin autorización de la junta, que, si la instalación es privativa, debe discurrir por elementos privativos y sin causar perjuicios.

Por su parte, ante la negativa el propietario insiste por correo y por escrito dirigido a la presidenta de la comunidad citando el apdo. 5 del art. 17 de la LPH, y comunica formalmente que instalará un punto de recarga en su plaza, sufragando el todo el coste y alimentado desde el suministro de su vivienda, con entrega posterior de certificado.

La presidenta le dice que:

- Ella no puede autorizar.
- La comunidad, en junta, es la competente.
- La instalación ocuparía zonas comunes, requiriéndose unanimidad.

- Le insta a esperar a la próxima junta y le advierte de posibles acciones judiciales si no lo hace.

b. Fundamentos de derecho

En este caso la cuestión central es interpretar el alcance del apdo. 5 del art. 17 de la LPH. El TS entiende que, la finalidad perseguida por el legislador es permitir al propietario instalar un punto de recarga de vehículo eléctrico en su plaza individual de garaje, con la sola comunicación previa a la comunidad, aun cuando ello implique una afección inevitable y mínima de elementos comunes, por ejemplo, fijar el cableado en el techo del garaje o atravesar el forjado.

Se parte de la realidad física de los garajes comunitarios que son espacios comunes en os que las plazas se delimitan en el suelo, el forjado (suelo y techo) y las paredes son elementos comunes y para llevar el suministro eléctrico desde la vivienda o el cuadro general a la plaza, es materialmente necesario que el cable discurra por el techo o paredes, y que se ancle a esos elementos.

Por lo que, el legislador al regular expresamente la instalación de puntos de recarga en plazas individuales de garaje tuvo que ser consciente de que, en la práctica, el cableado afectaría a elementos comunes, si, no impone requisito alguno de autorización comunitaria ni introduce la menor referencia a ello, es porque ha querido excluir la exigencia de acuerdo de la comunidad.

No obstante, el TS introduce un matiz importante, la instalación se entiende cubierta por el apdo. 5 del artículo 17 de la LPH: «salvo que se aprecie una afectación innecesaria o desproporcionada en elementos comunes o entrañe un perjuicio para los demás copropietarios». Es decir, se admite la afección «tangencial y proporcionada» a elementos comunes, peros si se acreditase un daño, perjuicio o alteración sustancial, podría plantearse la necesidad de control o incluso la impugnación desde otros parámetros (abuso de derecho, daños, etc.).

Por su parte, la comunidad invocó el apdo. 1 del art. 17 de la LPH (prohibición de alterar elementos comunes sin consentimiento de la comunidad) y la doctrina sobre la estructura del inmueble (forjados como parte de la armadura de fábrica cuta modificación requiere unanimidad).

El TS no niega el carácter de elemento común del forjado ni la vigencia de esa doctrina en supuestos ordinarios de obras que alteren elementos comunes, pero, afirma que el citado apdo. 5 del artículo 17 de la LPH constituye una noma especial que permite una concreta intervención sobre elementos comunes sin necesidad de acuerdo, en la medida que:

- Responde a una política legislativa de eficiencia energética.
- Es de carácter excepcional respecto al régimen general del apdo. 1 del art. 17 de la LPH.
- La finalidad del apdo. 5 del art. 17 de la LPH quedaría frustrada si se volviera a exigir, de forma general, la autorización comunitaria por el simple hecho de un mínimo uso de elementos comunes.

c. Resolución

Se estima el recurso de casación interpuesto por el propietario, ya que el TS considera que, para instalar un punto de recarga de vehículo eléctrico para uno privado en una plaza individual de garaje, basta con la previa comunicación a la comunidad, asumiendo el propietario todos los costes y el consumo.

Instalación que excede los límites de la propia plaza

Sentencia de la Audiencia Provincial de Bizkaia n.º 231/2020, de 1 de octubre, ECLI:ES:APBI:2020:709

a. Antecedentes de hecho

Se recurre en apelación la sentencia de primera instancia de fecha 3 de junio de 2019, en la que se desestimaba la demanda interpuesta por una propietaria, que entiende que la obra llevada a cabo por los demandados y ahora recurridos (una obra de conducción de electricidad, mediante la colocación de tubos desde la planta menos dos —cuarto de contadores— a la menos cuatro), invade un elemento privativo de la actora y que modifica elementos estructurales del edificio, además de no haberse cumplido el requisito de la comunicación previa que establece el art. 17.5 de la LPH.

b. Fundamentos de derecho

Tras debatirse también sobre la legitimación de la demandante, se analiza la comunicación a la comunidad de propietarios, si bien se entiende que la comunidad estaba informada de las obras, no se enteró del trayecto de la conducción hasta que la obra ya estaba realizada:

> «(...) por lo que realmente **no cabe entender que el requisito de la comunicación previa se haya efectuado en la forma exigida legalmente**, especialmente si se tiene en cuenta que la instalación ejecutada suponía una evidente afectación de elementos comunes, pues hubo que agujerear los forjados, a fin de poder pasar los correspondientes tubos de las conducciones eléctricas, de una planta a las inferiores.
>
> Y aquí radica precisamente el quid de la cuestión, en que **al ser necesario perforar los forjados**, que como es de sobra conocido, son elementos fundamentales de la estructura del edificio, y por ello, **elementos comunes por naturaleza**, de la edificación en que se ubican los garajes litigiosos, **para acometer dicha obra hubiera sido necesario el consentimiento unánime de todos los propietarios**, como recuerdan las SSTS de 28 de marzo y de 16 de diciembre de 2014 a que antes nos hemos referido, encontrándonos con que en este caso ni siquiera la Comunidad tomó acuerdo alguno al respecto, ni unánime, ni por mayoría, pues la Junta celebrada el día 16 de enero de 2017 fue meramente informativa y en ella no se tomó ningún acuerdo sobre esta cuestión; pero es que además de afectar notoriamente la obra realizada a elementos comunes, perforando los forjados de las plantas -2 y -3, los conductos instalados atraviesan de la finca registral nº. NUM000, o elemento n.º dos, local destinado a 34 plazas de garaje y ocho locales, sito en la planta segunda de lonjas.
>
> Y desde esta perspectiva, y exigiendo el artículo 17.5 de la L.P.H. que "la instalación de un punto de recarga de vehículos eléctricos para uso privado en el aparcamiento del edificio **se ubique en una plaza individual de garaje**", está claro que en el caso que es objeto de enjuiciamiento, tales exigencias no se han respetado,

pues **la instalación ejecutada desborda ampliamente los límites establecidos legalmente** a dicho precepto, pues arranca desde la zona de contadores en la planta -2, perfora los forjados de esta planta, atraviesa toda la planta -3, de techo a suelo, perforando su forjado y llega a la planta -4 donde se ubican las parcelas de los demandados, finalizando en los puntos de recarga, cuando lo que la ley exige es que la instalación vaya en cada plaza de garaje y en este sentido se ha pronunciado ya la sentencia de la A.P. de Asturias de 5 de abril de 2019, al señalar en su fundamento jurídico señaló:

"...en cuanto **dichos postes individuales según la legislación aplicable han de ir en cada plaza**, siendo esta la solución contemplada en el art. 17.5 de la LPH según el cual '5. La instalación de un punto de recarga de vehículos eléctricos para uso privado en el aparcamiento del edificio, siempre que éste se ubique en una plaza individual de garaje, sólo requerirá la comunicación previa a la comunidad. El coste de dicha instalación y el consumo de electricidad correspondiente serán asumidos íntegramente por el o los interesados directos en la misma'".

Y si a todo lo dicho se une el que no consta la existencia de servidumbre alguna que imponga a la finca registral NUM000 la obligación de soportar que tales conducciones eléctricas atraviesan el local referido en beneficio de la finca nº NUM001 o local de la planta cuarta destinado a 79 plazas de garaje y 9 locales, la estimación de la demanda deviene obligada, toda vez que no se han cumplido las exigencias establecidas en el artículo 17.5 de la L.P.H., en relación con lo dispuesto en el artículo 7.1 de la misma ley, según ha quedado pormenorizado en los párrafos precedentes».

c. Resolución

Se estima el recurso de apelación revocando la resolución recurrida con estimación de la demanda interpuesta, declarando ilegal la obra ejecutada por los demandados para la instalación de dos puntos de recarga para vehículos eléctricos en los locales de la comunidad de propietarios, condenándoles a restablecer dichos garajes a su primitivo estado.

530 Obras para la instalación de placas solares

Obras para la instalación de placas solares

En la actualidad son cada vez más las comunidades de propietarios que, con la finalidad de reducir los costes de la electricidad, así como con la intención de ser más sostenibles, apuestan por la instalación de placas solares.

La Ley de Propiedad Horizontal, en su artículo 17, ya recoge la posibilidad de instalar sistemas comunes o privativos de aprovechamiento de energías renovables, y lo hace diferenciando varios supuestos, en los que se exigen mayorías distintas:

«Los acuerdos de la Junta de propietarios se sujetarán a las siguientes reglas:

1. La instalación de las infraestructuras comunes para el acceso a los servicios de telecomunicación regulados en el Real Decreto-ley 1/1998, de 27 de febrero, sobre infraestructuras comunes en los edificios para el acceso a los servicios de telecomunicación, o la adaptación de los existentes, así como la **instalación de sistemas comunes o privativos, de aprovechamiento de energías renovables, icluyendo la aerotermia y geotermia, o de las infraestructuras necesarias para acceder a nuevos suministros energéticos colectivos,** podrá ser acordada, a petición de cualquier

propietario, por un tercio de los integrantes de la comunidad que representen, a su vez, un tercio de las cuotas de participación.

La comunidad no podrá repercutir el coste de la instalación o adaptación de dichas infraestructuras comunes, ni los derivados de su conservación y mantenimiento posterior, sobre aquellos propietarios que no hubieren votado expresamente en la Junta a favor del acuerdo. No obstante, si con posterioridad solicitasen el acceso a los servicios de telecomunicaciones o a los suministros energéticos, y ello requiera aprovechar las nuevas infraestructuras o las adaptaciones realizadas en las preexistentes, podrá autorizárseles siempre que abonen el importe que les hubiera correspondido, debidamente actualizado, aplicando el correspondiente interés legal.

No obstante lo dispuesto en el párrafo anterior respecto a los gastos de conservación y mantenimiento, la nueva infraestructura instalada tendrá la consideración, a los efectos establecidos en esta Ley, de elemento común.

2. (...)

La realización de obras o actuaciones que contribuyan a la mejora de la eficiencia energética acreditables a través de certificado de eficiencia energética del edificio o la **implantación de fuentes de energía renovable de uso común**, así como la solicitud de ayudas y subvenciones, préstamos o cualquier tipo de financiación por parte de la comunidad de propietarios a entidades públicas o privadas para la realización de tales obras o actuaciones, requerirá el voto favorable de la mayoría simple de los propietarios, que, a su vez, representen la mayoría simple de las cuotas de participación, siempre que su importe repercutido anualmente, una vez descontadas las subvenciones o ayudas públicas y aplicada en su caso la financiación, no supere la cuantía de doce mensualidades ordinarias de gastos comunes. El propietario disidente no tendrá el derecho reconocido en el apartado 4 de este artículo y el coste de estas obras, o las cantidades necesarias para sufragar los préstamos o financiación concedida para tal fin, tendrán la consideración de gastos generales a los efectos de la aplicación de las reglas establecidas en la letra e) del artículo noveno.1 de esta ley.

3. El establecimiento o supresión de los servicios de portería, conserjería, vigilancia u otros servicios comunes de interés general, supongan o no modificación del título constitutivo o de los estatutos, requerirán el voto favorable de las tres quintas partes del total de los propietarios que, a su vez, representen las tres quintas partes de las cuotas de participación.

Idéntico régimen se aplicará al arrendamiento de elementos comunes que no tengan asignado un uso específico en el inmueble y el **establecimiento o supresión de equipos o sistemas, no recogidos en el apartado 1, que tengan por finalidad mejorar la eficiencia energética o hídrica del inmueble.** En este último caso, los acuerdos válidamente adoptados con arreglo a esta norma obligan a todos los propietarios. No obstante, si los equipos o sistemas tienen un aprovechamiento privativo, para la adopción del acuerdo bastará el voto favorable de un tercio de los integrantes de la comunidad que representen, a su vez, un tercio de las cuotas de participación, aplicándose, en este caso, el sistema de repercusión de costes establecido en dicho apartado».

De la redacción de la LPH cabe diferenciar tres supuestos distintos:

- El recogido en el apdo. 1 del art. 17 de la LPH, que parece pensado para aquellos supuestos en los que el beneficio de la instalación recaerá únicamente sobre aquellos comuneros que voten a favor, y que se caracteri-

za por exigir el voto favorable de un tercio de los integrantes de la comunidad, que representen a su vez un tercio de las cuotas de participación.
- El apdo. 2 del art. 17 de la LPH para cuando el coste de la instalación no supera la cuantía de 12 mensualidades de cuotas anuales.
- El recogido en el apdo. 3 del art. 17 de la LPH, referido a aquellos supuestos en los que la instalación va a beneficiar a la totalidad de la comunidad, y en los que se exige el voto favorable de tres quintas partes de los propietarios que representen tres quintas partes de las cuotas de participación.

Necesidad de autorización de la junta de propietarios cuando se afectan elementos comunes

Sentencia de la Audiencia Provincial de Málaga n.º 72/2019, de 11 de febrero, ECLI:ES:APMA:2019:582

a. Antecedentes de hecho

Se presenta recurso de apelación contra la sentencia de primera instancia que estimaba la demanda de la comunidad de propietarios y declaraba la ilegalidad de la instalación de la obra e instalación doméstica de agua caliente de producción solar, y condenaba a retirar la misma.

b. Fundamentos de derecho

Tras pronunciarse sobre la legitimidad del presidente para demandar, la sala entra al fondo de la cuestión resolviendo sobre si la instalación de una placa solar con dos paneles puede considerarse una obra o no, y si se realizó en un elemento común o privativo:

«(...) concluir que **estamos ante una obra en el amplio sentido de la palabra**, la cual consistió en la construcción de un apoyo con dados de hormigón o ladrillo y cemento, realizando una impermeabilización y colocando las placas con perforaciones en el forjado para pasar los tubos. Es más, el propio perito presentado por la parte demandada, admitió expresamente al ser preguntado sobre el particular que para la instalación de las placas "era necesario ejecutar obras" siendo preciso ejecutar los apoyos necesarios. Por otra parte resulta probado que la colación de las placas solares y su acumulador ha conllevado la modificación de la configuración de la cubierta debido a las obras que son necesarias para su colocación, así como a la ocupación privativa de espacio comunitario, cubierta, cuya carácter común es incuestionable con el consiguiente aprovechamiento del vuelo por parte de uno de los comuneros».

A continuación, se refiere la sentencia al posible perjuicio a los demás copropietarios, afirmando la sala la existencia de dicho perjuicio ya que:

«(...) la ocupación de la zona de cubierta para uso exclusivo de los hoy demandados, impiden que otros propietarios puedan llevar a cabo el mismo tipo de instalación en la cubierta, por falta de espacio para el resto (...)».

Concluyendo:

«Partiendo de todos estos extremos acreditados y que resultan relevantes para analizar la cuestión debatida resulta evidente en el supuesto que nos ocupa de la necesidad de autorización expresa de la junta de propietarios para llevarlas a cabo, tal y como expresamente recoge el art. 17.1 de la LPH, pues las obras realizadas, lo han sido en la cubierta y suponen la alteración de un elemento común (art 396 Código Civil), requiriendo el tipo de obra que nos ocupa, a tenor de la actual redacción del artículo referido la autorización «por mayoría de tercio de las cuotas para la instalación de sistemas comunes o privativos de aprovechamiento de energías renovables». No estamos ante una obra en elemento privativo, como se alega por los apelantes en apoyo de sus pretensiones revocatorias, y por tanto no resulta de aplicación el art 7.1 de la LPH, solo aplicable cuando el comunero actúa dentro de su propio inmueble lo que no acontece en el supuesto que nos ocupa. Siendo evidente, y es un hecho no controvertido, que los demandados ni tan siguiera solicitaron la correspondiente autorización de la junta, de ahí la procedencia de la declaración de ilegalidad de las obras así como del resto de las declaraciones efectuadas en la sentencia objeto de apelación, consecuencias de la anterior, y que resultan necesarias para reponer la zona de cubierta afectada al estado anterior a la instalación de las placas.

A mayor abundamiento solo cabe añadir ante el hecho alegado por la apelante de ausencia de perjuicio para la comunidad, ausencia de perjuicio no acreditado no está acreditada, pues tal y como hemos razonado el perjuicio es evidente, además la LPH no condiciona la posibilidad de ejercicio de la acción en defensa de los elementos comunes, a la circunstancia de que concurra un perjuicio para la comunidad, pues se confiere tal posibilidad, ante cualquier modificación o alteración de las zonas comunes sin el consentimiento unánime de la comunidad o de las mayorías requeridas, a diferencia de lo que ocurre dentro del propio piso, en cuyo caso el art. 7 LPH autoriza la realización de tales obras, siempre que no perjudiquen los derechos del otro propietario».

c. Resolución

Se desestima íntegramente el recurso de apelación interpuesto, confirmando la sentencia de primera instancia en su totalidad.

Sentencia de la Audiencia Provincial de Murcia n.º 130/2018, de 15 de mayo, ECLI:ES:APMU:2018:1161

a. Antecedentes de hecho

Se recurre en apelación la sentencia de primera instancia que desestimaba la demanda del propietario en la que se solicitaba la nulidad del acuerdo de la junta de propietarios que aprobaba darle al mismo el plazo de un mes para retirar 7 aparatos de aire acondicionado y dos termos solares situados en la cubierta.

b. Fundamentos de derecho

Se entiende en la sentencia que deben analizarse por separado los 7 aparatos de aire acondicionado, que sustituían a unos ya existentes, y los dos termos solares (sendas placas solares con sus depósitos de agua para proporcionar agua caliente al local), que han sido instalados con posterioridad.

Si bien con relación a los aparatos de aire acondicionado considera la sala que se entiende que la comunidad tuvo una voluntad favorable a los mismos, mientras que, en lo que se refiere a los termos solares, da una respuesta distinta:

«Y distinto es el caso de los termos solares, pues como se ha dicho, su instalación no supone sustitución de otros aparatos similares anteriores, ni consta en autos que existan otros aparatos similares situados en la cubierta de la planta baja (o en otro elemento común), por lo que **al no haber sido solicitada autorización para instalarlos en un elemento común, la pretensión de la comunidad tendente a su retirada resulta perfectamente legal**, y no puede considerarse contraria a derecho».

c. Resolución

Se estima parcialmente el recurso, revocando en parte la sentencia de primera instancia únicamente en lo relativo al aire acondicionado.

540

Obras para la instalación o reforma de ascensores y salvaescaleras

Las obras necesarias para facilitar la accesibilidad y eliminar las barreras arquitectónicas en las comunidades de propietarios, tales como la instalación de rampas, salvaescaleras, elevadores, ascensores, que se dan sobre todo en edificios antiguos, son de las que más problemas suponen en la práctica debido al alto coste que suponen, y a la necesidad de modificar elementos privativos que se da en algunas ocasiones.

Hay que partir de la diferencia que existe legalmente en el tratamiento de esta situación cuando estamos en el caso de personas con discapacidad o personas mayores de 70 años, y cuando no.

El apdo. 1.b) del artículo 10 de la LPH establece que tendrán carácter obligatorio y no requerirán acuerdo previo de la junta de propietarios, entre otras:

«Las obras y actuaciones que resulten necesarias para garantizar los ajustes razonables en materia de accesibilidad universal y, en todo caso, las requeridas a instancia de los propietarios en cuya vivienda o local vivan, trabajen o presten servicios voluntarios, **personas con discapacidad, o mayores de setenta años**, con el objeto de asegurarles un uso adecuado a sus necesidades de los elementos comunes, así como la instalación de rampas, ascensores u otros dispositivos mecánicos y electrónicos que favorezcan la orientación o su comunicación con el exterior, siempre que el importe repercutido anualmente de las mismas, una vez descontadas las subvenciones o ayudas públicas, no exceda de doce mensualidades ordinarias de gastos comunes. No eliminará el carácter obligatorio de estas obras el hecho de que el resto de su coste, más allá de las citadas mensualidades, sea asumido por quienes las hayan requerido.

También será obligatorio realizar estas obras cuando las ayudas públicas a las que la comunidad pueda tener acceso alcancen el 75 % del importe de las mismas».

CUESTIÓN

¿Qué ocurre cuando el coste supera las 12 mensualidades ordinarias de gastos comunes?

En estos casos pueden darse varias posibilidades. La primera sería que el solicitante asumiera el resto de su coste, en cuyo caso se mantendría la obligación de la comunidad de llevar a cabo las obras. La segunda que consistiría en someter la instalación a votación en la junta de propietarios y si se aprobase la obra, quedarían obligados todos los propietarios independientemente del importe. Y la tercera que se da cuando el solicitante no asume el exceso del coste, y la junta no lo aprueba, que conlleva que la obra no se lleve a cabo.

Si no nos encontramos en este supuesto, la LPH establece en los dos primeros párrafos del apdo. 2 del artículo 17 de la LPH lo siguiente:

«Sin perjuicio de lo establecido en el artículo 10.1 b), la realización de obras o el establecimiento de nuevos servicios comunes que tengan por finalidad la supresión de barreras arquitectónicas que dificulten el acceso o movilidad de personas con discapacidad y, en todo caso, el establecimiento de los servicios de ascensor, incluso cuando impliquen la modificación del título constitutivo, o de los estatutos, requerirá el **voto favorable de la mayoría de los propietarios**, que, a su vez, representen la **mayoría de las cuotas de participación.**

Cuando se adopten válidamente acuerdos para la realización de obras de accesibilidad, la comunidad quedará obligada al pago de los gastos, aun cuando su importe repercutido anualmente exceda de doce mensualidades ordinarias de gastos comunes».

Mayorías exigidas para los acuerdos asociados al acuerdo de instalación del ascensor

Sentencia del Tribunal Supremo, rec. 2029/2006, de 13 de septiembre de 2010, ECLI:ES:TS:2010:4859

a. Antecedentes de hecho

Se recurre la sentencia de la Audiencia Provincial de Valladolid que estima el recurso planteado y, en consecuencia, estima la demanda y declara nulos los acuerdos tomados por la comunidad de propietarios en los que se acordaba la permuta del espacio privativo propiedad de los dueños del local comercial por un espacio equivalente del portal perteneciente a la comunidad, además de exonerar al vecino que realiza la permuta de los gastos derivados de la instalación y mantenimiento del ascensor.

b. Fundamentos de derecho

Se plantea la cuestión de si, para la aprobación de los acuerdos relacionados con la instalación del ascensor, es necesaria la misma mayoría que la fijada para el acuerdo de instalación en el apdo. 2 del art. 17 de la LPH, a lo que la sala da respuesta mediante el análisis de la decisión adoptaba en supuestos asimilables:

«En la sentencia de 18 de diciembre de 2008, correspondiente al recurso 880/2004, acreditada la presencia de vecinos minusválidos en la finca, en el marco de la instalación de un ascensor ex novo en la comunidad, se estableció que «a tenor del artículo 17 será suficiente la **simple mayoría** para la supresión de las ‹barreras arquitectónicas›, que dificulten el acceso y la movilidad de las personas con minusvalía; esta regla permite a la Comunidad imponer esa servidumbre [ocupación de parte de un local privativo para la instalación del ascensor] para la creación de servicios de interés general y cuando el acuerdo de la Junta reúna los presupuestos legales, con el oportuno resarcimiento de daños y perjuicios". Por tanto, en ella **se exige el mismo régimen de mayorías previsto en el artículo 17 LPH para la adopción de aquellos acuerdos que se deriven necesariamente de la instalación del ascensor**, incluido el resarcimiento del daño que la imposición de una servidumbre en un elemento privativo pueda acarrear a alguno de los propietarios.

En aplicación de la anterior doctrina, ha de entenderse que el acuerdo de fecha 15 de junio de 2004 por el cual la comunidad de propietarios recurrente establecía la permuta de una parte del portal comunitario de las mismas dimensiones que la porción de superficie de la que era privado el propietario del local comercial para favorecer la instalación del ascensor, ha de considerarse consecuencia lógica y directa del establecimiento de tal servicio común. Por tanto, **no puede exigirse a tal acuerdo otra mayoría que la establecida en la Ley para la instalación del ascensor, o sea, la mayoría simple** al haberse acreditado la presencia de vecinos minusválidos en la finca, al ser consecuencia directa del acuerdo y por constituir la permuta un negocio jurídico de resarcimiento del daño causado por la servidumbre impuesta. Que en este supuesto de hecho la comunidad hubiera preferido la permuta de espacio común en lugar de una indemnización a tanto alzado como en el supuesto previsto en la Sentencia de 18 de diciembre de 2008, no impide que sea de aplicación el mismo razonamiento que ya se expusiera en tal resolución.

En cuanto al otro acuerdo cuya nulidad se solicitaba por los actores ahora recurridos, la Sentencia de 18 de diciembre de 2008 recaída en el Recurso 2469/2003 consideró, acogiendo el planteamiento de la sentencia de apelación al desestimar el recurso de casación contra ella interpuesto, que el acuerdo por el cual se había **exonerado a un propietario del pago en el futuro de los gastos de reparación, sustitución y mantenimiento del ascensor** «ha sido como contraprestación a la servidumbre impuesta a sus locales para la instalación del ascensor, que es necesaria para la creación de este servicio común de interés general y por el que tiene derecho a ser resarcido por los daños y perjuicios que se le ocasionen (artículo 9 c) de la Ley de Propiedad Horizontal). Si un propietario soporta una servidumbre para permitir el establecimiento de un servicio de interés general autorizada por la mayoría determinada en el artículo 17 de la Ley, la aprobación de la indemnización a percibir por este propietario ha de ser aceptada por idéntica mayoría, y carece de sentido la exigencia de la recurrente con relación a la unanimidad del acuerdo de la indemnización».

En vista de lo anterior, el acuerdo de 15 de junio de 2004 por el cual se exoneraba al propietario del local comercial del pago de los gastos de instalación del ascensor así como los futuros de mantenimiento, fue adoptado por la mayoría necesaria exigida para la instalación del servicio de ascensor, como consecuencia directa de este acuerdo, al ser, en definitiva, una parte de la indemnización por la servidumbre que tal propietario se ve obligado a soportar para la instalación del ascensor».

c. Resolución

Se estima el recurso de casación interpuesto por la comunidad de propietarios, casando y anulando la sentencia recurrida, y confirmando la dictada en primera instancia, por la cual se desestimaba la demanda de impugnación de los acuerdos adoptados por la junta de propietarios de la comunidad.

Además, se declara como doctrina jurisprudencial que **para la adopción de los acuerdos que se hallen directamente asociados al acuerdo de instalación**

del ascensor, aunque impliquen la modificación del título constitutivo, o de los estatutos, se exige la misma mayoría que la Ley de Propiedad Horizontal exige para el acuerdo principal de instalación del ascensor. Véase también la **sentencia del Tribunal Supremo, rec. 1428/2012, de 23 de diciembre de 2014, ECLI:ES:TS:2014:5726**.

Contribución de los locales en los gastos de instalación de plataforma elevadora

Sentencia del Tribunal Supremo n.º 202/2014, de 23 de abril, ECLI:ES:TS:2014:2390

a. Antecedentes de hecho

Por la comunidad de propietarios se presenta recurso de casación e infracción procesal contra la sentencia de la Audiencia Provincial de Madrid, que declaraba la nulidad del acuerdo adoptado por la comunidad de propietarios relativo a la imputación a la propietaria del local, de los gastos derivados de la plataforma sobreelevadora.

b. Fundamentos de derecho

La cuestión de fondo que se plantea es si los propietarios de los locales deben de contribuir al pago de los gastos ocasionados por la instalación en el edificio de una plataforma «salva escaleras», para evitar las barreras arquitectónicas, cuando en los estatutos se prevé que están exentos de la contribución a los gastos de ascensor, a lo que la sala da respuesta de la siguiente manera:

«En efecto, como ha declarado esta Sala en su sentencia de 10 de febrero de 2014, (núm. 38/2014), el alcance de la exención relativa a obras de adaptación o sustitución de los ascensores no resulta comparable a aquellos supuestos en donde **la instalación del ascensor se realiza por primera vez**; pues se trata de **garantizar la accesibilidad y mejora general del inmueble**.

La aplicación analógica de esta doctrina jurisprudencial no ofrece duda, conforme a las modificaciones introducidas por la Ley 51/2003, cuando la nueva instalación, y con ella la mejora del inmueble, tiene por objeto la supresión de las barreras arquitectónicas que dificulten el acceso o movilidad de las personas en situación de discapacidad. En el presente caso, la Comunidad de Propietarios adoptó el acuerdo de instalar la plataforma elevadora con tal fin y de imputar sus gastos a todos los propietarios, tanto de viviendas como de locales, de conformidad con las previsiones legales modificando incluso los estatutos de la comunidad, de forma que no cabe estimar la pretensión de la parte demandante respecto a la nulidad del acuerdo adoptado. Extremo que no puede escendirse, pues declarada la validez del mismo procede inevitablemente su aplicación o ejecución respecto del reparto proporcional del coste económico derivado».

c. Resolución

Se estima el recurso de casación interpuesto y se fija como doctrina jurisprudencial que el alcance de la exención relativa a obras de adaptación o sustitución de los ascensores no resulta aplicable a aquellos supuestos en donde la instalación de la plataforma elevadora se realiza para garantizar la accesibilidad y mejora del inmueble con la finalidad de suprimir las barreras arquitectónicas que dificulten el acceso o la movilidad de las personas en situación de discapacidad; todo ello, conforme a la legalidad del acuerdo adoptado.

Contribución de los locales comerciales en los gastos de sustitución del ascensor

Sentencia del Tribunal Supremo n.º 38/2014, de 10 de febrero, ECLI:ES:TS:2014:232

a. Antecedentes de hecho

Se interpone recurso de casación por el propietario del local contra la sentencia de la Audiencia Provincial de Santander que confirmaba la sentencia de instancia y desestimaba la demanda interpuesta en la que se solicitaba que se dejara sin efecto y se declarase nulo el punto del acuerdo adoptado en la junta de propietarios que declaraba que los locales propiedad del demandante están exentos de contribuir a los gastos de sustitución de los ascensores de la comunidad.

b. Fundamentos de derecho

Se parte en la sentencia del análisis de la cláusula de los estatutos de la comunidad que establece que: «los gastos de conservación y reparación de los ascensores y así como los de conservación, reparación y alumbrado del portal y escaleras serán sufragados por los propietarios de las viviendas e incluso las dependencias del entresuelo comercial con puerta de acceso a la escalera, no contribuyendo a los mismos por no usar de tales elementos, con excepción de los gastos del portal si abren puerta a él, los locales de la planta baja comercial».

Tras analizar la doctrina del tribunal, concluye la sala que el acuerdo por el que se decidió la contribución del recurrente a los gastos de las obras de sustitución del ascensor es nulo:

> «**El alcance de la exención relativa a obras de adaptación o sustitución de los ascensores no resulta comparable a aquellos supuestos en que la instalación del ascensor se realiza por primera vez.** En estos últimos supuestos, se trata de garantizar la accesibilidad y la mejora general del inmueble, por lo que la conclusión que ahora se alcanza, no se opone a lo dispuesto en otras decisiones adoptadas por esta Sala (STS de 20 de octubre de 2010, RC núm. 2218/2006, entre otras) en la que se establece que las cláusulas que eximen del deber de contribuir a "gastos de conservación, limpieza, alumbrado de portales y escaleras" a los propietarios de locales que no tienen acceso por dichos portales, deben entenderse en el sentido de que no les libera del deber de contribuir a sufragar los gastos de instalación de los mismos, en aquellos casos en los que es necesaria para la adecuada habitabilidad del inmueble, puesto que en el caso que nos ocupa se trata de la sustitución o cambio de un ascensor ya existente y no de su instalación originaria».

c. Resolución

Se estima el recurso de casación, dejando sin efecto la sentencia recurrida, así como la de instancia y, en consecuencia, se declara que los locales propiedad del demandante están exentos de contribuir a los gastos de sustitución de los ascensores de la comunidad.

Contribución de los locales comerciales en gastos de reforma de ascensor

Sentencia del Tribunal Supremo n.º 678/2016, de 17 de noviembre, ECLI:ES:TS:2016:5102

a. Antecedentes de hecho

Se recurre en casación la sentencia de la Audiencia Provincial de Zaragoza de fecha 11 de noviembre de 2014, que desestimaba la demanda interpuesta por la propietaria de los locales, solicitando la nulidad del acuerdo de la junta general extraordinaria que le obligaba a contribuir en los gastos originados por la supresión de barreras arquitectónicas a realizar en el ascensor y escalera.

Entiende el recurrente que se vulnera la literalidad de los estatutos en los que se dispone que: «**los dueños de la planta baja o primera de la casa no tienen** participación **en la escalera ni en el ascensor si llegara a establecerse**», «los gastos de conservación, reparación y reconstrucción de las escaleras serán costeados por todos los condueños, **excepto los de la planta baja o primera y patio posterior**» y también que: «Los dueños de la planta **baja** están **exentos** de los gastos a que se refiere el artículo anterior y de los de **funcionamiento, conservación y reconstrucción del ascensor** si se estableciere. Los gastos de escalera y ascensor se dividirán entre las demás condueños en la siguiente proporción (...)».

b. Fundamentos de derecho

Consideran los recurrentes que además de vulnerarse los estatutos, se está vulnerando la doctrina del TS, entre otros puntos, al no aplicar el criterio de que: «las exenciones genéricas de gastos que afectan a los locales contenidas en las cláusulas estatutarias, con apoyo en el no uso del servicio, comprenden tanto los gastos ordinarios como los extraordinarios».

La sala considera que en la sentencia recurrida «Se confunde lo que es el quorum necesario para aprobar una obra, que se considera necesaria, con el régimen jurídico aplicable a su pago y que se concreta en este caso en el mantenimiento de las exenciones estatutarias, contra lo dispuesto en la sentencia recurrida. Y es que una cosa es la obligatoriedad de las obras y otra distinta el marco legal y estatutario que vincula a los comuneros para su contribución al pago las mismas».

También concluye la sentencia analizada que en este caso **no estamos ante un servicio nuevo**, al que podría aplicarse la doctrina del Supremo según la cual exención por los estatutos del deber de contribuir a los gastos de conservación de portales y escaleras amparadas en el no uso, no les libera del deber de contribuir a sufragar los gastos de instalación del ascensor.

c. Resolución

Se estima el recurso de casación interpuesto por la propietaria de los locales, anulando la sentencia de la audiencia, y estimando la demanda formulada declarando que el propietario del local no tiene participación ni obligación de pagar gasto alguno por las obras a realizar en la escalera ni en el ascensor, acordando la nulidad del punto del orden del día de la junta general de propietarios que establecía su obligación de participar en los gastos originados por la supresión de barreras arquitectónicas con relación a los citados elementos ya existentes.

La disconformidad de los locales con el método elegido para calcular la derrama no convierte el acuerdo en ilegal

Sentencia del Tribunal Supremo n.º 152/2024, de 6 de febrero, ECLI:ES:TS:2024:475

a. Antecedentes de hecho

Se presenta recurso de casación por dos propietarios de los locales de una comunidad de propietarios contra la sentencia de la Audiencia Provincial de Valladolid que desestimaba la demanda en la que se solicitaba que se declarasen nulos o anulables los acuerdos de las juntas de la comunidad de propietarios en los que se aprobaban la instalación de un ascensor y el pago de los gastos correspondientes mediante el coeficiente de participación de cada propietario en la comunidad (que está integrada de 3 portales).

Los demandantes alegaban defectos de convocatoria, vulneración del título constitutivo, falta de la mayoría necesaria y alteración de los coeficientes de participación en la contribución de los gastos comunes. Entendían que conforme a los estatutos estarían excluidos de los gastos del ascensor, y que a pesar de ello se les imponía por parte de la comunidad la obligación de pago por coeficiente.

b. Fundamentos de derecho

Al resolver el recurso, el TS recuerda que es jurisprudencia consolidada que, cuando se instala por primera vez un ascensor, los propietarios de los locales comerciales y de los garajes también deben contribuir al gasto, y que la exención de la participación en los gastos de ascensor que se puede establecer en los estatutos no ampara el hecho de que no deban contribuir a los gastos de su instalación.

Resalta que la comunidad, dentro de los márgenes del art. 5 de la LPH, ofreció a los comuneros optar entre dos sistemas de pago: el pago por alturas o por coeficiente de participación, y recoge que:

> «La sentencia de pleno de 24 de diciembre de 2014 (ROJ: STS 5726/2014 —ECLI:ES:TS:2014:5726—), invocada en el recurso, no estableció que el único sistema posible de contribución de los propietarios de locales al gasto de instalación del ascensor fuera el de la altura, sino que consideró que ese método era uno de los racionalmente posibles. De hecho, en el caso resuelto por dicha sentencia la opción por el método de la altura suponía que el propietario del local acabara pagando más que si se hubiera utilizado el coeficiente de participación en los elementos comu-

nes. En todo caso, lo relevante es que el acuerdo que opte por un concreto método de repercusión del gasto no puede lesionar gravemente los intereses de ningún propietario (art. 18.1 c LPH)».

Concluye el Alto Tribunal que la mera disconformidad del recurrente con el método elegido para calcular la derrama no convierte el acuerdo en ilegal o gravemente perjudicial para sus intereses, destacando que, más bien al contrario, la contribución por coeficiente de participación es la modalidad genérica con la que se sufragan los gastos comunes.

c. Resolución

Se desestima el recurso presentado por los propietarios de los locales, y se confirma, por tanto, la sentencia de la Audiencia Provincial de Valladolid que desestimaba la impugnación de los acuerdos.

Exoneración de algunos propietarios de pagar el ascensor

Sentencia del Tribunal Supremo n.º 277/2026, de 23 de febrero, ECLI:ES:TS:2026:777

a. Antecedentes de hecho

Dos comunidades de propietarios distintas acuerdan instalar un ascensor de forma conjunta porque, dadas las características y antigüedad de los edificios solo es técnicamente viable una solución común.

Una de las comunidades acuerda la instalación del ascensor y exonera de pago al propietarios del local comercial y a los propietarios de dos pisos por que deben ceder sus trasteros privativos, imprescindibles para ejecutar la obra.

Si bien, se pretenden impugnar los acuerdos de que tres propietarios queden exentos de pagar la instalación y que el que coste que estos no paguen se repercuta entre los propietarios, incremento lo que estos tienen que abonar por la instalación.

Lo que alegan para la impugnación de estos acuerdos es que el apdo. 1.e) de art. 9 de la LPH obliga a todos los propietarios a contribuir a los gastos comunes, que exonerar a algunos propietarios del pago exige unanimidad, no basta la mayoría y que, como locales, no tienen beneficio del ascensor y no tiene obligación jurídica de soportar las exenciones acordadas a favor de otros.

b. Fundamentos de derecho

El TS recuerda su propia doctrina, señalando que los acuerdos directamente asociados a la instalación de ascensor, como la distribución del gasto y la exención de determinados propietarios, se adoptan con la misma mayoría que la ley exige para el acuerdo principal de instalación del ascensor, aunque se modifique el título constitutivo o estatutos.

La finalidad de la anterior doctrina es la de favorecer la eliminación de barreras arquitectónicas y permitir flexibilidad en el reparto de gastos, siempre que no haya lesión grave de intereses de algún propietario o propietaria.

Por lo tanto, no es necesaria la unanimidad para acordar exenciones de pago ligadas a la instalación de ascensor basta con la mayoría legalmente prevista para el acuerdo de instalación.

En este caso, la única base concreta alegada por los recurrentes para el grave perjuicio es que pagan más de lo que pagarían si se aplicara estrictamente su coeficiente sin exenciones a terceros, el TS considera que este argumento es insuficiente para acreditar un grave perjuicio y además es paradójico, porque llevaría a que cualquier exención acordada en la comunidad supusiera automáticamente un grave perjuicio, vaciando de contenido la propia doctrina que permite ciertas exenciones vinculadas a la instalación del ascensor.

c. Resolución

Es válido acordar, por la misma mayoría que el acuerdo de instalación del ascensor que ciertos propietarios queden exentos del pago si hay una causa objetiva, como es el caso de la cesión de trasteros privativos para realizar la instalación.

Es válido que el coste de esas exenciones se repartan entre el resto de propietarios según sus cuotas, aunque eso suponga que algunos pagan más de lo que pagarían sin exenciones, siempre que no se acredite un grave perjuicio.

Nulidad de la servidumbre para la instalación de ascensor

Sentencia del Tribunal Supremo n.º 844/2010, de 22 de diciembre, ECLI:ES:TS:2010:7557

a. Antecedentes de hecho

Una comunidad de propietarios acuerda instalar un ascensor y, para ello, ocupar parte de un local privativo, constituyendo una servidumbre sobre dicho espacio.

El local demanda la nulidad del acuerdo, la comunidad reconviene pidiendo que se declare la obligación de soportar la servidumbre e indemnización.

En primera instancia se valida el acuerdo y se declara la servidumbre y se fija una indemnización a favor de los propietarios del local comercial.

Por su parte, la Audiencia Provincial revoca y declara nulo el acuerdo de la junta y desestima la reconvención.

Por último, el TS desestima el recurso de casación de la comunidad de propietarios y confirma la nulidad del acuerdo.

b. Fundamentos de derecho

El apdo. 1.c) del art. 9 de la LPH permite imponer servidumbres sobre elementos privativos para crear servicios comunes de interés general como puede ser un ascensor, incluso contra la voluntad del propietario afectado siempre que, haya acuerdo comunitario con las mayorías legales y se indemnice adecuadamente al propietario.

Sin embargo, el Tribunal Supremo recuerda que, conforme a la naturaleza de la servidumbre es una gravamen sobre una cosa ajena que limita el dominio del propietario del predio sirviente sin llegar a vaciarlo de contenido ni hacer invisible física, funcional o económicamente la parte afectada.

Por lo tanto, la comunidad puede imponer una servidumbre, pero no puede bajo la apariencia de servidumbre, privar totalmente al propietario de una parte de su local y de su funcionalidad, porque eso ya no es servidumbre, sino una auténtica «expropiación de hecho» de un elemento privativo, que exige el consentimiento del dueño.

Así, aunque la instalación de ascensor es un servicio común de interés general y cabe en abstracto, constituir servidumbres sobre elementos privativos para ello, en este caso concreto, la ocupación aprobada en la junta de propietarios excede del concepto de servidumbre del apdo. 1.c) del art. 9 de la LPH y del art. 530 del CC, equivale a una privación sustancial del derecho de propiedad en esa parte del local y comporta, de facto, la conversión de parte del elemento privativo en elemento común.

Lo que al no existir consentimiento del propietario del local, esa privación es jurídicamente inadmisible, ya que vulnera el contenido esencial del derecho de propiedad (art. 33 de la CE y art. 348 del CC) y no puede imponerse solo con base en el acuerdo mayoritario de la junta.

c. Resolución

El acuerdo comunitario que imponía la servidumbre es nulo. Aunque si es cierto, que la comunidad por mayoría legal y con indemnización, puede imponer una servidumbre en un piso o local para instalar un ascensor, pero siempre que el elemento privativo sigua siendo utilizable y funcional.

No es posible, que al amparo del apdo. 1.c) del art. 9 de la LPH, se vacíe de contenido una parte del elemento privativo o se convierta de hecho en un elemento común, sin consentimiento del propietario. Cuando la afección hace inservible física, funcional o económicamente el espacio afectado, la comunidad no puede imponerla unilateralmente, el acuerdo es nulo si el titular no consiente.

En síntesis, el TS confirma la nulidad del acuerdo comunitario porque la ocupación pretendida no era una mera servidumbre indemnizable, sino una auténtica privación de propiedad sobre parte del local, que no puede imponerse sin el consentimiento del dueño.

Obras para la instalación de tendales 550

En primer lugar, debemos realizar unas precisiones sobre el tendal, sus posibilidades de ubicación y su consideración como elemento común o privativo.

Si en la comunidad existe un lugar destinado específicamente a este fin, deberá ser utilizado por los comuneros y tendrá la naturaleza de elemento común. Por el contrario, los tendales de cada vivienda o local serán elementos privativos.

En cuanto a su ubicación, no estará permitido colocarlos en las fachadas principales del edificio por cuanto afectan a la estética de este y sin perjuicio de que, además, muchos ayuntamientos prohíben esta práctica en sus ordenanzas.

Pero sí estará permitida su instalación en otros elementos comunes (como los patios interiores) siempre que no supongan molestia o perjuicio al resto de comuneros o a la comunidad (**sentencia de la Audiencia Provincial de Valencia n.º 585/2007, de 9 de noviembre, ECLI:ES:APV:2007:3091**).

En cuanto a las molestias que esta actividad pueda generar (por ejemplo, ropa goteando, colgando sobre la ventana del piso inferior, ropa que tapa parcialmente la ventana de otra vivienda, etc.), no existe disposición alguna que lo regule y con dificultad podremos encajar alguno de estos supuestos dentro de las actividades prohibidas del artículo 7 de la LPH. En general, debemos atender a los usos sociales y a las normas generales de educación y cortesía que deben regir la vida de la comunidad, intentando buscar medidas conciliadoras con la mediación del presidente o administrador para encauzar los conflictos que puedan surgir. Solo en casos realmente extremos y ante el comportamiento rebelde del causante podremos acudir a la acción de cesación del apdo. 2 del artículo 7 de la LPH. Ello sin perjuicio de las acciones de las que pueda disponer el propietario afectado en caso de sufrir daños en su propiedad con origen en el hecho de tender la ropa (por ejemplo, ropa desteñida que daña la propia).

Demanda entre propietarios por la instalación de un tendedero sin autorización de la comunidad de propietarios

Sentencia de la Audiencia Provincial de Albacete n.º 261/2018, de 26 de julio, ECLI:ES:APAB:2018:527

a. Antecedentes de hecho

Se recurre la sentencia de fecha 18 de abril de 2017 que absolvía a los demandados de la pretensión ejercitada por los actores que solicitaban que se declarase que la obra consistente en la instalación de un tendedero debía considerarse ilegal, y que por tanto se obligase a restablecer a su primitivo estado el elemento común afectado, obligándoles a la retirada del tendedero instalado.

b. Fundamentos de derecho

Alegan los recurrentes que los demandados han instalado un tendedero en la fachada interior del edificio, lo que supone una modificación de ese elemento común, prohibida en la escritura de división horizontal.

La sala estima el recurso en base al siguiente argumento:

«La interposición de la demanda objeto de este procedimiento persigue un fin claro amparado por la norma, como es que no se pueden llevar a cabo alteraciones en elementos comunes de un inmueble sometido al régimen de propiedad horizontal, si no es con la **autorización unánime de los copropietarios**, y que, además, debe respetarse la **estética del inmueble** y de la fachada siendo obvio que la instalación del tendedero descrito fijo cuyas características se aprecian en las fotografías acompañadas a la demanda contraviene lo dispuesto en el artículo 7 los artículos de la LPH en cuanto resulta molesto por su vertidos y por el impacto estético y de ocupación de espacio cuando se tiene la ropa colgada para el propietario de la vivienda situada en la planta baja, por lo que resulta procedente condenar a los demandados a la supresión del tendedero y reponer la fachada interior a su estado primitivo».

c. Resolución

Se estima el recurso interpuesto, revocando por tanto la sentencia recurrida y condenando a los demandados a la supresión del tendedero y a reponer la fachada interior a su estado primitivo.

Necesidad del consentimiento de la comunidad de propietarios para la instalación del tendedero

Sentencia de la Audiencia Provincial de Álava n.º 178/2014, de 10 de julio, ECLI:ES:APVI:2014:361

a. Antecedentes de hecho

Se interpone recurso de apelación contra la sentencia de primera instancia que estimando la demanda presentada por la comunidad de propietarios declara que la instalación del tendedero de carácter permanente en la fachada principal del edificio afecta a un elemento común y supone una alteración de su configuración exterior.

La recurrente alega que el título constitutivo no prohíbe el tendedero fijo instalado en la fachada hace aproximadamente 14 años, y que hay más vecinos que cuelgan ropa en la fachada, entendiendo que estamos ante una acción aislada contra ella, ya que existe un acuerdo de la comunidad que se refiere a elementos en el exterior del edificio y no concreta si fijos o móviles, no permitiendo, por tanto, hablar de afectación estética, recalcando también la existencia de otros elementos como jardineras y antenas parabólicas.

b. Fundamentos de derecho

Considera la sala que la sentencia recurrida aplica correctamente el derecho, teniendo en cuenta que la fachada constituye un elemento común que no puede alterarse sin el consentimiento expreso de la comunidad:

> «En el supuesto de autos no solo no consta ese consentimiento expreso, sino que la propia comunidad ha manifestado y requerido expresamente la retirada del tendedero antes de la presentación de la demanda y en cumplimiento del acuerdo de 31 de enero de 2011, folio 8, en el cual la mayoría de propietarios aceptó no permitir los «tendederos fuera del edificio». Acuerdo que no consta impugnado o revocado y por tanto se debe considerar obligatorio para todos los propietarios y ejecutivo, conforme a los arts. 17 y 18 LPH.
>
> De los actos o pasividad de la comunidad **no puede deducirse un consentimiento tácito** en relación con la instalación de la demandada, ni actos propios que revelen una voluntad contraria a la desautorización del tendedero en la fachada, pues el acuerdo referido y los hechos posteriores, incluida la presentación de una demanda de conciliación, ponen de relieve la voluntad expresa de la comunidad,

manifestada por la mayoría de propietarios y cuotas, en contra de dicha instalación. Voluntad que no ha sido revocada por cualquier otro acuerdo de la comunidad y que no puede entenderse derogada por la simple existencia de otros casos en los que con tendederos móviles se afecta en el mismo grado la estética exterior de la fachada, pues si realmente esas inconcretas instalaciones están afectadas por el acuerdo lo procedente no sería obviarlo, sino al contrario aplicarlo a instancia de cualquier propietario frente a quien lo infrinja, o en otro caso con la formalidad debida, cual es la convocatoria de una junta de propietarios, adoptar un nuevo acuerdo que autorice la instalación de tendederos y concrete la forma y límites.

Ningún hecho revela que la comunidad de propietarios al adoptar los acuerdos con mayoría necesaria actúe con **dolo frente la demandada**, si tenemos en cuenta que el acuerdo se adoptó en el marco de las competencias de la comunidad en relación con el uso de los elementos comunes».

c. Resolución

Se desestima el recurso de apelación interpuesto, confirmando la sentencia recurrida con imposición de costas a la recurrente.

No abuso de derecho por parte de la comunidad

Sentencia de la Audiencia Provincial de León n.º 164/2012, de 3 de abril, ECLI:ES:APLE:2012:524

a. Antecedentes de hecho

Se recurre la sentencia de fecha 1 de septiembre de 2011 que estimaba la demanda presentada por la comunidad de propietarios contra un comunero, y lo condena a retirar el tendedero instalado en la fachada del edificio, por entender que la instalación afecta a elementos comunes y no cuenta con la necesaria autorización de la comunidad.

b. Fundamentos de derecho

En lo que aquí nos incumbe se basa el recurso en dos argumentos:

1. Necesidad de autorización de la comunidad para la instalación del tendedero:

«Como ha señalado la jurisprudencia (entre otras SSTS 4 marzo y 16 diciembre 1985 y 24 junio 1987), todo propietario en régimen de propiedad horizontal, debe prestar acatamiento de la normativa reguladora de dicha forma de Comunidad, entre la que figuran los preceptos que **prohíben al propietario realizar obras que alteren la estructura del inmueble o de alguno de sus elementos comunes o afecten a su configuración**, sin haber obtenido para ello la autorización de la Junta de Propietarios, alcanzada por unanimidad de sus miembros (arts. 7, 12 y 17 LPH). Asimismo la jurisprudencia tiene declarado que tal obligación, en esencia, es inmune a que las obras de referencia favorezcan, beneficien o perjudiquen a la Comunidad a la que el ejecutante pertenece, cuestión casi irrelevante, que en nada afecta a la esencia o razón del precepto, destinado a regular una mínima convivencia entre comuneros, de la que nace, como exigencia primaria, la obligación, reclamable de todo condómino que pretenda la ejecución de una obra que afecte o interese a elementos comunes de la edificación o a su configuración, de obtener el **consentimiento previo y unánime** de los restantes, en atención al interés legítimo, reconocido y protegido que a éstos asiste, de igual entidad al menos que el de la contraparte, cuya lesión presupone la nulidad de los acuerdos, si estos se adoptaran en Junta de Propietarios, o la orden de reposición si se tratase de vías de hecho.

Además no debe desconocerse que los preceptos antes citados **permiten al propietario efectuar las modificaciones que resulten necesarias para el adecuado uso de su vivienda o local que no menoscaben la seguridad del edificio**, aunque se haya actuado sobre elementos comunes, cuando tal actuación resulte inocua e imprescindible, y se sitúe dentro de los límites razonables del ejercicio de un derecho, habiendo reseñado el Tribunal Supremo en sentencia de 20 de marzo de 1989 que las relaciones de vecindad se desenvuelven entre la prohibición del acto emulatorio (esencialmente perjudicial a terceros sin beneficio para el propietario), y el Derecho al uso inocuo.

Pero resulta incuestionable que en los casos en los que se ejecuten obras que afecten a la configuración exterior del edificio se precisará para su legalidad el consentimiento unánime de los copropietarios según lo dispuesto en el artículo 7 de la LPH (STS de 4 de Octubre del 2011)».

Continúa la sentencia recordando que el Tribunal Supremo se ha pronunciado sobre la flexibilidad en la interpretación de los requisitos exigidos para la modificación de elementos comunes cuando se trate de locales comerciales (**STS n.º 196/2011, de 17 de enero del 2012, ECLI:ES:TS:2012:282**), lo que no podría aplicarse a este caso. Tampoco sería aplicable al caso la jurisprudencia del TS sobre la instalación de aparatos de aire acondicionado (**STS n.º 1182/2008, de 15 de diciembre, ECLI:ES:TS:2008:6762**, reiterado en la **STS n.º 572/2009, de 16 de julio, ECLI:ES:TS:2009:5092**).

2. Alegación de abuso de derecho. La sala cita en este punto la **STS n.º 970/2011, de 9 enero de 2012, ECLI:ES:TS:2012:236**, para analizar la figura del abuso del derecho en las comunidades de propietarios:

«««(...) En materia de propiedad horizontal, el abuso de Derecho, se traduce en el **uso de una norma, por parte de la Comunidad o de un propietario, con mala fe, en perjuicio de otro u otros copropietarios, sin que por ello se obtenga un beneficio amparado por la norma**". En el mismo sentido se pronunciaba la STS de 17 de Noviembre del 2011.

En este caso no se acredita que la parte demandante haya actuado con mala fe o en perjuicio de la demandada. Los otros tendederos que existen están instalados en la fachada posterior del inmueble y el impacto estético no es en forma alguna similar ya que no son visibles desde la calle principal y el de la parte demandada cuando tiene ropa colgada ofrece un aspecto lamentable de la fachada en la parte Superior al portal y que se aprecia desde la vía principal. La interposición de la demanda objeto de este procedimiento persigue un fin claro amparado por la norma, como es que no se lleven a cabo alteraciones en elementos comunes de un inmueble sometido al régimen de propiedad horizontal, si no es con la autorización unánime de los copropietarios y que se respete la estética del inmueble y de la fachada. La actuación de la demandante se funda en una justa causa y su finalidad es legítima, por lo que no puede ser calificada su pretensión como abusiva pues tampoco existen otros supuestos similares que hayan sido consentidos».

c. Resolución

Se desestima el recurso de apelación confirmando la sentencia recurrida, e imponiendo las costas al propietario recurrente.

560 **Obras que implican el cambio de las ventanas**

El art. 396 del Código Civil considera las ventanas como uno de los elementos comunes del edificio:

«Los diferentes pisos o locales de un edificio o las partes de ellos susceptibles de aprovechamiento independiente por tener salida propia a un elemento común de aquél o a la vía pública podrán ser objeto de propiedad separada, que llevará inherente un derecho de copropiedad sobre los **elementos comunes del edificio**, que son todos los necesarios para su adecuado uso y disfrute, tales como el suelo, vuelo, cimentaciones y cubiertas; elementos estructurales y entre ellos los pilares, vigas, forjados y muros de carga; las fachadas, con los revestimientos exteriores de terrazas, balcones y **ventanas**, incluyendo su imagen o configuración, los elemento de cierre que las conforman y sus revestimientos exteriores; el portal, las escaleras, porterías, corredores, pasos, muros, fosos, patios, pozos y los recintos destinados a ascensores, depósitos, contadores, telefonías o a otros servicios o instalaciones comunes, incluso aquéllos que fueren de uso privativo; los ascensores y las instalaciones, conducciones y canalizaciones para el desagüe y para el suministro de agua, gas o electricidad, incluso las de aprovechamiento de energía solar; las de agua caliente sanitaria, calefacción, aire acondicionado, ventilación o evacuación de humos; las de detección y prevención de incendios; las de portero electrónico y otras de seguridad del edificio, así como las de antenas colectivas y demás instalaciones para los servicios audiovisuales o de telecomunicación, todas ellas hasta la entrada al espacio privativo; las servidumbres y cualesquiera otros elementos materiales o jurídicos que por su naturaleza o destino resulten indivisibles».

Como toda obra que implique alteración de los elementos comunes, necesita autorización de la comunidad de propietarios. No podemos olvidar que el apdo. 1 del art. 7 de la LPH regula la facultad de los propietarios de modificar sus elementos privativos, si bien especifica en su segundo párrafo: «En el resto del inmueble no podrá realizar alteración alguna y si advirtiere la necesidad de reparaciones urgentes deberá comunicarlo sin dilación al administrador». Es decir, por ejemplo, un cambio de ventanas de distinto color «(...) tienen que realizarse con el consentimiento de todos los propietarios y conforme a las normas de la Ley de Propiedad Horizontal» (**SAP León n.º 510/2019, de 14 de noviembre, ECLI:ES:APLE:2019:1318**).

El cambio de ventanas, como norma general, suele afectar a la estética del edificio y su fachada, y tal y como hemos recogido, exige de una autorización de la comunidad, si bien es cierto que la jurisprudencia no es unánime, y en algunos casos considera que entraría dentro de los límites de la tolerabilidad mínima, cuando no suponga un cambio importante en la estética de la fachada.

CUESTIONES

1. ¿Qué se entiende por la fachada del edificio?

Citando la **sentencia de la Audiencia Provincial de Málaga n.º 438/2021, de 30 de junio, ECLI:ES:APMA:2021:5294**: «(...) cuando se habla de "fachada" debe ser conceptuado como un todo, como aquello que corresponde al exterior del inmueble en su completa superficie, con independencia de que las ventanas, terrazas, o cualesquier otro supuesto estén al cuidado y mantenimiento de cada comunero, como es su obligación, pero sin que ello le permita modificar o alterar la configuración de estos elementos comunes, por lo que nadie tiene capacidad para efectuar cualquier cambio en la fachada que no haya sido autorizado previamente por la Junta de Propietarios (...)».

2. Cuando hablamos de ventanas en la cubierta, ¿también son consideradas como elemento común que requieren de acuerdo de la comunidad para su modificación?

Sí, tal y como se recoge en la **sentencia de la Audiencia Provincial de Pontevedra n.º 441/2021, de 28 de octubre, ECLI:ES:APPO:2021:2352**: «(...) Las ventanas de la cubierta, por tanto, se consideran objetivamente elementos comunes por naturaleza. La cubierta del edificio (STS de 24 abril de 2013, Rc. 1883/2010) no puede perder su naturaleza de elemento común debido a la función que cumple en el ámbito de la propiedad horizontal. Y como recuerda la STS de 13 de mayo de 2016, que cita el apelante por su similitud con el caso que nos ocupa, que alude a la sentencia de 16 de julio de 2009, Rc. 63/2005, cuando afirma que: "Las obras ejecutadas por los propietarios del piso NUM001 en la cubierta del edificio nunca pudieron ser aprobadas por mayoría. Su instalación no comporta una simple manifestación de la posesión de a vivienda o local de negocio y un uso inocuo de un elemento común autorizado por el artículo 394 del CC, antes al contrario, son obras que afectan a un elemento común básico, como es la cubierta del edificio, que ocasionan la modificación del Título Constitutivo y que exceden del derecho de uso y disfrute que todo propietario tiene respecto a los elementos comunes en la propiedad horizontal, porque a partir de la construcción de los lucernarios, no solo se altera la cubierta, sino que pasa está a ser privativa en parte de unos propietarios en perjuicio de los demás, a los que se priva de su parte proporcional en la misma y se les ocasiona la sustracción de su derecho patrimonial de vuelo, por lo que la prohibición y el perjuicio resulta evidente, necesitando para su aprobación el acuerdo unánime de los propietarios, sin que sea suficiente la mayoría"».

Exigencia de consentimiento o autorización de la comunidad para las obras que afecten a elementos comunes

Sentencia del Tribunal Supremo n.º 164/2014, de 4 de abril, ECLI:ES:TS:2014:2463

a. Antecedentes de hecho

Se dictó en primera instancia sentencia en la que se estimaba íntegramente la demanda al considerar que la pintura empleada por la demandada en las ventanas, diferente a la del resto de la fachada del edificio, alteraba la misma, por lo que condenaba a la demandada a efectuar las obras necesarias para restituir la fachada a su estado original, y en caso de no hacerlo, a que se hiciera a su costa.

Por su parte, en segunda instancia se estimó el recurso, por entender que la diferente pintura empleada en las ventanas no puede considerarse como una afectación o alteración grave de la estética de la fechada. Además, entiende que existen otras obras que también han alterado la fachada contra las que la comunidad no ha actuado, lo que conlleva un trato discriminatorio.

Por parte de la comunidad de propietarios se recurre esta segunda sentencia.

b. Fundamentos de derecho

Entiende nuestro Alto Tribunal que no puede condicionarse la autorización de la comunidad exclusivamente al alcance de la alteración:

> «4. La aplicación de la doctrina jurisprudencial que desarrollan las sentencias citadas al caso enjuiciado lleva a las siguientes consideraciones. En primer lugar, debe destacarse que **la interpretación sistemática de los artículos 7 y 11 LPH no permite que la debida autorización de la Comunidad de Propietarios quede condicionada o reconducida exclusivamente al alcance de dicha alteración en la estructura o seguridad del edificio, sino que basta con esta alteración se produzca en la configuración estética o estado exterior que presente la fachada del edificio**. En segundo lugar, porque la valoración de esta alteración no responde a los criterios interpretativos meramente subjetivos de las partes, sino a parámetros objetivables en todo caso, resultando probado, como expresamente reconoce la sentencia recurrida, el distinto color del repintado efectuado. Por último, y en tercer lugar, como acertadamente señala la sentencia de Primera Instancia, debe destacarse que la alegación del agravio comparativo, respecto de otras presuntas modificaciones no autorizadas previamente, no exime de la necesaria autorización máxime, supuesto del presente caso, cuando ni siquiera se da el presupuesto de identidad que la comparación requiere (Thema decidendi), con referencia a cerramientos de terrazas e instalación de aparatos de aire acondicionado de los que se desconoce si fueron precedidas del acuerdo comunitario conforme a las exigencias legales».

c. Resolución

Se estima el recurso de casación interpuesto por la comunidad de propietarios, y «Se reitera como doctrina jurisprudencial que la ejecución de obras en elementos comunes del edificio, como el repintado distinto de los huecos de las ventanas de la vivienda, los cuales conforman la configuración estética o estado exterior de la fachada, requieren del consentimiento o autorización previa de la comunidad, sin que la permisividad de tales obras se encuentre condicionada a la existencia o no de perjuicio para los propietarios o afecten o no a la estructura y seguridad del edificio».

No exigencia de autorización de la comunidad de propietarios

Sentencia de la Audiencia Provincial de Guadalajara n.º 242/2017, de 21 de diciembre, ECLI:ES:APGU:2017:382

a. Antecedentes de hecho

Se recurre la sentencia dictada en primera instancia que desestimaba íntegramente la demanda presentada por la comunidad de propietarios en la que se solicitaba la condena a un comunero a retirar el aparato de aire acondicionado instalado en la fachada del edificio, así como a reponer las ventanas de la vivienda que dan a la fachada a su estado originario, colocando las rejas que siempre tuvieron y tienen las que dan a las demás fachadas; y todo ello por afectar a elementos comunes del edificio, alterando su configuración y aspecto externo, sin haber obtenido autorización de la comunidad para realizarlas.

b. Fundamentos de derecho

Se parte en la sentencia analizada de que en principio no podrán alterar los elementos comunes si no es previo acuerdo de la junta de propietarios, para a continuación matizar lo siguiente:

> «Ahora bien, dicho principio general, jurisprudencialmente viene admitiendo **excepciones, derivadas de preservar la buena fe y combatir el abuso de derecho**, dado que, evidentemente, también puede ocurrir que, a la hora de intentar preservar la legalidad, se actúe con exceso o abuso de derecho. Apreciándose tales excepciones en los supuestos de transcursos de largos períodos de tiempo desde que se realizó la actuación ilegal hasta que se actuó judicialmente, o cuando ha habido múltiples modificaciones efectuadas por distintos copropietarios, sin reacción de los demás ni de la propia comunidad. Se habla entonces de la existencia de un trato discriminatorio o contrario al principio de igualdad que también debe regir en las relaciones entre los diferentes propietarios de una comunidad sometida al régimen de propiedad horizontal, discriminación que se ha configurado desde la perspectiva del abuso de derecho y la equidad y que ha dado lugar a la validación judicial de una obra, que inicialmente, no estaba autorizada.
>
> Como señalan las SSTS de 18 de enero y 10 de octubre de 2007, entre otras, **en base al principio de igualdad, la jurisprudencia ha aceptado como justificativo de la no autorización de obras a un propietario cuando han sido consentidas por la comunidad obras semejantes a otros propietarios**. Por su parte, la STS de 16-7-2009, recoge que "existe una doctrina jurisprudencial en el ámbito que nos ocupa que, en aras a un principio de equidad, mantiene que no puede aplicarse a un comunero un criterio distinto del seguido con otros, ni una desigualdad injustificada de trato entre los distintos comuneros"; y la STS de fecha 31 de octubre de 1999, señala que carece de justificación que no se tolere ahora lo que antes se ha permitido a otros comuneros, aunque añade que debe valorarse cuales han sido las obras llevadas a cabo en uno y otro supuesto».

En el caso concreto de las ventanas, afirma la sala que, si bien no es admisible la alteración de las ventanas por la sola voluntad de un comunero, y en principio debería haberse instado la autorización de la comunidad de propietarios, la comunidad habría consentido los cambios de las mismas durante años sin obstáculos, consintiendo tácitamente dichos cambios, por lo que no cabría ahora oponerse al cambio de ventanas realizado por la demandada en base a la falta de autorización de la comunidad:

> «(...) Por ello, conforme al principio de equidad e igualdad recogido en el apartado anterior y desarrollado detalladamente en la sentencia recurrida, no puede aplicarse a un comunero un criterio distinto del seguido con otros, ni una desigualdad injustificada de trato entre los distintos comuneros.
>
> (...)

Se trata, en definitiva, como señala acertadamente el Juez de instancia, de una obra semejante a otras que se habían realizado por otros propietarios en las ventanas exteriores del edificio con la aquiescencia, al menos tácita, de la comunidad, por lo que no cabe impedir ahora a la demandada la realización de tales obras al no afectar a la configuración estética de la fachada del edificio, pues ello supondría un claro agravio comparativo en relación con el resto de propietarios, lo que llega a desestimar dicha alegación».

c. Resolución

Se desestima el recurso de apelación interpuesto por la comunidad de propietarios, confirmando íntegramente la resolución recurrida.

A TENER EN CUENTA. La jurisprudencia ha establecido que el art. 7 de la LPH debe ser interpretado de forma más flexible cuando se trata de los locales comerciales. Así, por ejemplo, la **STS n.º 7/2010, de 11 de febrero, ECLI:ES:TS:2010:331**, en un caso en el que la reforma consistía, entre otras cosas, en alargar una ventana hasta el suelo, considera que no supone perjuicio alguno para la comunidad, y lo razona del siguiente modo: «Esta Sala tiene declarado que, en la aplicación del artículo 7 de la Ley de Propiedad Horizontal, no cabe idéntica interpretación entre locales de negocio y pisos, con fundamento en que los primeros se ubican generalmente en las plantas bajas y los segundos en las siguientes, y aunque la fachada es todo lo correspondiente al exterior del inmueble en su completa superficie, la zona relativa a los pisos constituye una situación arquitectónica más rígida, donde cualquier modificación puede romper la armonía del conjunto, mientras que en las plantas bajas existe una mayor flexibilidad, tanto en su inicial construcción y acabado, a veces elemental, rudimentario y sin división alguna, como en cualquier cambio de su configuración o aspecto externo, en atención a la naturaleza de la actividad a desarrollar en los locales, siempre mudable, y susceptible de notables transformaciones de destino surgidas por iniciativa de los iniciales titulares, o de sus sucesores (...)».

570

Obras en la fachada del edificio

La fachada del edificio es en todo caso un elemento común de los que aparecen expresamente recogidos en el art. 396 del Código Civil.

Cuando hablamos de las obras en la fachada hay que diferenciar entre:

- Obras que son obligatorias y necesarias.
- Obras de mejora.

En cuanto a las **obras obligatorias,** cabe recordar que el art. 10.1 de la LPH dispone:

«1. Tendrán carácter obligatorio y no requerirán de acuerdo previo de la Junta de propietarios, impliquen o no modificación del título constitutivo o de los estatutos, y vengan impuestas por las Administraciones Públicas o solicitadas a instancia de los propietarios, las siguientes actuaciones:

a) Los trabajos y las obras que resulten necesarias para el adecuado mantenimiento y cumplimiento del deber de conservación del inmueble y de sus servicios e instalaciones comunes, incluyendo en todo caso, las necesarias para satisfacer los requisitos básicos de seguridad, habitabilidad y accesibilidad universal, así como las condiciones de ornato y cualesquiera otras derivadas de la imposición, por parte de la Administración, del deber legal de conservación».

Aunque la LPH recoge que estas obras no requieren acuerdo de la junta de propietarios, en la práctica, y debido al elevado coste que suelen tener las mismas cuando se trata de obras que afectan a la fachada, suelen someterse a votación en la misma, en donde además de votarse sobre su realización se vota sobre la elección del presupuesto elegido para llevar a cabo las mismas.

Por su parte, también pueden llevarse a cabo en la fachada **obras de mejora**, que serían aquellas no necesarias para la adecuada conservación, habitabilidad, seguridad y accesibilidad del inmueble. En estos casos se exige que su realización sea aprobada por una mayoría de las tres quintas partes del total de los propietarios que representen el mismo porcentaje de cuotas de participación. Así se recoge en el art. 17.4 de la LPH:

> «4. Ningún propietario podrá exigir nuevas instalaciones, servicios o mejoras no requeridos para la adecuada conservación, habitabilidad, seguridad y accesibilidad del inmueble, según su naturaleza y características.
>
> No obstante, cuando por el voto favorable de las tres quintas partes del total de los propietarios que, a su vez, representen las tres quintas partes de las cuotas de participación, se adopten válidamente acuerdos, para realizar innovaciones, nuevas instalaciones, servicios o mejoras no requeridos para la adecuada conservación, habitabilidad, seguridad y accesibilidad del inmueble, no exigibles y cuya cuota de instalación exceda del importe de tres mensualidades ordinarias de gastos comunes, el disidente no resultará obligado, ni se modificará su cuota, incluso en el caso de que no pueda privársele de la mejora o ventaja. Si el disidente desea, en cualquier tiempo, participar de las ventajas de la innovación, habrá de abonar su cuota en los gastos de realización y mantenimiento, debidamente actualizados mediante la aplicación del correspondiente interés legal.
>
> No podrán realizarse innovaciones que hagan inservible alguna parte del edificio para el uso y disfrute de un propietario, si no consta su consentimiento expreso».

La LPH expresa que cuando el coste para los propietarios supere el de tres mensualidades ordinarias de gastos comunes, el disidente no resultará obligado al pago, si bien deja abierta la posibilidad a que, si el disidente decide en cualquier momento que quiere participar de las ventajas de la mejora, abone la cuota correspondiente a los gastos de realización y mantenimiento actualizados con el interés legal. En los casos de obras en la fachada esta opción no tiene mucha aplicación práctica, dado que es difícil privar al disidente del disfrute de la mejora.

Obras necesarias en la fachada

Sentencia del Tribunal Supremo n.º 123/2020, de 25 de febrero, ECLI:ES:TS:2020:608

a. Antecedentes de hecho

Se dicta sentencia en primera instancia en la que se estima la demanda interpuesta por parte de los demandados y se declara la nulidad de los acuerdos adoptados en la junta y la devolución de las cantidades abonadas en concepto de gastos por la fachada trasventilada, por considerar que la instalación de la citada fachada trasventilada suponía una mejora y no una obra de reparación.

Se recurre en apelación, dictando la audiencia sentencia en la que se estima el recurso y desestima la demanda presentada, por entender que la obra en la fachada no dejaría de ser una obra necesaria o requerida para la adecuada conservación y habitabilidad del inmueble, lo que implica que no proceda la exención del pago de la derrama.

b. Fundamentos de derecho

Tras un examen sobre la doctrina de los actos propios en la determinación de cuotas de gastos en las comunidades de propietarios, se concluye que el hecho de que en ocasiones se hayan aplicado cuotas lineales, no impide su impugnación por parte de los comuneros afectados, «(...) no pudiendo exigirse que los comuneros disidentes tengan que aceptar las cuotas lineales, en tanto sean más gravosas que la correspondiente siguiendo la aplicación del coeficiente de participación en elementos comunes, referidos a obras de naturaleza extraordinaria que afectan al valor del edificio. La práctica de la Comunidad sobre adopción de cuotas lineales no puede vincular frente a la emisión de cuotas imprevisibles por su gran cuantía y por la naturaleza excepcional de las obras presupuestadas».

En lo que nos afecta dictamina la sala que:

«Esta sala debe declarar, en cuanto al motivo analizado que en la sentencia de apelación no se infringe la doctrina jurisprudencial dado que:

1. Las obras al referirse a unas fachadas en estado de manifiesto deterioro, solo **pretenden el mantenimiento y conservación** de un elemento común.

2. Las obras no suponen alteración de un elemento común, sino la realización de las **obras necesarias**, para mantenerlo en el uso que le es propio sin generar riesgo.

3. Las obras **no constituyen mejora o innovación, sino de reparación** para evitar humedades, desprendimientos, corrosión y todo con la fijación de una pared trasventilada, que dota a la fachada de la solidez y estanqueidad de la que carecía.

4. Los acuerdos adoptados para la instalación de la pared trasventilada, se acordaron por mayoría, al tratarse del mantenimiento y conservación de los elementos comunes, por lo que no se infringió el art. 17 de la LPH».

c. Resolución

Se estima parcialmente el recurso casando en parte la sentencia recurrida en el sentido de estimar parcialmente la demanda, de forma que, la derrama o cuota por las obras de la fachada deberá emitirse por el coeficiente de participación, manteniendo la validez de los acuerdos que aprueban la obra de rehabilitación de la fachada mediante una nueva pared trasventilada adherida a la original.

No exención del pago en la obra de mejora cuando esta es exigible para la conservación y habitabilidad del inmueble, así como para su eficiencia energética

Sentencia de la Audiencia Provincial de Gipuzkoa n.º 1449/2021, de 8 de noviembre, ECLI:ES:APSS:2021:1912

a. Antecedentes de hecho

Se recurre la sentencia de primera instancia que estimaba la demanda de reclamación de cantidad presentada por la comunidad de propietarios contra un comunero que no asumió el pago de diversas cuotas, alegando que las obras realizadas en el edificio, y a las que se corresponde la deuda, no pueden considerarse necesarias, sino que son mejoras, que dado que superan el importe de tres mensualidades de cuota no le son exigibles.

b. Fundamentos de derecho

En la sentencia analizada se lleva a cabo un examen sobre si la colocación de un sistema de aislamiento SATE tiene la consideración de obra de mejora, como pretende la apelante, o si se entiende procedente dentro de las obras de reparación realizada. Tras un análisis de diversas sentencias concluye que:

«Por tanto, la obligación de la comunidad de conservación, no puede entenderse limitada como pretende el recurso, a las simples actuaciones de reparación sino que puede incluir otras soluciones constructivas, cuando las mismas respondan a la finalidad pretendida de conservación y mantenimiento. (...)

Aun cuando este tipo de obras parecen constituir una importante mejora de las características de la fachada, realmente sólo suponen su adaptación a la normativa de la edificación que está actualmente vigente (el Código Técnico), de modo que garanticen su funcionalidad y, en consecuencia, la habitabilidad de las viviendas y la eficiencia térmica del edificio. (...)

Si se trata únicamente de mejorar la estética o imagen del edificio, aparentemente se trata de un acuerdo del artículo 17,4 LPH, es decir, de una mejora no requerida para la adecuada conservación, habitabilidad, seguridad y accesibilidad del inmueble. En este caso, además de doble mayoría de tres quintos, si la cuota de instalación excede del importe de tres mensualidades ordinarias de gastos comunes, que será lo más frecuente, el disidente no resultará obligado, ni se modificará su cuota, incluso en el caso de que no pueda privársele de la mejora o ventaja. (...) (...)

De lo anterior se sigue que todas las obras de la fachada acordadas en diversas Juntas, tanto en relación al presupuesto inicial, como a los sobrecostes tras la comprobación del estado de la fachada, **aunque unas eran obligatorias** (rehabilitación para conservación de la fachada —art. 10.1.a y 10.2.a LPH—), **y otras no** (aislamiento exterior para supresión de humedades y condensaciones y eficiencia energética), **en ambos casos eran obras de conservación, que no de simple mejora**, en el sentido de innovaciones útiles o de simple recreo; y así la STS de 3 de enero de 2007 establecía que "la obligación de sostener y reparar los elementos comunes que corresponde a la comunidad no puede limitarse a una mera conservación de aquéllos cuando presenten defectos que afecten a la estructura, estanqueidad, habitabilidad, accesibilidad y seguridad del edificio, como ocurre en el caso de las humedades, sino que comporta la realización de las obras pertinentes para superar los expresados defectos con arreglo a las técnicas constructivas en cada momento vigentes".

Llegados a este punto, **la exención de contribución pretendida por el apelante, no sería de aplicación** al caso pues, como se desprende de la redacción del art. 17.4 LPH, este no se aplica a todo tipo de mejoras sino solo en aquellas que cumplen las condiciones fijadas en la propia norma, esto es, que no sean exigibles para la adecuada conservación, habitabilidad, seguridad y accesibilidad del inmueble y que la cuota de instalación supere el importe de tres mensualidades ordinarias de gastos comunes. Solo en estos supuestos los disidentes no estarían obligados al pago de la cuota resultante. **Si la mejora es exigible para la conservación y habitabilidad del inmueble, así como para su eficiencia energética, como se ha determinado, no sería posible la exención pretendida**, resultado de aplicación los artículos 9, 10 y 17 de la LPH, por lo que procede la confirmación de la Sentencia de Instancia, desestimando el recurso».

c. Resolución

Se desestima íntegramente el recurso de apelación interpuesto.

CUESTIÓN

¿La impermeabilización de las terrazas sigue las mismas pautas que la de las fachadas?

El tema de las cubiertas ha dado lugar a numerosas discrepancias en las comunidades de propietarios, estando desarrollada por una amplia jurisprudencia al respecto. Por su claridad al responder esta cuestión, conviene citar la **sentencia de la Audiencia Provincial de Baleares n.º 176/2018, de 28 de mayo, ECLI:ES:APIB:2018:1063**, que establece que lo determinante a la hora de fijar quién debe de asumir la reparación de la terraza, no es la titularidad de la misma, si no la naturaleza de los gastos a satisfacer y el carácter de la reparación a efectuar: «**Así, si son ordinarios o normales, de conservación o de uso, corresponderán a los usuarios de la terraza, y si son extraordinarios y el elemento a reparar cumple función estructural de elemento de cubrición, actuando en beneficio común, deben hacerse a cargo de la comunidad**». Recomendamos también la lectura de la **sentencia de la Audiencia Provincial de Valencia n.º 273/2021, de 11 de junio, ECLI:ES:APV:2021:2736**, en la que se realiza un análisis de distintas sentencias acerca de los gastos de conservación y mantenimiento de las terrazas de uso privativo.

Por su parte, el Tribunal Supremo también se ha pronunciado en la **STS n.º 273/2013, de 24 de abril, ECLI:ES:TS:2013:2162**, y en el mismo sentido establece que:

«Ciertamente, la sentencia confunde la terraza con un elemento común de impermeabilización, como es la cubierta del inmueble. No son las terrazas el elemento necesitado de reparación, ni causante de las humedades, ni era, en definitiva, el objeto de la controversia. Las terrazas de los edificios constituidos en el régimen de propiedad horizontal son elementos comunes por destino, lo que permite atribuir el uso privativo de las mismas a uno de los propietarios. Lo que no es posible es atribuir la propiedad exclusiva en favor de algún propietario, de las cubiertas de los edificios configurados en régimen de propiedad horizontal donde se sitúan las cámaras de aire, debajo del tejado y encima del techo, con objeto de aislar del frío y del calor y que resulta ser uno de los elementos esenciales de la comunidad de propietarios tal como los cimientos o la fachada del edificio por ser el elemento común que limita el edificio por la parte superior. ***La cubierta del edificio no puede perder su naturaleza de elemento común*** *debido a la función que cumple en el ámbito de la propiedad horizontal, y ello pese*

a que la terraza situada en la última planta del edificio, se configure como privativa (SSTS 17 de febrero 1993, 8 de abril de 2011; 18 de junio 2012, entre otras).

***El hecho de que los daños que se causaron se deban al mal estado de la tela asfáltica, que asegura la impermeabilización del edificio, y que esta se encuentre situada bajo el suelo de la terraza que sirve de cubierta del edificio, determina su naturaleza común al ser uno de los elementos esenciales de la comunidad de propietarios, por lo que su reparación constituye una obligación propia**, como ya la había reconocido anteriormente, según lo acordado en la Junta General de 14 de abril de 2005, asumiendo el pago de los gastos de reparación de humedades procedentes del mal estado de la tela asfáltica y de una mala ejecución de la obra».*

Obras para cerrar terrazas o balcones

580

La LPH recoge como requisitos para poder realizar un cerramiento en las terrazas o balcones obtener una autorización administrativa, y el voto favorable de 3/5 partes de los propietarios que representen las 3/5 partes de las cuotas de participación.

El art. 10.3 de la LPH en su letra b) dispone que:

«3. Requerirán autorización administrativa, en todo caso:

(...)

b) Cuando así se haya solicitado, previa aprobación por las tres quintas partes del total de los propietarios que, a su vez, representen las tres quintas partes de las cuotas de participación, la división material de los pisos o locales y sus anejos, para formar otros más reducidos e independientes; el aumento de su superficie por agregación de otros colindantes del mismo edificio o su disminución por segregación de alguna parte; la construcción de nuevas plantas y **cualquier otra alteración de la estructura o fábrica del edificio, incluyendo el cerramiento de las terrazas** y la modificación de la envolvente para mejorar la eficiencia energética, o de las cosas comunes, cuando concurran los requisitos a que alude el artículo 17.6 del texto refundido de la Ley de Suelo, aprobado por el Real Decreto Legislativo 2/2008, de 20 de junio.

En estos supuestos deberá constar el consentimiento de los titulares afectados y corresponderá a la Junta de Propietarios, de común acuerdo con aquéllos, y por mayoría de tres quintas partes del total de los propietarios, la determinación de la indemnización por daños y perjuicios que corresponda. La fijación de las nuevas cuotas de participación, así como la determinación de la naturaleza de las obras que se vayan a realizar, en caso de discrepancia sobre las mismas, requerirá la adopción del oportuno acuerdo de la Junta de Propietarios, por idéntica mayoría. A este respecto también podrán los interesados solicitar arbitraje o dictamen técnico en los términos establecidos en la Ley».

Cabe la posibilidad de que el cierre de las terrazas o balcones esté contemplado en los estatutos, lo que conllevaría que no se exija la citada mayoría de 3/5, si no que bastaría con una comunicación al presidente.

También conviene tener en cuenta en este punto las figuras del consentimiento tácito y del abuso de derecho, ya que dan lugar a numerosos procedimientos judiciales, por entenderse que el cerramiento puede estar autorizado tácitamente si lleva años construido, o si han permitido otros de características similares.

Legitimación de un propietario en beneficio de la comunidad. Diferencias entre cerrar la terraza y eliminar los muros de cierre

Sentencia del Tribunal Supremo n.º 909/2021, de 22 de diciembre, ECLI:ES:TS:2021:4878

a. Antecedentes de hecho

Una propietaria interpone demanda de juicio ordinario contra otra, solicitando que se condene a la demandada a realizar las obras necesarias para reponer la fachada a su estado original. La sentencia de primera instancia estima parcialmente la demanda y condena a la demandada a reponer el muro que separaba su terraza de la habitación contigua, sin que proceda la eliminación de la carpintería de PVC y cristalera que sirve de cerramiento de la terraza.

Ambas partes recurren en apelación, desestimando la AP íntegramente la demanda; sentencia que a su vez es recurrida en casación por la demandante.

b. Fundamentos de derecho

En primer lugar, se debate sobre la legitimación activa de la propietaria demandante/recurrente, al entender la demandada que al no ocasionarse ningún perjuicio a la comunidad de propietarios no podría ningún propietario actuar en beneficio de la misma.

El Tribunal Supremo citando sentencias sobre este punto, entiende que: «(...) es doctrina reiterada de esta Sala la de que cualquier condómino está legitimado para ejercitar acciones, no tan solo de aquella parte del espacio comprensivo de su piso o local sobre los que ostenta un derecho singular y exclusivo, sino también en defensa del interés que le corresponde sobre los elementos comunes (SS. 10 Junio 1981, 3 febrero 1983, 27 abril y 23 noviembre 1984 y 12 febrero 1986), así como que no se da falta de legitimación cuando, aunque no se haya hecho constar en la demanda de una manera expresa que se actúa en nombre de la comunidad y en interés de la misma, se plantea una pretensión que, de prosperar, ha de redundar en provecho de la comunidad (S. 8 junio 1992)».

A continuación, se pronuncia la sala sobre el alcance de la autorización concedida por la junta:

> «Es un hecho acreditado que la comunidad dio autorización, al menos, en un caso para el cierre de las terrazas, con carpintería de aluminio, pero no consta autorización alguna ni expresa ni tácita para la demolición de los muros de cierre de la vivienda.
>
> La demandante intentó, en dos ocasiones, que se introdujese en el orden del día el tema de las demoliciones de muros de cierre y no se le permitió, por lo que al no ser debatido el tema, no puede presumirse el consentimiento tácito.
>
> En suma, el art. 7 de la LPH impide las alteraciones en la configuración exterior de edificio sin la preceptiva autorización de la comunidad y dicha venia no ha existido con respecto a los muros de cierre y sí consta conferida autorización para el cierre de la terraza con carpintería de aluminio».

c. Resolución

Se estima el recurso presentado, casando la sentencia de apelación y confirmando la de primera instancia en la que se condenaba a reponer el muro que separaba la terraza de la habitación contigua, sin que proceda eliminar el cerramiento de la terraza.

Prescripción de la acción

Sentencia del Tribunal Supremo n.º 3/2012, de 6 de febrero, ECLI:ES:TS:2012:1572

a. Antecedentes de hecho

El juzgado de primera instancia estimó la demanda por la que un comunero solicitaba la retirada de las obras realizadas por otro vecino en la terraza, de naturaleza común y uso privativo, por haberse realizado sin el consentimiento de la comunidad. Entiende el juzgador que la acción ejercitada es de carácter real, sometida a un plazo de prescripción de 30 años.

La audiencia provincial estimó el recurso presentado valorando que las obras de cerramiento de la terraza fueron realizadas por el anterior propietario y entendiendo en consecuencia que estamos antes una acción de naturaleza personal (actualmente de 5 años, si bien en el momento de dictarse la sentencia dicho plazo era de 15 años).

La demandante presenta recurso de casación.

b. Fundamentos de derecho

El Tribunal Supremo analiza la naturaleza de la acción del cierre de la terraza concluyendo que:

«A) Tal y como se declara, entre otras, en la Sentencia de esta Sala citada por la parte recurrente en apoyo del interés casacional que sostiene su recurso, **tienen una naturaleza real las acciones ejercitadas en el ámbito de la propiedad horizontal que se dirigen a obtener el reintegro de espacios comunes de titularidad comunitaria que son o han sido ocupados por algún copropietario**. Se trata de acciones reivindicatorias tendentes a recuperar el dominio de un concreto espacio, que teniendo naturaleza común, ha sido objeto de apropiación por parte de un copropietario.

B) Sin embargo esta doctrina no es aplicable al supuesto que se ahora se analiza, ya que la parte recurrente, en su día demandante, no ha ejercitado ninguna acción de naturaleza real por la que se pretendiera la recuperación del dominio de un espacio común invadido ilegítimamente por algún copropietario. La demandada es propietaria de una vivienda que tiene atribuido, para su uso privativo, una terraza de naturaleza común. Ninguna de estas circunstancias ha sido objeto de debate ni, por tanto negada por la parte recurrida: el espacio donde está situada la terraza de cuyo uso disfruta es un elemento común de uso privativo. La parte demandante ha formalizado una demanda mediante la que únicamente pretendía que se retirara por parte de los demandados la construcción realizada en la terraza de cuyo uso privativo disfrutaban porque, afectando a un elemento común, había sido ejecutada sin el consentimiento unánime de la comunidad de propietarios.

La Audiencia Provincial tras considerar plenamente acreditado que la obra de cerramiento ejecutada en la terraza de la vivienda del demandado tiene una antigüedad muy superior a los 15 años, aplica la jurisprudencia fijada por esta Sala, conforme a la cual, **acciones como la ejercitada por los demandantes, centrada en una obligación de hacer es una consecuencia de las relaciones obligacionales que surgen por la pertenencia del demandado a una Comunidad de propietarios sometida al régimen de la LPH, por lo que está sometida a un régimen de prescripción de 15 años, conforme a lo dispuesto en el artículo 1964 CC**».

A TENER EN CUENTA. El plazo de prescripción de las acciones personales fue modificado por la Ley 42/2015, de 5 de octubre, de reforma de la Ley 1/2000, de 7 de enero, de Enjuiciamiento Civil, que modificó el art. 1964 del CC, reduciendo dicho plazo a 5 años.

---

c. Resolución

Se desestima el recurso presentado, confirmándose la sentencia recurrida.

590 **Obras para la instalación del aire acondicionado**

Con relación al aire acondicionado suelen plantearse principalmente dos fuentes de problemas: la primera referida a su instalación, y la segunda referida a las molestias que puede ocasionar su funcionamiento a los vecinos.

En este punto nos centraremos en las obras necesarias para su instalación, ya que cuando parte del equipo se instala en el exterior puede generar problemas con la comunidad.

A la hora de instalar el aparato de aire acondicionado lo recomendable es informarse, en el ayuntamiento en el que radique la finca, de la normativa reguladora de su instalación y funcionamiento, ya que son muchos los ayuntamientos que cuentan con ordenanzas que regulan la materia. En algunos casos, los Planes Generales de Ordenación también recogen información sobre esta cuestión.

A continuación, debemos revisar los estatutos de la comunidad, ya que si estos recogen su instalación en la fachada, o en un lugar establecido al efecto, no sería necesario el consentimiento de la comunidad. Aunque es menos frecuente, también existen estatutos que prohíben esta posibilidad, ante lo cual solo nos quedaría la vía de intentar modificarlos. Tal y como se establece en la **sentencia de la Audiencia Provincial de Las Palmas n.° 227/2018, de 2 de mayo, ECLI:ES:APGC:2018:1181**:

> «**Admitida estatutariamente la posibilidad de instalación del aire acondicionado cierto es que los únicos límites a dicha autonomía de la voluntad serán los recogidos en el art. 7.1. LPH** como así expone la jurisprudencia, y entre otras Sentencias del Tribunal Supremo la de 7 de abril de 2016 (nº 219/2016, rec. 1958/2013) o 9 de mayo de 2013 (nº 307/2013, rec. 2072/2010). En suma, **cualquier obra o instalación privativa en elementos comunes aun admitida estatutariamente no podrá autorizarse si menoscaba o altera la seguridad del edificio, su estructura general, su configuración o estado exteriores, o perjudica los derechos de otro propietario (...)**».

Por el contrario, si no se recoge nada, habría que solicitar permiso a la junta de propietarios, que en la mayoría de los supuestos (instalaciones normales) requiere el voto de la mayoría de los propietarios que representen a la mayoría de las cuotas de participación, en primera convocatoria, y en segunda bastaría únicamente con la mayoría de los asistentes. No podemos olvidar que el art. 7 recoge la prohibición de realizar alteraciones en elementos comunes, y que, por tanto, si quiero instalar parte del aparato del aire en la fachada no podría hacerlo sin más. Véase la **sentencia de la Audiencia Provincial de Valencia n.º 254/2018, de 24 de mayo, ECLI:ES:APV:2018:6361**, que recoge que: «La conclusión que se obtiene es que, a falta de norma legal expresa que fije las mayorías exigibles, y desde el principio de flexibilidad que rige en materia de instalación de aires acondicionados, la única mayoría aplicable sería la simple de propietarios que representen la mayoría de las cuotas o, en segunda convocatoria, la mayoría de los asistentes que represente la mitad del valor de las cuotas de los presentes (art. 17.3 LPH). No ha sido discutido que se haya contado con dicha mayoría para la aprobación del acuerdo impugnado».

Interpretación flexible para permitir la instalación de aire evitando si es posible alteraciones innecesarias en los elementos comunes

Sentencia del Tribunal Supremo n.º 453/2016, de 1 de julio, ECLI:ES:TS:2016:3109

a. Antecedentes de hecho

Se desestima en primera instancia la demanda interpuesta por varios copropietarios contra otros copropietarios de una misma comunidad en la que se solicitaba la condena a la retirada de los aparatos de aire acondicionado instalados, y a reponer la fachada al estado anterior. Se fundamenta la desestimación en la consideración de que las unidades de aire acondicionado externas colocadas en la fachada no generan daño o menoscabo para la propia fachada.

Dicha resolución es apelada, revocándose en la audiencia por entender que las fachadas no lo son de un simple patio de luces, si no que se trata de un amplio patio habilitado para su estancia, y cuyo conjunto presenta la apariencia de fachada principal, rompiendo los aparatos del aire la uniformidad de las fachadas.

Se interpone recurso de casación solicitando que «(...) se modifique la doctrina contenida en la Sentencia del Tribunal Supremo n.º 1182/2008, recurso de casación 861/2004, de fecha 15 de diciembre de 2008, que fija doctrina interpretativa de los arts. 7 y 12 de la LPH, en relación a la colocación de aparatos de aire acondicionado en fachadas de edificios sometidos a la Ley de Propiedad Horizontal, manifestando que: "para considerar si se alteran los elementos comunes del inmueble deben tenerse en cuenta las circunstancias de cada caso, entre las que se incluye que se hayan realizado obras de perforación" (...)».

b. Fundamentos de derecho

Concluye nuestro Alto Tribunal lo siguiente:

«Por otro lado consta que **existe preinstalación de aire acondicionado en todos los pisos, por lo que no consta que sea preciso instalar en el exterior (fachada del patio manzana) los aparatos.**

Esta Sala ha declarado, en anteriores resoluciones:

1. "En concurrencia con lo anterior, **tampoco se les priva de disfrutar del aire acondicionado pues los estatutos permiten la instalación de los aparatos en la cubierta del edificio**".

STS, de 04 de enero de 2013, sentencia: 801/2012, recurso: 413/2010.

2. "Tampoco se infringen los artículos 5, 7 y 12 de la LPH, ni la jurisprudencia que se menciona —SSTS 17 de abril de 1998 y 22 de octubre de 2008—, respecto de la instalación de aparatos de aire acondicionado. El problema no se plantea en este caso respecto de un edificio que no está preparado para dicha instalación, como refieren la sentencias citadas, sino de un edificio que **permite ubicaciones distintas** de la utilizada en evidente contravención de los estatutos y de los propios acuerdos de la comunidad que impedían su colocación colgado en la fachada que da al patio central».

STS, de 05 de diciembre de 2012, sentencia: 751/2012, recurso: 2052/2009.

3. "La instalación de aparatos de aire acondicionado en viviendas o locales sujetos al régimen de la Propiedad Horizontal, incluso afectando a elementos comunes, ha sido enjuiciada con un cierto **margen de flexibilidad** para permitir la puesta al día de viviendas que en el momento de su construcción no pudieron adaptarse a las mejoras tecnológicas más beneficiosas para sus ocupantes, y ello ha dado lugar sin duda a una valoración de cada concreto caso y a un indudable casuismo jurisprudencial tratando de armonizar el alcance de la exigencia legal que limita las facultades del propietario para ejecutar obras en elementos privados y comunes del edificio, con la posibilidad de facilitar el acceso de los comuneros a estas innovaciones, de existencia habitual y normal en viviendas y locales de negocio, que se han hecho particularmente significativas en determinadas sentencias de Audiencias Provinciales para dar cobertura a una actuación generalizada de los propietarios a partir de una interpretación amplia de la normativa aplicable, y de la consideración de que su instalación comporta una simple manifestación de la posesión de la vivienda o local de negocio y un uso inocuo de elemento común autorizado por el artículo 394 del CC".

STS de 15 de diciembre de 2008, sentencia: 1182/2008, recurso: 861/2004.

De la doctrina expuesta se deduce que **es necesaria una interpretación flexible para permitir la refrigeración en viviendas que se construyeron sin tener previsto dicho avance tecnológico.**

Sin embargo, este no es el caso, pues la promoción tenía preinstalación de aire acondicionado, por lo que los comuneros demandados debieron proceder a la puesta en marcha de su sistema de aire acondicionado sin alterar, innecesariamente, una fachada que ornamental y estéticamente se percibe cual si fuese principal, al estar abierta sobre un patio de recreo, en el que se desarrolla vida comunitaria, infringiendo los arts. 12 y 17 de la LPH, en la redacción vigente en la fecha de los hechos».

c. Resolución

Se desestima el recurso de casación interpuesto, confirmando la sentencia recurrida.

Prohibición del trato discriminatorio

Sentencia de la Audiencia Provincial de Málaga n.º 38/2020, de 31 de enero, ECLI:ES:APMA:2020:936

a. Antecedentes de hecho

Se recurre en apelación la sentencia de primera instancia que desestimaba la demanda interpuesta por la comunidad de propietarios, en la que solicitaba que se condenase al demandado a retirar la maquinaria del aire acondicionado que ha colocado en fachada interior del edificio, por entender que ya disponía en su local de un espacio destinado al efecto. El juzgador de instancia fundamenta su desestimación en el principio de igualdad de trato, ya que en el patio interior existen más instalaciones de aires acondicionados.

b. Fundamentos de derecho

La sala recuerda el principio de flexibilidad a la hora de interpretar la norma, si bien hace hincapié en el criterio de igualdad que debe primar en todo caso:

«Así pues **cuando las obras realizadas no causan ningún perjuicio a los demás propietarios, una interpretación de las normas acorde con la realidad social y con lo que resulta de la evolución jurisprudencial al respecto, obliga a flexibilizar la interpretación de la norma intentando conciliar el conflicto que surge entre la necesidad de que los vecinos disfruten de los elementos comunes y el interés de todos de que no se deteriore su aspecto exterior**, añadiendo elementos superpuestos que alteren el buen aspecto inicial. Este criterio, que se mantiene también por otras Audiencias no es el único, pero sí el que a juicio de este Tribunal atiende mejor a la necesidad de una solución justa al conflicto. En el caso enjuiciado y en el punto relativo a este tipo de obras, consta en autos que dichas instalaciones de aire acondicionado han sido realizadas también por otros propietarios del inmueble en el patio interior del inmueble y sin embargo no han sido requeridos por la Comunidad para su retirada como es el caso que nos ocupa, lo que nos lleva a considerar que se han consentido dichas instalaciones en esos casos.

No podemos olvidar por lo que en ocasiones, se ha acudido al **criterio de igualdad** —la demolición pretendida contravendría el principio de igualdad proclamado en el artículo 14 de la Constitución Española, en relación a los otros propietarios—, cuando instalaciones como la litigiosa han sido llevadas a cabo, sin objeciones por la Comunidad, por otros comuneros y además en la fachada exterior —en este sentido STS de 5 de marzo de 1.998—. Efectivamente **principios de equidad mantienen que no pueda aplicarse a un comunero un criterio distinto del seguido con otros ni un desigualdad injustificada de trato entre los distintos comuneros** —SAP de Baleares, Sección 5ª, de 23 de Abril de 2.004—. El trato discriminatorio entre comuneros carente de la suficiente justificación, como ya tuvo ocasión de resaltar el Tribunal Supremo, en sentencia de 31 de octubre de 1.990, constituye un verdadero **abuso de derecho** que los Tribunales de Justicia no pueden amparar. Desde esta consideración es de valorar la circunstancia también probada de que el edificio ha sufrido otras alteraciones mediante, entre otras, instalaciones de aire acondicionado como la que nos ocupa en varias paredes del edificio que conforman el patio interior. Efectivamente, existe un abundante cuerpo de doctrina seguido por las Audiencias Provinciales a partir de la sentencia del TS de 31 de octubre de 1.990 que obliga a atender a la realidad fáctica relativa la **coexistencia previa y admitida (expresa o tácitamente) de otras obras, construcciones o instalaciones similares**. El contenido de ese cuerpo de doctrina es contundente —SSAP de Sevilla, Sección 5ª, de 14 de Julio de 2.000; Madrid, Sección 12ª, de 10 de Julio de 2.000; Castellón, Sección 3ª, de 9 de Junio de 2.000; Tarragona, Sección 3ª, de 26 de Marzo de 1.999; Las Palmas, Sección 3ª, de 17 de Abril de 2.001; Zaragoza, Sección 5ª, de 3 de Marzo de 1.998; Pontevedra, Sección 4ª, de 13 de Septiembre de 1.996; Barcelona, Sección 14ª, de 25 de Abril de 1.994; Madrid, Sección 19ª, de 6 de Junio de 1.991, 7 de Junio de 1.993, 26 de Septiembre de 1.993, 15 de Julio de 1.994, 2 de Octubre de 1.995, 4 de Julio de 1.997; Cantabria, Sección 3ª, de 6 de Octubre de 1.992 y Valladolid, Sección 3ª, de 28 de Octubre de 1.998— y ha creado una corriente jurisprudencial importante, que tiende a **evitar "agravios comparativos" injustos**, resultantes de las aplicaciones automáticas de la Ley, desconectadas de la letra y del espíritu de los artículos 3.1 Código Civil y 7 del mismo texto legal. De esta forma, tratar de que sean los demandados quienes tengan que pechar con la retirada de la instalación ejecutada con el consabido gasto que ello le reportará es discriminatorio; máxime cuando ningún beneficio va a reportar a la comunidad, porque, en el caso de que se llevara a cabo, existen dichas instalaciones que permanecerían también con el aparato de aire acondicionado situado en el exterior del patio interior. La propia comunidad actora limita su acción a esta instalación ignorando las restantes que afectan a elementos comunes del edificio del que forma parte, En definitiva, partiendo de la relatividad indicada, del impacto de la instalación en cuestión —no relevante como se observa en las fotografías aportadas— y de la actuación totalmente permisiva que sobre el particular adopta la Comunidad respecto de otros propietarios, conclusión alcanzada desde la observación directa del edificio controvertido con advertencia de los aparatos de aire acondicionado instalados por otras viviendas, y locales hemos de llegar a la conclusión de que la pretensión que examinamos ha de desestimarse, tratándose de es una mera cuestión vecinal, que rompe con la línea seguida al respecto por la Comunidad de propietarios».

c. Resolución

Se desestima el recurso de apelación, manteniéndose la sentencia recurrida.

3.2. HUMEDADES EN VIVIENDAS Y LOCALES. ¿A QUIÉN RECLAMAR? EL ORIGEN DE LAS HUMEDADES

3.2.1. Reclamación por humedades en viviendas y locales

600 **Problemática de humedades y filtraciones en viviendas y locales**

La aparición de humedades en nuestras viviendas o locales es una problemática que incide en el bienestar de las personas, tanto desde un punto de vista personal —como consecuencia de, por ejemplo, la posible aparición de enfermedades derivadas de la exposición a dichos agentes térmicos— como a nivel económico, con ocasión de los perjuicios que nos puede ocasionar tener que asumir el coste de las reparaciones o incluso el lucro cesante en aquellos supuestos en los que, la filtración o humedad existente, nos limite a la hora del ejercicio de aquellos negocios jurídicos inherentes de la propiedad tales como el alquiler de la vivienda, del local o, en su caso, del ejercicio de la profesión o actividad económica que se ejercite o desarrolle dentro del mismo.

CUESTIÓN

¿Qué tipo de humedades podemos encontrarnos?

- Humedades por filtración: tienen un origen externo (precipitaciones atmosféricas o aguas subterráneas). Generalmente la mala ejecución de la obra tiene consecuencia directa en su aparición.
- Humedades por capilaridad: tienen origen en una acumulación de agua que se encuentra en contacto con un material poroso.
- Humedades por condensación: tienen origen en la ausencia o insuficiencia del aislamiento y/o una indebida ventilación.
- Humedades accidentales: tienen origen en la rotura o fisura de una instalación por la que pasa el agua.

De conformidad con la Ley 38/1999, de 5 de noviembre, de Ordenación de la Edificación (en adelante **LOE**), la construcción de un edificio requiere el **preceptivo cumplimiento de determinadas exigencias en materia de seguridad y de habitabilidad.**

En este sentido, y en relación con las concretas **exigencias frente a la humedad,** es a través del denominado como «Documento Básico DB-HS Salubridad» donde nuestro ordenamiento jurídico recoge la debida limitación del riesgo previsible de presencia inadecuada de agua o humedad en el interior de los edificios y en sus cerramientos como consecuencia del agua procedente de precipitaciones atmosféricas, de escorrentías, del terreno o de condensaciones, disponiendo medios que impidan su penetración o, en su caso, permitan su evacuación sin producción de daños.

Es concretamente en el apartado 3.º del artículo 13 del Real Decreto 314/2006, de 17 de marzo, por el que se aprueba el Código Técnico de la Edificación, donde se recoge de forma específica la referencia al documento básico de salubridad y su ámbito de protección:

> «3. **El Documento Básico "DB-HS Salubridad"** especifica parámetros objetivos y procedimientos cuyo cumplimiento asegura la satisfacción de las exigencias básicas y la superación de los niveles mínimos de calidad propios del requisito básico de salubridad.
>
> 13.1 **Exigencia básica HS 1: Protección frente a la humedad:** se limitará el riesgo previsible de presencia inadecuada de agua o humedad en el interior de los edificios y en sus cerramientos como consecuencia del agua procedente de **precipitaciones atmosféricas, de escorrentías, del terreno o de condensaciones,** disponiendo medios que impidan su penetración o, en su caso permitan su evacuación sin producción de daños».

La Ley 38/1999, de 5 de noviembre, de Ordenación de la Edificación, tiene por objeto «regular en sus aspectos esenciales el proceso de la edificación, estableciendo las **obligaciones y responsabilidades de los agentes que intervienen en dicho proceso,** así como las garantías necesarias para el adecuado desarrollo del mismo, con el fin de asegurar la calidad mediante el cumplimiento de los requisitos básicos de los edificios y la adecuada protección de los intereses de los usuarios».

Sin embargo, la protección que otorga la Ley de Ordenación de la Edificación, así como sus normas y documentos de desarrollo frente a las humedades, **no es, tal y como veremos, absoluta (ni tampoco ilimitada en el tiempo).**

Por su parte, y en el supuesto de que la vivienda en la que se manifiestan las humedades pertenezca a una comunidad de vecinos, tampoco debemos olvidar que, independientemente de los defectos constructivos, nuestro ordenamiento jurídico prevé, a través de lo dispuesto en el artículo 10 de la Ley de Propiedad Horizontal, la obligación de la comunidad de propietarios a realizar aquellas **obras de mantenimiento y reparación de los elementos comunes** que eviten humedades o filtraciones que produzcan daños en elementos privativos. Todo ello, sin perjuicio del hecho de que, si la filtración o humedad deviene de defectos de la construcción y nos encontramos dentro del plazo previsto al efecto, la comunidad de propietarios pueda repetir contra los agentes que hayan participado en el proceso de edificación en virtud de las previsiones contenidas en la LOE (véase en este sentido la **sentencia de la AP de Alicante n.º 309/2023, de 30 de mayo, ECLI:ES:APA:2023:1094** o **SAP de Málaga n.º 474/2018, de 13 de septiembre, ECLI:ES:APMA:2018:2937.**

Asimismo, también cabe la posibilidad de que la causa y origen de la humedad **no devenga como consecuencia de un defecto en la construcción sino por la actuación de un vecino** (responsabilidad aquiliana).

Consecuencia de todo lo anterior, resulta que, cuando nos encontremos ante una humedad, de forma previa a su reclamación, es **fundamental determinar, de forma clara y expresa, las causas y el origen de la misma.**

610 **¿A quién debo reclamar? Análisis de las causas y origen de las humedades**

Con el fin de depurar las responsabilidades, lo más apropiado sería realizar un estudio específico en el que, a través de un peritaje llevado a cabo por un experto en la materia, **se deduzca objetivamente la causa y el origen de la humedad que origina los daños.**

➢ Patologías derivadas de defectos en la construcción

De encontrarnos con que la causa y el origen de la humedad deviene en virtud de defectos de la construcción y, toda vez que, tal y como recoge la exposición de motivos de la LOE, «todos los agentes que intervienen en el proceso de la edificación, durante tres años, responderán por los daños materiales en el edificio causados por vicios o defectos que afecten a la habitabilidad», podremos dirigir nuestra reclamación contra los agentes de la edificación.

Si bien, tal y como desarrollaremos en el punto relativo a «Humedades por defectos de la construcción. Supuesto de las viviendas de nueva construcción. Reclamación a los agentes de la edificación», solo podremos ejercitar esta acción en aquellos supuestos en los que nos encontremos dentro del plazo legal estipulado en la norma —3 años para daños afectantes de habitabilidad— y siempre que la construcción o, en su caso, la obra realizada en edificios ya existentes hubiera tenido lugar a partir de la fecha de su entrada en vigor el 6 de mayo de 2000 (disposición transitoria primera de la LOE).

➤ Patologías con origen en elementos comunes

Por su parte, tal y como ya advertimos en líneas anteriores, independientemente de la responsabilidad en que puedan incurrir los agentes que intervienen en el proceso de edificación, la comunidad de propietarios se encuentra **obligada a mantener el buen estado del edificio.**

Así, y para el caso de que la humedad tuviera origen en un elemento común, como, por ejemplo, una bajante comunitaria o la fachada del edificio, tendremos acción contra la comunidad de propietarios y, en su caso, contra la compañía aseguradora de la misma. A este respecto, cabe advertir que, la Ley de Propiedad Horizontal no preceptúa la obligatoriedad de contratación de una póliza en vigor por parte de la comunidad de propietarios. Sin embargo, cabe la posibilidad de que dicha contratación sí sea preceptiva en virtud de la normativa autonómica, tal y como ocurre en la Comunidad Valenciana —Ley 8/2004 de la vivienda— o en la Comunidad de Madrid —Ley 2/1999, de 17 de marzo, de Medidas para la Calidad de Edificación—.

Encontramos la obligación de la comunidad de propietarios de realizar aquellas obras que resulten necesarias para el adecuado mantenimiento y conservación, de entre las que se recogen, en todo caso, las necesarias para la satisfacción de los requisitos básicos de habitabilidad, dentro del cual se encuadran los problemas derivados de las humedades a tenor de lo dispuesto en el artículo 10 de la Ley de Propiedad Horizontal (en adelante, LPH). **El conocimiento de la situación irregular del elemento común y la inactividad en su reparación generará la obligación de que esta —la comunidad— se haga cargo de los daños y perjuicios causados,** tal y como desarrollaremos de forma más concreta a lo largo del punto «Humedades en elementos comunes. Reclamación a la comunidad de propietarios».

CUESTIÓN

En aquellos supuestos en los que nos encontrásemos dentro del plazo de los tres años previstos por la Ley de Ordenación de la Edificación para el ejercicio de la acción contra los agentes de la edificación, ¿puede la comunidad de propietarios negarse a llevar a cabo las obras de reparación de los elementos comunes?

No. Puesto en conocimiento de la comunidad de propietarios el elemento común generador de la humedad, la inactividad de esta generará la obligación de indemnizar por los daños y perjuicios causados. A estos efectos, la comunidad tiene la obligación de llevar a cabo su reparación y mantenimiento, sin perjuicio de que, esta o cualquiera de los copropietarios, pueda dirigirse (repercutir) contra los agentes de la edificación.

➢ **Patologías con origen en instalaciones privadas de un vecino**

El origen de la humedad también puede venir dada en virtud de instalaciones privativas de uno de los vecinos tal como un electrodoméstico o un elemento privativo. En estos supuestos, la responsabilidad de este también viene dada en virtud de la previsión recogida en el artículo 1902 del Código Civil, motivo por el cual podrá ejercitarse la acción contra este y, en su caso, contra la compañía aseguradora de la vivienda causante de las referidas humedades, tal y como veremos en el punto relativo a las «humedades en la vivienda por culpa de un vecino».

➢ **Patologías con origen en las instalaciones privadas del propietario**

Por último, podemos encontrarnos con que el origen de la humedad devenga en virtud de los elementos privativos de nuestra propia vivienda, y ello como consecuencia de un deficiente cuidado de las instalaciones, como por ejemplo una inadecuada ventilación o un indebido mantenimiento, o ya sea simplemente por el mero hecho del transcurso del tiempo. En cuyo caso, es el propio propietario el obligado a sufragar los gastos que se ocasionen con ocasión de la reparación de las patologías.

3.2.2. Humedades con origen en elementos comunes

620 **Responsabilidad por defectuosa conservación de elementos comunes**

Ya hemos adelantado en el punto anterior, que pesa sobre la comunidad de propietarios la obligación de llevar a cabo todos aquellos trabajos y obras que resulten necesarias para el adecuado mantenimiento y conservación del inmueble, de entre las que se recogen, en todo caso, las necesarias para satisfacer los requisitos básicos de, en lo que aquí nos concierne, habitabilidad (dentro de los que se encuadran la problemática derivada por las humedades existentes en el edificio).

➢ **Obligaciones de la comunidad en relación con la conservación del inmueble**

De encontrarnos ante tales circunstancias, es obligación de la comunidad tanto la reparación de las deficiencias, como el resarcimiento de los daños producidos por la falta de conservación del inmueble.

CUESTIONES

1. La puesta en marcha por parte de la comunidad de propietarios de las obras necesarias para el adecuado mantenimiento y conservación del inmueble, ¿requerirá el acuerdo previo de la junta de propietarios?

No. El propio artículo 10 de la LPH, previendo el carácter obligatorio de estas obras, exime a la comunidad de propietarios de la obtención de acuerdo previo por parte de la junta de propietarios para la realización de las mismas:

«1. Tendrán carácter obligatorio y no requerirán de acuerdo previo de la Junta de propietarios, impliquen o no modificación del título constitutivo o de los estatutos, y

vengan impuestas por las Administraciones Públicas o solicitadas a instancia de los propietarios, las siguientes actuaciones:

a) Los trabajos y las obras que resulten necesarias para el adecuado mantenimiento y cumplimiento del deber de conservación del inmueble y de sus servicios e instalaciones comunes, incluyendo en todo caso, las necesarias para satisfacer los requisitos básicos de seguridad, habitabilidad...».

2. ¿Qué podemos entender por «obras necesarias»?

Puede entenderse por obras necesarias tanto los trabajos de mero mantenimiento y cuidado, como las tareas reparadoras o de rehabilitación **cuya finalidad sea garantizar el restablecimiento de las condiciones de habitabilidad** (**SAP de Madrid n.º 503/2014, de 5 de diciembre, ECLI:ES:APM:2014:17522**).

➢ ¿Qué elementos serán considerados comunes?

Dado que en esos supuestos basaremos nuestra reclamación en que el daño ocasionado por la humedad existente en nuestra vivienda o local deviene en virtud de la mala conservación o estado de un elemento común, resulta fundamental llevar a cabo una pormenorizada descripción de aquellos elementos que tienen tal carácter. Téngase en cuenta que existen determinados elementos que, aun siendo de uso privativo, tienen carácter de elemento común.

En este sentido encontramos que no es en la Ley de Propiedad Horizontal donde nuestro ordenamiento jurídico lleva a cabo una relación detallada de los elementos comunes, sino que, a este respecto, habremos de estar, por remisión expresa del artículo 3 de la LPH, a lo dispuesto en el **artículo 396 del Código Civil:**

«Los diferentes pisos o locales de un edificio o las partes de ellos susceptibles de aprovechamiento independiente por tener salida propia a un elemento común de aquél o a la vía pública podrán ser objeto de propiedad separada, que llevará inherente un derecho de copropiedad sobre los elementos comunes del edificio, que son todos los necesarios para su adecuado uso y disfrute, tales como el **suelo, vuelo, cimentaciones y cubiertas; elementos estructurales y entre ellos los pilares, vigas, forjados y muros de carga; las fachadas, con los revestimientos exteriores de terrazas, balcones y ventanas, incluyendo su imagen o configuración, los elemento de cierre que las conforman y sus revestimientos exteriores; el portal, las escaleras, porterías, corredores, pasos, muros, fosos, patios, pozos y los recintos destinados a ascensores, depósitos, contadores, telefonías o a otros servicios o instalaciones comunes, incluso aquéllos que fueren de uso privativo; los ascensores y las instalaciones, conducciones y canalizaciones para el desagüe y para el suministro de agua, gas o electricidad, incluso las de aprovechamiento de energía solar; las de agua caliente sanitaria, calefacción, aire acondicionado, ventilación o evacuación de humos; las de detección y prevención de incendios; las de portero electrónico y otras de seguridad del edificio, así como las de antenas colectivas y demás instalaciones para los servicios audiovisuales o de telecomunicación, todas ellas hasta la entrada al espacio privativo; las servidumbres y cualesquiera otros elementos materiales o jurídicos que por su naturaleza o destino resulten indivisibles** (...)».

A TENER EN CUENTA. Tal y como pone de manifiesto el **Tribunal Supremo en su sentencia n.º 93/2011, de 12 de diciembre, ECLI:ES:TS:2011:8310**, «una de las **características de la propiedad horizontal es la de estar regida por normas de derecho necesario.**

Siendo incuestionable que el orden de fuentes normativas por las que ha de regirse la comunidad de propietarios está constituido, **en primer lugar, por los estatutos de la comunidad contenidas en el título, y después, en este orden y con carácter supletorio, por las normas del Código Civil sobre la comunidad de bienes y por la Ley de Propiedad Horizontal** de 21 de julio de 1960, lo que no implica que, respecto a dicha clase de propiedad, no sea de aplicación, en ningún caso, el principio de la autonomía de la voluntad, consignado en el artículo 1.255, del Código Civil cuando los estatutos aprobados por la Junta de Propietarios no contradigan lo establecido en la misma». Por ello, resulta esencial llevar a cabo un pormenorizado estudio de lo pactado en los estatutos respecto del bien en cuestión y el acuerdo que a través de los mismos se establezca, respecto de los gastos de conservación y mantenimiento de dichos elementos.

Como vemos, **el artículo 396 del Código Civil enumera los elementos comunes.** Si bien, debemos tener en cuenta que, por una lado, dicha enumeración no es de *numerus clausus* sino **enunciativa** y, por otro, que su anunciación no es de *ius cogens*, sino de ***ius dispositivum***, por lo que habrá de comprobarse de manera específica que no se haya producido la desafección permitida de ciertos elementos que, no siendo **privativos por naturaleza o esenciales, como el suelo, las cimentaciones, los muros, las escaleras, los pilares etc.**, lo sean solo **por destino o accesorios, como los patios interiores, las terrazas a nivel o cubiertas de partes del edificio, etc.**, **(sentencia n.º 27/2007, de 22 de enero, ECLI:ES:TS:2007:162**).

CUESTIONES

1. ¿Qué ocurrirá si el origen de la filtración o humedad tiene origen y causa en el mal estado o conservación de un elemento común por naturaleza?

Los elementos comunes por naturaleza (esenciales) son aquellos que resultan imprescindibles para asegurar el uso y disfrute de los diferentes pisos y locales y no podrán ser objeto de desafección (entre otras, **STS n.º 265/2011, de 8 de abril, ECLI:ES:TS:2011:2488**). Así, de encontrarnos ante una filtración o humedad con causa en un elemento con tal carácter, **no cabrá duda alguna de que es la comunidad de propietarios la responsable de su conservación y mantenimiento**, por lo que, puesta en conocimiento de esta tal circunstancia, la inactividad de la misma generará su responsabilidad y nos permitirá accionar contra ella una reclamación por los daños y perjuicios causados por la humedad y la ejecución de las obras necesarias para que estos dejen de producirse.

2. ¿Y de encontrarnos con que el origen de la filtración o la humedad ha surgido como consecuencia del estado o conservación de un elemento común por destino?

Los elementos por destino o accesorios son aquellos que en concepto de anejos se adscriben al servicio de todos o algunos de los propietarios singulares, quedando tal adscripción supeditada a la voluntad de las partes (entre otras, **STS n.º 265/2011, de 8 de abril, ECLI:ES:TS:2011:2488**). Por ello, en estos casos, habrá que comprobar si el bien ha sido objeto de desafección o no (título constitutivo del edificio o acuerdo de la comunidad de propietarios). De encontrarnos que el elemento causante de la humedad no ha sido objeto de desafección, estaríamos en la misma situación que en la respuesta dada a la cuestión anterior. Sin embargo, en caso contrario —encontrarnos con que el bien en cuestión ha sido objeto de desafección—, tendremos que probar objetivamente que, a pesar de que el uso del mismo es privativo, la humedad no ha sido generada por incumplimiento del deber de mantenimiento y conservación que sobre el mismo tiene el propietario al que se le ha dado el derecho de uso (art. 9 de la LPH) o, de la adicción de elementos no autorizados, sino que la humedad tiene origen en elementos comunes, que conforman dicho bien, pero que dan uso al resto de vecinos.

Especialidades dependiendo del origen de la humedad 630

➢ ¿Qué ocurre si el origen de la humedad radica en la terraza o cubierta del edificio a la que se le ha dado un uso privativo?

Las terrazas, las cubiertas del edificio, (también los patios de luces), constituyen elementos comunes por destino y, por tanto, pueden ser objeto de desafectación. De encontrarnos ante una humedad en un bien de tales características, a los efectos de determinar quién es el verdadero responsable de los daños causados y el obligado a la reparación, podemos encontrarnos con dos supuestos diferenciados:

♦ Que el origen del daño devenga como consecuencia de un defecto en la construcción o elementos arquitectónicos que aseguran la estanqueidad del inmueble

De encontrarnos ante este supuesto, la responsabilidad recaerá sobre la comunidad de propietarios.

Así, por ejemplo, en el caso de las terrazas, encontramos que el Tribunal Supremo las ha calificado, desde siempre, incluso a las que cumplen la función de cubierta del edificio, como elementos comunes accesorios o por destino, no por naturaleza, y ha admitido reiteradamente su posible desafectación para configurarlas como elementos privativos, ya sea desde la constitución de la propiedad horizontal en el propio título constitutivo, ya sea con posterioridad por la junta de propietarios (entre otras, **STS n.º 402/2012, de 18 de junio, ECLI:ES:TS:2012:5771).**

Sin embargo, y pese a encontrarnos con la desafectación del bien, **el carácter privativo no se proyecta sobre aquellos elementos arquitectónicos que, aun dentro del espacio privativo, sirvan a otros propietarios, esto es, elementos que cumplan funciones comunes dentro del inmueble**. Ello es así, tal y como señala la sentencia arriba referida, porque no cabría entender que la propiedad exclusiva de un elemento y de su espacio suponga la propiedad privativa de, por ejemplo, el forjado del mismo, que es un elemento común por naturaleza y que no se puede desafectar. Tampoco la impermeabilización que, por definición, no sirve al propietario de la terraza, sino al piso inferior del que esta es cubierta, pues tiene una función de protección para lograr la estanqueidad del inmueble en ese punto.

En consecuencia, tanto por la condición de elemento común que merecen aquellos elementos arquitectónicos que aseguran la estanqueidad del inmueble, aun estando en un elemento privativo, como por la obligación legalmente impuesta de realizar las obras necesarias en el inmueble para que reúna las debidas condiciones de estanqueidad (art. 10.1 de la LPH), es la comunidad de propietarios la responsable de las humedades que se deriven como consecuencia del mal estado de los referidos elementos.

Así, la sentencia mentada (**STS n.º 402/2012, de 18 de junio, ECLI:ES:TS:2012:5771**) partiendo del reconocimiento de que es en la terraza el elemento en el que tienen su origen las filtraciones, y habida cuenta que la causa de las mismas se encuentra en un defecto en la estanqueidad del inmueble, estima la responsabilidad de la comunidad de propietarios, por el **fallo de un elemento común pese a la propiedad privada de la terraza, como es el forjado de**

cubierta y su impermeabilización, condenándola, en consecuencia, a la ejecución de las obras precisas para suprimir las humedades por filtraciones y a reparar los daños:

«(...) pese a que las terrazas tienen carácter privativo, la parte que sirve como cubierta del edificio y el forjado del mismo en todo caso, elementos comunes por naturaleza, debido a la función que cumplen en el ámbito de la propiedad horizontal. Estos razonamientos, suponen que, al quedar acreditado que los daños provienen del mal estado de un elemento común, el forjado del edificio, su reparación y el resarcimiento de los daños ya ocasionados, son una obligación de la comunidad de propietarios».

Lo fundamental radica en que **deberemos acreditar que los daños provienen del mal estado de un elemento común del bien pese a que este tenga, ya sea en título, ya sea por acuerdo posterior, carácter privativo**. Pudiendo, en consecuencia, solicitar su reparación y el resarcimiento de los daños ocasionados, pues pesa sobre la comunidad de propietarios la obligación de mantenimiento y conservación de los elementos arquitectónicos que aseguran la estanqueidad del inmueble.

Misma postura recogen pronunciamientos posteriores como, por ejemplo, la **STS n.º 755/2015, de 30 de diciembre, ECLI:ES:TS:2015:5805**, en la que, analizando un supuesto de hechos de una terraza de un ático, reconoce el tribunal que, aunque privativa, como cubierta sirve de impermeabilización del edificio y en tal sentido se califica como elemento común, o la **sentencia n.º 47/2020, de 20 de enero, ECLI:ES:APS:2020:36, de la Audiencia Provincial de Cantabria** en la que basan los magistrados su razonamiento jurídico en la propia literalidad del artículo 396 del Código Civil al que hemos hecho alusión al principio de estas líneas, reconociéndose a través del citado precepto como elementos comunes de la edificación, entre otros, los «elementos estructurales y entre ellos, los pilares, vigas, forjados y muros de carga; las fachadas, con los revestimientos exteriores de terrazas, balcones y ventadas, incluyendo su imagen o configuración, los elemento de cierre que las conforman y sus revestimientos exteriores». Si, en consecuencia, tal y como dice la sala, el origen del daño se encuentra en la inexistencia o en la existencia deformada o inútil de la debida impermeabilización de la terraza o fachada que actúan como elementos de estanqueidad, no puede existir duda de su carácter común como elemento general de la comunidad, como elemento arquitectónico que es.

Determinada la fuente de causación del daño, es a la comunidad de propietarios y no al propietario individual, a la que, de acuerdo con el art. 10.1 LPH, le corresponde la realización de las obras de reparación por ser un elemento común por naturaleza. Puesta en conocimiento de la comunidad la existencia de la filtración o humedad en la vivienda o local con origen en un elemento común, la omisión por parte de esta de la diligencia debida en procurar su reparación es el título de imputación que permite declarar su responsabilidad.

CUESTIÓN

Irene ha encontrado filtraciones de agua en su vivienda provenientes de la terraza del ático, propiedad de sus vecinos, Cristina y Carlos. Tras contratar un experto en la materia, el peritaje concluye que los daños producidos en la vivienda de Irene obe-

decen al mal estado de la tela asfáltica y al deficiente sistema de seguridad del desagüe a través de la bajante. Habida cuenta que, consultado el título constitutivo del régimen de propiedad horizontal, la terraza del ático tiene naturaleza privativa, ¿a quién debe reclamar Irene los daños?

A la comunidad de propietarios y ello porque, de acuerdo con el peritaje, los daños se deben al mal estado de la tela asfáltica y al deficiente sistema de seguridad del desagüe a través de la bajante y, en este sentido, la naturaleza común de esos elementos, por ser estructurales y esenciales en la comunidad de propietarios, conlleva necesariamente que su reparación no sea propia del titular de la terraza, pese al carácter de elemento privativo por dominio o por uso, sino que, al encontrarse el origen del daño en la existencia deformada de impermeabilización de la misma, es a la comunidad de propietarios, de acuerdo con lo dispuesto en el artículo 10.1 de la LPH, a la que le corresponde la realización de las obras de reparación y de su resultado, por ser un elemento común por naturaleza. (**STS n.º 755/2015, de 30 de diciembre, ECLI:ES:TS:2015:5805**).

Misma justificación deberá llevarse a cabo cuando nos encontremos con humedades procedentes en, por ejemplo, un patio de luces al que se ha dado uso privativo; **sentencia de la Audiencia Provincial de Alicante n.º 62/2016, de 15 de febrero, ECLI:ES:APA:2016:114:**

> «(...) resulta evidente que como las obras de reparación son precisas para suprimir filtraciones de agua y las humedades derivadas de determinados vicios constructivos, y es evidente que las mismas en cuanto suponen la construcción de un nuevo forjado mejorado, **exceden de las naturalmente debidas al uso y conservación del patio, con lo que, los gastos que comportan no pueden considerarse incluidos en los de mantenimiento a su cargo que prevé el art 9 de la LPH, sino a cargo de la Comunidad**».

A TENER EN CUENTA. Pese a lo antedicho, reiteramos que es fundamental, antes de proceder a la reclamación, llevar a cabo un estudio de lo establecido en los estatutos, y ello porque ha de tenerse en cuenta que, tal y como refiere la **STS n.º 340/2018, de 7 de junio de 2018, ECLI:ES:TS:2018:2061, de existir una regla especial en los estatutos sobre la propiedad y régimen de distribución de los gastos respecto del elemento objeto de controversia, no será aplicable el artículo 396 del Código Civil**, por disponer en su párrafo último que rige «la voluntad de los interesados», esto es todo aquello manifestado en los estatutos.

- **Que el origen de la filtración o humedad devenga como consecuencia de un mal mantenimiento de la terraza o por modificaciones que el comunero haya llevado a cabo en la terraza y respecto de los que se deriven daños**

Por el contrario, y pese a que, como hemos visto, en virtud del artículo 10 de la LPH corresponde a la comunidad de propietarios responder de los daños causados por filtraciones derivadas de elementos comunes (pese a que estos tengan atribuido un uso privativo), existen casos en que esta quedará exonerada:

- Si las filtraciones o humedades han sido originadas por negligencia o mal uso del propietario que los disfruta (vulneración de la obligación impuesto a tenor de lo previsto en el art. 9.1 de la LPH).
- Si las filtraciones o humedades han sido originadas por las modificaciones realizadas en el elemento por el propietario que tiene atribuido su uso (vulneración del art. 7.1 de la LPH).

Así, en caso de encontrarnos con daños en una vivienda o local en virtud de filtraciones o humedades procedentes de una terraza, y cuyo origen se estima como consecuencia de un mal uso o un mal mantenimiento ordinario del elemento al que se le ha dado uso privativo, la reparación de los daños corresponderá al propietario que tiene atribuido el uso privativo, ya que, tal y como prevé el artículo 9.1 de la Ley de Propiedad Horizontal, pesa sobre este el deber de respetar las instalaciones generales de la comunidad y demás elementos comunes, ya sean de uso general o privativo de cualquiera de los propietarios, estén o no incluidos en su piso o local, haciendo un uso adecuado de los mismos y evitando en todo momento que se causen daños o desperfectos, y la obligación de mantener en buen estado de conservación su propio piso o local e instalaciones privativas, en términos que no perjudiquen a la comunidad o a los otros propietarios, resarciendo los daños que ocasione por su descuido o el de las personas por quienes deba responder.

En consecuencia, no tendremos opción de ejercicio contra la comunidad de propietarios en estos supuestos, pues es el propietario del elemento causante de las humedades el que habrá de responder de los daños causados como consecuencia del uso y por aquellas modificaciones que haya llevado a cabo en el elemento si, a consecuencia de ello, se producen las filtraciones o humedades que hayan ocasionado los daños.

CUESTIONES

1. ¿Cabe la posibilidad de que en estos supuestos nos encontremos ante una responsabilidad solidaria entre la comunidad de propietarios y el comunero al que se le ha otorgado el uso privativo?

Sí, es posible encontrarnos con una responsabilidad compartida. Cabe citar, a modo de ejemplo, el pronunciamiento recogido en la **sentencia de la Audiencia Provincial de Barcelona n.º 213/2016, de 30 de mayo, ECLI:ES:APB:2016:5210**. En esta se analiza un caso de autos en el que se declaran como hechos probados, respecto a la causa de la filtración que originó las humedades, que ello fue consecuencia, de un lado por la falta de mantenimiento ordinario (responsabilidad del propietario que tiene atribuido el derecho de uso), pero también se reconoce que a la aparición de las filtraciones que causaron los daños por los que se reclaman, contribuyó que aun no se hubiera llevado a cabo la reparación integral de la terraza que, de acuerdo con la sala, «dada su antigüedad», se trataba de un edificio centenario que «debía haber acometido la comunidad», declarándose, en consecuencia, la solidaridad entre los agentes concurrentes en la producción del daño (propietario que tiene uso privativo de la terraza en la que se originaron las filtraciones y comunidad de propietarios).

2. ¿A quién corresponde probar que la causa de los daños es imputable a la comunidad de propietarios por incumplimiento de las obligaciones que impone la Ley de Propiedad Horizontal, y no lo es al propietario del elemento común de uso privativo o, en su caso, que lo fuera a ambos?

Conforme a las reglas generales en materia de carga de la prueba (art. 217 LEC) corresponde a la parte demandante (**SAP de Pamplona n.º 686/2019, de 23 de diciembre, ECLI:ES:APNA:2019:1183**).

➤ ¿Qué ocurre si el origen de la humedad radica en ventanas o velux?

Al igual que reseñamos en el punto anterior, cabe hacer especial referencia a la naturaleza del bien común o privativo de las ventanas, dado que, si bien es cierto que tal y como prevé el artículo 396 del Código Civil, los ventanales tienen, en principio, carácter de elemento común (en cuanto que constituyen elementos de cierre del edificio, sirviendo, en consecuencia, no solo al copropietario de la vivienda en la que se encuentran las ventanas, sino al conjunto de propietarios del edificio), lo cierto es que suelen surgir problemas respecto de aquellas cuyo uso está atribuido en exclusiva a un comunero por encontrarse dentro de su propia vivienda.

De ser el caso, procederemos al igual que en el caso anterior, a la regulación que al respecto se establezca en los estatutos de la comunidad y, de guardar estos silencio, deberá acreditarse objetivamente, a los efectos de achacar la responsabilidad de los mismos a la comunidad de propietarios, que los daños o filtraciones son debidos a elementos estructurales.

Así, cabe citar, a modo de ejemplo, la **sentencia de la Audiencia Provincial de Cantabria n.º 289/2015, de 23 de febrero, ECLI:ESAPS:2016:89.** En ella, partiendo los magistrados de los principios generales mantenidos por la sala en este tipo de pleitos, estiman el recurso de apelación interpuesto por el actor comunero contra la sentencia de instancia por la que se desestima la demanda formulada por este frente a la comunidad, por daños en su vivienda ocasionados por filtraciones, con causa en la falta de mantenimiento en forma de impermeabilización y sellado de carpintería en la fábrica de fachada, justificando su respuesta conforme sigue:

> «En primer lugar los ventanales, como los de autos, se han de calificar de elemento común, en cuanto son elementos de cierre del edificio y sirven, pues, al conjunto de comuneros, no sólo al copropietario de la vivienda que tiene esos ventanales. Una filtración a través de los mismos no sólo produce daños en la vivienda concreta sino que puede afectar a otras viviendas e incluso a los muros estructurales de la fachada.
>
> Los casos jurídicamente complicados surgen cuando tratándose de un elemento común el uso de ese espacio o elemento común está atribuido en exclusiva a un comunero. En estos supuestos, a su vez, solemos distinguir:
>
> a) En principio se debe estar **a lo que regulen los Estatutos de la Comunidad**, que en nuestro asunto no se han aportado casi de que existan.
>
> b) Si los Estatutos guardan silencio, entonces la Sala suele diferenciar:
>
> - **Si los deterioros se deben a un negligente cuidado por parte del usuario, a quien se le exige ir realizando las ordinarias reparaciones derivadas del uso, del paso del tiempo, de una puntual acción descuidada, será ese copropietario el responsable de los daños o filtraciones que pudieran producirse.**
>
> - **Si estos daños o filtraciones son debidos a elementos estructurales (capa de impermeabilización que se ha ido deteriorando, muros u hormigón estructurales) la responsabilidad es de la Comunidad**».

Encontramos otro supuesto de hechos de condena a la comunidad por humedades existentes en ventanas velux, en la **sentencia de la Audiencia Provincial de Pontevedra n.º 132/2017, de 17 de marzo, ECLI:ES:APPO:2017:626**, por cuanto fue acreditado que los daños en el interior de la vivienda derivaban de la inadecuada impermeabilización y sellado de las ventanas velux integrantes de la cubierta del edificio, así como de otros problemas radicantes en la cubierta (defectuosa impermeabilización de la canaleta, inadecuado revestimiento de los casetones y defectuoso aislamiento de los faldones de cubierta).

➢ ¿Qué ocurrirá con las humedades derivadas de la filtración con origen en bajantes y tuberías?

Los tribunales vienen considerando que la conducción será considerada **elemento común aun cuando puedan discurrir, en parte, por espacios privativos.** Así, únicamente tendrán la consideración de privativas las cañerías que salgan de la red general del edificio para dar servicio a la vivienda o local, teniendo carácter de elemento común el resto de conducciones pese a discurrir por espacio privativo.

A este respecto resulta de interés traer a colación, a título ejemplificativo, la respuesta dada por los magistrados de la Audiencia Provincial de Tenerife en su **sentencia n.º 587/2011, de 1 de diciembre, ECLI:ES:APTF:2011:2733,** en la que se determina que, en estos supuestos, no cabe solo atender a la ubicación de la bajante para calificarla de común o privativa, sino que lo que ciertamente habrá de ser objeto de examen será **el servicio o finalidad de la misma.** Así, y comoquiera que, en el caso de autos, el peritaje afirma que la bajante recoge agua de lluvia procedente de un elemento común (que en el caso examinado es el agua que sale de la rampa de la comunidad), ha de calificarse como elemento común del edificio al servicio no del local, sino de todo el edificio, y ello pese a que se ubique en elemento privativo, para poder conectar con la bajante general.

También presenta interés la **sentencia n.º 368/2011, de 20 de junio, ECLI:ES:APV:2011:3181, dictada por la Audiencia Provincial de Valencia,** al dar respuesta en el caso de autos, a la determinación de la responsabilidad en los casos en los que la avería se produce dentro de la vivienda y en una tubería que da servicio a la misma, pero **antes de la llave de paso,** concluyendo la sala acerca de la consideración de elemento privativo (de la tubería) y hace surgir la responsabilidad del propietario por su mantenimiento y adecuada conservación, cuando entra dentro del poder de disposición y utilización del titular de la vivienda. La obligación de mantener en buen estado la instalación o conducción del agua solo surgirá pues, conforme a lo dispuesto en el artículo 9.1.b de la Ley de Propiedad Horizontal, a **partir de la llave de paso a la vivienda,** susceptible de ser manejada por el propietario o, en su defecto, desde el contador. Antes de ese punto no hay obligación de mantener la instalación.

640 Procedimiento de reclamación a la comunidad de propietarios por humedades en elementos comunes

➢ Legitimación en la reclamación por humedades

Ostentará legitimación activa para la iniciación del procedimiento, el comunero perjudicado por la humedad, debiendo dirigirse la reclamación contra la comunidad de propietarios en la persona de su representante legal (esto es la persona que ocupe el cargo de presidente).

CUESTIÓN

¿Podrá entablar la acción el arrendatario?

Sí. La acción dirigida por el arrendatario contra la comunidad de propietarios por los daños causados como consecuencia del defectuoso cumplimiento de la obligación contenida en el artículo 10 de la LPH, de mantenimiento de los elementos comunes, tiene amparo en el artículo 1902 del Código Civil (responsabilidad aquiliana), encontrándose legitimado el arrendatario para el ejercicio de las acciones propias del precepto referido por los daños que le fuesen inferidos.

Debe también tenerse en cuenta la posibilidad de demandar al seguro —caso de que la comunidad de propietarios tuviese póliza en vigor contratada al efecto—. Asimismo, sería posible demandar a los copropietarios como responsables subsidiarios mancomunados. Si bien, debe considerarse la posibilidad de que, en caso de perder con costas, sería por cada uno de los intervinientes.

➢ ¿Cuál es el procedimiento por el que se tramitará la reclamación?

El procedimiento por el que se tramitarán estas reclamaciones variará en función de lo que se reclame, que puede ser exclusivamente una cantidad de dinero o incluir alguna otra acción como puede ser la de realización de las obras necesarias para eliminar la causa que dio origen a la humedad.

Hay que tener en cuenta lo establecido en los artículos 249.1.8.º, y 250.1.15.º de la LEC tras la reforma llevada a cabo por del Real Decreto-ley 6/2023, de 19 de diciembre, con entrada en vigor el 20 de marzo del 2024. A partir de esta fecha podemos establecer la siguiente diferenciación:

- Se tramitarán por los trámites del **juicio verbal** las demandas en las que se ejerciten las acciones que otorga a las juntas de propietarios y a estos la Ley 49/1960, de 21 de julio, sobre Propiedad Horizontal, siempre que versen **exclusivamente sobre reclamaciones de cantidad**, sea cual fuere dicha cantidad. Es decir, por ejemplo, si únicamente reclamo el importe correspondiente a las facturas pagadas por el arreglo de mi vivienda acudiría al juicio verbal.
- Por el contrario, se seguirán los trámites del juicio ordinario cuando se ejerciten las acciones que otorga a las juntas de propietarios y a estos la LPH, siempre que no versen exclusivamente sobre reclamaciones de cantidad, por ejemplo, si también solicitase en el petitum de la demanda que la comunidad procediese a arreglar el defecto del elemento común que provocó la humedad.

A TENER EN CUENTA. Las demandas presentadas antes del 20 de marzo de 2024 que se tramiten después de dicha fecha, lo harán conforme a la versión anterior del artículo 249.1.8.º de la LEC: «Cuando se ejerciten las acciones que otorga a las Juntas de Propietarios y a éstos la Ley de Propiedad Horizontal, siempre que no versen exclusivamente sobre reclamaciones de cantidad, en cuyo caso se tramitarán por el procedimiento que corresponda».

Llegados a este punto, cabe precisar que el comunero también podrá reclamar el reembolso, no solo por las obras que este haya tenido que ejecutar en su vivienda o local como consecuencia de la humedad, sino que, de ser el caso, también de aquellas ejecutadas en las zonas comunes. Si bien, hay que matizar que se requerirá, además del lógico requerimiento previo al secretario-administrador o al presidente, que la obra o reparación llevada a cabo tenga carácter urgente. Véase en este sentido la **STS n.º 16/2016, de 2 de febrero, ECLI:ES:TS:2016:329**, por la que se establece que:

«Sólo procederá el reembolso por la Comunidad de Propietarios al comunero que haya ejecutado unilateralmente obras en zonas comunes cuando se haya requerido previamente al Secretario-Administrador o al Presidente advirtiéndoles de la urgencia y necesidad de aquéllas. En el caso de no mediar dicho requerimiento, la Comunidad quedará exonerada de la obligación de abonar el importe correspondiente a dicha ejecución. No quedará exonerada si la Comunidad muestra pasividad en las obras o reparaciones necesarias y urgentes».

CUESTIÓN

Junto con la solicitud de condena a la comunidad de propietarios a llevar a efecto la reparación y el resarcimiento de los daños y perjuicios sufridos, ¿podrá solicitarse la condena pecuniaria de la comunidad de propietarios por daños morales derivados de las humedades?

Sí. La posibilidad de que junto con el daño patrimonial concurra y sea reconocido la existencia del daño moral es admitida jurisprudencialmente. Ello encuentra su justificación en el impacto psíquico o moral que ha de traer causa de la conducta de otro (en estos supuestos, ante la omisión por parte de la comunidad de propietarios del cumplimiento del deber impuesto en el art. 10 de la LPH).

Véase en este sentido la respuesta dada por en la **SAP de Oviedo n.º 371/2020, de 21 de octubre, ECLI:ES:APO:2020:4198**, a la petición de condena de 1000 euros por daños morales: «ha de tomarse en consideración que las humedades y filtraciones se remontan a mediados del año 2018, que aunque han disminuido persisten, que llegaron a provocar desprendimiento del revestimiento de yeso del techo de la cocina dejando al descubierto parte del forjado de la cubierta y del mortero de cemento y, sobre todo, que por su magnitud obligaron al actor a colocar cubos para la recogida del agua, lo que tanto significa un estado continuo de alerta en caso de lluvia sobre la progresión de la filtración y, lógicamente, de incomodidad al tener que proceder de ese modo y de incertidumbre sobre lo posible que pudiera venir, apreciándose la suma de 1.000 euros como justa compensación a tal estado».

Por su parte, la **sentencia de la Plaza n.º 16 de la Sección Civil del Tribunal de Instancia de A Coruña n.º 84/2026, de 20 de marzo, ECLI:ES:TIC:2026:248**, rechaza la indemnización por daño moral en el caso concreto, aunque no niega en abstracto que pueda llegar a reclamarse por incumplimiento del art. 10 LPH. Con base en la STS **n.º 561/2021, de 23 de julio, ECLI:ES:TS:2021:3068**, el Tribunal de Instancia recuerda que, para reconocer la indemnización por daño moral, deben concurrir los siguientes requisitos: causalidad, imputación objetiva, que el perjuicio afecte realmente a bienes de la personalidad o concurra un incumplimiento doloso, y además prueba suficiente del sufrimiento moral y de su conexión con el incumplimiento.

➢ Plazo para el ejercicio de la acción de reclamación de daños a la comunidad de propietarios

Por su parte, y en relación con el plazo del ejercicio de la acción de reclamación de daños y perjuicios causados en la vivienda o local ejercitada por uno de los comuneros frente a la comunidad de propietarios por incumplimiento de la obligación de conservación, mantenimiento y reparación prevista en el artículo 10 de la Ley de Propiedad Horizontal, encontramos que las decisiones esgrimidas hasta el momento por las diferentes audiencias provinciales de nuestro país, habían dado lugar a dos posiciones doctrinales diferenciadas.

a. Plazo legal de un año

Por un lado, encontramos la corriente jurisprudencial que considera que el plazo de prescripción es el plazo de un año recogido en el apartado 2.° del artículo 1968 del Código Civil, **al entender que nos encontramos ante un supuesto de responsabilidad extracontractual prevista en el artículo 1902 del Código Civil:** «El que por acción u omisión causa daño a otro, interviniendo culpa o negligencia, está obligado a reparar el daño causado».

b. Plazo legal de cinco años

Por otro lado, están aquellas audiencias provinciales que suscriben la tesis de que ha de ser tenido en cuenta el plazo de prescripción de cinco años señalado en apartado 2.° del artículo 1964 del Código civil para las **acciones personales** «Las acciones personales que no tengan plazo especial prescriben a los cinco años desde que pueda exigirse el cumplimiento de la obligación. En las obligaciones continuadas de hacer o no hacer, el plazo comenzará cada vez que se incumplan», habida cuenta que entienden que la acción de reclamación de daños y perjuicios ejercitada por el propietario perjudicado por las humedades **no es una acción de responsabilidad extracontractual**.

Así, encontramos en este sentido —entre otras— la postura mantenida por los magistrados de la audiencia provincial de Madrid en su **sentencia n.° 615/2008, de 11 de diciembre, ECLI:ES:APM:2008:18960**: «Respecto de la excepción de prescripción evidentemente ejercitándose la acción del artículo 10.1 de la Ley de Propiedad Horizontal, no puede ser de aplicación el plazo prescriptivo de un año que se invoca por la recurrente, sino el plazo del artículo 1964 del C.Civil de quince años para las acciones personales que no tengan señalado plazo especial de prescripción, por ello y en consecuencia necesariamente debe decaer el recurso de apelación interpuesto».

A TENER EN CUENTA. La referida sentencia hace alusión al plazo prescriptivo de quince años recogido para las acciones personales con anterioridad a la reforma llevada a cabo al efecto por la Ley 42/2015, de 5 de octubre, de reforma de la Ley 1/2000, de 7 de enero, de Enjuiciamiento civil, por el que se modificó el plazo de prescripción de las acciones personales que no tengan plazo especial que, a fecha de la presente, es de cinco años.

---

c. ¿Qué postura mantiene el Tribunal Supremo al respecto?

De acuerdo con nuestro Alto Tribunal, **el plazo que tiene un comunero para exigir la indemnización por daños y perjuicios frente a la comunidad de propietarios por daños derivados de la falta de conservación o mantenimiento** de los elementos comunes es de **cinco años.**

Es a través de la **STS n.° 491/2018, de 14 de septiembre, ECLI:ES:TS:2018:3102**, donde la sala, partiendo de que la acción de reclamación de daños y perjuicios causados en el caso de autos, y de la afirmación —no discutida— de que los daños y perjuicios que se dicen producidos **nacen precisamente del incumplimiento de una obligación legal que a las comunidades de propietarios impone el artículo 10 de la Ley de Propiedad Horizontal,** en el sentido de llevar a cabo las obras que resulten necesarias para el mantenimiento y conservación de los elementos comunes, de modo que no causen daño alguno a otros bienes comunes o a los privativos termina concluyendo, en referencia a las distintas posturas jurisprudenciales mantenidas por las diferentes audiencias provinciales, que **«se trata de una obligación legal,** en el sentido a que se refiere el artículo 1089 del Código Civil, que no resulta asimilable a las derivadas de actos u omisiones ilícitas, que comprenden un ámbito distinto y a las que resulta de aplicación el plazo de prescripción anual del artículo 1968-2.°. **No cabe disociar el plazo de prescripción para exigir el cumplimiento de las obligaciones legales del correspondiente a la acción para exigir las consecuencias dañosas de dicho incumplimiento**, por lo que no puede ser compartida la posición sostenida al respecto por la sentencia impugnada que, en consecuencia, habrá de ser casada puesto que la acción de reclamación de daños y perjuicios ejercitada no está prescrita al ser aplicable el plazo de cinco años, según la redacción del artículo 1964 del Código Civil que resulta aplicable».

A TENER EN CUENTA. Lo anterior solo resultará de aplicación para aquellos supuestos en los que el reclamante sea el propietario, pues, ya hemos adelantado que, en aquellos supuestos en los que un arrendatario sea quien ejercite la acción de daños y perjuicios contra la comunidad por incumplimiento de las previsiones del art. 10.1 de la LPH, la reclamación tendrá amparo en el artículo 1902 del Código Civil (responsabilidad aquiliana), por lo que, aquí sí nos encontraríamos con el plazo legal de un año para el ejercicio de la misma. Así lo establece el **Tribunal Supremo en la sentencia n.° 45/2017, de 25 de enero, ECLI:ES:TS:2017:165**:

> «Esta sala debe declarar que la acción la ejercita la sociedad arrendataria y no los propietarios cuya intervención procesal fue rechazada en auto de 10 de septiembre de 2012.
>
> El arrendatario puede ejercitar las acciones propias del art. 1902 del C. Civil, por los daños que le fuesen inferidos.
>
> Dicha acción tiene un plazo de prescripción de un año (art. 1968 del C. Civil)».

Llegados a este punto, y en relación con el plazo prescriptivo señalado, **cabe preguntarse cuál será el *dies a quo* a partir del cual comenzará a computarse los cinco años legalmente establecidos** para el ejercicio de la acción de reclamación del comunero a la comunidad de propietarios por el incumplimiento del deber de conservación y mantenimiento impuesto en el art. 10 de la LPH. Y en este sentido, resulta de interés traer a colación la **sentencia del Tribunal Supremo n.° 114/2019, de 20 de febrero, ECLI:ES:TS:2019:511,** en la que la sala resuelve el caso planteado por un propietario que demanda comunidad de vecinos por las filtraciones de agua sufridas en su vivienda durante un largo tiempo, por las que ha venido sufriendo daños en su propiedad.

A través de esta sentencia, podemos comprobar que, **a efectos de fijación de la fecha del inicio de la prescripción, lo fundamental es la calificación que han de merecer los daños causados** (daños permanentes y daños continuados), dado que su calificación en unos u otros será lo que influya en la determinación del dies a quo para el comiendo del cómputo del plazo.

CUESTIONES

1. ¿Cuál es la diferencia existente entre los daños permanentes y los daños continuados?

Se califican como **daños permanentes o duraderos** aquellos que **se mantienen en el tiempo,** mientras que tendrán la consideración de **daños continuados** cuando estos no solamente se mantienen en el tiempo, sino que **se van agravando** cuando su causa productora no cesa.

Así, y usando como ejemplo el caso de autos analizado por los magistrados del **Tribunal Supremo en la referida sentencia n.° 114/2019, de 20 de febrero, ECLI:ES:TS:2019:511,** los daños que se producen en una vivienda como consecuencia de filtraciones con origen en un elemento superior de la misma continuarán produciéndose y agravándose con el transcurso del tiempo hasta la subsanación de los defectos que dan lugar a los mismos; **por lo que se podrán considerar como permanentes, pero también son continuados pues se agravan por las sucesivas filtraciones que se producen en cada momento en que cae agua** sobre la terraza superior.

2. Calificado un daño como permanente, ¿cuándo se fijará el dies a quo? ¿Y respecto de los daños continuados?

En caso de **daño permanente,** la fijación del *dies a quo* coincidirá con el **momento de la causación del daño**; concretamente desde el mismo momento en que lo supo el agraviado, y ello aunque posteriormente el daño continúa manifestándose. Dicho extremo será así siempre que el daño no continúe agravándose pues, de ser así, nos encontraremos ante un **daño continuado**, en cuyo caso, resultará de aplicación para la determinación del *dies a quo* la **fecha en la que el daño cesa,** momento en que puede cuantificarse su alcance definitivo.

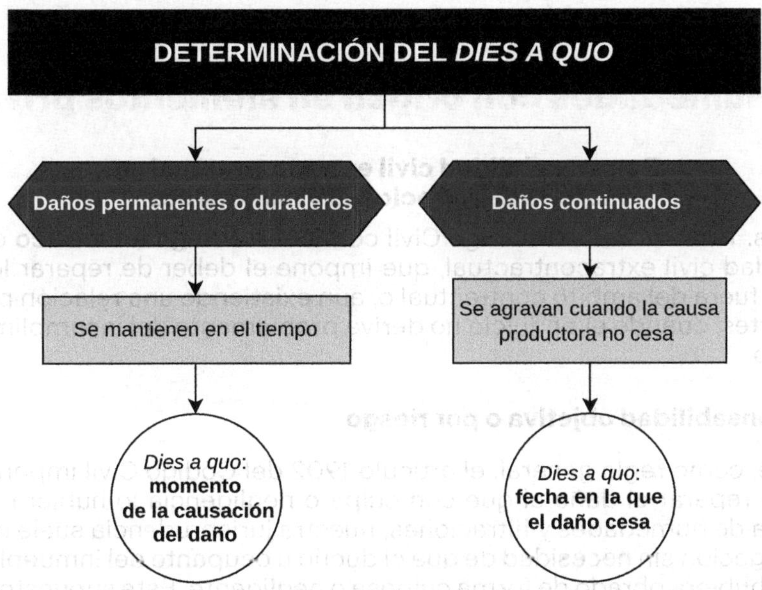

➢ **Gastos generados con ocasión del procedimiento judicial contra la comunidad de propietarios**

Toda vez que el artículo 9 de la Ley de Propiedad Horizontal impone la obligación a todos los copropietarios de participar de manera proporcionada en los «gastos generales», **el comunero que ha iniciado un procedimiento judicial contra la comunidad ¿debe participar a la contribución de esos «gastos generales» derivados de la situación litigiosa? No.** En aquellos casos en los que uno de los comuneros se enfrenta a una situación litigiosa contra la comunidad de propietarios, los desembolsos que esta última deba llevar a cabo para sufragar los gastos generados con ocasión de la controversia, no podrán adquirir carácter de «gastos generales» con relación al miembro o miembros a los que se enfrentan.

Dicho extremo ha venido siendo puesto de manifiesto en los diferentes pronunciamientos que al respecto ha tenido la oportunidad de recoger, desde antaño, nuestro Tribunal Supremo. Así, lo recoge la **sentencia n.º 475/2011, de 24 de junio, ECLI:ES:TS:2011:4223**, en la que la sala estima el recurso de casación interpuesto pues, tal y como ponen de manifiesto los magistrados, los argumentos de la sentencia objeto de recurso contradicen la **doctrina** de la sala siendo así que «si la comunidad de propietarios no actúa de consuno, sino que, rota la armonía, surge la contienda judicial enfrentándose aquella y uno (en el caso varios) de sus componentes, **los desembolsos impuestos por la situación litigiosa no merecen la calificación de gastos generales** con relación al segundo. **Solo son a cargo de la comunidad los gastos por litigios frente a terceros». (STS, n.º 689/1997, de 24 de julio, ECLI:ES:TS:1997:5281**).

Misma respuesta se dará para el caso de que la comunidad de propietarios deba indemnizar al comunero litigante. Este no estará obligado a contribuir al pago de la indemnización.

3.2.3. Humedades con origen en elementos privativos

650

Responsabilidad civil extracontractual en materia de filtraciones y humedades

Los arts. 1902 a 1910 del Código Civil contienen el **régimen básico** de la responsabilidad civil extracontractual, que impone el deber de reparar los daños causados fuera del ámbito contractual o, aun existiendo una relación previa entre las partes, cuando el perjuicio no derive propiamente del incumplimiento de lo pactado.

➢ **Responsabilidad objetiva o por riesgo**

Aunque, como regla general, el artículo 1902 del Código Civil impone la obligación de reparar el daño al que con culpa o negligencia lo hubiera causado, en materia de humedades y filtraciones, nuestra jurisprudencia suele mantener dicha obligación sin necesidad de que el dueño u ocupante del inmueble de procedencia hubiera obrado de forma culposa o negligente. Este supuesto especial de responsabilidad objetiva o por riesgo obedece al principio de salvaguardia de las relaciones de vecindad.

Cabe aclarar, no obstante, lo establecido en resoluciones como la **SAP de Córdoba n.° 10/2004, de 19 de enero, ECLI:ES:APCO:2004:74**, según la cual dicha objetivación de la responsabilidad sólo entra en juego una vez probado el nexo causal entre la vivienda colindante y el daño. Así, para que prospere la reclamación, es **indispensable que el demandante acredite** de forma terminante el **origen privativo** de la filtración y su **nexo causal** con los daños producidos, sin que basten meras conjeturas o probabilidades.

➢ **Determinación del origen de las filtraciones**

El primer paso para identificar al responsable es determinar el **origen de las filtraciones, verificando si proceden de elementos comunes o de las instalaciones privativas** de un vecino. Dependiendo la respuesta, cabrá demandar a la comunidad de propietarios o al vecino responsable. El presente apartado aborda este último supuesto.

➢ **¿Cómo discernir si el elemento de origen es comunitario o privativo?**

Los tribunales vienen considerando que una conducción será privativa si su función es satisfacer a un propietario en concreto. Así, serán privativas las cañerías que salgan de la red general del edificio para dar servicio a la vivienda o local y serán comunes el resto de conducciones, aun cuando puedan discurrir en parte por espacios privativos.

En este sentido, la **sentencia de la Audiencia Provincial de Madrid n.° 303/2009, de 6 de julio, ECLI:ES:APM:2009:8320**, reza:

> «En el presente caso la tubería averiada discurría por el suelo de la terraza y del comedor del piso NUM002, hasta el radiador de este último, siendo preciso, según documento emitido por el fontanero (al folio 122) desmontar los tubos de la calefacción y poner dos llaves de esfera, tubo de cobre, 4 entronques y varios codos con sus juntas y soldaduras, debiendo luego tapar de nuevo el suelo de terraza y salón. Por tanto aplicando la doctrina reseñada, cabe concluir que la conducción causante de los daños en el piso asegurado en Reale, es de carácter **privativo**, al estar dentro de los límites del NUM002, aunque esté conectada, lógicamente a la conducción vertical, esta ya sí comunitaria. En consecuencia **su estado de conservación depende de su propietario**, sin que deba responder de los daños y perjuicios reclamados la C de P, ni su aseguradora Liberty».

El propietario/a de una vivienda que sufra humedades y disponga de un **seguro de hogar** deberá dirigirse a su aseguradora para que esta comience todos los trámites para la averiguación del origen de las humedades y su posterior reclamación.

➢ **¿Cómo acreditar el origen privativo de las humedades?**

Antes de presentar cualquier reclamación a un vecino/a, debemos constatar que las humedades en la vivienda o local tienen origen en un elemento privativo y no en elementos comunes ni en defectos de la construcción. Para certificarlo, debemos contar con un **informe pericial**.

En los supuestos de responsabilidad extracontractual y, más en concreto, en los casos de humedades entre vecinos, **la intervención del perito suele estar relacionada con la acreditación del nexo causal**. Se trata de demostrar que las humedades tienen su origen en un elemento privativo, en estos casos, las distintas audiencias provinciales han venido señalando que **el perjudicado únicamente tiene que probar la existencia del daño y el nexo causal**, es decir, por ejemplo, que la humedad proviene del piso de arriba (**SAP de Alicante n.º 408/2013, de 12 de julio, ECLI:ES:APA:2013:2754**).

Como indica la **SAP de Córdoba n.º 10/2004, de 19 de enero, ECLI:ES:APCO:2004:74**, es fundamental la existencia de una prueba terminante del origen, sin que sean suficientes meras conjeturas, deducciones o probabilidades: «El cómo y el por qué del siniestro constituyen elementos indispensables en el examen de la causa eficiente del elemento dañoso (ss. 17-12-88, 3-11-93)».

A modo ilustrativo, cabe citar la **SAP de Asturias n.º 38/2006, de 31 de enero, ECLI:ES:APO:2006:345**, que establece lo siguiente:

«Hay un **dato sumamente importante** que hace que este Tribunal concluya que **la causa de la aparición de las humedades** por condensación en la vivienda del actor obedecen a la modificación, por parte de este, de las condiciones de su vivienda (sustitución de la carpintería exterior, por otra metálica, sin rotura de puente térmico, e instalación de calefacción), que le han dotado de una mayor estanqueidad, al tiempo que da una más alta temperatura interior, que favorece la aparición de humedades en las caras interiores de las paredes y techos, al no haber dotado al mismo tiempo a la vivienda de elementos susceptibles de romper los puentes térmicos, y no realizar una más adecuada ventilación interior. Ese dato al que nos referimos es el simple hecho de que solo en el piso NUM002 NUM003 del inmueble existe un problema semejante al que padece el del actor, mientras que el resto de las viviendas, incluida la del NUM000 NUM003, no consta que tengan ese problema.

Pues bien, dado que no se trata de un problema generalizado en el edificio, ni que afecte siquiera al piso NUM000 NUM003 y estando acreditado que el demandante, después de comprar el piso, modificó de una forma importante sus condiciones de estanqueidad (lo que favorece la retención de humedad en el interior de la vivienda), dotándole además de instalación de calefacción, de la que no disponía el edificio, sin adaptar el aislamiento de la vivienda a esas nuevas condiciones, y sin adaptar a ellas sus hábitos, procediendo una más intensa ventilación interior, resulta obligado concluir que **ha sido el demandante, y no la Comunidad demandada, quien ha colocado su vivienda en condiciones de padecer** un problema como el que padece, que no consta que existiese antes de que el demandante adquiriese la vivienda y modificase sus condiciones de habitabilidad, por lo que no se puede imputar a la demandada conducta alguna que, por acción u omisión sea susceptible de generar la responsabilidad contemplada en el artículo 1902 del Código Civil».

CUESTIONES

1. «A» tiene un problema de humedades en su vivienda, si bien, para arreglar las mismas necesita que los operarios pasen y además coloquen andamios en la pared propiedad del matrimonio entre «B» y «C». ¿Tiene «B» que consentir el paso por su propiedad y la colocación de dichos andamios?

Sí, de acuerdo con el artículo 569 del Código Civil y la jurisprudencia mayoritaria, se establece una limitación legal del dominio de forma temporal y transitoria en el marco de las relaciones de buena vecindad. No obstante, esta limitación de la propiedad debe de justificarse apreciando la necesidad como presupuesto fundamental de la acción y, por tanto, tal necesidad debe resultar plenamente acreditada en el procedimiento. La **SAP de A Coruña, en su sentencia n.º 2/2003, de 7 de enero, ECLI:ES:APC:2003:3**, señala que el término indispensable que utiliza el citado artículo 569 del Código Civil no puede entenderse de modo absoluto, sino como una exigencia de ponderación de las distintas alternativas que se plantean para ejecutar las obras, así como las circunstancias concretas de cada caso, estableciendo un juicio de proporcionalidad.

En este mismo sentido se pronuncia la **SAP de Zamora n.º 48/2012, de 22 de marzo, ECLI:ES:APZA:2012:112**, en la que se reitera que sin duda la necesidad es el supuesto básico que determina la legitimidad de la inmisión en la propiedad ajena constitutiva de una limitación de esta.

2. Siguiendo con el caso anterior, en el caso de que «B» y «C» no consientan el paso por su propiedad. ¿«A» deberá demandar a «B» y «C» conjuntamente o con que inste demanda contra uno solo de ellos sería suficiente?

En este caso al ser copropietarios «B» y «C», «A» deberá de interponer la demanda contra ambos, pues el dominio del piso que se pretende afectar con una limitación derivada del régimen de propiedad afecta a ambos comuneros. La constitución del litisconsorcio pasivo necesario tiene su fundamento en el derecho de toda persona a ser oída antes de ser condenada, previsto en el artículo 24 de la Constitución española, así como en la eficacia misma de las resoluciones judiciales, en este sentido se pronuncia la sentencia de la Audiencia Provincial de Girona n.º 360/2011, de 4 de julio, ECLI:ES:APGI:2001:1089.

RESOLUCIÓN RELEVANTE

SAP de Logroño n.º 498/2024, de 18 de diciembre, ECLI:ES:APLO:2024:731

«Así, valora la juez de instancia que el señor Urbano en su primera visita a la vivienda del actor constató el perito el buen estado de mantenimiento de la vivienda, y las múltiples grietas que afectaban a dicha vivienda, solo en su parte colindante con la de la demandada, así como el estado de abandono de dicha vivienda colindante, y en la siguiente visita constató el ***perito*** *que las grietas habían aumentado, con fractura de la fábrica de ladrillo; y en la siguiente visita, tras el derribo de la vivienda colindante, constató el perito que la fachada medianera quedó a la intemperie, sin impermeabilizar, y tampoco se desescombró el solar, con aparición de* ***humedades*** *en dos paredes exteriores y en otro paramento de la vivienda del demandante inmediato a la fachada medianera. La Sala comparte la valoración de la juez de instancia acerca de la realidad de los daños en la vivienda del demandante y de su causa, que no es otra que* ***el deficiente estado de la vivienda colindante que originó las grietas*** *en la vivienda del demandante, y la falta de protección de la pared medianera tras el derribo, además de dejar el escombro en el solar, que originó la aparición de humedades tanto en las paredes exteriores inmediatas al solar colindante como en la pared interior de la vivienda del demandante inmediata a la medianería. Lo informado por el perito acerca de estado de una y otra vivienda, las grietas en la vivienda del demandante, el estado en que quedaron la medianera y el solar tras el derribo, y las humedades en la vivienda del demandante se corroboran con las múltiples y elocuentes fotografías incorporadas a dicho informe. Y se corrobora lo informado por el perito señor Urbano con la documental consistente en proyecto de derribo redactado por el arquitecto don Elias, en el que se indica que no se accede al interior del edificio "debido a la peligrosidad evidente que presenta su estado de conservación", y con las fotografías incorporadas al proyecto. Y se corrobora por lo informado por el arquitecto del Ayuntamiento de Medrano don Carlos Jesús en fecha 7 de julio de 2021: estado actual: dos edificios adosados entre medianeras en muy mal estado de conservación... presentan un estado de conservación muy malo, casi ruinoso, y unas pésimas condiciones de seguridad y salubridad...Igualmente se constata el derribo*

dejando la fachada medianera sin medida alguna de protección y el escombro en el solar, con la consiguiente aparición de humedades, con las fotografías incorporadas al informe del perito señor Urbano y con las fotografías incorporadas a la reclamación realizada por el demandante al Ayuntamiento de Medrano en fecha 3 de septiembre de 2021. No se alega ni resulta de las pruebas practicadas ninguna otra causa de los daños en la vivienda del demandante; en el acto del juicio el arquitecto autor del proyecto y director de la obra de demolición don Eduardo declara que le contrato la demandada para derribar dos edificios de su propiedad, era una casa inhabitable, abandonada, con daños estructurales de cubierta y con algún derribo parcial., que vio las grietas en la casa del vecino y en cuanto a su causa que no lo podría decir, que no le encontraba una relación directa con el estado de la casa de la demandada, pero no lo analizó, que pensó más como una hipótesis en un asentamiento de la esquina de la casa en la plaza, provocado por no sabe qué, pero que no lo siguió. De modo que el arquitecto señor Elias ni negó la causa de los daños informada por el perito señor Urbano ni afirmó que era otra la causa de tales daños, lo que afirmo es que no sabía cual era la causa de esos daños.

Las actuaciones llevadas a cabo en octubre de 2021, consistentes en proyección de espuma de poliuretano en la medianera y parcial desescombro del solar no son suficientes para evitar que se sigan produciendo daños en la vivienda del demandante: (...)

De lo que se concluye que ***las obras ejecutadas no garantizan la correcta reparación para impedir que se sigan produciendo los daños por humedades*** *causados en la vivienda del demandante. Y ningún error jurídico ni de valoración se aprecia porque la juez valore la ejecución de las obras conforme a las exigencias de la licencia de obras y del PGM de Medrano, pues tal como expresa en la sentencia apelada, recogen las indicaciones precisas para la correcta ejecución en orden a la finalidad pretendida: que no se produzcan filtraciones por capilaridad ni de ninguna otra forma a la finca del demandante, lo que es conforme con la acción de responsabilidad extracontractual por daños entre otros por humedad, ejercitada en la demanda. Un problema de humedades en la vivienda del demandante no implica, como pretende la parte apelante, que se inunde la plaza o la vía pública.*

En cuanto al otro colindante, que su pared tenga o no proyectado de poliuretano, es totalmente irrelevante, porque de lo que se trata en el presente pleito no es de resolver si la pared del vecino cumple o no con la normativa municipal, sino de resolver sobre la correcta impermeabilización de la pared medianera de demandante y demandada en aras a evitar que se sigan produciendo humedades en la vivienda del demandante.

Los hechos que han quedado acreditados tienen su encaje jurídico en el ***artículo 1902 CC****, que regula la* ***responsabilidad extracontractual****. Es cierto que se trata de un muro medianero que, por su naturaleza, comporta la copropiedad sobre el mismo de los litigantes, copropiedad que comporta, a su vez, la obligación de contribuir a su conservación "en proporción al derecho de cada uno", como establece el artículo 575 del Código Civil, extendiéndose dicha obligación a los casos de levantamiento de la pared medianera, o a su conservación. Ahora bien,* ***cuando se producen daños o deterioros en la pared medianera por culpa de uno sólo de los medianeros, como es el caso, la reparación del daño debe ser asumida por el causante*** *del mismo».*

660 Especialidades del pago del vecino causante de la humedad

➢ ¿Qué ocurre si el vecino causante de las humedades tiene seguro? ¿Y en caso de que no cuente con un seguro del hogar?

La respuesta a la primera pregunta será que el seguro, a través de la cobertura de responsabilidad civil, se hará cargo de toda la reparación. Para el caso de que el vecino causante de las humedades no cuente con un seguro del hogar, como ya hemos señalado anteriormente, cualquier persona que **por acción u omisión causa daño a otro, interviniendo culpa o negligencia, está obligado a reparar el daño causado**.

Cuando la humedad provenga de un elemento privativo (lo más habitual en estos casos es que la humedad provenga como consecuencia de una fuga del piso superior o contiguo) y el propietario del piso **no disponga de seguro del hogar**, será el propietario del inmueble causante quien deberá asumir todos los gastos que conlleve arreglar los desperfectos tanto en la vivienda afectada como en el origen de las humedades.

En los casos en que el/la propietario/a de la vivienda afectada por las humedades **tenga seguro del hogar**, deberá dar parte a la aseguradora para que comience todos los trámites. Habitualmente, la aseguradora asume la gestión de las reparaciones y de la reclamación frente al propietario de la vivienda que haya causado las humedades o filtraciones.

➢ ¿Qué ocurre si el vecino causante de la humedad no se hace cargo de la reparación?

En primer lugar, debemos intentar todas las vías amistosas posibles (verbal, burofax con contenido certificado) y en caso de que el propietario causante de las humedades haga caso omiso, tendremos que proceder a interponer una demanda judicial ejercitando, bien la **acción por responsabilidad extracontractual** o bien, en caso de que los propietarios de la vivienda afectada hayan reparado las humedades por su cuenta, que es lo habitual, habrá de interponerse una **demanda ejercitando la acción civil de resarcimiento**, para recuperar las cantidades desembolsadas para hacer frente a la reparación en la vivienda.

En este sentido, cabe mencionar la **sentencia del Tribunal Supremo n.º 1118/2004, de 11 de noviembre, ECLI:ES:TS:2004:7314,** cuyo tenor literal reza:

> «Esta Sala se basa en la doctrina jurisprudencial de la causalidad adecuada o eficiente para determinar la existencia de relación o enlace entre la acción u omisión, causa, y el daño o perjuicio resultante, efecto, pero siempre termina afirmando que opta decididamente por soluciones y criterios que le permitan valorar en cada caso si el acto antecedente que se presenta como causa tiene virtualidad suficiente para que del mismo se derive, como consecuencia necesaria, el efecto dañoso producido, y que la determinación del nexo causal debe inspirarse en la valoración de las condiciones o circunstancias que el buen sentido señale en cada caso como índice de responsabilidad, dentro del infinito encadenamiento de causas y efectos, con la abstracción de todo exclusivismo doctrinal, pues, como se viene repitiendo con reiteración, si bien el artículo 1902 descansa en un principio básico culpabilístico, no es permitido desconocer que la diligencia requerida comprende no sólo las prevenciones y cuidados reglamentarios, sino además todos los que la prudencia imponga para prevenir el evento dañoso, con inversión de la carga de la prueba y presunción de conducta culposa, así como la aplicación, dentro de unas prudentes pautas, de la responsabilidad basada en el riesgo, aunque sin erigirles en fundamento único de la obligación de resarcir, todo lo cual permite entender que para responsabilizar una conducta, no sólo ha de atenderse a esa diligencia exigible según las circunstancias personales, de tiempo y lugar, sino, además, al sector del

tráfico o entornos físico y social donde se proyecta la conducta, para determinar si el agente obró con el cuidado, atención y perseverancia apropiados y con la reflexión necesaria para evitar el perjuicio (Sentencias de 23 de Marzo de 1984, 1 de Octubre de 1985, 2 de Abril y 17 de Diciembre de 1986, 17 de Julio de 1987, 28 de Octubre de 1988, 19 de Febrero de 1992)».

670 **Especialidades procedimentales en la reclamación de daños por humedades causadas por un vecino**

➢ **¿Qué tribunal será competente territorialmente?**

El **ATS, rec. 207/2018 de 13 de noviembre de 2018, ECLI:ES:TS:2018:11851A**, resuelve sobre la competencia territorial en los supuestos de filtraciones de agua entre vecinos. En primer lugar dispone que, cuando se sigan los cauces del juicio verbal, no cabe sumisión expresa o tácita a otro tribunal distinto al competente; y en segundo lugar, que cuando se ejercita una acción de responsabilidad extracontractual, no es aplicable ninguna de las reglas previstas en el artículo 52 de la LEC, por lo que debe aplicarse la regla del artículo 50 de la LEC, siendo competente el lugar del domicilio del demandado.

CUESTIÓN

Con motivo de las filtraciones en un piso contiguo al de «A», situado en la ciudad de Pontevedra, su vivienda sufre una serie de humedades en el techo, cuya reparación asciende a la cantidad de cinco mil euros. El propietario del piso causante de las humedades vive en la ciudad de Lugo. ¿Qué órgano será competente territorialmente?

La Sección Civil del Tribunal de Instancia de Lugo, por ser el lugar del domicilio del demandado.

A TENER EN CUENTA. En aplicación de la D.T. 1.ª de la LO 1/2025, de 2 de enero, el proceso de transformación de los juzgados unipersonales en las secciones del orden jurisdiccional correspondiente de los tribunales de instancia culminó el 31/12/2025.

➢ **¿Cuándo prescribirá la acción de reclamar la reparación de los daños?**

Al igual que ocurre con todas las acciones, la acción de responsabilidad civil extracontractual está sujeta a un plazo de prescripción que asciende al **periodo de un año** (artículo 1968.2.º del Código Civil).

Sobre este particular, debemos diferenciar, además, si nos encontramos ante daños permanentes o daños continuados para poder saber en qué día comienza a correr el plazo de prescripción.

En la **STS n.º 114/2019 de 20 de febrero, ECLI:ES:TS:2019:511**, se realiza la siguiente diferenciación entre daños permanentes y daños continuados, para determinar el día exacto en que comienza el plazo de prescripción:

«En primer lugar, como se sostiene en el único motivo de casación, la consideración de los daños como permanentes (que se mantienen en el tiempo) o continuados (que no solo se mantienen, sino que se van agravando en cuando a su causa productora no cesa), no es una mera cuestión fáctica —como sostiene la parte recurrida— sino que alcanza efectos jurídicos en tanto que influye en la determinación del dies a quo para el comienzo del plazo de prescripción, siendo por otra parte incontestable que los daños que se producen por filtraciones desde un elemento superior continúan produciéndose y agravándose con el transcurso del tiempo hasta la subsanación de los defectos que dan lugar a los mismos, por lo que se podrán considerar como permanentes, como sostiene la Audiencia, pero también son continuados pues se agravan por las sucesivas filtraciones que se producen en casa momento en que cae agua sobre la terraza superior».

La citada sentencia continúa señalando que la aplicación de lo dispuesto por el artículo 1969 del CC da lugar a que la fijación del dies a quo, en el caso de daños continuados, haya de coincidir con la fecha en que los mismos cesan y, en consecuencia, cuándo cabe cuantificar su alcance definitivo, pues es entonces y no antes, cuando la acción puede ejercitarse.

Es decir, el artículo 1969 del Código Civil establece que el comienzo del plazo de la prescripción coincide con el momento en que la acción puede ejercitarse, para lo que no basta, en palabras del Tribunal Supremo, con el conocimiento del daño, sino que, es necesario, además, que se conozca la identidad del responsable del mismo a efectos de poder ejercer adecuadamente la acción.

➢ **¿Está legitimado/a un/a inquilino/a para reclamar los daños por humedades ocasionados por otro vecino/a en la vivienda o local arrendado?**

En primer lugar, debemos señalar que cuando se trate de acciones fundadas en el artículo 1902 del CC, la jurisprudencia **exige tener la condición de perjudicado** —en este caso por filtraciones o humedades—, por lo que no se requiere que sea el propietario de la vivienda o local para ejercitar la acción de responsabilidad civil extracontractual, sino que haya sido únicamente perjudicado.

Por lo tanto, de acuerdo con la **SAP de Cáceres n.º 338/2015, de 23 de noviembre, ECLI:ES:APCC:2015:844**, «todo arrendatario puede estar legitimado para el ejercicio de esta acción de responsabilidad civil extracontractual, **siempre que tenga la condición de perjudicado**».

3.3. DEFECTOS DE LA CONSTRUCCIÓN. SUPUESTO DE LAS VIVIENDAS DE NUEVA CONSTRUCCIÓN. RECLAMACIÓN A LOS AGENTES DE LA EDIFICACIÓN

Defectos en la construcción del inmueble: concepto y legitimación para reclamar los daños y perjuicios causados

680

➢ **¿Qué debemos entender por defectos de construcción?**

De acuerdo con el artículo 3 de la Ley 38/1999, de 5 de noviembre, de Ordenación de la Edificación, con el fin de garantizar la seguridad de las personas, el bienestar de la sociedad y la protección del medio ambiente, se establecen los siguientes requisitos básicos de la edificación, que deberán satisfacerse, de la forma que reglamentariamente se establezca, en el proyecto, la construcción, el mantenimiento, la conservación y el uso de los edificios y sus instalaciones, así como en las intervenciones que se realicen en los edificios existentes:

a) Relativos a la funcionalidad:

1.- Utilización, de tal forma que la disposición y las dimensiones de los espacios y la dotación de las instalaciones faciliten la adecuada realización de las funciones previstas en el edificio.

2.- Accesibilidad, de tal forma que se permita a las personas con movilidad y comunicación reducidas el acceso y la circulación por el edificio en los términos previstos en su normativa específica.

3.- Acceso a los servicios de telecomunicación, audiovisuales y de información de acuerdo con lo establecido en su normativa específica.

4.- Facilitación para el acceso de los servicios postales, mediante la dotación de las instalaciones apropiadas para la entrega de los envíos postales, según lo dispuesto en su normativa específica.

b) Relativos a la seguridad:

1.- Seguridad estructural, de tal forma que no se produzcan en el edificio, o partes del mismo, daños que tengan su origen o afecten a la cimentación, los soportes, las vigas, los forjados, los muros de carga u otros elementos estructurales, y que comprometan directamente la resistencia mecánica y la estabilidad del edificio.

2.- Seguridad en caso de incendio, de tal forma que los ocupantes puedan desalojar el edificio en condiciones seguras, se pueda limitar la extensión del incendio dentro del propio edificio y de los colindantes y se permita la actuación de los equipos de extinción y rescate.

3.- Seguridad de utilización, de tal forma que el uso normal del edificio no suponga riesgo de accidente para las personas.

c) Relativos a la habitabilidad:

1.- Higiene, salud y protección del medio ambiente, de tal forma que se alcancen condiciones aceptables de salubridad y estanqueidad en el ambiente interior del edificio y que este no deteriore el medio ambiente en su entorno inmediato, garantizando una adecuada gestión de toda clase de residuos.

2.- Protección contra el ruido, de tal forma que el ruido percibido no ponga en peligro la salud de las personas y les permita realizar satisfactoriamente sus actividades.

3.- Ahorro de energía y aislamiento térmico, de tal forma que se consiga un uso racional de la energía necesaria para la adecuada utilización del edificio.

4.- Otros aspectos funcionales de los elementos constructivos o de las instalaciones que permitan un uso satisfactorio del edificio.

El Código Técnico de la Edificación es el marco normativo que establece las exigencias básicas de calidad de los edificios de nueva construcción y de sus instalaciones, así como de las intervenciones que se realicen en los edificios existentes, de acuerdo con lo previsto en las letras b) y c) del artículo 2.2, de tal forma que permita el cumplimiento de los anteriores requisitos básicos.

➢ ¿Quién está legitimado para ejercitar las acciones tendentes a la reparación e indemnización por los daños ocasionados por defectos en la construcción?

La **STS n.º 84/2004 de 10 de febrero, ECLI:ES:TS:2004:793**, señala que la **legitimación activa** para reclamar viene atribuida, según a quien se repute como perjudicado.

Por otro lado, en cuanto a si la reclamación ha de ser a título individual o bien se hará a través de la comunidad de propietarios, la **STS n.º 383/2017, de 16 de junio, ECLI:ES:TS:2017:2365**, indica que **el presidente de la comunidad de propietarios está legitimado para ejercitar las acciones tendentes a la reparación e indemnización de los elementos comunes y privativos de un edificio o inmueble cuando afecta a una pluralidad de propietarios** y con el fin de evitar que todos tengan que demandar individualmente. Es decir, la jurisprudencia mayoritaria ha ampliado las facultades del presidente de la comunidad de propietarios a la defensa de los intereses que afecten también a los elementos privativos de un inmueble siempre y cuando los propietarios le autoricen.

Asimismo, hay casos en que es difícil o bien imposible separar las respectivas responsabilidades de los intervinientes en un contrato de obra y en consecuencia en el proceso constructivo y, en estos casos, se podrá exigir la responsabilidad solidaria de los intervinientes.

Los agentes de la edificación y su responsabilidad civil 690

➢ ¿Quiénes son los agentes de la edificación?

1. Promotor

Será considerado promotor cualquier persona, física o jurídica, pública o privada que, individual o colectivamente, decide, impulsa, programa y financia, con recursos propios o ajenos, las obras de edificación para sí o para su posterior enajenación, entrega o cesión a terceros bajo cualquier título (apdo. 1 del artículo 9 de la LOE).

El promotor ni diseña ni ejecuta o vigila la obra, estas son funciones de los demás agentes que intervienen en el proceso constructivo. El promotor idea, controla, administra y dirige el proceso constructivo, al fin de incorporar al mercado la obra hecha.

➢ ¿Qué obligaciones tiene el promotor?

Según lo establecido en el apdo. 2 del artículo 9 de la LOE:

- Ostentar sobre el solar la titularidad de un derecho que le faculte para construir en él.

- Facilitar la documentación e información previa necesaria para la redacción del proyecto, así como autorizar al director de obra las posteriores modificaciones del mismo.
- Gestionar y obtener las preceptivas licencias y autorizaciones administrativas, así como suscribir el acta de recepción de la obra.
- Suscribir los seguros previstos en el artículo 19 de la LOE.
- Entregar al adquirente, en su caso, la documentación de obra ejecutada, o cualquier otro documento por las administraciones competentes.

2. Constructor (art. 11 de la Ley 38/1999, de 5 de noviembre)

El constructor es el agente que asume, contractualmente ante el promotor, el compromiso de ejecutar con medios humanos y materiales, propios o ajenos, las obras o parte de las mismas con sujeción al proyecto y al contrato.

➢ ¿Qué obligaciones tiene el constructor?

1. Ejecutar la obra con sujeción al proyecto, a la legislación aplicable y a las instrucciones el director de obra y del director de la ejecución de la obra, a fin de alcanzar la calidad exigida en el proyecto.

2. Tener la titulación o capacitación profesional que habilita para el cumplimiento de las condiciones exigibles para actuar como constructor.

3. Designar al jefe de la obra que asumirá la representación técnica del constructor en la obra y que por su titulación o experiencia deberá tener la capacitación adecuada de acuerdo con las características y la complejidad de la obra.

4. Asignar a la obra los medios humanos y materiales que su importancia requiera.

5. Formalizar las subcontrataciones de determinadas partes o instalaciones de la obra dentro de los límites establecidos en el contrato.

6. Firmar el acta de replanteo o de comienzo y el acta de recepción de la obra.

7. Facilitar al director de obra los datos necesarios para la elaboración de la documentación de la obra ejecutada.

8. Suscribir las garantías establecidas en la Ley 38/1999, de 5 de noviembre.

3. Arquitecto y arquitecto técnico

El **arquitecto técnico** es responsable de que la obra se ejecute con sujeción al proyecto y exacta observancia de las órdenes e instrucciones del arquitecto director, pero esto no significa su sujeción o sometimiento pleno y absoluto que suponga un actuar pleno y absoluto que suponga un actuar dotado de automatismo, pues, en todo caso, lo que se ha de alcanzar es una buena construcción, con observancia de las prácticas y reglas correspondientes (**STS n.º 1007/2005, de 15 de diciembre, ECLI:ES:TS:2005:7410**).

El **arquitecto** es el encargado del diseño y supervisión de la construcción.

➢ ¿Qué responsabilidad civil tienen los agentes de la edificación?

Sin perjuicio de sus responsabilidades contractuales, **las personas físicas o jurídicas que intervienen en el proceso de edificación** responden frente a los propietarios y a los terceros adquirentes de los edificios o parte de los mismos, en el caso de que sean objeto de división, de los siguientes daños materiales ocasionados en el edificio **dentro de los plazos indicados, contados desde la fecha de recepción de la obra, sin reservas o desde la subsanación de estas (art. 17 de la Ley 38/1999, de 5 de noviembre):**

- **Durante 10 años**: los daños materiales causados en el edificio por vicios o defectos que afecten a la cimentación, los soportes, la vigas, los forjados, los muros de carga u otros elementos estructurales, y que comprometan directamente la resistencia mecánica y la estabilidad del edificio.
- **Durante 3 años**: de los daños materiales causados en el edificio por vicios o defectos de los elementos constructivos o de las instalaciones que ocasionen el incumplimiento de los requisitos de habitabilidad del apartado 1, letra c), del artículo 3 de la Ley 38/1999, de 5 de noviembre.

El **constructor** también responderá de los daños materiales por vicios o defectos de ejecución que afecten a elementos de terminación o acabado de las obras dentro del **plazo de un año**.

Hay que hacer mención de lo dispuesto en el **artículo 1591 del Código Civil**, que señala que el contratista de un edificio que se arruinase por vicios de la construcción, responde de los daños y perjuicios **si la ruina tuviere lugar dentro de diez años**, contados desde que concluyó la construcción; igual responsabilidad, y por el mismo tiempo, tendrá el arquitecto que la dirigiere, si se debe la ruina a vicio del suelo o de la dirección.

Si la causa fuere la falta del contratista a las condiciones del contrato, la acción de indemnización durará quince años.

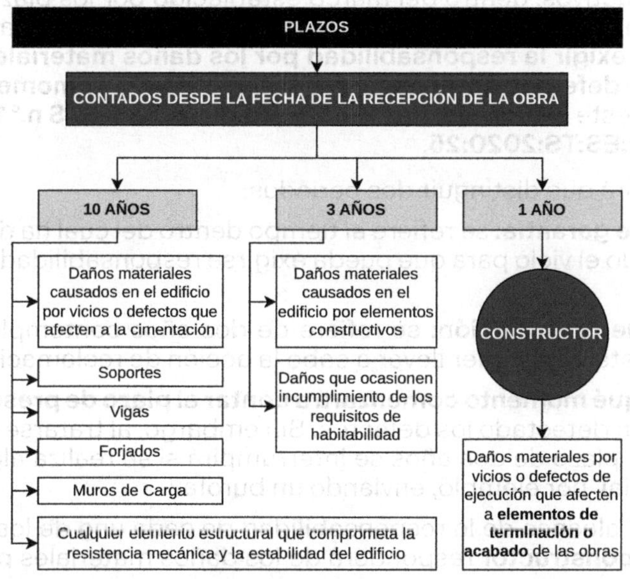

CUESTIONES

1. ¿Quiénes serán los responsables civiles por filtraciones cuyo origen se encuentre en la edificación del edificio?

La respuesta se encuentra en la ya mencionada Ley de Ordenación de la Edificación, concretamente en sus artículos 17 y siguientes donde se regula la responsabilidad civil de aquellas personas que intervienen en el proceso de edificación.

Señala que esas personas físicas o jurídicas, que intervinieron en el proceso de la edificación, responderán frente a los propietarios y los terceros adquirentes de los edificios o parte de los mismos.

Asimismo, la responsabilidad civil será exigible de manera personal e individualizada, tanto por acciones como por omisiones. Sin embargo, cuando no fuera posible la individualización de los daños, la responsabilidad se convertirá en solidaria.

2. ¿Qué plazo existe para el ejercicio de la acción civil de responsabilidad?

La acción para exigir la responsabilidad está sujeta a un plazo de prescripción al que hace referencia el artículo 18 de la Ley 38/1999 de 5 de noviembre, de Ordenación de la Edificación, que señala que «Las acciones para exigir la responsabilidad prevista en el artículo 17 por daños materiales dimanantes de los vicios o defectos, prescribirán en el plazo de dos años a contar desde que se produzcan dichos daños, sin perjuicio de las acciones que puedan subsistir para exigir responsabilidades por cumplimiento contractual».

La necesaria coordinación de los arts. 17 y 18 de la LOE exige que el daño material se produzca en el plazo de garantía y que, una vez se manifieste en tal periodo de tiempo, **la correspondiente acción se ejercite dentro del plazo de dos años.**

Los plazos del artículo 17 de la LOE responden a un presupuesto y marco objetivo de responsabilidad, y **los plazos del artículo 18 del mismo texto legal responden, con independencia, a un presupuesto de accionabilidad para exigir tal responsabilidad**, de forma que previamente observados los defectos o vicios constructivos, dentro del marco establecido por los plazos de garantía y, por tanto, sin la necesidad de integrar la totalidad de dicho plazo, **el plazo de dos años para exigir la responsabilidad por los daños materiales dimanantes de los vicios o defectos comenzará a contarse desde el momento en que se produzcan**, en este sentido es interesante la lectura de la **STS n.º 13/2020, de 15 de enero, ECLI:ES:TS:2020:25.**

Es decir, habrá que distinguir dos periodos:

- **Plazo de garantía:** se refiere al tiempo dentro del cual ha de haberse manifestado el vicio para que pueda exigirse responsabilidad, diez, tres y un año.
- **Plazo de prescripción:** se refiere de dos años contemplado en la LOE que existe para poder llevar a cabo la acción de reclamación.

Si bien, **¿en qué momento comenzará a contar el plazo de prescripción?** Desde que se hayan detectado los defectos. Sin embargo, al tratarse de un plazo de prescripción el plazo de dos años se interrumpirá si se realiza alguna reclamación extrajudicial, por ejemplo, enviando un burofax.

En cuanto al alcance de la responsabilidad de cada uno de los agentes de la edificación, el **constructor** responderá de los daños materiales por vicios o defectos **de ejecución que afecten a elementos de terminación o acabado de las obras dentro del plazo de un año.**

Asimismo, la responsabilidad civil será exigible en forma personal e individualizada, tanto por actos u omisiones propios, como por actos u omisiones de personas por las que, con respecto a la LOE se deba responder.

No obstante, **cuando no pueda individualizarse la causa de los daños materiales o quedase debidamente probada la concurrencia de culpas sin que pudiera precisarse el grado de intervención de cada agente en el daño producido**, la responsabilidad se exigirá solidariamente.

En todo caso, **el promotor responderá solidariamente con los demás agentes intervinientes ante los posibles adquirientes de los daños materiales en el edificio ocasionados por vicios o defectos de construcción.**

Sin perjuicio de las medidas de intervención administrativas que en cada caso procedan, **la responsabilidad del promotor** que se establece en la LOE se extenderá a personas físicas o jurídicas que, a tenor del contrato o de su intervención decisoria en la promoción, actúen como tales promotores bajo la forma de promotor o gestor de cooperativas o de comunidades de propietarios u otras figuras análogas.

A TENER EN CUENTA. La **STS n.º 1388/2025, de 7 de octubre, ECLI:ES:TS:2025:4285**, confirma la **doctrina** fijada en la **STS n.º 765/2014, de 20 de mayo de 2015, ECLI:ES:TS:2015:2553**, que aborda la naturaleza de la solidaridad del art. 17 de la LOE y sus efectos sobre la prescripción.

El caso resuelto en la sentencia de 20 de mayo de 2015 parte de una comunidad de propietarios que demanda a promotora, arquitectos y constructora por vicios constructivos. La Audiencia Provincial condena solidariamente a varios agentes entendiendo que la interrupción de la prescripción frente al promotor se extiende a los demás, por razón de la solidaridad del art. 17 de la LOE. El arquitecto técnico recurre en casación alegando prescripción de la acción frente a él.

➤ **¿Qué decide el Tribunal Supremo?**

El TS estima el recurso y absuelve al arquitecto técnico por prescripción. Declara que, en el régimen de la LOE, la regla general es la responsabilidad individualizada de cada agente; la condena solidaria del art. 17.3 de la LOE solo procede cuando no se puede concretar la causa del daño o la participación de cada uno. Esa responsabilidad solidaria, aunque tenga origen legal, no equivale plenamente a una obligación solidaria en el sentido técnico del art. 1137 del CC: es una solidaridad declarada por sentencia y, por ello, no despliega todos los efectos de la solidaridad propia, en particular no permite aplicar automáticamente el art. 1974 del CC. En consecuencia, la reclamación contra el promotor no interrumpe por sí sola la prescripción frente a los demás intervinientes.

En cuanto al promotor, la LOE le impone una responsabilidad solidaria **en todo caso** frente a propietarios y terceros adquirentes, incluso cuando la causa del daño sea imputable a otros agentes. Esta es una verdadera obligación solidaria legal en la relación externa con el perjudicado. No obstante, el Tribunal aclara que esta solidaridad del promotor no transforma en solidarias, en sentido clásico, las relaciones internas ni justifica extender sin más los efectos interruptivos de la prescripción a los otros agentes.

Cuando el proyecto haya sido contratado conjuntamente con más de un proyectista, los mismos responderán solidariamente. Los proyectistas que contraten los cálculos, estudios, dictámenes o informes de otros profesionales, serán directamente responsables de los daños que puedan derivarse de su insuficiencia, incorrección o inexactitud, sin perjuicio de la repetición que pudieran ejercer contra sus autores.

El constructor responderá directamente de los daños materiales causados en el edificio por vicios o defectos derivados de la impericia, falta de capacidad profesional o técnica, negligencia o incumplimiento de las obligaciones atribuidas al jefe de obra y demás personas físicas o jurídicas que de él dependan. Cuando el constructor subcontrate con otras personas físicas o jurídicas la ejecución de determinadas partes o instalaciones de la obra, será directamente responsable de los daños materiales por vicios o defectos de su ejecución, sin perjuicio de la repetición a que hubiere lugar. Asimismo, **el constructor responderá de los daños materiales causados en el edificio por las deficiencias de los productos de construcción adquiridos o aceptados por él, sin perjuicio de la repetición a que hubiere lugar**.

El director de obra y el director de ejecución de la obra suscriben un certificado final de obra, por el cual serán responsables de la veracidad y exactitud del mismo. Quien acepte la dirección de una obra cuyo proyecto no haya elaborado el mismo, asumirá las responsabilidades derivadas de las omisiones, deficiencias o imperfecciones del proyecto, sin perjuicio de la repetición que pudiere corresponderle frente al proyectista. Cuando la dirección de obra se contrate de manera conjunta a más de un técnico los mismos responderán solidariamente sin perjuicio de la distribución que entre ellos corresponda.

A TENER EN CUENTA. Las responsabilidades por daños no serán exigibles a los agentes que intervengan en el proceso de la edificación, si se prueba que aquellos fueron ocasionados por caso fortuito, fuerza mayor, acto de tercero o por el propio perjudicado por el daño.

---

700 Especialidades en la responsabilidad por defectos de la construcción en vivienda de obra nueva

Una vivienda de obra nueva es aquella que tiene menos de un año de antigüedad desde la finalización de la obra, pero no será solo aquella que se hiciera enteramente de nueva planta, sino también la que se verifica sobre edificio antiguo añadiéndole, quitándole o dándole una forma distinta susceptible de causar perjuicio, y no únicamente es obra la resultante del empleo con materiales con adherencia fija al suelo, sino también la que emplea elementos transportables o piezas desarmables.

En este caso particular, además de las garantías mencionadas anteriormente, cuando se trata de una vivienda de nueva construcción, el comprador/a podrá exigir la responsabilidad al vendedor por incumplimiento del contrato.

El **artículo 19 de la LOE**, referente al régimen de garantías exigible, señala que será obligatorio:

- **Seguro de daños materiales, seguro de caución o garantía financiera**, para garantizar, durante un año, el resarcimiento de los daños materiales por vicios o defectos de ejecución que afecten a elementos de terminación o acabado de las obras, que podrá ser sustituido por la retención por el promotor de un 5 % del importe que la ejecución material de la obra.
- **Seguro de daños materiales, seguro de caución o de garantía financiera**, para garantizar, durante un año, el resarcimiento de los daños materiales por vicios o defectos de los elementos constructivos o de las instalaciones que ocasionen el incumplimiento de los requisitos de habitabilidad.
- **Seguro de daños materiales, seguro de caución o de garantía financiera**, para garantizar durante diez años, el resarcimiento de los daños materiales causado en el edificio por vicios o defectos que tengan su origen o afecten a la cimentación, los soportales, las vigas, los forjados, los muros de carga u otros elementos estructurales y que comprometan directamente la resistencia mecánica y estabilidad del edificio.

En cuando al seguro de daños materiales, reunirán las siguientes condiciones:

- **Tendrá la consideración de tomador del seguro el constructor**: en los casos de los seguros para garantizar durante un año, el resarcimiento de los daños materiales por vicios o defectos de ejecución que afecten a elementos de terminación o acabado de obras.
- **Tendrá la consideración tomador del seguro el promotor**: en los supuestos de seguros que garanticen, durante un año, el resarcimiento de los daños materiales por vicios o defectos de los elementos constructivos o de las instalaciones que ocasionen el incumplimiento de los requisitos de habitabilidad y los seguros que garanticen durante diez años (seguro decenal) el resarcimiento de los daños materiales causados en el edificio por vicios o defectos que tengan su origen o afecten a la cimentación, los soportales, las vigas, los forjados, los muros de cargas u otros elementos estructurales.

En lo que concierne a los seguros de caución (apdo. 3 del artículo 19 de la LOE) reunirán las siguientes condiciones:

- Las señaladas en los apartados 2.a) y 2.b) del artículo 19 de la LOE. En relación con el apartado 2.a) del artículo 19 de la LOE, los asegurados serán siempre los sucesivos adquirientes del edificio o de parte del mismo.
- El asegurador asume el compromiso de indemnizar al asegurado al primer requerimiento.
- El asegurador **no podrá oponer al asegurado las excepciones que puedan corresponderle contra el tomador del seguro**.

Una vez tomen efecto las coberturas del seguro, no podrá rescindirse ni resolverse el contrato de mutuo acuerdo antes del transcurso del plazo de duración previsto en el apartado 1 del artículo 19 de la LOE.

En lo que respecta al **importe mínimo del capital asegurado,** de acuerdo con el apartado 5 del artículo 19 de la LOE:

- **El 5 % del coste final** de la ejecución material de la obra, incluidos los honorarios profesionales para las garantías del seguro de daños materiales, seguro de caución o garantía financiera, para garantizar durante un año, el resarcimiento de los daños materiales por vicios o defectos de ejecución que afecten a elementos de terminación o acabado de las obras.
- **El 30 % del coste final** de la ejecución material de la obra, incluidos los honorarios profesionales, para las garantías del seguro de daños materiales, seguro de caución o garantía financiera, para garantizar durante tres años, el resarcimiento de los daños causados por vicios o defectos de elementos constructivos o de las instalaciones que ocasionen el incumplimiento de los requisitos de habitabilidad.
- **El 100 % del coste final de la ejecución material de la obra**, incluidos los honorarios profesionales, para las garantías del seguro de daños materiales seguro de caución o garantía financiera, para garantizar durante diez años, el resarcimiento de los daños materiales causados en el edificio por vicios o defectos que tengan origen o afecten a la cimentación, los soportes, las vigas, los forjados, los muros de carga u otros elementos estructurales, y que comprometan directamente la resistencia mecánica y estabilidad del edificio.

CUESTIÓN

¿Qué daños no serán cubiertos por las garantías a las que nos referimos anteriormente?

1. Los daños corporales u otros perjuicios económicos distintos de los daños materiales que garantiza la LOE.
2. Los daños ocasionados a inmuebles contiguos o adyacentes al edificio.
3. Los daños causados a bienes muebles situados en el edificio.
4. Los daños ocasionados por modificaciones u obras realizadas en el edificio después de la recepción, salvo las de subsanación de los defectos observados en la misma.
5. Los daños ocasionados por mal uso o falta de mantenimiento adecuado del edificio.
6. Los gastos necesarios para el mantenimiento del edificio del que ya se ha hecho recepción.
7. Los daños que tengan su origen en un incendio o explosión, salvo por vicios o defectos de las instalaciones propias del edificio.
8. Los daños que fueran ocasionados por caso fortuito, fuerza mayor, acto de tercero o por el propio perjudicado por el daño.
9. Los siniestros que tengan su origen en partes de la obra sobre las que haya reservas recogidas en el acta de recepción, mientras que tales reservas no hayan sido subsanadas queden reflejadas en una nueva acta suscrita por los firmantes del acta de recepción.

A TENER EN CUENTA. El promotor podrá pactar expresamente con el constructor que este sea tomador del seguro por cuenta de aquel.

El plazo empezará a computar desde el momento de recepción de la obra, sin embargo, **los plazos de garantía comenzarán a computar desde el momento en que se produce el daño o se manifiesta el mismo.**

4 PROCEDIMIENTOS JUDICIALES EN MATERIA DE PROPIEDAD HORIZONTAL

SUMARIO

4.1. Tipos de procedimientos en materia de propiedad horizontal .... Marginal 710 y siguientes

4.2. El juicio monitorio en materia de comunidad de propietarios .... Marginal 720 y siguientes

4.3. Impugnación de acuerdos de la junta de propietarios

4.3.1. Acuerdos impugnables .... Marginal 760 y siguientes

4.3.2. Legitimación .... Marginal 780 y siguientes

4.3.3. Plazo .... Marginal 800 y siguientes

4.4. Servidumbres en materia de propiedad horizontal .... Marginal 810 y siguientes

4.5. El juicio de equidad .... Marginal 830 y siguientes

4.6. Reclamación por daños en comunidad de propietarios .... Marginal 860 y siguientes

4.7. La ejecución de sentencias condenatorias a la comunidad de propietarios .... Marginal 890 y siguientes

4.1. TIPOS DE PROCEDIMIENTOS EN MATERIA DE PROPIEDAD HORIZONTAL

Procedimientos judiciales en materia de propiedad horizontal 710

Sentadas unas primeras precisiones, estamos ya en disposición de aludir a los tres procedimientos habituales sobre la materia: el **monitorio, verbal y ordinario.**

En primer lugar, queremos dejar sentado, respecto de la competencia, que con carácter general serán competentes las secciones civiles o las civiles y de instrucción que constituyan una sección única de los tribunales de instancia del lugar en que radique la finca en virtud de lo dispuesto en el ordinal 8.° del apartado 1 del artículo 52 de la LEC y en el ordinal 1.° del artículo 85 de la LOPJ, según la redacción otorgada a este por la LO 1/2025, de 2 de enero, desde su entrada en vigor el 23/01/2025.

Art. 52.1.8.° de la LEC

«1. (...) 8.° En los juicios en materia de propiedad horizontal, será competente el tribunal del lugar en que radique la finca».

Art. 85.1.° de la LOPJ

«Con carácter general, en los Tribunales de Instancia, las Secciones Civiles o las Civiles y de Instrucción que constituyan una Sección Única extenderán su jurisdicción a un partido judicial.

Estas Secciones conocerán, en el orden civil:

1.° En primera instancia, de los juicios que no vengan atribuidos por esta ley a otros órganos judiciales».

Por otra parte, en cuanto al procedimiento monitorio, el artículo 813 de la LEC atribuye la competencia al órgano de primera instancia del domicilio o residencia del deudor o, si no fueren conocidos, el del lugar en que el deudor pudiera ser hallado a efectos del requerimiento de pago por el tribunal, salvo que se trate de la reclamación de deuda a que se refiere el número 2.° del apartado 2 del artículo 812, en cuyo caso será también competente el órgano del lugar en donde se halle la finca, a elección del solicitante.

A TENER EN CUENTA. En virtud de la reforma realizada por la LO 1/2025, de 2 de enero, una vez implantados de forma efectiva los tribunales de instancia (D.T. 1.ª), todas las referencias realizadas a los juzgados unipersonales se entenderán realizadas a las secciones del orden jurisdiccional correspondiente de los tribunales de instancia.

➤ Procedimiento monitorio

CUESTIÓN

¿Cuándo procede acudir al procedimiento monitorio?

1.° Cuando las partes decidan acudir a este procedimiento en primer término y no directamente a los procedimientos declarativos correspondientes.

Expresa la **sentencia de la Audiencia Provincial de Madrid n.º 403/2004, de 19 de octubre, ECLI:ES:APM:2004:13288**: «(...) la Ley de Propiedad Horizontal no impone a la Comunidad de Propietarios acudir al proceso monitorio de forma imperativa para lograr el cobro de las cuotas (...)», sino que se configura como un procedimiento potestativo.

2.º Cuando se cumplan los requisitos establecidos en el artículo 812 de la LEC.

3.º Tras la reforma introducida por la Ley 10/2022 de 14 de junio, de medidas urgentes para impulsar la actividad de rehabilitación edificatoria en el contexto del Plan de Recuperación, Transformación y Resiliencia, con entrada en vigor el 16/6/2022, se pueden reclamar por este procedimiento todas las cantidades que sean debidas en concepto de gastos comunes, tanto ordinarios como extraordinarios, generales o individualizables, o fondo de reserva.

El procedimiento monitorio, regulado en los artículos 812 a 818 de la LEC, es aquel procedimiento a través del cual se podrán reclamar **deudas dinerarias líquidas, determinadas, vencidas y exigibles de cualquier cuantía**. Este procedimiento tiene, por tanto, un objeto perfectamente delimitado, circunscrito a reclamaciones de carácter económico y no puede extenderse a otro tipo de obligaciones, como por ejemplo:

- Que se imponga a un copropietario la limpieza y mantenimiento de una terraza, elemento común de uso privativo.
- Que se obligue a un copropietario a abstenerse de impedir una servidumbre de paso para la instalación de un ascensor o colocación de andamios para reparación de tejado o fachada.
- Impugnar acuerdos de la junta de propietarios, etc.

Este procedimiento se caracteriza por ser una **vía rápida y** ágil para la reclamación de deudas de carácter dinerario, ya que únicamente será necesaria la celebración de una vista o comparecencia ante el juez si el deudor se opone a la reclamación presentada. Si este —el deudor— no paga voluntariamente ni se opone dentro del plazo concedido al efecto, el procedimiento finaliza automáticamente mediante una resolución que permite al demandante acudir directamente a la ejecución forzosa en la que podrán embargarse bienes suficientes del demandado hasta que se abone totalmente la deuda reclamada. Esta agilidad procesal junto a la competencia territorial, determinada por el lugar en que radica la finca (art. 812.2.2.º de la LEC), lo hacen el procedimiento deseable y preferente frente a los otros dos procedimientos posibles, por lo que, en la práctica, es habitual acudir a él cuándo se cumplen los presupuestos necesarios para que se pueda instar.

En cuanto a los **requisitos que debe cumplir la deuda** para que sea admitida la solicitud, son:

- Ha de ser una deuda **líquida**: que se pueda expresar numéricamente o que al menos contenga los elementos necesarios para obtener la cantidad mediante una sencilla operación aritmética.
- Tiene que estar **determinada**: saber con precisión el montante.
- Ha de estar **vencida**: ser reclamable desde el momento de presentación de la solicitud inicial por haberse superado el plazo para su pago.
- Ha de ser **exigible**: estando el deudor obligado a su pago.

Particularmente, en materia de propiedad horizontal, en unión a las disposiciones de la LEC, ha de observarse lo dispuesto por el artículo 21 de la LPH:

«1. La junta de propietarios podrá acordar medidas disuasorias frente a la morosidad por el tiempo en que se permanezca en dicha situación, tales como el establecimiento de intereses superiores al interés legal o la privación temporal del uso de servicios o instalaciones, siempre que no puedan reputarse abusivas o desproporcionadas o que afecten a la habitabilidad de los inmuebles. Estas medidas no podrán tener en ningún caso carácter retroactivo y podrán incluirse en los estatutos de la comunidad. En todo caso, los créditos a favor de la comunidad devengarán intereses desde el momento en que deba efectuarse el pago correspondiente y éste no se haga efectivo.

2. La comunidad podrá, sin perjuicio de la utilización de otros procedimientos judiciales, reclamar del obligado al pago todas las cantidades que le sean debidas en concepto de gastos comunes, tanto si son ordinarios como extraordinarios, generales o individualizables, o fondo de reserva, y mediante el proceso monitorio especial aplicable a las comunidades de propietarios de inmuebles en régimen de propiedad horizontal. En cualquier caso, podrá ser demandado el titular registral, a efectos de soportar la ejecución sobre el inmueble inscrito a su nombre. El secretario administrador profesional, si así lo acordare la junta de propietarios, podrá exigir judicialmente la obligación del pago de la deuda a través de este procedimiento.

3. Para instar la reclamación a través del procedimiento monitorio habrá de acompañarse a la demanda un certificado del acuerdo de liquidación de la deuda emitido por quien haga las funciones de secretario de la comunidad con el visto bueno del presidente, salvo que el primero sea un secretario-administrador con cualificación profesional necesaria y legalmente reconocida que no vaya a intervenir profesionalmente en la reclamación judicial de la deuda, en cuyo caso no será precisa la firma del presidente. En este certificado deberá constar el importe adeudado y su desglose. Además del certificado deberá aportarse, junto con la petición inicial del proceso monitorio, el documento acreditativo en el que conste haberse notificado al deudor, pudiendo también hacerse de forma subsidiaria en el tablón de anuncios o lugar visible de la comunidad durante un plazo de, al menos, tres días. Se podrán incluir en la petición inicial del procedimiento monitorio las cuotas aprobadas que se devenguen hasta la notificación de la deuda, así como todos los gastos y costes que conlleve la reclamación de la deuda, incluidos los derivados de la intervención del secretario administrador, que serán a cargo del deudor.

4. Cuando el deudor se oponga a la petición inicial del proceso monitorio, la comunidad podrá solicitar el embargo preventivo de bienes suficientes de aquél, para hacer frente a la cantidad reclamada, los intereses y las costas.

El tribunal acordará, en todo caso, el embargo preventivo sin necesidad de que el acreedor preste caución. No obstante, el deudor podrá enervar el embargo prestando las garantías establecidas en la Ley procesal.

5. Cuando en la solicitud inicial del proceso monitorio se utilizaren los servicios profesionales de abogado y/o procurador para reclamar las cantidades debidas a la Comunidad, el deudor deberá pagar, con sujeción en todo caso a los límites establecidos en el apartado tercero del artículo 394 de la Ley de Enjuiciamiento Civil, los honorarios y derechos que devenguen ambos por su intervención, tanto si aquél atendiere el requerimiento de pago como si no compareciere ante el tribunal, incluidos los de ejecución, en su caso. En los casos en que exista oposición, se seguirán las reglas generales en materia de costas, aunque si la comunidad obtuviere una

sentencia totalmente favorable a su pretensión se deberán incluir en ellas los honorarios del abogado y los derechos del procurador derivados de su intervención, aunque no hubiera sido preceptiva.

6. La reclamación de los gastos de comunidad y del fondo de reserva o cualquier cuestión relacionada con la obligación de contribuir en ellos, también podrá ser objeto de mediación-conciliación o arbitraje, conforme a la legislación aplicable».

El procedimiento, por tanto, requiere con carácter previo, según determina este artículo, que:

- La junta por acuerdo debe aprobar la liquidación de la deuda con la comunidad de propietarios.
- El acuerdo ha de ser notificado al deudor. Prevé la ley incluso su notificación con carácter subsidiario por medio del tablón de anuncios o lugar visible de la comunidad.
- Quien ejerza las funciones de secretario de la junta debe efectuar certificación con el visto bueno del presidente, salvo que las funciones de secretario las lleve a cabo un secretario-administrador con cualificación profesional necesaria y legalmente reconocida que no vaya a intervenir profesionalmente en la reclamación judicial de la deuda, en cuyo caso no será precisa la firma del presidente.

CUESTIÓN

¿Qué documentos deben acompañarse a la petición inicial del proceso monitorio?

1. El certificado del acuerdo de liquidación de la deuda.
2. El documento que acredite haberse notificado al deudor.

En este punto, ilustrativa nos resulta la **sentencia de la Audiencia Provincial de Madrid n.º 403/2004, de 19 de octubre, ECLI:ES:APM:2004:13288**, que enfatiza en el carácter potestativo de este procedimiento monitorio, ya que la norma no «obliga» a acudir a este procedimiento especial con carácter previo al procedimiento verbal u ordinario:

«**Es preciso la existencia de esa certificación** referida por la parte demandada, **y su notificación, a efectos de acudir al proceso monitorio del artículo 21 LPH, pero la Comunidad no está obligada a acudir, para reclamar, a ese cauce**, tal y como se desprende del referido precepto que dispone en su apartado primero que la Comunidad "podrá exigirlo judicialmente a través del procedimiento establecido en este artículo", es decir, se faculta a la Comunidad a acudir a este proceso, pero no se la obliga porque el verbo utilizado por la Ley es "podrá", no deberá, ni estará obligada, etc. **Las exigencias contenidas en el referido precepto lo son para acudir a un proceso**, pero **no para fundar una acción ejercitada a través del Juicio verbal**, que se ha de resolver teniendo en cuenta las alegaciones de las partes y prueba. Que no son extrapolables esos requisitos al tema de fondo se evidencia de la lectura no solo del precepto indicado, sino del resto de los artículos de la Ley, que no hacen depender la obligación de pago de las exigencias indicadas por la parte, y recogidas en la sentencia, no constituyendo la falta de las mismas ningún fraude de Ley, como pretende afirmar la apelada al oponerse al recurso.

QUINTO.- El Juez a través de su resolución hace depender la obligación de pago de unas exigencias no previstas en la Ley ni de forma expresa ni a través, como pretende la parte apelada, de una interpretación a contrario sensu, porque según expuso al oponerse se ha de entender tal exigencia de notificación de la deuda a reclamar de la obligación de "notificar las actas a los comuneros", y de la obligación de estos últimos de comunicar su domicilio, artículo 9 h) LPH. **Tales argumentos no son admisibles, porque se confunden obligaciones de los comuneros con obligaciones de la Comunidad que tienen como fin que los primeros sepan qué se ha acordado a los efectos de poder impugnar los acuerdos, sin que la falta de notificación sea base para no pagar ninguna cantidad en concepto de cuota cuando se es propietario de un local como es el caso.**

El Juez no solo ha aplicado indebidamente el Derecho, que sería no solo el artículo 9 e) como dice la parte recurrente, sino el artículo 21 LPH al exigir el cumplimiento de unos requisitos no previstos para el pago de lo debido, sino que no ha valorado correctamente la prueba como también se le imputa por la parte apelante, porque no ha tenido en cuenta qué fue lo alegado en la contestación y lo declarado por las demandadas Trinidad y María del Pilar, dos de los tres demandados, que tienen en proindivisión los dos locales sitos en la Comunidad actora.

Son hechos probados, y admitidos por la parte demandada, que: 1º.- Son propietarios de los locales, que son fincas registrales independientes, y 2º.- Que nunca han pagado cuota por uno de los locales, cuota que no ha sido discutida, es decir, no se ha cuestionado que sean los importes que se refieren en la demanda.

Y la **consecuencia de lo anterior es la procedencia de la acción de reclamación, que no se ha de rechazar porque no se les haya notificado que se les iba a reclamar antes del proceso el importe de la deuda ni porque no vayan a las Juntas de Propietarios, ni porque las mismas crean o entiendan que solo deben pagar por un local por estar ambos unidos**, que es lo que al margen del contenido de la contestación a lo que ha de estarse, declararon en el Juicio, porque que crean que no tienen que pagar, no significa que estén exentas de cumplir con su obligación, que se extingue pagando, y si consideran que debe modificarse algo, o adoptarse algún acuerdo por la Comunidad, deberán utilizar los mecanismos previstos en la Ley pero no dejar de cumplir su obligación, contenida en el artículo 9 e) de la Ley de Enjuiciamiento Civil.

Cabe además indicar que no solo saben los demandados que no pagan, porque no abonan nada por ese local, sino que también saben cuál es el importe que deberían haber pagado, primero porque tienen otro local por el que pagan una cuota, y segundo, porque la propia demandada D.ª María del Pilar, que es una de los propietarios de los dos locales, admitió haber asistido a alguna Junta, reconociendo su firma, y que en esa Junta se acordó que tenía que pagar, ahora bien, es evidente que decidieron no hacerlo, porque según manifestaron tanto ella como la otra comunera, "no tenían que pagar", eso sí sin alegar ni fundamentar la razón de su tesis, por dos locales, sino por uno solo».

A TENER EN CUENTA. Por su particularidad, queremos hacer una breve mención a las comunidades de titulares de derechos de aprovechamiento por turnos de bienes de uso turístico, citando a los oportunos efectos de consulta el **auto del Tribunal Supremo de 10 de febrero de 2016, rec. 231/2015, ECLI:ES:TS:2016:1058A**:

«Esta Sala en autos de 6 de octubre de 2003 (cuestión 21/2001) y 5 de febrero de 2004 (cuestión 43/2003) y 10 de junio de 2004 (cuestión 36/ 2004) ha mantenido que "las comunidades de titulares de derechos de aprovechamiento por turnos, se rigen según establece el artículo 15 de la Ley 42/1998 de 15 de diciembre, por sus normas estatutarias previstas en la escritura reguladora o las que libremente adoptan los titulares de los derechos, cuyos acuerdos se sujetan a las normas que el precepto establece, siendo de aplicación supletoria y subsidiaria las normas de la Ley de Propiedad Horizontal; y añade, también literalmente: Esta aplicación supletoria de la Ley de Propiedad Horizontal, hace que el proceso monitorio frente a unos de esos titulares de aprovechamiento requiera para su admisión, la certificación del acuerdo de la Junta, aprobando la liquidación de la deuda con la comunidad, tal como exige el artículo 21 de la Ley de Propiedad Horizontal, siendo entonces de aplicación el artículo 813 de la Ley de Enjuiciamiento Civil 1/2000, que en estos casos considera Juzgados competentes el Juez de Primera Instancia del domicilio o residencia del deudor, o el del lugar donde se halle la finca, a elección del solicitante, que es lo que ha ocurrido en el presente supuesto, y que es el criterio más justo, pues si no se obligaría a litigar a la Comunidad de Propietarios DIRECCION000, en todos los lugares en que residieran los que no pagasen debidamente sus cuotas, lo que no parece una solución razonable"».

➢ **Procedimientos declarativos: verbal y ordinario en materia de propiedad horizontal**

Es posible que debamos acudir a los procedimientos declarativos correspondientes, verbal u ordinario según el objeto de la reclamación, ya sea por la propia voluntad de la comunidad, pues como hemos anticipado, del contenido de la Ley de Propiedad Horizontal y de la LEC no se desprende que el procedimiento monitorio venga obligado a las partes, o porque no dándose los presupuestos exigidos por los artículos 812 y ss. de la LEC, debe acudirse necesariamente a los procedimientos declarativos en defecto del procedimiento monitorio.

715 Procedimientos declarativos en materia de propiedad horizontal

➢ **Procedimiento verbal en materia de propiedad horizontal**

Tras la reforma realizada por el Real Decreto-ley 6/2023, de 19 de diciembre, se incluye, en el artículo 250.1 de la LEC correspondiente el ámbito del juicio verbal, un nuevo numeral 15.º por el que se establece que **se tramitarán por medio del juicio verbal aquellas demandas en las que se ejerciten las acciones que otorga a las juntas de propietarios y a estos** la Ley 49/1960, de 21 de julio, sobre Propiedad Horizontal, siempre que **versen exclusivamente sobre reclamaciones de cantidad, sea cual fuere dicha cantidad.**

Por lo tanto, desde el 20/3/2024, fecha de entrada en vigor de la reforma descrita, si se presenta una demanda reclamando exclusivamente, por ejemplo, el pago de cuotas adeudadas a la comunidad, independientemente de la cuantía que se reclame (recordamos que, el RD-ley 6/2023, de 19 de diciembre, eleva las cuantías para acudir a un verbal u ordinario, pasando de los 6.000 euros a los 15.000 euros), esta demanda se tramitará por el cauce del juicio verbal.

También podrá acudirse a este procedimiento en el caso previsto en el artículo 818 de la LEC, apartado 2, modificado por la LO 1/2025, de 2 de enero, con entrada en vigor el 03/04/2025:

«2. Cuando la **cuantía de la pretensión no excediera de la propia del juicio verbal**, el letrado o la letrada de la Administración de Justicia dictará **decreto dando por terminado el proceso monitorio y acordando seguir la tramitación conforme a lo previsto para este tipo de juicio**, dando traslado de la oposición al actor, quien podrá impugnarla por escrito en el plazo de diez días. Presentado el escrito de impugnación o transcurrido el plazo sin haberse efectuado, se dictará diligencia de ordenación acordando conceder a ambas partes el plazo de cinco días a fin de que propongan la prueba que quieran practicar, debiendo, igualmente, indicar las personas que, por no poderlas presentar ellas mismas, han de ser citadas por el letrado o la letrada de la Administración de Justicia a la vista para que declaren en calidad de parte, testigos o peritos. A tal fin, facilitarán todos los datos y circunstancias precisos para llevar a cabo la citación y podrán pedir respuestas escritas a cargo de personas jurídicas o entidades públicas, por los trámites establecidos en el artículo 381, continuando el procedimiento por los trámites del artículo 438.9 y siguiente.

Cuando **el importe de la reclamación exceda de dicha cantidad, si el peticionario no interpusiera la demanda correspondiente dentro del plazo de un mes desde el traslado del escrito de oposición, el letrado o la letrada de la Administración de Justicia dictará decreto sobreseyendo las actuaciones y condenando en costas al acreedor. Si presentare la demanda, en el decreto poniendo fin al proceso monitorio acordará dar traslado de ella al demandado conforme a lo previsto en los artículos 404 y siguientes**, salvo que no proceda su admisión, en cuyo caso acordará dar cuenta al juez o jueza para que resuelva lo que corresponda».

Por lo tanto, las reglas son las siguientes:

- Si se reclaman solamente cantidades, se tramitarán las demandas por medio del juicio verbal, sin importar la cuantía reclamada.
- Si se viene de un monitorio y, en base al art. 818.2 de la LEC:
  - Si la cuantía no excede de los 15.000 euros: se seguirá la tramitación conforme al juicio verbal.
  - Si la cuantía excede de los 15.000 euros: se seguirá la tramitación conforme al juicio ordinario.

Por último, el apartado 3 de este art. 818 de la LEC dispone que, en todo caso, si lo que se reclaman son rentas o cantidades debidas por el arrendatario de finca urbana y éste formulare oposición, el asunto se resolverá definitivamente por los trámites del juicio verbal, cualquiera que sea su cuantía.

El proceso del juicio verbal seguirá los trámites previstos en los artículos 437 y ss. de la LEC, alguno de ellos modificados por la LO 1/2025, de 2 de enero, con entrada en vigor el 03/04/2025.

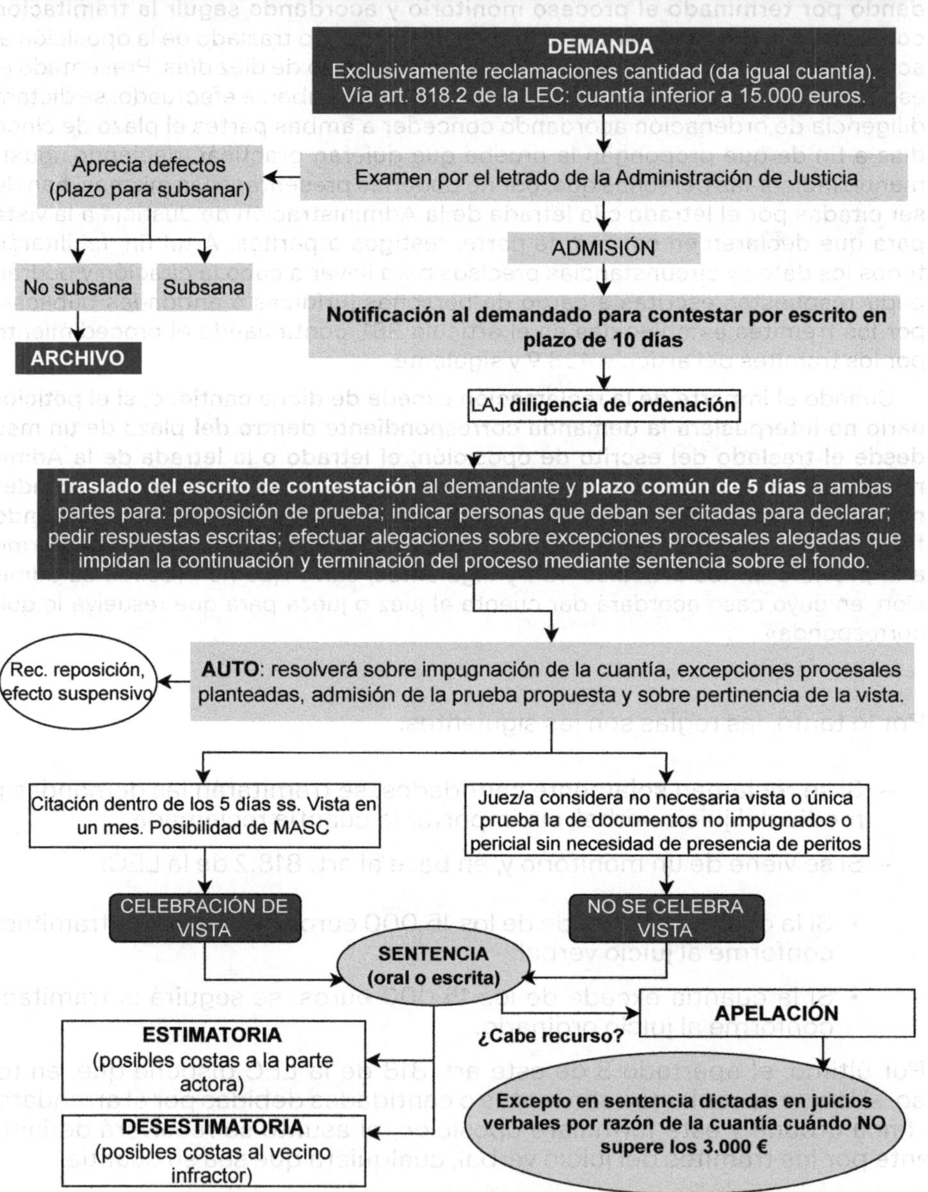
Reclamación contra la comunidad de propietarios por los trámites del juicio verbal
DEMANDA
Exclusivamente reclamaciones cantidad (da igual cuantía).
Vía art. 818.2 de la LEC: cuantía inferior a 15.000 euros.
Aprecia defectos (plazo para subsanar)
Examen por el letrado de la Administración de Justicia
ADMISIÓN
No subsana
Subsana
ARCHIVO
Notificación al demandado para contestar por escrito en plazo de 10 días
LAJ diligencia de ordenación
Traslado del escrito de contestación al demandante y plazo común de 5 días a ambas partes para: proposición de prueba; indicar personas que deban ser citadas para declarar; pedir respuestas escritas; efectuar alegaciones sobre excepciones procesales alegadas que impidan la continuación y terminación del proceso mediante sentencia sobre el fondo.
Rec. reposición, efecto suspensivo
AUTO: resolverá sobre impugnación de la cuantía, excepciones procesales planteadas, admisión de la prueba propuesta y sobre pertinencia de la vista.
Citación dentro de los 5 días ss. Vista en un mes. Posibilidad de MASC
Juez/a considera no necesaria vista o única prueba la de documentos no impugnados o pericial sin necesidad de presencia de peritos
CELEBRACIÓN DE VISTA
NO SE CELEBRA VISTA
SENTENCIA (oral o escrita)
APELACIÓN
¿Cabe recurso?
ESTIMATORIA (posibles costas a la parte actora)
DESESTIMATORIA (posibles costas al vecino infractor)
Excepto en sentencia dictadas en juicios verbales por razón de la cuantía cuándo NO supere los 3.000 €

➢ Procedimiento ordinario en materia de propiedad horizontal

Por la reforma a la que hemos hecho mención en el apartado anterior, se modifica también el artículo 249 de la LEC, correspondiente al ámbito del juicio ordinario. La modificación radica en establecer que, cuando se ejerciten las **acciones que otorga a las juntas de propietarios y a estos la Ley 49/1960, de 21 de julio, sobre propiedad horizontal, siempre que no versen exclusivamente sobre reclamaciones de cantidad** (en cuyo caso se tramitarán por las reglas del juicio verbal o por el procedimiento especial que corresponda), se seguirán los trámites del juicio ordinario.

CUESTIONES

1. Un propietario comienza unas obras en un zona común sin autorización. Ante esta situación, la comunidad de propietarios ejercita una acción de tutela sumaria de la posesión, ¿actúa de manera correcta?

No, la acción que corresponde es la acción de suspensión de obra nueva, así lo ha declarado el **Tribunal Supremo en la sentencia n.º 16/2023, de 16 de enero, ECLI:ES:TS:2023:44**:

«En efecto, en el caso del juicio de la tutela sumaria de la tenencia o posesión de una cosa o derecho por quien haya sido despojado de ellos (art. 250.1.4 LEC), la ejecución de la sentencia estimatoria determina la inmediata reposición posesoria del actor, dejando para el juicio plenario posterior la discusión, y correlativa decisión judicial, sobre el mejor derecho de las partes a la posesión definitiva de la cosa o derecho controvertido objeto del proceso; mientras que, en el supuesto del juicio sumario de suspensión de obra nueva (art. 250.1.5° LEC), el acogimiento de la demanda genera, como única consecuencia jurídica, la ratificación de la suspensión ya acordada, discutiéndose en el declarativo posterior el derecho a la demolición de la obra o a continuarla hasta su conclusión, con plena cognición judicial, así como con las garantías que ofrece todo juicio plenario frente al sumario anterior.

Pues bien, sobre tal cuestión, constituye un consolidado criterio el que viene sosteniendo que, cuando el elemento agresor a la posesión ajena sea una construcción u obra nueva, no queda a disposición del perjudicado la elección de la clase de acción, que debe ser ejercitada, sino que la procedente es la que brinda el art. 250.1 5° LEC, solicitando su suspensión provisional».

2. En el mismo caso que el anterior, pero suponiendo que las obras ya están finalizadas y que las mismas se han prologado en el tiempo y se ejecutaron a la vista de la actora, ¿podría en este caso acudir a la acción de tutela sumaria de la posesión?

No, en este caso la comunidad de propietarios debe acudir al procedimiento ordinario del art. 249.1.8.º de la LEC. Sobre esta situación también se ha pronunciado la **STS n.º 16/2023, de 16 de enero, ECLI:ES:TS:2023:44**:

«(...) la jurisprudencia se ha pronunciado en el sentido de que procede apreciar la inadecuación del procedimiento cuando el seguido, por su carácter restrictivo, por referencia al juicio ordinario declarativo, ya sea por sumariedad, ya sea por especialidad, suponga para las partes una merma de garantías respecto del que debió

seguirse (SSTS 693/1991, de 10 de octubre; 58/2005, de 17 de febrero; 666/2008, de 14 de julio; 463/2011, de 28 de junio, entre otras).

Y, en este caso, se promovió un juicio sumario de protección posesoria (art. 250.1 4.º LEC), que implica una merma del derecho de defensa de la entidad demandada con respecto al juicio ordinario plenario de propiedad horizontal (249.1 8.º LEC), en tanto en cuanto el promovido se limita al enjuiciamiento del hecho posesorio y del despojo o perturbación causados, determinando la estimación de la demanda, de cognición limitada, la reposición posesoria con demolición de lo construido; mientras que, en el segundo, cabe discutir el mejor derecho a la posesión, así como la legalidad de unas obras, ya concluidas, de acuerdo con el ordenamiento jurídico sustantivo o materia (...)».

El juicio ordinario seguirá los trámites de lo previsto en los artículos 399 y ss. de la LEC, alguno de ellos modificados por la LO 1/2025, de 2 de enero, con entrada en vigor el 03/04/2025.

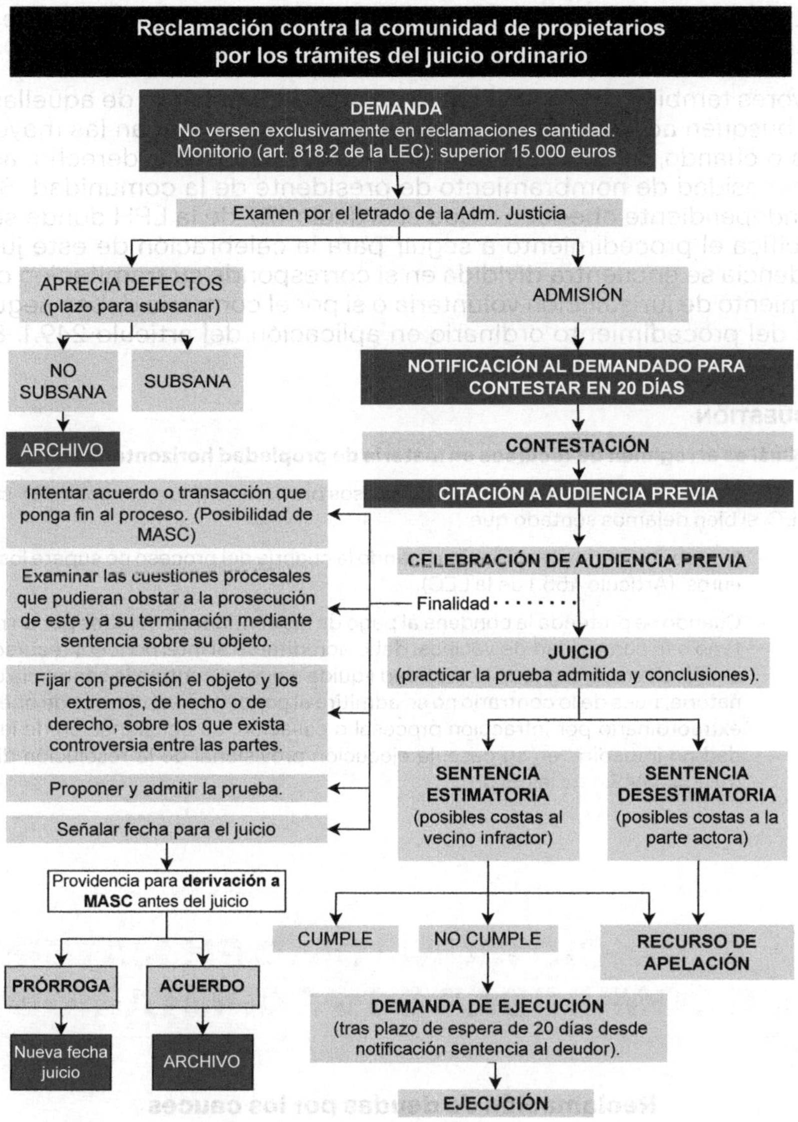

Finalmente queremos hacer alusión a una suerte de supuestos que por razón de su materia, conforme con el artículo 249.1. 8.° de la LEC, habrán de seguir necesariamente los trámites del procedimiento ordinario. Entre estas acciones podemos destacar, a modo de ejemplo, las siguientes:

- Impugnación de acuerdos de la junta de propietarios.
- La demanda para que se permita el acceso a la vivienda o local de un propietario para la realización de reparaciones en elementos comunes o creación de servidumbres.

- La acción de cesación de actividades prohibidas, dañosas, molestas, insalubres o peligrosas.

A mayores también destaca el **juicio de equidad** respecto de aquellas acciones que busquen adoptar un acuerdo cuando no se obtengan las mayorías requeridas o cuando, requerida unanimidad, exista abuso de derecho, así como para la necesidad de nombramiento de presidente de la comunidad. Su tratamiento independiente obedece a que el artículo 17.7 de la LPH donde se regula no especifica el procedimiento a seguir para la celebración de este juicio y la jurisprudencia se encuentra dividida en si corresponde su tramitación como un procedimiento de jurisdicción voluntaria o si por el contrario deben seguirse los trámites del procedimiento ordinario en aplicación del artículo 249.1. 8.º de la LEC como veremos.

CUESTIÓN

¿Cuál es el régimen de recursos en materia de propiedad horizontal?

Se seguirá el régimen general de los recursos previstos en los artículos 448 y ss. de la LEC, si bien dejamos sentado que:

- No cabrá recurso de apelación cuando la cuantía del proceso no supere los 3.000 euros. (Artículo 455.1 de la LEC).
- Cuando se pretenda la condena al pago de las cantidades debidas por un propietario a la comunidad de vecinos, debe acreditarse al interponer el recurso tener satisfecha o consignada la cantidad líquida a que se contrae la sentencia condenatoria, pues de lo contrario no se admitirá al condenado el recurso de apelación, extraordinario por infracción procesal o casación. La consignación de la cantidad no impedirá, en su caso, la ejecución provisional de la resolución dictada. (Artículo 449.4 de la LEC).

4.2. EL JUICIO MONITORIO EN MATERIA DE COMUNIDAD DE PROPIETARIOS

720 **Reclamación de deudas por los cauces del procedimiento monitorio**

Reclamación de deudas en comunidades de propietarios por los cauces del procedimiento monitorio

A través de este procedimiento monitorio «especial» de propiedad horizontal, una comunidad de propietarios acreedora puede reclamar a los propietarios de inmuebles pertenecientes a la comunidad, las deudas derivadas de los gastos comunes del edificio al que pertenece dicho inmueble.

Dada la importancia de la contribución de los propietarios a los gastos de la comunidad de propietarios, el apartado 1 del art. 21 de la LPH faculta a la comunidad a adoptar medidas disuasorias frente a la morosidad, citando como ejemplo el establecimiento de intereses superiores al interés legal o la privación temporal del uso de servicios o instalaciones.

CUESTIÓN

Las medidas disuasorias que puede adoptar la comunidad frente a la morosidad, ¿tienen algún límite?

Sí, la LPH recoge que las mismas no pueden ser abusivas o desproporcionadas, ni afectar a la habitabilidad de los inmuebles. Además, también se recoge expresamente que no podrán tener carácter retroactivo.

La Ley de Propiedad Horizontal, en su artículo 21, recoge las especialidades de este procedimiento en los siguientes términos:

El proceso monitorio, preceptuado desde el artículo 812 al artículo 818 de la Ley de Enjuiciamiento Civil, se constituye como una alternativa rápida y ágil para la reclamación de deudas dinerarias, que se centra en que la parte interesada presente ante el tribunal un documento con el que pueda acreditar la existencia de una deuda dineraria, vencida, líquida, determinada y exigible.

CUESTIÓN

¿Existe algún límite a la cantidad que se puede reclamar mediante el procedimiento monitorio?

No, no existe límite cuantitativo, se puede reclamar cualquier deuda sea cual sea su importe.

Aunque este sea un procedimiento especifico en propiedad horizontal, la deuda reclamada, al igual que en los demás procedimientos monitorios, debe ser siempre:

- Determinada.
- Dineraria.
- Vencida.
- Líquida.
- Exigible.

Por tanto, se podrá acudir a este procedimiento para **exigir el pago de todas las cantidades que le sean debidas en concepto de gastos comunes, tanto si son ordinarios como extraordinarios, generales o individualizables, o fondo de reserva.**

Las **principales ventajas del procedimiento monitorio** son:

- Competencia en el lugar en que radica la finca (excepción al fuero general de la LEC de domicilio del demandado).
- Posibilidad de embargo preventivo y obtención de un título ejecutivo ante la falta de oposición del deudor.
- Posibilidad de reclamar honorarios de abogado y procurador aun cuando su intervención no sea preceptiva.

CUESTIÓN

¿El procedimiento verbal presenta alguna ventaja sobre el monitorio?

Sí, en los juicios declarativos (verbales u ordinarios) existe la posibilidad de acumular las cuotas de la comunidad que se vayan devengando con posterioridad a la presentación de la demanda, con lo cual **podría obtenerse sentencia condenando al pago de la deuda actualizada.** Si bien, tras la reforma del art. 21 de la LPH, llevada a cabo por la Ley 10/2022, de 14 de junio, de medidas urgentes para impulsar la actividad de rehabilitación edificatoria en el contexto del Plan de Recuperación, Transformación y Resiliencia, con entrada en vigor el 16/06/2022, podrán incluirse en la petición inicial del procedimiento monitorio las cuotas aprobadas que se devenguen hasta la notificación de la deuda, no permitiéndose la acumulación de deudas futuras más allá de la mentada notificación.

Como ya hemos dicho nos encontramos ante un procedimiento monitorio especial, por lo que, para el inicio del procedimiento, será necesario realizar las siguientes acciones:

- Enviar al deudor la convocatoria de la junta de propietarios, en la que uno de los puntos del orden del día debe ser la certificación de la deuda por parte de la comunidad de propietarios para iniciar un procedimiento monitorio para la reclamación de la misma.
- Hacer constar en el acta de la reunión, tanto la certificación de deudas, como la intención de iniciar el procedimiento monitorio para reclamar la misma. Además, en el acta se deberán de especificar todas las cantidades adeudadas y los conceptos.
- En la misma reunión y en el mismo punto del día se deberá de autorizar de forma expresa al secretario administrador profesional para que pueda exigir judicialmente la obligación del pago de la deuda a través de este procedimiento.
- Enviar el acta a todos los propietarios de la comunidad.
- Al demandando, además de la referida acta, se le enviará la certificación de la deuda, en donde conste el importe adeudado y su desglose, que debe de estar firmada por quien haga las funciones de secretario de la comunidad con el visto bueno del presidente, salvo que el primero sea un secretario-administrador con cualificación profesional necesaria y legalmente reconocida que no vaya a intervenir profesionalmente en la reclamación judicial de la deuda, en cuyo caso, no será precisa la firma del presidente. Debe de constar esta notificación al deudor, pudiendo también hacerse de forma subsidiaria en el tablón de anuncios o lugar visible de la comunidad durante un plazo de, al menos, tres días, si bien lo recomendable sería realizarlo mediante el envío de un burofax por las facilidades de prueba que presenta.

➢ Notificación al deudor del art. 21 de la LPH: ¿Equivale al MASC?

A partir de la entrada en vigor de la **LO 1/2025, de 2 de enero**, que introduce el requisito de procedibilidad de los MASC para la admisión de la demanda en su **artículo 5**, surge la duda de si el requerimiento previo al deudor contemplado en el citado artículo 21 de la LPH sería suficiente para dar por cumplido dicho requisito.

El apdo. 3 del artículo 21 de la LPH establece la documentación que se ha de aportar con la demanda para poder instar la reclamación a través del procedimiento monitorio:

- Certificado del acuerdo de liquidación de la deuda emitido por quien haga las funciones de secretario de la comunidad con el visto bueno del presidente.
- Documento acreditativo en el que conste haberte notificado al deudor, pudiendo hacerse también de forma subsidiaria en el tablón de anuncios o lugar visible de la comunidad durante al menos 3 días.
- Cuotas aprobadas que se devenguen hasta la notificación de la deuda y los gastos y costes que conlleve la reclamación de la deuda.

De acuerdo con los criterios del **Colegio de la Abogacía de Gijón**, a falta de pronunciamientos judiciales al respecto, los anteriores requisitos documentales del proceso monitorio especial del art. 21 de la LPH, tendrían como finalidad un principio probatorio de que existe una deuda, cierta, vencida y exigible para dar paso a poder acceder al procedimiento monitorio, en el que el silencio del demandado da lugar a un título ejecutivo.

Sin embargo, el objetivo del **art. 5 de la LO 1/2025, de 2 de enero**, es otro: **acreditar el necesario intento de actividad negociadora antes de acudir a la vía judicial**.

Conforme a lo anterior, el Colegio de la Abogacía de Gijón entiende, que no habría inconveniente en que en las juntas de propietarios en las que se apruebe la liquidación de la deuda se incluya un punto adicional de intento de negociación, como podría ser, la concesión de un plazo para que el deudor efectúe el pago, posibilitar el fraccionamiento de la deuda, haciendo constar de esta manera en el acta que este contenido adicional tiene como finalidad expresar la voluntad negociadora de la comunidad de propietarios antes de acudir a un procedimiento judicial.

Así, el citado colegio saca la siguiente conclusión al respecto:

> «En tal caso, **si el acta de la junta se notifica personalmente al comunero (o se intenta pero no recoge la notificación), creo que podría darse por cumplido también el requisito de procedibilidad y, además, no existiría ningún riesgo de vulnerar el principio de confidencialidad**».

El auto de la **Audiencia Provincial de Málaga n.º 260/2025, de 6 de junio, ECLI:ES:APMA:2025:535A**, inadmite una demanda presentada por una comunidad de propietarios que resulta inadmitida por no constar en la misma el cumplimiento del requisito de procedibilidad del MASC. Contra dicha inadmisión se plantea recurso de apelación alegando que **el mencionado requisito no resulta de aplicación al proceso monitorio de reclamación de deudas instado por una comunidad de propietarios** y que, por lo tanto, no puede inadmitirse la demanda en base a este motivo, pues de aplicarse a estos procesos el citado requisito de procedibilidad, perderían el carácter sumario que los inspira. El recurrente entiende evidente **la voluntad del legislador de no aplicar la LO 1/2025, de 2 de**

enero, en el proceso monitorio en comunidades de vecinos y lo justifica en los términos siguientes:

«(...) es un procedimiento sumario regulado en los artículos 812 y siguientes de la Ley de Enjuiciamiento Civil, y cuya documental que debe adjuntarse, como requisito formal, viene determinada en el artículo 21 de la Ley de Propiedad Horizontal, por lo que hay que tener en cuenta que el legislador también ha modificado la Ley de Propiedad Horizontal a través de la reformas operada en la la Ley Orgánica 1/2025 y, sin embargo, no ha sido su voluntad modificar el precitado artículo 21 (...) ergo, la documental que debe de acompañar a estas solicitudes/demandas en dichos procedimientos quedan invariables, de tal forma que no es voluntad del legislador que se acompañe o adjunte a estas con el preceptivo documento de haber intentado la negociación previa (MASC), (...)».

Por su parte, la audiencia **desestima el recurso de apelación reseñando que se mantiene aplicable lo previsto en el art. 21 de la LPH de modo que sigue exigiéndose tras la LO 1/2025, de 2 de enero, la justificación documental en el prevista**. Lo anterior, no impide que, tras la entrada en vigor de la citada norma, sea necesario **cumplimentar lo en ella exigido respecto del requisito previo de procedibilidad**. En este sentido, la audiencia pone de relieve la obligatoriedad del MASC respecto de los procesos declarativos del libro II y de los especiales del libro IV de la LEC, así como las excepciones al mismo que el propio **art. 5 de la LO 1/2025, de 2 de enero**, contempla y entre las que no se encuentra el proceso monitorio en el ámbito de la propiedad horizontal.

Así, la AP de Málaga resuelve al respecto:

«(...) el legislador ha optado por **excluir de la necesidad de acudir a esos mecanismos negociadores a los monitorios europeos pero no así a los restantes monitorios, ni a los genéricos, llamemóslos así, ni a los especiales de propiedad horizontal**, no pareciendo obedecer dicha omisión a un olvido involuntario, sino, por el contrario, a expreso deseo de separar unos de otros, de modo y manera que **si no se intenta acuerdo con un MASC, la solicitud (demanda) será inadmitida a trámite, y ese incumplimiento debe calificarse de insubsanable**, dado tratarse de requisito de procedibilidad expresamente dispuesto por ley; en definitiva, cabe afirmar que no cabe presentar una demanda judicial sin antes haber pasado por un intento de solucionar el conflicto a través de una de las vías extrajudiciales que se ofrecen en la Ley Orgánica 1/2025, en atención al principio general de derecho "lex non distinguit, nec non distinguere debemus",lo que nos reconduce a entender que la novedosa exigencia orgánica afecta directamente a todos los procesos monitorios, ya lo sean propios de la Ley 1/2000 o, en su caso, de la especialidad marcada por la Ley 49/1960».

Con relación a la notificación de la realización de la junta de propietarios se ha pronunciado el Tribunal Supremo en su **sentencia n.º 572/2020, de 3 de noviembre, ECLI:ES:TS:2020:3624**, que, tras analizar los preceptos de la LPH que se refieren a la notificación, concluye:

«(...) no ofrece duda que la comunidad ha de ser cuidadosa con la citación de los propietarios a la junta en que se adoptan los correspondientes acuerdos por los que se ha de regir la vida comunitaria; para ello la Ley determina la forma en la que se ha de llevar a efecto tal citación, indicando tres posibilidades al respecto, a través de un orden jerárquico de necesaria observancia: primero; si el propietario ha comunicado un **domicilio para sus notificaciones**, en tal lugar; en defecto de una comunicación de tal clase, es válida la practicada en el **piso o local integrados en la comunidad** accionante, llevada a efecto con quien los ocupara, y, ante la imposibilidad de la citación, en los domicilios indicados, **a través de notificación en tablón de anuncios**».

También se hace referencia en la mentada sentencia a la **obligatoriedad de cumplir con las normas que regulan la notificación**, y lo hace en los siguientes términos:

«**Las normas que rigen la forma de practicar tales citaciones tienen carácter imperativo**, siendo, por lo tanto, de necesario y obligado cumplimiento, cuya vulneración es sancionada por la jurisprudencia con la nulidad radical de la Junta y de los acuerdos en ella adoptados, —sentencias de 3 de mayo de 1988, 25 de octubre de 1989, 29 de octubre de 1993, 3 de febrero de 1994 y 21 de julio de 1995 entre otras—, sin que la entrega de la citación por escrito en el domicilio de cada propietario pueda omitirse o sustituirse por otra formalidad alegando viciosas practicas o usos que, por contrarias a la ley, no pueden judicialmente aprobarse —sentencia de 30 octubre 1992— o hacerse descansar en simples suposiciones de conocimiento —sentencia de 14 de diciembre 2001—».

CUESTIONES

1. ¿A quién le corresponde probar que la notificación se ha realizado correctamente?

La carga de la prueba en estos casos corresponde a la comunidad de propietarios, y así se ha establecido por el Tribunal Supremo, entre otras, en la **STS n.º 706/2003, de 10 de julio, ECLI:ES:TS:2003:4885**, que señala que:

«(...) Efectivamente, la Sentencia recurrida sostiene que la Comunidad debe probar haber convocado a los copropietarios a la Junta, y que, si por un comunero se niega haber recibido la citación, incumbe a dicha Comunidad la carga de la prueba de que la misma se efectuó. Esta doctrina, que constituye fundamento decisivo del fallo, es correcta porque la alegación de falta de citación implica un hecho negativo, que, al no poder ser probado mediante un hecho positivo del mismo significado, produce el efecto de desplazar el "onus probandi" a la parte que sostiene que la citación ha tenido lugar. La solución adoptada se ajusta a la doctrina mantenida por esta Sala, tanto con carácter general respecto de los hechos negativos (Sentencias 3 junio 1.935, 10 julio 1.967, 17 octubre 1.983, 8 octubre 1.984, 23 septiembre 1.986, 8 julio 1.988, 8 marzo y 30 abril 1.991, 9 febrero 1.993 y 4 febrero 2.002, entre otras), como en particular en relación con la citación para las Juntas de Propietarios (Sentencia 30 abril 1.992). (...)».

2. ¿Qué ocurre si intentada la notificación por burofax u otro medio fehaciente el comunero no recoge la citada notificación?

Es numerosa la jurisprudencia que se pronuncia en el sentido de entender por realizada la notificación intentada cuando el destinatario no la recoge sin causa justificada, y así, por ejemplo, podemos citar la **sentencia de la Audiencia Provincial de Málaga n.º 13/2022, de 19 de enero, ECLI:ES:APMA:2022:316**, al establecer:

«Una comunicación no entregada por ser rehusado o no retirado no implica una acreditación de falta de conocimiento por parte del destinatario sino que por el contrario prueban la voluntad renuente (es decir, la renuncia a ser notificado) del mismo a recoger la documentación correspondiente (Sentencia n.º 31/2012 de AP La Rioja, Sección 1.ª, 6 de Febrero de 2012), y no le era exigible a la Comunidad actora ninguna actuación añadida correspondiendo al comunero probar que la recepción de la comunicación no tuvo lugar por causas ajenas a su voluntad y que no le son imputables. No es

necesario que el sujeto a quien va dirigida la comunicación llegue a conocer la misma para que se entienda recibida. Es suficiente que la remisión se efectúe en condiciones tales que el destinatario actuando con una diligencia normal, esté en condiciones de poder recibir la comunicación. Pues, como dijo la sentencia del Tribunal Supremo de 2/3/07, no puede quedar a la voluntad del destinatario la recepción de las comunicaciones remitidas pues ello no sería admisible, bastando la prueba de la remisión en las condiciones indicadas».

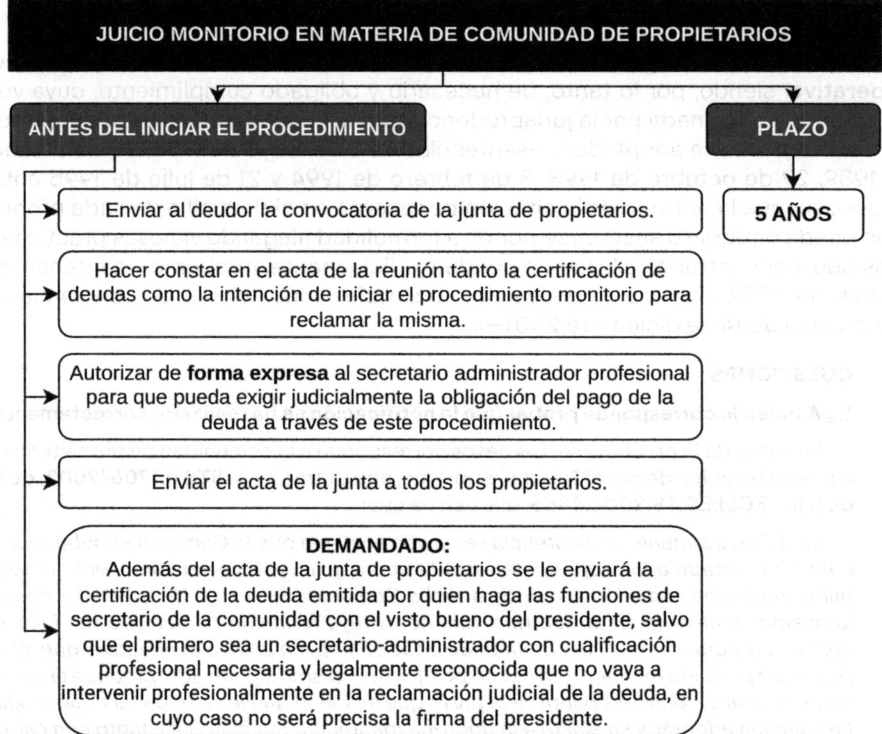

Prescripción

De acuerdo con el artículo 1964 del Código Civil, el plazo de prescripción de la acción será de 5 años:

«Las acciones personales que no tengan plazo especial prescriben a los cinco años desde que pueda exigirse el cumplimiento de la obligación. En las obligaciones continuadas de hacer o no hacer, el plazo comenzará cada vez que se incumplan».

CUESTIÓN

Para interrumpir el plazo de prescripción de 5 años, ¿es necesario algún tipo de formalidad?

No, y para dar respuesta a la presente cuestión es altamente ilustrativa la argumentación dada por la **sentencia del Tribunal Supremo n.º 182/2021, de 30 de marzo, ECLI:ES:TS:2021:1265**, la cual expone, «(...) aunque no empleara el término interrupción de la prescripción, puso de manifiesto la existencia de actos de reclamación de las cantidades debidas, explicó que en todas las juntas se reclamaron a la parte demandada las cuotas dejadas de abonar, y aportó comunicaciones y reclamaciones efectuadas a la demandada (doc. 5 y docs. 15 a 20 de la demanda). En el mismo sentido, en su escrito de oposición al recurso de apelación de la demandada, la demandante hizo valer nuevamente que, en cada una de las juntas de propietarios celebradas, la Comunidad demandante había procedido a reclamar a la demandada las cuotas dejadas de abonar, que la demandada era perfecta conocedora de la deuda reclamada por los burofaxes enviados y por los pleitos mantenidos entre las partes, además de haber asistido a las reuniones periódicas de la junta de propietarios. Es decir, la Comunidad planteó que no hubo abandono alguno de la reclamación de las cuotas impagadas».

➢ **Requisitos formales de la notificación**

El **acuerdo deberá notificarse al propietario moroso** en la forma prevista en la letra h) del apartado 1 del artículo 9 de la LPH. Debe cumplirse con ello ya que si no se realiza la reclamación no tendrá futuro. Cabe destacar que tras la última reforma de la LPH en el propio artículo 21 se recoge expresamente que la notificación al deudor podrá llevarse a cabo **subsidiariamente en el tablón de anuncios** o en lugar visible de la comunidad, durante un plazo mínimo de 3 días.

No es obligatorio que la notificación sea fehaciente, pero será necesario hacerlo de una forma que acredite que esa notificación fue realizada. Por ejemplo, en la **SAP de Madrid n.º 330/2012, de 14 de junio, ECLI:ES:APM:2012:9141**, se establece lo siguiente:

«(...) prescribiendo el artículo 21 de la Ley de Propiedad Horizontal que la utilización del procedimiento monitorio requerirá, entre otras cuestiones, que el acuerdo de la Junta aprobando la liquidación de la deuda con la comunidad de propietarios se hubiese notificado a los propietarios afectados en la forma establecida en el artículo 9, regulándose en éste que, de no designarse otro domicilio para citaciones y notificaciones las mismas se practicarán en el piso perteneciente a la comunidad, especificando que si fuese imposible su práctica, una vez intentada, «se entenderá realizada mediante la colocación de la comunicación correspondiente en el tablón de anuncios de la comunidad o en lugar visible de uso general habilitado al efecto, con diligencia expresiva de la fecha y motivos por los que se procede a esta forma de notificación, firmada...», lo cierto es que **las meras alusiones a haberse sido publicado el acta de la Junta en la que se liquidó la deuda "en el portal de la Comunidad"** (certificación del administrador, al folio 11 de autos), **en modo alguno da cumplimiento a lo prevenido en el precepto**: en el tablón de anuncios o en lugar visible habilitado al efecto, con diligencia expresiva de la fecha y motivos ya citados, con firma del Secretario con el visto bueno del Presidente, máxime cuando tampoco existiría constancia de haberse efectuado la comunicación del acuerdo de otra forma pues, como acertadamente razona la Juez a quo, del envío por correo ordinario que se alude no quedaría constancia de su recepción».

De aportación obligatoria con la demanda se encuentra la **certificación de la deuda**, que será expedida por quien haga las funciones de secretario de la comunidad con el visto bueno del presidente, añadiendo la ley una salvedad para el caso en que el secretario sea un secretario-administrador con cualificación profesional necesaria y legalmente reconocida que no vaya a intervenir profesionalmente en la reclamación judicial de la deuda, en cuyo caso no será precisa la firma del presidente.

Con relación al contenido de la certificación de deuda se especifica en el apartado 3 del artículo 21 de la LPH que en este certificado deberá constar el importe adeudado y su desglose. Cabe citar aquí la **sentencia de la Audiencia Provincial de Vizcaya n.º 620/2018, de 28 de septiembre, ECLI:ES:APBI:2018:2565**, que señala que:

«La utilización del procedimiento monitorio requerirá la previa certificación del acuerdo de la Junta aprobando la liquidación de la deuda con la comunidad de propietarios por quien actúe como secretario de la misma, con el visto bueno del presidente, siempre que tal acuerdo haya sido notificado a los propietarios afectados en la forma establecida en el artículo 9.

El articulo 21.1 LPH no determina cual debe ser el contenido del acuerdo de la Junta aprobando la liquidación, pero es obvio que **el acuerdo de liquidación debe especificar los distintos conceptos que comprenden la liquidación**, pues en otro caso no sería posible acreditar el pago total o parcial de la deuda a la que se refiere la liquidación, ni formular ninguna objeción a la liquidación. En este sentido se pronuncia entre otras, la SAP Alicante Sección Quinta 29/2013 de 16 enero de 2013, recurso 258/2012 ... que dice: "la aprobación en junta no exime a la Comunidad en la reclamación con apoyo en el artículo 9.1.e) de la Ley de Propiedad Horizontal, de **especificar a qué periodos y conceptos corresponde la deuda reclamada**, exigencia que no responde a ningún formalismo, sino a la necesidad de que el demandado conozca el alcance de la reclamación y pueda, en consecuencia, oponer frente a la misma lo que crea oportuno, formando parte del propio derecho a la defensa, que no puede ejercitarse de manera efectiva frente a reclamaciones inconcretas(...)"».

A TENER EN CUENTA. Tras la modificación del art. 21 de la LPH llevada a cabo por la Ley 10/2022, de 14 de junio, de medidas urgentes para impulsar la actividad de rehabilitación edificatoria en el contexto del Plan de Recuperación, Transformación y Resiliencia, que entró en vigor el 16/06/2022, aparece expresamente reconocida la posibilidad de acudir a **mediación-conciliación o arbitraje**, conforme a la legislación aplicable, para la reclamación de los gastos de la comunidad y del fondo de reserva o cualquier cuestión relacionada con la obligación de contribuir en ellos.

RESOLUCIÓN RELEVANTE

Sentencia de la Audiencia Provincial de Castellón n.º 307/2023, de 7 de julio, ECLI:ES:APCS:2023:751.

«Sostiene la parte apelante que el requisito consistente en la acreditación de la deuda mediante la certificación del impago de cantidades debidas en concepto de gastos comunes de Comunidades de propietarios de inmuebles urbanos a que se refiere el art. 812.2.2º LEC o, como dice el art 21.2 de la Ley de Propiedad Horizontal según la redacción aplicable al caso «la previa certificación del acuerdo de la Junta aprobando la liquidación de la deuda con la comunidad de propietarios por quien actúe como secretario de la misma, con el visto bueno del presidente», son aplicables al proceso monitorio, pero no al juicio declarativo correspondiente a la cuantía con arreglo al cual se sustancia la reclamación si se formula oposición por el deudor.

Comparte este tribunal el criterio del apelante.

En primer lugar, porque los preceptos mencionados que exigen el indicado requisito lo imponen para la viabilidad de la reclamación monitoria que expresamente mencio-

nan, pero no hacen extensiva dicha exigencia al juicio declarativo con arreglo a cuyos trámites debe sustanciarse la pretensión cuando, como es el caso, el reclamado plantea oposición.

Por otra parte porque, salvo que expresamente exija la ley determinada prueba para la acreditación de los hechos en que se basa la pretensión, estos pueden ser acreditado por cualquiera de los medios de admitidos en derecho, ya sean documentales, subjetivos (interrogatorio de parte, testimonios), periciales, medios de reproducción del sonido o la imagen y otros no expresamente previstos (art. 299 LEC).

Por lo tanto, a diferencia del procedimiento monitorio —en el que, en puridad, no debió darse lugar al requerimiento de pago a falta de la correspondiente certificación del acta de la comunidad y autorización al presidente— en el presente declarativo ordinario no hay prueba tasada, ni cabe la exigencia de una específica, como pudiera ser la constancia en el acta de la comunidad, o la certificación del secretario. En consecuencia, la falta de tales documentos no determina la desestimación de la reclamación, pues puede probarse la vigencia de la deuda cuyo importe se reclama por otro medio de acreditación. Piénsese que la parte demandante pudo no formular la reclamación monitoria e interponer directamente la demanda de juicio verbal, en el que no ha lugar —como no lo hay ahora— a la exigencia de presentación de ninguna documentación específica.

El criterio que acaba de exponerse es el que ha mantenido esta Sección Tercera de la Audiencia Provincial de Castellón en anteriores ocasiones.

En este sentido, cabe citar la Sentencia núm. 367 de 22 de diciembre de 2003 (ECLI:ES:APCS:2003:868). En esta resolución, con cita de la anterior sentencia n.º 143/03 de fecha 19 de mayo de 2.003, decía esta Sala que "el artículo 21 de la Ley de Propiedad Horizontal establece la posibilidad de que el presidente o el administrador puede exigir judicialmente las obligaciones establecidas en los apartados e) y f) del artículo 9, a través del procedimiento monitorio, refiriéndose el primero de estos apartados a la obligación de contribuir a los gastos generales para el adecuado sostenimiento del inmueble, y establece además dicho precepto expresamente en su párrafo segundo que la utilización del procedimiento monitorio requerirá la previa certificación del acuerdo de la Junta aprobando la liquidación de la deuda con la comunidad de propietarios por quien actúe como secretario de la misma, con el visto bueno del presidente" para concluir que "(d)e dicha normativa se deduce sin género alguno de dudas que la certificación del acuerdo de la Junta de propietarios aprobando la liquidación de la deuda con la comunidad de propietarios es un requisito necesario en el procedimiento monitorio, y no por el contrario en el posterior juicio declarativo que puede plantearse cuando el deudor haya presentado en tiempo y forma escrito de oposición a la demanda de dicho procedimiento monitorio".

La misma opinión quedó plasmada en la Sentencia núm. 408 de 31 de julio de 2006 (ECLI:ES:APCS:2006:789), al decir que la falta del presupuesto que determinó la desestimación de la reclamación, como sucede en el presente supuesto, "debió ser valorada en su día al decidir sobre la admisión a tramite de la petición de monitorio, controlando de oficio el Juez de instancia entonces la concurrencia de todos los requisitos relativos a la admisión de la petición, pero no puede comportar la desestimación de la demanda cuando ya se ha transformado el procedimiento monitorio en un proceso ordinario y plenario —un verbal en atención a la cuantía reclamada— al oponerse la demandada (articulo 818 de la L. E. Civil) siendo una solución contraria a la economía procesal la de rechazar la demanda pese a estimar acreditada la existencia de la deuda a través de la documental aportada y obligar a la parte a acudir a un proceso declarativo verbal para formular su reclamación, es decir, al mismo procedimiento que ya se ha seguido entre las partes litiganto"».

730 Petición inicial del procedimiento monitorio y tramitación

El procedimiento monitorio (art. 814 de la LEC) comienza por petición del acreedor —en este caso la comunidad de propietarios—, en la que debe figurar:

- La identidad del deudor.
- El domicilio o domicilios del acreedor y del deudor, o el lugar en que residan o puedan ser hallados. El domicilio a efecto de notificaciones será el notificado a quien ejerza las funciones de secretario de la comunidad, o en su defecto, se tendrá por domicilio para notificaciones el piso o local perteneciente a la comunidad [art. 9.1 h) de la LPH].
- El origen y la cuantía de la deuda. En este caso el origen de la deuda se corresponderá con todas las cantidades que le sean debidas a la comunidad en concepto de gastos comunes, tanto si son ordinarios como extraordinarios, generales o individualizables, o fondo de reserva. Con relación a la cuantía hay que tener en cuenta que solo pueden ser objeto de reclamación las cantidades previamente liquidadas y notificadas al propietario. La LPH también recoge la posibilidad de añadir a la cantidad reclamada las cuotas aprobadas que se devenguen hasta la notificación de la deuda, así como todos los gastos y costes que conlleve la reclamación de la deuda, incluyendo los derivados de la intervención del secretario administrador.
- Los documentos que acreditan la deuda, siendo en este caso imprescindible:
  - La certificación del acuerdo de la junta aprobando la liquidación de la deuda con la comunidad de propietarios emitido por quien haga las funciones de secretario de la comunidad con el visto bueno del presidente, salvo que el primero sea un secretario-administrador con cualificación profesional necesaria y legalmente reconocida que no vaya a intervenir profesionalmente en la reclamación judicial de la deuda, en cuyo caso no será precisa la firma del presidente, y en la cual deben constar el importe adeudado y su desglose.
  - El documento acreditativo en el que conste haberse notificado al deudor, pudiendo también hacerse de forma subsidiaria en el tablón de anuncios o lugar visible de la comunidad durante un plazo de, al menos, tres días.
  - El acta de la junta en la que se acuerde la autorización al secretario administrador profesional para acudir a este procedimiento y exigir judicialmente el pago de la deuda.

CUESTIÓN

¿Es preceptiva la intervención de abogado y procurador en la petición inicial del procedimiento monitorio?

No, en la petición inicial de los procesos monitorios no será necesaria la intervención de abogado y procurador independientemente de la cuantía. Si bien es importante tener en cuenta que el art. 21.5 de la LPH establece que, cuando en la petición inicial del procedimiento monitorio se utilicen los servicios de abogado y/o procurador, para reclamar las cantidades debidas a la comunidad de propietarios, el deudor deberá pagar los honorarios y derechos que generen ambos por su intervención, incluidos los de ejecución, con sujeción a los límites establecidos en el art. 394.3 de la LEC. Es por ello que, aunque no sea preceptivo acudir al procedimiento con abogado y procurador, sí será recomendable, y además podrá obtenerse una condena en costas a pesar de tratarse de una intervención voluntaria.

A TENER EN CUENTA. La LO 1/2025, de 2 de enero, modifica el apartado 3 del artículo 394 de la LEC, con efectos desde el 03/04/2025. A partir de entonces, a efectos de la imposición de costas al litigante vencido, las pretensiones inestimables pasarán a valorarse de 18.000 a 24.000 euros.

Dispone la LEC que, tras examinar la documentación, y de ser esta la requerida, el letrado de la Administración de Justicia requerirá al deudor para que en el plazo de 20 días pague la cantidad reclamada o comparezca ante el tribunal y alegue mediante escrito de oposición las razones por las que entiende que no debe la cantidad reclamada, en todo o en parte, apercibiéndole de que, en caso de falta de pago u oposición, se despachará ejecución contra él.

Establece el art. 815.2 de la LEC que en estos casos: «(...) la notificación deberá efectuarse en el domicilio previamente designado por el deudor para las notificaciones y citaciones de toda índole relacionadas con los asuntos de la comunidad de propietarios. Si no se hubiere designado tal domicilio, se intentará la comunicación en el piso o local, y si tampoco pudiere hacerse efectiva de este modo, se le notificará conforme a lo dispuesto en el artículo 164 de la presente ley».

A continuación, hay que distinguir varias posibilidades, según exista o no oposición del deudor.

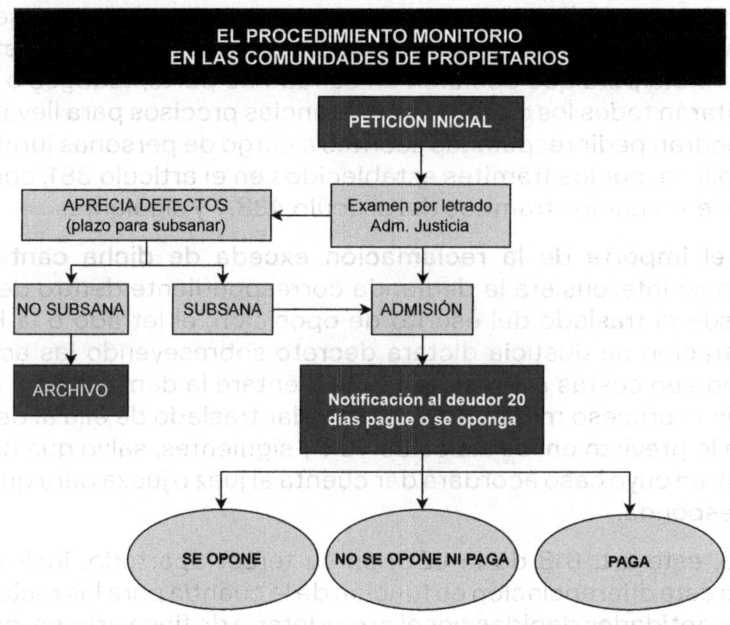

En caso de que **no haya oposición** del deudor ni este hubiese atendido el requerimiento de pago, el letrado de la Administración de Justicia dictará decreto dando por terminado el proceso monitorio y dará traslado al acreedor para que inste el **despacho de ejecución**, siendo suficiente para ello la mera solicitud.

Si el deudor realiza el pago, el letrado de la Administración de Justicia acordará el archivo de las actuaciones.

En caso de **existencia de oposición** del deudor al pago de la cantidad exigida por el acreedor, el asunto se resolverá definitivamente en juicio que corresponda, teniendo la sentencia que se dicte fuerza de cosa juzgada (art. 818.1 de la LEC).

El escrito de oposición deberá ir firmado por abogado y procurador cuando su intervención fuere necesaria por razón de la cuantía, según las reglas generales. Si la oposición del deudor se fundara en la existencia de pluspetición, se actuará respecto de la cantidad reconocida como debida conforme a lo que dispone el apartado segundo del artículo 21 de la LEC.

Cuando la **cuantía de la pretensión no excediera de la propia del juicio verbal**, el letrado o la letrada de la Administración de Justicia dictará decreto dando por terminado el proceso monitorio y acordando seguir la tramitación conforme a lo previsto para este tipo de juicio, dando traslado de la oposición al actor, quien podrá impugnarla por escrito en el plazo de diez días. Presentado el escrito de impugnación o transcurrido el plazo sin haberse efectuado, se dictará diligencia de ordenación acordando conceder a ambas partes el plazo de cinco días a fin de que propongan la prueba que quieran practicar, debiendo, igualmente, indicar las personas que, por no poderlas presentar ellas mismas, han de ser citadas por el letrado o la letrada de la Administración de Justicia a la vista para que declaren en calidad de parte, testigos o peritos. A tal fin, facilitarán todos los datos y circunstancias precisos para llevar a cabo la citación y podrán pedir respuestas escritas a cargo de personas jurídicas o entidades públicas, por los trámites establecidos en el artículo 381, continuando el procedimiento por los trámites del artículo 438.9 y siguiente.

Cuando el **importe de la reclamación exceda de dicha cantidad**, si el peticionario no interpusiera la demanda correspondiente dentro del plazo de un mes desde el traslado del escrito de oposición, el letrado o la letrada de la Administración de Justicia dictará decreto sobreseyendo las actuaciones y condenando en costas al acreedor. Si presentare la demanda, en el decreto poniendo fin al proceso monitorio acordará dar traslado de ella al demandado conforme a lo previsto en los artículos 404 y siguientes, salvo que no proceda su admisión, en cuyo caso acordará dar cuenta al juez o jueza para que resuelva lo que corresponda.

Y finaliza, este art. 818 de la LEC, en su tercer apartado, incluyendo una excepción a esta diferenciación en función de la cuantía para las reclamaciones de rentas o cantidades debidas por el arrendatario de finca urbana, que en todo caso se resolverán siguiendo los trámites del juicio verbal, independientemente de la cuantía.

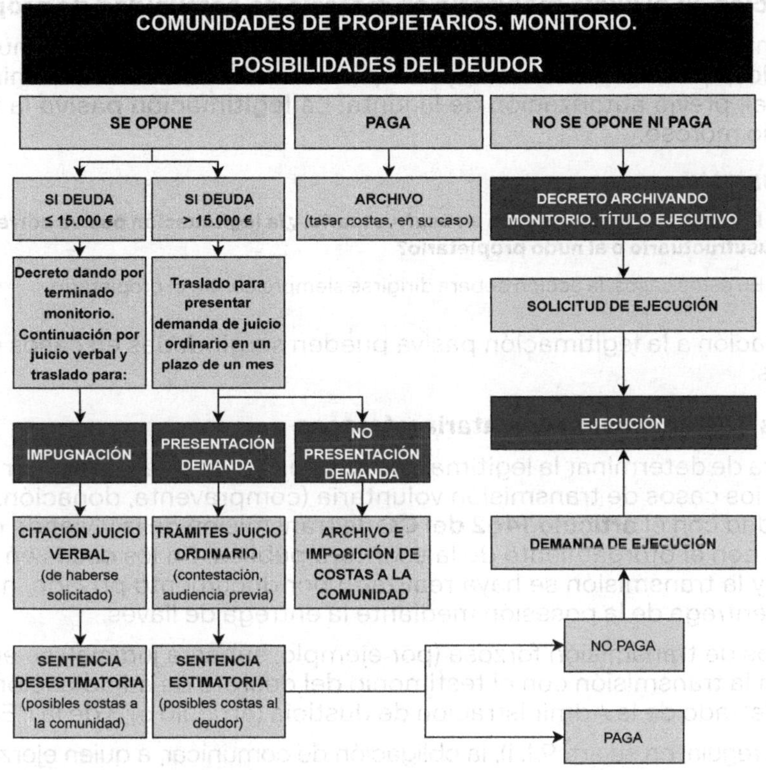

A TENER EN CUENTA. El art. 449.4 de la LEC dispone que: «En los procesos en que se pretenda la condena al pago de las cantidades debidas por un propietario a la comunidad de vecinos, no se admitirá al condenado el recurso de apelación o casación si, al interponerlos, no acredita tener satisfecha o consignada la cantidad líquida a que se contrae la sentencia condenatoria. La consignación de la cantidad no impedirá, en su caso, la ejecución provisional de la resolución dictada».

CUESTIÓN

¿Quién será competente territorialmente para entender del procedimiento monitorio?

La competencia territorial corresponderá, a elección de la comunidad, entre (**artículo 813 de la LEC**):

- **Juzgado de primera instancia del domicilio o residencia del deudor** o, si no fueren conocidos, el del lugar en que el deudor pudiera ser hallado a efectos del requerimiento de pago por el tribunal.
- **Juzgado del lugar en donde se halle la finca.**

A TENER EN CUENTA. En virtud de la la reforma realizada por la LO 1/2025, de 2 de enero, una vez implantados de forma efectiva los tribunales de instancia (D.T. 1.ª), todas las referencias realizadas a los juzgados unipersonales se entenderán realizadas a las secciones del orden jurisdiccional correspondiente de los tribunales de instancia.

740 Legitimación en el juicio monitorio en materia de comunidad de propietarios

En cuanto a la legitimación, destacar que la **activa** la ostenta la comunidad de propietarios, que comparecerá en juicio por medio del secretario administrador profesional, previa autorización de la junta. La **legitimación pasiva** la tendrá el propietario moroso.

CUESTIÓN

En los casos en los que existe un usufructuario, ¿la legitimación pasiva corresponde al usufructuario o al nudo propietario?

En estos casos, la acción deberá dirigirse siempre contra el propietario.

Con relación a la legitimación pasiva pueden surgir dudas en casos como los siguientes:

➢ Casos de transmisión voluntaria y forzosa

A la hora de determinar la legitimación pasiva resulta relevante tener en cuenta que en los casos de transmisión voluntaria (compraventa, donación, etc.), de conformidad con el **artículo 1462 del CC**, la transmisión de la vivienda o local se producirá con el otorgamiento de la escritura pública. En los casos en que esta no exista y la transmisión se haya realizado por documento privado, habrá que estar a la entrega de la posesión mediante la entrega de llaves.

En casos de transmisión forzosa (por ejemplo, subasta judicial) se entenderá producida la transmisión con el testimonio del decreto de adjudicación expedido por el letrado de la Administración de Justicia (artículo 673 de la LEC).

La LPH regula, en su art. 9.1. i), la obligación de comunicar, a quien ejerza las funciones de secretario de la comunidad, el cambio de titularidad de la vivienda o local, empleando para ello cualquier medio que permita tener constancia de su recepción.

CUESTIÓN

¿Qué sucede si nadie informa a la comunidad de propietarios de la transmisión?

La LPH establece que cuando se incumple la obligación de comunicar el cambio de titularidad, el que la incumpla seguirá respondiendo de las deudas con la comunidad de propietarios devengadas con posterioridad a la transmisión de forma solidaria con el nuevo titular, independientemente del derecho de repetir contra este. De todas formas, la comunidad se puede encontrar con el problema de conocer el nuevo propietario de la vivienda o local en los supuestos de transmisión forzosa. Para ello deberá acudir al juzgado que tramitó la ejecución para solicitar copia del decreto de remate de subasta, previa consulta en el registro de la propiedad del número de proceso y juzgado, que quedó anotado en la nota marginal anotada tras la expedición de la certificación de cargas expedida a solicitud del letrado de la Administración de Justicia.

En el art. 21 de la LPH, tras la última modificación llevada a cabo por la Ley 10/2022, de 14 de junio, de medidas urgentes para impulsar la actividad de rehabilitación edificatoria en el contexto del Plan de Recuperación, Transformación y Resiliencia, con entrada en vigor el 16/6/2022, se ha eliminado la referencia expresa que contenía a la posibilidad de dirigir contra el propietario anterior de la vivienda o local la petición inicial de procedimiento monitorio, cuando este debía responder solidariamente, si bien al recoger que podrá acudirse a este procedimiento monitorio para reclamar del **obligado al pago** todas las cantidades que sean debidas en concepto de gastos comunes, tanto si son ordinarios como extraordinarios, generales o individualizables o fondo de reserva, cabe entender que en los casos en los que el propietario anterior de la vivienda o local deba responder solidariamente del pago de la deuda, puede dirigirse contra él la petición inicial, sin perjuicio de su derecho a repetir contra el actual propietario.

- **No coincidencia del titular registral y el propietario**

La LPH recoge en su art. 21.2, recientemente modificado, que podrá dirigirse la reclamación contra el titular registral, a efectos de soportar la ejecución sobre el inmueble inscrito a su nombre. Sobre esta posibilidad de que no coincidan el titular registral y el propietario ya se había pronunciado el Tribunal Supremo antes de la reforma del mentado artículo llevada a cabo por la Ley 10/2022, de 14 de junio, de medidas urgentes para impulsar la actividad de rehabilitación edificatoria en el contexto del Plan de Recuperación, Transformación y Resiliencia, que entró en vigor el 16/6/2022, en la **STS n.º 211/2015, de 22 de abril, ECLI:ES:TS:2015:1536**, en la que se señalaba que:

> «6. El titular registral se encontrará legitimado pasivamente para reclamarle el pago de la deuda: (i) **cuando fuese propietario del piso o local en la** época **en que surgió la obligación de la que nace aquella**; (ii) cuando, sin perjuicio del derecho de repetición, **sea el actual propietario del piso o local con título inscrito en el Registro de la Propiedad, por las deudas contraídas por los anteriores titulares dentro de los límites temporales que prevé el precepto con afección real del inmueble**, (iii) **cuando el titular registral sea el propietario que ha omitido la comunicación del cambio de titularidad**.
>
> Fuera de estos supuestos no existe obligación legal, propia ni por extensión de responsabilidad, por parte del titular registral al pago de las deudas por gastos de la Comunidad de Propietarios; por lo que no se encontraría legitimado pasivamente para soportar una reclamación de esa naturaleza.
>
> 7. Ahora bien, cuando la Comunidad de Propietarios además de ejercitar la acción obligacional contra el que deba responder del pago, pretenda ejercitar la real contra del piso o local afecto al mismo, existiendo discordancia entre deudor y titular registral, será preciso que demande a éste para garantizar la ejecución de la deuda sobre el inmueble; debiendo interpretarse en este sentido el artículo 21.4 de la LPH, de naturaleza procesal, por ser precisa la demanda contra el titular registral, a éstos solos efectos, si se quiere que sea efectivo el embargo preventivo que autoriza el párrafo segundo del mencionado artículo en su número cinco así como el procedimiento de apremio contra los bienes afectos a la deuda.
>
> (...)
>
> **Se fija como doctrina** que "cuando el deudor, de cuotas por gastos de comunidad de propietarios, por obligación propia o por extensión de responsabilidad, no coincida con el titular registral, la reclamación frente a éste sólo será al objeto de soportar la ejecución sobre el inmueble inscrito a su nombre"».

- **Atribución a uno de los cónyuges propietarios del pago de las cuotas de la comunidad por el juzgado de familia**

Es habitual que, en los procedimientos de familia, en los casos de separación, divorcio o nulidad, se atribuya a uno de los cónyuges el uso de la vivienda y los gastos derivados de las cuotas de la comunidad de propietarios, pero ello no impide que la comunidad pueda ejercitar acciones contra ambos propietarios, que seguirán siendo los legitimados pasivamente independientemente de los acuerdos que se hayan adoptado. En este sentido se pronuncia la **sentencia del Tribunal Supremo n.º 508/2014, de 25 de septiembre, ECLI:ES:TS:2014:3819**, que señala que:

«Es evidente, que en las relaciones entre la Comunidad de Propietarios y los propietarios individuales, los gastos de comunidad corresponden al propietario, y éste o éstos serán los legitimados pasivamente para soportar las acciones de la comunidad en reclamación de las correspondientes cantidades, sin perjuicio de las acciones de repetición entre los copropietarios, si procediere (art. 9 LPH).

Ahora bien, nada obsta a que un Tribunal de familia acuerde, en aras al equilibrio económico entre las partes (art. 103 C. Civil), que el excónyuge que utilice la vivienda ganancial, sea el que deba afrontar los gastos ordinarios de conservación. Este pronunciamiento no es contrario al art. 9 de la LPH, pues este rige las relaciones entre propietarios y Comunidad, sin perjuicio de las relaciones internas entre aquellos, como ocurre en este caso en el que la cuota ordinaria de comunidad se impone en la resolución judicial a la hoy recurrente. Ahora bien, ello no obsta para que de acuerdo con el art. 9 de la LPH, **sean ambos propietarios los que deberán afrontar, en su caso, las reclamaciones de la Comunidad de Propietarios**, conforme al tan citado art. 9 de la LPH.

En este mismo sentido, el art. 20 de la Ley de Arrendamientos Urbanos de 1994 permite, que aún cuando la obligación de pago de los gastos de comunidad corresponde al propietario, éste pueda pactar con el arrendatario que se haga cargo de la misma.

(...)

En conclusión, como refiere la doctrina, si bien frente a terceros, esto es la Comunidad de Propietarios, no se puede alterar el que es el titular de la vivienda obligado al pago de los gastos a que se refiere el art. 9 LPH, en las relaciones internas entre los cónyuges, igual que en las relaciones internas entre inquilino y propietario, puede la sentencia matrimonial, en el primer caso, como el contrato de inquilinato, en el segundo, alterar el responsable de su pago en las relaciones internas que surgen entre los titulares del uso y de la propiedad».

➢ Propietario fallecido

En estos casos la **legitimación pasiva corresponderá a los herederos del finado**. Herederos que deberán haber aceptado la herencia para ostentar legitimación pasiva, no sirviendo para entender que se ha producido una aceptación tácita, la solicitud de declaración de herederos *ab intestato* o la autoliquidación del impuesto de sucesiones (**SAP Madrid n.º 260/2018, de 10 de julio, ECLI:ES:APM:2018:10716**), y recalcando que el Tribunal Supremo exige actos claros y precisos que revelen la voluntad inequívoca de aceptar la herencia, para acabar concluyendo la citada sentencia que: «Es de comprender que en un caso como el enjuiciado se pone a la Comunidad de Propietarios en una situación difícil para acreditar la propiedad de la vivienda, pero no es posible condenar a una persona al pago de la deuda cuando no se acredita haya aceptado la herencia y con ello hubieren adquirido la condición de propietario o copropietario de la vivienda».

En el mismo sentido, la **sentencia de la Audiencia Provincial de Asturias n.º 354/2014, de 23 de diciembre, ECLI:ES:APO:2014:2754**, recoge que: «(...) Sin embargo no consta que la herencia haya sido aceptada por Doña María Inmaculada ni de forma expresa ni de forma tácita, pues tampoco existe dato alguno que permita afirmar tal voluntad (art. 999 C.Civil) y que podría desprenderse de conductas tales como haber llevado a cabo actos encaminados a gestionar la vivienda que nos ocupa o la cuenta bancaria en que se domiciliaban los pagos comunitarios. Por lo tanto, **no encontrándose dirigida la demanda frente a la herencia yacente** y no apareciendo tampoco ejercitada la interpellatio in iure frente a la coheredera Doña María Inmaculada (art. 1004 C.Civil), la reclamación no podrá prosperar, debiendo por tanto ser rechazado el recurso de apelación».

CUESTIÓN

¿Qué sucede en los casos en los que los herederos no son conocidos?

En los casos en que los herederos no sean conocidos la demanda deberá dirigirse contra la comunidad hereditaria, designando como domicilio la finca de la que trae causa la reclamación (**auto de la Audiencia Provincial de Alicante n.º 124/2007, de 14 de junio, ECLI:ES:APA:2007:77A**). Si se conociese alguno de ellos, podrá dirigirse contra la comunidad hereditaria a citar en la persona de aquel.

➤ Afección real

Supone un gravamen preferente a cualquier otro que la LPH impone obligatoriamente al adquirente de una vivienda o local en régimen de propiedad horizontal.

Por su parte el artículo 9.1.e) de la LPH dispone en su tercer y cuarto párrafo que:

«**El adquirente de una vivienda o local en régimen de propiedad horizontal**, incluso con título inscrito en el Registro de la Propiedad, **responde con el propio inmueble** adquirido **de las cantidades adeudadas a la comunidad de propietarios** para el sostenimiento de los gastos generales por los anteriores titulares hasta el límite de los que resulten imputables a la parte vencida de la **anualidad en la cual tenga lugar la adquisición y a los tres años naturales anteriores**. El piso o local estará legalmente afecto al cumplimiento de esta obligación.

En el instrumento público mediante el que se transmita, por cualquier título, la vivienda o local el transmitente, deberá declarar hallarse al corriente en el pago de los gastos generales de la comunidad de propietarios o expresar los que adeude. El transmitente deberá aportar en este momento certificación sobre el estado de deudas con la comunidad coincidente con su declaración, sin la cual no podrá autorizarse el otorgamiento del documento público, salvo que fuese expresamente exonerado de esta obligación por el adquirente. La certificación será emitida en el plazo máximo de siete días naturales desde su solicitud por quien ejerza las funciones de secretario, con el visto bueno del presidente, quienes responderán, en caso de culpa o negligencia, de la exactitud de los datos consignados en la misma y de los perjuicios causados por el retraso en su emisión».

Ello supone que el inmueble quedará afecto al pago de las cantidades adeudadas a la comunidad de propietarios para el sostenimiento de los gastos generales de los anteriores propietarios y con el límite que señala en artículo 9.1 e): parte vencida de la anualidad en que se transmiten y los tres años anteriores, contando siempre por años naturales.

Con relación a esta afección real se ha pronunciado entre otras la Audiencia Provincial de Ourense, en **sentencia n.º 112/2011, de 25 de marzo, ECLI:ES:APOU:2011:210**, que establece que:

«**Se trata de una obligación de las denominadas "propter rem", determinada "ex lege"**, por la afección real que sujeta el inmueble transmitido al abono de dicha deuda, y que, únicamente cabe hacer efectiva, mediante la convocatoria al proceso del nuevo adquirente. Lo que también **determina su legitimación pasiva** para soportar la acción entablada.

En consecuencia, procede confirmar la sentencia apelada, y hacer extensiva a la demandada la responsabilidad en el pago de los gastos comunes que se reclaman en la demanda y que se encuentran dentro de aquel período legalmente determinado. Tanto más exigible, en el caso, a la demandada, que en el acto de otorgarse el contrato de compraventa mediante el que adquirió su vivienda, dispensó, expresamente, al anterior titular, de su obligación de acreditar, documentalmente, que se hallaba al corriente en el abono de los gastos comunitarios, asumiendo, de este modo, implícitamente, al menos frente a la comunidad accionante, su responsabilidad en el pago de tales gastos, para el supuesto de que se hallasen impagados. Lo que conduce a mantener la sentencia apelada».

A TENER EN CUENTA. El propietario actual solo responderá del pago de la deuda con el piso o local adquirido, pero no con sus demás bienes. Así lo explica, por ejemplo, la **sentencia de la Audiencia Provincial de Las Palmas n.º 297/2017, de 14 de julio, ECLI:ES:APGC:2017:1352**, en los siguientes términos: «Pues bien el obligado al pago de las gastos de comunidad es el titular del inmueble en el momento en que produce su devengo (arts. 9 y 21 LPH) y una vez transmitido los gastos de comunidad habrán de ser soportados por el nuevo titular, por el adquirente. Los gastos devengados con anterioridad a la transmisión serían responsabilidad del anterior titular ya que su obligación de pago no se extingue con la transmisión del inmueble y todo ello sin perjuicio de la afección real expresada en el art. 9.1.e) LPH. El pago de los gastos comunes se configura como una obligación personal, a cargo de quien, en el momento de producirse el gasto, fuere propietario del piso o local. El propietario actual, que no lo fuere en el momento de producirse el gasto no se convierte en sujeto pasivo de la deuda del anterior propietario, pero respecto de los gastos comunes producidos en el espacio de tiempo señalado anteriormente se encuentra afectado al pago de dichos gastos, y **solo responderá el nuevo titular con el mismo piso o local y no con sus demás bienes**».

➢ Varios propietarios

Cuando la comunidad de propietarios se encuentra con que el inmueble del que deriva la deuda tiene varios propietarios, surge la duda de si es necesario demandar a todos los propietarios y de si nos encontramos ante una deuda solidaria, y esta cuestión encuentra respuesta en la **sentencia de la Audiencia Provincial de Málaga n.º 646/2021, de 28 de octubre, ECLI:ES:APMA:2021:4917**, que de forma ilustrativa recoge que:

«(...) Cierto que la Ley de Propiedad Horizontal también guarda silencio sobre el carácter mancomunado o solidario de esta responsabilidad, pero de la regulación de la deuda que se hace en dicha Ley se ha de considerar que la obligación, cuando son varios los titulares del piso o local, es, frente a la Comunidad, solidaria. En tal sentido se pronuncian la mayoría de las Audiencias Provinciales, pudiendo citarse al respecto la sentencia de la Sección 4.ª de esta AP de Málaga de 8 octubre de 1997. Y aunque no faltan resoluciones que consideran que la deuda ha de ser reclamada frente a todos los cotitulares (aquí se ha hecho así), esta Sala considera que son de mayor peso las razones expuestas a favor de la solidaridad por lo siguiente: la prestación, objeto de la obligación, tiene legalmente el carácter de única, sin ser susceptible de división, en cuanto se fija, conforme al título constitutivo, con arreglo a la participación del piso o local en la totalidad del inmueble, no pudiendo ser compelido el acreedor, en este caso la Comunidad, a recibir por partes la prestación, efecto que se produciría si se tratase como mancomunada, pues en ese caso se reputaría dividida la deuda en tantas partes como deudores haya (art. 1138 del CC), asumiendo el acreedor la insolvencia de alguno de los deudores (art. 1139 del CC); por el contrario, existe unanimidad en calificar esta obligación como "propter rem", o subjetivamente real de modo que va ligada en cada momento a quien sea el titular del piso o local, y por la tenencia de ese elemento privativo existe una sola deuda para la Comunidad, sin perjuicio de la división interna de la misma entre los diversos titulares de aquel elemento privativo; y porque de ahí puede extraerse, sin dificultad, la **caracterización de la deuda como solidaria**, con solidaridad implícita, admitida jurisprudencialmente, pues el efecto que se produce es el propio de esta clase de obligaciones, es decir, **el acreedor puede reclamar frente a todos o frente a alguno el importe** íntegro **de la deuda** (art. 1144 del CC), sin que el acreedor deba sufrir la insolvencia de cualquiera de los deudores (...)».

CUESTIÓN

¿Puedo presentar el procedimiento monitorio contra uno solo de los propietarios?

Sí, como ya hemos expuesto la jurisprudencia ha interpretado que estamos ante una obligación solidaria y por tanto podría dirigirse la reclamación a cualquiera de los propietarios, pero lo más recomendable es demandar a todos los propietarios, pues no tiene sentido reducir las posibilidades de cobro dirigiendo la reclamación solo contra uno de los deudores.

Ejecución y costas en el procedimiento monitorio en materia de comunidad de propietarios 750

En los casos de falta de pago o contestación ante el requerimiento previo, el letrado de la Administración de Justicia dictará decreto dando por terminado el proceso monitorio, y dará traslado a la comunidad para que inste el despacho de ejecución, bastando para ello con la mera solicitud, sin necesidad de que transcurra el plazo de 20 días previsto en el art. 548 de la LEC.

En los casos de oposición y tramitación del juicio verbal u ordinario que corresponda, habrá que dejar transcurrir el plazo de 20 días desde la notificación de la sentencia para poder instar la ejecución mediante la presentación de demanda con los requisitos del artículo 549 de la LEC.

Tanto desde el dictado del decreto como desde el dictado de la sentencia se devengará el interés de mora procesal del artículo 576 de la LEC, es decir, el interés legal del dinero incrementado en dos puntos. Según la actual redacción del art. 21 de la LPH —vigente desde el 16/06/2022 en virtud de la reforma operada por la Ley 10/2022, de 14 de junio— los créditos a favor de la comunidad devengan intereses desde el momento en que deba efectuarse el pago correspondiente y este no se haga efectivo. Este precepto también recoge la posibilidad de que la junta acuerde medidas disuasorias frente a la morosidad por el tiempo en que permanezca en dicha situación, como por ejemplo el establecimiento de intereses superiores al interés legal.

La ejecución nunca podrá dirigirse contra un propietario que no hubiese sido parte en el previo procedimiento, de conformidad con el artículo 542 de la LEC. De ahí la importancia, como ya señalamos, de demandar siempre a todos los propietarios del piso o local. Y, al traer causa la ejecución en el previo proceso monitorio en el que únicamente pueden ser objeto de reclamación las deudas debidamente liquidadas y certificadas, en la ejecución tampoco procederá la ampliación de esta a nuevas deudas devengadas con posterioridad a la liquidación.

En la solicitud de ejecución podrá solicitarse la averiguación de bienes del deudor a fin de trabar los correspondientes embargos sobre cuentas, salarios, pensiones, etc. En caso de que el deudor no disponga de liquidez, el procedimiento se complica pues habrá que dirigirse contra la finca instando el embargo de la vivienda o local para su posterior realización. El primer escollo con el que se pueden topar las pretensiones de la comunidad viene determinado por el artículo 584 LEC, ya que existen juzgados renuentes a decretar embargos sobre viviendas o locales ante la desproporción entre su valor y la cuantía por la que se despacha ejecución.

De conformidad con la regulación del **apartado 5** del **artículo 21 de la LPH**, podemos establecer las siguientes particularidades en materia de **costas procesales** tras la petición inicial de procedimiento monitorio:

- Aun en los casos en los que la intervención de abogado y procurador no sea preceptiva (cuantía menor o igual a 2.000 euros), la comunidad podrá reclamar el abono de los honorarios de estos profesionales, incluidos los de la ejecución, en su caso.
- Aunque el demandado pague tras el requerimiento, se le impondrán las costas. Incluso deberá abonarlas si, presentada la petición de monitorio, paga antes de la admisión a trámite.

CUESTIÓN

¿Existe algún límite a la cantidad que puede imponerse por costas?

El art. 21.5 de la LPH se remite al art. 394 de la LEC en lo referido a los límites que se aplican a la cantidad que el deudor deberá pagar, es decir, no podrán suponer una cantidad total superior a la tercera parte de la cuantía del proceso, salvo que el tribunal declare la temeridad del condenado en costas.

En caso de que el demandado sea beneficiario de asistencia jurídica gratuita se podrán tasar las costas, pero solo deberá abonarlas si dentro de los tres años siguientes a la terminación del proceso viniere a mejor fortuna, quedando mientras tanto interrumpida la prescripción del art. 1967 del CC (apartado 2 del artículo 36 de la Ley 1/1996, de 10 de enero, de Asistencia Jurídica Gratuita). Se entenderá que ha mejorado de fortuna cuando sus ingresos y recursos económicos por todos los conceptos superen el doble del módulo previsto en el artículo 3 de la citada LAJG para el reconocimiento del derecho, o si se hubieren alterado sustancialmente las circunstancias y condiciones tenidas en cuenta para reconocer el derecho.

Respecto a las **costas de la ejecución**, la actual redacción del **apartado 5** del **art. 21 de la LPH** —en vigor desde el 16/6/2022— recoge expresamente que las mismas deben ser incluidas. Sobre esta cuestión ya se habían pronunciado distintas audiencias, entre las que podemos citar, por ejemplo, la **sentencia de la Audiencia Provincial de Valladolid n.º 280/2009, de 22 de octubre, ECLI:ES:APVA:2009:1252**, que entiende que las costas de la ejecución también deben ser abonadas por el deudor: «(...) No se nos alcanza por tanto cual puede ser el motivo razonable y suficiente que permita en tal caso dar un tratamiento distinto en materia de costas a la fase ejecutiva, por lo cual rechazamos este primer motivo del recurso y consecuentemente también el segundo motivo que directamente deriva de la misma tesis». En el mismo sentido, la **sentencia de la Audiencia Provincial de Madrid n.º 387/2012, de 13 de junio, ECLI:ES:APM:2012:13403**, que señala:

> «El procedimiento del que dimana la ejecución que motiva la tasación de costas, proviene de procedimiento monitorio de los previstos en el artículo 21 de la Ley de Propiedad Horizontal.
>
> El referido artículo establece en su apartado 6 que en dicho tipo de procedimientos los honorarios de abogado y procurador deberán ser abonados por el deudor, aun cuando su intervención no fuese preceptiva.
>
> Tal precepto, cierto es, no se refiere expresamente a la ejecución, si bien debe entenderse aplicable a la misma dicho criterio, dado que resulta contrario a la lógica y al espíritu y finalidad de dicha norma (artículo 3.1 del Código civil), circunscribir exclusivamente a la fase declarativa del procedimiento el pago de los honorarios de letrado y procurador aun cuando su intervención no sea preceptiva, y no hacer lo propio en la fase de ejecución».

4.3. IMPUGNACIÓN DE ACUERDOS DE LA JUNTA DE PROPIETARIOS

4.3.1. Acuerdos impugnables

Los acuerdos de la junta de propietarios susceptibles de impugnación 760

La **sentencia del Tribunal Supremo n.º 294/2004, de 21 de abril, ECLI:ES:TS:2004:2598**, afirma que en la propiedad horizontal confluyen dos clases de propiedad:

> *«Caracteriza a la propiedad horizontal la yuxtaposición de dos clases de propiedad (Sentencia de 16 de junio de 1.976, entre otras). De un lado,* ***una singular y exclusiva****, que recae sobre un espacio suficientemente delimitado y susceptible de aprovechamiento independiente y, de otro lado,* ***una copropiedad****, compartida con los demás dueños de pisos o locales, sobre los restantes elementos, pertenencias y*

servicios comunes (artículo 3 de la Ley 49/1.960). Como señala la exposición de motivos de la Ley, el sistema de derechos y deberes en el seno de la propiedad horizontal aparece estructurado en atención a los intereses en juego. Por ello la coexistencia de derechos exclusivos de cada titular con derechos compartidos por una colectividad de personas impuso la ***creación de órganos de gestión y administración*** *y la distribución de competencias en la defensa de los correspondientes derechos e intereses. A la comunidad, representada por su presidente, incumbe la defensa de sus intereses en todos los asuntos que le afecten, según establece el artículo 12 de la Ley (13.3 en la redacción dada por la Ley 8/1.999), y a cada propietario la de los suyos propios en cuanto derivados de los elementos privativos».*

Entre los mentados órganos de gestión y administración, en el artículo 13 de la LPH, se encuentra la junta de propietarios, que se compone por todos sus titulares, a quienes corresponde adoptar bien por unanimidad o por acuerdos mayoritarios, de conformidad con el artículo 14 de la LPH, las siguientes decisiones:

- Nombrar y remover a las personas que ejerzan los cargos mencionados en el artículo anterior y resolver las reclamaciones que los titulares de los pisos o locales formulen contra la actuación de aquellos.
- Aprobar el plan de gastos e ingresos previsibles y las cuentas correspondientes.
- Aprobar los presupuestos y la ejecución de todas las obras de reparación de la finca, sean ordinarias o extraordinarias, y ser informada de las medidas urgentes adoptadas por el administrador de conformidad con lo dispuesto en el artículo 20.c).
- Aprobar o reformar los estatutos y determinar las normas de régimen interior.
- Conocer y decidir en los demás asuntos de interés general para la comunidad, acordando las medidas necesarias o convenientes para el mejor servicio común.

El artículo 17 de la LPH establece los sistemas por los que se determinan los acuerdos en cada caso, pero, además, otra suerte de reglas que en caso de incumplimiento pueden suponer la impugnación de los mentados acuerdos por algún propietario, máxime, cuando como cita el apartado 9 del artículo 17 de la LPH: «Los acuerdos válidamente adoptados con arreglo a lo dispuesto en este artículo obligan a todos los propietarios».

A TENER EN CUENTA. La LO 1/2025, de 2 de enero, modifica el apartado 12 del artículo 17 de la LPH con efectos desde el 03/04/2025. Desde entonces, los acuerdos por los que se apruebe o prohíba la explotación de viviendas turísticas por sus propietarios —además de aquellos por los que se limite o condicione tal actividad— requerirán el voto favorable de las tres quintas partes del total de los propietarios que, a su vez, representen las tres quintas partes de las cuotas de participación.

El apartado 1 del art. 18 de la LPH establece cuando procede la impugnación de los acuerdos de la junta de propietarios, y lo hace en los siguientes términos:

«1. Los acuerdos de la Junta de Propietarios serán impugnables ante los tribunales de conformidad con lo establecido en la legislación procesal general, en los siguientes supuestos:

a) Cuando sean contrarios a la ley o a los estatutos de la comunidad de propietarios.

b) Cuando resulten gravemente lesivos para los intereses de la propia comunidad en beneficio de uno o varios propietarios.

c) Cuando supongan un grave perjuicio para algún propietario que no tenga obligación jurídica de soportarlo o se hayan adoptado con abuso de derecho».

Esta acción tiene por objeto impugnar ante la autoridad judicial los acuerdos adoptados por la junta de propietarios en los supuestos fijados por el mentado artículo 18 de la Ley de Propiedad Horizontal. La jurisprudencia ha puntualizado que solo son objeto de impugnación con arreglo al citado artículo, los acuerdos con carácter colectivo de la junta de propietarios y no aquellos acuerdos que afecten a los elementos privativos de los propietarios, así se ha pronunciado al respecto recientemente el Tribunal Supremo en su sentencia **STS n.º 12/2022, de 12 de enero, ECLI:ES:TS:2022:36:**

«8.- Hay que tener en cuenta, además, que el **ámbito de aplicación del art. 18.1 LPH se refiere a acuerdos o decisiones colectivas que pueden ser considerados propiamente «acuerdos de junta de propietarios», que correspondan a su competencia y ámbito de disposición. Como ha señalado la doctrina, la aplicación de ese precepto no se extiende a los denominados «pseudo-acuerdos», como serían, por ejemplo, acuerdos sobre disposición de un elemento privativo de un propietario contra su voluntad, o de imposición de una servidumbre sobre una propiedad ajena**. Como precisamos en la sentencia 320/2020, de 18 de junio, no toda modificación estatuaria "entra dentro de las facultades de la junta para poder decidirla al margen de la intervención y consentimiento de los concretos propietarios afectados en sus elementos privativos, cuando tal afectación se produce".

En este sentido cabe **distinguir entre los acuerdos que tienen el carácter de actos colectivos, que no se imputan a cada propietario singularmente sino a la junta como órgano comunitario, y aquellos otros actos que, por afectar al contenido esencial del derecho de dominio, requieren el consentimiento individualizado de los propietarios correspondientes.** En la regulación legal de esta materia se aprecia que subyace, como principio general, la idea de que la limitación de las competencias de la junta hace que no sólo queden excluidos de las mismas los actos que restrinjan o menoscaben el contenido esencial de la propiedad separada de un elemento privativo (por ejemplo, la constitución de una hipoteca sobre la totalidad del edificio), sino también «la realización de aquellos actos que aunque tengan por objeto exclusivo los elementos comunes no entren dentro de la gestión comunitaria, como serían todos aquellos que, directa o indirectamente, perjudiquen el derecho de alguno de los condueños al adecuado uso y disfrute de su propiedad o de los derechos que le sean atribuidos en el título constitutivo» (sentencia 320/2020, de 18 de junio, y RDGRN de 17 de enero de 2018)».

CUESTIÓN

¿Para impugnar un acuerdo de la junta de propietarios es necesario acudir a un MASC?

La Audiencia Provincial de Zaragoza, en su **auto n.º 206/2025, de 6 de octubre, ECLI:ES:APZ:2025:2121A**, se ha pronunciado sobre la necesidad de cumplir el requisito de procedibilidad de los MASC en el caso de la impugnación de acuerdos adoptados por la junta de una comunidad de propietarios.

Los hechos traen causa en la demanda que la parte actora interpone frente a la comunidad de propietarios con el objeto de impugnar un acuerdo de la junta ordinaria de aquella que determina la deuda mantenida por algunos propietarios. La demanda fue inadmitida por la Sección Civil y de Instrucción del Tribunal de Instancia de Calatayud, Plaza n.º 2, por incumplimiento de los requisitos de procedibilidad previstos en el artículo 5 de la LO 1/2025, de 2 de enero (MASC) y en el apartado 2 del artículo 18 de la LPH (falta de acreditación de estar al día en cuotas de la comunidad).

Interpuesto recurso de apelación contra dicha inadmisión, la parte apelante cuestiona exclusivamente el primero de los requisitos mencionados.

La demanda inadmitida tiene por objeto la impugnación de un acuerdo adoptado por la Junta ordinaria de la comunidad que determina la deuda mantenida por algunos propietarios. El acuerdo se circunscribe, por tanto, al ámbito de la Ley de Propiedad Horizontal (LPH), cuyas normas de carácter imperativo reservan a la Junta la competencia para la adopción, modificación y revocación de acuerdos, según la regulación de las mayorías dispuesta en su artículo 17 y siguiendo, además, los trámites previstos en la Ley de Propiedad Horizontal (principalmente, la convocatoria e inclusión de los puntos del orden del día). Este régimen limita la disponibilidad sobre la indicada materia y, por ende, la posibilidad de acudir a fórmulas extrajudiciales efectivas.

La Audiencia Provincial de Zaragoza estimó el argumento, señalando que los acuerdos comunitarios requieren la participación directa de los copropietarios y que el presidente de la comunidad carece de facultades para transigir sobre su validez o nulidad. Además, se destacó que la deliberación en la Junta de Propietarios equivale a una actividad negociadora, cumpliendo así el requisito previsto en la Ley Orgánica 1/2025, de 2 de enero. En este sentido señala:

*«(...) **pese a que la impugnación de un acuerdo comunitario no está excluida de los supuestos señalados expresamente en el artículo 5 de la repetida Ley Orgánica 1/2025, nos encontramos ante una materia regida por normas imperativas que requieren la participación directa de los copropietarios, por lo que no puede exigirse una actividad extrajudicial como la regulada en la Ley 1/2025**. Así, su artículo 4.1, párrafo segundo, dispone que "no podrán ser sometidos a medios adecuados de solución de controversias, ni aun por derivación judicial, los conflictos que versen sobrematerias que no estén a disposición de las partes en virtud de la legislación aplicable».*

770

¿Cuáles son los motivos de impugnación determinados por el artículo 18 de la LPH?

a) Acuerdos contrarios a la ley o los estatutos de la comunidad de propietarios

La alusión hecha por el artículo 18 de la LPH a acuerdos contrarios a la ley permite atender a dos cuestiones importantes.

En primer lugar, trataremos, de una parte, los acuerdos contrarios específicamente a la Ley de Propiedad Horizontal y a los estatutos de la comunidad de propietarios, por ser estos acuerdos anulables en virtud del citado artículo de la LPH y, de otra parte, trataremos los acuerdos contrarios a cualquier otro tipo de ley, por ser estos acuerdos nulos de pleno derecho. Respecto a la segunda cuestión, consecuencia de la determinación como acuerdos anulables o nulos de pleno derecho, destacaremos que la acción contra los acuerdos contrarios a la Ley de Propiedad Horizontal y los estatutos caduca al año, y por su parte la acción contra los acuerdos nulos de pleno derecho por ser contrarios a la ley no está sujeta a plazo, algo sobre lo que volveremos al tratar el plazo para impugnar. Al respecto nos servimos de la previamente citada, **STS n.º 12/2022, de 12 de enero, ECLI:ES:TS:2022:36,** por acoger la **jurisprudencia existente respecto de la anulabilidad o nulidad de los acuerdos comunitarios:**

«Sobre la validez y plena eficacia de tales acuerdos, la jurisprudencia declara: "los acuerdos que entrañen **infracción de preceptos de la Ley de Propiedad Horizontal o de los Estatutos de la Comunidad de que se trate, al no ser radicalmente nulos, son susceptibles de sanación** por el transcurso del plazo de caducidad que establece la regla cuarta del artículo 16 de la Ley de Propiedad Horizontal. Por tanto, aquellos acuerdos no impugnados por los propietarios gozan de plena validez y eficacia, y afectan y obligan a aquellos (SSTS de fechas 19 de noviembre de 1996, 28 de febrero de 2005, 19 de octubre de 2005, 30 de diciembre de 2005, 7 de junio de 2006 y 700/2013, de 6 de noviembre)».

(...)

3.- Por otro lado, también es **doctrina jurisprudencial** (recogida, entre otras, en las sentencias de esta sala de 28 de octubre de 2004, 25 de enero de 2005, 17 de diciembre de 2009 y 6 de noviembre de 2013), que si bien son **meramente anulables los acuerdos que entrañen infracción de algún precepto de la LPH o de los estatutos** de la respectiva comunidad de propietarios, corresponde la más grave calificación de **nulidad radical o absoluta a aquellos acuerdos que infrinjan cualquier otra ley imperativa o prohibitiva, que no tenga establecido un efecto distinto para el caso de contravención, o que, por ser contrarios a la moral o el orden público o por implicar un fraude de ley, hayan de ser conceptuados nulos de pleno derecho, conforme al párrafo 3. º del artículo 6 del Código Civil, y por tanto insubsanables por el transcurso del tiempo** (SSTS 29 de octubre de 2010, RC 1077/2006, 18 de abril de 2007 RC 1317/2000, y 320/2020, de 18 de junio).

Como declaró la sentencia 342/2018, de 7 de junio, invocada por la recurrente: "En el ámbito del art. 18.3 LPH ha sido objeto de debate la diferenciación entre acuerdos nulos, y por ende sin sujeción a plazo de impugnación, y acuerdos anulables, que sí están sometidos a plazo.

En principio, los actos contrarios a la Ley son nulos de pleno derecho, conforme al art. 6.3 CC, pero este precepto añade 'salvo que en ellas se establezca un efecto distinto para su contravención'.

Precisamente es lo que hace el art. 18.1 a) LPH, que exige la necesidad de impugnar las posibles infracciones de la Ley o los Estatutos, pues, de no ser así, sufriría el normal desenvolvimiento de la Comunidad.

En este sentido la sala ha consolidado un cuerpo de doctrina al distinguir entre acuerdos meramente anulables, y por tanto susceptibles de sanación una vez transcurrido el plazo legal previsto para su impugnación, de aquellos que son radicalmente nulos.

En el primer grupo estarían comprendidos aquellos cuya ilegalidad tenga origen en cualquier infracción de la Ley de Propiedad Horizontal o de los Estatutos de la Comunidad, mientras que en el segundo se incluirían los que infrinjan cualquier otra Ley imperativa o prohibitiva, sin un efecto diferente para el caso de contravención, los que sean contrarios a la moral o al orden público, o los que impliquen un fraude de ley (SSTS de 18 de abril de 2007, de 11 de octubre de 2007, de 25 de febrero de 2012, de 5 de marzo de 2014, entre otras).

'Por tanto, es de sumo interés y esencial, a los efectos del recurso, diferenciar entre acuerdos contrarios a la Ley de Propiedad Horizontal, y los que puedan afectar a otras leyes que pudiesen calificarse como nulos (sentencias de 25 de enero de 2005)'"».

b) Acuerdos gravemente lesivos para la comunidad en beneficio de uno o varios propietarios

Se trata de impugnar acuerdos que han contado con la aprobación de la mayoría de los propietarios, que son quienes in fine integran la junta, por lo que es difícil encontrar supuestos en los que la comunidad se vea perjudicada en beneficio de uno o varios propietarios, si bien, lo cierto es que existe la posibilidad de que se proceda a impugnar el acuerdo por considerar, una minoría, que su adopción supondría ir en contra de los intereses de la comunidad.

c) Acuerdo que suponga un grave perjuicio para algún propietario que no tenga la obligación jurídica de soportarlo o se haya adoptado con abuso de derecho

Respecto del abuso de derecho, se ha pronunciado en reiteradas ocasiones el Tribunal Supremo. La más reciente, en cuanto a esta materia, es la **sentencia n.º 89/2024, de 24 de enero, ECLI:ES:TS:2024:199**, en la cual señala:

«En la sentencia 10/2022, de 12 de enero dijimos: "La doctrina del abuso de Derecho, en palabras de la sentencia de 1 de febrero de 2006 (RC n.º 1820/2000), **se sustenta en la existencia de unos límites de orden moral, teleológico y social que pesan sobre el ejercicio de los derechos**, y como institución de equidad, exige para poder ser apreciado, una actuación aparentemente correcta que, no obstante, representa en realidad una extralimitación a la que la ley no concede protección alguna, generando efectos negativos (los más corrientes daños y perjuicios), al resultar patente la circunstancia subjetiva de ausencia de finalidad seria y legítima, así como la objetiva de exceso en el ejercicio del derecho (sentencias de 8 de julio de 198, 12 de noviembre de 1988, 11 de mayo de 1991 y 25 de septiembre de 1996). **Su apreciación exige**, en palabras de la sentencia de 18 de julio de 2000, **una base fáctica que proclame las circunstancias objetivas** (anormalidad en el ejercicio) **y subjetivas** (voluntad de perjudicar o ausencia de interés legítimo).

"**[E]n materia de propiedad horizontal**, la sentencia de 16 de julio de 2009 (RC nº. 2204/2004) ha entendido que el abuso de derecho, referido en el artículo 18.1 c) de la Ley, consiste en la **utilización de la norma por la comunidad con mala fe civil en perjuicio de un propietario**, sin que pueda considerase general el beneficio de la comunidad y, sin embargo, afecta de manera peyorativa a uno de sus partícipes. En definitiva, la actuación calificada como abusiva no puede entenderse fundada en una justa causa y su finalidad no será legítima"».

Destacamos la **SAP de Salamanca n.º 88/2018, de 9 de marzo, ECLI:ES:APSA:2018:107**, que ofrece diversidad de ejemplos en los que se ha apreciado la existencia o no de abuso de derecho en un acuerdo de la comunidad de propietarios:

«La **casuística en la aplicación de este precepto es amplia y variada**, porque los parámetros sobre los que se vertebra la causa de **impugnación están íntimamente relacionados con las frecuentes dificultades que surgen en muchas comunidades para alcanzar consensos básicos** para la convivencia diaria. Sin ánimo de exhaustividad, se aprecia la concurrencia de esta causa de anulación de acuerdos en **supuestos** como los siguientes: -La actuación de la **Comunidad impidiendo a algún propietario la realización de obras de ornamentación y/o mejora** (toldos, pintura, cerramientos...) cuando la regla general ha sido la permisividad. La SAP Málaga de

22 junio 2004 dice muy gráficamente: «Lo sucedido con el demandado es una gota de agua en un mar de variaciones, adaptaciones, construcciones, cerramientos, bares, etc., unas con autorización y otras sin ella, por lo que se entiende (...) que la Comunidad opera con abuso de derecho cuando actúa contra este comunero y no contra otros».

- Las decisiones de la **Comunidad inhibiéndose de acometer reformas en elementos comunes que sólo perjudican a un grupo de vecinos**, como la falta de reparación de cubiertas o azoteas.
- Las **prohibiciones de actos que, de acuerdo con las reglas del criterio humano y del sentido común, resultan inocuos** para la Comunidad, como la colocación de un cartel anunciador de un negocio.
- La **reiteración de acuerdos que hayan sido anulados judicialmente** (SAP Zaragoza, Sección 4.ª, de 22 diciembre 1997).
- Los **acuerdos que impiden, sin razón real que lo justifique, la actuación de un propietario sobre elementos comunes de uso privativo** cuando no supongan perjuicio alguno para la Comunidad (SAP León, Sección 3.ª, de 30 julio 2001).
- Las **reclamaciones contra un comunero por obras consentidas tácitamente** (SAP Madrid, Sección 13.ª, de 17 febrero 2004).
- La **imposición de un reparto de gastos por consumo contrario a la equidad y sin ningún fundamento** objetivo que justifique el trato desigual de los copropietarios.

(...)

- La **negativa de la Comunidad a permitir la realización de obras en elementos comunes injustificadamente con perjuicio para el comunero solicitante** y sin beneficio alguno para otros comuneros o para la Comunidad (SAP Zaragoza, Sección 4.ª, de 26 febrero 2001 y 20 diciembre 2002). La misma doctrina ha sido aplicada a casos muy similares, al resolver supuestos de denegación de autorización para la instalación de salidas de humos de locales cuando no se ha alegado o acreditado que causen molestias a la Comunidad o a otro comunero, sin que sea de aplicación, en cambio, cuando esto último ocurre, pues en tal caso la negativa se halla justificada por la protección de un interés legítimo que excluye toda idea de abuso.
- Las **condiciones abusivas impuestas por la Comunidad para la realización de obras a los propietarios** (plazos excesivamente breves o no justificados por hechos objetivos, requisitos de realización que encarezcan de forma excesiva dichas obras, etc.).
- Los **acuerdos comunitarios que implican la reposición al estado original de obras realizadas, aún sin autorización, cuando dichos acuerdos se adoptan con un retraso tan relevante que puede considerarse como retraso desleal** en el ejercicio de los derechos o contrario a la buena fe. Debe tenerse en cuenta, no obstante, que esta causa de anulación ha sido apreciada por el Tribunal Supremo de forma desigual. Así, mientras las sentencias de 28 abril 1992 y 3 octubre 1998 acuden a la doctrina de los actos propios para concluir que las obras habían sido tácitamente consentidas, las de 19 diciembre 1990, 11 julio 1994 y 10 junio 2002 rechazan la equiparación de los efectos del paso del tiempo a la autorización para la realización de obras y mantienen que el conocimiento de dichas obras no equivale a la prestación del consentimiento, limitando los efectos del paso del tiempo sobre el ejercicio de la acción a la prescripción como única consecuencia legalmente asumible.
- La **denegación de autorización para la apertura de puertas de emergencia en locales** en los que por sus características y uso sea preceptiva esta medida de seguridad (SAP Toledo, Sección 1.ª, de 22 mayo 2006).

Desde otra perspectiva, **existe otra tipología de acuerdos sobre los que la jurisprudencia no suele apreciar la concurrencia de los requisitos del abuso del derecho**, tales como: -Los acuerdos sobre medidas de seguridad, por ejemplo, mantener cerrada la puerta de acceso (SAP Madrid, Sección 13.ª, de 26 diciembre 2002, que sigue la doctrina del Tribunal Supremo —STS 5 diciembre 1989, 14 noviembre 1985, 15 febrero 1988 y 12 abril 1989— que para los supuestos de colocación cierres, ha declarado que su instalación no pasa de ser, más que una decisión esencialmente afectante a un elemento común, una norma para la adecuada utilización de la cosa común con la finalidad de evitar posibles riesgos a la Comunidad sin impedir el uso público, esto es, como una regla legítimamente establecida por la Comunidad en ejercicio de los derechos le asisten para la consecución de un objetivo lícito —la seguridad de los ocupantes del edificio— por el que le corresponde velar.

- La **falta de autorización de obras consentidas a otros propietarios que abonaron a cambio una contraprestación económica**, si en el supuesto discutido no existe dicha contraprestación (SAP Las Palmas, Sección 3.ª, de 4 abril 2007) o que se realizaron en condiciones de menor afectación para elementos comunes (SAP Sevilla, Sección 2.ª, de 17 febrero 2007).

- La **denegación de autorización para la división de elementos privativos** (SAP Cantabria, Sección 4.ª, de 19 octubre 2005) que afecta a elementos comunes, en la que la Junta se limita a ejercitar las funciones que le corresponden legalmente, dentro de las cuales se encuentra el ejercicio de acciones judiciales ante la alteración de los elementos comunes de forma arbitraria por un copropietario. No es exigible que la alteración produzca un perjuicio concreto y determinado, sino que basta que se produzca una alteración en la configuración y estado exterior del inmueble para que la Junta esté legitimada para el ejercicio de acciones judiciales exigiendo que la configuración del inmueble se corresponda con lo descrito en el título (29). No obstante, la SAP de Cantabria (Sección 2.ª) de 5 mayo 2006 excepciona el supuesto de que la autorización se hubiera concedido para otros elementos privativos similares.

- La **denegación de autorización para alterar sistemas de calefacción** de uso común (SAP de Ávila de 2 febrero 2006).

En este orden de ideas, la STS 23-12-2014, rec. 1428/2012 declaró que "la doctrina transcrita no puede entenderse desligada del artículo 18.1.c) de la Ley de Propiedad Horizontal en cuanto establece la impugnabilidad ante los tribunales de justicia de los acuerdos, entre otros, que 'supongan un grave perjuicio para algún propietario que no tenga obligación jurídica de soportarlo...'. Así las cosas, la Sala reitera la doctrina de la Sentencia de 13 de septiembre de 2010, si bien, los acuerdos directamente asociados al acuerdo de instalación del ascensor nunca podrán lesionar gravemente a ningún propietario. Es un límite que, pese a su obviedad, la Sala entiende conveniente subrayarlo como complemento de la doctrina"».

4.3.2. Legitimación

780 **¿Quiénes están legitimados para impugnar los acuerdos de la junta?**

Dispone el apartado 2 del artículo 18 de la LPH que:

«2. Estarán legitimados para la impugnación de estos acuerdos los propietarios que hubiesen salvado su voto en la Junta, los ausentes por cualquier causa y los que indebidamente hubiesen sido privados de su derecho de voto. Para impugnar los acuerdos de la Junta el propietario deberá estar al corriente en el pago de la totalidad de las deudas vencidas con la comunidad o proceder previamente a la consignación judicial de las mismas. Esta regla no será de aplicación para la impugnación de los acuerdos de la Junta relativos al establecimiento o alteración de las cuotas de participación a que se refiere el artículo 9 entre los propietarios».

Por tanto, se exige, según la jurisprudencia, una regla de legitimación y un requisito de procedibilidad:

- Habrá de estarse al corriente de pago o proceder a su consignación judicial salvo acuerdos de la junta relativos al establecimiento o alteración de las cuotas de participación a que se refiere el artículo 9 de la LPH.

- Concurrir alguno de los supuestos por los que no se ha emitido un voto favorable al acuerdo que se pretende impugnar.

Así, nuestro Alto Tribunal en la **sentencia n.º 144/2019, de 6 de marzo, ECLI:ES:TS:2019:705,** sobre la necesidad de concurrencia de estos dos presupuestos, señaló:

«Esta sala en sentencia 671/2011, de 14 de octubre, declaró:
"Dice el artículo 18.2 de la LPH, introducido por la Ley 8/1999 que 'estarán legitimados para la impugnación de estos acuerdos los propietarios que hubiesen salvado su voto en la Junta, los ausentes por cualquier causa y los que indebidamente hubiesen sido privados de su derecho de voto. Para impugnar los acuerdos de la Junta el propietario deberá estar al corriente en el pago de la totalidad de las deudas vencidas con la comunidad o proceder previamente a la consignación judicial de las mismas. Esta regla no será de aplicación para la impugnación de los acuerdos de la Junta relativos al establecimiento o alteración de las cuotas de participación a que se refiere el artículo 9 entre los propietarios'".

"El artículo establece una regla de legitimación y un requisito de procedibilidad. La primera limita la **posibilidad de impugnar los acuerdos de la junta de propietarios a los propietarios que hubiesen salvado su voto en la Junta, a los ausentes por cualquier causa y a los que indebidamente hubiesen sido privados de su derecho de voto. La segunda introduce una regla de procedibilidad y una excepción condicionando la impugnación a que el propietario esté al corriente en el pago de la totalidad de las deudas vencidas** con la comunidad o haya hecho previa consignación judicial de las mismas, salvo que la impugnación de los acuerdos de la Junta tengan que ver con el establecimiento o alteración de las cuotas de participación a que se refiere el artículo 9 entre los propietarios, es decir, a la regla de la necesidad de estar al corriente o consignar judicialmente».

En sentencia 496/2012, de 20 de julio, se declaró:

"A) Las sentencias dictadas por esta Sala en las que la parte recurrente funda el interés casacional de este motivo de su recurso, no declaran la legitimación de aquellos copropietarios que, pese a no haber sido privados de su derecho a voto, impugnan los acuerdos adoptados por la comunidad de propietarios por tal motivo. La reciente STS de 14 de octubre de 2011 [RC 635/2008] al examinar la legitimación de un comunero que no está al corriente de pago de las cuotas comunitarias, ha declarado en relación al artículo 18 LPH '**El artículo establece una regla de legitima-**

ción y un requisito de procedibilidad. La primera limita la posibilidad de impugnar los acuerdos de la junta de propietarios a los propietarios que hubiesen salvado su voto en la Junta, a los ausentes por cualquier causa y a los que indebidamente hubiesen sido privados de su derecho de voto'. Del mismo modo, la STS 18 de diciembre de 2005 RC 2469/2003, ha señalado ‹Con mención a la impugnación de los acuerdos de la Junta de Propietarios, en los supuestos detallados en las letras a), b) y c) del artículo 18, este precepto dispone que estarán legitimados los propietarios que hubieren salvado su voto en la Junta, los ausentes por cualquier causa y los que indebidamente hubieren sido privados de su derecho de voto. **La actora tiene la facultad de actuar en su propio nombre en el proceso, pero no en beneficio de otros propietarios, que no han impugnado el acuerdo de la Junta** y, por consiguiente, han mostrado su conformidad con lo decidido, amén de que la demandante no ostenta poder de representación de esos comuneros, por lo que carece de legitimación activa para litigar por ellos›».

"B) La aplicación de esta jurisprudencia al supuesto que se examina exige la desestimación del motivo del recurso. Nada impide que los recurrentes, como así han hecho, puedan impugnar ciertos acuerdos adoptados en un junta de propietarios por considerar que no se aprobaron con las mayorías exigibles o de algún otro modo vulneraron la LPH, pero no puede sustentarse su acción en el hecho de que se privara indebidamente del derecho a votar a algún copropietario distinto de los que formalizaron la demanda origen del pleito. Solo este comunero estaría legitimado para impugnar el acuerdo por tal motivo, del mismo modo que solo quien haya acudido a la junta y haya salvado su voto estará legitimado para impugnar, sin que aquel propietario que no lo haya salvado pueda sustentar una acción fundada en tal circunstancia".

De la referida doctrina jurisprudencial se deduce que el propietario impugnante ha de respetar el dictado del art. 18 de la LPH, pero partiendo de la necesidad de que el acuerdo le perjudique de alguna manera, aún indirectamente.

De hecho en la mencionada sentencia 496/2012 se partía de la ocupación por parte de la comunidad de parte de un elemento común de uso privativo y de la necesidad de mantenimiento de un nuevo ascensor, extremos que notoriamente podían producir algún perjuicio al comunero disidente».

Argumentación que podría verse complementada por lo establecido recientemente en su **STS n.º 287/2024 de 28 de febrero, ECLI:ES:TS:2024:1125**, en cuyo contenido se recoge:

«El art. 9 e) de la referida disposición general establece, por su parte, como obligación de los propietarios:

"[...] contribuir, con arreglo a la cuota de participación fijada en el título o a lo especialmente establecido, a los gastos generales para el adecuado sostenimiento del inmueble, sus servicios, cargas y responsabilidades que no sean susceptibles de individualización".

En tales gastos se incluyen los ordinarios fijos, periódicos no fijos y aquellos cuya cuantía varía en función al consumo y uso, y los extraordinarios ocasionados por algún acontecimiento que determina su procedencia. Su impago genera un crédito preferente a favor de la comunidad, a cuyo pago queda afecto el piso o local.

En principio la contribución a tales gastos ha de hacerse conforme a la cuota de participación fijada en el título constitutivo de la propiedad horizontal (párrafo segundo del art. 5 de la Ley de Propiedad Horizontal).

Las cuotas de participación son las que, por disposición del artículo 3. b) II de la LPH, se atribuyen a cada piso o local con relación al total del valor del inmueble y referidas en centésimas del mismo. Sobre la cuestión litigiosa nos pronunciamos en la sentencia 154/2022, de 28 de febrero, en la que sintetizamos la jurisprudencia de la sala, en dicha resolución señalamos que:

"En definitiva, **del juego normativo expuesto resulta que el art. 18.2 LPH establece una regla de legitimación activa** a la que condiciona la impugnación de los acuerdos comunitarios, cual es que el propietario hubiese votado en contra o salvado su voto en la Junta, no hubiera acudido a la misma por cualquier causa (ausente) o hubiese sido indebidamente privado de su derecho de voto; **pero es preciso, igualmente, que concurra un requisito adicional, consistente en estar al corriente en el pago de la totalidad de las deudas vencidas con la comunidad o proceder previamente a la consignación judicial de las mismas**. Exigencia normativa que admite, a su vez, una excepción, en que no es preciso ni el previo pago o la consignación, cual es que se trate de la impugnación de acuerdos relativos al establecimiento o alteración de las cuotas de participación del art. 9 LPH, entre los propietarios.

"En este sentido, señaló esta Sala, en su sentencia 671/2011, de 14 de octubre, en interpretación de la excepción del último inciso del art. 18.2 LPH, que:

""Sin duda, **esta excepción se refiere a la regla de la necesidad de estar al corriente o consignar judicialmente**, pero este **presupuesto de procedibilidad no puede aplicarse con independencia del tipo de acuerdo que se adopte por el hecho de que el comunero se encuentre privado de voto en la junta en que se aprobó**. La causa que le impide votar y pasar a formar parte de la voluntad de la comunidad de propietarios en los acuerdos que se adopten, no puede convertirse en causa para negar legitimación al comunero para impugnarlos si morosidad proviene del incumplimiento del acuerdo tomado en junta relativo al establecimiento o alteración de las cuotas a que se refiere el artículo 9, ni debe ser óbice por tanto para la aplicabilidad de la excepción al requisito de procedibilidad establecido en el artículo 18.2. Se trata, en definitiva, de evitar que prospere un acuerdo comunitario que consagra una forma de repartir el gasto de forma contradictoria con las reglas de la comunidad, exigiendo al propietario moroso un requisito añadido de procedibilidad".

"Pues bien, en dicho recurso, no se consideró concurrente la excepción a la consignación o pago, dado que el acuerdo adoptado se refería:

""[...] a la aprobación del presupuesto para la instalación del ascensor, si procede, y fijación de una derrama extraordinaria en función de las cuotas que cada vivienda tiene asignadas en la escritura. Se trata de un acuerdo de instalación, distinto del que implica la exención estatutaria de mantenimiento, conservación y modificación, del que resulta una derrama que no afecta a la cuota de participación que tiene asignada cada comunero en el título, a su establecimiento o modificación, puesto que se fija en atención a la misma"».

Estarán por tanto **legitimados para impugnar los acuerdos de la junta de propietarios** ante los tribunales:

a) Quien ha votado en contra y quien ha salvado su voto en la junta. Sobre estos dos sujetos legitimados se ha pronunciado el Tribunal Supremo en su **sentencia n.º 242/2013, de 10 de mayo, ECLI:ES:TS:2013:3127,** que vino a resolver sobre la diversa jurisprudencia menor contradictoria al respecto, y el cual, distinguiendo entre «voto en contra» y «salvar el voto», admitió que con ambas —acciones— existe legitimación y, por tanto, es susceptible de impugnarse un acuerdo de la junta:

«No coincide esta Sala con la doctrina de las Audiencias que consideran que el propietario presente en la junta que vota en contra del acuerdo comunitario no está legitimado para el ejercicio de las acciones de impugnación de los acuerdos si no ha salvado previamente su voto.

El artículo 18.2 de la LPH no habla de emisión del voto contrario a la adopción del acuerdo. Se limita a conceder legitimación para impugnarlo a los propietarios que hubiesen salvado su voto en la Junta, a los ausentes por cualquier causa y a los que indebidamente hubiesen sido privados de su derecho de voto. La sentencia de 16 de diciembre de 2008, declara, entre otras cosas, que "no se modifica el artículo 18 LPH, en el cual se mantiene como requisito para poder impugnar el acuerdo, únicamente respecto de los copropietarios presentes en la junta, que hayan salvado su voto o votado en contra del acuerdo". **Salvar el voto y votar en contra no suponen por tanto lo mismo. El hecho de votar en contra significa que, sin más expresión de voluntad que la del propio voto disidente, el propietario tiene legitimación para impugnar los acuerdos en la forma que previene la LPH.**

No es posible obviar que **el legislador modificó la Ley para introducir, entre otras cosas, una expresión tan controvertida** como la de «salvar el voto», que no tenía antecedentes en el ámbito de la propiedad horizontal, y que mediante esta reforma que ha de operar en una realidad social determinada por una reunión de vecinos no debidamente ilustrada en estas cosas, **puede entenderse suficiente el hecho de votar en contra para impugnar un acuerdo** comunitario con el que no se está conforme, significado que, por cierto, nada tiene que ver con el que tendría en una sociedad capitalista, ni por las expresiones que en ella se utilizan («asistentes a la junta que hubiesen hecho constar en acta su oposición al acuerdo»), ni por la mayor exigencia de formalidades para éstas. La **necesidad de salvar el voto únicamente tiene sentido en aquellos casos en los que los propietarios asisten a la Junta sin una información o conocimiento suficiente sobre el contenido y alcance de los acuerdos que se van a deliberar, y deciden no comprometer su voto, favorable o en contra, sino abstenerse de la votación a la espera de obtenerla y decidir en su vista. A ellos únicamente habrá de exigírseles dicho requisito de salvar el voto, pues en otro caso sí que se desconocería su postura** ante dicho acuerdo. Con ello se evitaría, además, que el silencio o la abstención puedan ser interpretados como asentimiento al posicionamiento de la voluntad mayoritaria que se expresa en uno o en otro sentido».

b) El propietario ausente de la junta que, en el plazo de los 30 días del artículo 17 de la LPH, no muestra su discrepancia, salvo si la impugnación se funda en no concurrir la mayoría cualificada exigida por la LPH fundándose en la ausencia de su voto.

Respecto del ausente merece la pena detenerse en dos cuestiones, en primer lugar, en el **acta de la junta** donde habrán de reflejarse los propietarios ausentes, así como las cuestiones debatidas en la misma, a cuyos efectos de ello podrá servirse el ausente en una futura impugnación y, de otra parte, en la importancia de la notificación del acta de la junta celebrada al ausente.

Comenzando por el acta, ha dicho recientemente la Audiencia Provincial de Madrid, en su **sentencia n.º 136/2021, de 6 de mayo, ECLI:ES:APM:2021:493**, que:

> «Es jurisprudencia reiterada la que atribuye al **Acta de Junta de Propietarios no un carácter esencial o constitutivo, sino un valor ad probationem para que los propietarios ausentes, los presentes o representados, que votaron en la junta en contra del acuerdo o se abstuvieron, salvando su voto, si luego proceden a su impugnación puedan acreditar el cumplimiento o incumplimiento de los requisitos legales para la adopción de los acuerdos**. La existencia de defectos en la redacción de las actas, por no ajustarse con rigor a los requisitos formales que establece el artículo 19 de la ley de propiedad horizontal, no determina por ello sin más la nulidad de todos los acuerdos de la junta de propietarios, si en la redacción de cuya acta se incurren en defectos formales y no se respetan o cumplen todos los requisitos de dicho precepto. Es más, la falta de redacción del acuerdo, esto es la ausencia de acta, no afecta en absoluto a su existencia y eficacia, sino a la acreditación del mismo en juicio y fuera de él. Esta naturaleza meramente formal de las actas, que no tienen carácter ad solemnitatem, impide confundir el concepto de "acuerdo comunitario", con "acta de la Junta" (SAP Madrid de 14 de noviembre de 2017) siendo lo esencial la expresión de la voluntad de la Junta cono órgano de gobierno colegiado de la Comunidad de Propietarios, con independencia de la forma en que se deja constancia escrita de lo acontecido en Junta».

Por su parte, respecto de la importancia de efectuar la oportuna **comunicación** al propietario ausente de los acuerdos de las juntas citamos la **sentencia del Tribunal Supremo n.º 938/2008, de 22 de diciembre, ECLI:ES:TS:2008:7105, que establece la siguiente doctrina:**

> «Procede, finalmente, de acuerdo con lo razonado al resolver sobre el motivo de casación, **fijar como doctrina jurisprudencial que la comunicación al copropietario ausente de los acuerdos de las juntas prevista en el artículo 18.3 LPH debe verificarse en la forma establecida en el artículo 9 LPH y sólo puede presumirse la práctica de la notificación si se demuestra, de acuerdo con las circunstancias, el conocimiento detallado por el copropietario ausente del acuerdo adoptado por la junta**».

c) Los que indebidamente hubiesen sido privados de voto. Se hace referencia a aquellos supuestos en los que, de conformidad con el artículo 15.2 de la LPH, el propietario haya sido privado de su voto por no estar al corriente de pago de sus cuotas, o cuando la junta indebidamente no le haya permitido votar por no considerarlo legitimado para ello. En caso de que esa privación no haya sido correcta, el comunero podrá impugnar el acuerdo.

¿Quiénes no están legitimados para impugnar los acuerdos de la junta? 790

1. **Quién votó a favor.** Es evidente que no están legitimados por exclusión tácita de la norma, y es que el artículo 18.2 de la LPH únicamente alude a quienes sí estuviesen legitimados para impugnar, es decir, el que haya salvado su voto, el ausente o el indebidamente privado de su derecho a voto, todos ellos supuestos en los que la voluntad del propietario, respecto a los acuerdos adoptados por la junta, no ha existido por uno u otro motivo. El hecho de manifestar una voluntad a favor del acuer-

do durante la celebración de la junta para posteriormente impugnar dicho acuerdo, supondría ir contra los propios actos, doctrina fijada y desarrollada ampliamente por nuestros tribunales, y así nos servimos a modo ejemplificativo de las sentencias del Tribunal Supremo **n.º 353/2020, de 24 de junio, ECLI:ES:TS:2020:1993**, y **n.º 760/2013, de 3 de diciembre, ECLI:ES:TS:2013:5717**, que recogen la doctrina advertida, aplicable a aquel propietario que tras emitir voto favorable viene contra sus actos:

«1.-La doctrina de los actos propios queda definida en la sentencia del Tribunal Constitucional (STC) 73/1988, de 21 de abril, cuando declara:

"la llamada **doctrina de los actos propios o regla que decreta la inadmisibilidad de venire contra factum propium** surgida originariamente en el ámbito del Derecho privado, significa la **vinculación del autor de una declaración de voluntad generalmente de carácter tácito al sentido objetivo de la misma y la imposibilidad de adoptar después un comportamiento contradictorio**, lo que encuentra su **fundamento** último **en la protección que objetivamente requiere la confianza** que fundadamente se puede haber depositado en el comportamiento ajeno y la regla de la buena fe que impone el **deber de coherencia en el comportamiento** y limita por ello el ejercicio de los derechos objetivos".

2.- Conforme a la jurisprudencia de esta sala, la doctrina de los actos propios impone un comportamiento futuro coherente a quien en un determinado momento ha observado una conducta que objetivamente debe generar en el otro una confianza en esa coherencia (sentencias 1/2009, de 28 de enero y 301/2016, de 5 de mayo). Para que sea aplicable esa exigencia jurídica se hace necesaria la existencia de una contradicción entre la conducta anterior y la pretensión posterior, pero, también, que la primera sea objetivamente valorable como exponente de una actitud definitiva en determinada situación jurídica, puesto que la justificación de esta doctrina se encuentra en la protección de la confianza que tal conducta previa generó, fundadamente, en la otra parte de la relación, sobre la coherencia de la actuación futura (sentencias 552/2008, de 17 de junio; 119/2013, de 12 de marzo; 649/2014, de 13 de enero de 2015; 301/2016, de 5 de mayo; y 63/2018, de 5 de febrero)». (**Sentencia del Tribunal Supremo n.º 353/2020 de 24 de junio, ECLI:ES:TS:2020:1993**).

«(...) la doctrina de los actos propios, con fundamento en la protección de la confianza y la regla de la buena fe, se formula en el sentido de que "quien crea en una persona una confianza en una determinada situación aparente y la induce por ello a obrar en un determinado sentido, sobre la base en la que ha confiado, no puede además pretender que aquella situación era ficticia y que lo que debe prevalecer es la situación real" (SSTS 12-3-08 y 21-4-06), exigiéndose que tales actos sean expresión inequívoca del consentimiento (SSTS 7-6-10, 20-10-05 y 22-1-97) o que resulten inequívocos, no procediendo su alegación cuando los actos están viciados por error o conocimiento equivocado (SSTS 8-5-06 y 21-1-95), de modo que debe constatarse la incompatibilidad o contradicción entre la conducta precedente y la actual (SSTS 25-3-07 y 30-1-99) y no ha de existir ningún margen de error por haber actuado el sujeto con plena conciencia para producir o modificar un derecho (SSTS 12-7-97 y 27-1-96)».**(Sentencia del Tribunal Supremo n.º 760/2013 de 3 de diciembre, ECLI:ES:TS:2013:5717)**.

2. **Quienes se abstuvieron, salvo que hubieran salvado su voto**, y en este sentido recordamos la **sentencia del Tribunal Supremo n.º 242/2013 de 10 de mayo, ECLI:ES:TS:2013:3127**, a la que ya hemos hecho alusión previamente respecto de los propietarios legitimados cuando hayan salvado su voto.
3. **Los arrendatarios y usufructuarios.** Entendemos la exclusión de arrendatarios o usufructuarios de la propia dicción del precepto, pues cuando el artículo 18.2 de la LPH señala que «(...) estarán legitimados para la impugnación de estos acuerdos **los propietarios** (...)», deben entenderse excluidos de impugnar acuerdos de la junta los sujetos que no sean propietarios, y en tal sentido se ha pronunciado la Audiencia Provincial de Alicante en su **sentencia n.º 169/2010, de 28 de abril, ECLI:ES:APA:2010:1330**:

   > «(...) se discute la legitimación de otra de las demandantes, ya que no ostenta la condición de propietaria, sino de usufructuaria y en este punto el recurso ha de ser estimado, pues la Ley de Propiedad Horizontal únicamente se refiere a los propietarios como sujetos activos o pasivos en su relación con la Comunidad, pues una cosa es que, según los artículos 15.1 y 17 de la citada Ley, si la vivienda o local se hallare en usufructo, la asistencia y el voto corresponderá al nudo propietario, quien, salvo manifestación en contrario, se entenderá representado por el usufructuario, y otra que este ostente legitimación frente a la Comunidad, pues únicamente el propietario es el titular de las relaciones con la misma».

   En el mismo sentido, debemos añadir que en aquellos supuestos en que se busque impugnar un acuerdo por medio de la representación del presidente, no quedará legitimado para ello quién resulte de facto presidente sin ser propietario. Sobre ello se ha pronunciado el Tribunal Supremo en su sentencia **STS n.º 700/2009, de 11 de noviembre, ECLI:ES:TS:2009:7004:**

   > «El requisito básico es que el nombrado Presidente sea propietario, por lo que, en principio, hay que rechazar que el designado no ostente esta condición; el artículo 13.2 de la Ley de Propiedad Horizontal dispone tajantemente que "el Presidente será nombrado, entre los propietarios, mediante elección o, subsidiariamente, mediante turno rotatorio o sorteo".
   >
   > Ocurre, a veces, que se hace ese nombramiento a persona que no goza de la titularidad y la decisión funciona materialmente.
   >
   > Inclusive, alguna posición jurisprudencial ha admitido a estos efectos al cónyuge o el hijo del dueño o un tercero (SSAP de Tarragona de 22 de enero de 1998, Santa Cruz de Tenerife de 5 de mayo de 1998, y STS de 4 de mayo de 1998), pero se trata de resoluciones que significan más la admisión de una situación de justicia material, que de una aplicación rigurosa de la norma legal.
   >
   > No obstante, si la Junta toma un acuerdo en ese sentido, que indudablemente es contrario a la Ley, procede la impugnación judicial, en la forma y plazos establecidos en el artículo 18 de la Ley, según señala la STS de 18 de marzo de 2003».

4. **Los morosos.** Quien no se encuentre al corriente de pago de las deudas vencidas con la comunidad no podrá impugnar el acuerdo, a excepción de aquellos acuerdos relativos al establecimiento o alteración de las cuotas de

participación a que se refiere el artículo 9, es decir, aquellos acuerdos en los que se pretende alterar las cuotas de participación fijadas en el título constitutivo o en los que se acuerde una contribución a los gastos diferente a esta.

Recordamos la **sentencia del Tribunal Supremo n.º 144/2019, de 6 de marzo, ECLI:ES:TS:2019:705**, respecto de la obligación de estar al corriente de pago, en tanto ello supone una regla de procedibilidad: «(...) introduce una regla de procedibilidad y una excepción condicionando la impugnación a que el propietario esté al corriente en el pago de la totalidad de las deudas vencidas con la comunidad o haya hecho previa consignación judicial de las mismas, salvo que la impugnación de los acuerdos de la Junta tengan que ver con el establecimiento o alteración de las cuotas de participación a que se refiere el artículo 9 entre los propietarios, es decir, a la regla de la necesidad de estar al corriente o consignar judicialmente».

Con respecto a la excepción introducida en el art. 18.2 de la LPH para los acuerdos de la junta relativos al establecimiento o alteración de las cuotas de participación, la **sentencia del Tribunal Supremo n.º 154/2022, de 28 de febrero, ECLI:ES:TS:2022:719**, dispone:

«El art. 9 e) de la referida disposición general establece, por su parte, como obligación de los propietarios "[...] contribuir, con arreglo a la cuota de participación fijada en el título o a lo especialmente establecido, a los gastos generales para el adecuado sostenimiento del inmueble, sus servicios, cargas y responsabilidades que no sean susceptibles de individualización".

Las cuotas de participación son las que, por disposición del artículo 3. b) II de la LPH, se atribuyen a cada piso o local con relación al total del valor del inmueble y referidas en centésimas del mismo.

En definitiva, del juego normativo expuesto resulta que el art. 18.2 LPH establece una regla de legitimación activa a la que condiciona la impugnación de los acuerdos comunitarios, cual es que el propietario hubiese votado en contra o salvado su voto en la Junta, no hubiera acudido a la misma por cualquier causa (ausente) o hubiese sido indebidamente privado de su derecho de voto; pero es preciso, igualmente, que concurra un requisito adicional, consistente en estar al corriente en el pago de la totalidad de las deudas vencidas con la comunidad o proceder previamente a la consignación judicial de las mismas. Exigencia normativa que admite, a su vez, una excepción, en que no es preciso ni el previo pago o la consignación, cual es que se trate de la impugnación de acuerdos relativos al establecimiento o alteración de las cuotas de participación del art. 9 LPH, entre los propietarios.

En este sentido, señaló esta Sala, en su sentencia 671/2011, de 14 de octubre, en interpretación de la excepción del último inciso del art. 18.2 LPH, que:

"Sin duda, esta excepción se refiere a la regla de la necesidad de estar al corriente o consignar judicialmente, pero este presupuesto de procedibilidad no puede aplicarse con independencia del tipo de acuerdo que se adopte por el hecho de que el comunero se encuentre privado de voto en la junta en que se aprobó. La causa que le impide votar y pasar a formar parte de la voluntad de la comunidad de propietarios en los acuerdos que se adopten, no puede convertirse en causa para negar legitimación al comunero para impugnarlos si morosidad proviene del incumplimiento del acuerdo tomado en junta relativo al establecimiento o alteración de las cuotas a que se refiere el artículo 9, ni debe ser óbice por tanto para la aplicabilidad de la excepción al requisito de procedibilidad establecido en el artículo 18.2. Se trata, en definitiva, de evitar que prospere un acuerdo comunitario que consagra una forma de repartir el gasto de forma contradictoria con las reglas de la comunidad, exigiendo al propietario moroso un requisito añadido de procedibilidad".

Pues bien, en dicho recurso, no se consideró concurrente la excepción a la consignación o pago, dado que el acuerdo adoptado se refería:

"[...] a la aprobación del presupuesto para la instalación del ascensor, si procede, y fijación de una derrama extraordinaria en función de las cuotas que cada vivienda tiene asignadas en la escritura. Se trata de un acuerdo de instalación, distinto del que implica la exención estatutaria de mantenimiento, conservación y modificación, del que resulta una derrama que no afecta a la cuota de participación que tiene asignada cada comunero en el título, a su establecimiento o modificación, puesto que se fija en atención a la misma".

En la sentencia 613/2013, de 22 de octubre, tampoco se entendió concurrente la excepción del art. 18.2 de la LPH, toda vez que:

"Los recurrentes pretendían impugnar dos acuerdos de la junta. El primero liquidaba la deuda que los demandantes mantenían con la comunidad, que había sido fijada en aplicación del sistema de distribución del pago de los gastos de la comunidad establecido en acuerdos adoptados en sendas juntas de propietarios de los años 2004 y 2005, que no han sido anulados ni suspendidos cautelarmente.

La impugnación de este primer acuerdo no ha de considerarse incluida en la excepción que el art. 18.2 de la Ley de Propiedad Horizontal formula al requisito del previo pago o consignación, puesto que su objeto no es un acuerdo que establezca o altere la cuota de participación. En él simplemente se contabilizó la deuda fijada conforme al sistema de participación previamente establecido.

El segundo acuerdo impugnado consistía en eximir del pago de las obras de bajada del ascensor a cota cero a los propietarios de los bajos "bien entendido que el coeficiente de los dos bajos que asciende a 12 % será asumido por las viviendas".

Este acuerdo supone una alteración del sistema de participación en los gastos comunes puesto que no se ajusta al sistema "especialmente establecido" en esas juntas anteriores. Que dicha alteración no tenga un carácter permanente pues se refiere a un concreto gasto (bajar el ascensor a cota cero) no cambia la respuesta a la cuestión, puesto que el precepto no distingue entre alteraciones puntuales o permanentes».

4.3.3. Plazo

¿Cuál es el plazo para impugnar los acuerdos de la junta? 800

Establece el artículo 18.3 de la LPH que: «La acción caducará a los tres meses de adoptarse el acuerdo por la Junta de propietarios, salvo que se trate de actos contrarios a la ley o a los estatutos, en cuyo caso la acción caducará al año. Para los propietarios ausentes dicho plazo se computará a partir de la comunicación del acuerdo conforme al procedimiento establecido en el artículo 9».

Por tanto, debemos diferenciar distintos plazos de impugnación dependiendo del acuerdo a impugnar:

- **Sin plazo**: cuando se impugnan **acuerdos contrarios a la ley**.
- **De 1 año**. para los **acuerdos contrarios a la Ley de Propiedad Horizontal o a los estatutos**.

– **3 meses**: para impugnar **acuerdos gravemente lesivos a los intereses de la propia comunidad en beneficio de uno varios propietarios** o **acuerdos que supongan un grave perjuicio para algún propietario o que se haya adoptado con abuso de derecho.**

Respecto de estos plazos, debemos recordar que el *dies a quo* del inicio del plazo para impugnar, varía según sea su impugnación por quienes hayan estado presentes en la junta, para quienes el plazo inicia el día en que se adoptó el acuerdo por la junta, o para los ausentes, en cuyo caso el plazo comienza el día en que ha tenido lugar efectivamente la notificación del acta. A los meros efectos ejemplificativos citamos la **sentencia de la Audiencia Provincial de Murcia n.º 4/2022, de 10 de enero, ECLI:ES:APMU:2022:3:**

«La Juez ha entendido que la acción de anulación estaba caducada conforme al artículo 18.3 de la Ley de Propiedad Horizontal por el **transcurso de los tres meses desde que se adoptó el acuerdo** que se pretende anular, lo que esta Sala comparte desde el momento en que **los actores estuvieron presentes en la Junta** y por ello conocían el resultado negativo a su pretensión, razón por la cual el mismo día 8 de agosto de 2019 se inició el cómputo plazo para cuestionar el acuerdo; siendo evidente que el 8 de enero de 2020 ya había transcurrido el plazo de tres meses mencionado para impugnarlo.

No resulta de aplicación **el cómputo de los 3 meses desde la notificación del acuerdo enviado posteriormente a los comuneros, dado que ello es aplicable a los "ausentes", los que no asistieron a la Junta y por tanto no tuvieron oportunidad de conocer el resultado de la votación** conforme exige el último párrafo del 18.3 de la Ley».

Tal y como indica el artículo 18 de la LPH, se trata de un **plazo de caducidad,** computando los días naturales, no susceptible de interrupción, y se cuenta de fecha a fecha desde la celebración de la junta en que se aprobó el acuerdo o desde que el propietario ha tenido conocimiento del mismo.

Debemos recordar en este punto una sentencia a la que ya hemos hecho alusión, **la n.º 12/2022, de 12 de enero, ECLI:ES:TS:2022:36, dictada por nuestro Alto Tribunal:**

«Sobre la validez y plena eficacia de tales acuerdos, la jurisprudencia declara:

"los acuerdos que entrañen infracción de preceptos de la Ley de Propiedad Horizontal o de los Estatutos de la Comunidad de que se trate, al no ser radicalmente nulos, son susceptibles de sanación por el transcurso del plazo de caducidad que establece la regla cuarta del artículo 16 de la Ley de Propiedad Horizontal. Por tanto, aquellos acuerdos no impugnados por los propietarios gozan de plena validez y eficacia, y afectan y obligan a aquellos (SSTS de fechas 19 de noviembre de 1996, 28 de febrero de 2005, 19 de octubre de 2005, 30 de diciembre de 2005, 7 de junio de 2006 y 700/2013, de 6 de noviembre)".

(...)

3.-Por otro lado, también es doctrina jurisprudencial (recogida, entre otras, en las sentencias de esta sala de 28 de octubre de 2004, 25 de enero de 2005, 17 de diciembre de 2009 y 6 de noviembre de 2013), que si bien son meramente anulables los acuerdos que entrañen infracción de algún precepto de la LPH o de los estatutos de la respectiva comunidad de propietarios, corresponde la más grave calificación de nulidad radical o absoluta a aquellos acuerdos que infrinjan cualquier otra ley imperativa o prohibitiva, que no tenga establecido un efecto distinto para el caso de contravención, o que, por ser contrarios a la moral o el orden público o por implicar un fraude de ley, hayan de ser conceptuados nulos de pleno derecho, conforme al párrafo 3. ° del artículo 6 del Código Civil, y por tanto insubsanables por el transcurso del tiempo (SSTS 29 de octubre de 2010, RC 1077/2006, 18 de abril de 2007 RC 1317/2000, y 320/2020, de 18 de junio)».

4.4. SERVIDUMBRES EN MATERIA DE PROPIEDAD HORIZONTAL

Procedimiento para constituir servidumbre en materia de propiedad horizontal 810

En primer lugar, debemos detenernos brevemente a precisar qué se entiende por servidumbre legal y voluntaria, a fin de delimitar aquel tipo de servidumbres susceptibles de imposición legal. Para ello, como punto de partida nos servimos de lo dispuesto en los artículos 551 y 594 del CC y en la jurisprudencia.

El artículo 551 del CC respecto de las servidumbres legales establece que:

«Las servidumbres que impone la ley en interés de los particulares, o por causa de utilidad privada, se regirán por las disposiciones del presente título, sin perjuicio de lo que dispongan las leyes, reglamentos y ordenanzas generales o locales sobre policía urbana o rural.

Estas servidumbres podrán ser modificadas por convenio de los interesados cuando no lo prohíba la ley ni resulte perjuicio a tercero».

Disposición que se podría complementar por medio de —por citar un ejemplo— la **sentencia del Tribunal Supremo n.° 753/2006, de 12 de julio, ECLI:ES:TS:2006:4274:** «Bajo la rúbrica "De los servidumbres legales" regula el Código Civil, en sus arts. 549 a 593, diferentes servidumbres cuyo rasgo común es el estar "impuestas por la ley" teniendo como motivo "la utilidad pública o el interés de los particulares"». Entre este tipo de servidumbres destacamos por su presencia en materia de propiedad horizontal, servidumbres de paso, desagüe, etc.

Por otra parte, afirma el artículo 594 del CC respecto de las servidumbres voluntarias que:

«Todo propietario de una finca puede establecer en ella las servidumbres que tenga por conveniente, y en el modo y forma que bien le pareciere, siempre que no contravenga a las leyes ni al orden público».

A lo que viene añadir la **sentencia del Tribunal Supremo n.° 205/2016, de 5 de abril, ECLI:ES:TS:2016:1299**:

«(i) La servidumbre es voluntaria.

(ii) Éstas pertenecen al campo de la autonomía privada, por lo que se rigen prioritariamente por el título de constitución, determinante de los derechos de los predios dominante y sirviente, y sólo en defecto del título se rigen por las disposiciones del título vii del libro II del Código Civil que le sean aplicables».

En este punto, queremos destacar que los actos de mera tolerancia no constituyen un acuerdo tácito, sino que como dice la antedicha sentencia, la servidumbre voluntaria se rige prioritariamente por el título de constitución, y tampoco sirven los actos de tolerancia a la prescripción adquisitiva, pues así lo recuerda el artículo 1942 del CC. A este respecto se ha pronunciado la jurisprudencia en sentencias del Tribunal Supremo como las siguientes:

STS n.º 317/2016, de 13 de mayo, ECLI:ES:TS:2016:2046

«(...) en este supuesto se aprecia su ausencia por cuanto la apertura de los huecos y ventanas fue fruto de un pacto de tolerancia con el dueño del predio colindante; de lo que se infiere que ni éste consintió a su vista, ciencia y paciencia la constitución de una servidumbre de luces y vistas ni el edificante obró en la creencia de poder abrir los referidos huecos, siendo así que la mala fe requiere que la edificación se realice a sabiendas, que sería el caso, de que no había derecho a hacerla (STS de 17 de junio de 1961, 27 de enero de 2000, 1 de octubre de 1984)».

STS n.º 907/2011, de 9 de febrero de 2012, ECLI:ES:TS:2012:1062

«La parte recurrente plantea como cuestión jurídica si el uso prolongado que ha venido realizando para labores de carga y descarga de mercancías de un elemento común como acceso al local de su propiedad ha de equipararse al consentimiento tácito de la comunidad de propietarios y por tanto ha de concluirse que el acuerdo objeto de impugnación, por el cual se le prohíbe dicho uso, es contrario a las exigencias de la buena fe y de la doctrina de los actos propios. En defensa de dichas alegaciones cita la parte recurrente numerosas SSTS en las cuales se declara que: "[...] el conocimiento no equivale a consentimiento, ni el silencio supone genéricamente una declaración, sin embargo, no puede ser indiferente para el Derecho, sino que corresponde estar a los hechos concretos para decidir si cabe ser apreciado como consentimiento tácito, es decir, como manifestación de una determinada voluntad, de manera que el problema no está en decidir si puede ser expresión de consentimiento, sino en determinar bajo que condiciones debe aquel ser interpretado como tácita manifestación de ese consentimiento [...]".

Pues bien dicha doctrina jurisprudencial no solo no ha resultado infringida por la sentencia recurrida sino que ha sido aplicada, puesto que esta, respetando plenamente aquella línea jurisprudencial, y en consonancia con SSTS que, sobre esta misma materia, declaran que: "[...] los actos propios tienen su fundamento último en la protección de la confianza y en el principio de la buena fe, lo que impone un deber de coherencia y autolimita la libertad de actuación cuando se han creado expectativas razonables, declarando asimismo que solo pueden merecer esta consideración aquellos que, por su carácter trascendental o por constituir convención, causan estado, definen de forma inalterable la situación jurídica de su autor o aquellos que vayan encaminados a crear, modificar o extinguir algún derecho, lo que no puede predicarse en los supuestos de error, ignorancia, conocimiento equivocado o mera tolerancia (SSTS de 27 de octubre 2005 y 15 de junio de 2007)", y concretándola al supuesto analizado, ha fijado como hechos probados, y por tanto inalterables en el ámbito del recurso de casación, **que el uso que del acceso lateral a su local, como elemento de naturaleza común, ha venido efectuando la parte recurrente, para carga y descarga de mercancías, se ha tolerado por la comunidad sin que dicha tolerancia comportara un consentimiento tácito, esencialmente porque el estacionamiento del camión equivalía a la utilización por su parte y en exclusiva de un elemento común sin dere-**

cho reconocido como tal por la comunidad de propietarios, que es soberana para decidir en beneficio o interés general, y no meramente particular, el uso de tal elemento común, tal y como se ha materializado en el acuerdo litigioso».

El derecho real de servidumbre viene **regulado** por los artículos 530 y ss. del CC.

Expresa la **sentencia del Tribunal Supremo n.° 390/2014, de 11 de julio, ECLI:ES:TS:2014:2834**, que:

> «6.-La constitución de la servidumbre en régimen de propiedad horizontal, no hay duda que pueden constituirse y se constituyen en la realidad social. Tal es el caso del conjunto inmobiliario. **Se constituyen sobre otro o edificio de ajena pertenencia**. El artículo 9.1.c) de la Ley de Propiedad Horizontal contempla el caso de **servidumbres** pero desde el **punto de vista del predio sirviente**.
>
> Sí se pueden constituir **servidumbres, como predio dominante**, frente a finca ajena, **por el propietario o promotor del total de la finca antes de la división y adquisición por terceros de los locales y viviendas**. Y también, por los copropietarios de la comunidad, lo que afectará al título constitutivo y exige la unanimidad en aplicación del artículo 17.1 de aquella ley. Será inscribible en el Registro de la Propiedad.
>
> En todo caso, tiene que constar y acreditar el título, bien distinto de la mera tolerancia».

Partiendo de esta sentencia del Alto Tribunal, debemos traer a colación lo dispuesto en el artículo 531 del CC: «También pueden establecerse servidumbres en provecho de una o más personas, o de una comunidad, a quienes no pertenezca la finca gravada», a lo que debemos unir las previsiones que sobre esta cuestión se regulan en la Ley de Propiedad Horizontal. En ella encontramos, en primer lugar, que el artículo 9.1 de la LPH recoge entre las obligaciones de los propietarios, que estos deben «c) Consentir en su vivienda o local las reparaciones que exija el servicio del inmueble y permitir en él las servidumbres imprescindibles requeridas para la realización de obras, actuaciones o la creación de servicios comunes llevadas a cabo o acordadas conforme a lo establecido en la presente Ley, teniendo derecho a que la comunidad le resarza de los daños y perjuicios ocasionados» y «d) Permitir la entrada en su piso o local a los efectos prevenidos en los tres apartados anteriores», de modo que, del contenido del artículo 9.1 LPH, podemos extraer dos tipos de imposiciones:

- El deber de permitir las servidumbres provisionales sobre viviendas y locales [art. 9.1 c) de la LPH].
- La obligación de consentir servidumbres permanentes sobre elementos privativos y elementos comunes de uso privativo [art. 9.1 d) de la LPH].

Tomando en consideración todo lo antedicho, puede constituirse servidumbre en beneficio la comunidad de propietarios:

1. **Por el propietario o promotor del total de la finca** antes de la división, con arreglo al artículo 541 del CC, si bien, la jurisprudencia se muestra cautelosa en su aplicación; así cita la **sentencia del Tribunal Supremo n.° 471/2018, de 19 de julio, ECLI:ES:TS:2018:2848**:

   > «La sentencia de primera instancia reconoce que "la aplicación de dicho precepto del Código Civil al promotor inmobiliario cuando de construcción

de obra nueva y división horizontal se trata es más que dudosa y un tanto forzada dado que el precepto legal que se invoca responde a otra finalidad. Esto es, el 'destino de padre de familia' como medio de constitución de la servidumbre puede operar cuando se produce la división o segregación de la finca pasando a formar dos distintas pertenecientes a propietarios diversos, supuesto difícilmente asimilable al presente caso en el que únicamente consta la división del edificio en virtud de una escritura de declaración de obra nueva inscrita en el Registro de la Propiedad que lo que constata no es la segregación de fincas, sino la realización de una obra nueva, que transforma la finca matriz en una nueva finca, una construcción, que a su vez se puede dividir entre varios propietarios".

No obstante, también reconoce que **el Tribunal Supremo ha aceptado la posibilidad de adquisición de servidumbres al amparo del art. 541 CC en los supuestos de fincas integradas en edificios en régimen de propiedad horizontal, esto es de viviendas, locales u otras partes de un edificio susceptible de aprovechamiento independiente por tener salida a un elemento común de aquél o a la vía pública** (sentencias 14 de julio de 1995 y 20 de diciembre de 1997).

Se pueden citar en apoyo de tal posibilidad las sentencias de la sala 869/1994, de 4 de octubre, la de 17 de enero de 2000 y la más reciente 73/2016, de 18 de febrero.

Existen sentencias de Audiencias Provinciales que, también en supuestos singulares como los abordados por esta sala, se han ocupado de la servidumbre prevista en el art. 541 CC en el seno de la propiedad horizontal (entre otras, la sentencia de la Audiencia Provincial de Valladolid de 13 de enero de 2012 y la de Vizcaya de 22 de enero de 2013)».

Ejemplo de lo antedicho lo encontramos en el **auto del Tribunal Supremo, rec. 357/2020, de 6 de abril de 2022, ECLI:ES:TS:2022:5513A**:

«"[...] SEXTO.- Por ello, el conducto en su estado primitivo constituye una verdadera y propia servidumbre, bien creada por el propietario único, conforme al artículo 541 del Código Civil, bien, si no se da por acreditada la segregación (no se ha aportado el historial de las dos fincas y en su caso de la matriz, para comprobarlo), por consentimiento del titular del predio sirviente.

A este último respecto, la constitución de una servidumbre puede hacerse y constar de cualquier forma, dando únicamente el Código Civil acción para que si alguno de los interesados lo solicita, se eleve el acuerdo constitutivo a documento público (artículo 1.280.1º), pero al no estar sujeta la formación del gravamen a forma constitutiva (ad solemnitatem), puede acreditarse por cualquier medio, incluida la prueba por presunciones.

(...)

Partiendo de la meritada servidumbre, en cuanto al conducto se refiere, no da ésta derecho sino al uso para el que fue creada, de manera que sólo para la ventilación natural de la cocina y baño puede ser utilizada.

Es de recordar que las servidumbres, como limitaciones del dominio, son de interpretación restrictiva, y cuando son, como es el caso, voluntarias, no pueden extenderse a más de aquello para lo que determinadamente se han creado.

De ahí que se prohíba al dueño del predio dominante alterarla o hacerla más gravosa (artículo 543 del Código Civil), y de producirse esa alteración o ese agravamiento de la servidumbre, el dueño del predio sirviente tiene derecho a obtener el restablecimiento de la misma a sus precisos términos y alcance.

OCTAVO.- Pues bien, lo que ha hecho la demandada, al entender, sin ninguna justificación, que el conducto de ventilación era un "conducto técnico" que podía usar a su deseo, es agravar la servidumbre, pues de imponer ésta al predio sirviente permitir únicamente el paso del aire para ventilación, se ha hecho discurrir una conducción de suministro de gas y otra de salida de la caldera, que suponen un mayor y más intenso uso y una peligrosidad, al menos en potencia, que antes no existía y que extralimita la servidumbre constituida.

Por ello, se ha de estimar parcialmente la demanda para que, manteniendo el conducto de ventilación (en cuyo extremo se desestima la demanda), condenar a la demandada a retirar las conducciones de gas y salida de la caldera, dejando el conducto en su estado primitivo. [...]"».

2. **Por la comunidad de propietarios** que podrá ser sujeto activo cuando interese que se grave a un particular, bien sea propietario integrante de la comunidad, bien titular de un fundo vecino, con el establecimiento de una servidumbre, en este sentido la **STS n.º 832/2011, de 17 de noviembre, ECLI:ES:TS:2011:7745**, recuerda que toda propiedad se presume libre de cargas, y que para constituir servidumbre —añade la **STS n.º 205/2016, de 5 de abril, ECLI:ES:TS:2016:1299**— que la misma ha de resultar necesaria y adecuada.

   Debemos recordar que la LPH hace remisión a lo largo de su articulado a diferentes sistemas de mayorías en función del tipo de acuerdo a adoptar, por cuánto, toda vez que la constitución de servidumbre por acuerdo de la comunidad de propietarios puede afectar a materias de diversa índole, habrá de estarse al supuesto concreto a fin de determinar el tipo de mayoría requerida para la constitución de la servidumbre en cuestión. Por lo que respecta a servidumbres a constituir sobre elementos comunes, ha establecido nuestro Alto Tribunal:

   «QUINTO.- El motivo tercero se funda en "infracción de los artículos 394, 395, 536 y siguientes del Código Civil reguladores de las servidumbres, **artículos 7 y 8 de la Ley de Propiedad Horizontal y de la doctrina del Tribunal Supremo sobre la necesidad de autorización de los propietarios, en este caso, comunidades de propietarios, para la constitución de servidumbres sobre, o que afectan, a elementos comunes**", citándose como exponentes de la **doctrina jurisprudencial** las sentencias de 14 de mayo de 2007, sobre necesidad del consentimiento de todos los copropietarios para la constitución de una servidumbre de desagüe, 17 de enero de 2008, sobre necesidad del consentimiento unánime de los condueños para una servidumbre de humos, 22 de diciembre de 1992, sobre la improcedencia de entender que la facultad de dividir o segregar un local lleva implícita la constitución de servidumbres, y 16 de mayo de 2001 sobre establecimiento de una servidumbre de paso a favor de un inmueble integrante de otra comunidad, que exige el consentimiento unánime de los copropietarios.

Este motivo sí debe ser estimado porque la propia sentencia recurrida, valorando la prueba pericial, admite que las servidumbres de paso, tal y como aparecen constituidas, implicarían "sustituir parte del actual forjado por otro, bajando un poco el techo de la finca 4413", lo que afectaría a la estructura y debería contar con la aprobación de la comunidad de propietarios recurrente, si bien rechaza declarar nula la constitución y su consiguiente inscripción registral mediante el argumento de que no cabe declarar la nulidad en tanto las servidumbres no se materialicen porque, mientras tanto, no se ha modificado ningún elemento común, afectación que, además, sería "escasa". Al resolver así, la sentencia se opone a la doctrina jurisprudencial invocada en el motivo y a toda la que exige el consentimiento unánime de la comunidad de propietarios para obras que impliquen la alteración de los forjados (STS 17-11-11 en rec. 1439/09, ratificando la doctrina de la STS 17-2-10), pues legitimar unas servidumbres de paso que, tal y como aparecen constituidas, comportan necesariamente la alteración de elementos comunes, so pretexto de que aún no han comenzado las obras para su materialización, supone invertir los términos en que deben ser entendidos los arts. 7.1 y 12 LPH al desplazar la sentencia sobre la comunidad de propietarios la necesidad de estar atenta a un eventual comienzo de las obras para, solo entonces, oponerse a las mismas, cuando en realidad son quienes constituyen la servidumbre, en este caso las dos familias demandadas como respectivas propietarias de los predios dominante y sirviente, los que deben **procurar que su constitución no afecte a elementos comunes y, si esto sucede, exista consentimiento unánime de la comunidad, de propietarios, conforme a la jurisprudencia** representada por las SSTS 31-1-85, 4-3-85, 26-3-85, 29-4-85, 3-3-86, 15-11-86, 30-7- 91, 14-5-07 y 17-1-08 y según la cual la **constitución de una servidumbre en beneficio de elementos privativos requiere, si afecta a elementos comunes, el consentimiento unánime de la Comunidad de propietarios.**

Por tanto, **se reitera como doctrina jurisprudencial que la ejecución de obras en elementos comunes, tales como los forjados, los cuales conforman la estructura del edificio, requieren del consentimiento unánime de la comunidad, sin que la permisividad de tales obras se encuentre condicionada a la existencia o no de perjuicio para los propietarios o afecten o no a la estructura, seguridad o configuración exterior del edificio comunitario, así como que la constitución de servidumbres en beneficio de elementos privativos requiere no solo del consentimiento de los respectivos dueños de los predios dominante y sirviente sino también, cuando afecte a elementos comunes, del consentimiento unánime de la comunidad de propietarios**». **STS n.º 150/2012, de 28 de marzo, ECLI:ES:TS:2012:2153.**

3. **Por el propietario individual** en defensa de la comunidad, que también podrá actuar como sujeto activo sin que intervenga directamente la comunidad representada por el presidente, tal como se expresa en la **sentencia de la Audiencia Provincial de Alicante n.º 490/2021, de 15 de noviembre, ECLI:ES:APA:2021:2574:**

«(...) Además, hemos de tener presente que **la jurisprudencia reconoce al actor, como copropietario de la comunidad de propietarios de la que forma parte, el ejercicio de acciones en defensa de sus derechos tanto como propietario como copropietario**, en la proporción correspondiente de los elementos comunes de la comunidad, y por ende en beneficio de la misma, máxime cuando en caso como el presente la comunidad de propietarios, pese a ser conocedora del problema, por así haberlo tratado en la mencionada junta de 2013, no ha emprendido acción alguna al respecto. En la misma línea Sap de Palma de Mallorca de 11 de diciembre de 2012 en la que se indica "...ratificar la acertada doctrina jurisprudencial referida en la sentencia de instancia, a tenor de la cual, como indica la STS de 6 de noviembre de 1.992, 'permite a cualquiera de los condóminos sin asistencia de todos ellos ejercitar las acciones que benefician a la comunidad, sin que les perjudique la sentencia adversa o contraria (Sentencias, entre otras, de 14 de marzo de 1969, 24 de octubre de 1973)'. En parecido sentido se expresan las STS de 21 de octubre de 1.999 y 14 de octubre de 2.004, entre otras muchas, la aludida sentencia de esta Sección de 10.12.09".

En la misma línea de la STS de 18 de mayo de 2016 de la que se deprende nuestro Alto Tribunal entiende que sí es reconocible dicha legitimación, ya que la actuación del presidente no se impone de modo exclusivo y excluyente. Así, si el presidente o la junta de propietarios, no toma ninguna iniciativa, el propietario individual que sufre en su persona o familia las actividades ilícitas de un copropietario y tras los requerimientos oportunos (como en el caso presente) no puede quedar indefenso y privado de la defensa judicial efectiva, por lo cual tiene la acción de cesación que contempla dicha norma y ante la inactividad del presidente o de la junta (o de ambos) está legitimado para ejercer esta acción en interés propio (no en el de la comunidad) y en defensa de su derecho, que no ha ejercido la comunidad».

Pero debemos matizar que la jurisprudencia, si bien, faculta al propietario a actuar de forma individual, viene exigiendo para ello que este pruebe el interés de la comunidad en el ejercicio de tal derecho, como así cita, por ejemplo, la **sentencia del Tribunal Supremo n.º 150/2006, de 24 de febrero, ECLI:ES:TS:2006:951**:

«(...) es a la comunidad de propietarios de la casa n.º 11 a la que pertenece la litigiosa servidumbre de paso, y nadie más que ella puede entonces ejercitar la acción confesoria de servidumbre, u otra persona en su nombre. **La jurisprudencia ha reconocido a cada propietario legitimación para actuar en defensa de los intereses comunes** (sentencias de 9 de febrero y 20 de abril de 1.991, entre otras) sin necesidad del previo acuerdo de la junta (sentencia de 15 de julio de 1.992). **Sin embargo, ha especificado que debe obrar en beneficio e interés de la comunidad** (sentencias de 5 de marzo de 1.982 y 14 de mayo de 1.985). Dicho interés no puede presuponerse en modo alguno cuando se obra por sí y se pide para sí».

Determinación de las servidumbres según la LPH 820

Como ya hemos anticipado, la Ley de Propiedad Horizontal prevé en su artículo 9.1 lo que podríamos clasificar en dos grandes tipos de servidumbres en función de su duración, las **servidumbres temporales,** que conllevarían la imposición de un gravamen temporal sujeto a un cometido definido, cual sería, por citar algún ejemplo, la ejecución de una obra o la acometida de una reparación y que tras su ejecución conllevaría la extinción de la servidumbre pero, también es posible que existan situaciones en las que se requiere la constitución de una **servidumbre permanente**, como sucede en el claro ejemplo de la instalación de ascensores, que conllevan en muchas ocasiones la ocupación de una parte de un bien privativo.

➢ Servidumbres provisionales sobre viviendas y locales

Con respecto a este tipo de servidumbres ha tenido ocasión de pronunciarse el Tribunal Supremo en el sentido de que con ellas se busca atender a un interés comunitario que conlleva necesariamente el imponer un gravamen sobre el derecho que tiene todo propietario a no verse perturbado en su propio derecho de propiedad.

Citamos aquí la **sentencia del Tribunal Supremo n.º 831/2005, de 28 de octubre, ECLI:ES:TS:2005:6579**:

«Asimismo, la sentencia de apelación ha razonado que las **obligaciones** del artículo 9 de la Ley de Propiedad Horizontal, impuestas **al propietario de un piso o local** sujeto al régimen de propiedad horizontal, **vienen a ser los límites específicos que sufren sus facultades dominicales al tener que conciliarse los intereses particulares de cada propietario con los generales de la Comunidad**; que la obligación 3ª del precepto referido impone a los propietarios el deber de consentir en su piso las reparaciones que exija el servicio del inmueble y permitir en él la constitución de servidumbres requeridas para la creación de servicios comunes de interés general; que el caso del debate, si bien no coincide con el tenor literal del precepto (no se trata de efectuar reparaciones en la vivienda de los demandados, ni se pretende constituir una servidumbre para la creación de un servicio común), sí se ajusta con el espíritu y finalidad de la norma (artículo 3.1 del Código Civil), pues debe entenderse que existe una obligación de los propietarios de consentir que su piso pueda ser utilizado, al considerarse el medio más idóneo, para instalar los sistemas mediante los cuales se va a ejecutar una obra necesaria en beneficio de toda la Comunidad; que si existe la obligación de consentir la instalación de los andamios en la terraza, también se puede exigir el cumplimiento de la obligación 4.ª del artículo 9, esto es, el deber de permitir la entrada la entrada en el piso o local con esa finalidad.

Esta Sala está de acuerdo con las posiciones de la resolución de la instancia, expresadas en el párrafo antecedente.

El referido artículo 9.3 **obliga al titular a admitir las reparaciones que sean necesarias de los servicios o elementos comunes que se encuentren dentro de su propio piso o local; sobre este particular, autorizada doctrina científica entiende que, en el fondo, cada propietario tiene una o varias servidumbres, como predio sirviente, en relación a la Comunidad, predio dominante, aunque en el régimen de la propiedad horizontal se han venido denominando como "relaciones de vecindad"; se trata de una interdependencia, que es la esencia del régimen de la propiedad horizontal**, pues precisamente para cumplir su cometido los pisos y locales gozan de elementos privados y comunes, los primeros muchas veces sujetos a los comunes, y además, los últimos, que están instalados o pasan por espacios privativos; en definitiva, su existencia es una realidad y deben ser admitidos y respetados por todos los comuneros.

Desde la óptica indicada en el párrafo precedente, es evidente que la obligación establecida en el artículo 9.3, similar a la indicada en el artículo 9 c) tras la reforma de la Ley de Propiedad Horizontal que introdujo la Ley 8/1999, de 6 de abril, es clara y debe cumplirse en bien de los servicios generales, de tal manera que cuando el propietario se niegue a facilitar la entrada para poder llevar a cabo las reparaciones necesarias, el artículo 9.4 de la Ley de Propiedad Horizontal, con idéntica redacción que el actual artículo 9 d) de este ordenamiento, regulaba la posibilidad de que la Comunidad imponga la entrada en el domicilio, aún en contra de la postura del titular del piso o local correspondiente (STS de 13 de diciembre de 2001)».

➢ Servidumbres permanentes sobre elementos privativos y elementos comunes de uso privativo

El ejemplo más significativo y habitual de este tipo de servidumbres lo encontramos cuando una comunidad de propietarios, o incluso un propietario a título particular, requiere la ocupación de un espacio privativo o comunitario para el establecimiento de ascensores u otro tipo de elementos que sirvan a salvar las barreras arquitectónicas. La jurisprudencia sobre esta cuestión es muy amplia, por lo que nos servimos de ella a fin de aportar claridad sobre un tema tan discutido en la práctica.

JURISPRUDENCIA

Sentencia del Tribunal Supremo n.º 844/2010, de 22 de diciembre, ECLI:ES:TS:2010:7557

«La jurisprudencia mencionada por la parte recurrente, y en la que se fundamenta el motivo que ahora se examina, ha sido ***completada por la doctrina de esta Sala, que ya ha tenido oportunidad de pronunciarse respecto a la compatibilidad del derecho de servidumbre con la ocupación de una parte de un bien privativo a fin de instalar un ascensor.*** *La STS de 18 de diciembre de 2008 [RC 880/04], califica como servidumbre esta ocupación y declara "Por lo que hace mención a la constitución de una nueva servidumbre, a tenor del artículo 17 será suficiente la simple mayoría, para la supresión de las 'barreras arquitectónicas', que dificulten el acceso y la movilidad de las personas con minusvalía; esta regla permite a la Comunidad imponer esa servidumbre para la creación de servicios de interés general y cuando el acuerdo de la Junta reúna los presupuestos legales, con el oportuno resarcimiento de daños y perjuicios" (...).*

En definitiva la instalación de un ascensor en una comunidad de vecinos que carece de este servicio, considerado como de interés general, permite la constitución de una servidumbre para tal fin, incluso cuando suponga la ocupación de parte de un espacio privativo, siempre que concurran las mayorías exigidas *legalmente para la adopción de tal acuerdo. No obstante ser esta la afirmación que defiende el recurrente, y concurriendo aparentemente estos presupuestos en el supuesto que es examinado, el motivo no puede prosperar.* ***La ocupación de un espacio privativo, en el que difícilmente concurrirá el consentimiento del vecino afectado, no puede suponer una privación del derecho de propiedad al extremo de suponer una pérdida de habitabilidad y funcionalidad de su espacio privativo.*** *En el presente caso la Audiencia Provincial ha declarado, tras examinar las pruebas practicadas que la constitución de la servidumbre en los términos que fue aprobada en la Junta de Comunidad, "[S]upone la total privación de dicho espacio, con una repercusión total en la actual configuración del local, menoscabando, incluso, las expectativas de aprovechamiento económico del local, ya que no solo se le privaría de un importante volumen, sino que precisamente por dicha circunstancia las posibilidades de organización del espacio interior del local, se verían seriamente afectadas, con merma evidente de sus posibilidades de explotación". Tal conclusión fáctica no puede ser rebatida a través del recurso de casación, como así pretende el recurrente que expresamente contradice, al argumentar que son contrarias, de modo patente y manifiesto a las pruebas practicadas, especialmente a las pruebas periciales que han sido presentadas. Su contrariedad con el resultado probatorio, únicamente la pudo hacer valer a través del recurso extraordinario por infracción procesal, sin que sea admisible su impugnación mediante el recurso de casación que únicamente puede fundarse en la vulneración de normas de naturaleza sustantiva pero sin alterar los elementos de hecho que han sido fijados por la Audiencia Provincial que desde la óptica del recurso de casación resultan inatacables».*

Sentencia del Tribunal Supremo n.º 148/2016, de 10 de marzo, ECLI:ES:TS:2016:979

«Tal doctrina, en síntesis, es la siguiente:

(i) Constituye un hecho incuestionable la posibilidad de actualizar las edificaciones de uso predominantemente residencial mediante la incorporación de nuevos servicios e instalaciones para hacer efectiva la accesibilidad y movilidad de los inquilinos.

*(ii) Lo que **se cuestiona es si esa necesidad**, en este caso de instalación de ascensor, **que tienen los propietarios de viviendas, es un derecho de la Comunidad sin limitaciones, por el que, existiendo el quórum legal exigido, se pueda obligar a un copropietario a ceder parte de la propiedad de su local** para la instalación del ascensor.*

***(iii) La respuesta es afirmativa, pero con matices. Se ha de dar a partir de la ponderación de los bienes jurídicos protegidos: el del propietario a no ver alterado o perturbado su derecho de propiedad y el de la comunidad a instalar el ascensor, teniendo en cuenta el alcance de esa afección sobre el elemento privativo respecto a que pueda impedir o mermar sustancialmente su aprovechamiento. Esto es, se trata de apreciar si la afección va más allá de lo que constituye el verdadero contenido y alcance de la servidumbre como limitación o gravamen** impuesto sobre un inmueble en beneficio de otro perteneciente a distinto dueño, según el artículo 530 CC, y no como una posible anulación de los derechos del predio sirviente que concibe una desaparición de la posibilidad del aprovechamiento que resulta a su favor en el artículo 3a) de la Ley (STS de 15 diciembre 2010).*

(iv) La ocupación de un espacio privativo, en el que difícilmente concurriría el consentimiento del vecino afectado, no puede suponer una privación del derecho de propiedad al extremo de suponer una pérdida de habitabilidad y funcionalidad de su espacio privativo (STS de 22 diciembre de 2010).

2.-Precisamente en atención a esta última consideración es por lo que ambas sentencias de la instancia rechazan la solución postulada en su demanda por la Comunidad actora, ya que supone privar a la parte demandada del semisótano destinado a almacén de su negocio, con la consiguiente pérdida de funcionalidad del local, mermando sustancialmente su aprovechamiento».

Sentencia del Tribunal Supremo n.º 732/2011, de 10 de octubre, ECLI:ES:TS:2011:6853

«TERCERO.- Instalación de ascensor en edificio constituido en régimen de propiedad horizontal con ocupación de parte de un elemento privativo. No necesidad del consentimiento del propietario afectado.

*A) La posibilidad de actualizar las edificaciones de uso predominantemente residencial mediante la incorporación de nuevos servicios e instalaciones para hacer efectiva la accesibilidad y movilidad de los inquilinos constituye un hecho incuestionable. **Lo que se cuestiona es si esa necesidad de ascensor que tienen los propietarios de viviendas es un derecho de la comunidad sin limitaciones por el cual, sin más requisitos que la obtención del quórum necesario**, que con la nueva redacción del art. 17.1 de la LPH, es el de las 3/5 partes de total de los propietarios que a su vez representen las 3/5 partes de las cuotas de participación, **se puede obligar a un copropietario a ceder su parte de la propiedad de su local para la instalación del ascensor, en lo que se ha calificado de verdadera acción expropiatoria. La respuesta ha de ser afirmativa aunque con matices.***

De esta forma, el problema tiene respuesta a partir de la ponderación que se haga de los bienes jurídicos protegidos: el del propietario a no ver alterado o perturbado su derecho de propiedad y el de la comunidad a instalar un ascensor, en la que se tenga en cuenta el alcance de esa afección sobre el elemento privativo que pueda impedir o mermar sustancialmente su aprovechamiento, mas allá de lo que constituye el verdadero contenido y alcance de la servidumbre como limitación o gravamen impuesto sobre un inmueble en beneficio de otro perteneciente a distinto dueño, según el artículo 530 del CC, y no como una posible anulación de los derechos del predio sirviente que conlleve una desaparición de la posibilidad de aprovechamiento que resulta a su favor en el art. 3 a) de la Ley (STS de 15 de diciembre de 2010 [RCEIP 506/2007]).

Partiendo de lo anterior, y ***pese a que tal y como fundamenta la parte recurrente, sobre la cuestión jurídica planteada en el recurso de casación existía jurisprudencia contradictoria de Audiencias Provinciales, esta ha sido superada por la doctrina de esta Sala, que ya ha tenido oportunidad de pronunciarse respecto a la compatibilidad del derecho de servidumbre con la ocupación de una parte de un bien privativo a fin de instalar un ascensor****. La STS de 18 de diciembre de 2008 [RC 880/04], califica como servidumbre esta ocupación y declara que: "****Por lo que hace mención a la constitución de una nueva servidumbre a tenor del artículo 17 será suficiente la simple mayoría para la supresión de las 'barreras arquitectónicas', que dificulten el acceso y la movilidad de las personas con minusvalía; esta regla permite a la Comunidad imponer esa servidumbre para la creación de servicios de interés general y cuando el acuerdo de la Junta reúna los presupuestos legales, con el oportuno resarcimiento de daños y perjuicios"****. Asimismo, la STS de 22 de diciembre de 2010 [RC 1574/2006] declara que "la instalación de un ascensor en una comunidad de vecinos que carece de este servicio, considerado como de interés general, permite la constitución de una servidumbre para tal fin, incluso cuando suponga la ocupación de parte de un espacio privativo, siempre que concurran las mayorías exigidas legalmente para la adopción de tal acuerdo [...]. La ocupación de un espacio privativo, en el que difícilmente concurrirá el consentimiento del vecino afectado, no puede suponer una privación del derecho de propiedad al extremo de suponer una pérdida de habitabilidad y funcionalidad de su espacio privativo".*

B) Por lo expuesto, ***se fija como doctrina jurisprudencial que la instalación de un ascensor en una comunidad de vecinos que carece de este servicio, considerado como de interés general, permite la constitución de una servidumbre con el oportuno resarcimiento de daños y perjuicios, incluso cuando suponga la ocupación de parte de un espacio privativo, siempre que concurran las mayorías exigidas legalmente para la adopción de tal acuerdo, sin que resulte preceptivo el consentimiento del copropietario directamente afectado, y que el gravamen impuesto no suponga una pérdida de habitabilidad y funcionalidad del espacio privativo****».*

Traemos a colación, junto con la anterior jurisprudencia, la siguiente sentencia en tanto precisa los elementos a tener en consideración para la fijación de la indemnización que corresponde por la constitución de esta servidumbre permanente.

Sentencia de la Audiencia Provincial de Cantabria n.º 111/2022, de 28 de febrero, ECLI:ES:APS:2022:232

«TERCERO: 1.- Sentado lo anterior **debe considerarse que el art. art. 9, 1, c) LPH ya transcrito debe ser interpretado a la luz de otras normas que imponen o incentivan la desaparición de las barreras arquitectónicas en los edificios privados**, como por ejemplo el art. 10 LPH ya citado en cuanto a los ajustes razonables en materia de accesibilidad universal y el Real Decreto Legislativo 1/2013 de 29 de noviembre por el que se aprueba el Texto Refundido de la Ley General de derechos de las personas con discapacidad y de su inclusión social, que impone la obligada realización de los ajustes razonables en esta materia. Por ello, es claro que la procedencia o no de la constitución de la **servidumbre debe resolverse sobre la base de su necesidad y su carácter imprescindible para la ejecución de la solución adoptada por la comunidad.**

(...)

CUARTO: 1.- Por todo lo expuesto, procede estimar el recurso y acoger las pretensiones de la comunidad demandante sobre la constitución de la servidumbre en la superficie indicada, **previa la correspondiente indemnización de su valor y de los daños y perjuicios que ello causa, conforme a lo dispuesto en el art. 9,1, c) LPH. En cuanto a lo primero, la indemnización debe ser fijada atendiendo a que se trata de una servidumbre permanente, por lo que conforme al criterio del CC para la servidumbre de paso** —art. 564 CC—, **debe ser equivalente al valor del terreno y de pago previo**; y sobre este punto la única prueba aportada ha sido la de la demandante, fijando la arquitecta doña Antonia el valor del espacio en cuestión en 688,51 euros, atendiendo a sus dimensiones y concretas características, ya que ese espacio ubicado bajo la meseta del primer descansillo de las escaleras de acceso al ascensor no cumple las condiciones mínimas de habitabilidad, disponiendo de una altura de solo 1,80 mts. Ninguna otra prueba contradice esa valoración realizada por técnico competente y sobre bases razonables, por lo que debe ser asumida por este tribunal. Además, **es patente que la ocupación del espacio supone la desaparición del aseo existente en ese lugar al tiempo de interposición de la demanda, por lo que debe considerarse el daño que ello supone y reconocerse como indemnización del mismo, a pagar también previamente a la constitución de la servidumbre, el importe del coste de reconstrucción de un aseo de las mismas características en otro punto del mismo local, lo que deberá cuantificarse en ejecución de sentencia, si fuera preciso por no alcanzar las partes un acuerdo.**

2.- Procede también, en aplicación del mismo art. 9,1, d) LPH, estimar la demanda en cuanto pretende la declaración de la obligación del demandado —y subsiguiente condena—, de **permitir el acceso a su local para la realización de las obras pertinentes para la bajada del ascensor a cota cero, resarciéndole posteriormente a las obras —en este caso la ley no impone la indemnización previa, art. 569 CC—, de los daños que se ocasionen por tal ocupación temporal, lo que deberá cuantificarse en ejecución de sentencias si fuera preciso**».

➢ Conflicto con otras posibles acciones en materia de propiedad horizontal

Como hemos visto a lo largo de este tema, la constitución de servidumbres sobre elementos comunes o bien sobre elementos privativos en interés de la comunidad requiere que todas las partes se encuentren conformes con el gravamen impuesto, algo que en la práctica, como también hemos visto, suscita controversia. La adopción de la servidumbre y su determinación por medio de acuerdo de la junta de propietarios, con las mayorías requeridas en su caso, conlleva que se vean entrelazadas diferentes acciones a ejercitar ante los tribunales, de una parte, la propia **servidumbre**, pero también la **impugnación de acuerdos de la junta de propietarios** o incluso el **juicio de equidad**. Reflejo de ello encontramos la **sentencia de la Audiencia Provincial de Valencia n.º 113/2021, de 8 de marzo, ECLI:ES:APV:2021:1070:**

«(iii) Inadecuación del procedimiento. La constitución de la servidumbre requiere la intervención del propietario del local.

Expone la recurrente que al tratarse de una servidumbre debió traerse al procedimiento al propietario del local donde se encuentra instalado el bar.

El motivo se desestima por dos razones, en primer lugar, la propiedad del local que hasta hace poco explotaba el bar concurre a la junta celebrada el 4 de octubre de 2018 y vota a favor del acuerdo, en segundo lugar, la instalación de la **salida de humos no es una servidumbre en sentido estricto sino más bien una limitación impuesta sobre elementos comunes del inmueble cuyo régimen jurídico es la LPH y no el CC en su articulado relativo a la constitución de servidumbre**, rigiéndose por el régimen de unanimidad o mayoría con las limitaciones jurisprudenciales que en lo que afecta a este caso se han descrito, por lo que el **procedimiento solo debe seguirse contra el propietario que con su voto impide formar esa mayoría necesaria para la valida adopción del acuerdo y en su defecto se acude a la vía judicial para suplir esa falta de acuerdo con reglas de equidad**».

CUESTIÓN

¿Puede modificarse una servidumbre existente en una comunidad de propietarios?

Sí, y en este sentido se ha pronunciado la **STS n.º 107/2024, de 30 de enero, ECLI:ES:TS:2024:396**, en la que se especifica que en los supuestos en que se modifique una servidumbre por un propietario, la comunidad de propietarios no podrá solicitar la extinción de la misma, si no la reposición a la situación anterior:

«No nos hallamos, pues, ante un caso de constitución de servidumbres sobre elementos comunes, dado que éstas ya existían. La demolición interesada por la demandante, que es la acción ejercitada con respecto a las chimeneas de evacuación de humos, es improcedente, lo único viable sería, en su caso, la ***reposición a la situación anterior,*** *pero tal petición no fue efectuada, ni se demostró el presupuesto para llevar a cabo un pronunciamiento de tal clase.*

El art. 543 del CC señala que el dueño del predio dominante podrá hacer, a su costa, en el predio sirviente las obras necesarias para el uso y conservación de la servidumbre, pero sin alterarla ni hacerla más gravosa, y esta sala ha declarado, por ejemplo, en sentencia de 31 de octubre de 1956, que ***son lícitas las obras que vienen impuestas por decisión administrativa en que el ayuntamiento exige dimensiones mayores para las conducciones.*** *En casos similares, sentencias de 14 de diciembre de 1993, sobre evacuación de aguas por canalización descubierta y se procedió a su enterramiento, o 171/2005, de 2 de marzo, en caso de explotación de un negocio de garaje.*

Ahora bien, siempre claro está que la supuesta agravación sea necesaria para disfrutar del derecho de servidumbre, ***no impida o dificulte, de manera desproporcionada e ilegítima, el uso del predio dominante,*** *con posibilidad, en su caso, de la oportuna indemnización. Carecemos de una prueba pericial acreditativa del concreto perjuicio sufrido por la demandante que permita su valoración».*

4.5. EL JUICIO DE EQUIDAD

El juicio de equidad, un procedimiento especial en materia de comunidad de propietarios 830

➢ ¿En qué casos se acude al juicio por equidad?

Contiene el artículo 17 de la LPH las reglas a las que se sujetan los acuerdos de la junta de propietarios, entre las que se contemplan diversas **mayorías** a las que queda condicionada la adopción de dichos acuerdos por la junta (unanimidad, tres quintos, mayoría simple, etc.). Es en esta disposición donde viene regulado el denominado juicio de equidad, previsto en el apartado segundo del artículo 17.7, párrafo 2.°, de la LPH:

> «**Cuando la mayoría no se pudiere lograr** por los procedimientos establecidos en los apartados anteriores, el Juez, a instancia de parte deducida en el mes siguiente a la fecha de la segunda Junta, y oyendo en comparecencia los contradictores previamente citados, **resolverá en equidad lo que proceda** dentro de veinte días, contados desde la petición, haciendo pronunciamiento sobre el pago de costas».

Respecto al procedimiento por el que debe tramitarse el juicio de equidad, la LPH nada dice al respecto, si bien, hasta la promulgación en el año 2015 de la Ley de Jurisdicción Voluntaria (LJV), el Tribunal Supremo, por medio de **auto de 15 de octubre de 2013, ECLI:ES:TS:2013:9038A**, parecía decantarse por su naturaleza de jurisdicción voluntaria, sin embargo, al publicarse la LJV (entrada en vigor el 23/7/2015) se ha podido comprobar que esta ley no viene a regular expresamente este procedimiento, por lo que, el procedimiento a seguir sería el del juicio ordinario, como así lo han reflejado diversas audiencias provinciales, tales como:

RESOLUCIONES RELEVANTES

Sentencia de la Audiencia Provincial de Valencia n.º 572/2020 de 18 de diciembre, ECLI:ES:APV:2020:4710

«Como cuestión previa, este tribunal debe indicar que el llamado juicio de equidad, previsto en el artículo 17-7 de la LPH, es un juicio sumario, de regulación especial, que tiene como finalidad resolver aquellos conflictos en el seno de las comunidades de propietarios cuando la mayoría para la adopción de un acuerdo no se obtiene por las formas previstas en los apartados anteriores; ante la solicitud o exposición del tema a resolver, el juzgado cita de comparecencia, oye a las partes y resuelve, por lo que la remisión que las partes realizan a los trámites de jurisdicción voluntaria y acoge no es compartida por el tribunal al no ser objeto especifico de regulación en esa ley».

Auto de la Audiencia Provincial de Madrid n.º 243/2020, de 12 de noviembre, ECLI:ES:APM:2020:6116A

«No debemos confundir un juicio de equidad con un expediente de jurisdicción voluntario que es aquel que requiere "la intervención de un órgano jurisdiccional para la tutela de derechos e intereses en materia de Derecho civil y mercantil, sin que exista controversia que deba sustanciarse en un proceso contencioso", pues en el expediente de jurisdicción voluntaria se exige que no exista contienda lo que evidentemente no ocurre en este caso, como se desprende de la narración de hechos contenida en el escrito de demanda.

En definitiva se trata de un proceso declarativo especial aplicable a las Comunidades de Propietarios regidas por la Ley de Propiedad Horizontal para resolver determinadas contiendas, materia sustantiva, en el que se permite a los tribunales que no se ajusten a las normas jurídicas, pero tales principios no son aplicable a los trámites y normas procesales, por lo que no vemos motivo para separarnos en materia de costas procesales del principio objetivo del vencimiento (artículo 394.1 LEC)».

➢ **¿En qué consiste el juicio de equidad?**

Al respecto expresan los tribunales, en sentencias como la de la **Audiencia Provincial de Córdoba n.º 120/2003, de 24 de abril, ECLI:ES:APCO:2003:654**, o **de la Audiencia Provincial de Madrid n.º 155/2018 de 18 de abril, ECLI:ES:APM:2018:3631**, que:

> «Esta clase de juicio tiene por **finalidad jurídica suplir la voluntad de la Junta, cuando esta no puede adoptar un acuerdo válido por falta de las mayorías** necesarias. Ahora bien, no siempre que una determinada propuesta deja de ser aprobada por no alcanzarse las mayorías necesarias para ello puede acudirse al Juicio de Equidad, pues los acuerdos de la Junta, cuando se trata de aprobar propuestas, pueden adoptarse en sentido positivo o en sentido negativo, salvo aquéllos que sean absolutamente necesarios para el normal funcionamiento de la Comunidad y sus órganos rectores, que siempre deben ser adoptados en sentido positivo».

Tomando como punto de partida el contenido de la disposición y la jurisprudencia previamente aludida, conviene hacer varias precisiones antes de abordar propiamente este procedimiento.

En primer lugar, respecto a la junta de propietarios, como órgano de gobierno de la comunidad integrada por todos sus titulares, le corresponde adoptar las decisiones previstas en el artículo 14 de la LPH con arreglo al sistema de mayoría requerida en cada caso para su adopción.

En segundo lugar, para poder acudir al procedimiento de equidad se requiere previamente haber tratado de alcanzar las mayorías exigidas en primera y segunda convocatoria, y solo tras no haberse logrado podrá acudirse ante la autoridad judicial por el procedimiento especial previsto en el artículo 17.7 de la LPH, con el fin de que por aquella se resuelva el acuerdo pendiente según proceda.

En tercer lugar, cabe hacer alusión a la **cuota de participación** que viene determinada por un valor porcentual asignado a cada piso o local y se fija, señala el artículo 5 de la LPH, tomando como base:

- La superficie útil de cada piso o local en relación con el total del inmueble.
- Su emplazamiento interior o exterior.
- Su situación.
- El uso que se presuma racionalmente que va a efectuarse de los servicios o elementos comunes.

Tramitación del juicio de equidad 840

➢ **¿Quién puede solicitar la apertura del procedimiento?**

Dispone el artículo 17.7 de la LPH que no alcanzadas las mayorías, el procedimiento se inicia a instancia de parte deducida en el mes siguiente a la fecha de celebración de la segunda convocatoria, en la que no se alcanzó acuerdo, ante el tribunal del lugar donde radique la finca, recordemos que su competencia viene determinada por el artículo 52.8.º de la LEC, que citará a una comparecencia a aquellos propietarios que hubiesen votado en contra, pues alude el artículo a: «(...) oyendo en comparecencia los contradictores (...)», para, tras ser oídos, resolver el juez en equidad sobre el acuerdo, dentro del plazo de veinte días contados desde la petición, pronunciándose también sobre las costas del procedimiento.

CUESTIÓN

¿Quiénes están legitimados en este procedimiento?

Ostentan la legitimación activa todos aquellos propietarios con interés en que el acuerdo se adopte y no lo haya sido por falta de mayoría. Si bien debemos recordar que el artículo 15.2 de la LPH establece como requisito de procedibilidad, estar al corriente de pago en las deudas vencidas con la comunidad, por cuanto los propietarios morosos no estarían legitimados para instar este procedimiento puesto que tampoco habrían podido votar en el acto de la junta y contribuir a constituir voluntad comunitaria para adoptar el acuerdo que no ha alcanzado mayoría.

Respecto de la legitimación pasiva, viene atribuida por el artículo 17.7 de la LPH a los contradictores, es decir, aquellos propietarios que hubieren votado en contra de la adopción del acuerdo en tanto, dice la norma, es a ellos a quien el juez citará a una comparecencia para tras haberlos oído, resolver en equidad.

➢ Requisitos necesarios para promover el juicio de equidad

Según establece el artículo 17 de la LPH, los acuerdos de la junta de propietarios habrán de sujetarse, apartado 7:

«7. Para la validez de los demás acuerdos bastará el voto de la mayoría del total de los propietarios que, a su vez, representen la mayoría de las cuotas de participación. En segunda convocatoria serán válidos los acuerdos adoptados por la mayoría de los asistentes, siempre que ésta represente, a su vez, más de la mitad del valor de las cuotas de los presentes.

Cuando la mayoría no se pudiere lograr por los procedimientos establecidos en los apartados anteriores, el Juez, a instancia de parte deducida en el mes siguiente a la fecha de la segunda Junta, y oyendo en comparecencia los contradictores previamente citados, resolverá en equidad lo que proceda dentro de veinte días, contados desde la petición, haciendo pronunciamiento sobre el pago de costas».

Por tanto, para poder acudir a este procedimiento se requiere:

- Que en primera convocatoria no se haya alcanzado el voto favorable de la mayoría del total de los propietarios que, a su vez, representen la mayoría de las cuotas de participación.
- Que en segunda convocatoria no se obtenga el voto favorable de la mayoría de los asistentes, siempre que estos representen, a su vez, más de la mitad del valor de las cuotas de los presentes.

Respecto a la exigencia de las convocatorias también se ha requerido pronunciamiento jurisprudencial al respecto, y así citamos como ejemplo:

- A quienes entienden que debe haberse tratado de alcanzar las dos mayorías exigidas (votos y cuotas) en dos ocasiones, como, por ejemplo, la **sentencia de la Audiencia Provincial de Madrid n.º 155/2018, de 18 de abril, ECLI:ES:APM:2018:3631:**

  «(...) el juicio de equidad se reserva en el art. 17 de la LPH para aquellos casos en los que la adopción de un acuerdo no resulta posible al no conjugarse las **dos**

mayorías exigidas por el precepto, una la de votos favorables y la otra representativa de las cuotas de participación. La promoción de este juicio de equidad debe respetar las siguientes reglas: a) que se haya intentado previamente en dos ocasiones llegar al acuerdo, tal y como se desprende de la letra de la Ley al hablar de "a la fecha de la segunda junta" y b) que la parte que lo promueva lo haga en el plazo de un mes a contar desde la fecha de esa junta. En el caso enjuiciado, consta a celebración de las dos juntas preceptivas en marzo de 2.016, lo que abre la puerta, en términos procesales, al proceso que nos ocupa».

– Y quienes defienden la no exigencia de dos juntas distintas, si no únicamente primera y segunda convocatoria, como, por ejemplo, la **sentencia de la Audiencia Provincial de Valencia n.º 113/2021, de 8 de marzo, ECLI:ES:APV:2021:1070**:

«Expone el recurrente que no se han celebrado las dos juntas requeridas por el citado artículo, constando solo la celebrada el 4 de octubre de 2018.

El motivo se desestima, **la norma no exige la celebración de dos juntas distintas sino que refiere a acuerdos adoptados en primera y segunda convocatoria de la junta**, y en el presente caso no solo consta que el acuerdo se adopta en segunda convocatoria como se desprende del acta sino además que se han celebrado varias juntas con el mismo objetivo, adopción de acuerdo para la instalación de una salida de humos sobre parte del patio de luces, elemento común con uso privativo asignado a la propiedad del demandado, y consta las actas de las juntas celebradas los días 28 de mayo y 5 de junio de 2009 y 8 de mayo, 26 de junio y 4 de octubre de 2019, por lo que se acredita sobradamente el interés de la comunidad en dar solución a un problema que les afecta directamente y causa molestias por los humos y olores que se desprenden de la cocina instalada en la planta baja».

Por otra parte también con respecto a las **mayorías exigibles que permiten acudir a este juicio de equidad**, queremos destacar que ha existido debate jurisprudencial al respecto, señalando alguna corriente que únicamente cabe respecto de aquellos acuerdos que requieren para su adopción de una mayoría simple (más afines al sentir literal de la norma) y, otra que lidera el Tribunal Supremo, según la cual se podría recurrir a este procedimiento en acuerdos que requieren de unanimidad pero con un matiz, y es que siempre que dicha unanimidad no se hubiese podido lograr por abuso de derecho de un propietario. Atendida la jurisprudencia contradictoria al respecto, se estima necesario recoger brevemente una muestra de la existente sobre este particular y, en este sentido, el Tribunal Supremo defiende el juicio de equidad como no excluyente y se contempla para supuestos en los que se requiere de unanimidad en su **sentencia n.º 220/2003, de 13 de marzo, ECLI:ES:TS:2003:1719:**

«Plantean los recurrentes la **novedosa cuestión de si cabe sustituir en vía judicial el requisito de la unanimidad de los propietarios para la modificación de los Estatutos** que exige la regla primera del artículo 16 de la Ley de Propiedad Horizontal, **toda vez que su regla segunda establece el llamado juicio de equidad para los acuerdos que no se hubieran podido tomar por falta de mayoría, sin referencia expresa a los supuestos de falta de unanimidad**.

Por imperativo legal la **modificación de los Estatutos precisa el acuerdo unánime** y así se ha pronunciado reiteradamente la jurisprudencia de esta Sala, en cuanto a que la regla de unanimidad si no es observada dará lugar a la anulabilidad del acuerdo, pero no produce su nulidad de pleno derecho (Sentencias de 24-9-1991, 22-5-1992, 26-6-1993, 19-11-1996, 5-5-2000 y 7-3-2002).

La **regla segunda** del artículo 16, aunque **literalmente se refiere al supuesto de falta de mayoría, ha de ser objeto de interpretación adecuada a la realidad social actual, como autoriza el artículo 3 del Código Civil para evitar supuestos de abuso notorio del derecho, como sucede cuando se hace preciso la modificación o cumplimiento de las reglas estatutarias con la inclusión de las precisas y necesarias para lograr la mas ordenada convivencia de los cotitulares y preservar la paz vecinal, la que no se logra por la oposición tenaz de un copropietario, movido por razones de capricho, otras por egoísmo y acomodo a sus intereses que contradicen los comunes y, en muchos casos, por el simple móvil de causar molestias, incordiar y hostigar a los demás**. Esto lleva a considerar los supuestos de falta de unanimidad causada por la **oposición sin fundamento de uno de los copropietarios** y toda vez que el procedimiento de equidad no es exclusivo ni excluyente, y no impide que la cuestión se decida en juicio declarativo contradictorio con intervención del copropietario disidente, como aquí sucede y así la regla 3ª del referido artículo 16 se presenta previsora, al reconocer el derecho de las partes a promover judicialmente la acción que pudiera corresponderles.

Entenderlo de otra manera equivaldría a autorizar que la vida de las comunidades de propietarios pudiera quedar al manejo y antojo del que se presenta contradictor y disidente, amparándose situaciones abusivas contrarias a los intereses bien expresados de la mayoría cuasi absoluta, lo que, a su vez, vendría a contradecir el principio constitucional que proclama el artículo 14 de nuestra Constitución».

Argumento del Alto Tribunal que se ha visto respaldado por audiencias provinciales, como, por ejemplo, la **Audiencia Provincial de Madrid en su sentencia n.º 282/2018, de 29 de junio, ECLI:ES:APM:2018:8960:** «(...) a los efectos de una futura modificación de las cuotas de participación de los tres elementos privativos del inmueble, si procediese (ya se ha dicho que el criterio de la superficie útil no es el único determinante de la fijación de las cuotas de cada piso o local), que, a falta de unanimidad en junta de propietarios, tendrá que solicitarse en el juicio de equidad del artículo 17, apartado siete, segundo párrafo, de la Ley de Propiedad Horizontal».

A TENER EN CUENTA. Debemos hacer mención de diferentes audiencias provinciales para las que el juicio de equidad se contempla para supuestos de mayoría simple y no unanimidad (como así lo señala el TS). A modo de ejemplo se pueden consultar el auto de la Audiencia Provincial de Zaragoza n.º 365/2016, de 14 de noviembre, ECLI:ES:APZ:2016:19A, y la sentencia de la Audiencia Provincial de Granada n.º 76/2017, de 31 de marzo, ECLI:ES:APGR:2017:288.

850

Otras acciones que se pueden promover por el juicio de equidad: nombramiento del presidente de la comunidad

A tenor del artículo 13.2 de la LPH:

«El presidente será nombrado, entre los propietarios, mediante elección o, subsidiariamente, mediante turno rotatorio o sorteo. El nombramiento será obligatorio, si bien el propietario designado podrá solicitar su relevo al juez dentro del mes siguiente a su acceso al cargo, invocando las razones que le asistan para ello. El juez, a través del procedimiento establecido en el artículo 17.7.ª, resolverá de plano lo procedente, designando en la misma resolución al propietario que hubiera de sustituir, en su caso, al presidente en el cargo hasta que se proceda a nueva designación en el plazo que se determine en la resolución judicial.

Igualmente podrá acudirse al juez cuando, por cualquier causa, fuese imposible para la Junta designar presidente de la comunidad».

Por tanto, la norma prevé otros dos supuestos por los que puede promoverse juicio de equidad:

➢ **Acción del propietario que no quiere ser presidente**

En cuanto a la legitimación pasiva, dado que el artículo 17.3 de la LPH señala que habrá de citarse a los contradictores, debemos entender por tales sujetos legitimados a los restantes propietarios ya que pueden resultar afectados por la resolución que el juez tome en cuanto al nombramiento.

A la solicitud deberá acompañarse copia del acta en la que conste el nombramiento.

➢ **Acción para solicitar al juez la designación de presidente**

Este artículo también posibilita que se solicite al juez la designación de presidente cuando por cualquier causa no pudiese la junta de propietarios designarlo. Debe recordarse aquí que no será causa que imposibilite la designación, la negativa de algún o algunos de los propietarios al nombramiento, pues este es obligatorio sin perjuicio de que el afectado pueda solicitar su relevo por el procedimiento visto en el apartado anterior.

Así la **sentencia de la Audiencia Provincial de Valencia n.º 56/2021, de 17 de febrero, ECLI:ES:APA:2021:129**, afirma: «(...) el procedimiento es adecuado al presente caso en el que la mayoría para el nombramiento de presidente no se pudo lograr por los procedimientos establecidos en la Ley de Propiedad Horizontal, siendo el Juez a instancia de parte a quien corresponderá resolver en equidad lo que proceda dentro de veinte días, contados desde la petición, haciendo pronunciamiento sobre el pago de costas».

El plazo para el ejercicio de esta acción será de un mes desde la segunda junta en la que no fue posible el nombramiento y la podrá interponer tanto el presidente saliente como cualquiera de los restantes propietarios. La solicitud deberá dirigirse contra el resto de los propietarios.

Igualmente deberá acompañarse copia del acta en la que conste la imposibilidad de nombramiento.

4.6. RECLAMACIÓN POR DAÑOS EN COMUNIDAD DE PROPIETARIOS

La responsabilidad de las comunidades de propietarios por los daños causados 860

Las comunidades de propietarios son responsables civiles de los daños que puedan ocasionar, pudiendo incurrir tanto en responsabilidad contractual (cuando se incumple un contrato previo celebrado por la comunidad con el perjudicado) como extracontractual (cuando no existe un vínculo previo), y ya sea perjudicado uno de los propietarios integrantes de la comunidad, o un tercero ajeno a la misma.

Como punto de partida conviene citar el artículo 1089 del Código Civil que dispone que:

> «Las obligaciones nacen de la ley, de los contratos y cuasi contratos, y de los actos y omisiones ilícitos o en que intervenga cualquier género de culpa o negligencia».

En relación con la responsabilidad extracontractual, conviene partir de lo establecido en los artículos 1902 y 1907 del Código Civil:

> «El que por acción u omisión causa daño a otro, interviniendo culpa o negligencia, está obligado a reparar el daño causado». **(Art. 1902 del CC)**.
>
> «El propietario de un edificio es responsable de los daños que resulten de la ruina de todo o parte de él, si ésta sobreviniere por falta de las reparaciones necesarias». **(Art. 1907 del CC)**.

Ambos en relación con el art. 10 de la LPH que establece como obligación de la comunidad de propietarios llevar a cabo: «Los trabajos y las obras que resulten necesarias para el adecuado mantenimiento y cumplimiento del deber de conservación del inmueble y de sus servicios e instalaciones comunes, incluyendo en todo caso, las necesarias para satisfacer los requisitos básicos de seguridad, habitabilidad y accesibilidad universal, así como las condiciones de ornato y cualesquiera otras derivadas de la imposición, por parte de la Administración, del deber legal de conservación».

Por tanto, podemos concluir que la comunidad de propietarios tiene el **deber de mantener y conservar los elementos comunes**, **siendo responsable salvo que el daño o desperfecto derive de un mal uso del perjudicado**. En este sentido cabe recordar que el art. 9.1 a) de la LPH establece como una obligación de los propietarios el: «Respetar las instalaciones generales de la comunidad y demás elementos comunes, ya sean de uso general o privativo de cualquiera de los propietarios, estén o no incluidos en su piso o local, haciendo un uso adecuado de los mismos y evitando en todo momento que se causen daños o desperfectos».

Para poder apreciar la existencia de la responsabilidad extracontractual se exige la concurrencia de **tres requisitos**:

- El elemento subjetivo, que consiste en la existencia de una acción u omisión que implique una conducta imprudente o negligente atribuible a la comunidad de propietarios.
- El elemento objetivo, que sería el daño, lesión, perjuicio o sufrimiento moral del accionante.
- El elemento causal, es decir, una relación o conexión entre el daño y la acción u omisión culposa, de manera que el daño sea consecuencia natural del acto u omisión culposa. Tal y como se establece en la **STS n.º**

463/2015, de 10 de septiembre, ECLI:ES:TS:2015:3998: «4.- Y si no hay causalidad no cabe hablar, no ya de responsabilidad subjetiva, sino tampoco de responsabilidad por riesgo u objetivada necesaria para que la recurrente deba responder».

CUESTIÓN

¿A quién corresponde la carga de la prueba del elemento causal?

La **sentencia de la Audiencia Provincial de Vizcaya n.º 853/2018, de 4 de diciembre, ECLI:ES:APBI:2018:2203**, da respuesta a esta cuestión en los siguientes términos:

«*(...) La carga de la prueba de este elemento causal incumbe, conforme a las reglas que sobre la carga de la prueba se infieren del artículo 217 de la vigente Ley de Enjuiciamiento Civil,* ***"al que afirma la concurrencia de culpa y pretende la indemnización pecuniaria"****, es decir al* ***actor o demandante****; tal y como, por otro lado, precisa la Sentencia de la Sala Primera del Tribunal Supremo de 8 de febrero de 2000 —reiterando la doctrina recogida en sus Sentencias de 13 de febrero y 3 de noviembre de 1993, de 14 de febrero y 9 julio de 1994, y de 3 de mayo 1995 y 19 de febrero de 1998—.*

En la medida de ello, corresponde, en todo caso, a la parte actora justificar, en primer término, que la lesión, daño, menoscabo o perjuicio cuyo resarcimiento pretende se ha originado como consecuencia del evento dañoso que configura el presupuesto fáctico de su reclamación, así como que este evento dañoso se ha producido a consecuencia de la actuación del demandado, o dentro de la esfera o ámbito de su actividad, control o vigilancia. Y en segundo término, deberá justificar, de igual modo, que el daño en cuestión se ha producido a consecuencia de una conducta imprudente del demandado, es decir, a consecuencia de una omisión de la diligencia, cautela, precaución o cuidado exigibles en el ejercicio, desarrollo o desempeño de su actividad».

Destaca la **sentencia de la Audiencia Provincial de Valencia n.º 416/2019, de 27 de septiembre, ECLI:ES:APV:2019:6140**, que señala que:

«Igualmente la responsabilidad de la Comunidad de Propietarios que deriva del incumplimiento de la obligación recogida en el artículo 10. a) de la Ley de Propiedad Horizontal de realizar los trabajos necesarios para el adecuado mantenimiento y cumplimiento del deber de conservación del inmueble y sus servicios e instalaciones comunes, incluyendo las obras necesarias para mantener el edificio en condiciones de seguridad habitabilidad y accesibilidad universal, exige como presupuesto que ésta, conociendo o pudiendo conocer por el tiempo transcurrido y la necesidad periódica de su mantenimiento el indebido estado de un elemento comunitario bien por apreciación directa o por dejación de sus obligaciones de conservación y mantenimiento o reparación a fin de conservar el edificio en adecuado estado, evitando que alguno de sus elemento cause daño a un copropietario o un tercero, pero esta responsabilidad no puede extenderse a supuestos, como el presente, según se razonará a continuación, en que la Comunidad contrata a una empresa especializada sólo dos años antes para realizar una obra determinada en beneficio de los comuneros, mediando acuerdo, y siguiendo el parecer del técnico que la realiza. Así, aun cuando la aplicación del artículo 1902 en relación con el 1910 del C.c. se efectúa con una tendencia objetivadora ello no exime de la previa justificación de que las filtraciones producen se ocasionan por causa de aquellos a quienes se reclama la reparación o indemnización. En este sentido la STS de 29 mayo 1995 EDJ1995/3324 refiere "indiscutida doctrinal y jurisprudencialmente la tendencia objetivadora de la responsabilidad, en todo caso **se precisa la existencia de una prueba terminante relativa al nexo entre la conducta del agente y la producción del daño**, de tal forma que haga patente la culpabilidad que obliga a repararlo y esta necesidad de una cumplida justificación **no puede quedar desvirtuada por una posible aplicación de la teoría del riesgo**, la objetivización de la responsabilidad o la inversión de la carga de la prueba, aplicables en la interpretación del art. 1902 EDL1889/1, pues el cómo y el porqué se produjo el accidente constituyen elementos indispensables en el examen de la causa eficiente del evento dañoso" en parecidos términos se expresan las STS de 25 febrero 1992 EDJ1992/1780 y 24 enero 1995 EDJ1995/48) Sección 14.ª de la AP de Madrid en su Sentencia de 13 de julio de 2.006, haciendo referencia a numerosa doctrina y jurisprudencia, determina que "**la Comunidad de Propietarios** únicamente **podrá liberarse de la responsabilidad, contractual o extracontractual, por daños demostrando haber desplegado la previsión y actividad necesarias en evitación de los daños ocasionados**"».

El artículo 1907 del Código Civil aborda el tema de la responsabilidad que se deriva en aquellos casos en que el **edificio se encuentre en situación de ruina**, y lo hace con el siguiente tenor literal:

> «El propietario de un edificio es responsable de los daños que resulten de la ruina de todo o parte de él, si ésta sobreviniere por falta de las reparaciones necesarias».

Así, la **sentencia de la Audiencia Provincial de Asturias n.º 212/2017, de 16 de junio, ECLI:ES:APO:2017:1805**, recoge que: «(...) También que la Comunidad es en principio responsable de los daños que resulten de la ruina de todo o parte del edificio o de los daños causados por las cosas que cayeren de la casa o parte de ella (artículo 1.907 y 1.910 del Código Civil)».

El alcance de este artículo es analizado, por ejemplo, por la **sentencia de la Audiencia Provincial de Barcelona n.º 100/2018, de 15 de febrero, ECLI:ES:APB:2018:734**, que en un supuesto en el que se demanda a la comunidad de propietarios por daños causados en un local, señala que:

> «En el mismo sentido, el artículo 1907 del Código Civil establece un régimen general de responsabilidad del propietario por los daños que resulten de la ruina del objeto de su propiedad, si sobreviene por la falta de las reparaciones necesarias, aun siendo doctrina comúnmente admitida (Sentencias del Tribunal Supremo de 29 de septiembre de 2000, y 22 de julio de 2003; RJA 7534/2000, y 5852/2003) que la responsabilidad del propietario es de índole predominantemente subjetiva, de modo que se da únicamente para el supuesto de que la ruina se produzca por la falta de los cuidados o las reparaciones necesarias por parte del propietario, pero no cuando la ruina sea debida a defectos de la fabricación o la construcción, o a la intervención o interferencia de un tercero.
>
> Aunque, según la mejor doctrina, **el hecho objetivo de la ruina implica una presunción de que se ha producido por la falta de las reparaciones o los cuidados necesarios**, por cuanto el artículo 1907 del Código Civil, aun sin llegar a instaurar un supuesto de la llamada responsabilidad objetiva, de acuerdo con la doctrina del riesgo y de la progresiva objetivación de la responsabilidad, desplaza al propietario la carga de la prueba de que la ruina se ha producido por otra causa distinta de la falta de las reparaciones o de los cuidados necesarios, de acuerdo con la norma general del artículo 217 de la Ley de Enjuiciamiento Civil, que impone al propietario

la carga de la prueba del hecho positivo, extintivo, y de mayor facilidad probatoria para el propietario, de que la ruina se ha producido por causa distinta de la ausencia de las reparaciones o los cuidados necesarios.

Por lo tanto, únicamente **quedaría exento de responsabilidad el propietario cuando consiguiera probar que la ruina se produjo por defectos de construcción imputables a terceros; por la intervención de un factor externo ajeno a su esfera de actuación o control; o por la existencia de fuerza mayor**, según lo dispuesto en el artículo 1105 del Código Civil».

Nuestro Alto Tribunal también se ha pronunciado sobre este artículo, y en la **STS n.º 914/2007, de 19 de julio, ECLI:ES:TS:2007:5026**, establece que: «(...) para que prospere la pretensión con base en el artículo 1907, la actora ha de demostrar los daños que le ha ocasionado la ruina del edificio y la omisión de las necesarias reparaciones de la que se deriva la culpa de la demandada, mediante la acreditación del mal estado del edificio o de alguno de sus componentes (STS de 6 de abril de 1987); y, por su parte, la litigante pasiva, como sistema defensivo, deberá justificar que la falta de reparaciones no fue debida a su culpa, sino por caso fortuito, así como las restantes causas generales de exoneración de responsabilidad, cuales son la culpa exclusiva de la víctima o de un tercero, la ausencia de antijuridicidad y de causalidad; asimismo quedará eximido de la obligación de resarcimiento total o parcial cuando pruebe que el daño se produjo exclusivamente por consecuencia de vicios de la construcción dentro del plazo legal, en que serán de aplicación los artículos 1591 y 1909 del Código Civil (SSTS de 4 de diciembre de 1989, 29 de noviembre de 1990 y 29 de septiembre de 2000)».

Reclamación de un propietario contra la comunidad por daños en su vivienda o local 870

Este tipo de reclamaciones se dan cuando una vivienda o local sufre daños originados por un elemento común del edificio, es decir, deben concurrir 3 elementos:

- Que el perjudicado sea propietario de una vivienda o local de la propia comunidad de propietarios. Es decir, la legitimación activa para la iniciación del procedimiento, la ostentará el comunero perjudicado.
- Que se haya producido un daño.
- Que el daño derive de un elemento común del edificio, lo que conlleva que la legitimación pasiva sea de la comunidad de propietarios.

CUESTIÓN

¿Podrá entablar la acción el arrendatario?

Sí. La acción dirigida por el arrendatario contra la comunidad de propietarios por los daños causados como consecuencia del defectuoso cumplimiento de la obligación contenida en el artículo 10 de la LPH, de mantenimiento de los elementos comunes, tiene amparo en el artículo 1902 del Código Civil (responsabilidad aquiliana), encontrándose legitimado el arrendatario para el ejercicio de las acciones propias del precepto referido por los daños que le fuesen inferidos.

En muchos casos no es tarea sencilla saber el origen de los daños, por eso es importante contar con un informe pericial que lo determine. Lo habitual en estos casos es que estas reclamaciones suelen tramitarse por las compañías de seguros del propietario del inmueble afectado y de la comunidad, que remitirán a sus respectivos peritos, previa comunicación del siniestro por el asegurado (artículo 16 de la LCS), para examinar los daños, valorarlos y determinar su origen. Asimismo, sería posible demandar a los copropietarios como responsables subsidiarios mancomunados. Si bien, debe considerarse la posibilidad de que, en caso de perder con costas, sería por cada uno de los intervinientes.

Para la **tramitación del proceso** tendremos que tener en cuenta lo previsto en la **nueva redacción dada al artículo 249.1.8.º de la LEC** por la reforma realizada por el RD-ley 6/2023, de 19 de diciembre, con entrada en vigor el 20/3/2024. Desde esta fecha se dispone que se decidirán por medio del **juicio ordinario**, aquellas demandas en las que se ejerciten las **acciones que otorga a las juntas de propietarios y a estos la LPH, siempre que no versen exclusivamente sobre reclamaciones de cantidad, en cuyo caso se tramitarán por las reglas del juicio verbal o por el procedimiento especial que corresponda.**

Por lo tanto, si lo que se va a reclamar —exclusivamente— es una indemnización por daños y perjuicios, el procedimiento a seguir (sin tener en cuenta la cuantía reclamada) sería el juicio verbal o especial que correspondiera. En cambio, si se fuere a reclamar una obligación de hacer junto con una reclamación de indemnización por daños y perjuicios, la tramitación se haría conforme a las reglas del juicio ordinario.

A TENER EN CUENTA. Hasta la fecha prevista, se seguirá lo establecido en la versión anterior de este artículo 249.1.8.º de la LEC: «Cuando se ejerciten las acciones que otorga a las Juntas de Propietarios y a éstos la Ley de Propiedad Horizontal, siempre que no versen exclusivamente sobre reclamaciones de cantidad, en cuyo caso se tramitarán por el procedimiento que corresponda».

CUESTIONES

1. ¿Puede el comunero que sufre el daño reclamar el reembolso del coste de las obras que ha tenido que ejecutar en su vivienda o local como consecuencia del daño sufrido?

Sí, el propietario podría llevar a cabo las obras de reparación en su vivienda o local y reclamar el reembolso del coste las mismas.

2. ¿Podría también solicitar el reembolso del coste de las reparaciones ejecutadas en las zonas comunes?

Sí, pero se requiere el requerimiento previo al secretario-administrador o al presidente y que la obra tenga carácter urgente. En este sentido se ha pronunciado la **sentencia del Tribunal Supremo n.º 16/2016, de 2 de febrero, ECLI:ES:TS:2016:329**, que declara como doctrina jurisprudencial la siguiente: «Sólo procederá el reembolso por la Comunidad de Propietarios al comunero que haya ejecutado unilateralmente obras en zonas comunes cuando se haya requerido previamente al Secretario-Administrador o al Presidente advirtiéndoles de la urgencia y necesidad de aquéllas. En el caso de no mediar dicho requerimiento, la Comunidad quedará exonerada de la obligación de abonar el importe correspondiente a dicha ejecución. No quedará exonerada si la Comunidad muestra pasividad en las obras o reparaciones necesarias y urgentes».

Existe la posibilidad de que se solicite la condena pecuniaria de la comunidad de propietarios no solo por los daños materiales sufridos, si no también por **daños**

morales. Ello encuentra su justificación en el impacto psíquico o espiritual que ha de traer causa de la conducta de otro (en estos supuestos, ante la omisión por parte de la comunidad de propietarios del cumplimiento del deber impuesto en el art. 10 de la LPH). Sobre esto se ha pronunciado la **sentencia de la Audiencia Provincial de Asturias n.º 371/2020, de 21 de octubre, ECLI:ES:APO:2020:4198**, reconociendo el derecho a ser indemnizado por dicho daño moral:

> «En cuanto al segundo motivo del recurso, la **condena pecuniaria por daño moral, se admite jurisprudencialmente la posibilidad de su concurrencia junto al daño patrimonial** como aquel impacto psíquico o espiritual que traiga causa de la conducta (activa u omisiva) de otro (STS 13-4-2013), se identifica con la desazón, dolor, sufrimiento o inquietud inferidos por aquella conducta (STS 31-5- 2000, 22-2-2001 y 8-4-2016) que por su relación con los avatares propios de la vida obliga a un análisis circunstancial y a valerse, como criterio de imputación, del de la relevancia del daño (STS 15-6- 2010); y en este sentido, en el caso, ha de tomarse en consideración que las humedades y filtraciones se remontan a mediados del año 2.018, que aunque han disminuido persisten, que llegaron a provocar desprendimiento del revestimiento de yeso del techo de la cocina dejando al descubierto parte del forjado de la cubierta y del mortero de cemento y, sobre todo, que por su magnitud obligaron al actor a colocar cubos para la recogida del agua, lo que tanto significa un estado continuo de alerta en caso de lluvia sobre la progresión de la filtración y, lógicamente, de incomodidad al tener que proceder de ese modo y de incertidumbre sobre lo posible que pudiera venir, apreciándose la suma de 1.000 euros como justa compensación a tal estado».

Para el supuesto de **daños derivados de un elemento común**, **el propietario afectado podrá reclamar contra la comunidad en el plazo de 5 años**, de acuerdo con el plazo de prescripción del artículo 1964 del Código Civil, si bien, es cierto que existieron dos posturas diferenciadas respecto al plazo de reclamación:

➢ **Plazo legal de 1 año**

Por un lado, encontramos la corriente jurisprudencial que considera que el plazo de prescripción es el plazo de 1 año recogido en el apartado 2.º del artículo 1968 del Código Civil, al entender que nos encontramos ante un supuesto de **responsabilidad extracontractual** prevista en el artículo 1902 del Código Civil: «El que por acción u omisión causa daño a otro, interviniendo culpa o negligencia, está obligado a reparar el daño causado». Esta **postura minoritaria y ya superada** la encontramos, por ejemplo, en la **sentencia de la Audiencia Provincial de Madrid n.º 522/2011, de 2 de noviembre, ECLI:ES:APM:2011:15105**, que recoge que:

> «(...) Pues bien, hay acciones de la ley de propiedad horizontal que no tienen señalado plazo de prescripción a las que la jurisprudencia ha aplicado el artículo 1964 fijando el plazo en quince años. Sin embargo hay otras acciones, como las de responsabilidad por culpa extracontractual, que sí tienen señalado plazo, y este el de un año del artículo 1968 del Código Civil. Por lo tanto, hay acciones como la de reclamación de cuotas, la de reposición de los elementos comunes, la de ejecución de obras de conservación, a las que es de aplicación el plazo general de los quince años del artículo 1964 por no tener plazo especial de prescripción, pero hay otras que, aun naciendo de la ley de propiedad horizontal, sí tienen señalado plazo especial, como es la de reparación de los daños causados mediando culpa o negligencia,

y así lo vienen diciendo repetidamente los tribunales al aplicar en estos casos el mismo plazo que para el resto de las acciones del artículo 1902».

➢ Plazo legal de 5 años

Por otro lado, están aquellas audiencias provinciales que suscriben la tesis de que ha de ser tenido en cuenta el plazo de prescripción de 5 años señalado en apartado 2.º del artículo 1964 del Código civil para las **acciones personales**: «Las acciones personales que no tengan plazo especial prescriben a los cinco años desde que pueda exigirse el cumplimiento de la obligación. En las obligaciones continuadas de hacer o no hacer, el plazo comenzará cada vez que se incumplan», habida cuenta que entienden que la acción de reclamación de daños y perjuicios ejercitada por el propietario perjudicado no es una acción de responsabilidad extracontractual.

Así, podemos mentar entre otras, la postura mantenida por los magistrados de la sala de la **Audiencia Provincial de Madrid en su sentencia n.º 615/2008, de 11 de diciembre, ECLI:ES:APM:2008:18960**: «SEGUNDO.- Respecto de la excepción de prescripción evidentemente ejercitándose la acción del artículo 10.1 de la Ley de Propiedad Horizontal, no puede ser de aplicación el plazo prescriptivo de un año que se invoca por la recurrente, sino el plazo del artículo 1964 del C.Civil de quince años para las acciones personales que no tengan señalado plazo especial de prescripción, por ello y en consecuencia necesariamente debe decaer el recurso de apelación interpuesto».

A TENER EN CUENTA. Las referidas sentencias hacen alusión al plazo prescriptivo de quince años recogido para las acciones personales con anterioridad a la reforma llevada a cabo al efecto por la Ley 42/2015, de 5 de octubre, de reforma de la Ley 1/2000, de 7 de enero, de Enjuiciamiento civil, por el que se modificó el plazo de prescripción de las acciones personales que no tengan plazo especial que, a fecha de la presente, es de cinco años.

Por su parte, el **Tribunal Supremo** se ha pronunciado sobre esta cuestión entendiendo que el **plazo que tiene un comunero para exigir la indemnización por daños y perjuicios frente a la comunidad de propietarios por daños derivados de la falta de conservación o mantenimiento de los elementos comunes es de 5 años.**

Es a través de la **STS n.º 491/2018, de 14 de septiembre, ECLI:ES:TS:2018:3102**, donde la sala, partiendo de la acción de reclamación de daños y perjuicios causados en el caso de autos y de la afirmación, no discutida, de que los daños y perjuicios que se dicen producidos nacen precisamente del incumplimiento de una obligación legal que a las comunidades de propietarios impone el artículo 10 de la Ley de Propiedad Horizontal, en el sentido de llevar a cabo las obras que resulten necesarias para el mantenimiento y conservación de los elementos comunes, de modo que, no causen daño alguno a otros bienes comunes o a los privativos, termina concluyendo, en referencia a las distintas posturas jurisprudenciales mantenidas por las diferentes audiencias provinciales, que:

«(...) Se trata de una obligación legal, en el sentido a que se refiere el artículo 1089 del Código Civil, que no resulta asimilable a las derivadas de actos u omisiones ilícitas, que comprenden un ámbito distinto y a las que resulta de aplicación el plazo de prescripción anual del artículo 1968-2.º. No cabe disociar el plazo de prescripción para exigir el cumplimiento de las obligaciones legales del correspondiente a la acción para exigir las consecuencias dañosas de dicho incumplimiento, por lo que no puede ser compartida la posición sostenida al respecto por la sentencia impugnada que, en consecuencia, habrá de ser casada puesto que la acción de reclamación de daños y perjuicios ejercitada no está prescrita al ser aplicable el plazo de cinco años, según la redacción del artículo 1964 del Código Civil que resulta aplicable».

En este mismo sentido se pronuncia, entre otras, la **sentencia de la Audiencia Provincial de A Coruña n.º 60/2021, de 26 de marzo, ECLI:ES:APC:2021:648**, que diferencia entre la responsabilidad que surge del artículo 1902 del CC, y la derivada del artículo 10 de la LPH:

«1.- La acción de responsabilidad extracontractual del artículo 1902 del Código Civil, ejercitada en la demanda, no se puede confundir con la acción de indemnización de los daños y perjuicios causados por incumplimiento de obligaciones legales impuestas en el artículo 10 Ley de Propiedad Horizontal. Por dicha razón, no pueden ser confundidos los respectivos plazos prescriptivos que establecen los artículos 1968 y 1964 del Código Civil. Lo contrario supondría incurrir en una razón de incongruencia ex artículo 218 Ley de Enjuiciamiento Civil (téngase presente, que el deber de congruencia no sólo resulta de la confrontación entre lo pedido en la demanda y lo finalmente concedido en sentencia, sino también de la confrontación entre la concreta causa de pedir aducida en la demanda y los fundamentos de derecho que constituyen la razón de decidir de la sentencia —al margen de una mera alteración de normas en base al principio y iura novit curia, cuya aplicación práctica en ningún caso puede afectar a la real causa de pedir aducida en la demanda—».

A TENER EN CUENTA. Lo anterior solo resultará de aplicación para aquellos supuestos en los que el reclamante sea el propietario, pues, ya hemos adelantado, que en aquellos supuestos en los que un arrendatario sea quien ejercite la acción de daños y perjuicios contra la comunidad por incumplimiento de las previsiones del art. 10.1 de la LPH, la reclamación tendrá amparo en el artículo 1902 del Código Civil (responsabilidad aquiliana), por lo que, aquí sí nos encontraríamos con el plazo legal de un año para el ejercicio de la misma.

Es importante detenerse a analizar cuál será el ***dies a quo*** a partir del cual comienza a computarse el plazo de cinco años legalmente establecido para el ejercicio de la acción de reclamación del comunero a la comunidad de propietarios por el incumplimiento del deber de conservación y mantenimiento impuesto en el art. 10 de la LPH. Y en este sentido, resulta de interés traer a colación la **sentencia del Tribunal Supremo n.º 114/2019, de 20 de febrero, ECLI:ES:TS:2019:511**, en la que la sala resuelve el caso planteado por un propietario que demanda a la comunidad de propietarios por las filtraciones de agua sufridas en su vivienda durante un largo tiempo, que han ocasionado daños en su propiedad. A través de esta sentencia, podemos comprobar que, a efectos de fijación de la fecha del inicio de la prescripción, lo fundamental es la calificación que han de merecer los daños causados (daños permanentes y daños continuados), dado que **su calificación en unos u otros será lo que influya en la determinación del *dies a quo* para el comienzo del cómputo del plazo.** En caso de **daños permanentes**, la fijación del *dies a quo* coincidirá con el momento de la causación del daño;

concretamente desde el mismo momento en que lo supo el perjudicado, y ello aunque posteriormente el daño continúe manifestándose. Cuando nos encontremos ante un **daño continuado** resultará de aplicación para la determinación del *dies a quo* la fecha en la que el daño cesa, momento en que puede cuantificarse su alcance definitivo:

«La aplicación de lo dispuesto por el artículo 1969 CC da lugar a que la fijación del dies a quo, **en el caso de daños continuados**, haya de coincidir con **la fecha en que los mismos cesan** y, en consecuencia, cuando cabe cuantificar su alcance definitivo, pues es entonces —no antes—cuando la acción puede ejercitarse.

Esta es la doctrina mantenida por la sala en las sentencias que se citan en el recurso y en otras muchas, la cual no ha sido aplicada por la Audiencia en su sentencia al considerar que los daños no eran continuados sino permanentes. Así, no solo se ha de tener en cuenta la doctrina de las sentencias de 13 de octubre de 2015, 20 de octubre de 2015 y 22 de octubre de 2012, que cita el recurrente, sino también la contenida en las más recientes núm. 454/2016 de 4 julio y núm. 45/2017 de 25 enero, entre otras, que coinciden al señalar que en los casos de daños continuados o de producción sucesiva no se inicia el cómputo del plazo de prescripción hasta la consolidación del definitivo resultado.

En el caso, se desprende de las actuaciones que fue en 2011 cuando se realizaron las reparaciones necesarias para evitar la reiteración del daño, por lo que el dies a quo ha de establecerse en ese momento y la acción no puede considerarse prescrita cuando se interpuso la demanda en el año 2014».

CUESTIÓN

¿Cuál es la diferencia entre los daños permanentes y los daños continuados?

Se califican como daños permanentes o duraderos aquellos que se mantienen en el tiempo, mientras que, tendrán la consideración de daños continuados cuando estos no solamente se mantienen en el tiempo, sino que se van agravando cuando su causa productora no cesa. (**STS n.º 114/2019, de 20 de febrero, ECLI:ES:TS:2019:511**).

Otro aspecto importante dentro de este tipo de reclamaciones es que los **gastos generados por el procedimiento judicial,** en el caso de reclamaciones por daños de propietarios, no tendrán la consideración de gastos generales, y el comunero perjudicado no tiene que asumir ese coste, es decir, **en aquellos casos en los que uno de los comuneros se enfrenta a una situación litigiosa contra la comunidad de propietarios, los desembolsos que esta última deba llevar a cabo para sufragar los gastos generados con ocasión de la controversia, no podrán adquirir carácter de «gastos generales» con relación al miembro o miembros a los que se enfrentan.** Esta postura es la defendida por nuestro Alto Tribunal, y así la **STS n.º 475/2011, de 24 de junio, ECLI:ES:TS:2011:4223**, recoge que:

«Por su parte la STS de 23 mayo 1990 añade que: «si ciertamente son a cargo de todos los integrantes de la Comunidad de Propietarios, conforme a las respectivas cuotas de todos los que la integran, los gastos judiciales que se produzcan en litigios con terceros, o sea con quienes no vengan integrados en la Comunidad correspondiente, no sucede lo mismo cuando, como en el presente caso ocurre, provengan de actividad judicial producida en que la razón corresponda a los miembros de la comunidad demandantes o demandados, puesto que en tal caso **no puede hacerse recaer sobre** éstos **los que tienen su causa generadora en la actitud procesal que se estimó**

judicialmente inadecuada pues lo contrario tanto supondría hacer recaer, de forma improcedente, las consecuencias económicas de reclamación u oposición estimada inadecuada sobre aquellos cuyo derecho es reconocido, sin generar por tanto beneficio para la Comunidad la reclamación de oposición formulada por ésta, creando con ello una situación fáctica, con la consiguiente proyección jurídica, que hace que, a tal fin, el propietario partícipe que ha obtenido resolución favorable tenga la consideración de tercero en relación a la tan citada Comunidad».

Finalmente, la STS de 24 de julio de 1997, "por si ello puede evitar nuevos conflictos", declara que "conforme a las Sentencias de 5 de Octubre de 1.983 y 23 de Mayo de 1.990, si la comunidad de propietarios no actúa de consuno, sino que, rota la armonía, surge la contienda judicial enfrentándose aquella y uno (en el caso varios) de sus componentes, **los desembolsos impuestos por la situación litigiosa no merecen la calificación de gastos generales con relación al segundo, es decir, que los actores no tienen que contribuir a los gastos judiciales generados por la comunidad**"».

Reclamación de un tercero frente a la comunidad por daños 880

En este supuesto el afectado es un tercero que sufre un daño o perjuicio por algún elemento o servicio del inmueble, por ejemplo, el caso de una teja que cae sobre el vehículo del tercero.

En este supuesto, tal y como ya hemos visto, el plazo para ejercitar la acción será el previsto para las obligaciones derivadas del artículo 1902 del Código Civil, por lo que, será de **1 año.** Podrá ejercitar esta acción cualquier persona física o jurídica distinta de los propietarios que haya sufrido un daño cuyo origen se encuentre en elementos comunitarios.

Resaltamos en este apartado el caso del **arrendatario de una vivienda o local, ya que este podrá ejercitar la acción**, tal y como hemos visto, en el plazo de 1 año, y no de 5 años. Así lo establece el Tribunal Supremo en la **STS n.º 45/2017, de 25 de enero, ECLI:ES:TS:2017:165**:

> «Esta sala debe declarar que la acción la ejercita la sociedad arrendataria y no los propietarios cuya intervención procesal fue rechazada en auto de 10 de septiembre de 2012.
>
> El arrendatario puede ejercitar las acciones propias del art. 1902 del C. Civil, por los daños que le fuesen inferidos.
>
> Dicha acción tiene un plazo de prescripción de un año (art. 1968 del C. Civil)».

El procedimiento a seguir dependerá de la cuantía de la reclamación, ya que al tratarse de un tercero no entraría en juego las especialidades reguladas en los arts. 249.1.8.º, y 250.1.15.º de la LEC.

Un supuesto que merece una especial mención es la posibilidad del arrendatario de reclamar por un daño al arrendador aun cuando este provenga de un elemento común de la comunidad de propietarios, y así lo recoge la **sentencia del Tribunal Supremo n.º 596/2011, de 29 de febrero, ECLI:ES:TS:2012:1588**, que señala que:

> «(...) al margen de que el origen de los daños debatidos no esté en el inmueble si no en un **elemento común**, por mor de las normas que citan sobre la obligación

general del arrendador de mantener en el goce pacífico **le es exigible a este responsabilidad** al haber sido requerido por el arrendatario al efecto de cumplirla y no haber hecho todos los actos conducentes a que ello tuviera lugar hasta acudir a la vía judicial, lo que en relación con el demandado de autos ha tenido lugar como se infiere de las pruebas practicadas.

(...)

»**B) No obsta** a lo expuesto y, con ello ya examinamos la segunda y tercera cuestiones, **la acción directa que el art. 1560 del CC da al arrendatario frente al tercer perturbador** de hecho según el tenor de la citada STS de 5-12- 89 eximiendo de responsabilidad al arrendador de esta pues, según la misma **es correcto dirigir la acción por el arrendatario contra el arrendador, aunque se trate de elementos comunes, y no demandar a la Comunidad titular de estos**. Ello se induce de la tesis sobre la que hemos optado al resolver la primera cuestión y con la de la SAP de Madrid de 14-2-06 que cita la apelante en el sentido de que, esta acción directa no es de uso obligado ya que el arrendatario viene siempre amparado para reclamar al arrendador por mor del repetido art. 21 de la LAU y este obligado por el mismo a hacer todos los actos frente a ese tercero en defensa de la propiedad y para cesar en la perturbación, los que, como se ha dicho no ha realizado el aquí demandado, incurriendo a su vez en negligencia que le haría a su vez merecedor de su responsabilidad, tanto por vía contractual, como por mor del art. 1902 del CC. Todo ello sin obviar que, como en toda la materia analizada, también la doctrina es contradictoria, como es exPonente la S.T.S. de 24-1-92 que, en contra de nuestro criterio y de la otra citada, señala: "... si bien es conforme a Derecho que el arrendador está obligado a mantener al arrendatario en el goce pacífico del arrendamiento por todo el tiempo del contrato (art. 1554.3.° del Código Civil), esta obligación no alcanza a responder de las perturbaciones de mero hecho que los terceros causen en el uso de la finca arrendada (art. 1560 del Código Civil), esto es, que el arrendador solo responde de las perturbaciones causadas por el mismo tanto de hecho como de Derecho y de las perturbaciones de Derecho, causadas por terceros; de aquí, que el Código Civil (art. 1560 párrafo primero), confiera acción directa al arrendatario para hacer frente a las perturbaciones de las que no responde el arrendador; esta posición no prejuzga, desde luego, las responsabilidades de los terceros o de los sujetos que deban responder, por ellos, respecto de los perjuicios causados..."».

También la **sentencia de la Audiencia Provincial de Pontevedra n.° 420/2019, de 2 de septiembre, ECLI:ES:APPO:2019:1930**, que tras examinar distintas sentencias establece que:

«Este criterio no es compartido por la Sala, ya que el actor ha reclamado por un lado la reparación de la causa de las filtraciones y por otra la indemnización por los daños sufridos, concretamente las placas de escayola afectadas por el agua y la sustitución del cabezal electrónico; respecto a las primeras lo único que se discute es su falta de legitimación, alegación que no puede compartirse, en primer lugar, por la aplicación de la doctrina general del artículo 1902 del C.C. ya que **la acción la puede ejercitar quien ostenta la condición de perjudicado por el evento dañoso**, en este caso las filtraciones de agua y los daños en la escayola, pues la demandada en el local es la que ejerce la actividad de peluquería y por tanto está afectada por aquellos daños cuyo resarcimiento interesa, **ya la Jurisprudencia de manera continuada ha mantenido que la legitimación para reclamar por la responsabilidad extracontractual compete a quien ha sufrido el daño o perjuicio, sin que la acción indemnizatoria requiera ineludiblemente fundamentarse en el título dominical**, (ss. TS. de 10 de marzo de 1980, de 16 octubre 1987 y de 3 noviembre 1992). En segundo lugar, porque el artículo 1560 del C.C., **concede al arrendatario acción directa contra el tercero perturbador** del uso de la finca arrendada. Y en tercer lugar, por la obligación que le impone el artículo 1561 del C.C., de devolver la finca como la recibió y la presunción en su contra del artículo 1563 del C.C., respondiendo frente al arrendador de los daños causados al inmueble arrendado; esta responsabilidad implica el derecho del arrendatario de reclamar frente al tercero que los ha causado, sin perjuicio de la legitimación del arrendador en cuanto propietario de la vivienda. Reconoce también la misma legitimación la SAP de Barcelona, Sección 12.ª, de 23 de marzo de 2006».

4.7. LA EJECUCIÓN DE SENTENCIAS CONDENATORIAS A LA COMUNIDAD DE PROPIETARIOS

La ejecución de sentencias que condenan a las comunidades de propietarios 890

La Ley de Enjuiciamiento Civil dedica su libro III a la ejecución forzosa y a las medidas cautelares.

Además, la Ley de Propiedad Horizontal contiene una mención especial a la manera que tienen las comunidades de propietarios de responder de sus deudas, y así, el artículo 22 de la citada ley dispone que:

«1. La comunidad de propietarios responderá de sus deudas frente a terceros con todos los fondos y créditos a su favor. Subsidiariamente y previo requerimiento de pago al propietario respectivo, el acreedor podrá dirigirse contra cada propietario que hubiese sido parte en el correspondiente proceso por la cuota que le corresponda en el importe insatisfecho.

2. Cualquier propietario podrá oponerse a la ejecución si acredita que se encuentra al corriente en el pago de la totalidad de las deudas vencidas con la comunidad en el momento de formularse el requerimiento a que se refiere el apartado anterior.

Si el deudor pagase en el acto de requerimiento, serán de su cargo las costas causadas hasta ese momento en la parte proporcional que le corresponda».

Por tanto, este artículo recoge la posibilidad de que los acreedores puedan dirigirse contra los propietarios de la comunidad de forma subsidiaria, por la cuota insatisfecha que les corresponda, siempre y cuando estos hayan sido parte en el proceso, teniendo, en todo caso, la condena al pago por parte del copropietario carácter subsidiario respecto a la comunidad. Hay que tener en consideración que el propietario tiene la facultad de oponerse a la ejecución si acredita que se encuentra al corriente de abono de la totalidad de las deudas vencidas con la comunidad.

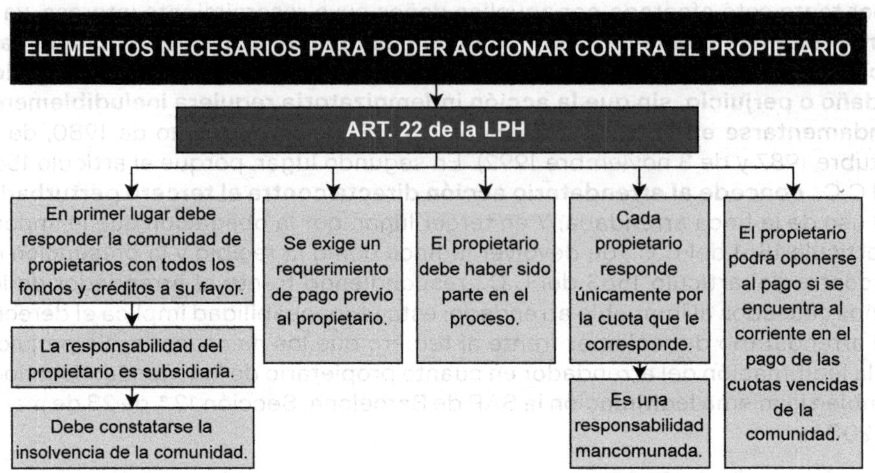

Resulta muy ilustrativa la **sentencia de la Audiencia Provincial de Baleares n.º 45/2020, de 7 de febrero, ECLI:ES:APIB:2020:340**, que sobre este artículo destaca:

> «De esta norma, interesa destacar que: A) Se parte de la premisa de que la comunidad de propietarios responde de sus deudas frente a terceros con todos los fondos y créditos a su favor.
>
> B) La forma de responsabilidad de los comuneros que se contempla es subsidiaria. En consecuencia, no cabe declararla prescindiendo de la responsable principal que es la comunidad de propietarios, que es lo que se está pretendiendo.
>
> C) Es necesario, para que pueda depurarse esa responsabilidad subsidiaria de los comuneros, que sean parte en el procedimiento tanto la comunidad de propietarios como sus integrantes.
>
> D) Como consecuencia de la naturaleza subsidiaria de la responsabilidad de los comuneros, sólo puede serles exigida previa constatación de la insolvencia de la comunidad de propietarios.
>
> E) Además, esta responsabilidad sólo es exigible si, ya en fase de ejecución de la sentencia recaída en el litigio en el que han sido demandados tanto la comunidad de propietarios como los comuneros, se ha practicado un requerimiento de pago a éstos (en este sentido, puede citarse la sentencia de la Sección Cuarta de esta Audiencia Provincial de Baleares de 11 de abril de 2019 [ROJ: SAP IB 772/2019 - ECLI:ES:APIB:2019:772])».

También la **sentencia de la Audiencia Provincial de Valencia n.º 119/2019 de 22 de marzo, ECLI:ES:APV:2019:1105**, que establece 3 **requisitos** para la aplicación del artículo 22:

> «(...) a) **Que no existan fondos y créditos a favor de la comunidad o que "todos" sean insuficientes** para atender el total de la deuda: es un supuesto de excusión a favor de los copropietarios. Como pone de manifiesto la SAP Navarra, de 10 octubre 2001: "lo cual implica que legalmente la condena al pago por parte del copropietario tenga carácter subsidiario respecto a la comunidad". En el caso que nos ocupa este requisito lo debemos de tener por cumplido por cuanto que, en contra de lo

defendido por la parte recurrente, sí hay una declaración expresa de insolvencia de la Urbanización, concretamente en el Decreto de fecha 9 de mayo de 2013 que fue dictado en la ejecución subsiguiente a la condena efectuada por el Juzgado de primera instancia número 5 de Sueca (folios 274 y siguientes), no quedando dicha resolución afectada por la nulidad de actuaciones decretada en dicho procedimiento por Auto de 14 de abril de 2014, puesto que la misma tenía efectos desde la Diligencia de ordenación de 13 de junio de 2013, posterior al citado Decreto.

b) **Que dicho propietario haya sido parte en el correspondiente proceso**. Esto obliga al acreedor que quiera dirigir su crédito contra los bienes privativos de los copropietarios el tener que demandarlos en el procedimiento declarativo, a fin de que éstos sean condenados subsidiariamente.

No obstante ello, este requisito no lo podemos sacar de contexto, como pretende la parte apelante, puesto que hace referencia al supuesto en que se quiera ampliar la ejecución de un declarativo anterior llevado únicamente contra la comunidad de propietarios, supuesto éste que es lo que ha ocurrido en el procedimiento del Juzgado de primera instancia número cinco de Sueca, en el que se ha visto imposibilitada la demandante a ampliar la ejecución contra los hoy recurrentes, no quedándole otra opción, por mor del requisito estudiado, que precisamente entablar el declarativo del que trae causa la presente alzada.

Es por ello que también debemos dar por cumplido el presente requisito.

c) **Que se requiera de pago al propietario respectivo**. Requisito que entendemos cumplido en virtud de los requerimientos extrajudiciales realizados a cada uno de los demandados, acordados por la diligencia de ordenación de 13 de junio de 2013 y que obran en autos (f. 343, y 80 a 85), al cual no afecta la nulidad de actuaciones, anteriormente mencionada, por ser ésta puramente procesal».

Por su parte la **sentencia de la Audiencia Provincial de A Coruña n.º 74/2018, de 19 de febrero, ECLI:ES:APC:2018:288**, analiza el **carácter subsidiario** de la **responsabilidad de los propietarios**:

«No puede compartirse en modo alguno tal argumentación, el sentido del art. 22 de la LPH aun siendo una responsabilidad subsidiaria, es que cada uno de los comuneros actúen a modo de auténticos garantes o fiadores de la comunidad —fianza subsidiaria—, con las normas generales de la misma, en particular la regla del beneficio de excusión.

Lo normal será dirigirse contra la comunidad de propietarios a través de su presidente, de forma prioritaria, aunque no exclusiva porque el art. 22 permite dirigirse también contra los comuneros para obtener el pago, de forma subsidiaria, siempre "que hubiesen sido parte en el correspondiente proceso, por la cuota que le corresponde en el importe insatisfecho" por la comunidad.

Es ese el sentido del precepto, **acción subsidiaria cuando se hayan agotado todos los bienes de la comunidad**, lo cual **en la práctica va a hacer difícil que los comuneros respondan**, pues es inimaginable una situación de insolvencia absoluta de la comunidad —salvo casos de extinción de la misma—, **siendo embargables las cuotas futuras**.

Ahora bien; aun teniendo la razón la recurrente en tal punto, la responsabilidad entre los comuneros no es solidaria como se peticiona sino mancomunada, en proporción a la respectiva cuota de los mismos (véase por su claridad la sentencia de la A.P. de Madrid de 1.junio.2011, sección 19, Alicante de 20.oct.2004, sección Vª, Zaragoza de 2 de noviembre 2005, sección 2.ª ... etc.).

Por ello; **la sentencia debió condenar a los comuneros con carácter subsidiario, pero entre ellos con carácter mancomunado**».

También la **sentencia de la Audiencia Provincial de Madrid n.º 268/2020, de 25 de junio, ECLI:ES:APM:2020:7422**, insiste en el **carácter mancomunado** de esta responsabilidad en los siguientes términos: «(...) en nuestro ordenamiento civil las obligaciones mancomunadas simples son la regla general, y las solidarias la excepción, pues de concurrir una pluralidad de sujetos se presupone que el crédito o la deuda no subsisten como un todo inseparable, sino que se encuentran divididos en partes iguales entre cada uno de ellos (artículos 1137 y 1138 del Código Civil). Esta responsabilidad mancomunada, salvando las distancias, es la que la ley impone a los comuneros de las comunidades de propietarios (artículo 22 de Ley 49/1960, de 21 de julio, sobre propiedad horizontal)».

CUESTIÓN

¿Es necesario que se demande a todos los comuneros para poder dirigir posteriormente la ejecución contra uno de ellos?

No, la jurisprudencia se ha pronunciado en el sentido de que puede demandarse únicamente a alguno de los comuneros, sin que sea necesario accionar contra todos, eso sí, solo responderán por la cuota que les corresponda. En este sentido podemos citar la **sentencia de la Audiencia Provincial de Asturias n.º 149/2017, de 23 de marzo, ECLI:ES:APO:2017:783**, que recoge que: «(...) una cosa es para exigir la responsabilidad que de modo subsidiario establece el art. 22 de la Ley de Propiedad Horizontal, y por ello, para que el acreedor pueda dirigir su crédito contra los bienes privativos de un copropietarios sea preciso su demanda, tal como sobre este extremo, las Audiencias Provinciales se han pronunciado de forma unísona, pudiendo destacar los pronunciamientos de las de Burgos, de 21 septiembre 1999, Pontevedra, de 16 julio 2002 o Valencia, de 12 marzo 2001, y otra cosa muy distinta es que el ejercicio de la acción del art. 22 exija que se dirija contra todos y cada uno de los copropietarios, pues, como señala la Audiencia Provincial de Madrid, Sección 9ª en sentencia del 24 de junio de 2011 "**el acreedor es libre para dirigir su demanda no contra todos los comuneros sino solo contra alguno de ellos, eso sí por la cuota correspondiente**, sin que en tal caso se pueda entender que exista un litisconsorcio pasivo necesario, en la medida que el acreedor puede ejercitar la acción de reclamación de forma subsidiaria contra todos o alguno de los comuneros, y en especial desistir de alguno de ellos, pero sin que tal conducta del acreedor afecte al resto de los comuneros, puesto que de ser condenados o deber de responder de la deuda de la comunidad, **solo deberá de responder de la cuota correspondiente**, con independencia de que se haya dirigido la demanda contra todos los comuneros, o solo contra alguno de ellos". Y en el mismo sentido se ha pronuncia Sección 1ª de dicha Audiencia en sentencia de 15 de junio de 2015 y la Audiencia Provincial de A Coruña, Sección 5.ª, en su sentencia de 27 de julio de 2009».

Con relación a la **exigencia del requerimiento previo de pago al propietario**, afirma la **sentencia de la Audiencia Provincial de Baleares n.º 125/2019, de 11 de abril, ECLI:ES:APIB:2019:772**, que: «(...) La exigencia de este requerimiento de pago previo parece ser una reminiscencia de la doctrina jurisprudencial existente con anterioridad a la Ley 8/1999, según la cual el juez debe requerir al Presidente de la comunidad para que comunique la parte que corresponda satisfacer a cada propietario, confiriéndole, caso de ser preciso, un plazo prudencial para que convoque la junta de propietarios, y una vez requeridos los comuneros al abono de la parte a que estén obligados, si no realizan su pago cabría trabar embargo sobre sus bienes privativos. Ni que decir tiene que este requerimiento de pago **debe realizarse en la fase de ejecución, pues hasta ese momento no es posible conocer si la comunidad dispone de bienes suficientes**».

ESPECIALIDADES PROCEDIMENTALES: CESE DE ACTIVIDADES MOLESTAS, INSALUBRES, NOCIVAS Y PELIGROSAS

SUMARIO

5.1. Aspectos generales .... Marginal 900 y siguientes

5.2. Actividades prohibidas por los estatutos .... Marginal 910 y siguientes

5.3. Actividades dañosas para la finca .... Marginal 950 y siguientes

5.4. Actividades que contravengan las disposiciones generales sobre actividades molestas, insalubres, nocivas, peligrosas o ilícitas .... Marginal 960 y siguientes

5.5. El procedimiento para promover el cese de actividad molesta

5.5.1. Aspectos generales .... Marginal 1000 y siguientes

5.5.2. Requisitos de procedibilidad .... Marginal 1010 y siguientes

5.5.3. Procedimiento judicial .... Marginal 1040 y siguientes

5.5.4. Posibles medidas impuestas en la resolución judicial .... Marginal 1080 y siguientes

5.6. Casuística más habitual que da lugar a la acción de cesación .... Marginal 1120 y siguientes

5.1. ASPECTOS GENERALES

Calificación jurídica de la actividad como prohibida, dañosa, molesta, insalubre, nociva, peligrosa o ilícita 900

Respecto de la propiedad horizontal ha afirmado el Tribunal Supremo en su **sentencia n.º 294/2004, de 21 de abril, ECLI:ES:TS:2004:2598**, que:

> «Caracteriza a la propiedad horizontal la **yuxtaposición de dos clases de propiedad** (Sentencia de 16 de junio de 1.976, entre otras). De un lado, **una singular y exclusiva**, que recae sobre un espacio suficientemente delimitado y susceptible de aprovechamiento independiente **y, de otro lado, una copropiedad, compartida con los demás dueños de pisos o locales**, sobre los restantes elementos, pertenencias y servicios comunes (artículo 3 de la Ley 49/1.960). Como señala la exposición de motivos de la Ley, el sistema de derechos y deberes en el seno de la propiedad horizontal aparece estructurado en atención a los intereses en juego. **Por ello la coexistencia de derechos exclusivos de cada titular con derechos compartidos por una colectividad de personas impuso la creación de** órganos **de gestión y administración y la distribución de competencias en la defensa de los correspondientes derechos e intereses**. A la comunidad, representada por su presidente, incumbe la defensa de sus intereses en todos los asuntos que le afecten, según establece el artículo 12 de la Ley (13.3 en la redacción dada por la Ley 8/1.999), y a cada propietario la de los suyos propios en cuanto derivados de los elementos privativos».

Tal caracterización constituye el elemento determinante sobre el que pivotan los derechos y obligaciones recogidos en la Ley de Propiedad Horizontal —en adelante LPH— y es que, si bien, el artículo 33 de la CE reconoce el derecho a la propiedad privada, nuestro Alto Tribunal tiene reconocido de forma reiterada que **la propiedad no puede llegar más allá de lo que el respeto al vecino determina (STS n.º 889/2010, de 12 de enero de 2011, ECLI:ES:TS:2011:264)**, algo que concuerda perfectamente con lo dispuesto en el artículo 8 del Convenio para la Protección de los Derechos Humanos y las Libertades Fundamentales (CEDH) que señala: «1. Toda persona tiene derecho al respeto de su vida privada y familiar, de su domicilio y de su correspondencia». La sentencia del Tribunal Europeo de Derechos Humanos de 16 de noviembre de 2004 (demanda n.º 4143/02) asunto Moreno Gómez contra España, vino a declarar que las vulneraciones al domicilio no solamente vienen comprendidas por aquellas de índole material o corporal, tales como la entrada en el domicilio sin autorización de su titular, sino también todas aquellas agresiones inmateriales o incorpóreas, tales como ruidos, emisiones, olores u otro tipo de injerencias, que de resultar graves pueden privar a una persona de su derecho al goce pacífico del mismo:

> «Si el artículo 8 tiene por objeto esencial de proteger al individuo contra las injerencias arbitrarias de los poderes públicos, puede también suponer la adopción por parte de estos poderes públicos adoptar las medidas para el respeto de los derechos garantizados por este artículo hasta en las relaciones de los individuos entre ellos (ver entre otros, Stubbings y otros c. Reino Unido, sentencia del 22 de octubre de 1996, Recopilación de sentencias y decisiones 1996-IV, pp.1505, § 62; Surugiu c. Rumania, ya citado, § 59). Que se aborde el asunto bajo el ángulo de una obligación positiva, a cargo del Estado, de adoptar medidas razonables y adecuadas para la protección de los derechos que los demandantes saquen del párrafo 1 del artículo 8, o bajo el de la injerencia de una autoridad pública justificada sobre la base del párrafo 2, los principios de aplicación son bastante parejos. En ambos casos, hay que apelar al justo equilibrio entre los intereses concurrentes del individuo y el de la sociedad en su conjunto.
>
> Por otra parte, aun en el caso de obligaciones positivas resultantes del párrafo 1, los objetivos enumerados en el párrafo 2 pueden jugar una cierta función en la búsqueda del equilibrio deseado (Hatton y otros c. Reino Unido, ya citado, § 98)».

Es la necesidad de conjugar todos los derechos implicados lo que ha obligado a regular las relaciones de vecindad y delimitar los derechos y obligaciones de todos los comuneros, tal como se constata de la lectura, por citar algún ejemplo, de los artículos 7 y 9 de la LPH. Particularmente y respecto de la acción de cesación prevista en el artículo 7.2 de la LPH, ante el incumplimiento de la obligación impuesta por la norma bien al propietario bien al ocupante de no desarrollar en el inmueble actividades susceptibles de calificarse de prohibidas, dañosas, molestas, insalubres, nocivas, peligrosas o ilícitas, si la actividad comprende alguna de estas calificaciones, queda habilitado el ejercicio de la acción de cesación.

Establece el citado artículo en su apartado 2:

> «2. Al propietario y al ocupante del piso o local no les está permitido desarrollar en él o en el resto del inmueble actividades prohibidas en los estatutos, que resulten dañosas para la finca o que contravengan las disposiciones generales sobre actividades molestas, insalubres, nocivas, peligrosas o ilícitas».

Como podemos ver, el artículo contiene, tal como se describe en la **sentencia del Tribunal Supremo n.º 1152/2008, de 27 de noviembre, ECLI:ES:TS:2008:6451,** tres supuestos diferenciados de actividades no permitidas a los propietarios y ocupantes de los pisos o locales:

> «El artículo 7.2, según la redacción dada por la Ley 8/99, de reforma parcial de dicho cuerpo legal, establece **tres diferentes supuestos de actividades no permitidas** a los propietarios y ocupantes del piso o local: las **prohibidas en los estatutos; las que resulten dañosas para la finca y las que contravengan las disposiciones generales sobre actividades molestas, insalubres, nocivas, peligrosas o ilícitas**. La remisión que el artículo hace a los estatutos no supone que por su ausencia se vacíe de contenido la norma. La prohibición no es materia propia y exclusiva de los estatutos que tienen carácter facultativo y no obligatorio y no son necesarios en la vida de la Comunidad, conforme al artículo 5 de la Ley (SSTS 5 de marzo de 1998; 21 de julio de 2003), por lo que su falta hace viable el Título Constitutivo en el que se

pueden establecer disposiciones "en orden al uso o destino del edificio, sus diferentes pisos o locales", según el párrafo 3 del artículo 5.2 de la Ley de Propiedad Horizontal, e incluso imponer prohibiciones expresas respecto a concretas y específicas actividades no queridas por los copropietarios del edificio».

En previsión de lo antedicho, resulta necesario pararse detenidamente en la calificación que merece cada una de las actividades objeto de la acción de cesación, y los presupuestos necesarios para su determinación con el fin de poder valorar la prosperabilidad de la acción que se busca plantear. Debemos distinguir, como punto de partida, los tres grandes supuestos de actividades no permitidas según se infiere del contenido del mencionado artículo:

- Actividades prohibidas en los estatutos.
- Actividades dañosas para la finca.
- Actividades que contravengan las disposiciones generales sobre actividades molestas, insalubres, nocivas, peligrosas o ilícitas.

A TENER EN CUENTA. La LO 1/2025, de 2 de enero, introduce un nuevo apartado 3 a este artículo 7 de la LPH relativo a las viviendas de uso turístico. Se posibilita al presidente de la comunidad a ejercer la acción de cesación para aquellos propietarios que ejerzan esta actividad sin haber sido aprobada por las mayorías necesarias previstas en el apartado 12 del art. 17 de la LPH, también reformado por aquella normas, con entrada en vigor de estas modificaciones el 03/04/2025.

5.2. ACTIVIDADES PROHIBIDAS POR LOS ESTATUTOS

Normas establecidas en los estatutos de las comunidades de propietarios 910

Los estatutos aunque no vienen definidos en la LPH, se alude a ellos en el artículo 5, párrafo tercero, de la mencionada norma, cuando respecto del título constitutivo se dice «El título podrá contener, además, reglas de constitución y ejercicio del derecho y disposiciones no prohibidas por la ley en orden al uso o destino del edificio, sus diferentes pisos o locales, instalaciones y servicios, gastos, administración y gobierno, seguros, conservación y reparaciones, formando un estatuto privativo que no perjudicará a terceros si no ha sido inscrito en el Registro de la Propiedad», y en tal sentido se pronuncia la jurisprudencia menor en sentencias, como por ejemplo, la de la **Audiencia Provincial de Zamora n.º 457/2021, de 16 de diciembre, ECLI:ES:APZA:2021:630:**

> «(...) es de señalar que los estatutos, según la LPH, comprenden un conjunto de normas destinadas a regir la constitución y ejercicio de derechos y disposiciones no prohibidas por la ley en orden al uso o destino del edificio, sus diferentes pisos o locales, instalaciones y servicios, gastos, administración y gobierno, seguros, conservaciones y reparaciones. Artículo 5.3 LPH».

Por tanto, **los estatutos obedecen a la libre voluntad de la comunidad de propietarios** que expresamente y con independencia de la regulación existente, ha querido configurar las reglas que particularmente **van a regir los derechos y deberes, limitaciones o prohibiciones de esa comunidad en concreto**. Se extrae de la **sentencia de la Audiencia Provincial de Burgos n.º 399/2021, de 30 de julio, ECLI:ES:APBU:2021:836**, que las comunidades de propietarios son soberanas para dotarse de las normas estatutarias que crean convenientes y obligarse por ellas, fundamento en síntesis que permite, que ante el incumplimiento de los estatutos se pueda ejercitar la acción de cesación. Por tanto, es posible que ante actividades perfectamente lícitas y permitidas que no produzcan daños, se pueda ejercitar la acción de cesación por haberse acordado por los comuneros la restricción al particular desarrollo de una o varias actividades en los estatutos.

CUESTIÓN

¿Es obligatorio que la comunidad cuente necesariamente con estatutos?

No. La Ley de Propiedad Horizontal no establece la obligatoriedad de crear estatutos, sino que le atribuye carácter facultativo, al determinar el artículo 5 párrafo tercero de la LPH que el título podrá contener un conjunto de reglas, formando un estatuto privativo que como ya hemos apuntado será delimitado a voluntad de los comuneros. **STS n.º 1152/2008, de 27 de noviembre, ECLI:ES:TS:2008:6451**: «(...) La prohibición no es materia propia y exclusiva de los estatutos que tienen carácter facultativo y no obligatorio (...)».

Según la sentencia de la Audiencia Provincial de Burgos n.º 399/2021, de 30 de julio, ECLI:ES:APBU:2021:836: «Los Estatutos, como parte integrante del Título Constitutivo, le son de aplicación las reglas de constitución y modificación del Título. Y así **los Estatutos pueden ser constituidos por el propietario único del edificio al iniciar su venta por pisos, por acuerdo de todos los propietarios existentes, por laudo arbitral o por resolución judicial** (párrafo segundo del artículo 5). Y solo pueden ser modificados observándose los mismos requisitos que para la constitución (párrafo quinto y último del artículo 5)». Ahora bien, si los estatutos se crean, son de obligado cumplimiento.

920 Requisitos que deben cumplir las prohibiciones en los estatutos de las comunidades para que sean de obligado cumplimiento

Pese a que los propietarios pueden libremente fijar las reglas por las que obligarse, ello no obsta a que deban cumplirse una serie de presupuestos necesarios para que pueda prosperar la acción de cesación del artículo 7.2 de la LPH contra actividades prohibidas en los estatutos, y es que no debemos olvidar, en primer lugar, que la propiedad se presume libre y, en segundo lugar, que en virtud del artículo 9.3 de la CE, la Constitución garantiza, entre otros principios, la seguridad jurídica del tráfico que, en lo que aquí interesa, debemos poner en concordancia con el principio de inoponibilidad:

- Las prohibiciones no pueden ser contrarias a la ley y al orden público.
- Las prohibiciones deben constar de manera expresa.
- Las prohibiciones deben ser claras y precisas.
- Para que surtan efectos frente a terceros deben aparecer inscritas en el registro de la propiedad.

➢ Las prohibiciones no pueden ser contrarias a la ley y el orden público

Rigen respecto de los acuerdos adoptados por la junta de propietarios, siendo la creación de los estatutos y su contenido expresión de dicha libertad de pactos, las disposiciones generales en materia de contratos. En tal sentido el Tribunal Supremo ha determinado que existe libertad de pacto de los copropietarios para establecer normas estatutarias, cuando afirmaba en su **sentencia del Tribunal Supremo n.º 1178/1996, de 31 de diciembre, ECLI:ES:TS:1996:7685**:

> «TERCERO.- La estimación del motivo primero hace innecesario el estudio de los siguientes, uno —al amparo del artículo 1692.4 de la Ley de Enjuiciamiento Civil por transgresión del artículo 16.1 de la Ley de Propiedad Horizontal y la doctrina jurisprudencial interpretativa de este precepto—, y otro —al amparo del artículo 1692.4 de aquel Cuerpo legal por quebrantar la sentencia recurrida—, por **inaplicación, los artículos 1255, 1278, 1089 y 1091 del Código Civil**, en relación con la regla quinta del artículo 9 de la Ley de Propiedad Horizontal, **y doctrina jurisprudencial que consagra la autonomía de la voluntad y la libertad de pacto de los copropietarios para establecer determinadas normas estatutarias** (...)».

Partiendo de tal premisa y por aplicación de lo dispuesto en el artículo 1255 del CC: «Los contratantes pueden establecer los pactos, cláusulas y condiciones que tengan por conveniente, siempre que no sean contrarios a las leyes, a la moral ni al orden público»; pese a la libertad de fijar prohibiciones particulares en los estatutos, ello debe respetar en todo caso la ley, la moral y el orden público.

JURISPRUDENCIA

Sentencia del Tribunal Supremo n.º 286/2014, de 3 de septiembre, ECLI:ES:TS:2014:3821

«(...) esta Sala, en su Sentencia de 9 de octubre de 2013 (núm. 552/2013), se ha ocupado recientemente de las cuestiones debatidas al ***declarar la siguiente doctrina jurisprudencial: "(i) Una de las características de la propiedad horizontal es la de estar regida por normas de Derecho necesario, pero ello no empece a que contenga otras modificables por la voluntad de los particulares y con respecto a las cuales rige el principio de autonomía de la voluntad*** *(artículo 1255 CC) (SSTS 15 de octubre 2009, 4 y 7 de marzo de 2013).*

(ii) El derecho a la propiedad privada constituye un derecho constitucionalmente reconocido (artículo 33 CE), concebido ampliamente en nuestro ordenamiento jurídico, sin más limitaciones que las establecidas legal o convencionalmente que, en todo caso, deben ser interpretadas de un modo restrictivo. ***En el ámbito de la propiedad horizontal, resulta posible, el establecimiento de limitaciones o prohibiciones que en general atienden al interés general de la comunidad.*** *Estas* ***prohibiciones referidas a la realización de determinadas actividades*** *o al cambio de uso del inmueble, deben* ***constar de manera expresa, y a fin de tener eficacia frente a terceros deben aparecer inscritas en el Registro de la Propiedad*** *(SSTS 20 de octubre de 2008 y 30 de diciembre de 2010).*

(iii) Existe una plena libertad a la hora de establecer el uso que se le puede dar a un inmueble en el ámbito de la propiedad horizontal, de tal forma que los ***copropietarios no pueden verse privados de la utilización de su derecho a la propiedad del inmueble como consideren más adecuado, a no ser que este uso no esté legalmente prohibido*** *o que el cambio de destino aparezca expresamente limitado por el régimen de dicha pro-*

piedad horizontal, su título constitutivo o su regulación estatutaria (SSTS 23 de febrero de 2006; 20 de octubre de 2008, entre otras). La sentencia de esta Sala de 24 de octubre de 2011, declaró en su fallo «Se reitera como doctrina jurisprudencial que las ***limitaciones o prohibiciones referidas a la alteración del uso de un inmueble en el ámbito de la propiedad horizontal exigen, para que sean eficaces, que consten de manera expresa****». Esta doctrina se recoge en las sentencias de 4 de marzo y 25 de junio de 2013».*

Sentencia del Tribunal Supremo n.º 1013/2004, de 14 de octubre, ECLI:ES:TS:2004:6516

«En relación a ***actividades prohibidas por los estatutos, es cierto que la interpretación de cualquier cláusula estatutaria que impide la libertad del derecho dominical tiene que ser restrictiva****. Pero otra cosa es que se haga clara mención a una* ***determinada prohibición****, que, sin perjuicio de esa interpretación restrictiva,* ***es posible conforme a Ley****. Es interesante la diferencia que hace el Tribunal Supremo, en Sentencia de 23 de Noviembre de 1995, entre el destino de viviendas y el de pisos, considerando las primeras como objeto solamente de morada, habitación, hogar y los segundos, susceptibles de variado aprovechamiento. Esta distinta valoración se produce como consecuencia de que es la propia escritura hecha por los promotores o los comuneros la que lo indica y eso permite al Alto Tribunal entender la voluntad de los otorgantes del título.* ***Desde luego, no cabe de ninguna manera destinar el piso o local a actividades que están prohibidas por el estatuto, con independencia de que resulten objetivamente molestas, insalubres, inmorales o peligrosas. Puede que no sean nada de esto, pero sí hay prohibición en el título, el propietario no tiene facultad para utilizar de esta manera su finca o arrendarla o ceder a terceros a los mismos fines (supuesto de hecho ahora contemplado), pues esta actuación sería contraria a la Ley y llevaría consigo la sanción correspondiente, como establece el Tribunal Supremo en Sentencia de 20 de Febrero de 1997****».*

➢ Las prohibiciones deben constar de manera expresa y ser interpretadas de modo restrictivo

La jurisprudencia del Tribunal Supremo es reiterada sobre esta cuestión y es que la propiedad se presume libre, por cuanto toda limitación debe constar expresamente en aras a garantizar el cumplimiento de los derechos y también obligaciones de todos los copropietarios. Manifestación de lo antedicho, son, por citar algún ejemplo, la sentencia previamente invocada —**STS n.º 286/2014, de 3 de septiembre, ECLI:ES:TS:2014:3821**— o la **STS n.º 233/2015, de 5 de mayo, ECLI:ES:TS:2015:1729**, que contempla la jurisprudencia existente sobre los presupuestos advertidos:

«1.- La jurisprudencia de esta Sala, que sistematiza la sentencia de 1 de octubre de 2013, que cita la de 9 de octubre de 2013, en lo que aquí interesa, es reiterada en el sentido siguiente:

(i) Una de las características de la propiedad horizontal es la de estar regida por normas de Derecho necesario, pero ello no empece a que contenga otras modificables por la voluntad de los particulares y con respecto a las cuales rige el principio de autonomía de la voluntad (artículo 1255 CC) (SSTS 15 de octubre 2009, 4 y 7 de marzo de 2013).

(ii) **El derecho a la propiedad privada constituye un derecho constitucionalmente reconocido** (artículo 33 CE), concebido ampliamente en nuestro ordenamiento jurídico, **sin más limitaciones que las establecidas legal o convencionalmente** que, en todo caso, deben ser interpretadas de un modo restrictivo. En el ámbito de la propiedad horizontal, resulta posible, el establecimiento de limitaciones o prohibiciones que en general atienden al interés general de la comunidad. **Estas prohibiciones referidas a la realización de determinadas actividades o al cambio de uso del inmueble, deben constar de manera expresa, y a fin de tener eficacia frente a terceros deben aparecer inscritas en el Registro de la Propiedad (SSTS 20 de octubre de 2008 y 30 de diciembre de 2010).**

(iii) Existe una plena libertad a la hora de establecer el uso que se le puede dar a un inmueble en el ámbito de la propiedad horizontal, de tal forma que **los copropietarios no pueden verse privados de la utilización de su derecho a la propiedad del inmueble como consideren más adecuado, a no ser que este uso no esté legalmente prohibido o que el cambio de destino aparezca expresamente limitado por el régimen de dicha propiedad horizontal, su título constitutivo o su regulación estatutaria** (SSTS 23 de febrero de 2006; 20 de octubre de 2008, entre otras). La sentencia de esta Sala de 24 de octubre de 2011, declaró en su fallo "Se reitera como doctrina jurisprudencial que las limitaciones o **prohibiciones referidas a la alteración del uso de un inmueble en el** ámbito **de la propiedad horizontal exigen, para que sean eficaces, que consten de manera expresa**". Esta doctrina se recoge en las sentencias de 4 de marzo y 25 de junio de 2013».

Es importante destacar la **novedad introducida por la Ley Orgánica 1/2025, de 2 de enero**, por la cual se añade un tercer apartado al artículo 7 de la LPH, con efectos desde el 3 de abril de 2025, con el siguiente tenor literal, en relación con la actividad de alquiler turístico, que a su vez está relacionada con la modificación del apartado 12 del art. 17 de la LPH, en el que se hace constar que el **acuerdo** por el que se prohíba (aprueba, limite o condicione) aquella actividad, **debe ser expreso.**

«3. El propietario de cada vivienda que quiera realizar el ejercicio de la actividad a que se refiere la letra e) del artículo 5 de la Ley 29/1994, de 24 de noviembre, de Arrendamientos Urbanos, en los términos establecidos en la normativa sectorial turística, deberá obtener previamente la aprobación expresa de la comunidad de propietarios, en los términos establecidos en el apartado 12 del artículo diecisiete de esta Ley.

El presidente de la comunidad, a iniciativa propia o de cualquiera de los propietarios u ocupantes, requerirá a quien realice la actividad del apartado anterior, sin que haya sido aprobada expresamente, la inmediata cesación de las mismas, bajo apercibimiento de iniciar las acciones judiciales procedentes, siendo de aplicación lo dispuesto en el apartado anterior».

➤ Las prohibiciones deben ser claras y precisas

En concordancia con la exigencia de que las prohibiciones deben constar de manera expresa, se requiere también que **las prohibiciones contenidas en los estatutos sean claras, precisas y terminantes, no meras vaguedades o prohibiciones genéricas que no permitan un correcto cumplimiento**, pues tal y como ya se ha avanzado, estas prohibiciones operan con carácter excepcional, en contrapunto a la libertad de propiedad y ello supone que la limitación a tal derecho dominical necesariamente debe determinarse. Concretamente la **Audiencia Provincial de Salamanca en su sentencia n.º 586/2001, de 7 de diciembre, ECLI:ES:APSA:2001:878**, vino a resolver desfavorablemente de una acción de cesación ejercitada por una comunidad de propietarios frente a un propietario que desarrollaba en su propiedad la actividad de hostelería, sin que tal actividad se viera expresamente prohibida en los estatutos. Concretamente la acción de cesación planteada por la comunidad era la de cesación por el desarrollo de actividades prohibidas o subsidiariamente molestas, interesante en tanto viene a destacar la importancia de la calificación que merecen estas actividades y su planteamiento ante los tribunales, pues cada calificación presenta sus particularidades y ello puede suponer la estimación o no de la acción de cesación:

> «**Es una** única **acción con dos fundamentos distintos y ambos merecen un examen separado** (...).
>
> (...)
>
> 1.º Las prohibiciones de uso o destino de las piezas que forman la propiedad horizontal **deben estar formuladas expresa y claramente en los estatutos de la Comunidad de Propietarios; si no hubiera una prohibición expresa, cualquier uso es lícito en principio a reserva de su calificación ulterior** como molesto, incómodo, nocivo o insalubre. **En general, debe afirmarse que aquello que no está prohibido está permitido, más aún si, como diremos más adelante, la restricción sacrifica el derecho de propiedad o la libertad de empresa, constitucionalmente protegidos**. Tal es la doctrina que sostienen, entre otras y para el artículo 7 de la Ley de propiedad horizontal en su redacción de 1960, las sentencias del Tribunal Supremo de 20 de diciembre de 1989, 5 de marzo de 1990 y 21 de enero de 1998; así como la resolución de la Dirección General de los Registros y del Notariado de 20 de febrero de 1989. En los estatutos de la Comunidad de Propietarios "DIRECCION001" se ordena el destino de las piezas de que se compone como "viviendas, oficinas, estudios o locales", pero no ordenan prohibiciones de uso determinadas. Es un exceso interpretativo, que afecta a los facultades dispositivas de los propietarios, afirmar que un destino más o menos preestablecido (y desde luego no sirve para este propósito el genérico destino establecido en los estatutos, en nuestro caso "estudios" que parece referirse a un uso residencial) permite deducir una prohibición de los usos no mencionados. Una interpretación de esta clase subvierte la regla general de la libertad. Debe señalarse, finalmente, que la inadmisibilidad de una deducción de esta clase no deja desprotegidos a los copropietarios, que pueden obtener la cesación de cualquier actividad si ésta puede calificarse como "molesta, insalubre, nociva, peligrosa o ilícita"».

RESOLUCIONES RELEVANTES

Sentencia de la Audiencia Provincial de Burgos n.º 399/2021, de 30 de julio, ECLI:ES:APBU:2021:836

«Las disposiciones estatutarias por las que se prohíba destinar los pisos o locales a alguna actividad deben ser claras, precisas y terminantes —sentencias del Tribunal Supremo de 10 de julio de 1995, 31 de mayo de 1996 y 25 de octubre de 1996—.

Las reglas estatutarias deben interpretarse con arreglo a las normas hermenéuticas de la voluntad contractual contenidas en los artículos 1281 a 1289 del Código Civil. Interpretación, que al versar sobre una limitación a la propiedad, debe ser restrictiva —sentencias del Tribunal Supremo de 7 de febrero de 1989, 5 de marzo de 1990, 17 de noviembre y 21 de diciembre de 1993, 10 de julio de 1995, 11 de abril de 1997 y 30 de mayo de 2001—».

Sentencia de la Audiencia Provincial de Bizkaia n.º 255/2021, de 14 de julio, ECLI:ES:APBI:2021:2216

«La doctrina expuesta revela los criterios jurídicos más aceptados y que parten de la diferenciación entre la atribución que el título constitutivo establezca como uso a algunos

elementos privativos y las prohibiciones expresas de determinados usos que ese mismo título o los estatutos de la comunidad determinen. La importancia de tal distinción radica en que la propiedad se presume libre y por eso todas las prohibiciones y limitaciones de este derecho deben ser claras, precisas y terminantes, merecedoras de interpretación restrictiva, precisamente, porque conllevan la limitación del derecho de propiedad (...)».

Sin perjuicio de que las prohibiciones deben ser claras y precisas, en ocasiones nuestros tribunales deben llevar a cabo una mínima interpretación de los estatutos y cuál era la vocación de los propietarios cuando contemplaron la inclusión de esa prohibición de forma particular. Resulta interesante traer a colación varios supuestos planteados ante los tribunales que han requerido de una interpretación más o menos amplia de los estatutos y su vocación. Un ejemplo lo tenemos en la **sentencia del Tribunal Supremo n.º 525/2001, de 30 de mayo, ECLI:ES:TS:2001:4504.** Los hechos de los que trae causa son, en síntesis, los siguientes:

- Se ejercita por la comunidad de propietarios acción de cesación contra la mujer de un propietario por desarrollar en el piso de su propiedad la profesión de quiromasajista.
- La comunidad justifica el cese en base al artículo 4 de los estatutos de la comunidad de propietarios, debidamente inscritos en el registro, que establece que los pisos del edificio se destinarán a vivienda o domicilio personal de cada propietario, prohibiendo tanto en ellos como en los locales comerciales o en el resto del inmueble la instalación de colegios, residencias, internados de enfermos, clínicas, almacenes, locales de subasta, casinos o clubs, talleres con fines comerciales u hospederías. Actividades enunciadas y prohibidas todas ellas por los estatutos cuya limitación obedece a que la comunidad no deseaba el desarrollo de actividades que pudiesen implicar afluencia de público, sin establecer distinción entre la dedicación de las viviendas a las mismas con carácter exclusivo o bien de forma compartida con su utilización para domicilio familiar.

La sala sobre la cuestión planteada vino a resolver lo siguiente:

«TERCERO.- Parece, pues, al menos en principio, que las prohibiciones contenidas en el artículo 4.º de los estatutos de la Comunidad demandada podrían responder a un interés legítimo y tutelable de los miembros de la misma, en orden a evitar la afluencia o la estancia más o menos prolongada de numerosas personas en algunas de las viviendas o locales, por resultar incompatibles con la tranquilidad y sosiego que se presumen inherentes al destino residencial del edificio.

Pero, descendiendo al punto concreto que es objeto de controversia **se hace preciso examinar si en la actividad de "clínica", que allí se menciona, deben entenderse comprendidos los trabajos que, como quiromasajista, desarrolla la esposa del recurrente.**

Ciertamente, **en una acepción corriente y usual, la genérica denominación de clínica hace referencia a establecimiento o local en el que se llevan a cabo reconocimientos o tratamientos relacionados con la salud de las personas. Desde este punto de vista podría ser calificado como clínica el lugar en que alguien desarrolla la actividad de quiromasaje,** que puede ser definida como la aplicación manual externa de energía mecánica al cuerpo humano, con finalidad rehabilitadora, que aunque carece hasta el momento de reconocimiento oficial en España, de hecho se practica por quienes se consideran poseedores de suficiente experiencia en la materia.

Sin embargo, procede determinar si al ser redactados los Estatutos a que nos referimos, pudo haberse pensado que una actividad sin duda modesta como la que es objeto de debate debería merecer el mismo tratamiento que las muy numerosas a las que con todo fundamento —por la titulación académica de quienes las desarrollan, por el personal a su servicio y por los medios materiales imprescindibles para su funcionamiento— corresponde la denominación de clínica.

Es necesario a tal fin, realizar un estudio comparativo, teniendo en cuenta la naturaleza y relevancia de las demás actividades que se mencionan en el artículo 4 (colegios, residencias, internados de enfermos, almacenes, locales de subasta, casinos o clubs, talleres con fines comerciales, hospederías) calificadas por anticipado como dañosas, peligrosas, incómodas o insalubres por decisión de los autores de las reglas que estamos analizando.

Prescindiendo de los almacenes y talleres, en los que el depósito de determinadas mercancías o sustancias, el trabajo sobre las mismas o su defectuosa conservación puede llegar a generar problemas de insalubridad y hasta de peligro, fácil resulta colegir que en los demás supuestos que se proscriben no sólo se halla latente la idea de una necesaria organización empresarial para la coordinación de los elementos humanos y materiales que el funcionamiento de cualquiera de ellos requiere, sino que además, en todos los casos se da lugar a la permanencia o la presencia simultánea en ciertas viviendas o locales de un número mayor o menor de personas, que como anteriormente hemos indicado, por sus constantes entradas y salidas, intensiva utilización de elementos y servicios comunes, generación de ruidos, etc. podría afectar seriamente a la tranquilidad de los miembros de la Comunidad y de sus familiares.

Evidentemente, ninguna de las circunstancias mencionadas concurre en la actividad a que se dedica la esposa del recurrente, la cual, no se ha acreditado que requiera especiales medios materiales, lo que excluye la idea de "instalación" a que expresamente alude el artículo 4.º de los estatutos, ni la ayuda de otros colaboradores, tratándose en suma de un trabajo puramente personal, del que está absolutamente ausente la idea de empresa y que más exactamente puede ser catalogado como ejercicio de una profesión de reducido alcance.

Y no puede olvidarse que el desarrollo de la actividad profesional propia de los titulares de las viviendas no aparece prohibido en los estatutos, sin duda en atención a que se trata de una práctica generalmente extendida que cuenta no solo con una tradicional aceptación social sino incluso con cierto reconocimiento normativo, tanto respecto a inquilinos (Ley de Arrendamientos Urbanos de 1964, evidentemente no aplicable al caso de autos) como a propietarios (Decretos sobre Viviendas de Protección Oficial, mencionados por el recurrente).

Debe concluirse, en definitiva que la escasa repercusión y trascendencia de la actividad que como masajista desarrolla la esposa del Sr. Carlos Antonio impide que pueda considerársela incluida entre las prohibiciones que contiene el artículo 4 de los estatutos de la Comunidad demandada, lo que determina el acogimiento del motivo objeto de estudio y hace innecesaria la consideración de los demás que invoca el recurrente».

Interesante resulta también en este sentido la **sentencia de la Audiencia Provincial de Gipuzkoa n.º 840/2021, de 4 de junio, ECLI:ES:APSS:2021:1213**, que entendió, del contenido de los propios estatutos comunitarios, que debía considerarse incluida en la prohibición de establecer cualquier actividad profesional, comercial o industrial en las viviendas, el alquiler turístico, toda vez que los estatutos al contemplar expresamente y de manera específica que el destino de las viviendas permitido sería exclusivamente el de residencia familiar con exclusión del desarrollo de cualquier otra actividad que altere ese destino, constituye una prohibición suficientemente clara, que no precisa, de una mención particular a cada una de las actividades prohibidas:

> «**La sentencia de instancia estima que la referida regla de los estatutos prohíbe el ejercicio de determinadas actividades dentro de la vivienda, pero no que la misma pueda alquilarse** durante más o menos tiempo siempre que sea **para uso como residencia familiar**; y entiende que tampoco prohíbe expresamente el alquiler y, menos aún, como vivienda o apartamento turístico. Por último, considera que no cabe la limitación pretendida por la comunidad de propietarios demandante a la vista de los criterios establecidos por la doctrina del Tribunal Supremo recogidos en la STS n.º 358/2018, de 15 de junio, que transcribe en su fundamento jurídico tercero.
>
> (...)
>
> **No podemos compartir las consideraciones y conclusión de la sentencia de instancia**. La regla undécima de los estatutos **no se limita a describir el uso de las viviendas, sino que impone que deben servir de residencia familiar.** La **residencia es el lugar en el que se reside** y residir, de acuerdo con el diccionario de la RAE, es **"estar establecido en un lugar", lo que denota estabilidad y permanencia**. Por otra parte, la regla **excluye que pueda desarrollarse en la vivienda actividad profesional, comercial o industrial alguna** y, como cláusula de cierre añade: "cualquier otro uso no mencionado expresamente que altere el principio de 'residencia familiar'".
>
> Entendemos que la **actividad turística desarrollada en el piso de autos es una actividad mercantil** que **altera el principio de residencia familiar** y, por tanto, **no permitida en los estatutos de la comunidad de propietarios** demandante. No cabe asimilar la actividad de piso turístico, que se asemeja más a una relación de hospedaje propia de un hotel o una pensión, que no condiciona en modo alguno el hospedaje a que los usuarios integren un grupo familiar pudiendo limitarse el uso de la vivienda a un solo día, a una **relación de inquilinato sujeta a la Ley de Arrendamientos Urbanos en la que existe una residencia con cierta vocación de continuidad y permanencia. De hecho, las viviendas que se arriendan para uso turístico quedan fuera del** ámbito **de la Ley de Arrendamientos Urbanos**.
>
> Por último, consideramos que la aplicación de los criterios seguidos en la STS n.º 358/2018, de 15 de junio, no llevan a la conclusión mantenida por la sentencia de instancia. Como indica esta sentencia, **es posible y aceptable establecer limitaciones consistentes en la prohibición de realizar determinadas actividades en el inmueble siempre y cuando consten de manera expresa, lo que entendemos que sucede en el caso presente al establecer la regla estatutaria de manera específica que el destino de las viviendas será exclusivamente de residencia familiar y excluir el desarrollo de cualquier actividad que altere ese destino, sin ello suponga una interpretación extensiva de la misma, pues resulta encuadrable en sus términos** (la actividad mercantil que se desarrolla en la vivienda, no constituye un alquiler y altera la consideración de las viviendas como residencias familiares) y, por tanto, **no es preciso que se mencione expresamente como actividad excluida** la de uso turístico, máxime cuando la misma era inexistente en el momento en que todos los copropietarios por unanimidad decidieron establecer la prohibición».

930 **Inscripción registral de las actividades prohibidas por la comunidad**

Finalmente, debemos hacer alusión a un último presupuesto exigible, la inscripción registral de los estatutos, que no constituye a diferencia de los restantes presupuestos aludidos, un verdadero presupuesto de necesidad, y es que **la falta de inscripción no imposibilita la validez y aplicación de la prohibición dispuesta en los estatutos, sino que la consecuencia jurídica de no inscribir estas reglas particulares es la falta de inoponibilidad frente a todo aquel que no haya sido parte en la junta en la que fueron acordados los estatutos**, es decir, no son, con carácter general, aplicables al tercer adquirente. Así lo dispone el artículo 5 de la LPH en su párrafo tercero, que determina que el estatuto privativo «(...) no perjudicará a terceros si no ha sido inscrito en el Registro de la Propiedad» y en el mismo sentido se ha pronunciado nuestro Alto Tribunal en sentencias como la **STS n.º 241/2008, de 26 de marzo, ECLI:ES:TS:2008:2024:** «(...) ningún nuevo titular, por adquisición de vivienda, local, garaje, etc., por cualquiera de los medios previstos en Derecho, puede ser obligado por acuerdos o formas de actuación comunitaria diferentes a lo que conste en el Título Constitutivo inscrito en el Registro de la Propiedad».

RESOLUCIÓN RELEVANTE

Sentencia de la Audiencia Provincial de Burgos n.º 399/2021, de 30 de julio, ECLI:ES:APBU:2021:836

*«**Respecto a la eficacia vinculante de los "límites estatutarios"**, que afectan a las facultades integrantes del derecho de propiedad de los pisos o locales y a la copropiedad de los elementos comunes de la casa, que pudieran desplegar frente a los terceros, se dice, "in fine" del párrafo tercero y penúltimo del artículo 5 de la Ley de Propiedad Horizontal, respecto de los Estatutos de la Comunidad, que: "...**no perjudicarán a terceros si no han sido inscritos en el Registro de la Propiedad**". (También artículo 8-4.º y párrafo primero la Ley Hipotecaria.*

(...)

***La legalidad y eficacia de la prohibición estatuaria está fuera de toda duda hasta que la Comunidad de propietarios** —que es la soberana para dotarse de las normas estatutarias que estime conveniente— decida su modificación, o bien hasta que se ejerciten las acciones que correspondan para que se declare su nulidad; acciones que en este caso no se han ejercitado, **por lo que los jueces y tribunales no podemos dejar sin efecto una norma estatuaria plenamente valida y eficaz**, como acertadamente dice la juzgadora a quo.*

***Estamos ante una prohibición expresamente prevista en los estatutos y suficientemente concreta que no precisa de interpretación alguna.** En principio, y sin prejuzgar la soberana voluntad de la Junta de propietarios, el término "lavandería" abarca también la forma de llevar a cabo dicha actividad mediante "autoservicio"; la actividad comercial o industrial no cambia porque todas las laborales del proceso productivo sean realizadas por un profesional del sector o solo lo haga en parte y, el resto, se acometa directamente por el propio cliente o consumidor.*

***Todos los comuneros y, también los terceros, están obligados a la observancia de las prescripciones contendidas en los estatutos debidamente inscritos en el Registro de la Propiedad y estos pactos, contemplados y autorizados en los artículo 5 y 7 de la LPH, han sido vulnerados por los demandados desde el momento en que no han respetado el ámbito negocial marcando en los mismos**, la sentencia de instancia acertadamente ordena el **cese de la actividad** concurrencial por ser una **actividad contraria a los estatutos**, siendo por otra parte innecesario el examen de la otra causa alegada (actividad no dañosa, molesta, nociva o insalubre) conforme a las SSTS 1013/2004 de 14 de octubre y 1152/2008 de 27 de noviembre, que afirman: "Desde luego, no cabe de ninguna manera destinar el piso o local a actividades que están prohibidas por el estatuto, con independencia de que resulten objeti-*

vamente molestas, insalubres, inmorales o peligrosas. Puede que no sean nada de esto, pero sí hay prohibición en el título, el propietario no tiene facultad para utilizar de esta manera su finca o arrendarla o ceder a terceros a los mismos fine, pues esta actuación sería contraria a la Ley y llevaría consigo la sanción correspondiente, como establece el Tribunal Supremo en Sentencia de 20 de Febrero de 1997"».

Es necesario traer a colación en este momento las disposiciones establecidas en el Decreto de 8 de febrero de 1946 por el que se aprueba la nueva redacción oficial de la Ley Hipotecaria —en adelante LH—, que concuerdan con lo establecido en el artículo 5 párrafo tercero de la LPH y la jurisprudencia expuesta. Así, por su aplicación y trascendencia se citan los siguientes extractos:

Artículo 1

«El Registro de la Propiedad tiene por objeto la inscripción o anotación de los actos y contratos relativos al dominio y demás derechos reales sobre bienes inmuebles. (...)».

Artículo 13

«Los derechos reales limitativos, los de garantía y, en general, cualquier carga o limitación del dominio o de los derechos reales, para que surtan efectos contra terceros, deberán constar en la inscripción de la finca o derecho sobre que recaigan (...)».

Artículo 32

«Los títulos de dominio o de otros derechos reales sobre bienes inmuebles, que no estén debidamente inscritos o anotados en el Registro de la Propiedad, no perjudican a tercero».

Artículo 34

«(...)

La buena fe del tercero se presume siempre mientras no se pruebe que conocía la inexactitud del Registro.

(...)».

Especial importancia tiene la regla general prevista en el artículo 34 de la LH que instaura la presunción de que todo tercero actúa de buena fe en tanto no se pruebe que conocía la inexactitud del registro, regla excepcional. Es decir, en el caso de aquel tercer adquirente respecto del que se pueda probar que alcanzó conocimiento de las prohibiciones fijadas en los estatutos de la comunidad de propietarios, y pese a tal conocimiento decide libremente ir en contra de las mismas (aun cuando ellas no consten inscritas en el Registro de la Propiedad), operará la excepción dispuesta en tal artículo que, *in fine*, permite desvirtuar la presunción del tercero de buena fe y en consecuencia ejercitar contra él la acción de cesación por actividad prohibida en los estatutos.

CUESTIÓN

¿A quién corresponde desvirtuar las presunciones relativas a las prohibiciones fijadas en los estatutos?

La carga de la prueba corresponde a la comunidad de propietarios. En primer lugar, la comunidad de propietarios debe desvirtuar la presunción de propiedad libre, probando la existencia expresa y clara de las prohibiciones en los estatutos, toda vez que la acción de cesación pretende sustentarla en dicha prohibición estatutaria y, en segundo lugar, debe o bien, probar la inscripción registral de los estatutos a los efectos de oponibilidad, o bien, probar que el nuevo adquirente tenía conocimiento previo suficiente de los estatutos por otros medios distintos al registro de propiedad (art. 34 de la LH).

Nuestros tribunales así lo han entendido por lo que cuando oportunamente pueda probarse el conocimiento de los estatutos, decae en su condición de tercero de buena fe el nuevo adquirente en el sentido dispuesto en la **sentencia del Tribunal Supremo n.º 300/2013, de 25 de abril, ECLI:ES:TS:2013:2161**. En esta sentencia se contempla un supuesto en el que se vino a resolver sobre la falta de condición de tercero de buena fe de un propietario, que habría adquirido su propiedad con posterioridad al acuerdo, y amparaba su actividad en la falta de publicidad registral de los estatutos. Los antecedentes de la sentencia que nos sirven al objeto de comprender la argumentación del tribunal son, en síntesis:

- Existencia de dos acuerdos de 1988 y 1996 y la falta de inscripción en el Registro de la Propiedad de ambos.
- El demandante y su esposa adquieren la vivienda en mayo de 1998.
- El demandante fue presidente de la comunidad de propietarios durante los años 2002 y 2003, periodos en los que fue depositario de los libros y actas de la comunidad.

«Dice el artículo 5, en su párrafo tercero, de la Ley de Propiedad Horizontal, que "El título podrá contener, además, reglas de constitución y ejercicio del derecho y disposiciones no prohibidas por la Ley en orden al uso o destino del edificio, sus diferentes pisos o locales, instalaciones y servicios, gastos, administración y gobierno, seguros, conservación y reparaciones, formando un estatuto privativo que no perjudicará a terceros si no ha sido inscrito en el Registro de la Propiedad".

Sin duda, **para que estas reglas de constitución y ejercicio del derecho obliguen a terceros**, como ocurre en este caso respecto de una asignación de gastos de reparación de un elemento común distinta de la contenida en el título constitutivo, **es preciso que conste inscrito en el Registro de la propiedad de tal forma que no estando no podrá obligar a los nuevos propietarios que adquieren la vivienda en la convicción de que lo** único **que les vincula es aquello que aparece publicado**.

Ahora bien, interpretar esta regla con absoluta rigidez, especialmente en temas menores, como el que aquí se ventila, **supone desconocer otros principios fundamentales, como el de la buena fe, de lógica y de sentido de las cosas**, que no reconoce la sentencia. **Es cierto**, a la vista de dicho precepto, en relación con el artículo 34 de la Ley Hipotecaria, que las modificaciones que se introduzcan en el Titulo con posterioridad, también deberán tener reflejo en el Registro de la Propiedad, y **que la falta de inscripción determinará la inoponibilidad del acuerdo a todos aquéllos que en la fecha en que se acordó la modificación estatutaria no eran propietarios** de pisos o locales en el edificio de que se trate, **pero solo a los terceros de buena fe**, lo que **no ocurre en este caso en quien, como el actor, tiene conocimiento de los acuerdos** de modificación, como declara probado la sentencia, y no los impugna por causas vinculadas al proceso de adopción, pues desde entonces adquiere legitimación para hacerlo, como resulta de la jurisprudencia que cita en el motivo».

RESOLUCIONES RELEVANTES

Sentencia de la Audiencia Provincial de Navarra n.º 1031/2021, de 27 de julio, ECLI:ES:APNA:2021:1370

«En el caso que nos ocupa la causa petendi es la oponibilidad de la prohibición establecida en los Estatutos de la comunidad de propietarios para ejecutar en una vivienda una actividad como la de pensión. Para ello introdujeron ambas partes como elementos

fácticos tanto el eventual conocimiento previo de la entidad demandada de tales Estatutos, antes de consumar la adquisición por compraventa del piso (hecho defendido en la demanda); como la inexistencia de inscripción de tales Estatutos en el Registro de la Propiedad (hecho introducido por la parte demandada), siendo que esta última alegación obliga a analizar la causa petendi (insistimos, la oponibilidad o no de la prohibición estatutaria) a la luz de los requisitos de oponibilidad registral, que es lo que efectúa la sentencia apelada. Para ello la condición de tercero de buena fe queda introducida en el litigio como cuestión controvertida, al resultar tal condición inherente a la eficacia y oponibilidad de la publicidad registral.

(...)

***Una restricción dominical** como la que contienen los Estatutos de esta comunidad, y que conforma el núcleo de esta litis, **solamente resulta oponible a un tercero adquirente de una de las viviendas si está publicitada en el Registro de la Propiedad** o, **alternativamente, si se demuestra que dicho adquirente tuvo previo conocimiento de la restricción estatuaria antes de adquirir la vivienda**. Así lo resuelve en una situación similar la recientísima STS 370/21, de 31 de mayo, que afirma que "alegada una limitación a la propiedad, establecida en los estatutos, dicha restricción no es oponible a la demandada, en cuanto no están inscritos en el Registro de la Propiedad", añadiendo que "Declarado probado en la sentencia recurrida que la limitación estatutaria no estaba inscrita en el Registro de la Propiedad, no puede mantenerse que se haya infringido el art. 5.3 de la LPH. Igualmente se razona en la sentencia recurrida, que no consta que la parte demandada conociese la referida limitación por otra vía".*

La carga de demostrar la efectiva oponibilidad de la restricción contenida en los Estatutos recae en la Comunidad de Propietarios demandante, pues es quien sustenta en esa prohibición estatutaria su pretensión de cesación. Por tanto la demandante debía probar la existencia de los Estatutos así como o bien su inscripción registral (a efectos de desplegar su oponibilidad por la publicidad registral ganada) o alternativamente el conocimiento previo por la demandada de tales Estatutos por otros medios.

En el caso que nos ocupa no se ha verificado ni una cosa ni la otra. Pero la sentencia de primera instancia va todavía más allá, e imputa a la entidad demandada una carga adicional de, además de haber consultado la publicidad registral (que es el medio apto para conocer, en su caso, los Estatutos), haber agotado también otros mecanismos particulares de averiguación y conocimiento de tales normas comunitarias, imputándole falta de diligencia por no haberlo hecho así.

Ello sin embargo excede de lo que legalmente pudiera exigirse a un tercero adquirente, como es en este caso la entidad demandada en tanto que no es propietario originario otorgante de los Estatutos. Como afirma la SAP Madrid 83/2013, de 29 de enero, "No cabe duda que los adquirentes por compra de los pisos o locales de una casa en régimen de propiedad horizontal son, en el momento de la adquisición, terceros, a los efectos del párrafo tercero y penúltimo 'in fine' del artículo 5 de la Ley de Propiedad Horizontal. Ello no debería ofrecer la más mínima duda".

El art. 5 de la LPH determina que "El título podrá contener, además, reglas de constitución y ejercicio del derecho y disposiciones no prohibidas por la Ley en orden al uso o destino del edificio, sus diferentes pisos o locales, instalaciones y servicios, gastos, administración y gobierno, seguros, conservación y reparaciones, formando un estatuto privativo que no perjudicará a terceros si no ha sido inscrito en el Registro de la Propiedad". Por su parte el art. 8.4 de la Ley Hipotecaria también contempla la inscripción registral de los edificios en régimen de propiedad horizontal, previendo la inclusión en tal inscripción de "aquellas reglas contenidas en el título y en los Estatutos que configuren el contenido y ejercicio de esta propiedad".

La STS de 29 de diciembre de 2015 indica en relación con la inscripción registral de los Estatutos de una comunidad de propietarios que "Es cierto que no se encuentran inscritos, pero también lo es que la inscripción no es constitutiva ni, por tanto, obligatoria; de manera

que su falta en nada afecta al valor normativo de los Estatutos para quienes son propietarios cuando se aprobaron. *Respecto a los terceros afirma el último inciso del párrafo tercero del artículo 5 LPH que '[...] no perjudicará a terceros sino ha sido inscrito en el Registro de la Propiedad'. Ahora bien, ello será (STS de 25 de abril de 2013) si se trata de terceros de buena fe que no han tenido conocimiento de ese acuerdo estatutario". Por tanto, los Estatutos vinculan a quienes son propietarios al tiempo de su aprobación estén inscritos o no, mientras que sólo con publicidad registral perjudican a terceros, esto es, a todos aquellos que no eran propietarios al tiempo de su aprobación, con la sola excepción de que se pruebe el conocimiento por tal tercero de los estatutos por otras vías diferentes y adicionales a la publicidad registral.*

Por tanto no resulta exigible al tercero más diligencia que la de consultar la publicidad registral a los efectos de tomar conocimiento de eventuales restricciones o limitaciones en la propiedad que está adquiriendo. Como ha quedado visto en el art. 5 LPH se configura el título constitutivo como el instrumento esencial para la generación de un régimen de propiedad horizontal (debiendo para ello describir el inmueble en su conjunto, los distintos pisos y locales y la determinación de la cuota de participación de los mismos en los gastos comunes), ***resultando meramente facultativo, pero no preceptivo, que el título constitutivo contenga también unos estatutos.*** *Consecuentemente,* ***al tercero comprador no se le puede exigir más diligencia que la de consultar en el Registro de la Propiedad, en tanto que dicho medio es el oportuno y exigible para obtener el conocimiento de la eventual existencia o no de Estatutos (que no es preceptiva) y su contenido, y no, adicionalmente, otras actividades de averiguación particular. Todo ello a salvo de que hubiese quedado probado un efectivo conocimiento previo de los Estatutos por otros medios, lo que sin embargo no equivale a que sea carga del tercero comprador agotar imperativamente otros posibles métodos de conocimiento particular al margen o adicionalmente a la publicidad registral. Es decir, el tercero no será de buena fe si se demuestra que tuvo un conocimiento particular efectivo de los estatutos no publicitados registralmente, pero no es exigible que, para ostentar la condición de tercero de buena fe, agote otros medios de averiguación adicionales a la consulta registral***».

Sentencia de la Audiencia Provincial de Baleares n.º 356/2020, de 22 de septiembre, ECLI:ES:APIB:2020:1822

«Seguidamente, la apelante cuestiona el criterio judicial en el que se considera que, a pesar de no haber sido inscrito en el Registro de la propiedad, el acuerdo es válido al entender que "consta su conocimiento del mismo con carácter previo a adquirir la propiedad del inmueble en cuestión". Aserto fundamentado judicialmente en el hecho de haber recibido, la hoy demandada, un burofax de la parte actora en fecha 17 de julio de 2018 (anterior a la compra del local; acontecida en fecha 17 de agosto de 2018), requiriéndole para el cese de la actividad. Concluyendo la apelante, frente a tal consideración, que: "... esta parte entiende que de ninguna manera le es oponible el referido acuerdo porque su contenido nunca le fue comunicado a mi mandante. El burofax recibido por parte de mi representada señalaba textualmente lo siguiente: Tal y como se acordó en Junta celebrada en fecha 5 de julio de 2018, la actividad de 'Enseñanza y Reunión' a la que está siendo destinado el Local del que ustedes son inquilinos, y tal y como conoce sobradamente la propietaria del mismo, está fuera del destino comercial a que tanto en la Escritura de División Horizontal, como en las normas comunitarias se estableció". Por tanto, denuncia la recurrente que el requerimiento recibido no acompañaba acuerdo de Junta alguno y se refería a la prohibición del uso "no comercial" que, según señalan, está establecido en la Escritura de división horizontal y normas estatutarias; además, ni siquiera se hace referencia al acuerdo de Junta de 2016, el que pretendidamente, según refiere la sentencia modificó el título.

En este motivo de apelación, observa la Sala *que la apelante no tiene en cuenta que la notificación que se le hizo por burofax no era una notificación formal del acta al objeto de una eventual impugnación, pues* ***el acuerdo de 2016, del que traía causa el de 2018, era ya firme y, en la fecha en que se produjo, no fue impugnado.*** *En efecto, el citado* ***burofax deja constan-***

cia formal de la notificación, en fecha anterior a la adquisición del local, de la existencia de acuerdos de Junta contrarios a la realización en este de actividades de "Enseñanza y Reunión", por no ser enmarcables entre las del destino comercial; el cual, por otro lado, era el que constaba en la Escritura de división horizontal. Por lo tanto, a partir de dicha comunicación, la parte arrendataria y después compradora —parte hoy demandada—, no podía ampararse en la fe pública registral como adquirente ignorante de que, además del destino comercial que ya se le daba al local en la Escritura de propiedad horizontal, sucedía que los acuerdos de junta habían singularizado la prohibición de actividades no comerciales como las que, precisamente, pretendía desarrollar la futura compradora. Es decir, la presunción de buena fe decae tras la notificación, antes de la compra, de la existencia de acuerdos en tal sentido; los cuales, por otro lado, a partir de dicho momento pudo comprobar o pedir cuentas a la vendedora en orden a pormenorizar, si ese era su deseo, el alcance jurídico de tales acuerdos ya conocidos en su esencia».

A TENER EN CUENTA. Es importante la Resolución de 29 de abril de 2021, de la Dirección General de Seguridad Jurídica y Fe Pública, en el recurso interpuesto contra la calificación de la registradora de la propiedad de Santa Cruz de Tenerife n.º 1, por la que se suspende la inscripción de determinada cláusula de los estatutos de una comunidad, de la que se infiere que la objeción que expresa la registradora en la calificación impugnada se centra en que hay **falta de coincidencia entre algunos titulares registrales y los propietarios que constan en la relación incorporada al título calificado**, existiendo además determinados propietarios que han inscrito su adquisición con posterioridad a la adopción de los acuerdos, y no se acredita que hayan aprobado dicha modificación estatutaria.

Análisis de la irretroactividad del acuerdo prohibitivo en relación con la actividad de alquiler turístico 940

Hemos tratado la importancia de los efectos registrales desde la perspectiva del nuevo adquirente en la medida en que la norma le atribuye presunción de buena fe y le protege de aquellos acuerdos en los que no haya intervenido y que le son ajenos e inoponibles, cuando no ha podido tomar conocimiento de ellos por no haber actuado diligentemente la comunidad de propietarios ora por descuidar la publicidad registral ora por no informar correctamente al nuevo adquirente previamente al inicio de la actividad prohibida por los estatutos. Pero hay que incidir en lo que sucede con aquellos **acuerdos adoptados por la comunidad de propietarios surgidos con posterioridad al desarrollo de una determinada actividad**, es decir, si bien en ocasiones las comunidades de propietarios prohíben expresamente determinadas actividades desde la propia creación del título constitutivo, más habitual en aquellas comunidades de reciente creación, sucede muchas veces que la comunidad de propietarios encuentra la necesidad de prohibir el ejercicio de una determinada actividad a causa de una perturbación en particular. En estos casos quienes han venido desarrollando su actividad no prohibida estatutariamente previo acuerdo de prohibición por la junta de propietarios se ven amparados por el principio de irretroactividad.

La Ley de Propiedad Horizontal hace previsión expresa, apartado 12 del art. 17 de la LPH, a la irretroactividad de los **acuerdos expresos** por los que se **apruebe, limite, condicione o prohíba** el ejercicio de la actividad a que se refiere la letra e) del artículo 5 de la Ley 29/1994, de 24 de noviembre, de Arrendamientos Urbanos: «e) La cesión temporal de uso de la totalidad de una vivienda amueblada y equipada en condiciones de uso inmediato, comercializada o promocionada en canales de oferta turística o por cualquier otro modo de comercialización o promoción, y realizada con finalidad lucrativa, cuando esté sometida a un régimen específico, derivado de su normativa sectorial turística», de modo que, la norma prevé directamente respecto de esta particular actividad que los acuerdos adoptados limitando su ejercicio no serán de aplicación a quienes vinieren desarrollándolo con carácter previo a la adopción de dicho acuerdo.

A TENER EN CUENTA. El apartado 12 del art. 17 de la LPH ha sido modificado por la Ley Orgánica 1/2025, de 2 de enero, en vigor a partir del 3 de abril de 2025, para introducir el carácter de «expreso» al acuerdo que «apruebe, limite, condicione o prohíba» el ejercicio de la actividad prevista en la letra e) del art. 5 de la LAU. Anteriormente a la reforma no se preveía que el acuerdo tuviera que ser expreso y tenía por objeto la limitación o condición, por lo que no contemplaba la aprobación o prohibición.

Ejemplo de ello lo encontramos en sentencias como, la del **Tribunal Superior de Justicia de Asturias n.º 498/2021, de 26 de mayo, ECLI:ES:TSJAS:2021:1704**, o la **de la Audiencia Provincial de Gipuzkoa n.º 1280/2021, de 30 de septiembre, ECLI:ES:APSS:2021:1573**, cuyo extracto se expone a continuación:

> «Por otra parte la irretroactividad de ese acuerdo limitativo o prohibitivo de la actividad de uso turístico, además de ser conforme con la citada doctrina jurisprudencial, viene expresamente establecida en el art. 17.12 de la LPH.
>
> **Esa irretroactividad, constituye un principio general en nuestro derecho establecido tanto en el art. 9 de la Constitución como en el art. 2.3 del CCivil, siendo reiterada la doctrina del TS y en este caso habida cuenta que el art. 17.12 de la LPH, expresamente declara que no tendrá carácter retroactivo**, es **clara la aplicación de ese principio general según el cual las leyes no tendrán efecto retroactivo si no dispusieren lo contrario**, criterio que corrobora la primera de las Disposiciones Transitorias del propio Código al establecer que se regirán por la Legislación anterior los derechos nacidos según ella de hechos realizados bajo su régimen aunque el Código los regule de otro modo o no los reconozca, norma esta que veda la aplicación de la Ley posterior a la regulación de derechos adquiridos bajo el régimen de la anterior y que es de pertinente aplicación a este caso.
>
> **En definitiva la excepción a la regla general de la unanimidad para establecer limitaciones de derechos en cuanto al uso y destino de los predios privativos integrados en una CP, que establece el art. 17.12 de la LPH**, (norma restrictiva de derechos), **no puede tener efectos retroactivos ni afectar por ello a propietarios disidentes que con anterioridad a su adopción ya venían desarrollando en su vivienda tal actividad de acuerdo con las normativa legal aplicable**. Y no puede estimarse que esta decisión suponga dejar sin contenido la citada autorización legal del art. 17.12, que tendrá su eficacia vinculante con posterioridad a su adopción, pero no puede afectar a un propietario que con anterioridad a su adopción, estaba desarrollando en su vivienda tal actividad, pues ha de tenerse en cuenta que en el momento en que los actores adquirieron la vivienda, lo hicieron libre de limitaciones dominicales, esto es, confiando legítimamente en que tenía incólume la facultad de goce y disfrute sobre la finca. De lo contrario, se estaría legitimando que la Comunidad pudiera menoscabar el contenido esencial del derecho de propiedad del comunero sobre su finca en contra de su voluntad y al margen de la regulación legal de tal posibilidad de establecer limitaciones al citado uso y disfrute».

Pese a que el artículo 17.12 de la LPH hace previsión expresa a la irretroactividad de acuerdos adoptados respecto de un supuesto particular, ello no ha impedido a los tribunales aplicar a cualquier otro tipo de actividad, los principios generales de la irretroactividad dispuestos en los artículos 9.3 de la CE y 2.3 del CC, encontrándonos un claro ejemplo en este sentido, respecto de un supuesto de actividad de pub-karaoke, en la **sentencia de la Audiencia Provincial de Huesca n.º 326/2021, de 18 de octubre, ECLI:ES:APHU:2021:434**:

«Como **entendemos, que la reforma estatutaria, en este caso es limitativa de los derechos dominicales, puede tener eficacia respecto de aquéllos comuneros adquirentes futuros de un elemento privativo que pretendan, tras la inscripción registral dedicarse a una actividad prohibida en los Estatutos reformados**. Sin embargo, **tal reforma no puede producir efectos respecto de los comuneros que adquirieron tal elemento privativo sin esa limitación estatutaria y lo destinaron a una actividad entonces no prohibida estatutariamente, o bien encaminaron su voluntad a realizar actos previos tendentes a la realización de tal actividad.**

Como se pone de relieve en la demanda en esta ocasión, cuando la **codemandada adquirió el local no existía limitación estatutaria. Destinó el local a llevar a cabo una actividad de pub-karaoke.** Tal **actividad comenzó se dice en el año 1999** y se **interrumpió tras sentencia del TSJA de 27 de enero de 2005 por la que se anulaba la licencia provisional de actividad** otorgada por el Ayuntamiento de Jaca. La propietaria del local pretendió el reinicio de la misma actividad llevando a cabo **obras de adaptación del local y reanudó las actuaciones administrativas tendentes a obtener la nueva licencia de actividad, hechos conocidos por la Comunidad actora** tal y como advera la aportación del documento 7 de demanda, en el mes de **Julio de 2013**. Sabedores de ello, la actora convoca Junta General Extraordinaria para el **1 de septiembre de 2013 donde se adopta el acuerdo limitativo de los derechos dominicales de los titulares de elementos privativos para realizar actividades de bares con música, pubs, güisquerías y clubs, cafés cantantes y cafés-teatros.**

Por tanto, **cuando se adopta el acuerdo limitativo de derechos, la demandada ya había iniciado actuaciones tendentes a reanudar la actividad y obtener la licencia** (estudios, obras, actuaciones ante la administración...).

Creemos en consecuencia que la **reforma estatutaria limitativa de derechos no puede afectarle**, como de hecho sí afectará a futuros adquirentes del local advertidos vía registral de la limitación dominical.

Y en consecuencia desestimamos el motivo que se funda en que la actuación de la demandada es contraria a los estatutos».

5.3. ACTIVIDADES DAÑOSAS PARA LA FINCA

Análisis del concepto de actividades dañosas para la finca 950

Este punto debemos ponerlo en concordancia con lo dispuesto en el artículo 9.1 de la LPH que contempla entre otras obligaciones del propietario:

«a) Respetar las instalaciones generales de la comunidad y demás elementos comunes, ya sean de uso general o privativo de cualquiera de los propietarios, estén o no incluidos en su piso o local, haciendo un uso adecuado de los mismos y evitando en todo momento que se causen daños o desperfectos.

b) Mantener en buen estado de conservación su propio piso o local e instalaciones privativas, en términos que no perjudiquen a la comunidad o a los otros propietarios, resarciendo los daños que ocasione por su descuido o el de las personas por quienes deba responder».

La acción de **cesación por actividades dañosas para la finca viene prevista por la norma frente a toda actividad que causa un daño material en la finca**, sin que la norma contemple, en primer lugar, que se permita la acción de cesación en aplicación de esta calificación cuando se ocasionen daños sobre las personas y en segundo lugar sin que se exija que tal daño necesariamente comprenda una actividad molesta, insalubre, nociva peligrosa o ilícita.

Queremos puntualizar que si bien la norma no exige la concurrencia acumulada de estas actividades para determinar su cese, es cierto que en la práctica la calificación de actividades como dañosas para la finca se entremezcla con la calificación de actividad peligrosa o molesta según disposiciones generales, lo que en ocasiones conlleva que planteada la cuestión ante los tribunales, no se acuerde el cese por actividad dañosa pero sí por actividad peligrosa, con lo que habrá de estarse a la delimitación del supuesto concreto y el mejor encuadre de la actividad en alguna de las calificaciones mencionadas. Finalmente, encajan también en esta calificación, todas aquellas actividades que puedan afectar a la seguridad del edificio (tanto su estado exterior, configuración, estructura general...).

RESOLUCIONES RELEVANTES

Queremos destacar, con carácter ejemplificativo, dos supuestos planteados ante dos audiencias provinciales en las que podemos observar la interrelación de las diferentes calificaciones y la importancia del estudio particularizado de cada actividad según las circunstancias concurrentes, con el fin de determinar si estamos ante una actividad que pueda calificarse de dañosa para la finca.

En la **sentencia de la AP de Sevilla n.º 383/2013, de 23 de julio, ECLI:ES:APSE:2013:2204**, se ejercita la acción de cesación respecto de la actividad desarrollada en el inmueble de la demandada. En la demanda se hace constar —entre otras alegaciones— que el aparataje empleado en la actividad de la demandada puede entrañar peligros para la seguridad de la finca, pero que también causa molestia y peligro sobre las personas. Finalmente, del estudio de las alegaciones planteadas no se determina la justificación del cese de actividad, entre otras cuestiones, por no evidenciarse de la prueba practicada riesgo susceptible de esta calificación:

«(...)

TERCERO.- Se alegó también que Coinsol desarrolla en los pisos de su propiedad una actividad peligrosa, al contar con numerosos aparatos de rayos X, que inquietan a los vecinos, por las radiaciones que emiten, y al suponer el almacenaje en los mismos de bombonas de oxígeno y nitrógeno, potencialmente peligrosas, lo que, no solo prohíbe el artículo 7,2 de la Ley de Propiedad Horizontal, sino también el precepto referido de los estatutos de la comunidad de propietarios, que señala que no podrán dedicarse los pisos y locales a depósitos de materiales que entrañen peligros para la seguridad de la finca.

Sin embargo, ni con relación a los aparatos de rayos X, ni con relación a las bombonas referidas, se ha practicado por la actora prueba alguna que evidencie que supongan un riego o peligro alguno para los vecinos o para el inmueble. Por el contrario, por la demandada se ha acreditado la legalización de dichos aparatos, lo que hace que su peligrosidad esté controlada, y que dicha bombonas, cuyo peligro no es superior al de una bombona de gas butano de las que se instalan en las cocinas de los pisos, se suministran y retiran periódicamente, de la clínica de que se trata, por un empresa especializada, lo que hace que no pueda hablarse de almacenaje».

En la **sentencia de la AP de Bizkaia n.º 169/2017, de 28 de abril, ECLI:ES:APBI:2017:705**, se ejercita acción de cesación con motivo del desarrollo de una actividad en contra de los estatutos de la comunidad, y el daño que dicha actividad supone al inmueble por la propia inadecuación constructiva del edificio para el uso de estacionamiento de vehículos (guardería de vehículos):

«(...) Así, tal y como señala en el informe aportado junto con la demanda (folio 5) viene en señalar que se aborda el tema desde dos puntos de vista diferentes 1) Desde el punto de Vista de la Estructura y las cargas para la que está diseñada y 2) desde el punto de vista de los condicionantes técnicos que el Ayuntamiento de Bilbao, Diputación Foral y Gobierno Vasco impondrían para estos locales cuya actividad de guardería de vehículos. Estructura y cargas a soportar. En este sentido (folio 5) el perito señala "...Al tratarse de un edificio construido a finales de los años sesenta, donde los proyectos de ejecución no llegaban al nivel de detalle de los de hoy en día, no se encuentra documentación técnica que refleje la cantidad ni disposición del acero, ni el tipo de hormigón empleado para la ejecución de dicha estructura, por lo que resulta prácticamente imposible saber exactamente cuál es la carga real admisible de dichos forjados a día de hoy, con el fin de poder determinar si están preparados o no para soportar las cargas de automóviles. Sin embargo la Escritura original de inmueble existe una prohibición que se hace constar por el Notario (la cual transcribe y que por conocida se obvia en este punto su transcripción). Esta prohibición viene motivada por una limitación a la sobrecarga admisible en ese forjado impuesta por el Arquitecto que realizó los cálculos de dicha estructura en su día y a mi entender debe ser respetado para evitar (no indudablemente como señala el apelante en certeza absoluta y que llegue realmente a producirse inevitablemente el hecho) el colapso de parte y/o totalidad del edificio. (...) No se cumple normativa respecto de protección de incendios, ventilación para evacuación de gases, señalando. Todo esto supone un peligro claro para la estabilidad del inmueble por riesgo de incendio que afectaría a la estructura pudiendo llegar a colapsarla, a los vecinos emanación de gases o por ruidos vibraciones, pudiendo ello llegar a afectar a la integridad física de las personas. Por otro lado aun en el hipotétlco supuesto de que las administraciones públicas dieran permiso para llevar a cabo guardería de vehículos, seguiría existiendo la prohibición de respetar las limitaciones de carga". En el informe que igualmente se insertan (folios 158 y ss. de la causa) fotografías gráficas de la situación, que impresionan en su visionado la grave relevancia de las grietas. Hace referencia al deterioro que produce la rodadura sobre el pavimento. (folio 174). Estas cuestiones que se determinan a nuestro entender no son hipótesis, y desde luego impresionan la gravedad de las grietas, de las que no se puede inferirse una relación causal divergente, teniendo en cuenta la citada pericial, que viene en reiterar, en tales esencias en el acto de juicio se recoge en aspectos relevantes en la sentencia son de la suficiente entidad, pese a las zonas de indefinición que se denuncian por la parte apelante, que como decimos a nuestro entender son de suficiente entidad en riesgo, que como concluye la sentencia recurrida justifica indudablemente se actúe antes de que se concrete en un daño de grave relevancia, y evitar con ello riesgos y futuros problemas. Teniendo en cuenta lo expresado debe confirmarse la resolución recurrida en el extremo de prohibir el uso que por inadecuado se considera en términos de riesgo, no incidiendo en la determinación por lo que antecede y en la prevención de la desobediencia, sin perjuicio obviamente de acciones oportunas, todo lo cual lleva a la confirmación esencial de la Sentencia».

5.4. ACTIVIDADES QUE CONTRAVENGAN LAS DISPOSICIONES GENERALES SOBRE ACTIVIDADES MOLESTAS, INSALUBRES, NOCIVAS, PELIGROSAS O ILÍCITAS

Concepto de actividades que contravengan las disposiciones generales sobre actividades molestas, insalubres, nocivas, peligrosas o ilícitas 960

La Ley de Propiedad Horizontal contempla en el artículo 7.2 todo un conjunto de actividades cuyo ejercicio puede verse afectado por la acción de cesación. Se trata de actividades que contravienen disposiciones generales sobre actividades molestas, insalubres, nocivas, peligrosas o ilícitas de modo que resulta interesante la observancia de toda regulación con afectación sobre esta materia que pueda resultar aplicable, ya sea estatal, autonómica o municipal a los efectos de poder calificar esta actividad. Si bien debe apuntarse que el Tribunal Supremo tiene reiterado, en apoyo de la jurisprudencia menor, que la calificación civil es independiente de la administrativa de modo que la relación de actividades y su calificación administrativa es ilustrativa pero no vinculante pudiendo comprender la calificación civil otros supuestos. Al respecto, cita la **sentencia de la Audiencia Provincial de León n.º 191/2019, de 15 de mayo, ECLI:ES:APLE:2019:627**, la jurisprudencia del TS relativa a la falta de sumisión por los tribunales civiles a la calificación dada en la esfera administrativa a este tipo de actividades:

> «Para **la jurisprudencia la calificación civil de las actividades como molestas, insalubres, incómodas o peligrosas es independiente del alcance o significado que pudiera atribuírseles en la esfera administrativa** (STS de 14 de febrero de 1989), **no hallándose vinculados los Tribunales por la conceptuación** que merezcan en aplicación de ordenanzas municipales y Reglamentos Administrativos como el de 30 de noviembre de 1961 (STS 16 de diciembre de 1963 y 30 de abril de 1966).
>
> (...)
>
> **La jurisprudencia ha declarado que frente a inmisiones dañosas o molestas en propiedad ajena los vecinos perjudicados por ellas están asistidos de acción civil para instar, ante los tribunales de este orden jurisdiccional, el cese de la actividad que las ocasiona y el resarcimiento de los daños y perjuicios en su caso producidos, sin que a la aplicación de los mecanismos tutelares civiles por los** órganos **jurisdiccionales del orden civil sean obstáculo la regulación administrativa más o menos extensa de la actividad que las origina, en consideración a los intereses generales, específicamente los urbanísticos y medioambientales, eventualmente afectados por ella, porque hay que distinguir lo relativo a la tutela preventiva de los intereses generales o públicos, de inequívoca naturaleza administrativa, de lo que atañe a la propiedad e intereses privados y a su protección, de incuestionable carácter civil** —sentencias del Tribunal Supremo de 12 diciembre 1980 y 16 enero 1989)—.
>
> La autorización administrativa de la actividad permite estimar de principio acreditado el cumplimiento por la instalación y su emplazamiento de las disposiciones establecidas en interés general para su puesta en funcionamiento; aunque sin olvidar que no alcanza a asegurar el normal desarrollo de la actividad licenciada, ni llega a legitimar las inmisiones nocivas o molestas que de él puedan derivarse en perjuicio de sus vecinos.
>
> En resumen, ni el Reglamento aprobado por RD 2114, de 30 de noviembre, del año 1961 ni la posterior normativa, Ley 11/2993, de 8 de abril, de Prevención ambiental de Castilla y León (art. 3 y 24) y el Decreto Legislativo 1/2015, de 12 de noviembre (art. 3 y 25), que aprueba el Texto Refundido de Prevención Ambiental de la Junta de Castilla y León, que define las autorizaciones a efectos ambientales y la evaluación de impacto ambiental, se puede incluir esta actividad dentro de la misma, sin olvidar que, como ya recoge la sentencia apelada y se ha manifestado la jurisprudencia, la calificación civil de las actividades como molestas, insalubres, incómodas o peligrosas es independiente del alcance o significado que pudiera atribuírseles en la esfera administrativa, no estando vinculados los Tribunales civiles por la conceptuación que merezcan en aplicación de Ordenanzas municipales o Reglamentos Administrativos. Es decir, el concepto de actividad molesta que se contempla en el ámbito de la propiedad ho-

rizontal no tiene que estar sometido a las disposiciones de naturaleza administrativa. Finalmente es de señalar que se ha aportado a los autos licencia administrativa para el desarrollo del negocio objeto de autos».

RESOLUCIONES RELEVANTES

Sentencia de la Audiencia Provincial de Baleares n.º 301/2015, de 29 de diciembre, ECLI:ES:APIB:2015:2349

*«(...) El Tribunal Supremo ha defendido que "**el acatamiento y observancia de las normas administrativas no colocan al obligado al abrigo de la correspondiente acción civil de los perjudicados o interesados en orden a sus derechos subjetivos lesionados, puesto que si aquéllos contemplan intereses públicos sociales, ésta resguarda el interés privado** exigiendo, en todo caso, el resarcimiento del daño y en su caso la adopción de medidas para evitarlo o ponerle fin" —STS de 16 enero 1989—(179).*

Debe recordarse, además, en apoyo de esta conclusión la destacada STS, Sala 1.a, número 457/1997, de 30 de mayo, de cuyo contenido cabe reseñar:

a) Que las licencias sólo "producirán efectos entre la Corporación y el sujeto a cuya actividad se refiere, pero no alterarán las situaciones jurídicas privadas entre ésta y las demás personas...", por lo que "... se entiende siempre otorgadas 'salvo el derecho de propiedad y sin perjuicio de tercero...'".

b) Que la competencia no viene determinada por la naturaleza de la norma a aplicar, sino por la naturaleza del conflicto (privado entre particulares, o público, entre el ciudadano y la Administración Pública).

c) Con cita de la STS de 16 de enero de 1989, que son competencia de la jurisdicción civil tanto el resarcimiento del daño como, en su caso, la adopción de las medidas para evitarlo o ponerle fin, por lo que estimar que frente a una actividad que cuente con licencia municipal (provisional o no), al particular perjudicado en sus derechos privados no le queda otro camino que la impugnación de la licencia por vía administrativa, no es correcto, ya que la licencia no constituye patente de corso frente a los derechos privados de los terceros, ni imponen a éstos la carga de litigar contra la Administración que la concede cuando el conflicto no es con la Administración sino con el particular causante del daño o perjuicio. Por lo que la licencia, bien o mal concedida —lo que efectivamente correspondería decidir a la jurisdicción contencioso-administrativa—, acredita que el titular está en regla con la Administración, como tuteladora de los intereses generales, poniéndole a salvo de una reacción administrativa por su actividad (sanción o cierre), pero no resuelve las cuestiones que atañen a la propiedad privada y a su protección, por lo que el particular perjudicado conserva sus acciones civiles contra quien le perjudique, en el terreno estrictamente privado, tenga éste licencia administrativa o no (SSTS de 3 de diciembre de 1987, 16 de enero, de 1989).

d) Que las medidas que ha de adoptar la jurisdicción civil, con vis atractiva, en la defensa de los derechos privados y particulares, no queda en ocasiones agotada con medidas pura mente cautelares, de prevención o corrección, sino que existen supuestos en los que la cesación del daño o perjuicio sólo se consigue con el cese o fin de la actividad».

Sentencia de la Audiencia Provincial de Pontevedra n.º 83/2019, de 21 de febrero, ECLI:ES:APPO:2019:214

*«Para la jurisprudencia la calificación civil de las actividades como molestas, insalubres, incómodas o peligrosas es independiente del alcance o significado que pudiera atribuírseles en la esfera administrativa (STS de 14 de febrero de 1989), **no hallándose vinculados los Tribunales por la conceptuación que merezcan en aplicación de ordenanzas municipales y Reglamentos Administrativos** como el de 30 de noviembre de 1961 (STS de 8 de abril de 1962, 16 de diciembre de 1963 y 30 de abril de 1966)».*

Con el fin de poder calificar la actividad que resulte controvertida, los tribunales en su prolija y abundante jurisprudencia han coadyuvado también a clarificar la esencia de estas actividades. Destacamos la **sentencia n.º 346/2019, de 11 de julio, de la Audiencia Provincial de Lugo, ECLI:ES:APLU:2019:521**, que hace mención a cada uno de los supuestos comprendidos:

«(...) **la actividad incómoda** debe causar una alarma en el entorno de la vivienda o local, correspondiendo a quien la alega la prueba de tal alarma, sosteniéndose por la jurisprudencia que es notoriamente incómodo lo que perturba aquello que es corriente en las relaciones sociales (STS 16 Jul. 1994). Los requisitos son, en síntesis, que la actividad se produzca dentro del inmueble, que exceda y perturbe el régimen o estado de hecho usual y corriente en las relaciones sociales, de manera notoria (evidencia y permanencia en la incomodidad) —SSTS de 28 de febrero de 1964, 8 de abril de 1965 y 11 de mayo de 1998— y que esté suficientemente probada.

Añaden estas sentencias que **"la calificación de una actividad como incómoda o molesta no ha de hacerse apriorísticamente, y sólo por las características generales de la misma, sino atendiendo al modo de realizarse en cada caso concreto** (STS 16 de julio de 1993) o el modo de desarrollarse la situación de hecho derivada del uso de una cosa, aunque se cumplan formalidades administrativas (porque no pueden entrañar restricciones a la tutela judicial efectiva, ex art. 24 CE), **atendiendo a los principios que rigen las relaciones de vecindad y a la prohibición del abuso de derecho ex art. 7.2 CC** y a la posición contumaz del agente ante las advertencias que le hayan sido hechas; inclusive las objetivamente inocuas (SSTS 14 de mayo de 1968 y 29 de septiembre de 1979). **La acción de cesación tiende a restablecer la convivencia alterada** por medio de la privación temporal del uso de la vivienda".

Y la SAP de Madrid n.º 171, de 11 de abril de 2007, señala lo siguiente:

"En este contexto, **actividades peligrosas son las que entrañan un riesgo superior a aquel que normalmente se asume, para satisfacer necesidades de los propietarios u ocupantes, en la mayoría de los inmuebles**. El reglamento, las define como 'las que tengan por objeto fabricar, manipular, expender o almacenar productos susceptibles de originar riesgos graves por explosiones, combustiones, radiaciones u otros de análoga importancia para los personas o los bienes'. **Al igual que en el resto de las actividades, hay que estar al caso concreto y al momento preciso**. Ahora bien, ello no implica que sea posible la prohibición de toda actividad que entrañe cierto riesgo, siempre que se tomen las precauciones oportunas y se trate de actividades que normalmente se realizan o consienten en la mayoría de los inmuebles. La STS de 28 de febrero de 1961 (RJ 1961, 914) afirma al respecto que '**no basta el mero resultado para reputar peligrosa a una industria pues este resultado puede ser debido a un caso fortuito**, como en el caso de autos, o a una fuerza mayor, de los que no está libre ninguna industria', y añade 'no puede confundirse el riesgo aleatorio inherente a toda actividad humana, con el peligro que ha de referirse a un estado permanente de inminencia que se traduce en una probabilidad constante de que el daño se produzca'. **Actividades nocivas,** según el Reglamento son las que dan lugar a desprendimiento o evacuación de productos que 'puedan ocasionar daños a la riqueza agrícola, forestal, pecuaria o piscícola'. Creemos que es difícil que una actividad así definida pueda desarrollarse dentro de un inmueble urbano. Lo más normal es que la actividad de que se trate tenga mejor encaje en el término 'insalubre' o 'peligrosa'. **Actividades insalubres son aquéllas cuyas consecuencias pueden producir daños o tener repercusiones más o menos graves en la salud de los vecinos u ocupantes**. Así, por ejemplo, la falta de cuidado y limpieza debida del elemento privativo, que determina que el mismo se halle en condiciones antihigiénicas (v. gr., SAP de Valencia, de 29 de junio de 1995 [RGD 1996, pgs. 1001 y ss.]). **Las actividades ilícitas, frente a la expresión 'inmorales' de la disciplina derogada, tienen un carácter objetivo y no dependen de las concepciones sociales, de la comunidad o del** órgano **jurisdiccional. Se trata, pues, de las actividades prohibidas por la Ley, cualquiera que sea su** ámbito **y naturaleza**. Y buena parte de la doctrina científica sostiene que una actividad no puede calificarse de ilícita por el solo hecho de que no se observen las formalidades administrativas. Como recuerda la SAP de Salamanca núm. 252/2000, de 4 de mayo (RA 277/2000; AC 2000\2306), no se encuentran '... vinculados los Tribunales por la conceptuación que merezcan en aplicación de ordenanzas Municipales y Reglamentos Administrativos como el de 30-11-1961 (RCL 1961\1736, 1923; RCL 1962, 418 y NDL 16641) (SSTS 18-4-1962 [RJ 1962 \2060], 16-12-1963 [RJ 1963\5323], 30-4-1966 [RJ 1966\3402]). El cumplimiento de las formalidades administrativas para instalación de un negocio o industrias no afecta a las consecuencias del mismo en el orden civil, ni condiciona los derechos de esta índole reconocidos en las leyes (SSTS 22-11-1960 [RJ 1960\3755], 14-11-1989, 4-3-1992 [RJ 1992\2163])...'"».

En busca de una mayor precisión sobre la materia, merece un tratamiento individualizado cada una de las posibles calificaciones:

- Actividad molesta.
- Actividad insalubre.
- Actividad nociva.
- Actividad peligrosa.
- Actividad ilícita.

Actividades molestas para la comunidad de propietarios 970

Para las actividades molestas podríamos decir que cuentan con mayor desarrollo jurisprudencial pues, en primer lugar, dentro del concepto de actividad molesta se engloban diversidad de supuestos que representan en la práctica la casuística habitual planteada ante nuestros tribunales (ruidos, vibraciones, emisiones) y, en segundo lugar, porque las actividades molestas acogen todos aquellos supuestos que, por exclusión, muchas veces no pueden integrarse, calificarse y encuadrarse en otro tipo de actividad. La RAE define como actividad molesta, a aquella «actividad que implica incomodidad a causa de generar ruidos, vibraciones o emisiones de humos, gases, olores, nieblas, polvos, etc.», actuaciones todas ellas que están al orden del día en las comunidades de vecinos. La molestia o incomodidad, ambos términos asociados y basados en sentimientos y condiciones de la persona en particular, conllevan una subjetividad cuyo tratamiento en ocasiones dificulta la calificación de una determinada actividad con carácter general como molesta o incomoda, por lo que decimos que no debe partirse de una calificación de molestia o incomodidad apriorísticamente, sino que habrá de determinarse en función de:

- Las **circunstancias y la manera en que verdaderamente se perturba la paz vecinal**, como recuerda la **Audiencia Provincial de Salamanca en su sentencia n.º 586/2001, de 7 de diciembre, ECLI:ES:APSA:2001:878**:

  «QUINTO. Descartado que pueda calificarse como actividad "prohibida" procede ahora examinar si puede calificarse como actividad "molesta", asunto que también debe rechazarse en virtud de las siguientes razones: 1.º.

La consideración de una actividad cualquiera como "molesta o incómoda" y por lo tanto su calificación como "prohibida" (art. 7 LPH), **exige inevitablemente un examen de las circunstancias que rodean al desenvolvimiento de esa actividad y su incidencia en las condiciones de uso o disfrute del resto del inmueble**. Esto es, no hay actividades que "per se" quepa calificar de molestas o incómodas (como pudiera afirmarse a partir de las licencias administrativas), sino que es un concepto que impone su puesta en relación con las circunstancias (...)».

- **El momento en concreto en que se producen**, pues como ha reconocido la Audiencia Provincial de Badajoz en su sentencia n.º 1007/2021, de 22 de diciembre, ECLI:ES:APBA:2021:1751:

  «Al respecto, conviene precisar que **el concepto de molestia es un concepto dinámico**, no estático. **Es por completo cambiante según la evolución de la sociedad**. Por ejemplo, hace unos años nadie podía pensar que, por resultar molesto, se pudiera llegar a prohibir fumar al aire libre. En nuestro caso, el ruido siempre ha representado un problema, una intromisión ilegítima dentro y fuera de los hogares. Pero con los años, como ya hemos visto, a impulso de la propia sociedad, el legislador y los tribunales son cada más sensibles a las inmisiones acústicas habida cuenta de los efectos nocivos para la salud humana y para nuestro bienestar. Esto no implica que exista un derecho absoluto al silencio. No lo hay. Son muchos los intereses en conflicto y debe buscarse un justo equilibrio entre ellos. Los ciudadanos, por supuesto, también tienen derecho a la diversión, a participar en actividades recreativas, culturales o artísticas. Pero es cierto que, cada vez más, el derecho a la inviolabilidad del domicilio, el derecho a la vivienda privada y a la intimidad, el derecho a la salud y el derecho a la protección del medio ambiente exigen un menor umbral de ruido.

  En una urbanización, con carácter general, cabe esperar que los propietarios destinen sus inmuebles a un uso residencial, no a salas de fiestas. Los hoy apelantes no pueden anteponer sus intereses económicos al derecho de sus vecinos a gozar de un medio ambiente adecuado y respetuoso con su salud».

Pese al carácter cambiante del concepto de molestia o incomodad y su necesaria contextualización, lo cierto es que, por nuestros tribunales de forma reiterada se exigen determinados presupuestos necesarios cuando se trata de calificar una particular actividad de molesta o incomoda:

- Deben exceder los límites de tolerabilidad ordinarios.
- Han de resultar molestias o incomodidades notorias.

RESOLUCIONES RELEVANTES

Sentencia de la Audiencia Provincial de la Rioja n.º 397/2020, de 17 de septiembre, ECLI:ES:APLO:2020:502

«Por eso, siendo la acción ejercitada tan solo la del art. 7.2 Ley de Propiedad Horizontal, hay que partir de que independientemente de la calificación del uso como turístico que puedan tener los chalets que explota el demandado, y con independencia por lo tanto de la normativa que regula esa materia, ***la clave se halla en determinar si las conductas***

que se desarrollan en esos inmuebles, que hemos descrito pormenorizadamente, transgreden o no las normas de convivencia ordinaria en los términos del precepto indicado; es decir, ha de resolverse si esa actividad desarrollada de esta manera en los inmuebles de los demandados resulta molesta o incómoda para el resto de los propietarios. *Esto es lógico, pues con independencia de que el destino que le dan los demandados a los chalets (alquiler para uso turístico) pueda ser licito en abstracto, puede suceder que, tal como se desarrolle en concreto esa actividad, la misma pueda causar perjuicios a la normal convivencia en la comunidad de propietarios, de suerte que permita a esta hacer uso de la acción del art. 7.2 Ley de Propiedad Horizontal. Y es que sea cual sea el uso que el propietario da a su vivienda, hay que disciplinar la vida de la Comunidad en aras de asegurar que el derecho propio de un comunero (el uso y disfrute de la cosa como manifestación del dominio) no se traduzca en perjuicio ajeno, ni en menoscabo del conjunto.*

(...)

En cuanto a la ***calificación de una actividad como molesta, al no existir una definición legal****, cabe acudir a lo establecido en la Sentencia de la Audiencia Provincial de Madrid, sección 9 del 24 de octubre de 2019 (ROJ: SAP M 16954/2019 - ECLI:ES:APM:2019:16954) vez a su vez cita la Sentencia de la Audiencia Provincial de Madrid secc. 21 N.º 90/2018 de 13 de marzo que, con cita de otras sentencias anteriores, las define como* ***aquellas que suponen unas molestias superiores a las que vienen impuestas por la relación de vecindad; esto es, más allá de los límites tolerables y asumibles por la comunidad por ser contrarios a la buena disposición de las cosas para el uso normal que ha de hacerse de aquellas; impidiendo a los demás propietarios el adecuado uso de los elementos comunes y de sus derechos, añadiendo a continuación que con dichas actividades se perturba, en el orden de convivencia, el corriente desenvolvimiento de las relaciones sociales, y se excede de lo tolerable el normal ejercicio de las normas de convivencia*** *dificultándose a los demás comuneros el ejercicio de sus derechos (el correcto uso y disfrute de sus viviendas y del inmueble.*

En definitiva, siguiendo en buena medida a la antes citada Sentencia de la Audiencia Provincial de Madrid, sección 9 del 24 de octubre de 2019 (ROJ: SAP M 16954/2019 - ECLI:ES:APM:2019:16954), podemos decir que ***una actividad puede ser conceptuada de molesta en ella cuando concurran los siguientes requisitos****:*

i) Que ***la actividad se dé dentro del inmueble*** *o de los elementos de la Código Penal afectada (en cualquier parte del mismo, sea elemento común o privativo),* ***no en la calle o en el exterior,*** *(a no ser que tenga su origen en el interior);*

ii) La ***calificación de una actividad como incómoda o molesta*** *no ha de hacerse apriorísticamente, y sólo por las características generales de la misma sino atendiendo al modo de realizarse en cada caso concreto —STS de 16 de julio de 1993 y SAP de Madrid de 14 de mayo de 2004— o el modo de desarrollarse, situación de hecho derivada del uso de una cosa, aunque se cumplan formalidades administrativas, atendiendo a los principios que rigen las relaciones de vecindad y a la prohibición del abuso del derecho ex artículo 7.2 del Código Civil —STS de 20 de marzo de 1989— y a la posición contumaz del agente ante las advertencias que le hayan sido hechas —SAP de Palma de Mallorca de 7 de febrero de 1983—;*

iii) La actividad ***ha de exceder y perturbar el régimen o estado de hecho usual y corriente en las relaciones sociales, de manera notoria*** *(evidencia, habitualidad y permanencia en la incomodidad) —STS de 28 de febrero de 1964, 8 de abril de 1965 y 11 de mayo de 1998, y SAP de Madrid, Sección 20.ª, de 28 de junio de 2006—, señalando las SSTS de 28 de febrero de 1964 y 2 de diciembre de 1980, que en materia de relaciones de vecindad e inmisiones e influencias nocivas en propiedad ajena, el conflicto debe resolverse acudiendo a los principios de normalidad en el uso y tolerabilidad de las molestias atendidas las condiciones de lugar y la naturaleza de los inmuebles:*

*iv) Quedan **comprendidas dentro de las actividades molestas todas aquellas que disminuyen el uso normal y el disfrute de sus respectivos elementos a los demás condueños, los actos de emulación y las inmisiones** —SSAP de Segovia de 11 de diciembre de 2001 y Valencia de 21 de abril de 1975— y v) Se requiere una prueba concluyente, plena y convincente, atendida la gravedad de la sanción —SSTS de 18 de mayo de 1994 y 13 de mayo de 1995—.*

*Es de destacar a este **respecto que el Tribunal Supremo ha conceptualizado como molestas las reuniones numerosas y bulliciosas que ocasionen molestias que excedan de la convivencia en un edificio en régimen de propiedad horizontal, así como las actividades ruidosas que se desarrollan a altas horas de la noche** por los ocupantes del inmueble y el desorden del horario en entradas y salidas de los mismos».*

Sentencia de la Audiencia Provincial de Huesca n.° 326/2021, de 18 de octubre, ECLI:ES:APHU:2021:434

*«Como **actividades molestas** se entienden **aquellas que superan los límites de tolerabilidad objetivamente ordinarias o usuales** no el seno de una convivencia ordenada y cívica y dentro de las cuales **se pondera por la doctrina la inclusión de aquellas conductas que afectan negativamente a la convivencia** como pueden ser la emisión de ruidos excesivos o arrojar al patio objetos o basuras, **ya se consignen tales actos como de "emulación"** (es decir, cuando el acto viene guiado por el propósito de producir un perjuicio ajeno sin beneficio para el que actúa) **ya de "inmisiones"** (es decir, cuando actos desarrollados dentro de la esfera dominical propia que exceden de los límites de lo normal perturbando el derecho de otros al adecuado uso y disfrute de bienes privativos o comunes) **e incluso también la de aquellas conductas personales de un comunero hacia los otros, de tinte o carácter agresivo, ofensivo o amenazante, que alteran la normal convivencia** como así declaran las SAP de Valladolid de 13 de octubre de 1995 y de Asturias de 8-1-04.*

***El propio Tribunal Constitucional en resolución de 8 de marzo de 1999, Recurso de Amparo 3784/95, consideró que dentro de las actividades molestas en su concepto cabía comprender no solo las inmisiones intolerables, sino toda actividad que, por la trascendencia de la misma, pueda exceder de lo socialmente admisible** entendiendo por tal el mínimo respeto a la convivencia de los ocupantes del inmueble cuanto que, además, **la ilicitud a que se refiere la norma tanto abarca la administrativa, como la civil o la penal**.*

Concepto en el que deberían encuadrarse las denominadas actividades incómodas, a las que se refería el anterior art. 7 LPH, pues es evidente que ambos términos son similares tal y como se ha entendido por la Jurisprudencia menor y por el Tribunal Supremo (T.S. 1.ª S. de 30 de abril de 1996, entre otras) al analizar la causa de resolución de los contratos de arrendamiento urbanos de la LAU de 1964 prevista en el art. 114 núm. 8, donde no se recoge el término molestas pero sí incómodas, mientras que por la LAU de 1994 se excluye esta expresión para recoger la de molestas (art. 27 núm. 2 e).

*El **Tribunal Supremo en sentencia de 14-11-1984 ha incluido en dicho concepto las reuniones numerosas y bulliciosas que ocasionen de manera reiterada, a los restantes comuneros molestias importantes que exceden de la convivencia en un edificio en régimen de propiedad horizontal** y en la STS de 29-09-1972 califica como **notorias y ostensiblemente incómodas y molestas aquellas actividades ruidosas perfectamente audibles a altas horas de la noche por los vecinos** que residen en el inmueble. Igualmente en sentencia de 28-09-1993 el Alto Tribunal consideró la resolución del contrato de arriendo por existir una actividad incomoda, cuando a través de la prueba pericial practicada resultaba acreditado que en el local de autos se desarrollaba una actividad que implicaba la cocina de platos calientes sin la autorización correspondiente, con la consiguiente producción de olores y humos que no deberían producirse a consecuencia de la actividad a desarrollar en aquél conforme a la licencia concedida.*

En concreto la AP Vizcaya en resolución de fecha 17-3-03 consideró como molesta la actividad que produce incomodidad por los ruidos y vibraciones que genera o por los humos, gases, olores, polvo en suspensión o sustancias que elimine aquélla.

Entre ellos sólo como clarificadores, la SAP Barcelona de 4-2-04 consideró como tal la instalación de una chimenea por la que se expandían gases causantes de malos olores en el edificio, el arrojo de desperdicios y objetos diversos al patio común o proferir insultos a los vecinos (SAP Asturias 8-1-04).

También se han considerado algunas actividades como la hotelera. En referencia a ésta, el Tribunal Supremo en sentencia de 23 de noviembre de 1995 señala que: "Precisamente la abusiva implantación hotelera realizada por los demandados, se encuadra, sin necesidad de prueba concreta, en la prohibición que establece el art. 7 párrafo tercero, de la LPH, a todo propietario de desarrollar en el piso actividades no permitidas por los estatutos, incómodas para la finca, pues del hecho demostrado de que en un edificio de catorce pisos destinados a vivienda, tres aparezcan destinados a hostal es dato concluyente, en enlace preciso y directo según las reglas del criterio humano, que cabe presumir la consecuencia de la incomodidad dañosa para los moradores de las restantes once viviendas ante la innovación perjudicial para la comunidad que se traduce en hechos concretos, tales como el desorden de horario de entrada y salida en el edificio, uso intensivo de luz y escaleras y ascensor, y otras incomodidades fácilmente deducibles. La incomodidad denunciada en la demanda queda acreditada por la prueba de presunciones que se regula en el art. 1.249 y siguientes del CC 1 y que, como advierte el art. 1.250 del propio texto legal dispensa de toda prueba a los favorecidos por ella".

La relación de las inmisiones acústicas sobre el carácter molesto de la actividad, han sido igualmente analizadas por nuestros Tribunales.** Así Aparte de las resoluciones ya reflejadas con anterioridad, la sentencia de la AP Valencia de 29-7-02 **consideró como molesta la instalación de calderas y maquinas sin licencia de actividad que impiden conciliar el sueño por el alto ruido y teniendo que soportar olores, humos y gases.

Igualmente la misma Sala por sentencia de 15-2-1993 consideró que la colocación por el propietario de un bar, de mesas y sillas en el patio de la comunidad era una actividad molesta por los ruidos que generaba a los copropietarios, por lo que obligó a reducir la actividad dentro del seno de su local.

*Esta Sala también ha tenido oportunidad de pronunciarse al respecto en la sentencia de 30 de junio de 2011 sobre **inmisiones acústicas (ruidos y vibraciones) en el seno de una Comunidad de Propietarios** originados por el defectuoso estado del solado, rampa y puerta de garaje) en la que efectivamente entendió del conjunto probatorio que las inmisiones superaban las normales de convivencia al resultar continuas cada vez que se utilizaba el acceso al garaje».*

Queremos reparar en los requisitos exigibles, no estrictamente para calificar una actividad de molesta o incomoda, sino propiamente en los necesarios para que proceda la acción de cesación por actividades molestas. Así, **para que prospere la acción de cesación por actividades molestas, se requiere además**:

– Que se trate de actos singulares, identificados o al menos identificables, no difusos:

Sentencia de la Audiencia Provincial de Tenerife n.º 247/2017, de 31 de mayo, ECLI:ES:APTF:2017:806

«No todo ruido molesto, incómodo o perturbador es sin embargo susceptible de consideración desde la óptica de la tutela civil de los derechos o intereses de los sujetos afectados por su percepción.

El ruido para alcanzar trascendencia jurídica civil ha de ser necesariamente consecuencia de la actividad humana o del desenvolvimiento de procesos puestos en marcha por ella y sometidos a su control. A esta Imputación causal a la actividad humana no será obstáculo la contribución de factores naturales a la concentración u orientación de las ondas sonoras. Tampoco lo será la fuente natural del ruido cuando su intensificación o propagación sea debida a la obra del hombre. Este presupuesto —que el ruido tenga su origen en la actividad humana—, implícito para otras inmisiones dañosas en el art. 1902) del código civil, aparece explicitado en el art. 7.2 de la Ley de Propiedad Horizontal y en las disposiciones a que se remite cuando, en aras a una armoniosa convivencia vecinal, prohíbe desarrollar en elementos privativos del inmueble "actividades" que las contravengan.

La tutela civil frente al ruido presupone al propio tiempo su procedencia de una fuente emisora determinada. **Tanto los mecanismos resarcitorios como las medidas de cesación y abstención de las inmisiones sonoras meramente molestas o perturbadoras resultan inviables frente a los ruidos de procedencia difusa y origen plural, insusceptible de concreción: lo que no sucederá por la sola acumulación de inmisiones, cuando sus fuentes, aun siendo plurales, resultan identificables y los responsables determinables inmediata o mediatamente, en su condición de propietarios o usuarios del inmueble de que proceden**.

El ruido sometido a los mecanismos de tutela preventiva y reparadora civil ha de tener su origen en actos u omisiones de consecuencias sujetas al propio ordenamiento civil, a que pertenecen las relaciones de vecindad entre propietarios y demás usuarios de bienes inmuebles en el ejercicio de los derechos de uso o goce que su titularidad les confiere sobre ellos».

- En concordancia con el presupuesto anterior, se requiere de un sujeto pasivo determinado al que la actividad molesta o incómoda pueda afectar, estas terceras personas afectadas son las que habitan o puedan permanecer en el inmueble.
- La molestia no puede ser puntual, sino que para que prospere la acción de cesación la incomodidad debe conllevar cierta permanencia.
- Se requiere también de cierta trascendencia, sin perjuicio de que como hemos venido apuntando, la propia calificación de molestia o incomodidad está dotada de cierta subjetividad. Nuestros tribunales requieren para poder actuar frente al sujeto que desarrolla la actividad, que esta además de reiterada presente cierta trascendencia, relevancia o notoriedad. No bastan los pequeños trastornos ante los cuales, como también hemos citado, los propietarios deben guardar cierta de tolerancia en la convivencia comunitaria y respetar aquellas mínimas perturbaciones cotidianas, normales o habituales dentro de la convivencia comunitaria, si no que se requiere de una perturbación que excede de lo normal:

Sentencia de la Audiencia Provincial de Lugo n.º 346/2019, de 11 de julio, ECLI:ES:APLU:2019:521

«(...) Ha de significarse al respecto con el TS que **la base de la notoriedad está constituida por "la evidencia y permanencia en el peligro o en la incomodidad" por lo que no basta uno o varios actos concretos, singulares o determinados más o menos incómodos o molestos, sino que es necesario además de cierta intensidad, que tales actos pertenezcan a una misma serie y se realicen con cierta continuidad; y que el comportamiento molesto e incómodo basta que sea desagradable** para cualquiera que habite en el inmueble o haya de permanecer en él, sin que sea necesario que sea insufrible o intolerable, pero que suponga una afectación de entidad a la pacífica convivencia. Así mismo, ha precisado que la actividad incómoda **debe causar una alarma en el entorno** de la vivienda o local, correspondiendo a quien la alega la prueba de tal alarma, sosteniéndose por la jurisprudencia que **es notoriamente incómodo lo que perturba aquello que es corriente en las relaciones sociales** (STS 16 Jul. 1994) (...)».

RESOLUCIONES RELEVANTES

Sentencia de la Audiencia Provincial de Madrid n.º 568/2021, de 19 de noviembre, ECLI:ES:APM:2021:15694

«1.- En sentencia n.º 522/2019 recogíamos los requisitos que la jurisprudencia exige para que prospere la acción de cesación:

*a) que sé de una actividad, lo que supone cierta **continuidad o permanencia** de la realización de actos singulares,*

*b) que la actividad sea incómoda, es decir, que exista un **sujeto pasivo determinado** al que la actividad incómoda pueda afectar, siendo éste las personas que habitan o hayan de permanecer en la misma finca y no personas indeterminadas o inconcretas, teniendo sentado el Tribunal Supremo que la base de la notoriedad está constituida por la "evidencia y permanencia en el peligro o en la incomodidad" (S. 20 abril 1965), entendiendo, asimismo, que "...en el concepto de actividad notoriamente incómoda debe incluirse aquella actividad cuyo funcionamiento en un orden de convivencia, excede y perturba aquel régimen de estado de hecho que es usual y corriente en las relaciones sociales".*

*3.- Para calificar una actividad como incómoda ha de **atenderse a cada caso concreto**. En sentencia n.º 474/2021 de 7 de octubre hemos reconocido el derecho de los vecinos a que reine la tranquilidad en el edificio. Y en la citada sentencia n.º 522/2019 se catalogan como molestas, en aplicación de la jurisprudencia del Tribunal Supremo que se cita, las actividades que exceden y perturban el régimen o estado de hecho usual y corriente en las relaciones sociales, de manera notoria (evidencia, habitualidad y permanencia en la incomodidad) —STS de 28 de febrero de 1964, 8 de abril de 1965 y 11 de mayo de 1998—. Atendida la gravedad de la sanción, se exige prueba concluyente al respecto (artículo 217 LEC)».*

Sentencia de la Audiencia Provincial de la Rioja n.º 397/2020, de 17 de septiembre, ECLI:ES:APLO:2020:502

«A este respecto, y no siendo discutido en este caso la realidad del requerimiento, son requisitos que la jurisprudencia exige para el éxito de la acción de cesación:

*1) que se dé una **actividad, lo que supone cierta continuidad o permanencia de la realización de actos singulares** (STS 22 diciembre 1970);*

*2) **que la actividad sea incómoda, es decir, molesta para terceras personas que habiten o hayan de permanecer en algún lugar del inmueble** en el que se desarrolle la actividad (SSTS 8 abril de 1965, 18 enero 1961 y 30 abril 1966), esto es, que exista un sujeto pasivo determinado al que la actividad incómoda pueda afectar, siendo éste las personas que habitan o hayan de permanecer en la misma finca y no personas indeterminadas o inconcretas (SSTS 7 octubre 1964 - y 10 abril 1967);*

y 3) que la molestia sea notoria y ostensible, esto es, no basta una pequeña dificultad o trastorno, sino que se exige una dosis de gravedad, una afectación de entidad a la pacífica convivencia jurídica lo que obliga a una ponderación de cada caso concreto (STS 8 abril

1965), teniendo sentado el Tribunal Supremo que la base de la notoriedad está constituida por la "evidencia y permanencia en el peligro o en la incomodidad" (S. 20 abril 1965), entendiendo, asimismo, que "...en el concepto de actividad notoriamente incómoda debe incluirse aquella actividad cuyo funcionamiento en un orden de convivencia, excede y perturba aquel régimen de estado de hecho que es usual y corriente en las relaciones sociales".

En cuanto a la calificación de una actividad como molesta, al no existir una definición legal, cabe acudir a lo establecido en la Sentencia de la Audiencia Provincial de Madrid, sección 9 del 24 de octubre de 2019 (ROJ: SAP M 16954/2019 - ECLI:ES:APM:2019:16954) vez a su vez cita la Sentencia de la Audiencia Provincial de Madrid secc. 21 N.º 90/2018 de 13 de marzo que, con cita de otras sentencias anteriores, las define como ***aquellas que suponen unas molestias superiores a las que vienen impuestas por la relación de vecindad; esto es, más allá de los límites tolerables y asumibles por la comunidad por ser contrarios a la buena disposición de las cosas para el uso normal que ha de hacerse de aquellas; impidiendo a los demás propietarios el adecuado uso de los elementos comunes y de sus derechos,*** *añadiendo a continuación que con dichas actividades se perturba, en el orden de convivencia, el corriente desenvolvimiento de las relaciones sociales, y se excede de lo tolerable el normal ejercicio de las normas de convivencia dificultándose a los demás comuneros el ejercicio de sus derechos (el correcto uso y disfrute de sus viviendas y del inmueble».*

Finalmente y como cierre a la calificación de actividad molesta, merece detenerse brevemente en la conceptualización de **inmisiones**. Cuando comenzamos definiendo la actividad molesta según la RAE, ya se hizo breve mención al concepto de inmisión respecto de los humos y olores, pero lo cierto es que la norma no lo conceptualiza ni regula expresamente, sino que es fruto de la doctrina judicial y científica que ha venido a tratar esta cuestión integrándola en la propia calificación de actividad molesta. La exposición de las personas a vibraciones, calor, ruido, luz o contaminación por medio de la denominada inmisión viene prohibida al amparo de la injerencia que ello supone en los derechos a la intimidad, personal y familiar de las personas que conllevan respecto de actividades productoras de inmisiones, que aun cuando cuenten con licencias, o incluso constituyan actividades perfectamente lícitas, pueda determinarse con arreglo a esa elevada injerencia que la actividad debe cesar. Así lo advierte la sentencia de la Audiencia Provincial de Baleares n.º 18/2022, de 24 de enero, ECLI:ES:APIB:2022:261:

«II.-/ Aunque el Código civil, como es sabido, no contiene una norma que regule específicamente las **inmisiones**, la doctrina judicial y científica ha elaborado una teoría sobre las mismas en base a varios de sus preceptos (arts. 7, 590, 1902, 1903 y 1908), el art. 7.2 de la LPH y la protección de los derechos al honor, intimidad personal y familiar y propia imagen que dispensa la LO 1/1982, de 5 de mayo. **Inicialmente referida a las inmisiones por humos excesivos, se fue ampliando a las inmisiones por ruidos o contaminación acústica, incluso aun cuando las mismas procedan en principio del desarrollo de actividad lícitas, porque deja de ser admisible cuando se traspasan determinados límites, sin que el cumplimiento de la normativa reglamentaria impida la apreciación de responsabilidad cuando concurre la realidad del daño causado**».

RESOLUCIONES RELEVANTES

Sentencia del Tribunal Europeo de Derechos Humanos de 16 de noviembre de 2004 (demanda n.º 4143/02) asunto Moreno Gómez contra España

«Así, el Tribunal ha declarado aplicable el artículo 8 en el asunto Powell y Rayner c. Reino Unido (sentencia del 21 de febrero 1990, serie A n.º 172 § 40), porque ***"el ruido de los aviones del aeropuerto de Heathrow había disminuido la calidad de la vida privada***

***y las comodidades del hogar** (de cada uno) de los demandantes". En el asunto López Ostra c. España (citado anteriormente) referente a la **contaminación por ruidos y olores de una depuradora**, el Tribunal estimó que "**agresiones graves al entorno pueden afectar el bienestar de una persona y privarla del disfrute de su domicilio, perjudicando su vida privada y familiar, sin por ello poner en grave peligro la salud** del interesado". En el asunto Guerra y otros c. Italia (sentencia del 19 de febrero 1998, compilación de las sentencias y decisiones 1998-I, § 57), el Tribunal ha hecho notar que "la incidencia directa de las emisiones (de substancias) nocivas sobre el derecho de los demandantes al respeto de su vida privada y familiar permitía concluir a la aplicabilidad del artículo 8". Finalmente, en el asunto Surugiu c. Rumania (n.º 48995/99, 20 de abril 2004) relativo a diversas trabas, entre ellas la entrada de terceras personas en el patio de la casa del demandante, y **el vertido por parte de esas personas de carros de estiércol delante de la puerta y debajo de las ventanas de la casa**, el Tribunal ha estimado que esas trabas constituían **injerencias repetitivas** en el ejercicio, por parte del demandante en su derecho al respeto de su domicilio y concluyó con la aplicabilidad del artículo 8 del Convenio».*

Sentencia de la Audiencia Provincial de Málaga n.º 414/2020, de 17 de julio, ECLI:ES:APMA:2020:523

«En este mismo orden de cosas, hemos de acudir a la Ley 37/2003, de 17 de noviembre, del Ruido, en cuya exposición de motivos se expresa que trata del ruido en un sentido amplio, y éste es el alcance de la ley, comprensivo tanto del ruido propiamente dicho, perceptible en forma de sonido, como de las vibraciones: tanto uno como otras se incluyen en el concepto de "contaminación acústica" cuya prevención, vigilancia y reducción son objeto de esta ley. La contaminación acústica a la que se refiere el objeto de esta Ley se define como la presencia en el ambiente de ruidos o vibraciones, cualquiera que sea el emisor acústico que los origine, que impliquen molestia, riesgo o daño para las personas, para el desarrollo de sus actividades o para los bienes de cualquier naturaleza, y si bien se excluye del alcance de la Ley la contaminación acústica originada en la práctica de actividades domésticas o en los comportamientos de los vecinos ello es siempre y cuando éstos no excedan los límites tolerables de conformidad con los usos locales, teniendo en cuenta que en la tradición jurídica española las relaciones de vecindad han venido aplicando a todo tipo de inmisiones, incluidas las sonoras, un criterios de razonabilidad que se vincula a las prácticas consuetudinarias del lugar».

Actividades insalubres, nocivas o peligrosas para la comunidad de propietarios 980

➤ Actividades insalubres

Por su parte, serán calificadas de insalubres todas aquellas actividades que produzcan daños sobre la salud. A modo de ejemplo, la **sentencia de la Audiencia Provincial de Lugo n.º 346/2019, de 11 de julio, ECLI:ES:APLU:2019:521**, expresamente las ha definido como: «(...) Actividades insalubres son aquéllas cuyas consecuencias pueden producir daños o tener repercusiones más o menos graves en la salud de los vecinos u ocupantes».

Hemos de apuntar, que habitualmente una misma actividad es susceptible de calificarse de varias formas, pues una actividad de la que se desprendan, por ejemplo, emisiones de humos puede ser calificada de molesta o incómoda, y de producir graves efectos sobre la salud de las personas también podrá calificarse de insalubre, lo que muchas veces produce que se formule la acción de cesación con arreglo a varias calificaciones diferentes. Muestra de ello lo encontramos en las diversas resoluciones de las audiencias provinciales.

RESOLUCIONES RELEVANTES

Sentencia de la Audiencia Provincial de Huesca n.º 326/2021, de 18 de octubre, ECLI:ES:APHU:2021:434

«Por **insalubre**, debe entenderse la actividad que da lugar a desprendimientos o evacuaciones de productos que puedan resultar directa o indirectamente perjudiciales a la salud humana. (Como tal al menos se conceptuaba en referencia al Reglamento de 1961).

Se ha considerado como insalubre a la par que dañosa por ejemplo en la sentencia de la AP Santa Cruz de Tenerife de 17-6-02, el mantenimiento del apartamento en unas condiciones higiénico-sanitarias pésimas, lo que habría generado olores insoportables e incluso una invasión de cucarachas, así como ruidos y otras molestias derivadas de reuniones numerosas incluso en horas de la noche, siendo frecuente que en el referido apartamento pernoctaran múltiples personas.

Y también por ejemplo la salida y expulsión de humos y gases (SAP Valencia 29-7-02).

En el presente caso sin perjuicio de considerar que una continua exposición a altas inmisiones acústicas sin duda puede afectar la salud, en el presente caso, y rechazando que aquéllas inmisiones se den por encima de lo razonable en el seno de una convivencia en régimen de comunidad, tampoco las consideramos insalubres».

Sentencia de la Audiencia Provincial de Málaga n.º 621/2010, de 3 de diciembre, ECLI:ES:APMA:2010:2741

*«La actividad de pintado, lavado y cambio de aceite de los coches del Rent a Car del recurrente constituye una actividad **no solo molesta para los vecinos, sino insalubre**, al suponer actuaciones que pueden dejar residuos tóxicos en el recinto comunitario, e incluso suciedad, además de ocupar espacio reservado para los propietarios de la Comunidad. Igualmente esta Sala hace suyas las argumentaciones expuestas por el Juez "a quo" sobre la infracción de la reglamentación de actividades molestas, nocivas e insalubres que la actuación del recurrente ha podido generar con las actividades antes descritas, y que han quedado suficientemente acreditadas con las testificales practicadas y documentales aportadas».*

➢ Actividades nocivas

Al igual que sucede respecto de las actividades insalubres, la calificación de nocivo en ocasiones se entremezcla con otro tipo de conceptos, como insalubre o incluso por esa remisión implícita a la que ya hemos hecho alusión, a la calificación de molesta en toda aquella actividad que no tiene un encuadre propio en ninguno de los otros conceptos. Así, la RAE define nocivo/va como dañoso, pernicioso o perjudicial.

La **sentencia de la Audiencia Provincial de Córdoba n.º 950/2021, de 24 de septiembre, ECLI:ES:APCO:2021:998**, muestra prueba de ello al señalar:

«En todo caso, es de tener en cuenta, tal y como deriva de la propia literalidad del citado art. 7-2, cuando alude la contravención de las disposiciones generales como requisito para el ejercicio de la acción de cesación, que el concepto de actividad molesta es acreedor de un juicio valorativo que en cada caso concreto debe establecerse con arreglo a un criterio objetivo en la valoración de las circunstancias que confluyen en el afirmado perjuicio o molestia que ocasiona una concreta actividad. No queremos decir con esto, que no pueda ejercitarse dicha acción cuando la concreta actividad (tal y como aquí acontece queda extramuros del ámbito delimitado por Decreto de 2014/1961 que aprueba el Reglamento de Actividades Molestas, Insalubres, Nocivas y Peligrosas) **pretendidamente nociva o molesta** no esté contemplada en una norma administrativa y la actividad sólo sea calificable de dicha forma por la comunidad, sino que lo que queremos indicar, **es que el juicio de "nocividad" o "molestia" debe de atemperarse a criterios objetivos debidamente constatables** (no en el mero subjetivismo de un mayor o menor número de propietarios) y, por tanto, desinteresada y objetivamente valorables por el Tribunal conforme a las reglas de la sana crítica y, en su caso, a las reglas de la carga de la prueba».

➢ Actividades peligrosas

Las califica la **sentencia de la Audiencia Provincial de Lugo n.º 346/2019, de 11 de julio, ECLI:ES:APLU:2019:521**, con alusión a la **SAP de Madrid n.º 171/2007, de 11 de abril, ECLI:ES:APM:2007:16239**, como aquellas que entrañan un riesgo superior a las que podríamos calificar de meramente molestas, por el objeto en particular que comprenden tales como la manipulación o almacenamiento de productos inflamables o que pueden provocar radiación:

«Y la SAP de Madrid n.º 171, de 11 de abril de 2007, señala lo siguiente:

"En este contexto, actividades peligrosas son las que entrañan un riesgo superior a aquel que normalmente se asume, para satisfacer necesidades de los propietarios u ocupantes, en la mayoría de los inmuebles. El reglamento, las define como 'las que tengan por objeto fabricar, manipular, expender o almacenar productos susceptibles de originar riesgos graves por explosiones, combustiones, radiaciones u otros de análoga importancia para los personas o los bienes'. Al igual que en el resto de las actividades, hay que estar al caso concreto y al momento preciso. **Ahora bien, ello no implica que sea posible la prohibición de toda actividad que entrañe cierto riesgo, siempre que se tomen las precauciones oportunas y se trate de actividades que normalmente se realizan o consienten en la mayoría de los inmuebles.** La STS de 28 de febrero de 1961 (RJ 1961, 914) afirma al respecto que **'no basta el mero resultado para reputar peligrosa a una industria pues este resultado puede ser debido a un caso fortuito**, como en el caso de autos, o a una fuerza mayor, de los que no está libre ninguna industria', y añade **'no puede confundirse el riesgo aleatorio** inherente a toda actividad humana, **con el peligro que ha de referirse a un estado permanente de inminencia que se traduce en una probabilidad constante de que el daño se produzca**'(...)"».

Actividades ilícitas para la comunidad de propietarios 990

Finalmente, en las actividades ilícitas debe distinguirse entre su conceptualización administrativa y civil, pues queremos recordar en este punto que no existe estricta correspondencia en su calificación, de modo que una actividad que cuente o no con licencias administrativas no supone *a priori* que la misma deba calificarse necesariamente de lícita o ilícita. Al respecto se han pronunciado nuestros tribunales, por citar algún ejemplo, en la **sentencia de la Audiencia Provincial de Lugo n.º 346/2019, de 11 de julio, ECLI:ES:APLU:2019:521,** se establece:

«(...) **Las actividades ilícitas, frente a la expresión "inmorales"** de la disciplina derogada, **tienen un carácter objetivo y no dependen de las concepciones sociales**, de la comunidad o del órgano jurisdiccional. Se trata, pues, de las **actividades prohibidas por la Ley, cualquiera que sea su** ámbito **y naturaleza**. Y buena parte de la doctrina científica sostiene que una actividad **no puede calificarse de ilícita**

por el solo hecho de que no se observen las formalidades administrativas. Como recuerda la SAP de Salamanca núm. 252/2000, de 4 de mayo (RA 277/2000; AC 20002306), no se encuentran "... vinculados los Tribunales por la conceptuación que merezcan en aplicación de ordenanzas Municipales y Reglamentos Administrativos como el de 30-11-1961 (RCL 19611736, 1923; RCL 1962, 418 y NDL 16641) (SSTS 18-4-1962 [RJ 1962 2060], 16-12-1963 [RJ 19635323], 30-4-1966 [RJ 19663402]). El cumplimiento de las formalidades administrativas para instalación de un negocio o industrias no afecta a las consecuencias del mismo en el orden civil, ni condiciona los derechos de esta índole reconocidos en las leyes (SSTS 22-11-1960 [RJ 19603755], 14-11-1989, 4- 3-1992 [RJ 19922163])..."».

Ahondando más detenidamente en esta cuestión, la Audiencia Provincial de Sevilla en su **sentencia n.º 383/2013, de 23 de julio, ECLI:ES:APSE:2013:2204,** que viene a precisar qué actividades verdaderamente se encuentran comprendidas en la conceptualización de ilícita a los efectos propios de la Ley de Propiedad Horizontal según la doctrina y jurisprudencia:

«SEXTO.- Tampoco puede hablarse de una actividad ilícita por el hecho de que la demandada no contara con alguna de las licencias o permisos administrativos de su actividad o de los aparatos que utiliza, lo que, aunque no sea uno de los motivos de cese de la actividad de la demandada alegados en el escrito de demanda, si ha sido objeto, sin embargo, de la mayor parte de las alegaciones de las partes, así como de la actividad probatoria desarrollada en el pleito.

Y es que, además de acreditarse, documentalmente, que Coinsol cuenta con todas esas licencias y permisos administrativos, como lo prueba el hecho de que, precisamente, ha sido la comunidad de propietarios demandante la que ha recurrido en vía contencioso-administrativa los actos de concesión de tales licencias y permisos, el concepto de actividad ilícita del artículo 7,2 de la Ley de Propiedad Horizontal lo refiere la doctrina y la jurisprudencia a algo distinto, el desarrollo de actividades como el tráfico de drogas, juegos prohibidos, tráfico sexual, falsificación de moneda, laboratorios químicos de sustancias peligrosas, etc., es decir, actividades que, por sí mismas, están prohibidas por la ley, y no de actividades perfectamente lícitas y permitidas, que, sin embargo, están sujetas a un control en su desarrollo».

5.5. EL PROCEDIMIENTO PARA PROMOVER EL CESE DE ACTIVIDAD MOLESTA

5.5.1. Aspectos generales

1000 **¿Cómo se promueve la acción de cesación?**

Establece el artículo 7.2 de la Ley de Propiedad Horizontal el procedimiento con arreglo al cual ha de promoverse la acción de cesación:

«El presidente de la comunidad, a iniciativa propia o de cualquiera de los propietarios u ocupantes, **requerirá a quien realice las actividades prohibidas** por este apartado la **inmediata cesación de las mismas**, bajo apercibimiento de iniciar las acciones judiciales procedentes.

Si el infractor persistiere en su conducta el Presidente, previa autorización de la Junta de propietarios, debidamente convocada al efecto, **podrá entablar contra** él **acción de cesación** que, en lo no previsto expresamente por este artículo, se sustanciará a través del juicio ordinario.

Presentada la demanda, acompañada de la acreditación del requerimiento fehaciente al infractor y de la certificación del acuerdo adoptado por la Junta de propietarios, el juez **podrá acordar con carácter cautelar la cesación inmediata de la actividad prohibida**, bajo apercibimiento de incurrir en delito de desobediencia. Podrá adoptar asimismo cuantas medidas cautelares fueran precisas para asegurar la efectividad de la orden de cesación. La demanda habrá de dirigirse contra el propietario y, en su caso, contra el ocupante de la vivienda o local.

Si la sentencia fuese estimatoria podrá disponer, además de la cesación definitiva de la actividad prohibida y la indemnización de daños y perjuicios que proceda, la privación del derecho al uso de la vivienda o local por tiempo no superior a tres años, en función de la gravedad de la infracción y de los perjuicios ocasionados a la comunidad. Si el infractor no fuese el propietario, la sentencia podrá declarar extinguidos definitivamente todos sus derechos relativos a la vivienda o local, así como su inmediato lanzamiento».

Este artículo alude esencialmente a los requisitos previos de procedibilidad de la acción, y por su parte el artículo 249.1.8.º de la LEC viene a regular estrictamente el procedimiento judicial que, como analiza la **sentencia de la Audiencia Provincial de Cantabria n.º 469/2020, de 2 de septiembre, ECLI:ES:APS:2020:623**, «(...) trata de **englobar para su tramitación por la materia determinadas acciones que de forma específica y sin relación directa con otras normas de nuestro ordenamiento confiere la Ley de Propiedad Horizontal**, como son las derivadas de la pretensión de constitución o modificación del título constitutivo (art. 5.2); las de **cesación de actividades prohibidas, dañosas o contrarias a las disposiciones generales sobre actividades molestas, insalubres, nocivas o peligrosas (art. 7.2 LPH)**; la acción de condena —prestación de hacer— a la restitución de los elementos comunes alterados sin consentimiento de la comunidad; la acción constitutiva de servidumbre o la de tolerancia a realizar las reparación que exija el inmueble y la de condena a permitir la entrada en su piso o local (art. 9.1, c y d); las de impugnación de los acuerdos comunitarios del art. 18, formuladas por uno o varios comuneros; y cualquier otra reclamación o contienda de orden interno de la comunidad».

CUESTIÓN

¿Cuál es el objeto de la acción de cesación?

Esta acción tiene por objeto, principalmente que quien perturbe cese en su actuación, esperando que dicho requerimiento baste y resulte suficiente para lograr tal objetivo. Sin embargo, como así se infiere del artículo 7.2 de la LPH, solo una vez se ha requerido, si el infractor persiste en su conducta, se promoverá acción judicial para que cese en su actividad, y solo en ese momento viene previsto por la norma que se puedan imponer medidas gravosas para quien voluntariamente no ha cesado tras el requerimiento previo. Se hace así una invitación al cumplimiento voluntario, reservando las medidas a un momento posterior en el que entonces la sanción sobre el infractor alcanzará su mayor expresión, pudiendo incluso limitar su derecho sobre la propiedad, por tanto, además de buscar el cese de la perturbación, tal como recuerda la **sentencia de la Audiencia Provincial de Badajoz n.º 1007/2021, de 22 de diciembre, ECLI:ES:APBA:2021:1751**:

*«Además, **tiene un marcado carácter sancionador. Trata de prevenir, de evitar este tipo de conductas. Si las actividades molestas dentro de una comunidad no tuvieran más castigo que su cese, tales actividades estarían a la orden del día.** La convivencia sería imposible por anárquica. La forma de proteger, en este caso, un ambiente libre de inmisiones acústicas es el miedo a verse uno privado del uso de su inmueble. Toda norma jurídica, por definición, conlleva una sanción para el caso del incumplimiento del mandato. Aquí la sanción no es el cese, es justamente la privación del uso, que además se ha fijado con claro carácter moderado, lejos del límite legal de tres años».*

Es importante recordar la reforma introducida por la **Ley Orgánica 1/2025, de 2 de enero**, por la cual se **añade un apartado 3 al artículo 7 de la LPH**, con entrada en vigor desde el 03/04/2025, por el cual:

«3. El propietario de cada vivienda que quiera realizar el ejercicio de la actividad a que se refiere la letra e) del artículo 5 de la Ley 29/1994, de 24 de noviembre, de Arrendamientos Urbanos, en los términos establecidos en la normativa sectorial turística, deberá obtener previamente la aprobación expresa de la comunidad de propietarios, en los términos establecidos en el apartado 12 del artículo diecisiete de esta Ley.

El presidente de la comunidad, a iniciativa propia o de cualquiera de los propietarios u ocupantes, requerirá a quien realice la actividad del apartado anterior, sin que haya sido aprobada expresamente, la inmediata cesación de las mismas, bajo apercibimiento de iniciar las acciones judiciales procedentes, siendo de aplicación lo dispuesto en el apartado anterior».

5.5.2. Requisitos de procedibilidad

1010

Requisitos de procedibilidad para el ejercicio judicial de la acción de cesación

Con carácter previo a promover el procedimiento judicial por el que se inste el cese de toda actividad que vulnere los estatutos, que resulte dañosa para la finca o que contravenga las disposiciones generales sobre actividades molestas, insalubres, nocivas, peligrosas o ilícitas, deben observarse correctamente dos presupuestos de necesario cumplimiento en aras a lograr la efectiva procedibilidad de la acción, siendo los mismos insubsanables, por lo que su relevancia jurídica es determinante en el efectivo ejercicio de la acción de cesación, como así lo recoge la **sentencia de la Audiencia Provincial de Córdoba n.º 139/2022, de 11 de febrero, ECLI:ES:APCO:2022:126:**

«A) El ejercicio de la acción de cesación derivada de lo establecido en el artículo 7-2 LPH inicialmente requiere que la presentación de la demanda sea acompañada de acreditación del requerimiento fehaciente al infractor, bajo apercibimiento de inicio de las acciones judiciales procedentes, para que cese en las actividades en cuestión y de certificación del acuerdo adoptado por la junta de propietarios para entablar la correspondiente acción de cesación.

Téngase presente **con carácter general** y en relación a lo anterior, **que la jurisprudencia existente en cuanto a los referidos requisitos de "procedibilidad" es ciertamente rigurosa, por cuanto que, amén de considerar a los mismos insubsanables, ha venido a indicar, que el formalismo exigido por el legislador no es en modo alguno gratuito, sino que está en directa consonancia con el riguroso con-**

tenido de la pretensión ejercitada y, por tanto, con los concretos pronunciamientos judiciales instados por el demandante (téngase especialmente en este sentido el contenido que una eventual sentencia estimatoria puede alcanzar por razón de lo establecido en el último párrafo del citado precepto); razón, en definitiva, por la que viene a sostenerse, que **la expresa exigencia legal de dicha acreditación y certificación tiene como finalidad evitar actuaciones imprudentes, temerarias o carentes de rigor jurídico, en previsión de las graves consecuencias que pueden derivar de la acción judicial ejercitada**».

Estos presupuestos de procedibilidad son:

- **Requerimiento previo** con apercibimiento de acciones judiciales a quien realice las actividades prohibidas para que ceje en su perturbación.
- Para el caso de que quien viene perturbando con su actividad no cese en su actuación tras el requerimiento, **se celebre una junta** convocada al efecto a fin de **habilitar al presidente** para entablar acción judicial contra el infractor.

RESOLUCIONES RELEVANTES

Sentencia de la Audiencia Provincial de Bizkaia n.º 201/2020, de 4 de junio, ECLI:ES:APBI:2020:2686

*«(...) Pero el mismo precepto establece una **fase previa extrajudicial, imprescindible**, a la que corresponden el requerimiento previo y la autorización de la junta de propietarios. **Estas exigencias previas y preparatorias del ejercicio de la acción judicial constituyen auténticos presupuestos de admisibilidad de la demanda; su omisión es causa de su rechazo a limine**».*

Sentencia de la Audiencia Provincial de Ciudad Real n.º 366/2021, de 28 de octubre, ECLI:ES:APCR:2021:1161

*«Por tanto, en dicho artículo se establecen **dos requisitos de procedibilidad para el ejercicio de la acción de cesación, sin cuya concurrencia no puede ser deducida**. En primer lugar, un **requerimiento de inmediata cesación** de la actividad bajo apercibimiento de iniciar las acciones judiciales, hecho por el Presidente de la comunidad a quien realice la actividad prohibida, dañosa, molesta o nociva. Y, en **segundo lugar, un acuerdo de la Junta de propietarios, debidamente convocada al efecto, autorizando el ejercicio de la acción de cesación**.*

*Respecto al requerimiento, como señala la SAP Madrid sec. 8.ª n.º 490/2019 de 18 de noviembre que cita la SAP de Madrid, Sección 19.ª, de 17 de Febrero de 2016, reproducida a su vez por la sentencia de la Sección 25.ª, en sentencia de 29 de abril de 2016, n.º 160/2016, "**el requerimiento cobra en el ejercicio de esta acción singular importancia, pues la finalidad del mismo es obviamente evitar el pleito, bien porque la requerida se avenga sin paliativos a las exigencias de la Comunidad requirente llevando a cabo las actuaciones precisas que signifiquen la cesación, —en este caso de las molestias derivadas del ruido—, bien porque con motivo del requerimiento las partes lleguen a una solución transaccional. Para que esta finalidad pueda cobrar realidad, es preciso, de un lado que el requerimiento llegue a los destinatarios, que no son otros que los infractores y de otro, que se otorgue a los requeridos un plazo razonable para llevar a cabo las actuaciones necesarias para eliminar las molestias.** Se trata de un requerimiento del que se espera respuesta, su finalidad, según lo razonado, lo aleja de aquéllos que supongan una mera formalidad. De ahí, que haya de **extremarse el celo para que sea realmente recibido por su destinatario**, estableciendo a continuación, **según se conteste o no, un plazo de espera en razón a la entidad de las actuaciones a llevar a cabo para hacer efectiva la cesación y solo después, si el*** *requerimiento no es atendido, procederá convocar la Junta para ejercitar la acción de cesación. Es este el procedimiento que para la subsanación extrajudicial de actividades molestas, nocivas o insalubres está previsto en la Ley de Propiedad Horizontal". Ha de ser previo a la interposición de la demanda, para lo que debe otorgarse al causante un plazo razonable (sentencia de la Audiencia Provincial de Alicante, sección 9.ª, de 11 de junio de 2013)».*

Sentencia de la Audiencia Provincial de Madrid n.º 617/2021, de 14 de diciembre, ECLI:ES:APM:2021:14516

*«El artículo 7.2 de la LPH no ofrece duda interpretativa de que los **presupuestos de procedibilidad de la acción de cesación** requieren un previo requerimiento a quien realice la actividad molesta, para que cese de inmediato en las mismas, con apercibimiento de iniciar las acciones judiciales procedentes, y, en el supuesto de que el infractor persista, el presidente, previa autorización de la junta debidamente convocada al efecto, podrá entablar contra él la acción de cesación. Por tanto, **es necesaria la concurrencia de dos actos separados temporalmente, requerimiento con apercibimiento y acuerdo adoptado en Junta.***

(...) Son dos los presupuestos o requisitos de hecho necesarios para que pueda instarse una acción de cesación como la ejercitada en el supuesto que nos ocupa; por una parte, la necesidad de un requerimiento previo a quien realiza las actividades prohibidas en el art. 7.2 de la Ley de Propiedad Horizontal para que cese en las mismas, y, por otra parte, caso de que aquél persistiere en su conducta, la previa celebración de Junta convocada al efecto para entablar las acciones judiciales contra dicho infractor, es decir, entre el requerimiento y el acuerdo debe transcurrir un periodo de tiempo para verificar si ha cesado o no la molestia, y ese es el criterio que de forma unánime y pacífica sostiene la doctrina de las Audiencias Provinciales».

1020 El requerimiento previo de cese en las actividades prohibidas

Dispone expresamente el artículo 7.2 de la LPH como presupuesto necesario que «El presidente de la comunidad, a iniciativa propia o de cualquiera de los propietarios u ocupantes, requerirá a quien realice las actividades prohibidas por este apartado la inmediata cesación de las mismas, bajo apercibimiento de iniciar las acciones judiciales procedentes», artículo que debe ser puesto en relación con el 16.2, párrafo segundo, de la misma norma al precisar que «Cualquier propietario podrá pedir que la Junta de propietarios estudie y se pronuncie sobre cualquier tema de interés para la comunidad; a tal efecto dirigirá escrito, en el que especifique claramente los asuntos que pide sean tratados, al presidente, el cual los incluirá en el orden del día de la siguiente Junta que se celebre». La vocación del requerimiento es servir de medida de primer orden, para que, conocido el alcance de la perturbación y manifestado expresamente por medio del requerimiento, quien causa la perturbación cese eficazmente en la misma.

De la misma forma, el nuevo apartado 3 de este artículo 7 (vigente desde el 03/04/2025), hace mención del requerimiento previo del presidente de la comunidad, a iniciativa propia o de cualquiera de los propietarios u ocupantes, a quien realice la actividad a que se refiere la letra e) del art. 5 de la LAU, sin que haya sido aprobada expresamente, del cese de la actividad prohibida, bajo apercibimiento de iniciar las acciones judiciales procedentes, siendo de aplicación lo dispuesto en el apartado 2.

CUESTIÓN

¿Cómo se materializa la iniciativa del propietario u ocupante para formular requerimiento de cese?

Como hemos visto el requerimiento se efectúa por el presidente a iniciativa propia pero también por iniciativa del propietario u ocupante, luego un arrendatario que se vea perturbado por una actividad dispone también de facultad para comunicar o al titular de la vivienda o directamente al presidente de la comunidad de propietarios, la actividad que genera la perturbación. Se trata de una comunicación formal al presidente, como así lo dispone la **Audiencia Provincial de Pontevedra** en su **sentencia n.º 399/2018, de 18 de septiembre, ECLI:ES:APPO:2018:1443**: «(...) Pues bien, en el caso de autos se comprueba que en la comunicación que el 11 de octubre 2016 el ahora demandante dirige al presidente de la comunidad "le requiere para que a la mayor brevedad inicie las acciones legales oportunas frente al propietario de la vivienda 7.º G con la finalidad de que este cese en la producción de olores humos en dicha vivienda", es decir para que iniciase las acciones legales oportunas, cuando **la comunicación al presidente tenía que ir encaminada a que éste requiriera al supuesto infractor para su inmediata cesación** en la actividad molesta, concediéndole un plazo prudencial **y; para el caso de que la actividad no cese, convocar expresamente Junta** de propietarios para tratar de este asunto y verificado entablar demanda, bien el presidente con autorización de la Junta, bien el comunero, acreditando la inactividad del presidente y, en ambos casos acompañando con la misma la documentación necesaria justificativa del cumplimiento de estos requisitos. Requisitos que consideramos no se han cumplido, pues en ningún momento se puso en conocimiento del presidente la necesidad del requerimiento al supuesto infractor y la solicitud de convocatoria de Junta de propietarios. Pero es que además se establece un orden temporal para la concurrencia de ambos requisitos. (...) **En el caso la lectura de la comunicación al presidente evidencia que en ninguna momento se puso en su conocimiento la necesidad del requerimiento previo al supuesto infractor, con otorgamiento de plazo, así como la solicitud de convocatoria de la Junta, simplemente se le insta para que a la mayor brevedad posible inste las acciones legales oportunas** frente al propietario del 7.º G, obviando con ello que el requerimiento tiene en el ejercicio de esta acción singular importancia, pues la finalidad del mismo es obviamente evitar el pleito, bien porque el requerido se avenga sin paliativos a las exigencias de la Comunidad requirente llevando a cabo las actuaciones precisas que signifiquen la cesación, —en este caso de las molestias derivadas del olor y humos—, bien porque con motivo del requerimiento las partes lleguen a una solución transaccional. Para que esta finalidad pueda cobrar realidad, **es preciso, de un lado que la comunicación que se realice al presidente lo sea cumpliendo las formalidades que exige el precepto en los términos que hemos expuesto y de otro, que se otorgue al requerido un plazo razonable para llevar a cabo las actuaciones necesarias para eliminar las molestias**, en el caso el requerimiento que directamente realiza el comunero demandante al supuesto infractor, es de tres días, se entrega el 12 de noviembre y la demanda se presenta el 28 del mismo mes».

Efectuada la comunicación al presidente de la comunidad instándole a requerir el cese de actividad y la celebración de junta para el caso de que dicha actividad no cese, este ha de efectuar el requerimiento a quien realiza las actividades prohibidas. Dicho requerimiento tendrá que cumplir también para su validez con unos requisitos de necesaria observancia y que se han venido precisando por nuestros tribunales.

En primer lugar, **respecto del requerimiento, se exige que el mismo sea fehaciente**, no bastando con un mero requerimiento verbal, y es que debemos recordar que de conformidad con el artículo 7.2 de la LPH se exige con la presentación de la demanda el acompañamiento de la acreditación de requerimiento fehaciente; así se ha determinado en la **sentencia de la Audiencia Provincial de Bizkaia n.º 201/2020, de 4 de junio, ECLI:ES:APBI:2020:2686**, que recoge:

«El primero de esos requisitos es el del requerimiento previo. Dice el párrafo segundo del art. 7.2: "El presidente de la comunidad, a iniciativa propia o de cualquiera de los propietarios u ocupantes, requerirá a quien realice las actividades prohibidas por este apartado la inmediata cesación de las mismas, bajo apercibimiento de iniciar las acciones judiciales procedentes".

Estamos ante una exigencia previa e inexcusable a la presentación de la demanda que abre el proceso judicial a que se refieren los párrafos siguientes; su acreditamiento, por otra parte, debe, precisamente, acompañar a la demanda como condición de su admisibilidad. La SAP de Cádiz (Sec. 7.ª) de 4-3-2002 lo considera **"requisito formal necesario de orden público", "de ius cogens, expresamente establecido como de procedibilidad en el art. 7 de la LPH"**. También para la SAP de Madrid (Sec. 13.ª) de 26-7-2004 (con cita de la anterior SAP de Cádiz y la de Pontevedra de 25-4-2002) "este requerimiento previo es imprescindible y supone un requisito de procedibilidad"; en igual sentido la SAP de Madrid (Sec. 12.ª) de 19- 7-2007.

Tiene por objeto este requerimiento, obtener extrajudicialmente el cese de la actividad prohibida en evitación de la anunciada vía judicial a que se refieren los párrafos siguientes del citado precepto **si el propietario requerido lo desoye y persiste en la infracción**. Es preciso destacar que no se trata de una mera invitación; los términos del precepto revelan el propósito conminatorio de este requisito previo: se requiere al cese y se apercibe del ejercicio de acciones judiciales. Y este requisito debe quedar acreditado al tiempo de presentarse la demanda.

Y añade dicha sentencia: **En modo alguno puede entenderse satisfecha la exigencia legal atribuyendo valor sustitutivo a otras fórmulas como la denuncia previamente presentada ante las autoridades administrativas** (SAP de Málaga —Sec. 6.ª— de 11-1-2006), **o la notificación al infractor de la convocatoria de la junta para decidir sobre la reclamación judicial** (AAP de Zaragoza —Sec. 4.ª— de 7-5-2008). **Por ello, también debemos tener por ineficaces los escritos y denuncias dirigidas por la comunidad al Ayuntamiento.**

El requerimiento debe ser fehaciente; no se dice en el párrafo segundo del art. 7.2, pero sí se hace en el cuarto, cuando advierte que a la demanda se acompañará acreditación del requerimiento fehaciente; **debe entenderse como suficiente aquel que se haga en forma tal que permita constatar claramente su práctica y quede constancia de su recepción. La forma no se limitará a solo el requerimiento notarial o el practicado por medio de acto de conciliación; debe admitirse también el hecho por medio de burofax y aún el telegrama remitido con acuse de recibo.** La SAP de Madrid (Sec. 12.ª) de 19-7-2007 expresamente dice que "el requerimiento ha de ser fehaciente (art. 7.2, párrafo cuarto LPH), lo que no debe ser entendido como exigencia de que se practique notarialmente, siendo suficiente con la utilización de cualquier medio que permita demostrar que ha sido materialmente verificado (STS de 9 de diciembre de 1997)".

No es válido el requerimiento verbal, por más que efectivamente haya llegado al destinatario, pues no hay modo de acreditarlo documentalmente con la demanda, y desde luego, no cabe aquí una información testifical previa para acreditar el cumplimiento del requisito necesario para admitir aquella a trámite.

Sí cabe admitir el requerimiento y apercibimientos que le son hechos al propietario en la misma junta, siempre que quede documentado para que pueda acompañarse a la demanda (lo admite la SAP de Valencia —Sec. 2.ª— de 17-1-2001)».

CUESTIONES

1. ¿Qué se entiende por requerimiento fehaciente?

Sobre esta cuestión se han pronunciado nuestros tribunales. Así, por ejemplo, la **Audiencia Provincial de Bizkaia en su sentencia n.º 169/2017, de 28 de abril, ECLI:ES:APBI:2017:705**, al afirmar que: «(...) El requerimiento ha de ser fehaciente (art. 7.2 párrafo cuarto), lo que no debe ser entendido como exigencia de que se practique notarialmente, **siendo suficiente con la utilización de cualquier medio que permita demostrar que ha sido materialmente verificado** (Sentencia del Tribunal Supremo de 9 de diciembre de 1997)(...)», o la **sentencia de la Audiencia Provincial de Valencia n.º 242/2021, de 16 de junio, ECLI:ES:APV:2021:2607**, al señalar: «(...) Requiere la Ley como requisito de procedibilidad, un previo requerimiento del presidente de la comunidad, ya de propia iniciativa, ya de cualquiera de los propietarios u ocupantes, sin tenerse que apoyar forzosamente a este fin en acuerdo alguno de la Junta de propietarios, **dirigido al infractor, en forma fehaciente o fidedigna, aunque no necesariamente de tipo notarial, siempre que conste claramente su contenido y su recepción en destino** (...)».

2. ¿Cómo se lleva a cabo el requerimiento?

El requerimiento ha de practicarse en primer lugar en el domicilio que a efectos de notificaciones haya designado el propietario, pues no olvidemos que **es deber de todo propietario informar de un domicilio a efectos de notificaciones y citaciones relacionadas con la comunidad de propietarios. Así en el artículo 9.1 de la LPH** se contemplan entre las obligaciones de cada propietario:

«h) Comunicar a quien ejerza las funciones de secretario de la comunidad, por cualquier medio que permita tener constancia de su recepción, el domicilio en España a efectos de citaciones y notificaciones de toda índole relacionadas con la comunidad. En defecto de esta comunicación se tendrá por domicilio para citaciones y notificaciones el piso o local perteneciente a la comunidad, surtiendo plenos efectos jurídicos las entregadas al ocupante del mismo.

Si intentada una citación o notificación al propietario fuese imposible practicarla en el lugar prevenido en el párrafo anterior, se entenderá realizada mediante la colocación de la comunicación correspondiente en el tablón de anuncios de la comunidad, o en lugar visible de uso general habilitado al efecto, con diligencia expresiva de la fecha y motivos por los que se procede a esta forma de notificación, firmada por quien ejerza las funciones de secretario de la comunidad, con el visto bueno del presidente. La notificación practicada de esta forma producirá plenos efectos jurídicos en el plazo de tres días naturales».

Con alusión a este artículo y la obligación de todo propietario de comunicar un domicilio a efectos de notificaciones, expone la **sentencia de la Audiencia Provincial de Bizkaia n.º 28/2020, de 24 de enero, ECLI:ES:APBI:2020:187**, que: «(...) es necesario que cada propietario conozca que se va a celebrar la Junta, y su orden del día, pues de otro modo difícilmente podría decidir si acude o no, de ahí que su convocatoria, entre otros requisitos, debe dar lugar a la oportuna citación de los propietarios (art. 16 LPH), la cual **deberá hacerse en el domicilio que conste**, bien entendido que al respecto es una obligación de todo propietario la de "Comunicar a quien ejerza las funciones de secretario de la comunidad, por cualquier medio que permita tener constancia de su recepción, el domicilio en España a efectos de citaciones y notificaciones de toda índole relacionadas con la comunidad. **En defecto de esta comunicación se tendrá por domicilio para citaciones y notificaciones el piso o local perteneciente a la comunidad, surtiendo plenos efectos jurídicos las entregadas al ocupante del mismo. Si intentada una citación o notificación al propietario fuese imposible practicarla en el lugar prevenido en el párrafo anterior, se entenderá realizada mediante la colocación de la comunicación correspondiente en el tablón de anuncios de la comunidad, o en lugar visible de uso general habilitado** al efecto, con **diligencia expresiva de la fecha y motivos por los que se procede a esta forma de notificación, firmada por quien ejerza las funciones de secretario de la comunidad, con el visto bueno del presidente.** La notificación practicada de esta forma producirá plenos efectos jurídicos en el plazo de tres días naturales"(...)».

Por su parte afirma en la **sentencia de la Audiencia Provincial de Pontevedra n.º 514/2021, de 3 de diciembre, ECLI:ES:APPO:2021:3075**, que, si intentado el requerimiento en el lugar designado por el propietario este no es atendido, podrá intentarse en el propio piso o local que forma parte de la comunidad de propietarios e incluso también en el propio tablón de anuncios: «**12. Si bien no se sujeta a especiales requisitos de forma el requerimiento, como acto de intimación de naturaleza recepticia, exige de la acreditación de haberse entendido con la persona que se quiere cese en la actividad.** Al regularse la acción de cesación no se establece disposición alguna especial sobre el lugar al que ha de dirigirse el requerimiento, por lo que resulta aplicable el régimen general de las notificaciones a los propietarios previsto en el artículo 9.1.h L.P.H. **El requerimiento, por tanto, ha de practicarse en el domicilio en España que para notificaciones haya designado el propietario y, en su defecto, en el piso o local perteneciente a la comunidad; cuando se haya intentado el requerimiento en alguno de los domicilios referidos y en ellos no hubiera podido tener efecto el requerimiento, podría entenderse realizado mediante la colocación de la comunicación en el tablón de anuncios de la comunidad**».

Finalmente debemos también traer a colación la **sentencia de la Audiencia Provincial A Coruña n.º 138/2018, de 13 de abril, ECLI:ES:APC:2018:563**, que afirma que respecto del requerimiento, el celo al practicarse no puede pretenderse absoluto, de modo que, desatendida la obligación del propietario en la comunicación del domicilio a que viene obligado o desatendido el requerimiento expresamente por su receptor, no puede imponerse a quien debe efectuarlo una obligación imposible: «A mayor abundamiento, debe indicarse que **sí debe considerarse practicado el requerimiento, porque la obligación del remitente es intentar que llegue al destinatario, pero no entregarlo a ultranza cuando no existe una actitud receptiva por parte de quien debe recibirlo.** El destinatario siempre puede realizar maniobras evasivas tendentes a impedir su recepción formal. El burofax remitido a la vivienda de don Pascual no fue recogido por causa que inicialmente debe imputarse a su libre decisión, no a un incumplimiento de Correos».

En segundo lugar, **el requerimiento ha de dirigirse al infractor**. El artículo 7.2 de la LPH es claro al respecto cuando afirma que ante la actividad susceptible de ser calificada en los términos de este precepto «(...) requerirá a quien realice las actividades prohibidas por este apartado la inmediata cesación de las mismas». La **sentencia de la Audiencia Provincial de Ciudad Real n.º 366/2021, de 28 de octubre, ECLI:ES:APCR:2021:1161**, contempla un supuesto en el que se requirió directamente al titular del inmueble sin requerimiento a los ocupantes:

«Pues bien, como vemos, y acertadamente razona la sentencia de instancia, es fundamental para que pueda prosperar la acción de cesación ejercitada, que se haya **realizado correctamente y de forma fehaciente el requerimiento para el cese de la actividad. La cuestión que aquí se discute es sí basta con que se haya dirigido a los propietarios de los inmuebles, como sostiene la parte actora, o si es necesario además que se haya dirigido a los arrendatarios u ocupantes de los inmuebles**, que son en definitiva los verdaderos autores de dichas actividades. Pues bien, del artículo 7.2 LPH se desprende que, **en caso de ser distintos, como es el caso que nos ocupa, debe realizarse a ambos, o en todo caso, al infractor o arrendatario ocupante.** Es lo que se desprende del artículo 7.2 LPH que indica que el requerimiento se realizara a quien realice las actividades prohibidas. No se está utilizando el término propietarios, sino a quien realice las actividades, es decir, como indica las sentencias citadas de la Audiencia Provincial de Madrid, a los infractores. **Ello es lógico, puesto que, por un lado, es en quien directamente está en**

su mano poner fin a las actividades, y por otro, es quien en definitiva acarreará con las consecuencias, ya que, no olvidemos, que el suplico de la demanda lo que pretende es la privación del uso de las viviendas, y, en última instancia, el lanzamiento. Se debe ser, por tanto, totalmente exigente en el cumplimiento del requisito de procedibilidad y en dar la oportunidad a quien está realizando una actividad que le puede llevar a la muy gravosa consecuencia de tener que abandonar la vivienda que habita, de poner fin a dicha actividad. Como indica la Sentencia de la Audiencia Provincial de Málaga de 30 de junio de 2008, en cuanto a los requisitos de procedibilidad debe "ser muy rigurosa su exigencia por las consecuencias sancionadoras tan graves que puede llevar aparejada como es la privación temporal del uso del inmueble"».

Por tanto, habrá de dirigirse el requerimiento directamente frente a quien perturba, cuestión aparte y que merece tratarse, es si debe también efectuarse comunicación o requerimiento frente al propietario no ocupante del inmueble en que se desarrolla la actividad. La norma en este sentido no contiene pronunciamiento expreso al respecto, pues mientras que respecto de la demanda se deja claramente sentado el litisconsorcio pasivo necesario, al determinar que habrá de dirigirla frente al propietario y en su caso ocupante, respecto del requerimiento no existe manifestación expresa al respecto y la norma únicamente impone el requerimiento al infractor directo.

Pese a que como hemos dicho la norma no contempla la exigencia de requerir directamente al titular de la vivienda en régimen de propiedad horizontal, lo cierto es que de la casuística existente se puede advertir que resulta recomendable efectuar una comunicación o incluso en algunos supuestos un verdadero requerimiento al propio titular, y es que no olvidemos que el artículo 27.2 d) y e) de la Ley 29/1994, de 24 de noviembre, de Arrendamientos Urbanos, prevé que el arrendador pueda resolver de pleno derecho el contrato cuando se realicen daños a la finca o cuando en la vivienda se desarrollen actividades molestas, insalubres, nocivas, peligrosas o ilícitas, de modo que habida cuenta que el artículo 7.2 de la LPH ordena la legitimación pasiva del propietario y el litisconsorcio pasivo necesario con el ocupante, parece razonable que el requerimiento deba hacerse tanto al infractor como al propietario, permitiéndole actuar en los términos expuestos en la Ley de arrendamientos urbanos o en todo caso tomar conocimiento y participación en el cese de la actividad. Así lo ha entendido también la **Audiencia Provincial de Pontevedra en su sentencia n.º 486/2021, de 11 de noviembre, ECLI:ES:APPO:2021:2443**:

«Del tenor del precepto resulta claro que **la demanda ha de dirigirse, en todo caso, contra el propietario de la vivienda o local, y, en el caso de ser el infractor el ocupante, también frente a este, cual es el supuesto litigioso**.

Como señala la SAP de Pontevedra de 21 de julio de 2016, **dicho precepto ordena la legitimación pasiva del propietario titular de la vivienda o local, en todo caso, y un litisconsorcio pasivo necesario entre el propietario y el ocupante, en el caso de sea** éste, **y no aquél, el infractor que desarrolla la actividad no permitida**.

De hecho, el requisito de procedibilidad relativo al requerimiento fehaciente para que se cese en la realización de las actividades prohibidas, precisamente ha de efectuarse al infractor, por tanto, al ocupante, de ser este quien realiza las actividades prohibidas. Así resulta del texto legal y lo resalta la jurisprudencia menor, como la sentencia antes citada, la SAP de A Coruña de 27 de diciembre de 2010, o la SAP de Barcelona de 13 de octubre de 2014, que señala lo siguiente:

"en los casos en que la actividad 'contraria a la convivencia' sea desarrollada por un 'ocupante no propietario', el requerimiento debe necesariamente enten-

derse con este último **pero no parece que no sea preceptivo practicarlos con el propietario no infractor por más que su presencia en juicio devenga necesaria para evitar cualquier riesgo de indefensión al mismo y ello se traduzca en un litisconsorcio pasivo necesario** (que expresamente previene el art. 7.2 LPH y respecto del cual el art. 533.40 CCCat guarda silencio, sin mayores consecuencias dado que son cuestiones procesales que no tienen por qué abordar las normas sustantivas)"».

Esta cuestión ha sido ampliamente tratada ante nuestros tribunales que, si bien, se plantea desde la legitimación, lo cierto es que traerlo a colación permite configurar la importancia que adquiere la actuación del propietario no ocupante respecto del ejercicio de esta acción, bien desde un momento previo con el requerimiento, bien con la propia demanda y su pronunciamiento.

RESOLUCIONES RELEVANTES

Pensemos que en ocasiones se ha determinado como molesta por nuestros tribunales la propia actividad de alquiler, no solamente la actividad perturbadora de los ocupantes, sino la actividad de alquiler vacacional, por días, para celebración de eventos o estudiantes, etc., en estos casos debe requerirse a quien en efecto desarrolla propiamente la actividad, es decir, el propietario, al margen del propio requerimiento frente a quien directamente perturba, que en situaciones como las previamente advertidas, en un periodo relativamente breve, abandonan el inmueble cesando a título particular en su actividad y si bien, la actividad que perturba, el propio alquiler, no cesa con la entrada de un nuevo inquilino.

Sentencia de la Audiencia Provincial de Madrid n.º 568/2021, de 19 de noviembre, ECLI:ES:APM:2021:15694

«(...) El destino al que dedica el inmueble la parte arrendataria, el de alquiler por estudiantes o profesionales jóvenes de las 16 habitaciones con que cuenta la vivienda, es el que es susceptible de generar molestias a los comuneros La juventud de los residentes y sus lógicos deseos de evasión los fines de semana pueden comprometen el descanso del resto de los habitantes del edificio y ***si bien de forma inmediata los que efectivamente los causen tendría legitimación para soportar la acción del artículo 7.2 LPH, no puede negarse ésta a los explotadores de una actividad de arrendamiento de un inmueble con las características y destino citados****».*

Sentencia de la Audiencia Provincial de Zaragoza n.º 156/2020, de 22 de junio, ECLI:ES:APZ:2020:1016

«La legitimación pasiva en las acciones encaminadas a la cesación, corresponde al autor material de la actividad o a la persona por cuya cuenta y orden se realiza, en definitiva, a ***quien teniendo el dominio y control no hace lo necesario para evitar la cesación****, y ello con independencia de que sea o no propietario del inmueble desde el que se produce la actividad molesta».*

Sentencia de la Audiencia Provincial de Burgos n.º 112/2021, de 29 de marzo, ECLI:ES:APBU:2021:291

«Si la propiedad deja transcurrir más de un año (desde julio de 2017 hasta noviembre de 2018) ***sin hacer absolutamente nada por poner fin a los a las actividades gravemente molestas para los vecinos que se desarrollaban en el inmueble****, existe persistencia en su conducta infractora en cuanto consentidora de las actividades realizadas por el inquilino, y queda justificada la sanción de privación del demandado del uso de la vivienda, que teniendo en cuenta que las molestias se han venido desarrollando prácticamente desde el inicio del contrato, pues hay constancia de las quejas ya en el Acta de la Comunidad de Enero de 2016, existe proporcionalidad entre la duración de la infracción*

gravemente perjudicial para los vecinos y la duración de la privación del derecho de uso del inmueble al propietario para sí o para evasión».

Sentencia de la Audiencia Provincial de la Rioja n.º 397/2020, de 17 de septiembre, ECLI:ES:APLO:2020:502

«Pues bien, sobre esta cuestión, compartimos también la solución otorgada por el juzgador de primer grado. El alcance de la cesación debe de ser tal como se indica en esa resolución, pues de ***lo que se trata es de garantizar la paz y tranquilidad de la comunidad de propietarios perjudicada, lo que solo se puede asegurar de forma plena mediante el cese de la actividad de arrendamiento por días, pues lo contrario permitiría fácilmente eludir los fines de la sentencia****, por ejemplo mediante el sencillo procedimiento de no publicitar que se arrendaba a las fines indicados (despedidas de soltero, fiestas de grupos juveniles), aunque luego fuera ese el destino otorgado por los arrendatarios. Cabe añadir que la parte demandada ha estado desarrollando esta actividad durante años pese a los requerimientos de la comunidad de propietarios, las denuncias y llamadas a la Guardia Civil por parte de los vecinos, y ha hecho caso omiso a todo ello, por lo que las garantías que se han de ofrecer a la comunidad de propietarios actora de que no se van a volver a repetir estos hechos, han de ser efectivas (...)».*

CUESTIÓN

¿Cuál debe ser el contenido del requerimiento?

Afirma el artículo 7.2 de la LPH que se requerirá, a quien realice la actividad, de la inmediata cesación con apercibimiento de acciones judiciales. Disposición que ha llevado a audiencias como, por ejemplo, la **Audiencia Provincial de Bizkaia en su sentencia n.º 169/2017, de 28 de abril, ECLI:ES:APBI:2017:705**, a fijar el doble contenido imprescindible del requerimiento: «(...) El contenido del requerimiento debe ser doble: de un lado ha de instar la cesación de la actividad prohibida y, de otro lado, ha de advertir de la inminencia de un proceso judicial en caso de no atenderse el requerimiento. Si el requerimiento no surte efecto debe convocarse Junta de propietarios, sea ésta ordinaria o extraordinaria. En dicha Junta podrá adoptarse el acuerdo de ejercitar acción de cesación (...)».

Finalmente, como último presupuesto necesario del requerimiento, hemos de reparar en quién está **legitimado para requerir el cese de la actividad, esto es, el presidente de la comunidad.** El apartado 2 (y también el apartado 3) del artículo 7 de la LPH, así lo establece expresamente cuando dispone que es el presidente de la comunidad quien, a iniciativa propia o del propietario u ocupante, requiere a quien realiza la actividad. Sin embargo, en ocasiones sucede que, una vez comunicada al presidente la controvertida actividad, hace caso omiso a las peticiones del propietario u ocupante y además de no efectuar el requerimiento al infractor, tampoco cumple con la otra obligación fijada por la norma, la convocatoria de la junta para habilitarle en la representación de la comunidad para el cese de la actividad, motivo por el cual nuestros tribunales han venido apreciando el abuso de derecho. Ello supone que, ante estos supuestos, se permita el ejercicio de la acción por el propietario aun cuando no se cumpla con los requisitos de procedibilidad. Al respecto encontramos claro ejemplo de ello en la **sentencia de la Audiencia Provincial de A Coruña n.º 17/2021, de 26 de enero, ECLI:ES:APC:2021:118**:

«En este caso, de acuerdo con la doctrina expuesta, y **con independencia de que no se haya formulado requerimiento de cese de la actividad por el Presidente de la comunidad de propietarios del inmueble litigioso, ni se haya adoptado acuerdo sobre el particular por la Junta de propietarios, hay que entender cumplido el requisito de procedibilidad exigido** en el art. 7.2 de la Ley de Propiedad Horizontal, y considerar al demandante, propietario de una vivienda en el edificio comunitario en el que se desarrolla la actividad objeto de demanda, legitimado activamente para ejercitar la acción de cesación contemplada en esta norma, **ante la pasividad mostrada por el Presidente de la comunidad y por la Junta de propietarios, pese a las reiteradas quejas y reclamaciones dirigidas por el actor, tanto al demandado como al Presidente**, de las que son prueba evidente el requerimiento fehaciente dirigido al demandado mediante burofax de fecha 17 de junio de 2015, y los igualmente remitidos, a través de certificados postales de fecha 24 de mayo de 2018, al demandado y al Presidente, requiriendo su actuación para lograr el cese de las actividades molestas que se desarrollaban en el trastero que ocupa el ahora apelante en el inmueble comunitario, bajo apercibimiento de iniciar las acciones judiciales oportunas, haciendo además mención expresa, en la comunicación enviada al Presidente de la comunidad, a las numerosas peticiones y reclamaciones que la había dirigido previamente por el mismo motivo, y solicitando que, además de requerir al demandado el cese de la actividad, recabase, previa convocatoria al efecto, la autorización de la Junta de propietarios para entablar la acción de cesación, sin que tales requerimientos hubiesen tenido respuesta formal ni se hubieran atendido en ningún momento».

1030 La celebración de la junta autorizando al presidente el ejercicio de la acción judicial

«(...) Presentada la demanda, acompañada de la acreditación del requerimiento fehaciente al infractor y de la certificación del acuerdo adoptado por la Junta de propietarios (...)». **(Artículo 7.2 LPH)**.

Como ya hemos apuntado reiteradamente, ha afirmado la jurisprudencia menor que tanto el requerimiento previo como la propia certificación del acuerdo adoptado constituyen verdaderos presupuestos de procedibilidad, imprescindibles, sin cuya concurrencia no debe ser deducida la demanda so pena de ser desestimada. Al respecto se ha pronunciado la **Audiencia Provincial de Bizkaia en sentencia n.º 201/2020, de 4 de junio, ECLI:ES:APBI:2020:2686**:

«El art. 7 **exige también la previa autorización de la junta de propietarios.** Los párrafos 3 y 4 del art. 7.2 de la LPH dicen: "Si el infractor persistiere en su conducta el Presidente, previa autorización de la Junta de propietarios, debidamente convocada al efecto, podrá entablar contra él acción de cesación que, en lo no previsto expresamente por este artículo, se sustanciará a través del juicio ordinario". Por tanto, **no puede presentarse demanda si tal decisión no ha sido previamente tomada en junta de propietarios, decisión que viene motivada por la contumacia del propietario requerido.** Es decir, se demanda —previo acuerdo— porque hay resistencia o contumacia por el propietario requerido. **Es preciso dar al propietario oportunidad para que atienda el requerimiento y cese voluntariamente; es después de ese requerimiento cuando la junta ha de valorar la conducta del requerido, si cumple o incumple en todo o en parte, y en función de ello decidir mediante acuerdo comunitario adoptado por mayoría, si decide acudir o no a la vía judicial.**

Por lo tanto, **la interposición de la demanda por el presidente debe ir precedida de una previa autorización de la junta de propietarios**, debidamente convocada al efecto, según dice el art. 7.2-III (SS. AA. PP. de Burgos, Sec. 2.ª, de 27-6-2006, Alicante, Sec. 5.ª, de 22-2-2006, y Madrid, Sec. 21.ª, de 9-3-2004). Esta expresión puede hacer pensar que se trata de la convocatoria de una junta extraordinaria ad hoc; no es necesariamente así. Nada impide que la autorización se decida en junta ordinaria; lo **decisivo es que tal objetivo forme parte expresa y claramente del orden del día de la convoca-**

toria de la junta (SS.AA.PP. de Cádiz —Sec. 7.ª— de 4-3-2002 y Málaga —Sec. 7.ª— de 20-11-2006); no cabe que la autorización sea producto de una propuesta surgida en el capítulo de ruegos y preguntas (SAP de Madrid —Sec. 14.ª— de 3-3-2011 y SAP de Málaga —Sec. 6.ª— de 11-1-2006). **Ahora bien, para que el asunto pueda ser incluido en el orden del día de la junta será preciso que previamente se haya practicado el requerimiento fehaciente del presidente y que el infractor haya persistido en su conducta contraventora** (SAP de Madrid —Sec. 25.ª— de 10-7-2007).

La celebración de la junta tiene por objeto, desde luego, dotar al presidente de una específica habilitación para formular una demanda cuyas pretensiones son de especial relevancia, pero obedece también a la necesidad de que la propia comunidad pueda valorar si la actividad denunciada en efecto está prohibida por los estatutos o resulta dañosa para la finca o contraviene disposiciones generales sobre actividades molestas, insalubres, nocivas, peligrosas o ilícitas. Es la propia comunidad la llamada a medir y decidir sobre su propio interés, en qué medida está en peligro o afectado por la actividad de un comunero; en palabras de la SAP de Cantabria (Sec. 4.ª) de 11-9-2003, "es necesario que la junta de propietarios considere que se están realizando actividades prohibidas en los estatutos, dañosas o bien molestas, insalubres, nocivas o peligrosas, y autorice el ejercicio de las acciones correspondientes para exigir el cese de dichas actividades".

Aunque en algunos casos se ha admitido que en la misma junta de propietarios se acuerde la práctica de requerimiento y el ejercicio de acciones judiciales una vez que el presidente compruebe la persistencia en la actividad por parte del requerido, de modo que queda en sus manos la evaluación de los hechos y la decisión final sobre la presentación de la demanda (SAP de Navarra, Sec. 1.ª, de 16-1-2002), lo deseable es que se siga la ordenada progresión de secuencias que la ley establece —requerimiento al comunero, persistencia de este en la actividad, convocatoria de junta y autorización al presidente para demandar— **de modo que sea la propia junta la que evalúe tanto la condición y naturaleza de la actividad como la resistencia u obstinación del infractor; es el criterio seguido por varias Audiencias Provinciales** (SAP de Madrid, Sec. 21.ª, de 9-3-2004 Se reitera el criterio en sentencia de la misma Audiencia y Sección de 21-12-2010. Se cita a su vez la sentencia del mismo tribunal de 3-11-2009, y las de las Audiencias Provinciales de Cádiz de 4-3-2002, Las Palmas, Sec. 4.ª, de 22-4-2005, Segovia, Sec. 1.ª, de 20-7-2007, Pontevedra, Sec. 6.ª-Vigo, de 8-5-2008, y Auto de la AP de Zaragoza de 7-5-2008)"».

La junta como ya hemos advertido tiene por **objeto dotar al presidente de una específica habilitación para formular demanda en ejercicio de la acción de cesación**, por lo que «(...) el sentido y finalidad de la autorización sean el acudir a la vía judicial para poner término a la actividad desarrollada por el propietario u ocupante de la vivienda, con expresión de los motivos que lo justifican (actividad prohibida, molesta, etc.) (...)» **(sentencia de la Audiencia Provincial de León n.º 900/2020, de 22 de diciembre, ECLI:ES:APLE:2020:1546).** Esta autorización es reflejo de la voluntad de los vecinos de permitir que por el presidente se actúe en representación y beneficio de toda la comunidad, pues de la acción promovida dependerán los derechos de todos ellos en conjunto, de modo que, como afirma nuestro Alto Tribunal, **no puede suplirse la voluntad de la junta** actuando el presidente al margen de aquella:

«CUARTO.-Como concluye la reciente sentencia 622/2015, de 5 de noviembre, es pacífica la doctrina jurisprudencial de esta Sala (reiterada, con precisiones, en las sentencias 676/2011, de 10 de octubre, 204/2012, de 27 de marzo —ambas citadas por el recurrente—, 768/2012, de 12 de diciembre, 659/2013, de 19 de febrero, y 757/2014, de 30 de diciembre) que **declara la necesidad de un previo acuerdo de la junta de propietarios que autorice expresamente al presidente de la comunidad para ejercitar acciones judiciales en defensa de esta salvo que los estatutos expresamente dispongan lo contrario o el presidente actúe en calidad de copropietario.**

Según esta doctrina, aunque la Ley de Propiedad Horizontal únicamente **exige de modo expreso el acuerdo previo para que el presidente pueda ejercitar acciones judiciales en defensa de la comunidad de propietarios** en los supuestos de acción de cesación de actividades prohibidas por los estatutos que resulten dañosas para la finca (art. 7.2 LPH) y de reclamación de cuotas impagadas (art. 21 LPH), esta sala ha entendido que no resulta razonable sostener que la facultad de representación que se atribuye de modo genérico al presidente le permita decidir unilateralmente sobre asuntos importantes para la comunidad, entre los que la citada STS de 27 de marzo de 2012 considera comprendida precisamente "la realización de obras en elementos privativos de un comunero que comporten alteración o afectación de los elementos comunes". Es decir, **pese a que la Ley de Propiedad Horizontal reconozca al presidente de la comunidad de propietarios la representación de la misma en juicio y fuera de** él, **la jurisprudencia ha matizado que "esto no significa que esté legitimado para cualquier actuación por el mero hecho de ostentar el cargo de presidente ya que no puede suplir o corregir la voluntad de la comunidad expresada en las juntas ordinarias o extraordinarias"** (sentencia 659/2013, de 19 de febrero, citada por la más reciente 622/2015, de 5 de noviembre)». **Sentencia del Tribunal Supremo n.º 422/2016, de 24 de junio, ECLI: ES:TS:2016:2959.**

RESOLUCIONES RELEVANTES

Sentencia de la Audiencia Provincial de Pontevedra n.º 395/2016, de 21 de julio, ECLI:ES:APPO:2016:159

«La celebración de la junta tiene por objeto, desde luego, dotar al presidente de una específica habilitación para formular una demanda cuyas pretensiones son de especial relevancia, pero obedece también a la necesidad de que la propia comunidad pueda valorar si la actividad denunciada en efecto está prohibida por los estatutos o resulta dañosa para la finca o contraviene disposiciones generales sobre actividades molestas, insalubres, nocivas, peligrosas o ilícitas. ***Es la propia comunidad la llamada a medir y decidir sobre su propio interés, en qué medida está en peligro o afectado por la actividad de un comunero;*** *o sea que la junta de propietarios ha de valorar que se están realizando actividades prohibidas en los estatutos, dañosas o bien molestas, insalubres, nocivas o peligrosas,* ***y autorice el ejercicio de las acciones correspondientes para exigir el cese de dichas actividades»***.

Sentencia de la Audiencia Provincial de Badajoz n.º 1007/2021, de 22 de diciembre, ECLI:ES:APBA:2021:1751

«(...) la comunidad de propietarios observó el requisito de procedibilidad que le impone el art. 7.2 LPH. Antes de interponerse la demanda, la junta de propietarios autorizó el ejercicio de acciones frente don Edemiro y doña Lorena por su actividad molesta. Como dice ***la ley solo se exige el visto bueno al ejercicio de la acción de cesación por el presidente. No se pide más. Es una simple habilitación. No se exige la aprobación del contenido de la pretensión»***.

Por tanto, es importante que la convocatoria de la junta en la que va a habilitarse al presidente a ejercitar la acción judicial de cesación, expresamente lo recoja y es que el mencionado artículo 7.2 señala «(...) previa autorización de la Junta de propietarios, **debidamente convocada al efecto** (...)», dejando sentado que la junta debe ser convocada con el objetivo de habilitar al presidente a ejercitar la acción, por tanto, la autorización no se puede acordar sobre la marcha en el trascurso de la junta **y sin haberlo hecho constar en el orden del día** de la convocatoria, de hacerlo, **el infractor podrá impugnar el acuerdo** adoptado por la junta para habilitar al presidente en el ejercicio de la acción de cesación conforme con el artículo 18 de la LPH.

Sobre esta impugnación particular merece traer a colación la **sentencia n.º 127/2008, de 13 de febrero de la Audiencia Provincial de Cantabria, ECLI:ES:APS:2008:360**:

«(...) El **incumplimiento de un requisito de procedibilidad**, en la medida en que dicho requisito se configura como legalmente imperativo, **constituye manifiestamente un acto contrario a la Ley**. Por consiguiente, **el acuerdo comunitario adoptado con infracción de esa norma imperativa constituye un acto contrario a la Ley**, por lo que la acción de impugnación contra dicho acuerdo caduca, no a los tres meses, sino al año, según dispone el ordinal 3 del artículo 18 LPH. Pero es más: comoquiera que **el ejercicio de la acción de cesación requiere, por imperativo legal, un requisito positivo cual es la convocatoria expresa de una junta en la que se acuerde ejercitar la acción de cesación, el acuerdo adoptado en tal sentido, pero sin convocatoria previa expresa, nunca podría quedar convalidado** por la circunstancia de no ser impugnado el acuerdo, porque estamos ante una norma de orden público procesal».

Nuestro Alto Tribunal reitera en **sentencia n.º 974/2011, de 12 de enero de 2012, ECLI:ES:TS:2012:1575**, la **doctrina jurisprudencial** por la que la **convocatoria para la celebración de las juntas de propietarios exige, para la validez de los acuerdos que se adopten, que se fijen en el orden del día los asuntos a tratar, para que puedan llegar a conocimiento de los copropietarios**:

«A) La jurisprudencia fijada por esta Sala, en torno a la aplicación del actual artículo 16.2 LPH, tal y como pone de relieve la parte recurrente, **considera exigible que en el orden del día de la convocatoria de la junta de propietarios se fijen con claridad los asuntos objeto de debate, a fin de que todos los copropietarios tengan conocimiento de las materias que se van a tratar, de modo que exista una plena concordancia entre el contenido del orden del día y los temas que se debatirán** (así, no solo las sentencias citadas por la parte recurrente, sino también las de 10 de noviembre de 2004 [RC 3047/1998] y 28 de junio de 2007 [RC 3062/2000]). La finalidad de que quede claramente fijado el orden del día permite cumplir con la exigencia de que los comuneros puedan adquirir antes del momento de celebración de la junta la suficiente información para votar respecto a las materias que van a ser discutidas, o bien para decidir si delegan su voto a favor de un tercero, o si, en su caso, optan por no asistir a su celebración.

La asistencia a las juntas de propietarios es voluntaria, de modo que dar validez a la inclusión de asuntos para ser tratados al margen de los fijados en el orden del día permitiría aprovechar la inasistencia de determinados propietarios para obtener la aprobación de acuerdos prescindiendo de su voluntad (STS de 15 de junio de 2010 [RC 1615/2005]).

B) Por lo expuesto, se reitera como doctrina jurisprudencial que la convocatoria para la celebración de juntas de propietarios exige, para la validez de los acuerdos que se adopten, que se fijen en el orden del día los asuntos a tratar, para quc puedan llegar a conocimiento de los copropietarios».

CUESTIÓN

¿Puede aprovecharse el acto de la junta convocada para efectuar en el propio acto el requerimiento?

El artículo 7.2 de la LPH expresamente determina que ha de efectuarse requerimiento a quien realice las actividades con apercibimiento de acciones judiciales y cuando el infractor persista en su conducta se convocará la junta para habilitar al presidente en el ejercicio de la acción de cesación, por cuanto la **norma separa temporalmente los dos actos,** si bien, esta cuestión suscita pronunciamientos diversos por nuestros tribunales.

Sentencia de la Audiencia Provincial de Valencia n.º 242/2021, de 16 de junio, ECLI:ES:APV:2021:2607

«(...) En el caso que se enjuicia, el ***requerimiento fue adoptado en la misma Junta,*** *que, a su vez, acuerda proceder judicialmente,* ***por lo que considera que no cumple los requisitos del artículo 7.2 de la LPH*** *(EDL 1960/55), citando al efecto sentencias de las Audiencias Provinciales. La demandante sostiene que del* ***contenido del acta de la junta*** *celebrada el 21 de abril de 2016 se desprende que la demandada, Florinda,* ***que se encontraba presente, fue requerida para que cesaran*** *de inmediato las molestias, apercibiéndole de que en el caso de persistir se iniciarían acciones judiciales (...).* ***El acta de 21 de abril de 2016 no cumple el requisito de procedibilidad*** *del artículo 7.2 de la LPH (EDL 1960/55) pues, como ya se ha indicado,* ***entre el requerimiento y el acuerdo debe transcurrir un periodo de tiempo para verificar si ha cesado o no la molestia,*** *y ese es el criterio que de forma unánime y pacífica sostiene la doctrina de las Audiencias Provinciales que, por la importancia que tiene en este caso, ha sido examinada por el tribunal.* ***El acta de 21 de abril de 2016 no cumple la doble función de acreditar un requerimiento fehaciente y la adopción de un acuerdo para proceder judicialmente, pues es necesario que el requerimiento anteceda al acuerdo. La acción es defectuosa, no cumple el requisito de procedibilidad exigido en el artículo 7.2 de la LPH*** *(EDL 1960/55). La doctrina de las Audiencias Provinciales se representa en las sentencias de la AP de Madrid, Sección 8, de 20 de febrero de 2018, n.º 74/2018 (EDJ 2018/63769); de la Sección 21, n.º 141, de fecha 11 de abril de 2018, y Sección 18 de 27 de noviembre de 2017; también, entre otras, la de la AP de Guipúzcoa, Sección 2, de 10 de mayo de 2019, que exponen:(i) Requiere la Ley como requisito de procedibilidad, un previo requerimiento del presidente de la comunidad, ya de propia iniciativa, ya de cualquiera de los propietarios u ocupantes, sin tenerse que apoyar forzosamente a este fin en acuerdo alguno de la Junta de propietarios, dirigido al infractor, en forma fehaciente o fidedigna, aunque no necesariamente de tipo notarial, siempre que conste claramente su contenido y su recepción en destino, ordenando la inmediata cesación en el desarrollo de las actividades prohibidas, bajo apercibimiento de iniciar las acciones judiciales procedentes, pudiendo concederse un plazo prudencial en atención a la actividad y circunstancias y ante la persistencia del infractor en su conducta, junta de propietarios para tratar el problema, acuerdo de la junta autorizando al presidente el ejercicio de la acción de cesación y demanda judicial de cesación.(ii) SEGUNDO.-En el apartado 2 del art. 7 de la Ley de Propiedad Horizontal, en su párrafo segundo (EDL 1960/55), se indica que el Presidente de la comunidad debe requerir en estos casos, a iniciativa propia o de cualquiera de los propietarios u ocupantes, a quien realice las actividades prohibidas en dicho precepto para la inmediata cesación de las mismas, bajo apercibimiento de iniciar las acciones judiciales procedentes, para indicar a continuación, en el apartado 3, que "Si el infractor persistiere en su conducta el Presidente, previa autorización de la junta de propietarios, debidamente convocada al efecto, podrá entablar contra él acción de cesación", que se sustanciará por los trámites del juicio ordinario. Pues bien, como se indica por la Juzgadora de instancia en la resolución recurrida, y se admite por la parte apelante, son dos los presupuestos o requisitos de hecho necesarios para que pueda instarse una acción de cesación como la ejercitada en el supuesto que nos ocupa; por una parte, la necesidad de un requerimiento previo a quien realiza las actividades prohibidas en el art.*

7.2 de la Ley de Propiedad Horizontal (EDL 1960/55) para que cese en las mismas, y, por otra parte, y caso de que aquél persistiere en su conducta, la previa celebración de Junta convocada al efecto para entablar las acciones judiciales contra dicho infractor. En atención a las consideraciones expuestas, procede estimar el recurso y revocar la sentencia de instancia, dictando otra que desestima la demanda por defecto de procedibilidad en la acción ejercitada...».

Sentencia de la Audiencia Provincial de Bizkaia n.º 201/2020, de 4 de junio, ECLI:ES:APBI:2020:2686

*«**Aunque en algunos casos se ha admitido que en la misma junta de propietarios se acuerde la práctica de requerimiento y el ejercicio de acciones judiciales** una vez que el presidente compruebe la persistencia en la actividad por parte del requerido, de modo que queda en sus manos la evaluación de los hechos y la decisión final sobre la presentación de la demanda (SAP de Navarra, Sec. 1.ª, de 16-1-2002), **lo deseable es que se siga la ordenada progresión de secuencias que la ley establece —requerimiento al comunero, persistencia de este en la actividad, convocatoria de junta y autorización al presidente para demandar—** (...)».*

Sobre si la convocatoria de la junta, tras efectuar el requerimiento de cese inmediato de las actividades prohibidas, debe hacerse de forma inmediata o si se debe dejar transcurrir un plazo razonable —el que prudencialmente se hubiera fijado en el requerimiento—, existen diversas interpretaciones parte de nuestros tribunales.

RESOLUCIONES RELEVANTES

Sentencia de la Audiencia Provincial de Ciudad Real n.º 366/2021, de 28 de octubre, ECLI:ES:APCR:2021:1161

*«(...) **Para que esta finalidad pueda cobrar realidad, es preciso, de un lado que el requerimiento llegue a los destinatarios, que no son otros que los infractores y de otro, que se otorgue a los requeridos un plazo razonable para llevar a cabo las actuaciones necesarias para eliminar las molestias.** Se trata de un requerimiento del que se espera respuesta, su finalidad, según lo razonado, lo aleja de aquéllos que supongan una mera formalidad. De ahí, que haya de **extremarse el celo para que sea realmente recibido por su destinatario**, estableciendo a continuación, **según se conteste o no, un plazo de espera en razón a la entidad de las actuaciones a llevar a cabo para hacer efectiva la cesación y solo después, si el requerimiento no es atendido, procederá convocar la Junta** para ejercitar la acción de cesación (...)».*

Sentencia de la Audiencia Provincial de León n.º 900/2020, de 22 de diciembre, ECLI:ES:APLE:2020:1546

*«(...) **Es conveniente, aunque no necesario, el establecimiento de un plazo prudencial** para que el requerimiento pueda ser atendido (...)».*

Sentencia de la Audiencia Provincial de Madrid n.º 617/2021, de 14 de diciembre, ECLI:ES:APM:2021:14516

*«(...) **entre el requerimiento y el acuerdo debe transcurrir un periodo de tiempo** para verificar si ha cesado o no la molestia, y ese es el **criterio que de forma unánime y pacífica sostiene la doctrina de las Audiencias Provinciales**».*

Efectuado entonces el requerimiento, si el infractor persiste en su conducta, el presidente, como representante legal de la comunidad de propietarios, contando con previa autorización de la junta debidamente convocada al efecto, puede entablar acción de cesación que, como ya hemos tenido ocasión de anticipar, se sustanciará a través del juicio ordinario.

5.5.3. Procedimiento judicial

1040 **El procedimiento por el que se promueve judicialmente la acción de cesación**

Determina el punto 8° del apartado 1 del artículo 249 de la LEC que se decidirán en el juicio ordinario:«1. Se decidirán en el juicio ordinario, cualquiera que sea su cuantía:

«1. Se decidirán en el juicio ordinario, cualquiera que sea su cuantía:

(...)

8.º Cuando se ejerciten las acciones que otorga a las Juntas de Propietarios y a éstos la Ley 49/1960, de 21 de julio, sobre propiedad horizontal, siempre que no versen exclusivamente sobre reclamaciones de cantidad, en cuyo caso se tramitarán por las reglas del juicio verbal o por el procedimiento especial que corresponda».

A TENER EN CUENTA. Este artículo 249 de la LEC se ha visto modificado por el RD-ley 6/2023, de 19 de diciembre, con entrada en vigor el 20/3/2024.

Respecto de la competencia, esta viene atribuida al tribunal del lugar en que radique la finca en virtud de lo dispuesto en el artículo 85 de la LOPJ y punto 8.° del apartado 1 del artículo 52 de la LEC. Es importante recalcar que el artículo 85 de la LOPJ ha sido modificado por la **Ley Orgánica 1/2025, de 2 de enero,** con entrada en vigor el 23/01/2025, pasando a regular la competencia de las secciones civiles o civiles y de instrucción (como sección única) de los —nuevos— tribunales de instancia.

El juicio ordinario se divide en varias fases, debiendo iniciarse mediante **demanda conforme a lo establecido en el art. 399 de la LEC**. Dentro del proceso ordinario podemos diferenciar:

➢ **Las alegaciones iniciales**

Esta fase se compone de los actos de alegación de las partes, las cuales se recogen en:

- Las alegaciones del demandante se fijan en la demanda (art. 399 de la Ley de Enjuiciamiento Civil).
- La parte demandada debe alegar lo que considere oportuno por medio de la contestación a la demanda (art. 405 de la Ley de Enjuiciamiento Civil).

Tanto la demanda como la contestación son los actos que fijan el contenido del proceso. Dependiendo de ellos, se determinará el órgano judicial que debe conocer y los pasos que se deberán seguir, ya que dan forma al proceso.

La demanda y la contestación son actos procesales de parte por medio de los cuales el demandante y el demandado alegan lo que mejor conviene a su derecho y solicita al órgano judicial que adopte finalmente la resolución que estime sus pretensiones.

A TENER EN CUENTA. El artículo 399 de la LEC ha sido objeto de modificación por la LO 1/2025, de 2 de enero, en vigor a partir del 03/04/2025. Entre sus novedades es de destacar la necesidad, como requisito de procedibilidad, de hacer constar en la demanda la descripción del proceso de negociación previo llevado a cabo o la imposibilidad del mismo, conforme a lo establecido en el ordinal 4.º del artículo 264 de la LEC, y se manifestarán, en su caso, los **documentos que justifiquen que se ha acudido a un medio adecuado de solución de controversias**, salvo en los supuestos exceptuados en la ley de este requisito de procedibilidad.

CUESTIÓN

Existen determinados casos en que el hecho de acudir a un medio adecuado de solución de controversias actúa como requisito de procedibilidad, ¿cuáles son?

- Regla general: en el orden jurisdiccional civil para la admisión de la demanda.
- Reglas especiales: en todos los procesos declarativos del libro II de la LEC y en los especiales del libro IV de la misma norma.
- Excepciones: se exceptúan de la regla anterior los procesos que tengan por objeto:
  - La tutela judicial civil de derechos fundamentales.
  - La adopción de las medidas previstas en el artículo 158 del CC.
  - La adopción de medidas judiciales de apoyo a las personas con discapacidad.
  - La filiación, paternidad y maternidad.
  - La tutela sumaria de la tenencia o de la posesión de una cosa o derecho por quien haya sido despojado de ellas o perturbado en su disfrute.
  - La pretensión de que el tribunal resuelva, con carácter sumario, la demolición o derribo de obra, edificio, árbol, columna o cualquier otro objeto análogo en estado de ruina y que amenace causar daños a quien demande.
  - El ingreso de menores con problemas de conducta en centros de protección específicos, la entrada en domicilios y restantes lugares para la ejecución forzosa de medidas de protección de menores o la restitución o retorno de menores en los supuestos de sustracción internacional.
  - El juicio cambiario.

➢ La audiencia previa al juicio

Es un acto oral en el que se busca conseguir un acuerdo de las partes para evitar al proceso, en primer lugar. A continuación, lo que se hace es examinar y resolver todas las cuestiones procesales que hayan sido planteadas, por el demandante en la demanda, por el demandado en la contestación, o por el juez, de oficio (art. 414 de la Ley de Enjuiciamiento Civil).

El citado artículo 414 de la LEC en su apdo. 1 ha sido modificado por la LO 1/2025, de 2 de enero; con la referida reforma se clarifica el objeto de la audiencia, que será intentar que las partes puedan alcanzar un acuerdo o transacción que ponga fin al proceso, examinar las cuestiones procesales que pudieran obstar a la prosecución de éste y a su terminación mediante sentencia sobre su objeto, fijar con precisión dicho objeto y los extremos, de hecho o de derecho, sobre los que exista controversia entre las partes y, en su caso, proponer y admitir la prueba.

Así, en comparación con la redacción anterior, la audiencia ahora servirá, como ya se ha señalado en el anterior párrafo, para llegar a un acuerdo o transacción que finalice de una manera más rápida y eficaz el proceso, y según la redacción anterior, en la convocatoria de la audiencia, si no se hubiera realizado antes, únicamente se informaba a las partes de la posibilidad de recurrir a una negociación para intentar solucionar el conflicto, incluido el recurso a una mediación, en cuyo caso éstas indicaban en la audiencia su decisión al respecto y las razones de la misma.

Además, se elimina la precisión de que: «En atención al objeto del proceso, el tribunal podrá invitar a las partes a que intenten un acuerdo que ponga fin al proceso, en su caso a través de un procedimiento de mediación, instándolas a que asistan a una sesión informativa».

La audiencia previa terminará con la citación para el juicio de las partes y de todas las personas que deban intervenir. La citación será para un día y fecha determinados.

➢ **El juicio y la sentencia**

En el juicio se llevará a cabo la práctica de las pruebas admitidas y los actos de conclusión de las partes (arts. 431 y 433 de la Ley de Enjuiciamiento Civil).

Una vez que termine el juicio, se dictará la sentencia en un plazo de veinte días (art. 434 de la Ley de Enjuiciamiento Civil) a no ser que, por motivos previstos en el art. 435 de la Ley de Enjuiciamiento Civil, se decidan llevar a cabo diligencias finales.

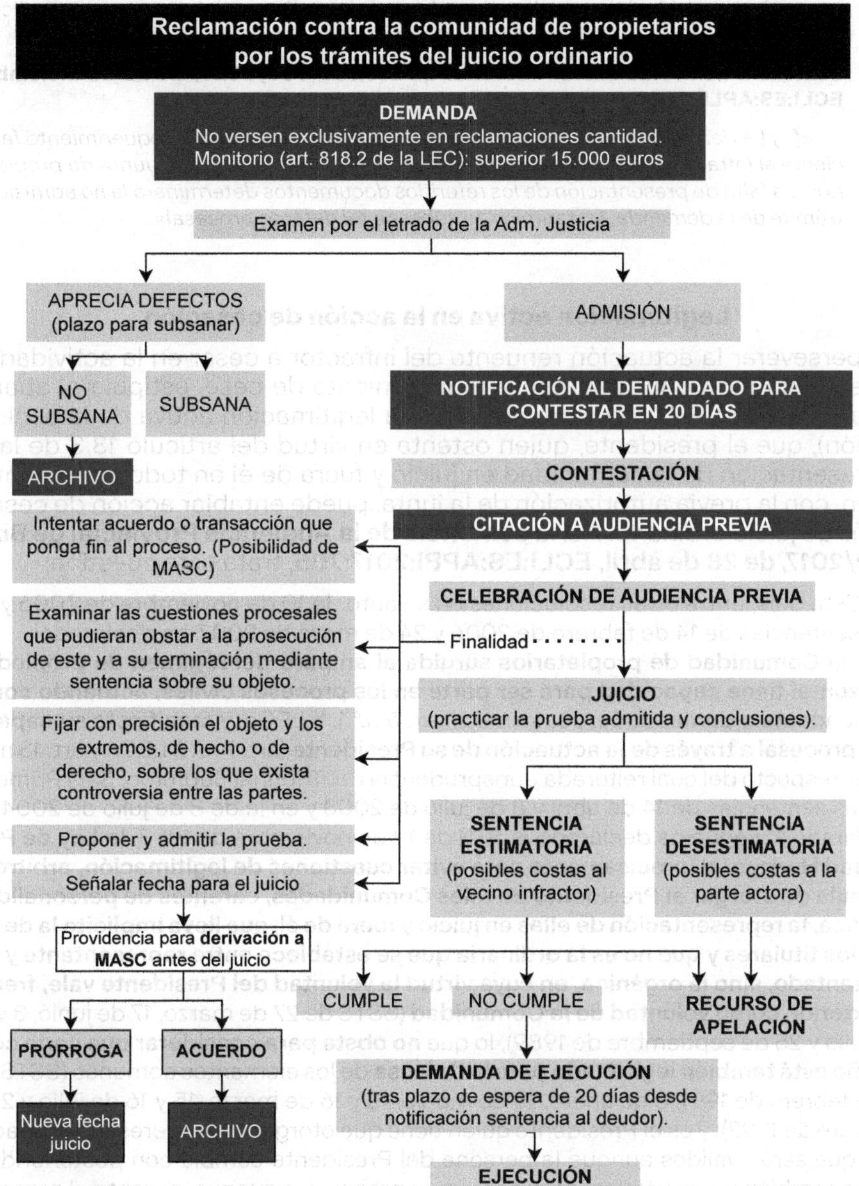

CUESTIÓN

¿Qué documentos deben acompañarse a la demanda por la que se ejercita la acción de cesación?

Sin perjuicio de cualquier otro documento que se estime necesario presentar, el apartado 2 del artículo 7 de la LPH exige que, junto a la demanda, se presente:

- Acreditación de requerimiento fehaciente al infractor.

– Certificación del acuerdo adoptado por la junta de propietarios, que como dice la jurisprudencia, el objeto de la junta es dotar al presidente de habilitación.

Sentencia de la Audiencia Provincial de León n.º 900/2020, de 22 de diciembre, ECLI:ES:APLE:2020:1546:

«(...) La demanda ha de ser acompañada de la acreditación del requerimiento fehaciente al infractor y de la certificación del acuerdo adoptado por la Junta de propietarios. La falta de presentación de los referidos documentos determinará la no admisión a trámite de la demanda, en tanto no se subsane tal defecto procesal».

1050

Legitimación activa en la acción de cesación

De perseverar la actuación renuente del infractor a cesar en la actividad, tras haberse efectuado oportunamente requerimiento de cese, estipula el apartado 2 del art. 7 de la LPH (con clara alusión a la legitimación activa de la acción de cesación), que el presidente, quien ostenta en virtud del artículo 13.3 de la LPH la representación de la comunidad en juicio y fuera de él en todos los asuntos le afecten, con la previa autorización de la junta, puede entablar acción de cesación a través de juicio ordinario. Así la **sentencia de la Audiencia Provincial de Bizkaia n.º 169/2017, de 28 de abril, ECLI:ES:APBI:2017:705**, trata esta cuestión:

«Esta Sala, entre otras resoluciones en su auto de 10 de noviembre de 2006 y en sus sentencias de 14 de febrero de 2006 y 24 de mayo de 2007, ha declarado:

"...la **Comunidad de propietarios surgida al amparo del régimen de propiedad horizontal tiene capacidad para ser parte en los procesos civiles, actuando como demandante o demandada**, conforme al art. 6 n.º 1, 5 LECn, y **manifiesta su capacidad procesal a través de la actuación de su Presidente** (art. 7 n.º 6 LECn y art. 13 n.º 3 LPH), respecto del cual reiterada Jurisprudencia del Tribunal Supremo, Sala Primera, en sus sentencias de 14 de abril y 8 de julio de 2003 y en la de 8 de julio de 2004 ha declarado ".. según ha declarado la STS de 19 de noviembre de 1993, **la Ley de Propiedad Horizontal, precisamente para evitar cuestiones de legitimación, arbitró la fórmula de otorgar al Presidente de tales Comunidades, carentes de personalidad jurídica, la representación de ellas en juicio y fuera de** él, **que lleva implícita la de todos los titulares y que no es la ordinaria que se establece entre representante y representado, sino la orgánica, en cuya virtud la voluntad del Presidente vale, frente al exterior, como voluntad de la Comunidad** (SSTS de 27 de marzo, 17 de junio, 3 y 14 de julio y 25 de septiembre de 1989), lo que **no obsta para considerar que cada condueño está también legitimado para la defensa** de los elementos comunes (SSTS de 9 de febrero de 1991, 8 de enero, 18 de marzo, 15 y 16 de marzo, 15 y 16 de julio y 2 de octubre de 1992); y es el Presidente quién tiene que otorgar los poderes a Procuradores, que serán válidos aunque la persona del Presidente cambie con posterioridad, como también serán válidas las actuaciones procesales aunque, durante el proceso, cambie el Presidente (STS de 16 de julio de 1990)".

"...es sabido que dentro del régimen de la propiedad horizontal en el que se encuentran integradas las partes como titulares de elementos privativos (vivienda y local respectivamente), en un mismo inmueble formando una Comunidad (art. 3 LPH), tiene en la Junta de Propietarios el órgano de expresión de la voluntad del conjunto de los propietarios de elementos privativos que la integran, estando entre sus atribuciones, conforme a la legislación bajo la cual se desenvuelven los hechos de este proceso, la de 'conocer y decidir en los demás asuntos de interés general para la Comunidad, acordando las medidas necesarias o convenientes para el mejor servicio común' (art. 14 e) L.P.H.)"».

Pese a que el artículo 13.3 y el propio artículo 7.2, ambos de la LPH, dejan expresamente sentado quien está habilitado para ejercer la acción, lo cierto es que también este último artículo limita la propia actuación del presidente al obligarle a recabar la autorización de la junta de propietarios con carácter previo a la presentación de la demanda, no pudiendo actuar al margen de la voluntad de aquella.

La **sentencia del Tribunal Supremo n.º 204/2012, de 27 de marzo, ECLI:ES:TS:2012:2143**, contiene **doctrina jurisprudencial** sobre esta cuestión:

«A) La **doctrina jurisprudencial declara** que: "[..] **el Presidente** de la Comunidad, **si bien representa a la Comunidad** (art. 12 LPH de 1.960), **ello ha de tener por base la ejecución de acuerdos de la Junta** sobre asuntos de interés general para aquélla (art. 13.5.º). La representación de la Comunidad en juicio y fuera de él del Presidente no tiene un contenido 'en blanco', de tal forma que esa representación sirva para legitimarle en cualquiera de sus actuaciones. **Es la Junta de Propietarios la que acuerda lo conveniente a sus intereses y el Presidente ejecuta; su voluntad no suple, corrige o anula la de la Junta**" (STS de 20 de octubre de 2004 [RC n.º 2655/1998]. En igual sentido la STS de 10 de octubre de 2011 [RC n.º 1281/2008] en cuanto a la legitimación del presidente para representar en juicio a la comunidad de propietarios fija que: "Se trata de impedir que su voluntad personal sea la que deba vincular a la comunidad, lo que se consigue sometiendo al conocimiento de la junta de propietarios la cuestión que se somete a la decisión judicial, habida cuenta el carácter necesario de las normas que rigen la propiedad horizontal, que impide dejarlas al arbitrio y consideración exclusiva del presidente".

En este sentido, y, **pese a que la Ley de Propiedad Horizontal** únicamente **exige, de modo expreso, el acuerdo previo para que el presidente pueda ejercitar acciones** judiciales en defensa de la comunidad de propietarios en los **supuestos concretos de acción de cesación** de actividades prohibidas por los estatutos que resulten dañosas para la finca (artículo 7.2) y de reclamación de cuotas impagadas (artículo 21), **sin embargo, no resulta razonable sostener que la facultad de representación que se atribuye de modo genérico al presidente le permita decidir unilateralmente sobre asuntos, si cabe de mayor trascendencia para la vida de la comunidad** que los indicados anteriormente, tales como la realización de obras en elementos privativos de un comunero que comporten alteración o afectación de los elementos comunes.

En definitiva, con carácter general, **se requiere previo acuerdo de la comunidad de propietarios que legitime al presidente para instar acciones judiciales en nombre y defensa de esta**, lo que no obsta para que aquel no resulte necesario en los casos en los que los estatutos de la comunidad expresamente prevean lo contrario o en el supuestos en que el presidente ejercite acciones judiciales no en calidad de tal sino individualmente como copropietario.

B) Por lo expuesto, **se reitera como doctrina jurisprudencial la necesidad de un previo acuerdo de la junta de propietarios que autorice expresamente al presidente de la comunidad para ejercitar acciones judiciales en defensa de esta**, salvo que el presidente actúe en calidad de copropietario o los estatutos expresamente dispongan lo contrario».

Si bien, el artículo 13.3 de la LPH prevé la representación orgánica por parte del presidente de la comunidad de propietarios, lo cierto es que en determinadas ocasiones queda habilitada una regla excepcional por la que la acción de cesación podrá ser ejecutada bien por el vicepresidente de la comunidad, bien por el propietario que se vea perjudicado por la actividad.

En primer lugar, el párrafo 4 del citado artículo señala respecto de la figura del vicepresidente:

> «4. La existencia de vicepresidentes será facultativa. Su nombramiento se realizará por el mismo procedimiento que el establecido para la designación del presidente.
>
> **Corresponde al vicepresidente**, o a los vicepresidentes por su orden, **sustituir al presidente en los casos** de ausencia, vacante o **imposibilidad de** éste, así como asistirlo en el ejercicio de sus funciones en los términos que establezca la Junta de propietarios».

Así, de existir un posible conflicto de intereses entre el presidente y la comunidad, la acción de cesación podrá llevarla a cabo el vicepresidente, de haber sido designado, pues como hemos anticipado su nombramiento es facultativo; al respecto la **sentencia de la Audiencia Provincial de las Islas Baleares n.º 49/2016, de 26 de febrero, ECLI:ES:APIB:2016:275**, contiene un supuesto de hecho sobre esta cuestión:

> «Se trata de un **supuesto de imposibilidad del presidente para la representación de la comunidad por razón del conflicto de intereses** existente.
>
> La duda que se presenta es quién le sustituye en el supuesto, como en el que nos encontramos, en el que **no se ha designado vicepresidente**. En ese caso sería posible que la comunidad designara un propietario para que le representara o, en el caso, como el presente, en el que el presidente no ha convocado junta con esa finalidad y para evitar la indefensión de la comunidad, permitir que sea un copropietario quien represente a la comunidad, haciendo uso de la legitimación que se les reconoce para actuar en defensa de los intereses de la comunidad».

En segundo lugar, de no haber sido designado vicepresidente o bien de verse privado de sus derechos el comunero que se ve afectado directamente por la actividad prohibida, ante la pasividad y falta de actuación por parte del presidente o la junta de propietarios, ya sea tras recibir comunicación de actuación la junta, —recordemos que el artículo 16.2 de la LPH permite a cualquier propietario poner en conocimiento de la junta cualquier tema de interés—, o bien tras recibirla el presidente para promover el cese de actividad de conformidad con lo dispuesto por el artículo 7.2 de la LPH, es posible que el propietario actúe directamente en defensa de sus derechos.

RESOLUCIONES RELEVANTES

Sentencia de la Audiencia Provincial de Madrid n.º 74/2018, de 20 de febrero, ECLI:ES:APM:2018:2798

*«No obstante nuestro más alto tribunal, **pese a la dicción literal del artículo 7.2 LPH, ha admitido la legitimación activa de un comunero para el ejercicio de la acción de cesación del, sin acuerdo previo de la Junta**, por lo que los ahora demandantes resultarían legitimados para formular la presente demanda. Así en STS, Civil del 18 de mayo de 2016 afirma: "El problema que aquí se presenta es si esta jurisprudencia, que es clara e incluso el Tribunal Constitucional lo deduce de la tutela judicial efectiva, es aplicable en el caso que plantea el artículo 7.2 de la Ley de Propiedad Horizontal que contempla la actuación del presidente de la comunidad. Pero **éste no lo impone como exclusivo y***

excluyente. Así, si el presidente o la junta de propietarios, no toma ninguna iniciativa, el propietario individual que sufre en su persona o familia las actividades ilícitas de un copropietario y tras los requerimientos oportunos (como en el caso presente) no puede quedar indefenso y privado de la defensa judicial efectiva, *por lo cual tiene la acción de cesación que contempla dicha norma y ante la inactividad del presidente o de la junta (o de ambos) está legitimado para ejercer esta acción en interés propio (no en el de la comunidad) y en defensa de su derecho, que no ha ejercido la comunidad"».*

Sentencia de la Audiencia Provincial de A Coruña n.º 17/2021, de 26 de enero, ECLI:ES:APC:2021:118

«En este caso, ***de acuerdo con la doctrina expuesta****, y con independencia de que no se haya formulado requerimiento de cese de la actividad por el Presidente de la comunidad de propietarios del inmueble litigioso, ni se haya adoptado acuerdo sobre el particular por la Junta de propietarios, hay que entender cumplido el requisito de procedibilidad exigido en el art. 7.2 de la Ley de Propiedad Horizontal, y considerar al demandante, propietario de una vivienda en el edificio comunitario en el que se desarrolla la actividad objeto de demanda, legitimado activamente para ejercitar la acción de cesación contemplada en esta norma,* ***ante la pasividad mostrada por el Presidente de la comunidad y por la Junta de propietarios, pese a las reiteradas quejas y reclamaciones dirigidas por el actor, tanto al demandado como al Presidente, de las que son prueba evidente el requerimiento fehaciente*** *dirigido al demandado mediante burofax de fecha 17 de junio de 2015, y los igualmente remitidos, a través de certificados postales de fecha 24 de mayo de 2018, al demandado y al Presidente, requiriendo su actuación para lograr el cese de las actividades molestas que se desarrollaban en el trastero que ocupa el ahora apelante en el inmueble comunitario, bajo apercibimiento de iniciar las acciones judiciales oportunas, haciendo además mención expresa, en la comunicación enviada al Presidente de la comunidad, a las numerosas peticiones y reclamaciones que la había dirigido previamente por el mismo motivo, y solicitando que, además de requerir al demandado el cese de la actividad, recabase, previa convocatoria al efecto, la autorización de la Junta de propietarios para entablar la acción de cesación, sin que tales requerimientos hubiesen tenido respuesta formal ni se hubieran atendido en ningún momento».*

Legitimación pasiva y el litisconsorcio pasivo necesario 1060

En cuanto a la legitimidad pasiva en estos casos debe tenerse en cuenta que la misma corresponde al infractor, independientemente de si este es propietario o no, es decir, a la persona que realiza las actividades que dan lugar a la acción y, por tanto, es el que debe resultar condenado con el cese definitivo de la citada actividad. En este sentido podemos citar la **sentencia de la Audiencia Provincial de Zaragoza n.º 156/2020, de 22 de junio, ECLI:ES:APZ:2020:1016**, que recoge que:

«La legitimación pasiva en las acciones encaminadas a la cesación, corresponde al **autor material de la actividad o a la persona por cuya cuenta y orden se realiza**, en definitiva, a quien teniendo el dominio y control no hace lo necesario para evitar la cesación, y ello **con independencia de que sea o no propietario del inmueble** desde el que se produce la actividad molesta».

También la **sentencia de la Audiencia Provincial de Tenerife n.º 247/2017, de 31 de mayo, ECLI:ES:APTF:2017:806**, en la que se establece que:

«Y así la Sentencia de la AP Guadalajara, sec. 1.ª, de 13-10-2016, n.º 159/2016, rec. 199/2016, cuando indica:

"La legitimación pasiva, tanto en las acciones encaminadas al resarcimiento del daño causado por el ruido como en las de cesación, corresponde al autor material de la actividad ruidosa o a la persona por cuya cuenta y orden se realiza, en definitiva, a quien teniendo el dominio y control del foco de emisión, o del lugar en que se sitúa, no hace lo necesario para evitar inmisiones, y ello con independencia de que sea o no propietario del local desde el que se producen las emisiones ruidosas. Decimos lo anterior por cuanto hasta la reforma de 1999, el art. 9.6 LPH obligaba al propietario frente a los demás titulares a 'responder ante éstos de las infracciones cometidas por el que ocupe su piso, sin perjuicio de las acciones directas que procedan', con lo que explícitamente venía a sancionar una responsabilidad directa —y solidaria con la del infractor— del propietario ocupante. Ocurre que después de la citada reforma la ley se limita a declararle obligado a 'responder ante éstos de las infracciones cometidas y de los daños causados', lo que viene a plantear la duda de si el propietario sigue respondiendo, al menos subsidiariamente, por los hechos dañosos del ocupante y responsable directo, pronunciándose algún sector de la doctrina, en el sentido de entender actualmente excluida la responsabilidad directa del propietario, si bien sujeto a responsabilidad subsidiaria por los daños causados por el ocupante, de ahí que en este sentido estimen recomendable demandar a ambos a fin de hacer efectiva esta última, se trata en definitiva de una acción directa que le permite proceder contra él sin 'necesidad' de demandar previa o simultáneamente al propietario, pues, la legitimación de éste solo sería afirmable cuando la cesación de las inmisiones pende, por ejemplo, de alguna medida de la propiedad por la necesidad de acometer obras de su competencia que se manifiesta recia a realizar o autorizar, o bien, cuando se pretenda su responsabilidad subsidiaria, que no es el caso".

La Sentencia de la AP Las Palmas, sec. 5.ª, de 13-6-2016, n.º 269/2016, rec. 243/2014, que señala:

"**La acción de cesación se dirige precisamente contra el sujeto responsable** de las inmisiones nocivas, bien como dueño, bien como explotador de la industria o actividad de la que proceden tales inmisiones"».

CUESTIONES

1. Cuándo es el arrendatario el que lleva a cabo la actividad molesta, ¿es necesario requerirle para que pueda condenársele a cesar en la actividad o es suficiente con demandarlo si se requirió al propietario?

Encontramos respuesta a esta cuestión en el propio art. 7.2 de la LPH, que en su segundo párrafo dispone: «El presidente de la comunidad, a iniciativa propia o de cualquiera de los propietarios u ocupantes, **requerirá a quien realice las actividades prohibidas** por este apartado la inmediata cesación de las mismas, bajo apercibimiento de iniciar las acciones judiciales procedentes».

También jurisprudencialmente se exige el requerimiento al infractor no propietario, citando como ejemplo la **sentencia de la Audiencia Provincial de Madrid n.º 490/2019, de 18 de noviembre, ECLI:ES:APM:2019:16591**, que establece que: «Como puso de manifiesto esta Sala en Sentencia de 20-02-2018, n.º 74/2018, rec. 939/2017, es necesario no sólo que la relación jurídico-procesal esté bien constituida trayendo al juicio a ambos, sino que al arrendatario se le haya dirigido requerimiento previo a la demanda, como persona física o jurídica que lleva a cabo esa actividad molesta o prohibida por los Estatutos, con la finalidad apuntada por la anterior doctrina y jurisprudencia citada, en cuyo caso contrario se produce incumplimiento del requisito de procedibilidad, de acuerdo con lo preceptuado en el artículo 7.2 LPH». Y en la misma línea también podemos citar la **sentencia de la Audiencia Provincial de Valencia n.º 242/2021, de 16 de junio, ECLI:ES:APV:2021:2607**, en la que figura que: «(...) Como punto de partida debe indicarse que el artículo 7.2 de la LPH (EDL 1960/1955) no ofrece duda interpretativa de que los presupuestos de procedibilidad de la acción de cesación requiere un previo requerimiento a quien realice la actividad molesta, para que cese de inmediato en las mismas, con apercibimiento de iniciar las acciones judiciales procedentes, y, en el supuesto de que el infractor persista, el presidente, previa autorización de la junta debidamente convocada al efecto, podrá entablar contra él la acción de cesación (...)», y la **sentencia de la Audiencia Provincial de Ciudad Real n.º 366/2021, de 28 de octubre, ECLI:ES:APCR:2021:1161**, que recoge que: «(...) es fundamental para que pueda prosperar la acción de cesación ejercitada, que se haya realizado correctamente y de forma fehaciente el requerimiento para el cese de la actividad. La cuestión que aquí se discute es sí basta con que se haya dirigido a los propietarios de los inmuebles, como sostiene la parte actora, o si es necesario además que se haya dirigido a los arrendatarios u ocupantes de los inmuebles, que son en definitiva los verdaderos autores de dichas actividades. Pues bien, del artículo 7.2 LPH se desprende que, en caso de ser distintos, como es el caso que nos ocupa, debe realizarse a ambos, o en todo caso, al infractor o arrendatario ocupante. Es lo que se desprende del artículo 7.2 LPH que indica que el requerimiento se realizara a quien realice las actividades prohibidas. No se está utilizando el término propietarios, sino a quien realice las actividades, es decir, como indica las sentencias citadas de la Audiencia Provincial de Madrid, a los infractores. Ello es lógico, puesto que, por un lado, es en quien directamente está en su mano poner fin a las actividades, y por otro, es quien en definitiva acarreará con las consecuencias, ya que, no olvidemos, que el suplico de la demanda lo que pretende es la privación del uso de las viviendas, y, en última instancia, el lanzamiento. Se debe ser, por tanto, totalmente exigente en el cumplimiento del requisito de procedibilidad y en dar la oportunidad a quien está realizando una actividad que le puede llevar a la muy gravosa consecuencia de tener que abandonar la vivienda que habita, de poner fin a dicha actividad (...)».

2. Si se trata de habitaciones ocupadas por estudiantes, a un arrendatario que a su vez tiene alquilada la vivienda al propietario, ¿a quién habría que requerir y demandar en este caso?

En esta situación se plantea la duda de si la legitimación pasiva para soportar la medida del cese de la actividad corresponde a los estudiantes que realmente realizan la actividad infractora, o si por el contrario sería del arrendatario que a su vez les alquila las habitaciones. La Audiencia Provincial de Madrid se ha pronunciado sobre esto en la **SAP Madrid n.º 568/2021, de 19 de noviembre, ECLI:ES:APM:2021:15694**, que recoge: «(...) La ocupación de habitaciones de una vivienda por estudiantes no se realiza con vocación de residencia permanente sino limitada al período académico, inferior al año natural. Ello conlleva que exista gran movilidad en la ocupación de las habitaciones y hace extremadamente difícil la localización y emplazamiento de los inquilinos que llevaron a cabo los distintos episodios que tachan de molestos los comuneros en los años 2017, 2018 y 2019 y de los que puedan seguir efectuándolos en la actualidad. El destino al que dedica el inmueble la parte arrendataria, el de alquiler por estudiantes o profesionales jóvenes de las 16 habitaciones con que cuenta la vivienda, es el que es susceptible de generar molestias a los comuneros. La juventud de los residentes y sus lógicos deseos de evasión los fines de semana pueden comprometen el descanso del resto de los habitantes del edificio y si bien de forma inmediata los que efectivamente los causen tendría legitimación para soportar la acción del artículo 7.2 LPH, no puede negarse ésta a los explotadores de una actividad de arrendamiento de un inmueble con las características y destino citados».

También se pronuncia sobre esto y en el mismo sentido la **sentencia de la Audiencia Provincial de Salamanca n.º 611/2019, de 12 de diciembre, ECLI:ES:APSA:2019:797**, que contiene el siguiente razonamiento:

«Es claro, pues, que en el presente caso no existe ningún litisconsorcio pasivo necesario, ya que la afectación de los diferentes inquilinos es indirecta o refleja, no directa en tanto en cuanto en la demanda se ejerce la acción de cesación de actividades molestas

en un piso vivienda de propiedad horizontal en el que se lleva a cabo un negocio de arrendamiento continuado de la vivienda por años a estudiantes. De manera que las pretensiones ejercidas afectan exclusivamente al titular dueño de la vivienda, en orden a que cese en la realización de esas actividades molestas y dañosas, así como también en orden a que cese en el uso de la vivienda, que en su caso se manifiesta mediante el arrendamiento de la vivienda a terceros.

Estos terceros de manera refleja e indirecta se ven afectados por el presente juicio, pero, en realidad de verdad, son personas sin identificar, puesto que a la fecha de ejecución de la sentencia tales terceros serán los que en tal momento sean inquilinos de dicha vivienda, cuyo arrendamiento se produce por años en tanto en cuanto, como hemos dicho y consta acreditado en autos, se trata de uno de los llamados "piso de estudiantes", es decir de una vivienda que se alquila en cada curso estudiantes de esta ciudad.

Otra cosa sería que constara en autos que la vivienda se hallaba arrendada de manera continuada y por un plazo de larga duración a un tercero. Pues en tal caso, dicho arrendatario efectivamente se vería afectado de una manera directa por la presente sentencia, cuya ejecución además sería imposible sin haber sido el mismo oído en juicio, puesto que se privaría a tal demandado del uso de la vivienda que le corresponde por el arrendamiento. Tercero que podría además interponer la correspondiente demanda para recuperar tal uso».

Finalmente queremos traer a colación por su trascendencia práctica, los **efectos del litisconsorcio pasivo necesario en relación con el allanamiento** que pueda llevar a cabo alguna de las partes, propietario u ocupante, y que ha sido ampliamente tratado en la **sentencia de la Audiencia Provincial de Pontevedra n.º 486/2021, de 11 de noviembre, ECLI:ES:APPO:2021:2443**:

«Del tenor del precepto resulta claro que la demanda ha de dirigirse, en todo caso, contra el propietario de la vivienda o local, y, en el caso de ser el infractor el ocupante, también frente a este, cual es el supuesto litigioso.

Como señala la SAP de Pontevedra de 21 de julio de 2016, dicho precepto ordena la legitimación pasiva del propietario titular de la vivienda o local, en todo caso, y un litisconsorcio pasivo necesario entre el propietario y el ocupante, en el caso de sea éste, y no aquél, el infractor que desarrolla la actividad no permitida.

(...)

Resulta, pues, evidente que **no puede hacerse un pronunciamiento separado respecto al cese de la actividad ilícita para el propietario, que no es quien desarrolla la actividad objeto de la acción, sino que habrá de examinarse la cuestión de forma conjunta, sin que pueda vincular el allanamiento del propietario al ocupante, que podrá demostrar y alegar las causas de oposición que esgrima, en particular que no desarrolla la actividad afirmada en la demanda, siendo inescindibles las relaciones jurídicas entre ambos.**

En este sentido en la STS de 19 de febrero de 2019 se señalaba:

"Así, la sentencia 1135/2007, de 18 de octubre, EDJ 184357, citando las de 3 de noviembre de 1992, EDJ 10777 y 16 de marzo de 2001, EDJ 2308, declara que si no se acreditan los hechos de la demanda, la desestimación de esta 'favorece a todos los codemandados, incluidos los que se hubiesen allanado a la demanda'. La sentencia 11/2012, de 19 de enero, EDJ 5040, considera que, pese al allanamiento de algunos codemandados, cabe desestimar la demanda también respecto de ellos por razón de la indivisibilidad del pronunciamiento y de la fuerza expansiva de la sentencia. Y con más claridad todavía, la sentencia 8/2009, de 28 de enero, EDJ

13329, muy especialmente citada por los hoy recurrentes cuando en su día recurrieron en apelación, hace la siguiente distinción:

'En consecuencia, el allanamiento de parte de los demandados, con oposición de los demás a las pretensiones de la demanda, podrá dar lugar a dos resultados distintos, cuales son: 1.°) Que se estime, sin más, la demanda respecto de los allanados y se resuelva el proceso en cuanto a los restantes según lo alegado y probado por las partes mediante la aplicación de las normas jurídicas procedentes, en los supuestos en que quepa deslindar las pretensiones dirigidas contra unos y otros, como ocurre en el caso en que se trata de discutir la eficacia de negocios jurídicos que afectan singularmente a los distintos demandados; y 2.°) Que no quepa escindir las distintas relaciones jurídicas afectantes a los demandados, allanados o no allanados, o se dé una situación de solidaridad entre los mismos, supuesto en que el allanamiento será ineficaz y resultará posible la desestimación de la demanda frente a todos'".

En el mismo sentido, en la STS de 19 de enero de 2012 se afirmaba:

"La cuestión del allanamiento de alguno o algunos de los codemandados en caso de litisconsorcio, es más delicado. No puede afirmarse, sin más, que sólo cabe el que sea de todos ellos, no puede impedirse que un codemandado se muestre conforme con la demanda y se allane, conforme al artículo 21 de la Ley de Enjuiciamiento Civil siempre que no traspase los límites que marca esta norma. Distinto es la eficacia o vinculación que puede tener un allanamiento de parte —no todos— de los codemandados, lo cual se ponen en relación con la eficacia expansiva de la sentencia. El caso se asemeja al recurso, en caso de litisconsorcio: se condena a uno o varios de los codemandados y sólo uno de ellos recurre y los demás se aquietan a la sentencia condenatoria; si se acepta el recurso y desestima la demanda, la absolución de la misma alcanza a todos los codemandados, aunque no hayan recurrido. El allanamiento de uno o varios de los codemandados (caso presente) es válido, pero no vincula a los demás codemandados, ni al contenido de la sentencia; así, si ésta desestima la demanda, estimando el recurso de uno de los codemandados, aquella desestimación de la demanda alcanzará a todos los codemandados por razón de la indivisibilidad del pronunciamiento y de la fuerza expansiva de la sentencia, pese al allanamiento de alguno de ellos.

Lo cual ha sido mantenido, aunque no expresamente, por la jurisprudencia de esta Sala. La sentencia de 11 de noviembre de 1996 resuelve el caso del ejercicio de la acción de división de cosa común, a lo que se allanaron algunos, no todos, de los codemandados; se desestimó la demanda y esta sentencia rechazó la casación que pretendía que se estimara respecto a los allanados, ya que el allanamiento no puede tenerse en cuenta (no es que no quepa, sino que no alcanza al contenido de la sentencia, ni a los demás codemandados); dice así:

"Son en definitiva, todos los demandados litisconsortes pasivos necesarios y la consecuencia procesal de tal vínculo es que no pueden tenerse en cuenta ni los allanamientos de alguno, ni la aceptación de la sentencia, pues los recursos de cualquiera de los litisconsortes les aprovechan. Si en definitiva, se trata de proceso único que ha de desembocar en sentencia única, no puede estimarse el motivo"».

La sentencia en el procedimiento para promover el cese de actividades 1070

El procedimiento concluye por medio de sentencia en los términos dispuestos en el artículo 434 de la LEC, si bien, conviene añadir que el artículo 7.2 de la LPH al respecto señala que si la sentencia resulta estimatoria puede acordarse:

- **El propio cese definitivo de la actividad prohibida**, objeto principal de esta acción. Recordemos lo dispuesto por la **sentencia de la Audiencia Provincial de Madrid n.º 74/2018, de 20 de febrero, ECLI:ES:APM:2018:2798**:

  «En cuanto al **objeto principal de la acción de cesación**, debe ser la **eliminación de las perturbaciones** que rebasa el límite de la obligada tolerancia. Pero **el cese puede entenderse** prioritariamente referido a la propia inmisión, a fin de **suprimirla o reconducirla** a los límites de la tolerancia, por lo que su consecución **no ha de suponer necesariamente la clausura inminente del establecimiento** o de la instalación, ni la **paralización de su actividad sino que puede ir dirigida a la adopción de las medidas necesarias** para lograr el fin pretendido, en este caso la realización de la obra indicada por el perito en su informe presentado con la demanda».

- La **indemnización** de daños y perjuicios que proceda, pues la actividad prohibida es posible que hubiese causado algún perjuicio material a la comunidad (por ejemplo, gastos de limpieza o reparaciones).
- **La privación del derecho al uso** de la vivienda o local por tiempo no superior a tres años, en función de la gravedad de la infracción y de los perjuicios ocasionados a la comunidad.

5.5.4. Posibles medidas impuestas en la resolución judicial

1080 **¿Cuáles pueden ser las consecuencias jurídicas de la acción de cesación?**

El art. 7 de la Ley de Propiedad Horizontal recoge en el último párrafo de su apartado segundo que:

«Si la sentencia fuese estimatoria podrá disponer, además de la cesación definitiva de la actividad prohibida y la indemnización de daños y perjuicios que proceda, la privación del derecho al uso de la vivienda o local por tiempo no superior a tres años, en función de la gravedad de la infracción y de los perjuicios ocasionados a la comunidad. Si el infractor no fuese el propietario, la sentencia podrá declarar extinguidos definitivamente todos sus derechos relativos a la vivienda o local, así como su inmediato lanzamiento».

Es decir, la ley establece que cuando se estime la acción de cesación el juzgador podrá aplicar las siguientes medidas:

- El cese definitivo de la actividad prohibida.
- La indemnización de daños y perjuicios si procede.
- La privación del derecho de uso de la vivienda o local por un tiempo máximo de tres años.
- La extinción de los derechos relativos a la vivienda o local, así como el lanzamiento, en aquellos casos en los que el infractor no fuese el propietario.

CUESTIÓN

¿Cuáles son los criterios que deben ser tenidos en cuenta a la hora de optar por una medida u otra?

A la hora de decidir qué medidas son las que deben ser aplicadas se atenderá a la gravedad de la infracción y a los perjuicios que se le hayan ocasionado a la comunidad de propietarios.

La propia Ley de Propiedad Horizontal, en su exposición de motivos, recoge el fundamento de estas medidas que suponen limitaciones de las facultades inherentes a la titularidad del inmueble:

«Los derechos de disfrute tienden a atribuir al titular las máximas posibilidades de utilización, con el **límite representado tanto por la concurrencia de los derechos de igual clase de los demás cuanto por el interés general**, que se encarna en la conservación del edificio y en la subsistencia del régimen de propiedad horizontal, que requiere una base material y objetiva. Por lo mismo, íntimamente unidos a los derechos de disfrute aparecen los deberes de igual naturaleza. Se ha tratado de configurarlos con criterios inspirados en las relaciones de vecindad, procurando dictar unas normas dirigidas a asegurar que el ejercicio del derecho propio no se traduzca en perjuicio del ajeno ni en menoscabo del conjunto, para así dejar establecidas las bases de una convivencia normal y pacífica».

El cese definitivo de la actividad prohibida 1090

El objeto en primer término de esta acción es el cese definitivo de la actividad prohibida en los estatutos que resulte dañosa para la finca o que contravenga las disposiciones generales sobre actividades molestas, insalubres, nocivas, peligrosas o ilícitas.

Este cese de la actividad, entendido como el fin último de la acción de cesación, consiste en la prohibición de seguir realizando la actividad que dio lugar a la acción y que motivó que se acudiese a la vía judicial, y es la medida que inevitablemente va unida a la estimación de la acción.

La **Audiencia Provincial de Granada en sentencia n.º 423/2019, de 20 de septiembre, ECLI:ES:APGR:2019:1781**, se pronuncia sobre el cese y establece:

«En cuanto al **objeto principal** de la acción de cesación, debe ser la **eliminación de las perturbaciones** que rebasa el límite de la obligada tolerancia. Pero el cese puede entenderse prioritariamente referido a la propia inmisión, a fin de suprimirla o reconducirla a los límites de la tolerancia, por lo que su consecución no ha de suponer necesariamente la clausura inminente del establecimiento o de la instalación, ni la paralización de su actividad sino que puede ir dirigida a la adopción de las medidas necesarias para lograr el fin pretendido, en este caso la realización de la obra indicada por el perito en su informe presentado con la demanda.

(...)

Por otro lado, como se indicaba, **no debe perderse de vista que la esencial finalidad** que persigue el artículo 7.2 de la Ley de Propiedad Horizontal **es la de lograr restablecer el orden y sosiego en la comunidad.**

La orden de cesación, por un lado, es un **mandato impuesto por la autoridad judicial a través de una resolución**, lo cual, en caso de ser transgredido, puede motivar responsabilidades de toda índole, **pudiendo incluso generar un delito de desobediencia** si concurriesen los requisitos de culpabilidad, imputabilidad y demás precisos para la existencia de responsabilidad penal. Así incluso lo prevé el artículo 7.2, párrafo cuarto de la Ley de Propiedad Horizontal para los supuestos de suspensión cautelar de la actividad, por lo cual tal posibilidad es igualmente predicable para la sentencia que lo acuerda con carácter definitivo y no meramente cautelar.

Por tanto, debe entenderse que la orden de cesación de la actividad molesta no es una mera admonición o advertencia, sino que constituye una orden emanada de la autoridad judicial, por lo que **no sólo tiene carácter declarativo**, y que por ello **despliega un carácter disuasorio en la persistencia de la conducta molesta**, dadas las consecuencias que la transgresión de una orden judicial puede conllevar».

La **sentencia de la Audiencia Provincial de Huelva n.º 198/2004, de 8 de octubre, ECLI:ES:APH:2004:919**, se refiere a esta medida en los siguientes términos:

«Todo lo anterior no coloca en presencia del supuesto de hecho contemplado por el art. 7.2 de la Ley 49/1960, de Propiedad Horizontal (LPH), que prevé que el propietario o inquilino que realice en el interior del piso actividades molestas insalubres, nocivas o peligrosas será requerido por el presidente de la comunidad para la cesación de las mismas (requerimiento que se efectuó a D.ª Ana el 10.01.03). **Persistiendo en tales actividades podrá ser demandado para obtener la cesación definitiva; siendo lo trascendental** no ya la actualidad de la perturbación, máxime de aquellas que como la presente consistan fundamentalmente en una serie de ruidos y malos olores que pueden ser suprimidos o aminorados temporalmente, sino **el compromiso para las expectativas de normal convivencia generado por una reiterada conducta antisocial**».

Tanto en la Ley de Enjuiciamiento Civil como en la Ley de Propiedad Horizontal se recoge expresamente la posibilidad de que se acuerde la cesación inmediata de la **actividad prohibida como medida cautelar**, en tanto no se resuelve el procedimiento. En este aspecto conviene citar el art. 727 de la LEC, en sus reglas 7.ª y 11.ª:

«7.ª. La orden judicial de **cesar provisionalmente en una actividad**; la de abstenerse temporalmente de llevar a cabo una conducta; o la prohibición temporal de interrumpir o de cesar en la realización de una prestación que viniera llevándose a cabo.

(...)

11.ª. Aquellas **otras medidas** que, para la protección de ciertos derechos, prevean expresamente las leyes, o que se estimen necesarias para asegurar la efectividad de la tutela judicial que pudiere otorgarse en la sentencia estimatoria que recayere en el juicio».

Y el art. 7.2 de la LPH, en su párrafo cuarto en el que se dispone que:

«Presentada la demanda, acompañada de la acreditación del requerimiento fehaciente al infractor y de la certificación del acuerdo adoptado por la Junta de propietarios, **el juez podrá acordar con carácter cautelar la cesación inmediata de la actividad prohibida**, bajo apercibimiento de incurrir en delito de desobediencia. Podrá adoptar asimismo cuantas medidas cautelares fueran precisas para asegurar la efectividad de la orden de cesación. La demanda habrá de dirigirse contra el propietario y, en su caso, contra el ocupante de la vivienda o local».

CUESTIÓN

¿Qué se entiende por medida cautelar?

La medida cautelar aparece definida en el *Diccionario del español jurídico de la RAE* de forma genérica como: «Instrumento procesal de carácter precautorio que adopta el órgano jurisdiccional, de oficio o a solicitud de las partes, con el fin de garantizar la efectividad de la decisión judicial mediante la conservación, prevención o aseguramiento de los derechos e intereses que corresponde dilucidar en el proceso». Y de forma más concreta para el proceso civil como: «Medida adoptada judicialmente, antes o durante un proceso, con la finalidad de evitar los riesgos de la duración temporal del juicio en aras de preservar la efectividad de la sentencia que haya de recaer».

La **Audiencia Provincial de Madrid en su auto n.º 84/2009, de 23 de marzo, ECLI:ES:APM:2009:18630A**, establece cuales son las **notas características** de las medidas cautelares, enumerando las siguientes:

«a) La **instrumentalidad**, en cuanto son instrumento del proceso principal declarativo o de ejecución al que están subordinadas, b) La **provisionalidad**, porque se mantienen en tanto en cuanto cumplen su función de aseguramiento, de forma que desaparecen cuando con el proceso principal se haya logrado una situación que hace inútil su mantenimiento, c) La **temporalidad**, consecuencia precisamente de su carácter instrumental del proceso principal pues nacen para extinguirse y d) La **variabilidad**, en cuanto que permiten su modificación cuando se alteren las circunstancias o motivos que se tuvieron en cuenta para adoptarse».

Para poder acogerse a esta medida cautelar el solicitante debe cumplir los requisitos de procedibilidad propios de la acción de cesación previstos en el art. 7.2 de la LPH (el requerimiento de inmediata cesación de la actividad bajo apercibimiento de iniciar acciones judiciales, hecho por el presidente de la comunidad a quien realice la actividad y el acuerdo de la junta de propietarios debidamente convocada al efecto autorizando el ejercicio de la acción de cesación). Como ejemplo, podemos citar el **auto de la Audiencia Provincial de Granada n.º 39/2021, de 19 de febrero, ECLI:ES:APGR:2021:421A**, en el que se acuerda denegar la medida cautelar solicitada consistente en requerir al demandado para que cese en la realización de las actividades molestas y nocivas, bajo apercibiendo de incurrir en delito de desobediencia, precisamente por no cumplir con los requisitos de procedibilidad citados: «Por lo tanto, no habiendo cumplido la actora con los requisitos de procedibilidad del artículo 7.2 LPH, entendemos que procede estimar el recurso de apelación, revocando la resolución apelada». Y también el **auto de la Audiencia Provincial de Castellón n.º 389/2020, de 22 de octubre, ECLI:ES:APCS:2020:338A**, que establece: «Son requisitos necesarios por tanto para la adopción de la medida cautelar de cesación inmediata de la actividad prohibida, presentar con la demanda la acreditación del requerimiento fehaciente al infractor y la certificación del acuerdo adoptado por la Junta de propietarios, que son los presupuestos que las representaciones de los demandados denuncian que no se han cumplido, sin que podamos afirmar lo contrario a la vista de la prueba aportada».

Por su parte, el **auto de la Audiencia Provincial de Madrid n.º 26/2013, de 14 de enero, ECLI:ES:APM:2013:839A**, analizando una **medida cautelar** solicitada por la comunidad de propietarios y basada en el art. 7.2 de la LPH, realiza un listado de los **presupuestos** que se requieren **para su adopción** en los siguientes términos:

«Son presupuestos necesarios para la adopción de una medida cautelar:

a) Una situación jurídica tutelable.

b) La manifestación del derecho ejercitado como verosímil, esto es, que el examen de la documentación aportada se ofrezca como cierto y existente —fumus boni iuris—.

c) El peligro de un daño inmediato o irreparable determinado por el retraso en recibir la prestación, por el permanente desconocimiento de la obligación de hacer o no hacer, o el riesgo de que la ejecución sea difícil o imposible cuando proceda —periculum in mora—.

d) La temporalidad de la medida solicitada.

e) La correlación y adecuación de la medida con las consecuencias que naturalmente han de derivarse de la resolución final.

f) La prestación de la fianza que el Juez señale, cuando la ley así lo exija, en la cuantía que, atendida la solvencia del solicitante, naturaleza de la medida cautelar adoptada, eventuales perjuicios que pudieran irrogarse al demandado y demás circunstancias concurrentes, repute procedente. Todo ello según recoge el Auto de esta Audiencia Provincial, sec. 13.ª, de fecha 20-5-2005, n.º 98/2005, rec. 161/2005».

No existe unanimidad en las distintas audiencias sobre la aplicación de las normas generales establecidas en la LEC para las medidas cautelares, existiendo una corriente que consideran que la medida cautelar de cesación recogida en el art. 7.2 de la LPH es autónoma y no requiere que se den los requisitos del art. 728 de la LEC, y otra corriente que sí que considera que el mentado artículo debe aplicarse también en estos supuestos.

Así, la **Audiencia Provincial de Cáceres, en auto n.º 71/2005, de 18 de julio, ECLI:ES:APCC:2005:204A**, se pronuncia sobre esta medida cautelar y la aplicación de los mencionados artículos en los siguientes términos:

«La Sala ha de convenir necesariamente con la parte apelante en el sentido de que la medida cautelar que reconoce el párrafo cuarto del apartado 2 del artículo 7 de la Ley sobre Propiedad Horizontal ostenta una **sustantividad propia y genuina en relación con las medidas cautelares** que, de forma, tanto genérica, como específica, prevén los artículos 726 y 727 de la Ley de Enjuiciamiento Civil, en la medida en que aquel precepto exige la concurrencia de unos determinados requisitos para su adopción que son únicos y exclusivos de la expresada cautela, de modo que, su concurrencia excluye la de aquellos otros presupuestos que, con carácter general, establece el artículo 728 de la Ley de Enjuiciamiento Civil (esto es, el peligro por la mora procesal, la apariencia de buen derecho y la prestación de caución). En este sentido y, conforme al artículo 7.2 de la Ley sobre Propiedad Horizontal, **la presentación de la Demanda con la acreditación del requerimiento fehaciente al infractor y con la certificación del acuerdo adoptado por la Junta de Propietarios, se perfilan como los** únicos **condicionantes para que el Juez, potestativamente** (el precepto emplea el término podrá), **acuerde con carácter cautelar —o bien rechace— la cesación inmediata de la actividad prohibida**, inmediatez en la adopción de la medida de la que no gozan otras garantías, como tampoco se prevén en estas últimas el apercibimiento de incurrir en el delito de desobediencia, ni, finalmente, que el Órgano Jurisdiccional pueda adoptar asimismo cuantas medidas cautelares fueran precisas para asegurar la efectividad de la orden de cesación. Como indicó el Juez de instancia en el Auto recurrido, la "apariencia de buen derecho" puede deducirse del contenido de la Demanda y de los documentos acompañados a la misma, más lo que justifica la adopción de esta concreta medida cautelar no es, en rigor, el peligro por la mora procesal sino **asegurar la efectividad de la orden de cesación**, de modo que no sólo no puede ser exigible este presupuesto para la adopción de la medida (es decir, el peligro por la mora procesal) sino que tampoco ha de serlo la prestación de caución porque el artículo 7.2 de la Ley sobre Propiedad Horizontal no prevé esta exigencia.

Por otro lado, la consecuencia a la que llega este Tribunal sobre la naturaleza jurídico-procesal de la medida cautelar prevista en el artículo 7.2 de la Ley sobre Propiedad Horizontal es absolutamente compatible con el propio tenor del artículo 727 de la Ley de Enjuiciamiento Civil, en la medida en que el número 11 de este precepto se refiere a aquellas otras medidas que, para la protección de ciertos derechos, prevean expresamente las leyes, o que se estimen necesarias para asegurar la efectividad de la tutela judicial que pudiere otorgarse en la Sentencia estimatoria que recayere en el Juicio; estimando la Sala, por un lado, que la medida cautelar cuestionada se incardina más en este supuesto (porque la medida se encuentra prevista de forma expresa en una Ley —la Ley sobre Propiedad Horizontal—) que en el establecido en el número 7, el cual ostenta un carácter más genérico al referirse, junto a otras medidas, a la orden judicial de cesar provisionalmente en una actividad, y, por otro, que, si el propio artículo 727 de la Ley de Enjuiciamiento Civil reconoce el que Leyes distintas de esta última prevean medidas cautelares genuinas del objeto de la norma jurídica que las reconoce, habrá de estarse a los requisitos y presupuestos propios que, para su adopción, tales leyes establezcan.

Consiguientemente, **la medida cautelar prevista en el apartado 2 del artículo 7 de la Ley sobre Propiedad Horizontal requiere para su adopción la concurrencia de los requisitos que el indicado precepto establece, no siendo por tanto de aplicación el artículo 728 de la Ley de Enjuiciamiento Civil**, **lo que no significa, sin embargo, que no deban observarse los trámites procedimentales que, para resolver sobre su adopción o rechazo**, prevén —esencialmente— los artículos 733 a 736 de la Ley de Enjuiciamiento Civil, si bien acomodando este procedimiento a la específica naturaleza de la expresada medida cautelar, lo que permite y autoriza el que, **en el acto de la vista**, tanto la parte actora como la parte demandada puedan **proponer los medios de prueba que a su derecho convengan** "si fueren pertinentes en razón de los presupuestos de la medida cautelar" solicitada —como indica el apartado 2 del artículo 734 de la Ley de Enjuiciamiento Civil—. Adviértase, a este efecto, que el propio apartado 2 del artículo 7 de la Ley sobre Propiedad Horizontal deja bajo la potestad del Juez el que pueda acordar con carácter cautelar la cesación inmediata de la actividad prohibida, de modo que resulta cuando menos razonable el que se permita a las partes la proposición y práctica de prueba en defensa de sus respectivos intereses a fin de que la decisión judicial se adopte con el mayor criterio posible».

Por su parte en el **auto de la Audiencia Provincial de Burgos, n.º 560/2002, de 23 de octubre, ECLI:ES:APBU:2002:447A**, también se hace alusión a los requisitos establecidos con carácter general en la LEC para la adopción de medidas cautelares, incidiendo en la importancia de dar audiencia al demandado antes de denegar la medida cautelar:

«SEGUNDO: El Auto recurrido, además de analizar la concurrencia de los requisitos precisos para la adopción de la medida cautelar, señala uno, de naturaleza procesal, no cumplido, al aludir a "en tanto no haya una efectiva contradicción", lo que, a criterio del Tribunal, resulta determinante para su eventual adopción, mediante el seguimiento del procedimiento legalmente establecido, en concreto lo dispuesto en los arts. 733 y 734 de la L.E.C.

El primero de los preceptos mencionados exige, para proveer a la petición de medidas cautelares, la **previa audiencia del demandado**; y el segundo, la **convocatoria de una vista para la audiencia de las partes**. Audiencia y trámite procedimental que no se ha observado.

La posibilidad, que como excepción a la regla general, contempla el Art. 733-2 L.E.C. no concurre en el presente caso, ni las correspondientes a la parte solicitante —pedirlo así y acreditar las razones de urgencia o del compromiso del buen fin de la medida cautelar— ni del Juzgado —exposición de las razones que han aconsejado resolver sobre ella sin audiencia del demandando, aunque sea para denegarla—.

TERCERO: Posiblemente, el hecho de denegar la adopción de la medida cautelar, haya entendido el Juez de Instancia que hacía innecesaria la audiencia de la parte demandada, pero ello no es así, como se desprende del Art. 736 LEC, sistemáticamente colocado después del relativo a la vista y del auto estimatorio, y por la razón evidente de que el Tribunal de apelación no podría revocar el Auto denegatorio y estimar la medida solicitada, de considerarla pertinente, sin haber sido citada y oída la parte demandada en la instancia, que es en la que ha de observarse esos trámites procedimentales esenciales para acordar legal y eventualmente la medida solicitada; **trámite que en esta alzada no podría subsanarse**».

El **auto de la Audiencia Provincial de las Palmas n.º 39/2005, de 25 de febrero, ECLI:ES:APGC:2005:292A**, se pronuncia en el sentido de **considerar necesarios los requisitos establecidos en el art. 728 de la LEC**, tanto el peligro de mora procesal como la apariencia de buen derecho:

«SEGUNDO.- El recurso no puede prosperar por cuanto, en efecto, no se justifica debidamente que de no adoptarse la medida podrían producirse durante la pendencia del proceso situaciones que impidieran o dificultaran la efectividad de la tutela que en definitiva pudiera otorgarse a través de una eventual sentencia estimatoria. Pero es que ni siquiera, sin prejuzgar lo que en definitiva pueda resolverse en el pleito principal, el actor goza de apariencia de buen derecho por cuanto la adopción de la medida cautelar que dispensa el art. 7.2 de la citada L.P.H lo es en proceso que debe iniciar la Comunidad de Propietarios, previa autorización de la Junta de Propietarios para el ejercicio de la acción, y no el propietario que se sienta perjudicado. Y es que como dijera la AP Pontevedra, sec. 1.ª, S 10-3-2003, n.º 89/2003, rec. 2164/2002 "Sentado que estamos ante una acción de cesación instaurada por la normativa en materia de propiedad horizontal, su estimación pasa por la concurrencia de los requisitos de procedibilidad previstos en el art. 7.2 LPH"».

También el **auto de la Audiencia Provincial de Madrid n.º 179/2011, de 19 de septiembre, ECLI:ES:APM:2011:12210A**, que, dando citas a otras audiencias, destaca que: «De lo que se sigue, como dice la AP de Barcelona, que "la previsión del art. 728.1.2.º LEC cobra especial sentido tratándose de medidas consistentes en el cese de comportamientos o en la prohibición de seguir desarrollando una conducta que se presenta como antijurídica o infractora de derechos subjetivos ajenos. Tal será la situación fáctica en la que va a incidir la medida, alterándola, y frente a la cual el solicitante de las medidas debe reaccionar oportuna o temporáneamente, sin dilaciones injustificadas, pues de lo contrario podrá apreciarse que su pasividad, facilitando la prolongación y consolidación del estado fáctico creado por el comportamiento del demandado, neutraliza el peligro en la demora, sin que haya razón para alterar cautelarmente lo que ha venido tolerando durante largo tiempo"».

Resulta también ilustrativo el **auto de la Audiencia Provincial de Málaga n.º 319/2021, de 21 de julio, ECLI:ES:APMA:2021:1609A**, que siguiendo esta segunda línea recoge que:

«Ahora bien la posibilidad de esta medida como cualquier otra requiere, para que pueda estimarse es necesario la justificación con la debida claridad y precisión de la concurrencia de los presupuestos legalmente exigidos para la adopción de la medida, así como el ofrecimiento de caución, con especificación de qué tipo o tipos se ofrece y con justificación del importe que se propone por la parte solicitante, o al menos con la indicación de que se está dispuesto a aceptar la modalidad y cuantía que fije el tribunal, constituyen un requisito esencial de la solicitud de medidas cautelares, atendido lo dispuesto en los artículos 732, apartados 1 y 3, y 728.3, ambos de la Ley de Enjuiciamiento Civil. Estos requisitos no concurren en su totalidad en el supuesto que nos ocupa y a mayor además hemos de concluir que estamos ante un procedimiento especial donde precisamente no puede instarse dentro del mismo proceso una medida cautelar consistente en la cesación inmediata de la actividad molesta denunciada por ruidos así como el desalojo de las personas que actualmente viven en ella, hasta la conclusión del procedimiento no siendo procedente el acordar como medida cautelar por el supuesto genérico del periculum in mora de toda medida cautelar, el cual, aunque efectivamente pudiera existir, no es razón para acordar la medida cautelar, interesada que como bien indica el juzgador se identifica en definitiva con el propio objeto de la petición, pretendiendo por la vía cautelar que se le anticipe la resolución del fondo del asunto».

CUESTIÓN

¿Cabe solicitar la medida cautelar del cese de la actividad al propietario no ocupante?

La **Audiencia Provincial de Álava, en el auto n.º 150/2020, de 27 de noviembre, ECLI:ES:APVI:2020:287A**, en un supuesto en el que se recurre el auto de primera instancia en el que se estimaba como medida cautelar el cese de la actividad prohibida, debiendo los demandados dejar libre de objetos una plaza de garaje o de lo contrario se acordaría el desalojo por un tercero a costa del demandado, y ante la alegación de la recurrente propietaria de que dicha medida era personalísima y por tanto no podía imponérsele a ella como propietaria no ocupante, la sala recoge que:

«Por tanto ***su implicación procesal, en calidad de propietaria, en lado pasivo de la acción es plena y con las consecuencias correspondientes****, con el mismo contenido de las exigibles al ocupante de la plaza de garaje donde se desarrolla una actividad de las prohibidas en los estatutos, que resulten dañosas para la finca o que contravengan*

las disposiciones generales sobre actividades molestas, insalubres, nocivas, peligrosas o ilícitas.

La recurrente en su calidad de propietaria bien pudo desplegar las acciones, en su caso judiciales, para perseguir el cese de la actividad o el desalojo de la plaza de garaje, en ejercicio de las facultades propias de su derecho. Sólo consta la referida autorización a la comunidad para que procediera al desalojo, pero ya le consta que no fue posible, por lo que debió en su caso, para librarse de la acción contra ella dirigida en este proceso, ejercer dichas acciones inherentes a su derecho de propiedad. Si no lo hizo, ahora ***debe soportar la acción contra ella desplegada por la Comunidad de Propietarios*** *por imperativo del citado art. séptimo LPH».*

Mención aparte merece el tema de las **costas** que se generan con la solicitud de esta medida cautelar de cesación. Si bien la Ley de Propiedad Horizontal no contiene ninguna mención al respecto, en el art. 736 de la Ley de Enjuiciamiento Civil contiene una remisión a la norma general contenida en el art. 394 de la LEC, para aquellos supuestos en los que se deniegue la medida cautelar.

Se plantean dos cuestiones con relación a estas costas:

- En primer lugar, se debate sobre si ante la falta de previsión legal expresa cuando se acuerda la medida cautelar, sería de aplicación el art. 394 de la LEC y en consecuencia se imponen las costas al condenado con dicha medida, o si por el contrario se considera que esta falta de previsión conlleva la no imposición de las mismas. Así, por ejemplo, el **auto de la Audiencia Provincial de Baleares n.º 4/2009, de 14 de enero, ECLI:ES:APIB:2009:7A,** confirma la imposición de costas a los demandados a los que se les impone la medida cautelar, mientras que, por ejemplo, el **auto de la Audiencia Provincial de Álava n.º 150/2020, ECLI:ES:APVI:2020:287A**, mantiene que:

  «Como pone de relieve la recurrente, la cuestión que afecta a las costas no puede resolverse desde la perspectiva del art. 394 LEC, pues en sentido estricto éste se refiere a los procesos declarativos, mientras el procedimiento de medidas cautelares, aun integrado en el proceso declarativo, no participa propiamente de esa naturaleza, pues la resolución dictada es provisional y está condicionada por el resultado final del proceso.

  Además, la LEC hace expresa mención a las costas cuando la medida cautelar es rechazada, art. 736, que remite al 394, mientras que cuando se admite y acuerda la medida, art. 735, no hace mención alguna a las costas, por lo que razonablemente la cuestión se deberá remitir a la concurrencia de temeridad o mala fe. Circunstancias que no es apreciable en el presente caso y por ello se estima este concreto motivo del recurso».

- En segundo lugar, se plantea controversia sobre si procede la imposición de las costas cuando antes de la celebración de la vista se produce el cese de la actividad voluntariamente. La **Audiencia Provincial de Valencia, en auto n.º 350/2019, de 9 de diciembre, ECLI:ES:APV:2019:4824A**, resuelve esta cuestión considerando que:

  «TERCERO.-Debemos iniciar la resolución de la cuestión planteada en esta alzada, indicando que es en la adopción de la medida cautelar, cuando existe oposición, es decir controversia, cuando puede analizarse la imposición a alguna de las partes de las costas procesales que se devenguen, y que en cambio, tal y como indica la propia resolución combatida, no existe, por haber dejado los inquilinos la vivienda, y por tanto por haber cesado las molestias, justificación para el mantenimiento de la medida cautelar acordada en su momento. Y así se desprende de la petición formulada por los demandados, en relación a la medida cautelar.

Aunque la contraparte es decir, la demandante manifestó no oponerse, sin embargo, solicitó la imposición de las costas procesales, al entender que la tardía suspensión de la misma por cese de la actividad, no conllevaba la total satisfacción procesal por el tiempo transcurrido entre la solicitud de la medida y la cesión de la molestia, solicitando la continuación del procedimiento principal.

Con arreglo a tales pedimentos, y dado que la medida cautelar adoptada en su día carece ya de sentido, y ninguna de las partes se opone a su extinción, no existe motivo alguno para la imposición en el Auto que acuerda el cese de la medida cautelar, para imponer a ninguna de las partes las costas procesales, a diferencia de lo que pueda acaecer cuando se resuelva la cuestión del pleito principal, en la forma que las partes tengan por conveniente, o acuerde el Juzgado, con contradicción sobre el fondo del asunto».

A TENER EN CUENTA. Recordamos que el art. 394 de la LEC se ha visto modificado por la LO 1/2025, de 2 de enero, con entrada en vigor el 03/04/2025, para contemplar los casos de condena en costas en caso de participación en un «MASC».

La indemnización de daños y perjuicios por estimación de la acción de cesación 1100

Cuando la sentencia dictada en estos procedimientos sea estimatoria, la propia Ley de Propiedad Horizontal, en el último párrafo del artículo 7.2, recoge la posibilidad de que se condene a una indemnización por los daños y perjuicios que en su caso resulte procedente.

También hay que traer a colación en este punto el artículo 1902 del Código Civil:

> «El que por acción u omisión causa daño a otro, interviniendo culpa o negligencia, está obligado a reparar el daño causado».

En la **sentencia de la Audiencia Provincial de A Coruña n.º 17/2021, de 26 de enero, ECLI:ES:APC:2021:118**, en un supuesto en el que se ejercitaba la acción de cesación del art. 7.2 por ruidos, el tribunal se refiere al derecho a la indemnización en los siguientes términos:

> «(...) naciendo de estas situaciones, en favor del propietario perjudicado o sometido a riesgo, el **doble derecho de hacer cesar el daño o peligro**, al amparo del art. 590 del CC (SS TS 12 diciembre 1980, 16 enero 1989 y 30 noviembre 2006), **y de obtener una indemnización o resarcimiento por el perjuicio causado**, conforme al art. 1908, que contempla una forma de responsabilidad objetiva (SS TS 14 mayo 1963, 15 marzo 1993, 17 marzo 1998 y 31 mayo 2007), cuya aplicación, en relación con el art. 1902 del CC, se extiende a las **inmisiones intolerables** y a las agresiones del medio ambiente (SS TS 12 diciembre 1980, 3 septiembre 1992, 15 marzo 1993, 29 abril 2003, 28 enero 2004, 14 marzo 2005 y 26 noviembre 2010), aunque también cabe acudir a estos casos a la tutela del derecho a la intimidad que proporciona la

Ley Orgánica 1/1982, de 5 de mayo, en cuyo art. 7 se establece un elenco de intromisiones ilegítimas que no constituye "numerus clausus".

(...)

CUARTO.-En lo que se refiere a la cuantificación del daño causado, también discutida en el recurso, debemos partir como premisa de que **la existencia del perjuicio se presume legalmente siempre que se acredite la intromisión ilegítima**, y que la indemnización se extenderá al daño moral que se valorará atendiendo a las circunstancias del caso y a la gravedad de la lesión efectivamente producida, conforme dispone el art. 9.3 Ley Orgánica 1/1982, en relación con los arts. 1902 y concordantes del CC (...)».

Esta indemnización debe cubrir tanto el daño material como el moral, a pesar de la dificultad que plantea la cuantificación de este último. Así lo reconoce, por ejemplo, la **sentencia de la Audiencia Provincial de Madrid n.º 545/2007, de 29 de octubre, ECLI:ES:APM:2007:15724**, que recoge que: «(...) probada la inmisión en los términos en que ha quedado reflejado, aparte de las medidas para su desaparición, **es indemnizable el daño producido o soportado por las mismas**, y bajo la indemnizabilidad del daño moral, cuestión ahora incontrovertidamente admitida, de modo que el sufrimiento físico o psíquico o espiritual debe originar reparación compensatoria, perjuicio o moral ciertamente de difícil prueba, pero en ocasiones sí claramente deducible de los propios hechos, siendo fácil y sociológicamente inducible en casos como el de autos, producción de desasosiego y alteración en el legítimo disfrute de los bienes en tranquilidad, o como se ha llegado a decir altera el derecho "a ser dejado en paz", con alteración del descanso, debiendo de nuevo traer a colación la doctrina del *"res in ipsa loquitur"*, de modo que el daño surge de las propias inmisiones, en el precedente sentido se pronuncia la STS de 31-5-2000, siendo también de tomar como referencia lo previsto en el art. 7 de la Ley Orgánica 1/1982, de 5 de Mayo, partiendo de lo precedente, no se presenta cuestión tan sencilla determinar el importe de la indemnización, para lo cual se ha de atender a las circunstancias de cada caso concurrentes, sin que existan concretos mecanismos para su determinación, siendo siempre inevitable un cierto componente de subjetividad (...)».

CUESTIÓN

¿Puede dejarse la cuantificación de la indemnización para que se realice la misma en la ejecución de la sentencia?

Siguiendo las reglas contenidas en el art. 219 de la LEC, la sentencia debe condenar al importe exacto de las cantidades que correspondan, o en todo caso fijar con claridad y precisión las bases para su liquidación, que en ejecución pueda calcularse con una simple operación aritmética. Esto mismo es lo que refleja la **Audiencia Provincial de Madrid en su sentencia n.º 287/2016, de 29 de junio, ECLI:ES:APM:2016:8046**, al señalar que: «(...) conforme dispone el art. 219.3 en relación con el 1 LEC la actora no puede pretender que la condena indemnizatoria que insta se liquide en ejecución de sentencia de forma distinta a la realización de una pura operación aritmética, y por ende la sentencia no puede condenar al pago de una indemnización que se liquide en ejecución mediante lo que no sea una mera operación aritmética, obviamente».

Resulta particularmente relevante la interpretación que han hecho las distintas audiencias sobre el **daño moral** que debe indemnizarse cuando se ejercita la acción de cesación del art. 7.2 de la LPH.

Por ejemplo, citando la **sentencia de la Audiencia Provincial de Segovia n.º 213/2005, de 21 de octubre de 2005, ECLI:ES:APSG:2005:287**, en un supuesto en el que se solicita la cesación de la actividad prohibida (tenencia molesta de perros), por los ruidos producidos, recoge el tribunal que:

«Por tanto, la protección civil frente a la contaminación acústica permite al perjudicado ejercitar la pretensión de condena al cese de la actividad y a la **indemnización de daños y perjuicios irrogados por la misma, incluido el daño moral**.

Ello tanto al amparo de la normativa citada como efectivamente de la Ley de Propiedad Horizontal que permite ejercitar una acción de cesación de actividad molesta que incluye la indemnización del daño producido conforme a lo dispuesto en el art. 7.2 de dicho texto legal».

Por su parte la ya mentada **sentencia de la Audiencia Provincial de A Coruña n.º 17/2021, de 26 de enero, ECLI:ES:APC:2021:118**, nos da una aproximación al concepto de daño moral:

«Según tiene declarado la jurisprudencia, el daño moral o "pecunia doloris" no está incluido dentro del daño material o patrimonial, de manera que hay daño moral cuando, con independencia de que se haya atentado contra bienes materiales o inmateriales de la persona, sin una repercusión económica directa o inmediata, se ha producido un **padecimiento físico o psíquico que genera un sufrimiento anímico o espiritual**, afectando a la dignidad, integridad o libertad, como bienes básicos de la personalidad, siendo su valoración una tarea nunca exenta de dificultades ante su natural relativismo y la imposibilidad de hablar de una reparación íntegra, por lo que debe acudirse para su fijación a criterios subjetivos que atiendan tanto a las circunstancias personales del perjudicado como a las que rodean el hecho dañoso, para buscar, en definitiva, una indemnización por equivalencia o compensatoria susceptible de proporcionar una satisfacción que palie o compense el sufrimiento físico o psíquico causado, ya que no se trata de reparar el patrimonio menoscabado, sino el dolor, inquietud y angustia de la persona perjudicada por el actuar, injusto, abusivo o ilegal de otro (SS TS 6 diciembre 1912, 19 diciembre 1949, 31 mayo 1983, 25 junio 1984, 3 junio 1991, 27 julio 1994, 24 septiembre 1999, 19 octubre 2000, 9 diciembre 2003, 14 julio 2006 y 10 diciembre 2010), habiéndose apreciado la reparación del daño moral causado en supuestos de inmisiones ruidosas (SS TS 13 julio 2005 y 31 mayo 2007)».

Resulta muy ilustrativa la **sentencia de la audiencia anterior (n.º 201/2011, de 5 de abril, ECLI:ES:APC:2011:1203)**, que realiza un **profundo análisis** de la existencia del daño moral y su cuantificación, en un supuesto en el que se discutía su procedencia a raíz de una acción de cesación ejercitada por la comunidad de propietarios por los ruidos que se producían en un local perteneciente a la misma:

«La existencia del daño moral y su cuantificación es una cuestión que de forma detallada analiza la Sentencia del Tribunal Supremo de 31 de mayo de 2000 (RJ Aranzadi 5089), cuando establece, con abundantísima cita jurisprudencial, que "Las Sentencias de esta Sala han reconocido que **el daño moral constituye una noción dificultosa** [Ts. 22 de mayo de 1995 (RJ Aranzadi 4089)], relativa e imprecisa [Ts. 14 de diciembre de 1996 (RJ Aranzadi 8970) y 5 de octubre de 1998 (RJ Aranzadi 8367)]. Iniciada su indemnización en el campo de la culpa extracontractual, se amplió su ámbito al contractual [Ts. 9 de mayo de 1984 (RJ Aranzadi 2403), 27 de julio de 1994 (RJ Aranzadi 6787), 22 de noviembre de 1997 (RJ Aranzadi 8097), 14 de mayo y 12 de julio de 1999 (RJ Aranzadi 3106 y 4770), entre otras], **adoptándose una orientación cada vez más amplia**, con clara superación de los criterios restrictivos que limitaban su aplicación a la concepción clásica del 'pretium doloris' y los ataques a los Derechos de la personalidad. Cierto que todavía las hipótesis más numerosas se manifiestan en relación con las intromisiones en el honor e intimidad (donde tiene reconocimiento legislativo), los ataques al prestigio profesional [Sentencias 28 de febrero, 9 y 14 de diciembre de 1994 (RJ Aranzadi 686, 9433 y 10110)], propiedad intelectual (igualmente con regulación legal), responsabilidad sanitaria [Ts. 27 de enero de 1997 (RJ Aranzadi 21), 28 de diciembre de 1998 (RJ Aranzadi 10161) y 27 de septiembre de 1999 (RJ Aranzadi 7272)] y culpa extracontractual (accidentes con resultado de lesiones, secuelas y muerte), pero ya se acogen varios supuestos en que es apreciable el criterio aperturista (con fundamento en el principio de indemnidad), ora en el campo de las relaciones de vecindad o abuso del Derecho (Ts. 27 julio 1994), ora con causa generatriz en el incumplimiento contractual [Ts. 12 de julio de 1999, 18 de noviembre de 1998 (RJ Aranzadi 8412), 22 de noviembre de 1997, 20 de mayo y 21 de octubre de 1996 (RJ Aranzadi 3793 y 7235)], lo que, sin embargo, no permite pensar en una generalización de la posibilidad indemnizatoria. [...] **La situación básica para que pueda darse lugar a un daño moral indemnizable consiste en un sufrimiento o padecimiento psíquico** (Ts. 22 de mayo de 1995, 19 de octubre de 1996 y 24 de septiembre de 1999). La reciente Jurisprudencia se ha referido a diversas situaciones, entre las que cabe citar el impacto o sufrimiento psíquico o espiritual (Ts. 23 de julio de 1990), impotencia, zozobra, ansiedad, angustia [Ts. 6 de julio de 1990 (RJ Aranzadi 5780)], la zozobra, como sensación anímica de inquietud, pesadumbre, temor o presagio de incertidumbre (S. 22 mayo 1995), el trastorno de ansiedad, impacto emocional, incertidumbre consecuente [Ts. 27 enero 1998 (RJ Aranzadi 551)], impacto, quebranto o sufrimiento psíquico (S. 12 julio 1999)", para estimar que sí debe indemnizarse la demora producida por el retraso en un transporte aéreo. En esa misma **necesidad de que se acredite un padecimiento o sufrimiento psíquico o espiritual, impotencia, zozobra, angustia, trastorno de ansiedad, impacto emocional, etcétera** insisten las Sentencias de 12 de julio de 2007 (RJ Aranzadi 5594), 14 de julio de 2006 (RJ Aranzadi 4965) y 11 de noviembre de 2003 (RJ Aranzadi 8289), entre otras. Así se ha admitido la existencia de un daño moral en las molestias que comporta la privación de la propia vivienda o del local en que se ejerce la actividad [Ts. 11 de noviembre de 2003 (RJ Aranzadi 8289)], en la inquilina obligada a desalojar su vivienda por obras en solar contiguo [Ts. 4 de febrero de 2005 (RJ Aranzadi 915)], por un incendio en una casa originado por mala construcción, que ocasiona pérdida de vacaciones y heridas, al margen de daños materiales [Ts. 10 de noviembre de 2005 (RJ Aranzadi 9517)], o por la entrega de dólares falsos por una entidad bancaria, que ocasiona que el cliente sea detenido en EEUU [Ts. 28 de marzo de 2005 (R.J. Aranzadi 2614) y 17 de febrero de 2005 (RJ Aranzadi 1679)].

En esa misma línea abunda la Sentencia de 10 de diciembre de 2010 (Roj: STS 7549/2010, recurso 790/2008), al distinguir entre(a) el daño patrimonial, si se refiere a su patrimonio pecuniario; (b) el daño biológico, si se refiere a su integridad física; (c) y el daño moral, si se refiere al conjunto de Derechos y bienes de la personalidad que integran el llamado patrimonio moral. Debiendo calificarse como daños morales (figura que declara como borrosa, relativa e imprecisa) "**aquellos que no son susceptibles de ser evaluados patrimonialmente por consistir en un menoscabo cuya sustancia puede recaer no sólo en el** ámbito **moral estricto, sino tam-**

bién en el ámbito **psicofísico de la persona y consiste, paradigmáticamente, en los sufrimientos, padecimientos o menoscabos experimentados que no tienen directa o secuencialmente una traducción económica...**". Definición de daño no patrimonial que también se recoge en el artículo 10:301 PETL ("Principios de Derecho Europeo de la Responsabilidad Civil" elaborados por el "European Group on Tort Law"). Considerando que el ruido generado por "Ludatex Carballo, S.L." sí afecta a la intimidad del hogar, convirtiendo el propio domicilio en un lugar irritante al estar sometido a una actuación ajena molesta, sí ocasiona una afectación psíquica, debe indemnizarse el daño moral ocasionado, al no haberse acreditado otro concreto; fijándose prudencialmente, y como tanto alzado, la cantidad de tres mil euros».

CUESTIÓN

¿Puede la comunidad de propietarios reclamar indemnización por el daño moral sufrido por un propietario particular?

Existen diversas posturas con relación a esta cuestión, y así podemos citar la **sentencia de la Audiencia Provincial de Asturias n.º 95/2019, de 6 de marzo, ECLI:ES:APO:2019:730**, que alude a las distintas posiciones al respecto: «(...) La sentencia del TS de 28 de julio de 2016, de la Sala Segunda, niega la legitimación de la Comunidad como tal para reclamar por esta clase de daños, que, "por hacer referencia al sufrimiento, al dolor o a la aflicción de determinados sujetos, son derechos de naturaleza personalísima y no están sometido en su ejercicio al régimen jurídico de constitución de una junta de propietarios, como no pueden pasar tampoco por el régimen legal de adopción de sus acuerdos". Por el contrario, la sentencia de la Sala Primera de 13 de abril de 2012 sí admitió la legitimación de la Comunidad para actuar en beneficio de los comuneros en cuanto a los perjuicios que se les causan, incluso los morales, pues nunca actúa en nombre propio, efectuándolo siempre a favor de los comuneros».

En todo caso cabe destacar que a pesar de que son muchas las sentencias que reconocen a la comunidad de propietarios el derecho a la indemnización por daños morales, conviene también tener en cuenta que existe jurisprudencia que entiende que: «(...) En cualquier caso el daño moral está representado por el impacto o sufrimiento psíquico o espiritual que en la persona pueden producir ciertas conductas, actividades o, incluso, resultados, tanto si implican una agresión directa o inmediata a bienes materiales como si el ataque afecta al acervo extrapatrimonial o de la personalidad, y la reparación de ese daño o sufrimiento moral va dirigida principalmente a propiciar en la medida de lo humanamente posible una satisfacción como compensación al sufrimiento que se ha causado (S. 5-6-2008). Pero precisamente **se trata de un daño personalísimo que debe ser reclamado de forma individual por aquel a quien afecte, por lo que hemos de rechazar la indemnización por daño moral que es reclamada por la comunidad de propietarios pero no por los vecinos individualmente**». **Sentencia de la Audiencia Provincial de Málaga n.º 139/2020, de 13 de marzo, ECLI:ES:APMA:2020:136.**

Siguiendo esta misma línea citamos también la **sentencia de la Audiencia Provincial de Tenerife n.º 294/2021, de 23 de julio, ECLI:ES:APTF:2021:1814**, que recoge que:

«Aplicando lo anterior al supuesto de autos, lo cierto es que no cabe reconocer que la Comunidad actora, entidad sin personalidad jurídica propia, más allá de la que se le reconoce a los efectos de su defensa, sea susceptible de padecer el mencionado daño moral, y si bien pudiera apreciarse que el daño lo refiere como padecido a sus integrantes, lo cierto es que se reclama y cuantifica un daño genérico, derivado de la calificación de molesta, incómoda e insalubre de la conducta que se denuncia, sin individualizar, ni acreditar cuál haya sido el daño efectivo y real, el padecimiento, sufrimiento, trastorno de alguno o algunos de sus integrantes. Lo que, igualmente, excluye la estimación de la acción prevista en el artículo 1.902 del Código Civil. En tal sentido la Sentencia de la Audiencia Provincial

de Asturias de 06 de marzo de 2019 (ROJ: SAP O 730/2019 - ECLI:ES: APO: 2019:730): "Cabe entender así que la reclamación que formula la Comunidad por daños morales, que cifra en 18.000 €, la hace en nombre de los vecinos que habrían sufrido una especial situación de angustia, ansiedad o zozobra por causa de la actividad molesta. Sin embargo, en la demanda no se concreta cuales fueran los vecinos que hubieran padecido esa situación, que parece obvio que no fueron todos pues algunos incluso votaron en contra del ejercicio de esta acción, mientras que de la testifical practicada en el juicio parece desprenderse que esas molestias fueron de muy distinta entidad respecto de los vecinos de la misma planta que la litigiosa y los que habitan inmediatamente sobre o bajo ella, que en relación a los restantes. En el acuerdo comunitario de 27 de abril de 2017, que facultó al Presidente para interponer esta demanda, ninguna alusión se hacía a tales daños morales, ni siquiera de modo genérico. Dado que parece evidente que ***no cabe reconocer a la Comunidad en cuanto tal la condición de sujeto perjudicado respecto a esos daños morales, por su carácter personalísimo****, y la falta de individualización de quienes los hubieran sufrido, que tampoco autorizaron expresamente la reclamación por este concepto, y que impide analizar la situación de quien realmente resultase afectado y en qué medida, la conclusión habrá de ser la de desestimar esta concreta petición"».*

Es importante analizar a quién le corresponde asumir la indemnización en los casos en los que no coinciden el ocupante que realiza la actividad que da lugar a la acción de cesación y el propietario. En estos casos surge la duda de si se le puede exigir responsabilidad no solo al ocupante que realiza la actividad, sino también al propietario, y en este sentido podemos citar distintas sentencias de diferentes audiencias provinciales que reconocen esta posibilidad.

RESOLUCIONES RELEVANTES

Sentencia n.º 366/2021, de 28 de octubre de la Audiencia Provincial de Ciudad Real, ECLI:ES:APCR:2021:1161

Se pronuncia al respecto para determinar la responsabilidad de los propietarios con el siguiente tenor literal:

«Y como esos hechos habrían sido causados por parte de los arrendatarios u ocupantes de las viviendas pertenecientes a las entidades demandadas, lo que de conformidad con los artículos 1902, 1903 y 1908 CC, deben de responder las entidades propietarias de los inmuebles, dado que consta las constantes reclamaciones por la parte actora, y no consta que actuaran de forma adecuada o con la suficiente intensidad, como demuestra que los hechos se prolongaron durante años. ***Los propietarios del inmueble no pueden desentenderse así de la situación creada para el resto de los vecinos****, que nos quedamos cortos si meramente la calificamos como de molestias, por quienes se encontraban en el mismo, bien por alquiler, bien incluso por ocupación, debiendo adoptar las medidas necesarias para poner fin a dicha situación. La propiedad conlleva una serie de obligaciones, como son las de evitar que desde la misma se produzcan daños a los vecinos, en consonancia con las obligaciones de las relaciones de vecindad, como se desprende del artículo 1908 y 590 CC, debiendo en caso de producirse los mismos actuar con el fin de evitar su continuación, y* ***responder en todo caso de dichos daños producidos*** *(...)».*

Sentencia n.º 134/2005 de 18 de marzo de la Audiencia Provincial de Madrid, ECLI:ES:APM:2005:3107

Reconoce la legitimidad pasiva de los propietarios en los siguientes términos:

« (...) los propietarios tienen legitimación pasiva no sólo desde la propia dicción del artículo 7.2 sino también porque dentro del litigio puede haber pronunciamientos, como indemnización de daños y perjuicios, que comportaría la ***obligación, al menos subsidiaria, de responder de los propietarios del local****, en decir de la mejor doctrina (...)».*

La privación del uso de la vivienda o local como consecuencia de la estimación de la acción de cesación 1110

Ya como última consecuencia de la acción de cesación, hay que analizar la posibilidad de que, en la sentencia estimatoria, se pueda disponer la privación del derecho al uso de la vivienda o local o en su caso declarar extinguidos los derechos del infractor no propietario, con su inmediato lanzamiento.

Es decir, la Ley de Propiedad Horizontal recoge dos medidas que pueden ser adoptadas por el juez en su sentencia:

- La privación del derecho al uso de la vivienda o local por tiempo no superior a tres años.
- La extinción definitiva de todos los derechos relativos a la vivienda o local, así como su inmediato lanzamiento, cuando el infractor no coincida con el propietario (por ejemplo, en el caso de inquilinos, usufructuarios...). Con relación a esta medida la **sentencia de la Audiencia Provincial de Huelva, n.º 198/2004, de 8 de octubre, ECLI:ES:APH:2004:919**, recoge que: «(...) Efectivamente el fundamento de esta posibilidad resolutoria es doble, de un lado retribuir la conducta especialmente infractora para con los deberes del comunero en relación con facilitar a los demás una tranquila y ordenada vida en común que ha llevado a cabo el inquilino y en segundo lugar evitar que en el futuro vuelvan a reproducirse actuaciones de tal índole; sin que para sea preciso que en el momento de dictar sentencia se estén dando tales actos, lo cual sería indeseable y evitable por el juego de las medidas cautelares que previamente se pueden adoptar».

La **sentencia de la Audiencia Provincial de Gipuzkoa n.º 828/2019, de 30 de diciembre, ECLI:ES:APSS:2019:1330**, se refiere a la constitucionalidad de esta medida, citando la **sentencia del Tribunal Constitucional n.º 28/1999, de 8 de marzo,ECLI:ES:TC:1999:28**:

«El Tribunal Constitucional ya se ha pronunciado sobre la constitucionalidad de la privación del uso contemplada en el art. 7.2 LPH. En este sentido, la STC n.º 28/1999, de 8 de marzo, declara en su fundamento jurídico sexto: "Este precepto ha sido ya objeto de control por parte de este Tribunal. Concretamente, en la STC 301/1993, como respuesta a una cuestión de inconstitucionalidad en la que se planteaba la posible vulneración del derecho de propiedad (art. 33 C.E.) a través de lo dispuesto en dicho precepto legal, este Tribunal declaró que "el artículo cuestionado se refiere a un tipo de propiedad, el de la propiedad horizontal, en el que la necesidad de compaginar los derechos e intereses concurrentes de una pluralidad de propietarios y ocupantes de los pisos, justifica, sin duda, la fijación, legal o estatutaria, de específicas restricciones o límites a los derechos de uso y disfrute de los inmuebles por parte de sus respectivos titulares" (fundamento jurídico 3.º). En el mismo fundamento jurídico concluye declarando que en el citado precepto "no se configura, en efecto, una expropiación forzosa —en el sentido constitucional del concepto— sino una específica sanción civil o, más precisamente, una obligación cuyo cumplimiento puede ser exigido por los órganos judiciales —que no ejercen potestad expropiatoria alguna— cuando se constate determinada conculcación del ordenamiento y basta con advertirlo así para concluir en que la regla legal no está afectada por los vicios de inconstitucionalidad que sugiere el Auto de planteamiento". Y en el fundamento jurídico octavo añade: "el artículo de la L.P.H. cuestionado supone 'una abstracta previsión legal que liga una determinada consecuencia negativa (privación temporal del uso del piso) a la transgresión de un deber impuesto por la propia Ley en el seno de una relación jurídico-privada, consecuencia negativa que grava sobre el patrimonio del transgresor, a quien el órgano judicial puede privar del uso del inmueble (vivienda o local) durante un máximo de dos años'. De este modo, nos encontraríamos ante la privación de un derecho privado, el derecho de uso de una concreta vivienda, consecuencia del incumplimiento de deberes propios de una relación jurídico-privada, la derivada del régimen de propiedad horizontal, que aún cuando va a suponer un condicionamiento al derecho a la libre elección de domicilio no implica, por las razones antes expuestas, una restricción del contenido constitucionalmente protegido del derecho fundamental a la libertad de residencia".

Y tampoco cabe concluir que la previsión legal contemplada en el art. 7.2 LPH vulnere el art. 47 de la constitución que, como el propio Tribunal Constitucional ha declarado, no reconoce un derecho fundamental, sino que enuncia un mandato o directriz constitucional que ha de informar la actuación de todos los poderes públicos (art. 53.3 CE) en el ejercicio de sus respectivas competencias (así, STC n.º 32 de 28 de febrero de 2019 y las que cita en la misma), un principio rector de la política social y económica, una directriz constitucional dirigida a los poderes públicos, que no es incompatible en modo alguno con el establecimiento por el legislador de procedimientos judiciales para dirimir las controversias que puedan suscitarse en relación con las facultades de uso derivadas de la titularidad o posesión de bienes inmuebles en régimen de propiedad horizontal"».

Tal y como recoge el art. 7.2 de la LPH en su último párrafo, a la hora de optar por este tipo de sanciones habrá de atenderse a la gravedad de la infracción y de los perjuicios ocasionados a la comunidad.

Así, la **sentencia de la Audiencia Provincial de Pontevedra n.º 395/2016, de 21 de julio, ECLI:ES:APPO:2016:1592**, recoge que:

«(...) Estas consecuencias, derivadas del ejercicio y estimación de la acción de cesación, no son, pues, el objeto directo de la acción, ni integran necesariamente el contenido de la pretensión deducida al efecto en la demanda, sino que constituyen una sanción que puede ser decretada por el Juez con carácter facultativo "en función de la gravedad de la infracción y de los perjuicios ocasionados a la comunidad", correspondiendo al arbitrio judicial decidir, no solamente el alcance temporal, sino la procedencia de la sanción misma. Si antes de la citada reforma la estimación de la demanda conllevaba imperativamente la imposición de alguna de dichas consecuencias, de forma diferenciada y según la clase de acción ejercitada, contra el propietario o contra el ocupante, ahora la sentencia puede limitarse a acordar el cese de la actividad sin la sanción, valorando las circunstancias expresadas, o, incluso, disponer su eventual imposición, ante un posible incumplimiento del mandato de cesación de la actividad, en el proceso de ejecución».

También la **sentencia de la Audiencia Provincial de Granada n.º 413/2019, de 20 de septiembre, ECLI:ES:APGR:2019:1781**, se refiere a la proporcionalidad que debe tener esta medida en los siguientes términos:

«(...) la sanción de la privación del uso del inmueble debe ser **adecuada o proporcionada a la gravedad de la conducta y perjuicios ocasionados**, a lo que cabe añadir que la propia estimación de la demanda en lo que se refiere a la cesación en las actividades, ya conlleva una serie de consecuencias que han de ser tenidas en consideración a la hora de determinar si, aparte de ellas, queda justificada la privación del uso del inmueble.

Deberá analizarse, en consecuencia, la gravedad y perjuicios ocasionados por la conducta, sin desconocerse que el principal interés en supuestos como el presente, ha de ser básicamente el de evitar la persistencia en la actividad molesta, debiendo tenerse en consideración que la sanción de la privación del uso está encaminada, a juicio esta Sala, más a disuadir de una persistencia en la actividad molesta en lo sucesivo, que a cumplir una finalidad, por así decirlo retributiva, y aunque ésta no sea totalmente ajena a la finalidad del referido precepto, a juicio de esta Sala, es preponderante la finalidad disuasoria en orden a evitar la persistencia en la conducta del comunero».

El punto de partida a la hora de valorar la aplicación de estas medidas tan gravosas debe de ser la libertad de cada propietario en sus derechos dominicales, pero sin olvidar que la propiedad no es un derecho absoluto, si no que tiene sus límites. Cabe citar en este punto la **sentencia de la Audiencia Provincial de Badajoz n.º 1007/2021, de 22 de diciembre, ECLI:ES:APBA:2021:1751**, que realiza el siguiente análisis:

«La jurisprudencia ha declarado con absoluta reiteración la libertad de los derechos dominicales y la posibilidad que cada uno de los propietarios bajo el régimen de propiedad horizontal pueda realizar cuantas actividades parezcan adecuadas sobre su inmueble, otorgándole las máximas posibilidades de utilización.

Ahora bien, **la propiedad no es un derecho absoluto, tiene por supuesto sus limitaciones**.

(...)

En primer lugar, en el **plano formal**, la condena a la privación es correcta. Y lo es porque la comunidad de propietarios observó el requisito de procedibilidad que le impone el art. 7.2 LPH. Antes de interponerse la demanda, la junta de propietarios autorizó el ejercicio de acciones frente don Edemiro y doña Lorena por su actividad molesta. Como dice la ley solo se exige el visto bueno al ejercicio de la acción de cesación por el presidente. No se pide más. Es una simple habilitación. **No se exige la aprobación del contenido de la pretensión**.

Debemos recordar que el derecho de acceso a la jurisdicción, aunque no es un derecho absoluto, es parte principal del derecho a obtener la tutela judicial efectiva que reconoce el art. 24 de la Constitución. Una decisión judicial de inadmisión o de restricción de una demanda solo se justifica si encuentra fundamento en la existencia de una causa legal que resulte aplicada razonablemente.

Sí, donde alcanza toda su intensidad el principio pro actione justamente en el acceso a la jurisdicción. La inadmisión o el condicionamiento de una demanda o de una solicitud solo puede justificarse en la falta de los requisitos materiales o procesales previstos en la ley. Aunque es un derecho de configuración legal, la interpretación de esos presupuestos nunca debe ser rigurosa o exacerbada. Hay que evitar los formalismos de modo que las inadmisiones o restricciones siempre sean justificadas y razonables (sentencias del Tribunal Constitucional 6/2018, de 22 de enero; 12/2017, de 30 de enero; 163/2016, de 3 de octubre y 186/2015, de 21 de septiembre).

En este contexto, **debemos interpretar el art. 7.2 sin más presupuestos que los literalmente exigidos**. Ir más allá sería ampliar los contornos del óbice procesal y, ello, comportaría una infracción del principio pro actione. No es exigible, pues, que la junta de propietarios apruebe la privación para que la misma pueda ser acordada judicialmente. Desde luego tiene la facultad de hacerlo, pero no la obligación a los efectos de la encomienda que se hace al presidente, que en nombre de la comunidad ejerce la acción con el contenido legalmente previsto. No podemos hablar aquí de una extralimitación del presidente en el ejercicio de la acción.

Eso de una parte. En el **plano material**, tampoco llevan razón los recurrentes. **La ley anuda a la cesación la privación del derecho al uso de la vivienda o local por tiempo no superior a tres años, en función de la gravedad de la infracción y de los perjuicios ocasionados a la comunidad. Y demás está decir que esta privación no distingue entre titulares de viviendas y locales. Afecta a cualquier propietario.**

Además, tiene un marcado **carácter sancionador**. Trata de prevenir, de evitar este tipo de conductas. Si las actividades molestas dentro de una comunidad no tuvieran más castigo que su cese, tales actividades estarían a la orden del día. La convivencia sería imposible por anárquica. La forma de proteger, en este caso, un ambiente libre de inmisiones acústicas es el miedo a verse uno privado del uso de su inmueble. Toda norma jurídica, por definición, conlleva una sanción para el caso del incumplimiento del mandato. Aquí la sanción no es el cese, es justamente la privación del uso, que además se ha fijado con claro carácter moderado, lejos del límite legal de tres años».

CUESTIÓN

¿Cabe solicitar como medida cautelar la privación del uso de la vivienda o local?

El **auto de la Audiencia Provincial de Málaga n.º 319/2021, de 21 de julio, ECLI:ES:APMA:2021:1609A**, recoge que: «(...) hemos de concluir que estamos ante un procedimiento especial donde precisamente no puede instarse dentro del mismo proceso una medida cautelar consistente en la cesación inmediata de la actividad molesta denunciada por ruidos así como el desalojo de las personas que actualmente viven en ella, hasta la conclusión del procedimiento **no siendo procedente el acordar como medida cautelar por el supuesto genérico del** periculum in mora **de toda medida cautelar**, el cual, aunque efectivamente pudiera existir, no es razón para acordar la medida cautelar, interesada que como bien indica el juzgador se identifica en definitiva con el propio objeto de la petición, pretendiendo por la vía cautelar que se le anticipe la resolución del fondo del asunto». En el mismo sentido el **auto de la Audiencia Provincial de Cantabria n.º 245/2007, de 17 de abril, ECLI:ES:APS:2007:181A**, también se pronuncia sobre la **imposibilidad de privar del uso de la vivienda** como medida cautelar: «(...) Tal privación ha sido objeto de análisis por el T.C. que en sus SS. de 21 de octubre de 1993 y 8 de marzo de 1999 la configuran como una sanción civil consecuencia del incumplimiento de deberes propios de una relación jurídico privada, derivándose de tal naturaleza de sanción la imposibilidad de su adopción como medida cautelar, cuya finalidad no es otra que asegurar la eficacia de toda sentencia estimatoria, máxime cuando el propio texto legal que autoría la sanción la reserva específicamente para la sentencia que se dicte en el procedimiento. Procede en consecuencia la desestimación del recurso».

Resulta importante pararse a analizar la **legitimación pasiva** en estos casos. Cuando la infracción consiste en la privación del uso del inmueble y es el propio propietario el que comete la infracción que da lugar a esta medida, no cabe duda de que será el mismo el que deba soportar la sanción consistente en la privación de uso de su vivienda o local. La duda surge cuando la infracción es cometida por el ocupante no propietario, en cuyo caso se discute sobre la legitimación pasiva del propietario para soportar una privación de uso por una infracción que no ha cometido personalmente.

En las sentencias de las distintas audiencias provinciales no existe unanimidad, si no que en atención a las circunstancias del caso concreto encontramos supuestos en los que no se condena al propietario por entender que ha tenido un comportamiento diligente, y otros en los que sí se impone dicha sanción.

En la línea de no imponer sanción a los propietarios podemos citar, entre otras, la **sentencia de la Audiencia Provincial de Valencia de 29 de noviembre de 2013, Rec. 551/2013, ECLI:ES:APV:2013:5318**, que confirma la sentencia de primera instancia en la que no se condenaba a los propietarios: «Y concluyó la estimación parcial de la demanda, razonando que: "Ha quedado probado que los propietarios del piso han actuado de modo diligente al resolver el contrato con los inquilinos que estaban produciendo molestias a los vecinos del edificio (art. 27-2-e LAU, 1555-2° y 1556 CC), por lo que no deben ser condenados (...)». También la **sentencia de la Audiencia Provincial de A Coruña n.° 201/2011, de 5 de abril, ECLI:ES:APC:2011:1203**, que en el mismo sentido establece que: «2.°.- La segunda pretensión, que se prohíba al propietario del local, don Conrado, utilizarlo durante el plazo de tres años debe ser rechazada. Esta prohibición se configura en la Ley de Propiedad Horizontal como una posibilidad ("podrá disponer... la privación..."), cuya aplicación se vincula a la mención "en función de la gravedad de la infracción y de los perjuicios ocasionados a la Comunidad". La actuación de "Ludatex Carballo, S.L." no puede considerarse como dolosa civilmente. La intención no era perjudicar a nadie, sino desarrollar su actividad (cuestión distinta es el error a la hora de buscar ubicación). Lo que menos aún puede predicarse del propietario. Por lo tanto se estima que no concurren las circunstancias necesarias para acordar la prohibición del uso del local».

Por otra parte podemos citar como ejemplos de sentencias que aplican esta gravosa sanción al propietario, entre otras, la **sentencia de la Audiencia Provincial de Burgos n.° 112/2021, de 29 de marzo, ECLI:ES:APBU:2021:291**, que recoge que:

> «La propietaria era plena conocedora de la realidad de las actividades gravemente molestas y perturbadoras para los vecinos que se desarrollaban en el inmueble que tenía alquilado al codemandado desde hacía más de un año y no obstante absolutamente nada hace hasta más de un año después, no siendo los requerimientos realizados al inquilino, así el burofax de 26 de septiembre de 2018, actuación más bien formal y de pura apariencia, siendo la única actuación realmente dirigida a poner fin a la situación existente la realizada tras recibir la demanda de cesación de actividad.
>
> (...)
>
> Si la propiedad deja transcurrir más de un año (desde julio de 2017 hasta noviembre de 2018) sin hacer absolutamente nada por poner fin a los a las actividades gravemente molestas para los vecinos que se desarrollaban en el inmueble, existe persistencia en su conducta infractora en cuanto consentidora de las actividades realizadas por el inquilino, y queda justificada la sanción de privación del demandado del uso de la vivienda, que teniendo en cuenta que las molestias se han venido desarrollando prácticamente desde el inicio del contrato, pues hay constancia de las quejas ya en el Acta de la Comunidad de Enero de 2016, existe proporcionalidad entre la duración de la infracción gravemente perjudicial para los vecinos y la duración de la privación del derecho de uso del inmueble al propietario para sí o para evasión».

Si la medida a la que nos referimos es la extinción definitiva de todos los derechos relativos a la vivienda o local, así como su inmediato lanzamiento, la legitimidad pasiva corresponderá tanto al propietario como al ocupante, pudiendo citar aquí como ejemplo la **sentencia de la Audiencia Provincial de Pontevedra n.º 395/2016, de 21 de julio, ECLI:ES:APPO:2016:1592**, que establece:

«(...) ahora se reconoce a la comunidad una acción propia de cesación contra el arrendatario. Sin embargo, la naturaleza de esta acción, lejos de excluir la legitimación pasiva del propietario la presupone, ya que, como consecuencia de su ejercicio, puede privarse temporalmente al arrendatario, y no sólo al propietario, del derecho al uso de la vivienda o local o extinguirse definitivamente el arriendo (art. 7.2, párrafo último, LPH), pronunciamiento que sin duda afecta también al arrendador y puede resultar perjudicial para el mismo, de lo que se deriva un interés jurídico en oponerse a la demanda que justifica su obligada llamada al proceso».

También cabe citar la **sentencia de la Audiencia Provincial de Ciudad Real n.º 366/2021, de 28 de octubre, ECLI:ES:APCR:2021:1161**, que se refiere a la necesidad de demandar tanto a propietario como a ocupante cuando son distintos, en los siguientes términos:

«Y en el fondo, lo que subyace en la cuestión de la falta de requisito de procedibilidad, es que, además de no darse el mismo, no está bien constituida la legitimación pasiva, por concurrir aquí un litisconsorcio pasivo necesario, puesto que se pretende el lanzamiento de los arrendatarios u ocupantes de una serie de viviendas, respecto de los que se pretende el lanzamiento, sin haber sido, ni requeridos, ni emplazados y llamados a juicio. (...) No puede por tanto estimarse el recurso, puesto que, de hacerlo, se acordaría el lanzamiento contra los arrendatarios de inmuebles, contra quienes, ni se ha formulado el requerimiento exigido por la ley para el cese de las actividades, faltando ese requisito de procedibilidad, ni se les ha demandado en forma, dándoles la oportunidad de comparecer en juicio y defenderse».

CUESTIÓN

¿Cabe solicitar como medida una prohibición de uso condicionada para determinadas actividades futuras?

Tal y como recoge la **sentencia de la Audiencia Provincial de Cádiz n.º 146/2019, de 14 de octubre, ECLI:ES:APCA:2019:1851**, que analiza un supuesto en el que se solicitaba en la demanda que se prohibiera a los demandados arrendar el local o explotarlo mientras el mismo no hubiese sido insonorizado y aislado acústicamente, así como instalado un limitador-controlador acústico en el equipo de música, no cabría dicha medida:

«En primer lugar, porque el art. 7.2 de la LPH no contempla la posibilidad de imponer la prohibición solicitada por la parte demandante (...).

(...)

Por tanto, la pretensión deducida no puede ser concedida dado que no está prevista legalmente en el citado art. 7.2 de la LPH.

En segundo lugar, consta que, en la fecha de presentación de la demanda, el local no estaba siendo explotado. Por tanto, el pedimento deducido por la parte demandante va referido a situaciones futuras cuando los propietarios vuelvan a arrendar o ceder a un tercero la explotación del local o lo realicen por ellos mismos. En tal supuesto, considera el Tribunal que estaríamos ante una condena de futuro».

5.6. CASUÍSTICA MÁS HABITUAL QUE DA LUGAR A LA ACCIÓN DE CESACIÓN

Supuestos frecuentes de la acción de cesación en las comunidades de propietarios 1120

Ser parte de una comunidad de propietarios conlleva una serie de derechos pero también de obligaciones que pueden dar lugar a multitud de conflictos. Cuando un vecino no respeta las normas de la comunidad y lleva a cabo actividades no permitidas, la comunidad de propietarios puede reaccionar ejercitando la acción judicial de cesación recogida en el art. 7.2 de la Ley de Propiedad Horizontal.

Se recogen en la LPH tres tipos de actividades que pueden dar lugar a esta acción:

1. Las actividades prohibidas en los estatutos.
2. Las actividades dañosas para la finca.
3. Las actividades que resulten molestas, insalubres, nocivas, peligrosas o ilícitas.

A modo de ejemplo, y como supuestos más habituales, podemos citar los que se originan por:

- Ruidos.
- Tenencia de animales.
- Pisos turísticos.
- Locales comerciales, principalmente los destinados a hostelería.

CUESTIÓN

En estos casos en los que se va a ejercitar la acción de cesación contemplada en el art. 7.2 de la LPH, ¿debe necesariamente demandar la comunidad de propietarios o puede hacerlo el vecino perjudicado?

El Tribunal Supremo ha dado respuesta a esta cuestión en la **STS n.º 321/2016, de 18 de mayo, ECLI:ES:TS:2016:2130**, en la que, tras analizar la jurisprudencia del propio Tribunal, e incluso del Tribunal Constitucional, concluye que: «(...) Así, si el presidente o la junta de propietarios, no toma ninguna iniciativa, el propietario individual que sufre en su persona o familia las actividades ilícitas de un copropietario y tras los requerimientos oportunos (como en el caso presente) no puede quedar indefenso y privado de la defensa judicial efectiva, por lo cual tiene la acción de cesación que contempla dicha norma y ante la inactividad del presidente o de la junta (o de ambos) está legitimado para ejercer esta acción en interés propio (no en el de la comunidad) y en defensa de su derecho, que no ha ejercido la comunidad».

La Ley de Propiedad Horizontal tiene en cuenta que estas actividades no solo generan situaciones desagradables para los vecinos, si no que en ocasiones llegan incluso a ocasionar problemas de salud para los vecinos que las sufren, y precisamente por eso la ley prevé consecuencias para el vecino infractor que pueden resultar muy gravosas, pudiendo llegar incluso a privársele del uso de la vivienda por un plazo máximo de 3 años en los supuestos más graves.

1130 Ejercicio de la acción de cesación por ruidos en comunidades de propietarios

En atención a la mayor conciencia social que existe actualmente en torno a la protección contra el ruido, nuestro ordenamiento jurídico también ha evolucionado dando una mayor protección a aquellos que lo padecen. Así podemos citar, por ejemplo, la Ley 37/2003, de 17 de noviembre, del Ruido, y la Directiva 2002/49/CE del Parlamento Europeo y del Consejo de 25 de junio de 2002 sobre evaluación y gestión del ruido ambiental, además de una numerosa regulación autonómica y municipal sobre el tema.

En las comunidades de propietarios los ruidos son uno de los problemas más habituales llegando a afectar a la convivencia y al bienestar de los vecinos que sufren este problema. Si analizamos los datos facilitados por el Instituto Nacional de Estadística vemos que en el año 2020 un 21,9 % de la población sufría problemas de ruidos. Si bien, aunque este porcentaje ha disminuido desde el 2005 (año en el que alcanzaba el 28,6 % de la población), vemos una tendencia al alza, ya que en el 2019 se había reducido a un 14,1 %.

Población que sufre problemas de ruidos producidos por vecinos o del exterior por tipo de hogar y periodo	
Unidades: porcentaje	
2023	23,5
2022	-
2021	-
2020	21,9
2019	14,1
2018	17,0
2017	15,2
2016	16,2
2015	15,7
2014	15,9
2013	18,3
2012	15,0
2011	15,6
2010	18,4
2009	22,4
2008	22,1
2007	25,6

2006	26,6
2005	28,6
2004	25,1

Fuente: Web Instituto Nacional de Estadística.

Encuesta de Condiciones de Vida. INE.

Aunque los casos en los que el ruido proviene de una actividad desarrollada en una de las viviendas o locales de la comunidad constituyen unos de los supuestos más habituales por los que se ejercita la acción de cesación prevista en el art. 7.2 de la LPH, también hay que tener en consideración que la fuente del ruido puede ser externa al inmueble, en cuyo caso podrán ejercitarse las acciones civiles de responsabilidad extracontractual del art. 1902 CC, así como las reclamaciones y denuncias administrativas que procedan.

A TENER EN CUENTA. Para los casos especialmente graves, el artículo 325 del Código Penal prevé:

«*1.* Será castigado con las penas de prisión de seis meses a dos años, multa de diez a catorce meses e inhabilitación especial para profesión u oficio por tiempo de uno a dos años el que, contraviniendo las leyes u otras disposiciones de carácter general protectoras del medio ambiente, provoque o realice directa o indirectamente emisiones, vertidos, radiaciones, extracciones o excavaciones, aterramientos, ruidos, vibraciones, inyecciones o depósitos, en la atmósfera, el suelo, el subsuelo o las aguas terrestres, subterráneas o marítimas, incluido el alta mar, con incidencia incluso en los espacios transfronterizos, así como las captaciones de aguas que, por sí mismos o conjuntamente con otros, cause o pueda causar daños sustanciales a la calidad del aire, del suelo o de las aguas, o a animales o plantas».

En lo que aquí nos incumbe, el ámbito de la propiedad horizontal y la acción de cesación, recordar que el art. 7.2 de la LPH dispone que: «Al propietario y al ocupante del piso o local no les está permitido desarrollar en él o en el resto del inmueble actividades prohibidas en los estatutos, que resulten dañosas para la finca o que contravengan las disposiciones generales sobre actividades molestas, insalubres, nocivas, peligrosas o ilícitas».

Aunque este artículo se refiere a la contravención de las disposiciones generales, la jurisprudencia viene interpretando con flexibilidad este precepto, admitiendo que puede existir una actividad molesta a los efectos de la LPH pero que, sin embargo, no suponga infracción de normas administrativas.

Parece evidente que los ruidos excesivos podrían encuadrarse dentro de las actividades molestas, pero se debe tener en cuenta que no todos los ruidos entrarían dentro de esta categoría, y que la calificación del ruido como molesto es algo subjetivo, debiendo acudir a la jurisprudencia para que nos ayude a **delimitar el concepto de ruido** que puede **dar lugar a una estimación de la acción de cesación**.

Como punto de partida podemos citar la **sentencia de la Audiencia Provincial de Baleares n.º 323/2011, de 11 de octubre, ECLI:ES:APIB:2011:2133**, que nos da una aproximación al concepto de ruido en los siguientes términos:

«(...) suele calificarse como ruido el sonido o conjunto de sonidos inarticulados que se perciben como desagradable, incómodo, molesto o perturbador. La reciente Directiva del Parlamento Europeo y del Consejo de la Unión Europea de 25 junio 2002 define a sus efectos el "ruido ambiental" como el sonido exterior no deseado o nocivo generado por las actividades humanas.

No todo ruido molesto, incómodo o perturbador es sin embargo susceptible de consideración desde la óptica de la tutela civil de los derechos o intereses de los sujetos afectados por su percepción.

El ruido para alcanzar trascendencia jurídica civil ha de ser necesariamente consecuencia de la actividad humana o del desenvolvimiento de procesos puestos en marcha por ella y sometidos a su control. A esta imputación causal a la actividad humana no será obstáculo la contribución de factores naturales a la concentración u orientación de las ondas sonoras. Tampoco lo será la fuente natural del ruido cuando su intensificación o propagación sea debida a la obra del hombre. Este presupuesto —que el ruido tenga su origen en la actividad humana—, implícito para otras inmisiones dañosas en el art. 1902) del código civil, aparece explicitado en el art. 7.2 de la Ley de Propiedad Horizontal y en las disposiciones a que se remite cuando, en aras a una armoniosa convivencia vecinal, prohíbe desarrollar en elementos privativos del inmueble "actividades" que las contravengan.

La tutela civil frente al ruido presupone al propio tiempo su procedencia de una fuente emisora determinada. Tanto los mecanismos resarcitorios como las medidas de casación y abstención de las inmisiones sonoras meramente molestas o perturbadoras resultan inviables frente a los ruidos de procedencia difusa y origen plural, insusceptible de concreción: lo que no sucederá por la sola acumulación de inmisiones, cuando sus fuentes, aun siendo plurales, resultan identificables y los responsables determinables inmediata o mediatamente, en su condición de propietarios o usuarios del inmueble de que proceden».

También resulta relevante el análisis realizado por la **sentencia de la Audiencia Provincial de Valencia n.º 58/2018, de 14 de febrero, ECLI:ES:APV:2018:822**, que con relación a cuando el ruido puede alcanzar trascendencia jurídica, nos dice que:

«(...) El ruido sometido a los mecanismos de tutela preventiva y reparadora civil ha de tener su origen en actos u omisiones de consecuencias sujetas al propio ordenamiento civil, a que pertenecen las relaciones de vecindad entre propietarios y demás usuarios de bienes inmuebles en el ejercicio de los derechos de uso o goce que su titularidad les confiere sobre ellos. **El ruido alcanza trascendencia jurídica civil cuando penetra o se introduce en propiedad ajena, incidiendo en la esfera jurídicamente protegida de su propietario y de quienes por cualquier otro título se encuentran en su posesión, uso o disfrute.** Cuando procede de la actividad humana desplegada en otro inmueble vecino en el ejercicio del dominio o de cualquier otro derecho limitado de goce sobre el mismo, el ruido es susceptible de contemplación **en el marco de las relaciones de vecindad como un supuesto de "inmisión"**. Dentro del ordenamiento jurídico privado la acción de cesación, y, en su caso, indemnización por las inmisiones acústicas o por ruido no aparece, de una manera expresa, clara y categórica reconocida. Pero tiene cabida dentro del Código Civil, en la regulación de las obligaciones que nacen de culpa o negligencia, tanto en el artículo 1.902 ("El que por acción u omisión causa daño a otro, interviniendo culpa o negligencia, está obligado a reparar el daño causado") como en el número 2.º del artículo 1.908 y en la regulación de la eficacia general de las normas jurídicas, en el artículo 7 ("Los derechos deberán ejercitarse conforme a las exigencias de la buena fe" —apartado 1—; "La ley no ampara el abuso del derecho o el ejercicio antisocial del mismo; Todo acto un omisión que por la intención de su autor, por su objeto o por las circunstancias en que se realice sobrepase manifiestamente los límites normales del ejercicio de un derecho, con daño para tercero, dará lugar a la correspondiente indemnización y a la adopción de las medidas judiciales o administrativas que impidan la persistencia en el abuso" —apartado 2 y último—). Y fuera del Código Civil tiene cabida en la Ley Orgánica 1/1982 de 5 de mayo que establece la protección civil de los derechos fundamentales al honor, a la intimidad personal y familiar y a la propia imagen, considerándose una intromisión ilegítima en el derecho fundamental a la intimidad personal y familiar, concretada, la intromisión ilegítima, en los ruidos provenientes del exterior, y referida, la intimidad, al domicilio habitual, no como mero habitáculo sino como lugar de descanso y relax. También nuestro Tribunal Constitucional, especialmente en sus sentencias 119/2001, 16/2004 y 150/2011, ha incorporado la doctrina del Tribunal Europeo de Derechos Humanos en esta materia, declarando que "una exposición prolongada a unos determinados niveles de ruido, que pueden objetivamente calificarse como evitables e insoportables, ha de merecer la protección dispensada al derecho fundamental a la intimidad personal y familiar, en el ámbito domiciliario, en la medida en que impidan o dificulten gravemente el libre desarrollo (...)"».

Por otra parte, la **sentencia de la Audiencia Provincial de Tenerife n.º 247/2017, de 31 de mayo, ECLI:ES:APTF:2017:806**, recoge los caracteres que debe reunir el ruido para considerarlo enjuiciable:

«A) Injerencia indirecta en la esfera jurídica ajena.

B) Producción en el ejercicio de las facultades de uso o goce sobre una finca.

C) Introducción en finca ajena con repercusión en las personas o sus bienes.

D) Persistencia, reiteración o continuidad de la injerencia sonora.

E) Amenaza, iniciación y cesación de la inmisión sonora».

También la **sentencia de la Audiencia Provincial de Valencia n.º 79/2020, de 4 de marzo, ECLI:ES:APV:2020:1026**, amplia las características de las inmisiones acústicas recogiendo las siguientes:

« (...) 1./ que se trate de un ruido o una molestia que se entrometa en casa o predio ajeno respecto del inmueble emisor.

2./ que la perturbación de que se trate tenga un cierto grado de continuidad, permanencia o persistencia.

3./ que la perturbación o inmisión tenga su origen en las facultades propias del dominio o de la posesión.

4./ que la molestia que conlleva esa perturbación tanto puede deberse a una actividad humana, activa o pasiva, como a la voz de un animal o a un ruido mecánico.

5./ que la actividad perturbadora de la finca emitente afecte a otras fincas, casas o viviendas que se encuentren en el radio de acción de la fuente generadora del sonido o del ruido.

6./ que la inmisión producida por esa perturbación, por resultar intolerable, sea perjudicial o nociva para los ocupantes de la finca que sufre la inmisión.

7./ que la calificación de la actividad sonora como molesta o incomoda no puede hacerse apriorísticamente sino atendiendo al caso concreto de que se trate.

8./ que la inmisión acústica o molestia ha de exceder de lo que sería tolerable en una relación de vecindad acorde a derecho y a las relaciones sociales.

9./ y que para valorar la inmisión acústica habrá de estarse a la naturaleza y origen del sonido o molestia, a su intensidad, a la persistencia del mismo, a su habituabilidad o frecuencia, a su horario, a la coyuntura del lugar y tiempo en que se produzca la inmisión, y a las propias circunstancias de la actividad molesta».

El Tribunal Constitucional se ha pronunciado sobre la **incidencia del ruido en los derechos fundamentales** reconocidos en los artículos 15 (derecho a la vida y a la integridad física y moral) y 18 (derecho al honor, a la intimidad personal y a la propia imagen) de la Constitución Española, en la **STC n.º 119/2001, de 24 de mayo, ECLI:ES:TC:2001:119**, y lo hace en los siguientes términos:

«(...) cuando la exposición continuada a unos niveles intensos de ruido ponga en grave peligro la salud de las personas, esta situación podrá implicar una vulneración del derecho a la integridad física y moral (art. 15 CE). En efecto, si bien es cierto que no todo supuesto de riesgo o daño para la salud implica una vulneración del art. 15 CE, sin embargo **cuando los niveles de saturación acústica que deba soportar una persona**, a consecuencia de una acción u omisión de los poderes públicos, **rebasen el umbral a partir del cual se ponga en peligro grave e inmediato la salud, podrá quedar afectado el derecho garantizado en el art. 15 CE.**

Respecto a los derechos del art. 18 CE, debemos poner de manifiesto que en tanto el art. 8.1 CEDH reconoce el derecho de toda persona "al respeto de su vida privada y familiar, de su domicilio y de su correspondencia", el art. 18 CE dota de entidad propia y diferenciada a los derechos fundamentales a la intimidad personal y familiar (art. 18.1) y a la inviolabilidad del domicilio (art. 18.2). Respecto del primero de estos derechos fundamentales ya hemos advertido en el anterior fundamento jurídico que este Tribunal ha precisado que su objeto hace referencia a un ámbito de la vida de las personas excluido tanto del conocimiento ajeno como de las intromisiones de terceros, y que la delimitación de este ámbito ha de hacerse en función del libre desarrollo de la personalidad. De acuerdo con este criterio, hemos de convenir en que uno de dichos ámbitos es el domiciliario por ser aquél en el que los individuos, libres de toda sujeción a los usos y convenciones sociales, ejercen su libertad más íntima (SSTC 22/1984, de 17 de febrero, FJ 5; 137/1985, de 17 de octubre, FJ 2, y 94/1999, de 31 de mayo, FJ 5).

Teniendo esto presente, **podemos concluir que una exposición prolongada a unos determinados niveles de ruido**, que puedan objetivamente calificarse como evitables e insoportables, **ha de merecer la protección dispensada al derecho fundamental a la intimidad personal y familiar**, en el ámbito domiciliario, en la medida en que impidan o dificulten gravemente el libre desarrollo de la personalidad, siempre y cuando la lesión o menoscabo provenga de actos u omisiones de entes públicos a los que sea imputable la lesión producida».

En la misma línea, la **sentencia de la Audiencia Provincial de Pontevedra n.º 23/2020, de 15 de enero, ECLI:ES:APPO:2020:43**, también analiza la posible afectación del ruido a derechos constitucionalmente recogidos, y establece que:

«(...) la tranquilidad nocturna, extensible a la tranquilidad de los moradores de una vivienda a lo largo del día, **reviste carácter de derecho fundamental individual amparable a la luz de los arts. 10.2 y 18.1 y 2 de la Constitución española**, partiendo de la doctrina contenida en la sentencia de fecha 16 de noviembre de 2004, del Tribunal Europeo de Derechos Humanos, donde se condenó a España por la inactividad municipal frente al ruido generado por un local de ocio, al estimarse que las molestias generadas eran incompatibles con el art. 8.1 del Texto Refundido del Convenio Europeo para la protección de los Derechos Humanos y las Libertades Fundamentales, hecho en Roma el día 4 de noviembre de 1950 y refundido ulteriormente mediante el Protocolo núm. 11 al mismo, hecho en Estrasburgo el día 11 de Mayo de 1994, ratificado por España mediante Instrumento de Ratificación de fecha 28 de noviembre de 1996 y en vigor en lo que a la misma afecta en fecha 1 de noviembre de 1998 (B.O.E. núm. 106/99), que establece que toda persona tiene derecho al respeto de su vida privada y familiar, de su domicilio y de su correspondencia, precisándose que **los atentados contra el derecho al respeto del domicilio no comprenden solamente los atentados materiales o corporales**, como la entrada en el domicilio de una persona no autorizada, **sino también los atentados inmateriales o incorporales, tales como los ruidos**, las emisiones, los olores y otras injerencias. Si los atentados son graves, pueden privar a una persona de su derecho al respeto del domicilio, puesto que aquellos le impiden disfrutar de su domicilio...».

CUESTIÓN

¿Es necesaria una medición de ruidos para poder considerar a estos como causa de una acción de cesación?

No, a pesar de que las mediciones puedan ser interesantes a efectos de probar dichos ruidos, la jurisprudencia se ha pronunciado en el sentido de no considerarlas necesarias. Así, a título de ejemplo, podemos citar la **sentencia de la Audiencia Provincial de Madrid n.º 418/2011, de 3 de junio, ECLI:ES:APM:2011:9107**, que recoge que:

«Con lo cual la existencia de las molestias generadas por los ruidos excesivos, no es necesaria que sea medida, basta con que se constate la producción de la molestia en sí. (...)

(...)

QUINTO.- Por último, incide la recurrente en que no existe medición del ruido, y que el Tribunal Constitucional exige que la contaminación acústica, para que implique una vulneración del derecho constitucional a la intimidad domiciliaria, debe haberse acreditado el nivel de ruidos.

Esta exigencia del TC, es como bien dice la recurrente exigible, en el supuesto de que la acción ejercitada fuera la de vulneración del derecho fundamental a la intimidad. Lo que no acaece en el presente caso, en el que se plantea una acción de cesación, en la que el reseñado Art. 7 de la LPH, lo único que exige es la causación de molestias, en grado tal que perturben la convivencia en una comunidad de propietarios».

También la **sentencia de la Audiencia Provincial de Las Palmas n.º 28/2018, de 18 de enero, ECLI:ES:APGC:2018:565**, se pronuncia en este mismo sentido: «Descartamos igualmente que sea necesaria una medición de ruidos para determinar si los mismos exceden de lo reglamentariamente normado puesto que el Tribunal Supremo viene reiterando desde sus sentencias de 3 de septiembre de 1992 y 24 de mayo de 1993 que el cumplimiento de dicha normativa no excluye la responsabilidad de quien produce la inmisión o actividad molesta cuando aquélla se revela insuficiente».

Es importante tener en cuenta que en estos supuestos en los que el ruido afecta a la vida de las personas, además de la vía del art. 7.2 de la LPH también cabría la posibilidad de solicitar de los tribunales la tutela judicial civil de los derechos fundamentales. Así lo reconoce nuestro **Tribunal Supremo en la sentencia n.º 80/2012, de 5 de marzo, ECLI:ES:TS:2012:1606**, en la que tras analizar la doctrina del Tribunal Europeo de Derechos Humanos, así como la del Tribunal Constitucional, concluye que **el ruido sí puede constituir una intromisión ilegítima en el derecho fundamental de los demandantes a la intimidad personal y familiar en el** ámbito **domiciliario**:

«QUINTO.- Para decidir si los hechos probados constituyen o no la intromisión ilegítima de que se trata debe seguirse la jurisprudencia de esta Sala que, con base principalmente en **la doctrina del Tribunal Europeo de Derechos Humanos, encuadra la protección frente al ruido en el** ámbito **de la tutela judicial civil de los Derechos fundamentales, sin perjuicio de que también quepa dicha protección al amparo de la legislación civil ordinaria**.

Así la Sentencia de Pleno de 12 de enero de 2011 (rec. 1580/07), pese a estimar el recurso de la parte demandada y en consecuencia desestimar la demanda, constató que a partir de la Sentencia de esta misma Sala de 24 de abril de 2003 (rec. 2527/97) la jurisprudencia había incorporado la doctrina del Tribunal Europeo de Derechos Humanos según la cual "**determinadas inmisiones pueden llegar incluso a vulnerar Derechos fundamentales como el Derecho a la intimidad**" y, por tanto, "**para reaccionar frente a las mismas una de las vías posibles es la de la tutela de los Derechos fundamentales**". Más extensamente, la Sentencia de 31 de mayo de 2007 (rec. 2300/00), que desestimó el recurso de la empresa condenada en la instancia por los ruidos que la circulación de sus trenes transmitía al interior de las viviendas de los demandantes, recopiló la doctrina del Tribunal Europeo de Derechos Humanos representada por sus Sentencias de 9 de diciembre de 1994 (López Ostra contra España), 14 de febrero de 1998 (Guerra contra Italia), 2 de octubre de 2001 (Varios ciudadanos contra el Reino Unido) y 16 de noviembre de 2004 (Moreno Gómez contra España) para admitir la vía de la tutela de los Derechos fundamentales como una de las posibles en materia de protección civil frente al ruido. Y anteriormente, la Sentencia de 29 de abril de 2003 (rec. 2527/97), fundándose también en la doctrina del Tribunal Europeo de Derechos Humanos, había mantenido la condena de la empresa titular de una fábrica que transmitía ruidos al interior de la vivienda familiar de la demandante, fundándose entonces esta Sala en la combinación del Derecho fundamental a la intimidad, como "Derecho a ser dejado en paz", con los arts. 590, 1902 y 1908 CC y en la posibilidad de ejercitar conjuntamente la acción fundada en la Ley Orgánica 1/1982 y las fundadas en el Código Civil.

SEXTO.- Admitiendo por tanto la jurisprudencia de esta Sala que el ruido puede vulnerar el Derecho a la intimidad personal y familiar, debe recordarse, como más especialmente representativa de la doctrina del Tribunal Europeo de Derecho Humanos para el presente caso, su ya citada Sentencia de 16 de noviembre de 2004 (Moreno Gómez contra España) en cuanto declaró que, conforme al art. 8 del Convenio de Roma,"**[e]l individuo tiene Derecho al respeto de su domicilio, concebido no solo**

como el Derecho a un simple espacio físico sino también a disfrutar, con toda tranquilidad, de dicho espacio" (apdo. 53); que "[e]l atentar contra el Derecho del respeto del domicilio no supone solo una vulneración material y corporal, como la entrada en el domicilio de una persona autorizada, sino también una vulneración inmaterial o incorporal, como los ruidos, las emisiones, los olores y otras injerencias" (apdo. 53); que "[s]i la vulneración es grave, puede privar a una persona de su Derecho al respeto del domicilio puesto que le impide disfrutar del mismo" (apdo. 53); que "[a]unque el artículo 8 tiene fundamentalmente por objeto prevenir al individuo contra las injerencias arbitrarias de los poderes públicos, puede igualmente implicar la adopción por estos de medidas que traten de respetar los Derechos garantizados por este artículo hasta en las relaciones entre los propios individuos" (apdo. 55); y en fin, que soportar durante años una intensa contaminación acústica, fuera de los niveles autorizados y durante la noche, constituía una vulneración de los Derechos de la demandante protegidos por el artículo 8 (apdo. 60).

SÉPTIMO.- También nuestro Tribunal Constitucional, especialmente en sus Sentencias 119/2001, 16/2004 y 150/2011, ha incorporado la doctrina del Tribunal Europeo de Derechos Humanos en esta materia, declarando que "una exposición prolongada a unos determinados niveles de ruido, que pueden objetivamente calificarse como evitables e insoportables, ha de merecer la protección dispensada al Derecho fundamental a la intimidad personal y familiar, en el ámbito domiciliario, en la medida en que impidan o dificulten gravemente el libre desarrollo de la personalidad"; si bien añade "siempre y cuando la lesión o menoscabo provenga de actos u omisiones de entes públicos a los que sea imputable la lesión producida" y resultando indispensable que el demandante acredite bien que padece un nivel de ruido que le produce insomnio y por tanto ponga en peligro grave e inmediato su salud, bien que el nivel de ruidos en el interior de su vivienda es tan molesto que impida o dificulta gravemente el libre desarrollo de su personalidad (ST.C. 150/2011, FFJJ 6.° y 7.°).

OCTAVO.- En atención a todo lo razonado hasta ahora, debe concluirse que los hechos probados sí constituyen una intromisión ilegítima en el Derecho fundamental de los demandantes a la intimidad personal y familiar en el ámbito domiciliario, según una interpretación del art. 18 de la Constitución ajustada al art. 8 del Convenio de Roma conforme a su interpretación por el Tribunal Europeo de Derechos Humanos, que no exige que la lesión sea imputable directamente a los poderes públicos».

Ejercicio de la acción de cesación por animales en comunidades de propietarios 1140

Según el estudio de censos 2021 de la ANFAAC (Asociación Nacional de Fabricantes de Alimentos para Animales de Compañía) y Veterindustria (Asociación Empresarial Española de la Industria de Sanidad y Nutrición Animal), en España hay más de 29 millones de mascotas, entre los que podemos destacar 9.313.098 perros, 5.858.649 gatos, 5.001.769 pájaros, etc. A raíz de la tenencia de animales surgen con frecuencia conflictos en las comunidades de propietarios que en algunos casos llegan a dificultar la convivencia de los vecinos.

La convivencia con las mascotas se encuentra totalmente normalizada en la sociedad, siendo algo totalmente aceptable y que se encuentra dentro de los usos genéricos, por lo que una prohibición genérica a la tenencia de animales domésticos por parte de la comunidad constituiría un abuso de derecho y una limitación al derecho de propiedad no autorizado.

No podemos olvidar que **la Ley de Propiedad Horizontal no prohíbe la tenencia de animales en las viviendas privadas**, ya que el derecho individual a tener mascotas y convivir con ellas está por encima de las limitaciones que puedan imponerse por parte de la comunidad de propietarios. Eso sí, hay que atender al art. 7.2 de la LPH que regula la prohibición de propietarios y ocupantes de pisos o locales de desarrollar actividades prohibidas en los estatutos, dañosas para la finca o que contravengan disposiciones generales sobre actividades molestas, insalubres, nocivas, peligrosas o ilícitas, y al art. 9.1 b) de la ya mentada ley que recoge la obligación de mantener su piso o local en buen estado de conservación.

Los estatutos y las normas de régimen interno de la comunidad de propietarios sí que podrán imponer limitaciones con el fin de regular la convivencia y la adecuada utilización de los servicios y elementos comunes. Estas limitaciones pueden ser impugnadas, como recoge, por ejemplo, la **sentencia de la Audiencia Provincial de A Coruña n.º 330/2018, de 9 de octubre, ECLI:ES:APC:2018:2046**, que analizando el caso de una comunidad de propietarios que adopta un acuerdo en la junta en el que se pretendía introducir prohibiciones y limitaciones a la tenencia de perros, recoge que:

> «La convivencia entre los comuneros de las Comunidades de Propietarios se encuentran reguladas por el art. 6 de la L.P.H., así como la correcta utilización de los elementos comunes y servicios, dentro de los límites establecidos por la Ley y los estatutos, el conjunto de propietarios podrá fijar normas de régimen interior, que obligarán también a todo titular mientras no sean modificados en la forma prevista para tomar acuerdos sobre la administración (en relación con los arts. 396, párrafo último y 1.255 del Cg. Civil y art. 17 de la L.P.H.).
>
> Sin embargo tales acuerdos no pueden originar perjuicio alguno a los comuneros, como es el caso que pretenden limitar el uso de elementos comunes a la apelada, punto a) como así se deduce de manera clara de la lectura del acuerdo mencionado.
>
> Con ello **se están extralimitando y va en contra de normas de rango superior, que tienen que respetar, como son la propia Ley de Propiedad Horizontal y los Estatutos** (el cual no contiene norma alguna sobre la prohibición mencionada), acuerdo por lo tanto que ha de ser declarado nulo, al encajar en el apartado c) del art. 18 de la Ley de Propiedad Horizontal; y los mismos razonamientos han de aplicarse para declarar la nulidad de los apartados f) y g) mencionados, al excederse la Comunidad de Propietarios con dichos acuerdos, de las funciones y competencias que le corresponden, pues como bien dice la sentencia apelada, la recurrente tenía la posibilidad de hacer uso de la facultad y derecho que le otorga el apartado 2 del art. 7 de la Ley de Propiedad Horizontal, que por haber sido recogido su contenido en la citada sentencia no se reproduce para evitar reiteraciones».

Pero hay que tener en cuenta que en tanto estas normas se encuentren vigentes deberán ser respetadas por los propietarios, así lo recoge, por ejemplo, la **sentencia de la Audiencia Provincial de A Coruña n.º 28/2015, de 5 de febrero, ECLI:ES:APC:2015:167**, en un supuesto en el que por acuerdo de la junta de propietarios se aprobó un reglamento de régimen interno en el que se prohibía la tenencia de animales que pudieran causar molestias, suciedades o ser motivo de peligro para las personas, el tribunal afirma que:

«Pues bien, **tales normas de régimen interior no fueron objeto de impugnación, por lo que están en vigor**, con plena eficacia jurídica y exigibilidad para los distintos propietarios, mientras no sean sustituidas por otras, para lo que basta la obtención de una mayoría simple.

(...)

Es por ello, que sin perjuicio de que los demandados provoquen la modificación de tal precepto, instando que la Junta se pronuncie de nuevo al respecto —se trata de un acto de mera administración— e incluso impugnando el acuerdo que se adopte mediante el ejercicio de acciones judiciales, con posibilidad incluso de pedir medidas cautelares, no siendo objeto de este procedimiento un pronunciamiento al respecto, **debemos de tutelar la pretensión del actor, en tanto en cuanto exige el cumplimiento del art. 16 del reglamento de régimen interno relativo a la tenencia de perros, que está en vigor y goza de eficacia jurídica**».

En consecuencia, podemos concluir que la comunidad no puede prohibir la tenencia de animales de forma genérica e indiscriminada, pero sí podrá reaccionar en el caso de que el derecho del propietario rebase los límites socialmente admitidos y la tenencia de un animal se pueda encajar dentro de una de las actividades prohibidas del artículo 7.2 de la LPH, en cuyo caso la comunidad podrá accionar contra el causante a través de la acción de cesación recogida en el mentado precepto.

Conviene citar aquí, por lo ilustrativa que resulta, la **sentencia de la Audiencia Provincial de Granada n.º 242/2020, de 17 de julio, ECLI:ES:APGR:2020:880**, que sobre el supuesto de una comunera que tenía gatos a los que dejaba sueltos por las zonas comunes, en donde realizaban deposiciones y causaban daños, el tribunal analiza el alcance del art. 7.2 de la LPH:

«Así pues, sobre estas premisas la Sala tiene que precisar que la prohibición del art. 7.2 de la LPH, en materia de actividades prohibidas en los estatutos, que resulten dañosas para la finca o que contravengan las disposiciones generales sobre actividades molestas, insalubres, nocivas, peligrosas o ilícitas, no permite la realización, a priori, de un catálogo de actividades vedadas. Sino que atiende a la especificidad de cada caso, en función de lo que, según la prueba practicada, cuya carga corresponde a la Comunidad de Propietarios que la alega, permita constatar la realidad de actuaciones que, traspasando el ámbito de lo mutuamente tolerable en el marco de las relaciones de vecindad, exceda de la normalidad que es esperable en el uso de la vivienda y zonas comunes conforme a su naturaleza y destino, imponiendo a vecinos concretos, o a la generalidad de ellos, a molestias, riesgos o restricciones en el ejercicio normal de su derecho de uso. Por tanto, el examen de la conducta en que se fundamenta la acción de cesación, se proyecta en dos ámbitos diferenciados, como son, por un lado, el modo de ejercicio de la actividad presentada como dañosa, molesta, insalubre, nociva, peligrosa o ilícita; y, por otro lado, las consecuencias que para el derecho de uso de los demás vecinos provoca dicha actividad. De este modo, salvo casos de flagrante y manifiesta ilicitud, no toda actividad de entre las susceptibles de ser cuestionadas tiene por qué considerarse, "per se", como contraria al art. 7.2 de la LPH, radicando, más bien, el juicio de reproche en el modo de ejercicio de la misma; mientras que, por otra parte, no toda actividad ejercida de forma objetivamente ilícita, abusiva, peligrosa, insalubre o nociva, podrá ser considerada afecta de cesación, si no es de apreciar su efectiva trascendencia para el disfrute de su derecho por parte del comunero o comuneros afectados, bastando para ello con la concurrencia de una clara reiteración con disminución de las expectativas de pacífico y normal goce de cada elemento privativo y sus zonas comunes conforme a su naturaleza y destino. De lo que, y para el caso concreto que se resuelve, se extrae que **la tenencia de animales domésticos en vivienda componente de la comunidad de propietarios en régimen horizontal, no siendo por sí misma susceptible de reproche, trascenderá, sin embargo, el** ámbito **de lo tolerable cuando se desconozcan por el comunero los mínimos deberes de diligencia** que, conforme a los usos sociales, sean exigibles al propietario tanto en sus cuidados y atenciones como en la evitación de posibles molestias y riesgos a terceros derivados del comportamiento de aquéllos».

También resulta interesante la **sentencia de la Audiencia Provincial de Pontevedra n.º 83/2019, de 21 de febrero, ECLI:ES:APPO:2019:214**, que a raíz de las molestias ocasionadas a los vecinos por los olores, ladridos y peleas de perros y gatos que tenía una ocupante en un patio propiedad de la comunidad, analiza los requisitos que deben de ser considerados a la hora de entender que una actividad puede dar lugar a la acción de cesación:

« (...) 1) Que se de cierta continuidad o permanencia en la realización de actos singulares (STS 22 diciembre 1970).

2) Que la actividad sea incómoda o molesta para los que habiten o hayan de permanecer en el inmueble donde se desarrolle (STS 8 abril de 1965, 18 enero 1961 y 30 abril 1966), es decir que tiene que existir un sujeto concreto y determinado que resulte afectado, no personas indeterminadas (STS 7 octubre 1964 y 10 abril 1967).

3) Que la molestia sea notoria y ostensible, esto es, no basta una pequeña dificultad o trastorno, sino que se exige una determinada gravedad, una afectación a la pacífica convivencia jurídica (STS 8 abril 1965), en el sentido de "evidencia y permanencia en el peligro o en la incomodidad" (STS 20 abril 1965), que exceda y perturbe aquel régimen de estado de hecho que es usual y corriente en las relaciones sociales».

Continúa la sentencia aplicando estos límites al caso concreto y concluyendo que: «(...) excede de los límites que la Comunidad de Propietarios debe soportar en la convivencia que la Ley de Propiedad Horizontal impone, pues tal convivencia no puede llevar a que los restantes vecinos de la finca estén sometidos a **situaciones intolerables** que exceden con mucho de lo que habitualmente se califica como comportamiento cívico y educado, tampoco a situaciones que por su **permanencia temporal** impiden utilizar el calificativo de puntual —duración en el tiempo que provoca un continuo ataque al sosiego y legítimo disfrute que la posesión pacifica exige—, ya que en modo alguno puede ni debe imponerse a los miembros de una comunidad de propietarios que soporten **situaciones graves de incomodidad y de continuos enfrentamientos con la demandada, en base a su decisión personal de vivir en compañía de un número de animales que, no hay duda, para una vivienda en régimen de propiedad horizontal, exceden de lo razonable**».

A modo ejemplificativo y para clarificar qué casos podrían dar lugar a la acción de cesación, podemos citar distintas sentencias que permiten hacerse una idea de los supuestos que se pueden encauzar por esta vía del artículo 7.2 de la LPH.

RESOLUCIONES RELEVANTES

Sentencia de la Audiencia Provincial de Asturias n.º 74/2019, de 21 de febrero, ECLI:ES:APO:2019:455

Con relación a una vecina que tiene animales en su vivienda, desprendiéndose de ella un olor nauseabundo, concluye que:

«En consecuencia, debe de tenerse por acreditado que es la recurrente quien provoca esos malos olores con su proceder y que su conducta perturba las relaciones de vecindad entre los comuneros del inmueble más allá de lo usual y tolerable y esto de una forma reiterada y persistente, lo que la hace merecedora de la sanción prevista en el art. 7.2 LPH, cuya constitucionalidad ya declararon las sentencias del TC 301/1993, de 21 de octubre y 28/1999, de 8 de marzo».

Sentencia de la Audiencia Provincial de Tenerife n.º 462/2017, de 18 de diciembre, ECLI:ES:APTF:2017:2585

Se analiza un supuesto en el que una vecina tenía perros en casa, y el tribunal analiza la viabilidad del art. 7.2 de la LPH recogiendo que:

*«En segundo lugar, tampoco basta, como resulta del caso enjuiciado, con que se trate de una actividad genéricamente o virtualmente molesta, como pudiera ser el hecho de que los perros molesten con sus ladridos o la presencia de deposiciones en los jardines, sino que el precepto exige que resulten dañosas para la finca o que contravengan las disposiciones generales sobre actividades molestas, insalubres, nocivas, peligrosas o ilícitas, y, virtualmente, **ni los ladridos ni las deposiciones entrarían en las categorías o conductas definidas por el precepto legal**, ni en el RRI se prohíben estas conductas que pudieran resultar molestas para los vecinos, sino, genéricamente, la tenencia de animales domésticos, molesten o no. Así pues, no solo es que esté justificada una aplicación restrictiva del precepto dado su carácter prohibitivo (de una actividad, inicialmente, lícita, como es la tenencia de animales domésticos) y las graves consecuencias que se pueden derivar de su aplicación, sino que las conductas denunciadas en el presente caso no cuadran ni con la tipificación legal ni con la reglamentaria».*

Sentencia de la Audiencia Provincial de León n.º 11/2007, de 11 de enero, ECLI:ES:APLE:2007:9

Se considera que los ladridos y deposiciones de dos perros en una terraza entrarían dentro de las actividades que pueden dar lugar a la acción de cesación:

*«(...) es patente que nos encontramos ante una de las actividades prohibidas a que se refiere el artículo 7.2 de la LPH, pues los informes obrantes en autos y emitidos tanto por la Patrulla Verde de la Policía Local de León, como por los Guardias Civiles miembros del SEPRONA, que visitaron el inmueble, ponen de manifiesto lo que la comunidad de propietarios ha denunciado, esto es la estancia de dos perros cachorros de pastor alemán en el patio interior de la vivienda de la demandada, cuyos **excrementos provocan malos olores** que impiden abrir las ventanas de las viviendas más colindantes, así como los **constantes ruidos provocados por los ladridos de los animales**, todo lo cual constituye una actividad prohibida que debe cesar en aplicación de lo establecido en el precepto citado, encontrándonos en el supuesto de hecho contemplado por el art. 7.2 de la Ley 49/1960 de Propiedad Horizontal, que prevé que el propietario o inquilino que realice en el interior del piso actividades molestas insa-*

lubres, nocivas o peligrosas será requerido por el presidente de la comunidad para la cesación de las mismas. (...) Nos encontramos pues ante una actividad molesta, insalubre y perjudicial para la comunidad de vecinos, y cuyos ceses debe producirse lo antes posible en aras de una normal convivencia».

Sentencia de la Audiencia Provincial de Cantabria n.º 561/2018, de 18 de octubre, ECLI:ES:APS:2018:547

Concluye que «(...) Los ruidos y la suciedad y el olor no de una única mascota, sino de un grupo de nada menos que cinco perros en un piso, aunque sean pequeños, constituyen una molestia notoria y ostensible y no un simple trastorno que los demás condueños y vecinos vengan obligados a soportar, sin que se haya demostrado que la utilización de collares anti ladridos o el cuidado que D.ª Petra dedica a esos animales reduzca los niveles de incomodidad de los condueños del edificio».

Sentencia de la Audiencia Provincial de Pontevedra n.º 67/2014, de 4 de marzo, ECLI:ES:APPO:2014:1429

Recoge «Con mayor claridad, si cabe, se concluye que la actividad de cría de aves —30 o 40 **periquitos en terraza**, produciendo ruido y olores a pocos metros de las ventanas de los vecinos—, configura el concepto de "actividad molesta" prevista en art. 7.2 LPH, determinando la estimación de la acción de cesación ejercitada», posteriormente confirmada por la **STS n.º 321/2016, de 18 de mayo, ECLI:ES:TS:2016:2130**.

Sentencia de la Audiencia Provincial de Palma de Mallorca n.º 392/2009, de 17 de noviembre, ECLI:ES:APIB:2009:1466

Con relación a un **«palomar» instalado en el patio comunitario de uso exclusivo del vecino infractor**, estima que la actividad es molesta entre otras cosas porque «(...) la actividad desarrollada constituye verdadera incomodidad por los ruidos que produce, así como por los olores; y ello asimismo se desprende de la información vecinal», destacando que «(...) Los certificados acreditan la sanidad higiénica de las palomas, pero NO que no produzcan molestias, ruidos, olores y suciedad».

1150

Ejercicio de la acción de cesación por pisos turísticos en comunidades de propietarios

Merece una mención especial la actividad de los pisos turísticos ya que debido a sus características intrínsecas suelen generar rechazo por parte de las comunidades de propietarios, que en no pocas ocasiones han optado por limitar o condicionar los mismos, e incluso por ejercitar la acción de cesación por considerarlo, tal y como se recoge en el apartado 2 del art. 7 de la LPH, «(...) actividades prohibidas en los estatutos, que resulten dañosas para la finca o que contravengan las disposiciones generales sobre actividades molestas, insalubres, nocivas, peligrosas o ilícitas».

Pues bien, desde el 03/04/2025 con la entrada en vigor de las reformas realizadas por la LO 1/2025, de 2 de enero, en la LPH, en concreto, en sus artículos 7 y 17, las comunidades de propietarios, además de limitar o condicionar el ejercicio de la actividad relacionada con el alquiler de pisos turísticos, podrán aprobar o prohibir esta actividad, y ejercer contra la misma, la acción de cesación prevista en el apartado 2 del art. 7.

Como punto de partida hay que destacar, en primer lugar, que el Real Decreto-ley 7/2019 de 1 de marzo, de medidas urgentes en materia de vivienda y alquiler, modificó la Ley de Propiedad Horizontal, introduciendo un nuevo apartado 12 en su artículo 17, con entrada en vigor el 06/03/2019. Es decir, a partir de esta modificación, se posibilitó a las comunidades de propietarios a que pudieran limitar o condicionar el uso de viviendas con fines turísticos.

Este apartado 12 ha sido nuevamente modificado por la Ley Orgánica 1/2025, de 2 de enero, con efectos desde el 3 de abril de 2025, quedando redactado de la siguiente manera:

«12. El acuerdo expreso por el que se apruebe, limite, condicione o prohíba el ejercicio de la actividad a que se refiere la letra e) del artículo 5 de la Ley 29/1994, de 24 de noviembre, de Arrendamientos Urbanos, en los términos establecidos en la normativa sectorial turística, suponga o no modificación del título constitutivo o de los estatutos, requerirá el voto favorable de las tres quintas partes del total de los propietarios que, a su vez, representen las tres quintas partes de las cuotas de participación. Asimismo, esta misma mayoría se requerirá para el acuerdo por el que se establezcan cuotas especiales de gastos o un incremento en la participación de los gastos comunes de la vivienda donde se realice dicha actividad, siempre que estas modificaciones no supongan un incremento superior al 20 %. Estos acuerdos no tendrán efectos retroactivos».

Con esta nueva reforma se posibilita a la comunidad de propietarios a aprobar y a prohibir (junto con limitar o condicionar) la actividad de pisos turísticos. Además, como decíamos, se reforma a su vez el art. 7 de la LPH para incluir un nuevo apartado 3, el que se establece que el propietario que quiera realizar el ejercicio de esta actividad, deberá obtener previamente la aprobación expresa de la comunidad de propietarios, y que, en caso de que ejerza esta actividad sin contar con este acuerdo, el presidente de la comunidad, podrá requerirle para que cese en la misma e incluso, ejercitar las acciones judiciales pertinentes.

CUESTIÓN

¿Qué características debe reunir el acuerdo de la junta de propietarios que apruebe, limite, condicione o prohíba las viviendas con fines turísticos?

El apartado 12 del art. 17 de la LPH establece que estos acuerdos requerirá el voto favorable de las tres quintas partes del total de los propietarios que, a su vez, representen las tres quintas partes de las cuotas de participación. Es importante destacar que dicho acuerdo no tendrá efectos retroactivos, y que únicamente vinculará a quienes quisieran darle uso turístico a la vivienda con posterioridad al mismo.

Es importante que, tal y como han establecido nuestros tribunales, las limitaciones a la propiedad privada deban interpretarse restrictivamente y deban constar de manera expresa (tal y como se recoge en la LPH desde el 3 de abril de 2025), teniendo como punto de partida la libertad del propietario de usar el inmueble como considere más adecuado. Así se refleja, por ejemplo, en la **sentencia de la Audiencia Provincial de Granada n.º 425/2019, de 6 de junio, ECLI:ES:APGR:2019:1681**, que recoge:

«(ii) El derecho a la propiedad privada constituye un derecho constitucionalmente reconocido (artículo 33 CE), concebido ampliamente en nuestro ordenamiento jurídico, sin más limitaciones que las establecidas legal o convencionalmente que, en todo caso, deben ser interpretadas de un modo restrictivo. En el ámbito de la propiedad horizontal, resulta posible, el establecimiento de limitaciones o prohibiciones que en general atienden al interés general de la comunidad. Estas prohibiciones referidas a la realización de determinadas actividades o al cambio de uso del inmueble, deben constar de manera expresa, y a fin de tener eficacia frente a terceros deben aparecer inscritas en el Registro de la Propiedad (SSTS 20 de octubre de 2008 y 30 de diciembre de 2010).

(iii) Existe una plena libertad a la hora de establecer el uso que se le puede dar a un inmueble en el ámbito de la propiedad horizontal, de tal forma que los copropietarios no pueden verse privados de la utilización de su derecho a la propiedad del inmueble como consideren más adecuado, a no ser que este uso no esté legalmente prohibido o que el cambio de destino aparezca expresamente limitado por el régimen de dicha propiedad horizontal, su título constitutivo o su regulación estatutaria (SSTS 23 de febrero de 2006; 20 de octubre de 2008, entre otras)».

Dado que la Ley de Propiedad Horizontal, hasta la reforma que entró en vigor el 3 de abril de 2025, únicamente hablaba de la posibilidad de limitar o condicionar el uso de las viviendas con un fin turístico, se planteaba la disyuntiva sobre si estaba permitido prohibir dicho uso turístico por parte de las comunidades de propietarios. Distintas audiencias provinciales se fueron pronunciado sobre ello en sentidos contrarios.

Por ejemplo, la **Audiencia Provincial de Segovia en la sentencia n.º 129/2020, de 21 de abril, ECLI:ES:APSG:2020:145**, realizó una interpretación del art. 17.12 de la LPH entendiendo que faculta también para la prohibición del uso turístico, entendiendo que:

«(...) No es cierto que el legislador quisiera que se pudiera limitar y no prohibir, sin unanimidad, el uso turístico. La razón de esta norma es muy clara en su exposición de motivos, aumentar la oferta de vivienda en alquiler, afrontar los retos que en la actualidad se ligan a la dificultad de su acceso, no se han conseguido los resultados esperados en lo relativo al incremento de la oferta de vivienda y moderación de precios. Específicamente señala al fenómeno creciente del alquiler turístico de la vivienda como vinculado al incremento de precios. Al punto que llega a apreciar la urgencia del decreto ley, y que no ratificado fue reiterado. El alquiler turístico es competidor directo del residencial y se quiso primar este a costa de aquel. (...) El legislador con esta reforma incide en el mercado de la oferta de la vivienda pero lo hace de esta vía indirecta, sabedor de que en las comunidades de propietarios está planteado este debate, interviene en favor de los contrarios a las viviendas turísticas y dispensa de la unanimidad. Pues lo que busca, es el fin de la norma, es aumentar la oferta de alquiler residencial y así se consigue».

En sentido contrario se pronunció, por ejemplo, la **Audiencia Provincial de Córdoba, que en la reciente sentencia n.º 45/2022, de 21 de febrero, ECLI:ES:JPI:2022:241**, en la que partió de una interpretación literal de la norma «(...) solo nos podemos quedar con la interpretación literal, y por tanto, la conclusión provisional sería que la Comunidad de Propietarios no puede prohibir el uso turístico, aunque sí limitarlo o condicionarlo (...)», para acabar concluyendo que «(...) es posible una distinción entre prohibir y limitar. Es más, interpretando la Ley de Propiedad Horizontal podríamos llegar a la conclusión que la comunidad puede limitar o condicionar el ejercicio de la actividad turística con el voto del voto favorable de las tres quintas partes del total de los propietarios que, a su vez, representen las tres quintas partes de las cuotas de participación, pero para prohibir la actividad sería necesaria la unanimidad de los copropietarios en aplicación de lo establecido en el art. 17.6 de la LPH ("Los acuerdos no regulados expresamente en este artículo, que impliquen la aprobación o modificación de las reglas contenidas en el título constitutivo de la propiedad horizontal o en los estatutos de la comunidad, requerirán para su validez la unanimidad del total de los propietarios que, a su vez, representen el total de las cuotas de participación")».

En todo caso, según señaló el Juzgado de Primera de Instancia de Córdoba en sentencia n.º 45/2022, de 21 de febrero, ECLI:ES:JPI:2022:241, cuando el uso turístico de algún inmueble pueda considerarse molesto a los efectos del apartado 2 del artículo 7 de la LPH, siempre estará abierta la vía de la acción de cesación, es decir, atendiendo al caso concreto, si la actividad turística puede considerarse molesta, podría, en consecuencia, solicitarse su cese en vía judicial. «(...) Habrá que estar al caso concreto para decidir si la actividad turística de un elemento privativo dentro del inmueble altera la normal convivencia a través de conductas incívicas continuadas y graves, para lo que existe el mecanismo de cesación establecido en el artículo 7 de la LPH».

En la misma línea se pronunció la **Audiencia Provincial de Valencia, en la sentencia n.º 417/2020, de 27 de julio, ECLI:ES:APV:2020:2193**: «El art. 7.2 de la Ley de Propiedad Horizontal, dispone que al propietario y al ocupante del piso o local no les está permitido desarrollar en él o en el resto del inmueble actividades prohibidas en los estatutos, que resulten dañosas para la finca o que contravengan las disposiciones generales sobre actividades molestas, insalubres, nocivas, peligrosas o ilícitas, por lo que, en definitiva, **no se trata de resolver sobre si por el régimen de cesión del uso del apartamento** éste **ha de ser calificado como apartamento turístico, sino lisa y llanamente sobre si esa actividad que en** él **se desarrolla resulta molesta o incómoda** para el resto de los propietarios, pues hay que disciplinar la vida de la Comunidad en aras de asegurar que el derecho propio de un comunero (el uso y disfrute de la cosa como manifestación del dominio) no se traduzca en perjuicio ajeno ni en menoscabo del conjunto. Por tanto, actividad incómoda es aquélla que provoca molestias a los demás integrantes de la Comunidad, incluyendo conductas de todo tipo que privan o dificultan a los demás del normal y adecuado uso y disfrute de la cosa o derecho (...)».

Sobre la posibilidad de acudir a la acción de cesación por vía del apartado 2 del art. 7 de la LPH (ya contemplada en el art. 7 de la LPH, desde el 03/04/2025), se pronunció la sentencia de la Audiencia Provincial de Gipuzkoa n.º 840/2021, de 4 de junio, ECLI:ES:APSS:2021:1213:

> «(...) La regla undécima de los estatutos no se limita a describir el uso de las viviendas, sino que impone que deben servir de residencia familiar. La residencia es el lugar en el que se reside y residir, de acuerdo con el diccionario de la RAE, es "estar establecido en un lugar", lo que denota estabilidad y permanencia. Por otra parte, la regla excluye que pueda desarrollarse en la vivienda actividad profesional, comercial o industrial alguna y, como cláusula de cierre añade: "cualquier otro uso no mencionado expresamente que altere el principio de 'residencia familiar'".
>
> Entendemos que la **actividad turística desarrollada en el piso** de autos es una actividad mercantil que altera el principio de residencia familiar y, por tanto, **no permitida en los estatutos de la comunidad de propietarios demandante**. No cabe asimilar la actividad de piso turístico, que se asemeja más a una relación de hospedaje propia de un hotel o una pensión, que no condiciona en modo alguno el hos-

pedaje a que los usuarios integren un grupo familiar pudiendo limitarse el uso de la vivienda a un solo día, a una relación de inquilinato sujeta a la Ley de Arrendamientos Urbanos en la que existe una residencia con cierta vocación de continuidad y permanencia. De hecho, las viviendas que se arriendan para uso turístico quedan fuera del ámbito de la Ley de Arrendamientos Urbanos.

Por último, consideramos que la aplicación de los criterios seguidos en la STS n.º 358/2018, de 15 de junio, no llevan a la conclusión mantenida por la sentencia de instancia. Como indica esta sentencia, **es posible y aceptable establecer limitaciones consistentes en la prohibición de realizar determinadas actividades en el inmueble siempre y cuando consten de manera expresa**, lo que entendemos que sucede en el caso presente al establecer la regla estatutaria de manera específica que el destino de las viviendas será exclusivamente de residencia familiar y excluir el desarrollo de cualquier actividad que altere ese destino, sin ello suponga una interpretación extensiva de la misma, pues resulta encuadrable en sus términos (la actividad mercantil que se desarrolla en la vivienda, no constituye un alquiler y altera la consideración de las viviendas como residencias familiares) y, por tanto, **no es preciso que se mencione expresamente como actividad excluida la de uso turístico**, máxime cuando la misma era inexistente en el momento en que todos los copropietarios por unanimidad decidieron establecer la prohibición».

Esta prohibición en los estatutos debe ser específica [la norma desde el 03/04/2025, prevé que el acuerdo debe ser «expreso» y sobre la actividad de la letra e) del art. 5 de la LAU] ya que la misma debe ser interpretada de forma restrictiva, pero ello no implica que el término empleado deba ser el de «vivienda de uso turístico» sino que en caso de que se emplee otro término también es posible entender que esta actividad está prohibida. Así, por ejemplo, lo ha hecho el Tribunal Supremo con el término «hospedería» en la sentencia n.º 105/2024, de 30 de enero, ECLI:ES:TS:2024:331, en la cual ha señalado:

«Las sentencias de primera y segunda instancia interpretan que el art. 9.1 de los estatutos veda el destino de las viviendas al uso turístico, mediante la utilización de un persuasivo conjunto argumental, conforme al cual la prohibición estatutaria del destino a "hospederías" proscribe la actividad desempeñada por la sociedad demandada; puesto que si hospedería, según la RAE, es una "casa destinada al alojamiento de visitantes o viandantes, establecida por personas particulares, institutos o empresas", dentro de su contenido semántico tendría cabida la actividad de la demandada por la existencia de identidad de razón.

(...)

Por otro lado, son sinónimos de hospedería, como acción o efecto de hospedar a alguien, el "alojamiento, acogida, hospedaje, albergue, hospicio", según la misma fuente de la RAE.

En definitiva, ejerce la demandada una actividad abierta al público, anunciada en plataformas publicitarias, cuya esencia radica en satisfacer las necesidades de alojamiento transitorio inherentes a la actividad de turismo, que no constituye, desde luego, ese uso permanente y habitual al que se refiere la norma estatutaria, y que guarda identidad de razón con la prohibición establecida de destinar los pisos a hospedería, por lo que concluir que está vedada la posibilidad de utilizarlos con destino turístico no conforma una interpretación arbitraria, ni prohibir dicho uso constituye un abuso de derecho».

A TENER EN CUENTA. El Tribunal Supremo se pronunció, antes de la reforma de la LO 1/2025, de 2 de enero, en el sentido de entender que era necesario probar que la prohibición está inscrita en el Registro de la Propiedad cuando se ejercite la acción de cesación alegando que la actividad está prohibida en los estatutos, es decir, la carga de la prueba de la inscripción corresponde al demandante; véase la STS n.º 370/2021, de 31 de mayo, ECLI:ES:TS:2021:2195, en la que se desestimó el recurso planteado entendiendo que: «A lo largo del procedimiento no se aporta certificación registral alguna que desvirtúe la ausencia de inscripción de los estatutos en el Registro de la Propiedad, por lo que no consta valoración errónea de la prueba practicada ni infracción de las normas sobre la carga de la prueba (art. 217 LEC)».

Acción de cesación por actividades molestas por locales de hostelería y demás locales comerciales a comunidades de propietarios 1160

Una de las preocupaciones más comunes de los vecinos en una comunidad de propietarios es el destino que se le va a dar a sus locales comerciales. Hay que partir de la idea de que el derecho a la propiedad privada no tiene más limitaciones que las establecidas legal o convencionalmente, y que estas deben ser interpretadas siempre de forma restrictiva.

En este sentido podemos citar la **sentencia del Tribunal Supremo n.º 145/2013, de 4 de marzo, ECLI:ES:TS:2013:1641**, que recoge que:

> «B) Esta Sala ha expuesto reiteradamente que el derecho a la propiedad privada constituye un **derecho constitucionalmente reconocido** (artículo 33 CE), concebido ampliamente en nuestro ordenamiento jurídico, **sin más limitaciones que las establecidas legal o convencionalmente** que, en todo caso, deben ser interpretadas de un modo restrictivo. En el ámbito de la propiedad horizontal, resulta posible, el establecimiento de limitaciones o prohibiciones que en general atienden al interés general de la comunidad. Estas prohibiciones referidas a la realización de determinadas actividades o al cambio de uso del inmueble, deben **constar de manera expresa**, y a fin de tener eficacia frente a terceros deben aparecer **inscritas en el Registro de la Propiedad** (SSTS 20 de octubre de 2008 y 30 de diciembre de 2010).
>
> La doctrina de esta Sala considera que **la mera descripción del uso y destino del inmueble en los estatutos o en el título, no supone por sí misma limitación del uso o de las facultades dominicales**, pues para ello es necesaria una cláusula o regla precisa y concreta que así lo establezca. Los copropietarios no pueden verse privados de la utilización de su derecho a la propiedad como consideren más adecuado, a no ser que este uso esté legalmente prohibido o que el cambio de destino aparezca expresamente limitado por el régimen de dicha propiedad horizontal, su título constitutivo o su regulación estatutaria. (SSTS 23 de febrero de 2006 [RC n.º 1374/1999], 20 de octubre de 2008 [RC n.º 3106/2002], entre otras)».

Es decir, existe la posibilidad de que se limiten o prohíban determinadas actividades o cambios de uso, pero debe hacerse constar de manera expresa e inscribirse en el Registro de la Propiedad de cara a su eficacia frente a terceros. Para llevar a cabo esta limitación no bastaría una descripción del uso y destino del inmueble, sino que debe recogerse forma precisa y concreta y teniendo en cuenta que la misma deberá interpretarse de forma restrictiva. Mientras esta limitación concreta no se dé, el propietario del local comercial podrá destinarlo a cualquier uso e incluso cambiar el mismo sin autorización de la comunidad.

Cabría la posibilidad de que la comunidad acuerde por unanimidad dicha limitación o prohibición, pero raramente se da en la práctica ya que normalmente el afectado vota en contra.

En esta línea se ha pronunciado la Dirección General de Seguridad Jurídica y Fe Pública, que en su **resolución de 25 de julio de 2019** considera ajustado a derecho el cambio de un local a vivienda por entender que no está expresamente prohibido en los estatutos:

> «(...) La disposición estatutaria según la cual "los locales comerciales o tiendas estarán destinados a usos comerciales o industriales" debe ser objeto de **interpretación restrictiva** en cuanto limite un derecho constitucionalmente reconocido, como es el derecho a la propiedad privada. (...)
>
> En todo caso, lo relevante a estos efectos es que del tenor de los estatutos de la propiedad horizontal **no resulta una explicita prohibición** de destinar los mismos a vivienda. No estando expresamente limitado el cambio de uso de local a vivienda no cabe entender que ello implique una actuación en contra de lo establecido en el título, lo que sólo podría llevarse a cabo modificándolo por acuerdo de la junta de propietarios. A ello contribuye, sin duda, la mayor flexibilidad de la idea de modificación del título constitutivo y sus consecuencias que se desprende de la reforma de la Ley sobre propiedad horizontal por obra de la Ley 8/2013, de 26 de junio.
>
> Por último, no consta que la transformación realizada por los interesados cambiando el destino de su local a vivienda afecte a elementos comunes del inmueble, modifique las cuotas de participación, menoscabe o altere la seguridad del edificio, su estructura general, su configuración o estado exteriores (cfr. artículos 5, 7 y 17 de la Ley sobre propiedad horizontal)».

Sin embargo, si en los estatutos existe una cláusula expresa de prohibición de determinada actividad, esta debe ser respetada, sin perjuicio de que el propietario pueda impugnar la negativa de la comunidad por abuso de derecho mediante el proceso correspondiente; viabilidad de la acción que habría que examinar en cada caso concreto.

El Tribunal Supremo se ha pronunciado sobre el cambio de uso de los locales en la **STS n.º 358/2018, de 15 de junio, ECLI:ES:TS:2018:2202**, haciendo un repaso de la doctrina establecida por nuestro Alto Tribunal, recogiendo que:

> «(i) El derecho a la propiedad privada constituye un derecho constitucionalmente reconocido (artículo 33 C.E.), concebido ampliamente en nuestro ordenamiento jurídico, sin más limitaciones que las establecidas legal o convencionalmente que, en todo caso, deben ser interpretadas de un modo restrictivo. No obstante en el ámbito de la propiedad horizontal, se considera **posible y aceptable establecer limitaciones o prohibiciones a la propiedad**, que atienden a la protección del interés general de la comunidad. Dentro de estas limitaciones se encuentra la prohibición de realizar determinadas actividades o el cambio de uso del inmueble, pero para su efectividad deben constar de manera expresa y, para poder tener eficacia frente a terceros, deben aparecer inscritas en el Registro de la Propiedad.
>
> (ii) También es doctrina de esta Sala (sentencia 30 de diciembre de 2010; 23 de febrero de 2006 y 20 de octubre de 2008) considerar que **la mera descripción del inmueble no supone una limitación del uso o de las facultades dominicales**, sino que la eficacia de una prohibición de esta naturaleza exige de una estipulación clara y precisa que la establezca.

(...)

Es por ello que la citada sentencia 728/2011, de 24 de octubre, afirma que: «Se reitera como doctrina jurisprudencial que las limitaciones o prohibiciones referidas a la alteración del uso de un inmueble en el ámbito de la propiedad horizontal exigen, para que sean eficaces, que **consten de manera expresa**».

(iii) **La interpretación de las limitaciones**, y ello es relevante para el recurso, **debe ser siempre de carácter restrictivo**, como cualquier menoscabo del derecho de propiedad, siendo contundente la jurisprudencia (sentencias de 6 de febrero de 1989; 7 de febrero de 1989; de 24 de julio de 1992; de 29 de febrero de 2000; de 21 de abril de 1997).

(iv) No empece a que el comunero, en aras a su derecho de propiedad, **pueda modificar el uso o destino de su elemento privativo**, con la posibilidad de que el destino que elija o el uso que haga, pueda ser dañoso, molesto, insalubre, peligroso o inmoral, cuestión a decidir en otro ámbito normativo.

(v) **El derecho de cambio no implica autorización de hacer obras en elementos comunes** (sentencia 9 de octubre de 2009), pues en tal caso será preciso que lo conceda la Junta de Propietarios, a salvo lo que se prevea en los Estatutos o en el título constitutivo».

A TENER EN CUENTA. La **instalación de chimeneas para la salida de humos** es una problemática habitual en los **negocios de hostelería**. Los estatutos suelen prever esta situación y exoneran a los propietarios de los locales de contar con el acuerdo comunitario para instalar la chimenea. La **STS n.° 196/2011, de 17 de enero de 2012, ECLI:ES:TS:2012:282**, vino a indicar que las exigencias normativas en materia de mayorías deben ser interpretadas de modo flexible cuando se trata de locales comerciales, para evitar que la aplicación rigurosa de la Ley de Propiedad Horizontal impida a los titulares y arrendatarios de locales de negocio explotar su empresa. Esta jurisprudencia ha fijado como únicos límites a la autonomía de la voluntad que las obras en los locales genéricamente autorizadas en el título no menoscaben o alteren la seguridad del edificio, su estructura general, su configuración exterior o perjudique los derechos de otro propietario. Por lo tanto, la existencia de una autorización en el título no es una carta blanca, sino que la instalación debe hacerse siempre dentro de esos límites.

Cuestión distinta supone que la actividad que se realice en los locales comerciales pueda encuadrarse dentro de las actividades prohibidas en los estatutos, que resulten dañosas para la finca o que contravengan las disposiciones generales sobre actividades molestas, insalubres, nocivas, peligrosas o ilícitas, dando lugar a la acción de cesación recogida en el art. 7.2 de la LPH. En estos casos procede analizar la situación concreta alegada y probada en función de la cual el tribunal decidirá si estima o no el cese de la actividad. Como casuística habitual que nos permite hacernos una idea de cuándo la actividad desarrollada en un local comercial entraría dentro de la categoría de molesta, podemos citar distintos ejemplos en los que la actividad desarrollada en locales de hostelería se ha calificado como molesta:

- La **Audiencia Provincial de Valencia en sentencia n.° 439/2012, de 26 de julio, ECLI:ES:APV:2012:3557**, considera molesta la actividad desarrollada por una asociación en el local al que se accede desde un zaguán, y en el que además se visionan partidos de fútbol con lo que ello conlleva:

  «Resulta probado que la actividad que se desarrolla en los citados locales produce molestias a los vecinos que las han venido soportando desde hace muchos años. En efecto, no sólo la configuración del local al que se accede desde el interior del zaguán, **obliga al público a acceder por el zaguán, limitando la privacidad que el resto de copropietarios** de las viviendas tienen derecho, sino también el acopio de material a través del zaguán incide negativamente en aspectos importantes de una comunidad como son la **limpieza, el orden y la disposición de los elementos para una finalidad de servicio común y no privativo**. Además, el hecho de que el público en general acceda al local como si de un establecimiento abierto al público se tratara, cuando en realidad no lo es, provoca molestias a los copropietarios en cuanto deben soportar la continua entrada de personas por el zaguán y a soportar en ocasiones los excesos que el uso de alcohol produce, y ello supone una situación sostenida en el tiempo que constituye una molestia que no debe ser soportada por los copropietarios máxime cuando de realizar realmente la actividad asociativa para la que se encuentra constituida la demandada, **el acceso de los socios para realizar actividades lúdicas o punto de encuentro no sería molesto de realizarse dentro de unos márgenes horarios adecuados**.

La constitución de la Peña Valencianista, documento 13 de la contestación a la demanda, cuyo domicilio es el de la CALLE000 n.º NUM000 de Valencia agrava la situación que padece la comunidad demandante, no sólo en cuanto amplía el número de personas que acceden a los locales para ver los numerosos partidos de fútbol que se retransmiten, sino también porque el fútbol despierta pasiones y provoca gritos que de manera reiterada inciden negativamente en el confort y bienestar del resto de **los copropietarios que no pueden verse obligados a soportar de forma continua el uso de unos locales para desarrollar actividades que producen molestias directas y que no se encuentran autorizadas administrativamente** de acuerdo con la actividad que realmente se desarrolla».

- La **sentencia de la Audiencia Provincial de Ourense n.º 319/2019, de 16 de junio, ECLI:ES:APOU:2020:265**, se ha pronunciado sobre la actividad desarrollada en un bar y que considera molesta por los ruidos que produce, independientemente del alcance que pueda tener en la esfera administrativa:

«(...) La actividad se ejerce con las puertas y ventanas abiertas, por lo que la insonorización del local resulta irrelevante y permite la audición de la música desde el exterior, por su elevado volumen, permaneciendo el equipo musical conectado en horas nocturnas. La abundante prueba practicada rectamente analizada en la sentencia apelada y cuya valoración probatoria no ha sido cuestionada, conduce a estimar probado que en el local de negocio propiedad de los demandados y explotado por el codemandado D. Carmelo se han venido produciendo a los lo largo de los años **ruidos reiterados en horario nocturno**, que resultan gravemente molestos para los vecinos de la comunidad, impidiendo el descanso de sus moradores y el normal desarrollo de las actividades propias de la vida cotidiana, desoyendo las continuas quejas y requerimientos efectuado por los vecinos, conducta que claramente incide en la prohibición sancionada en el art. 7.2 LPH.

(...)

En suma y a la luz de la doctrina jurisprudencial reseñada, la realidad de **actos de inmisión perjudícales o nocivos** (transmisión de ruidos superiores a los niveles permitidos), provenientes de la actividad de industria desarrollada en el bajo del edificio vivienda de la actora, ubicada en el piso primero del mismo edificio, convierte en perfectamente operativa la pretensión de condena a la adopción de las medidas paliativas de tal actividad, al amparo de lo dispuesto en el art. 1902, del Código Civil y 7, párrafo tercero de la Ley de Propiedad Horizontal y ello con independencia de la existencia de licencia municipal y de la regularidad o irregularidad en la observancia de normas administrativas de carácter general y preventivo (...)».

– La **sentencia de la Audiencia Provincial de Madrid n.º 522/2019, de 24 de octubre, ECLI:ES:APM:2019:16954**, considera también como actividad molesta la desarrollada en un pub situado en el local del inmueble:

«No cabe duda que una de las actividades molestas que se pueden derivar del uso de un local comercial, es las incomodidades y perjuicios que se causan o pueden causarse a los vecinos del inmueble por la instalación en un local del inmueble de un establecimiento, como el propiedad de la demandada que por su actividad de pub, y por el horario de funcionamiento, hasta las 4 de la mañana causa perturbación y molestias a los vecinos, como consecuencia de dicha actividad, y del acceso y salida de los clientes al exterior del local, con el correspondiente ruido y perjuicio para los vecinos.

No se puede desconocer que una de las actividades molestas que puede incidir gravemente en la convivencia y en el derecho de los vecinos del inmueble, es que como consecuencia de esa actividad se produzca un nivel de ruido y perturbaciones que perjudique gravemente en su derecho de uso y disfrute de sus propias viviendas de carácter residencial.

(...)

(...) de la valoración de la prueba en su conjunto, debe entenderse que concurren todos los presupuestos y requisitos necesarios a fin de que se ordene el cese de la actividad de PUB, que se lleva a cabo en el local propiedad de la parte demandada y apelante, en la medida que como consecuencia de esa actividad, y en la forma y horario en que se desarrolla, especialmente de noche y de madrugada, causa unas **graves molestias** a los demás miembros de la comunidad de propietarios, produciéndose como consecuencia de esa actividad, y del uso que los clientes hacen, una **inmisión de ruidos en las viviendas, superior a las permitidas legalmente,** que dicho ruido y el resto de las molestias que se producen, y que se recogen de una forma clara y precisa, en el informe elaborado por el detective privado aportado a los autos, suponen un grave perjuicio que desde largo tiempo vienen soportando, y que les afecta al uso de sus propias viviendas, sin que sea necesario que se produzca las molestias solo por el ruido que se deriva del interior del local, sino también del ruido y del resto de las graves molestias que se derivan de la actividad desarrollada en el local, cuando al contrario de lo que se alega, no costa que por parte de la ahora apelante se hayan adoptado medidas reales y eficaces. Sino para suprimir si reducir esas molestias, si reducirlas, cuando consta en los autos, como los clientes del local sale a la calle con bebidas del interior del establecimiento, sin que por parte de la entidad apelante haya adoptado medida de tipo alguna para evitar esas situaciones, o que **los clientes invadan otras zonas comunes de la comunidad**».

A TENER EN CUENTA. No cabría solicitar en la demanda una prohibición a arrendar o explotar el local con estos fines de hostelería, en tanto no se acredite la insonorización del mismo, y así aparece reflejado en la **sentencia de la Audiencia Provincial de Cádiz n.º 146/2019, de 14 de octubre, ECLI:ES:APCA:2019:1851**, que niega esta posibilidad amparándose en que el art. 7.2 de la LPH no contempla esta posibilidad, y además en que se trata de una condena de futuro, dado que el local no estaba siendo explotado en ese momento, y estaría prohibido en nuestro derecho procesal civil: «(...) no cabe una condena de futuro respecto de los negocios de bar o pub que puedan establecerse en el futuro en el local».

1170

Otros casos que dan lugar a la acción de cesación en comunidades de propietarios

Tanto por la propia redacción del art. 7.2 de la LPH como por la interpretación que han venido realizando los tribunales, el número de supuestos que cabría incluir en este punto sería inabarcable. Es por ello que, sin ánimo de realizar un listado taxativo, analizaremos algunos supuestos que se dan con cierta frecuencia en las comunidades de propietarios, y la postura que con relación a los mismos han adoptado distintas audiencias provinciales, teniendo que tener siempre presente que a la hora de valorar si una actividad se considera molesta o no, habrá que atender al caso concreto y a cómo se está llevando a cabo la actividad en sí, y la manera en que se puedan probar las molestias ocasionadas al resto de comuneros.

➢ Actividades por las que se estimó la acción de cesación

♦ Prostitución

El ejercicio de la prostitución en una vivienda ha sido considerado como una actividad molesta por diferentes audiencias provinciales, entre las que podemos citar, por ejemplo, la **sentencia de la Audiencia Provincial de Asturias n.º 95/2019, de 6 de marzo, ECLI:ES:APO:2019:730**, que establece que:

> «Si bien el ejercicio de la prostitución, en sí mismo considerado, no cabe incardinarlo como causa determinante del ejercicio de la acción prevista en el art. 7.2 LPH, que no incluye ya las actividades inmorales, sí lo será si se traduce en actividades molestas para los vecinos de gravedad o entidad suficiente, es decir, en tanto vayan más allá de los límites tolerables y asumibles por la comunidad en relación al normal ejercicio de las relaciones sociales y las pautas ordinarias de la convivencia; y esto es lo que aquí sucede, en especial en atención a la reiteración, habitualidad y persistencia de las molestias durante tan largo periodo de tiempo pese a las advertencias efectuadas por la Comunidad».

También **la Audiencia Provincial de Burgos en su sentencia n.º 112/2021, de 29 de marzo, ECLI:ES:APBU:2021:291**, que recoge que:

> «No incurre la Sentencia recurrida en error en la valoración de la prueba al concluir que en la vivienda del NUM001 alquilada por la recurrente al codemandado se realizaba la actividad de prostitución, que sin entrar a calificarla de lícita o ilícita, por las circunstancias concurrentes, trasiego de personas ajenas al edificio subiendo y bajando al NUM001 piso, llamadas continúas al telefonillo para la apertura de la puerta, sobre todo a altas horas de la madrugada, con llamadas por equivocación al telefonillo de los vecinos, necesariamente se han de calificar de molestas e incompatibles con el

descanso, sosiego y tranquilidad que es razonable exijan los moradores de un edificio residencial, y de gravedad suficiente para que los vecinos no tengan que soportarla, con grave quebranto de las relaciones normales de vecindad, que justifica su inclusión dentro de los actividades prohibidas por el artículo 7.2 I PH».

♦ Asociación de la tercera edad

La **Audiencia Provincial de Madrid en sentencia n.º 822/2010, de 21 de diciembre, ECLI:ES:APM:2010:20144**, ha considerado como molesta la actividad desarrollada por una asociación de la tercera edad, no por la actividad en sí, si no por el modo en que esta se realiza:

«QUINTO.- Pues bien, partiendo de que estamos ante una **Asociación destinada a la cultura y el ocio de la tercera edad**, en la que como se reconoce el piso es utilizado en horario de mañana y tarde para distintas actividades, a la que **acuden numerosas personas que efectivamente utilizan servicios comunes del inmueble**, aunque sea confuso si está en la primera o en la segunda planta lo que no se niega es que hay una vivienda debajo de la ocupada por la demandada. Hay que considerar además que aunque la demandada niega la evidencia, y el Juez de Instancia así lo considera en su sentencia, es claro que en el piso se desarrolla una actividad molesta para el resto de los copropietarios y para el comunero que vive debajo del piso ocupado por la Asociación. **Se trata de actividades que afectan sin duda a la convivencia normal y pacífica de la vida de la Comunidad de Propietarios, por lo que tal actividad causa a los vecinos de las fincas molestias de tal entidad que no vienen obligados a soportar al superar las normales y lógicas de la convivencia**, ya que producen molestias evidentes que los vecinos no deben estar obligados a soportar. Por ello la conducta de la Asociación al realizar sus actividades habituales excede de la previsiones de una tolerancia media ya que nada tiene que ver con el uso que debe darse a una vivienda y es por lo que normalmente dichas Asociaciones deben reunirse en locales destinados para dichos usos.

(...)

SEXTO.- **La calificación de una actividad como incómoda o molesta no ha de hacerse apriorísticamente y sólo por las características generales de la misma**, pues ésta es competencia de la administración local, responsable de la licencia de apertura y del seguimiento del desarrollo de la actividad (art. 25 de la Ley 7/1985, de 2 de abril de Régimen Local —STS 1 de junio de 1999—), **sino atendiendo al modo de realizarla en cada caso concreto** y a la posición contumaz del agente ante las advertencias que le hayan sido hechas; por lo que tampoco cabe admitir la relación directa que se pretende hacer por la apelante entre concesión de licencia, y desestimación por la Administración; no siendo esta jurisdicción civil en la que se han de revisar tales actos administrativos. Sin embargo, entendemos, que la desarrollada por la Asociación puede considerarse una actividad molesta, a los efectos del párrafo primero del apartado 2 del artículo 7 de la Ley de Propiedad Horizontal, aunque no hubiera contravención de norma administrativa alguna».

♦ Vecinos incívicos

Uno de los problemas frecuentes en las comunidades viene provocado por los vecinos que realizan comportamientos incívicos que provocan molestias al resto de comuneros más allá de las propias de una relación de vecindad.

Por ejemplo, la **sentencia de la Audiencia Provincial de Valencia n.º 97/2020, de 28 de febrero, ECLI:ES:APV:2020:1832**, considera probado que el comportamiento de los vecinos de una vivienda resulta molesto, por escándalos, ruidos, amenazas... procediendo la acción de cesación, refiriéndose a dicha actividad en los siguientes términos:

«(...) obran en autos múltiples documentos, expedidos por la policía local, en los que se recogen los actos que se denuncian, como la denuncia de 30 de diciembre de 2014, por **amenazas**; el día 21 de enero de 2015, en el que se detecta en su domicilio una **fuga de gases y amenaza a los vecinos ante los agentes de la policía**; el 28 de enero de 2015, por **ruidos**; el mismo día por **gritos** por **pintar en la pared del requirente**; el 15 de febrero de 2016 por **lanzar objetos** a la vía pública.

Por último, respecto de la acción de cesación, hemos de indicar que lo alegado y probado **excede de las meras relaciones de vecindad**».

También la **sentencia de la Audiencia Provincial de Gipuzkoa n.º 828/2019, de 30 de diciembre, ECLI:ES:APSS:2019:1330**, se pronuncia sobre el comportamiento de unos vecinos recogiendo que:

«(...) se considera probado que la Sra. Zaida y la Sra. Regina han llevado a cabo las siguientes actividades: obstaculizar la salida de los vecinos colocando el carro de la compra en el rellano, no permitir la entrada de personas para reparar las humedades originadas por sus tuberías, dejar comida y excrementos por las escaleras y demás elementos comunes, dejar bolsas de basura en la entrada, insultos y agresiones a los vecinos, ocupación del 5.º derecha e intento de ocupación de otras viviendas, ruidos nocturnos, derribo de muros para usarlo como basurero, manipulación de los contadores de la luz...".

(...)

NOVENO.- Pues bien, teniendo en cuenta, como ya se ha indicado, que todas las actividades que han llevado a cabo D.ª. Zaida y D.ª. Regina a lo largo de varios años, en concreto, y según ha quedado acreditado, a lo largo de prácticamente 8 años, son **actividades que alcanzan de forma evidente un carácter de gravedad**, son actividades que resultan sumamente **molestas y perturbadoras para el resto de los ocupantes del inmueble**, a los que incomodan de forma ostensible en el desarrollo de sus vidas diarias y en sus relaciones de vecindad, son actividades que denotan un desprecio total por parte de las mencionadas demandadas a las más elementales reglas de convivencia, son actividades que ponen de manifiesto la insalubridad en la que obligan a vivir al resto de los vecinos y son actividades que no pueden ser toleradas, es evidente que concurren todos los requisitos que la doctrina jurisprudencial ha exigido como precisos para que pueda adoptarse la medida que por el presidente de la Comunidad afectada ha sido solicitada, en defensa del derecho de todos ellos a una convivencia absolutamente normalizada, es decir, a una convivencia pacífica, adecuada, correcta y, además, incluso saludable.

Desde luego, el examen de las actuaciones pone de manifiesto que D.ª. Zaida y D.ª. Regina han desarrollado a lo largo de los años en la vivienda e inmueble en que habitan actividades de todo tipo, que **no pueden más que calificarse de molestas e insoportables para el resto de los vecinos del inmueble, además de insalubres y nocivas para la salud de los mismos**, sin que, no obstante los pasos que los mencionados vecinos han ido dando en los distintos estamentos públicos, en orden a poner fin a las mismas, hayan dado resultado, pues no han impedido que las mismas hayan continuado llevándolas a cabo, hasta el punto de deteriorar profundamente las relaciones de vecindad entre todos ellos y de llevar a los mismos a una situación que ha devenido insostenible, por insoportable, lo que había de conducir inevitablemente a la adopción de los acuerdos tomados en la sentencia dictada en la instancia, manteniendo las medidas cautelarmente adoptadas en el auto previo dictado».

Por su parte, la **Audiencia Provincial de Bizkaia en sentencia n.º 168/2017, de 15 de junio, ECLI:ES:APBI:2017:1336**, también estima el cese de actividad por una conducta incívica consistente fundamentalmente en insultos y amenazas a los vecinos:

«La naturaleza y continuidad de la conducta observada por la Sra. Pilar, en relación con sus vecinos, a lo largo de estos años, como se analiza en el fundamento de derecho cuarto de la sentencia de instancia, que se asume en evitación de inútiles reiteraciones, dando lugar a incidentes de **insultos, amenazas, coacciones** en el rellano de la escalera, en el portal, desde el balcón o desde el interior de la vivienda, con la conflictividad que ello supone, con distintos procesos penales concluidos siendo condenada en ellos (doc. n.º 2 a 7 demanda), mientras que los que ella presenta contra alguno de sus vecinos no prosperan (documento f. 269 y ss. y testifical de su hija Sra. Eladio, minuto 25,54 y ss. Cd n.º 1), la búsqueda de soluciones previas a la actuación judicial, recabando el auxilio de la Policía municipal que comprobó la realidad de alguno de los incidentes (doc. n.º 8 demanda), o del observatorio de la convivencia o los asuntos sociales del Ayuntamiento de Bilbao, ya en el año 2014 antes de mayo de 2014, al que la mayoría de los vecinos del inmueble dirigieron cartas exponiendo la situación (doc. n.º 11 y 14 a 31 demanda), si bien la hija de la demandada también había acudido, antes, denunciando además su situación familiar (f. 234 y 239 y ss), concluyendo al respecto la citada institución que: "En este caso, los indicios de problemas de salud mental en los miembros de la familia Eladio-Pilar y la reiterada judicialización del conflicto que resultaban incompatibles con el inicio de un procedimiento de mediación, por lo que los esfuerzos del Observatorio se dirigieron a recabar la intervención de los servicios sociales municipales y a informar a la Comunidad de esta iniciativa y de las posibilidades de actuación que les otorga la Ley de Propiedad Horizontal, en cuanto reguladora de las relaciones vecinales" (f. 292 y ss.).

(...)

Acreditada la concurrencia de una conducta que se ha dilatado en el tiempo y de la que no se ha dado su desaparición, **es obvio que la misma excede y perturba, de manera notoria, el régimen o estado de hecho usual y corriente en las relaciones sociales, no debiendo verse obligada la vecindad a soportar tal situación de tensión y temor** provocada por una de sus vecinas, no siendo la sanción, determinada en la resolución de instancia de cesación del uso durante dos años, desproporcionada al ser la respuesta a una situación dilatada en el tiempo, ni implica una doble sanción ante la condena de determinados incidentes impuesta penalmente, pues en este caso se sanciona un incidente concreto, y la sanción civil lo que valora es esa continuidad o permanencia en un actuar incívico en el marco de las relaciones vecinales, sin que la situación de dependencia severa de Grado II impida su adopción, pues independientemente de la medida que adopte la familia ante su deber de abandonar la vivienda, entre los servicios y prestaciones que por la Diputación Foral de Bizkaia se reconoce a la Sra. Pilar, se encuentra "el servicio de atención residencial en estancia temporal y en estancia permanente" (f. 283 y ss.)».

Otro caso de vecinos incívicos se encuentra en la **sentencia de la Audiencia Provincial de Cádiz n.º 310/2020, de 10 de noviembre, ECLI:ES:APCA:2020:1998**, que ha considerado que procede la acción de cesación en un supuesto en el que se había realizado un enganche ilegal de luz, y además se procedía a la venta ilegal de estupefacientes:

«Consideramos a la vista de la prueba practicada, muy especialmente de la documental acompañada a la demanda que en efecto los demandados han realizado durante varios años actividades ilícitas y peligrosas además de otras molestas e insalubres que deben entenderse comprendidas en las actividades prohibidas por el art. 7.2 LPH, estando debidamente justificada la estimación de la demanda.

Así y con carácter principal, los demandados se han mantenido al menos desde el año 2012 y pese a los reiterados requerimientos realizados por la comunidad, con un **enganche de la luz para su vivienda directamente al cableado de la empresa suministradora** Endesa, sin que dicho enganche cumpliera la normativa de aplicación y **generando un riesgo de incendio al edificio**; (...) Este solo hecho revela la realización de una actividad ilícita desde la propia vivienda y a través de la zona común del edificio de forma permanente en el tiempo sin que los muchos requerimientos que la comunidad le ha venido haciendo a los demandados ni las intervenciones realizadas por la empresa suministradora, hubieran puesto fin a la situación que sólo se soluciona ante el traslado de la demanda.

Del mismo modo ha quedado acreditada la realización de la **actividad ilegal de venta de estupefacientes** desde el domicilio de los propietarios demandados en el que necesariamente debían guardar las sustancias ilegales que vendían en los aledaños del edifico, actividad por la que fue detenido y condenado el Sr. Damaso en el año 2012 en dos ocasiones y posteriormente en 2016, con condena en 2017.

(...)

No consta por ello en modo alguno que la actitud de los demandados haya cambiado tras el requerimiento que por disposición legal le remitió la comunidad; (...) sino que por el contrario mantuvieron el **enganche ilegal de la luz** pese al riesgo de incendio que conlleva, mantuvieron la **actividad delictiva** por la que constan dos condenas en el año 2017 una por el delito de defraudación del fluido eléctrico y otra por tráfico de drogas con grave daño a la salud, mantuvieron la situación de **ruidos** que molestan a los vecinos sin atender a los requerimientos de la Policía para que cesaran en los mismos, mantuvieron la **suciedad e insalubridad de zonas comunes y privativas**, todo lo cual nos lleva a considerar como a la juzgadora de instancia que concurren los presupuestos para la estimación de la demanda en el sentido de condenar a los demandados a cesar de forma definitiva en la realización de las actividades prohibidas».

♦ Fiestas y despedidas de soltero/a

La **sentencia de la Audiencia Provincial de la Rioja n.º 397/2020, de 17 de septiembre, ECLI:ES:APLO:2020:502**, aborda una acción de cesación ejercitada por la comunidad de propietarios debido a que los demandados alquilaban inmuebles para despedidas de solteros y grandes grupos para fiestas, lo que provocaba ruidos, «botellones» en la piscina comunitaria, llamadas a timbres de otros vecinos...

«Y es que debemos tener en cuenta que lo que se ha declarado terminantemente probado por el juez "a quo" en virtud de la prueba practicada (en valoración que adelantamos ya que compartimos plenamente, según expondremos al analizar la prueba) es que se producía **ruido y música elevada**, de día y de noche, muchas veces asociadas al uso de la piscina, a las barbacoas, a las fiestas (actividades todas ellas exteriores), y que los vecinos de la urbanización la escuchaban y que les molestaba. Siendo esto así, tanto da que los chalets estuvieran o no insonorizados: lo que es un hecho, lo que está probado, —ya fuera porque la música se instalaba fuera, ya porque se abrían puertas y ventanas—, es que la música (y también el ruido y la actividad propia de las fiestas) se escuchaba a alto volumen por el resto de los vecinos de la urbanización. Si la música se escuchaba porque se abría una puerta o una ventana o porque se colocaban fuera los altavoces, o mediante cualquier otro sistema, es algo irrelevante. Lo que es un hecho totalmente probado (testifical de doña Trinidad y doña Violeta sobre las que luego volveremos) es que se escuchaba.

(...)

Pues bien, resulta un hecho notorio y sobradamente conocido, que **las despedidas de soltero o soltera son celebraciones que no se caracterizan precisamente por el silencio y la circunspección de sus asistentes**, sino que, por el contrario, la música a elevado volumen hasta altas horas de la noche (o hasta la mañana siguiente, que también sucede), el consumo de alcohol, y en definitiva el ruido (gritos, cánticos, la ya mencionada música, etcétera) son connaturales a este tipo de eventos.

(...)

Proyectando toda esta doctrina a nuestro caso, no tenemos ni la más mínima duda de que las actividades y conductas diversas que con tanto pormenor hemos descrito y que se desarrollaban con mucha frecuencia en los chalets que los demandados explotaban económicamente alquilándolos con cierta preferencia a grupos, **deben ser consideradas a todas luces como actividades molestas de las referidas en el art. 7.2 Ley de Propiedad Horizontal** y que por eso la cesación de actividad acordad por la sentencia resulta correcta».

♦ Uso de trastero como aparcamiento

La **sentencia del Tribunal Supremo n.º 239/2024, de 23 de febrero**, admite la acción de cesación presentada por una comunidad de propietarios frente a un propietario que modifica el trastero para emplearlo como garaje. La comunidad alega que se vulnera el art. 7.2 de la LPH y ello porque la actividad de garaje es una actividad sujeta a licencia, por lo que, no debe estar prohibida expresamente en los estatutos y además supone una actividad molesta, nociva, insalubre y peligrosa. El Alto Tribunal confirma la sentencia de primera instancia que admitía la acción de cesación, señalando como razonamiento:

«Pues bien, atendidos los términos, claros y taxativos, del certificado emitido por la secretaria general del Ayuntamiento de Villena (en el que la funcionaria expone que la licencia fue concedida «única y exclusivamente para 26 plazas de aparcamiento para otros tantos vehículos automóviles, así como para 26 cuartos trasteros») hay que concluir que los recurrentes, al utilizar el espacio destinado a trastero como plaza en la que poder estacionar un segundo vehículo, no solo han añadido, en sentido semejante al de la sentencia 996/2007, de 20 de septiembre, también citada por la recurrente, una plaza de aparcamiento más a las 26 que se describen en el título constitutivo sin el consentimiento de la comunidad, sino que, además, están incumpliendo las condiciones en las que el Ayuntamiento de Villena concedió la licencia de apertura para la actividad de garaje privado en el edificio comunitario.

Por lo tanto, **los recurridos hacen algo que no les está permitido y que contraviene las disposiciones generales sobre actividades molestas, insalubres, nocivas, peligrosas**, que es el modo en el que se sigue expresando, para describir uno de los tipos de actividades no permitidas, el art. 7.2 LPH, precepto legal que, al contrario de lo que considera la Audiencia Provincial, sí resulta de aplicación en el presente caso.

Además, que los recurridos no sean los únicos que aparcan dos vehículos no es óbice a lo anterior ni puede justificar que actúen por la vía de hecho y al margen de las vías legales que están abiertas y a su disposición si consideran que están siendo injustificadamente discriminados o tratados con abuso de derecho por la comunidad, lo que en el presente procedimiento no han planteado en ningún momento».

➢ **Actividades por las que no se estimó la acción de cesación**

En sentido contrario podemos citar algunos ejemplos de actividades que no se encuadran dentro del ámbito de aplicación del art. 7.2 de la LPH, recalcando nuevamente que no se trata de la actividad en sí, si no del modo en el que esta se lleva a cabo, debiendo siempre tenerse en cuenta las características de la actividad en el caso concreto.

♦ Barbacoa

Con relación a si el uso de barbacoas puede considerarse como una actividad molesta resulta ilustrativa la **sentencia de la Audiencia Provincial de Tarragona n.º 5/2010, de 23 de diciembre, ECLI:ES:APT:2009:1788**, que a raíz de un acuerdo en el que se prohíbe el uso de barbacoas en una comunidad de propietarios realiza un análisis de distintas sentencias que versan sobre esta materia destacando, en lo que aquí nos interesa que:

«Finalmente, en cuanto a si el uso de la barbacoa móvil o portátil en los bajos del edificio supone una actividad contraria a la convivencia normal en la comunidad, que dañe o ponga en peligro el edificio, o si supone una inmisión ilegítima que causa daños a la finca o a las personas que habitan en la misma o, por el contrario, si se trata de una inmisión proveniente de una finca que es inocua o que causa perjuicios no sustanciales y que, consecuentemente, debe ser tolerada por el resto de vecinos, debe destacarse que no consta acreditado que el uso de barbacoas en dicha comunidad sea frecuente ni que cause molestias importantes o sustanciales al resto de vecinos, es más, según la fotografía obrante en autos, que refleja el concreto lugar donde se utiliza la barbacoa por el actor, un jardín espacioso al aire libre en la planta baja, lugar que fue reconocido en el acto de juicio tanto por su propietario, el actor, como por la Administradora de la comunidad, que dijo que todos los bajos eran similares, consideramos que, **pese a ser notorio y conocido que el uso de una barbacoa produce humo y olores, si se hace de ella un uso normal y no abusivo para esporádicas funciones de asado o cocina al aire libre, no puede considerarse una actividad peligrosa o molesta pues** únicamente **produce un perjuicio temporal no sustancial que debe ser tolerado por el resto de vecinos** (...)».

♦ Aire acondicionado

La **sentencia de la Audiencia Provincial de Málaga n.º 414/2020, de 17 de julio, ECLI:ES:APMA:2020:523**, no considera probado que la instalación del aire acondicionado pueda considerarse como molesta, a pesar de lo alegado por la comunidad de propietarios. Entiende el tribunal que los informes aportados por la comunidad demandante no contienen mediciones objetivas, al contrario que los presentados por el demandado:

«2.-En el caso, se trata de determinar la realidad de las actividades molestas alegadas por la parte apelante como fundamento de su pretensión, traducidas en ruidos, vibraciones, olores y altas temperaturas, causadas por el aparato de aire acondicionado instalado por la demandada doña Victoria, arrendataria del local de litis. Tales actividades son contempladas en el art. 7.2 LPH en cuanto comportan una contravención de las disposiciones generales sobre actividades molestas, insalubres, nocivas, peligrosas o ilícitas.

(...)

Por lo que respecta a los **ruidos y altas temperaturas**, estamos ante fenómenos **susceptibles de medición objetiva**, sin que por la parte demandante, ni aún por la autora del informe pericial aportado con la demanda, se haya efectuado ninguna medición que arroje un resultado del que pueda extraerse, de forma cierta, la conclusión de que el nivel de ruido y temperatura puede ser calificado como molesto. Siendo así que los autores de los informes aportados por la parte demandada han excluido la producción de ruidos y altas temperaturas como consecuencia del funcionamiento del aparato de aire acondicionado de autos. Afirmando el perito Sr. Cristóbal haber realizado una medición de ruido, con un resultado ajustado a la normativa sobre la materia.

En lo relativo a las **vibraciones**, han sido descartadas en los informes de la parte demandada, debido al sistema anti vibración de que se encuentra dotado el aparato.

Con relación a los **malos olores**, se descartan porque la cafetería ubicada en el local no tiene ni cocina ni obrador, y la máquina hace un intercambio de flujos que imposibilita la existencia de malos olores (Sr. Cristóbal), y en atención a que la operativa de funcionamiento del aparato es de intercambio de temperatura que no puede dar olores (Sr. Clemente y Sr. Diego).

(...)

Es así que, en definitiva, teniendo en cuenta los criterios de valoración antes expuestos, y sometidos los informes de litis a las reglas de la sana crítica, en conjunción con el resto del material probatorio, esta Sala no comparte la valoración probatoria realizada por la Juzgadora a quo, concluyendo en el sentido de apreciar la **falta de prueba** de la existencia de los elementos que conforman la actividad molesta denunciada en la demanda como soporte fáctico de la acción de cesación ejercitada en la misma.

Por lo que, constatada la falta de prueba sobre la certeza de unos hechos controvertidos relevantes para la decisión del presente pleito, cual la existencia de la actividad molesta en los términos expresados en la demanda, e incumbiendo la prueba de estos hechos a la parte demandante, ha de ser ésta la que peche con las consecuencias perjudiciales de dicha insuficiencia probatoria; lo que se traduce en la desestimación de su pretensión».

♦ Peluquería

La **Audiencia Provincial de Málaga en su sentencia n.º 136/2021, de 26 de febrero, ECLI:ES:APMA:2021:386**, resuelve sobre un supuesto en el que se ejercita la acción de cesación por la actividad realizada en un piso que se está utilizando como peluquería, entendiendo la comunidad que es contrario a los estatutos y al título constitutivo que habla de un edificio destinado a apartamentos. Además, consideran que les causa un perjuicio debido al ruido de los secadores de pelo, el olor de los esmaltes de uñas y el gasto excesivo de agua que realizan, al tratarse de un sistema de agua común del edificio. El tribunal en este caso no considera probadas las molestias y desestima la demanda:

«En el caso concreto se alega la existencia de olores insoportables y derivados de los productos utilizados en Perfumería y en Estética, así como los ruidos procedentes de los secadores de pelo extremos estos no queda probada por el testimonio y se dé la Administradora de la Comunidad y una Comunera Doña Angelica consta sanción o comprobación por la autoridad administrativa de tales olores, ni siquiera a instancias de la comunidad, no se aprecia ninguna infracción a normas administrativas que regulen la actividad. Atendida la existencia de la autorización administrativa, y el hecho de que un peluquería en principio no tiene porqué suponer una actividad considerada como molesta, y en el supuesto que nos ocupa se constata la existencia de pruebas objetivas es más concluyente que la manifestación de testigos miembros de la comunidad, sobre la relevancia del olor, ruido en su intensidad y duración temporal, y consumo excesivo de agua así como de las circunstancias que lo provocan, y como bien se indica por el juzgador habría o de ofrecerse algo más que la declaración de vecinos como podría ser un informe pericial acreditativo del consumo excesivo de agua, o mediciones de ruido, para poder limitación al derecho de propiedad. La declaración de los testigos que han depuesto por tanto suscita la duda de si dichos sobre la existencia de esos olores, ruidos y consumos excesivos denunciados. En consecuencia, con la prueba practicada no consta acreditada ninguna infracción a la normativa administrativa que regule la materia, o que los olores sean de la suficiente intensidad y continuados en el tiempo, para ser considerado una actividad incómoda, conforme a la doctrina jurisprudencial antes señalada, y ratifica la argumentación contenida en la sentencia de instancia.

(...)

En consecuencia, con la prueba practicada no consta acreditada ninguna infracción a la normativa administrativa que regule la materia, o que los olores sean de la suficiente intensidad y continuados en el tiempo, para ser considerado una actividad incómoda, conforme a la doctrina jurisprudencial antes señalada, y ratifica la argumentación contenida en la sentencia de instancia y procede desestimar el recurso de apelación interpuesto y confirmar la sentencia recurrida».

A TENER EN CUENTA. Las sentencias analizadas en el presente punto podrían contener referencias realizadas a legislación actualmente derogada.

---

6 FISCALIDAD DE LA COMUNIDAD DE PROPIETARIOS

SUMARIO

6.1. El ITPyAJD en la constitución o modificación de la comunidad de propietarios

6.1.1. ITPyAJD y constitución del régimen de propiedad horizontal........................Marginal 1180 y siguientes

6.1.2. Tributación de otros actos de las comunidades de propietarios en el ITPyAJD.................. Marginal 1200 y siguientes

6.2. Obligaciones fiscales de la comunidad de propietarios

6.2.1. Aspectos preliminares......................... Marginal 1290 y siguientes

6.2.2. Contratación de empleados propios o de empresas, empresarios o profesionales externos..................................... Marginal 1300 y siguientes

6.2.3. Percepción de ingresos por la comunidad de propietarios .... Marginal 1340 y siguientes

6.2.3.1. Aspectos generales................... Marginal 1340 y siguientes

6.2.3.2. Fiscalidad del arrendamiento o la cesión del uso de elementos comunes .... Marginal 1350 y siguientes

6.2.3.3. Fiscalidad de la venta de elementos comunes .... Marginal 1390 y siguientes

6.2.3.4. Fiscalidad por la percepción de subvenciones e indemnizaciones ...... Marginal 1430 y siguientes

6.2.4. Operaciones con terceras personas superiores a 3.005,06 euros .... Marginal 1440 y siguientes

6.2.5. Pago de tributos municipales.................. Marginal 1450 y siguientes

6.1. EL ITPYAJD EN LA CONSTITUCIÓN O MODIFICACIÓN DE LA COMUNIDAD DE PROPIETARIOS

6.1.1. ITPyAJD y constitución del régimen de propiedad horizontal

Tributación en el ITPyAJD por parte de las comunidades de propietarios 1180

El Impuesto sobre Transmisiones Patrimoniales y Actos Jurídicos Documentados (ITPyAJD) es un tributo de naturaleza indirecta que grava las transmisiones patrimoniales onerosas, las operaciones societarias y los actos jurídicos documentados. El impuesto se exigirá con arreglo a la verdadera naturaleza jurídica del acto o contrato liquidable, cualquiera que sea la denominación que las partes le hayan dado.

Este impuesto se regula en el Real Decreto Legislativo 1/1993, de 24 de septiembre, por el que se aprueba el Texto refundido de la Ley del Impuesto sobre Transmisiones Patrimoniales y Actos Jurídicos Documentados (LITPyAJD), así como en el Real Decreto 828/1995, de 29 de mayo, por el que se aprueba el Reglamento del Impuesto sobre Transmisiones Patrimoniales y Actos Jurídicos Documentados (RITPyAJD).

A continuación, vamos a analizar la tributación en dicho impuesto, tanto de la constitución de la comunidad de propietarios como de las diferentes modificaciones que pueda sufrir.

¿Cómo tributa la división horizontal? 1190

Para que se cree una comunidad de propietarios, en primer lugar, debe existir una escritura de división horizontal que genere ese régimen especial de copropiedad, previsto en el artículo 396 del Código civil. La escritura en la que se declara la división horizontal de un inmueble es aquella que establece un régimen jurídico especial en el que coexisten elementos privativos de cada propietario y elementos comunes a todos ellos, necesarios para el adecuado uso de los elementos privativos.

Hay comunidades que celebran una «junta de constitución de comunidad», pero realmente **la comunidad de propietarios está creada desde la escritura de división horizontal.**

JURISPRUDENCIA

Sentencia del Tribunal Supremo n.º 307/2012, de 10 de mayo de 2012, ECLI:ES:TS:2012:3060

«(...) aunque formalmente puede sostenerse que la Comunidad de Propietarios nace con su primera junta constituyente, la realidad jurídica no es esa, puesto que se constituyó por escritura de 28 de diciembre de 1993 en régimen de propiedad horizontal y división, disolviendo el condominio existente y dotando de estatutos a la comunidad. Se constituye, por tanto, con anterioridad a la suscripción del contrato de ejecución de obra. Por todo ello, no procede entender que el día de la constitución de la comunidad es el de la primera junta constitutiva, sino el de otorgamiento de la escritura pública».

CUESTIÓN

¿Pueden existir comunidades de propietarios sin división horizontal?

Sí, la Ley 49/1960, de 21 de julio, sobre propiedad horizontal (LPH), en su artículo 2.b), establece que dicha ley será de aplicación:

«A las comunidades que reúnan los requisitos establecidos en el artículo 396 del Código Civil y no hubiesen otorgado el título constitutivo de la propiedad horizontal.

Estas comunidades se regirán, en todo caso, por las disposiciones de esta Ley en lo relativo al régimen jurídico de la propiedad, de sus partes privativas y elementos comunes, así como en cuanto a los derechos y obligaciones recíprocas de los comuneros».

Es decir, aunque no es lo habitual, pueden existir comunidades de propietarios en bienes inmuebles sin división horizontal, en que existen copropietarios, que se regirán por las normas de la LPH.

Habitualmente el régimen de propiedad horizontal se constituye sobre edificios a lo alto, sin embargo, también puede realizarse en edificios a lo largo (denominados propiedad horizontal tumbada) o en varios cuerpos de una edificación (ya sean edificios con varios inmuebles o varios inmuebles separados entre sí). Registralmente se hará constar la constitución del régimen de propiedad horizontal, así como sus estatutos en el folio del inmueble y se abrirán folios con número independiente para cada finca del mismo.

Debemos señalar que, si bien lo habitual es que la división horizontal se establezca en edificios construidos, también puede realizarse sobre edificios en construcción o proyectados.

La escritura de división horizontal debe ser realizada por quien o quienes ostenten el dominio del inmueble en su totalidad. Tanto la aprobación o modificación de las reglas contenidas en el título constitutivo de la propiedad horizontal, como, en su caso, en los estatutos de la comunidad, solo serán válidas cuando se adopten por los propietarios en los términos previstos en la regla 6 del artículo 17 de la LPH, es decir, por unanimidad de los propietarios que, a su vez, representen el total de las cuotas de participación. Esta necesidad de unanimidad para los acuerdos que impliquen modificación del título constitutivo se ha mantenido aun con las sucesivas reformas de la Ley sobre Propiedad Horizontal.

La división horizontal ha de realizarse en **escritura pública**, que **será el documento constitutivo en el que se describirá, además del inmueble en su conjunto, cada uno de los elementos privativos que lo componen** numerándolos de forma correlativa y a los que se asignará una cuota numérica sobre la totalidad del inmueble, que será su coeficiente de participación en la totalidad del inmueble. Además, en la escritura se determinará el régimen jurídico mediante los estatutos, o en su defecto se aplicará el régimen legal, previsto en la LPH.

Así, el artículo 5 de la LPH establece:

> «El título constitutivo de la propiedad por pisos o locales describirá, además del inmueble en su conjunto, cada uno de aquéllos al que se asignará número correlativo. La descripción del inmueble habrá de expresar las circunstancias exigidas en la legislación hipotecaria y los servicios e instalaciones con que cuente el mismo. La de cada piso o local expresará su extensión, linderos, planta en la que se hallare y los anejos, tales como garaje, buhardilla o sótano.
>
> En el mismo título se fijará la cuota de participación que corresponde a cada piso o local, determinada por el propietario único del edificio al iniciar su venta por pisos, por acuerdo de todos los propietarios existentes, por laudo o por resolución judicial. Para su fijación se tomará como base la superficie útil de cada piso o local en relación con el total del inmueble, su emplazamiento interior o exterior, su situación y el uso que se presuma racionalmente que va a efectuarse de los servicios o elementos comunes.
>
> El título podrá contener, además, reglas de constitución y ejercicio del derecho y disposiciones no prohibidas por la ley en orden al uso o destino del edificio, sus diferentes pisos o locales, instalaciones y servicios, gastos, administración y gobierno, seguros, conservación y reparaciones, formando un estatuto privativo que no perjudicará a terceros si no ha sido inscrito en el Registro de la Propiedad.
>
> En cualquier modificación del título, y a salvo lo que se dispone sobre validez de acuerdos, se observarán los mismos requisitos que para la constitución».

En las divisiones horizontales no se produce el hecho imponible de la modalidad de trasmisiones patrimoniales (artículo 7 de la LITPyAJD), ni de operaciones societarias (artículo 19 de la LITPyAJD). En cuanto a la modalidad de actos jurídicos documentados, el artículo 27 de la LITPyAJD establece lo siguiente:

> «1. Se sujetan a gravamen, en los términos que se previenen en los artículos siguientes:
>
> a) Los documentos notariales.
>
> b) Los documentos mercantiles.
>
> c) Los documentos administrativos.
>
> 2. El tributo se satisfará mediante cuotas variables o fijas, atendiendo a que el documento que se formalice, otorgue o expida, tenga o no por objeto cantidad o cosa valuable en algún momento de su vigencia.
>
> 3. Los documentos notariales se extenderán necesariamente en papel timbrado».

Dado que la escritura de división horizontal se recoge en escritura notarial, **está sujeta al ITPYAJD en su modalidad de actos jurídicos documentados** de conformidad con el citado artículo.

Serán sujeto pasivo del impuesto las personas que insten o soliciten los documentos notariales que, en el caso de la división horizontal, como indicamos anteriormente, serán quienes ostenten el dominio del inmueble en su totalidad.

La **base imponible del impuesto**, tal y como recoge el artículo 30.1 de la LITPyAJD, está constituida «en las primeras copias de escrituras públicas que tengan por objeto directo cantidad o cosa valuable servirá de base el valor declarado, sin perjuicio de la comprobación administrativa». Por su parte, el artículo 70 del RITPyAJD, que recoge normas especiales para la base imponible de la modalidad de actos jurídicos documentados del ITPyAJD especiales, dispone en su apartado segundo:

> «2. En la base imponible de las escrituras de constitución de edificios en régimen de propiedad horizontal se incluirá tanto el valor real de coste de la obra nueva como el valor real del terreno».

Por tanto, en el caso de las divisiones horizontales, la base imponible será el **valor real de la obra en su conjunto más el valor real del suelo.**

En cuanto a la cuota, los apartados 1 y 2 del artículo 31 de la LITPyAJD establecen que:

> «1. Las matrices y las copias de las escrituras y actas notariales, así como los testimonios, se extenderán, en todo caso, en papel timbrado de 0,30 euros por pliego o 0,15 euros por folio, a elección del fedatario. Las copias simples no estarán sujetas al impuesto.
>
> 2. Las primeras copias de escrituras y actas notariales, cuando tengan por objeto cantidad o cosa valuable, contengan actos o contratos inscribibles en los Registros de la Propiedad, Mercantil, de la Propiedad Industrial y de Bienes Muebles no sujetos al Impuesto sobre Sucesiones y Donaciones o a los conceptos comprendidos en los números 1 y 2 del artículo 1 de esta Ley, tributarán, además, al tipo de gravamen que, conforme a lo previsto en la Ley 21/2001, de 27 de diciembre, por la que se regulan las medidas fiscales y administrativas del nuevo sistema de financiación de las Comunidades Autónomas de régimen común y Ciudades con Estatuto de Autonomía, haya sido aprobado por la Comunidad Autónoma.
>
> Si la Comunidad Autónoma no hubiese aprobado el tipo a que se refiere el párrafo anterior, se aplicará el 0,50 por 100, en cuanto a tales actos o contratos».

A TENER EN CUENTA. La Ley 21/2001, de 27 de diciembre, a la que se remite el apartado 2 de este artículo, se encuentra actualmente derogada, por lo que dicha referencia hoy debe entenderse realizada a la Ley 22/2009, de 18 de diciembre, por la que se regula el sistema de financiación de las Comunidades Autónomas de régimen común y Ciudades con Estatuto de Autonomía y se modifican determinadas normas tributarias.

Por tanto, la división horizontal, **al tratarse de un acto con contenido valuable e inscribible en el Registro de la Propiedad, está sujeta, además de a la cuota fija** (que se abonará mediante el papel timbrado), **a la cuota gradual prevista en el artículo 31.2 de la LITPyAJD.**

A TENER EN CUENTA. Las CC. AA. tienen competencias para regular sus propios tipos impositivos por lo que se recomienda consultar la legislación específica de cada una de ellas.

6.1.2. Tributación de otros actos de las comunidades de propietarios en el ITPyAJD

¿Qué ocurre con los actos que realiza la comunidad de propietarios y que son inscribibles? 1200

Ya hemos visto cómo tributa la división horizontal en el ITPyAJD, pero las comunidades de propietarios realizan otros actos documentados notarialmente que son inscribibles. A continuación, exponemos las diferentes casuísticas que se pueden producir:

- La modificación de los coeficientes de participación y la desafectación de un elemento común.
- La modificación de la división horizontal y la corrección de la declaración de obra nueva o de la división horizontal.
- Creación de una mancomunidad o subcomunidades.
- La adaptación del régimen de propiedad horizontal del edificio a la vigente LPH.

Tributación en el ITP y AJD de la modificación de los coeficientes de participación 1210

➢ Modificación de los coeficientes de participación

En ocasiones, las comunidades de propietarios modifican los coeficientes de participación, lo que puede ocurrir por diferentes motivos: subsanar el reparto erróneamente realizado, corregir la suma de las cuotas cuando no sea igual al 100 %, adaptarlos a la realidad en proporción a los metros cuadrados, que quieran tener todas las fincas el mismo coeficiente de participación, etc.

En relación con la modalidad de **transmisiones patrimoniales onerosas**, **la mera modificación de los coeficientes de participación en la propiedad de un edificio en régimen de propiedad horizontal** y su formalización en escritura pública, sin alterar las superficies de pisos y/o locales que componen el edificio, **no supone un acto liquidable por dicha modalidad**, ya que no se ha producido el hecho imponible del artículo 7 de la LITPyAJD.

En cuanto a la cuota fija de la modalidad de actos jurídicos documentados, documentos notariales, de acuerdo con el apartado 1 del artículo 31 de la LITPyAJD, **la matriz y las copias de la escritura notarial en que se formalice el acuerdo de modificación de los coeficientes de propiedad horizontal estarán sujetas a la cuota fija de la modalidad de actos jurídicos documentados**, por lo que deben ser extendidas, en todo caso, en papel timbrado de 0,30 euros por pliego o 0,15 euros por folio, a elección del fedatario. Las copias simples no estarán sujetas al impuesto.

En cuanto a la cuota gradual de la modalidad de actos jurídicos documentados, documentos notariales, la escritura estará sujeta solo si concurren todos los requisitos exigidos por el artículo 31.2 de la LITPyAJD, es decir:

- Tratarse de una primera copia de una escritura notarial.

- Tener por objeto cantidad o cosa valuable.
- Contener un acto o contrato inscribible en los registros de la propiedad, mercantil y de la propiedad industrial.
- Que el citado acto o contrato no esté sujeto a la modalidad de transmisiones patrimoniales onerosas o de operaciones societarias del ITPyAJD o al Impuesto sobre Sucesiones y Donaciones.

De los requisitos anteriores, se cumplen el de tratarse de una escritura notarial, contener un acto inscribible y que no esté sujeto a las otras modalidades del ITPyAJD o al Impuesto sobre Sucesiones y Donaciones. Respecto a si tiene por objeto cantidad o cosa valuable, debemos señalar que **la escritura pública de modificación de los coeficientes de propiedad horizontal de un edificio, siempre que no se alteren las superficies de los pisos y locales que lo componen, no tiene por objeto cantidad o cosa valuable**, ya que lo valuable en la constitución de edificios en régimen de propiedad horizontal, de acuerdo con el artículo 70.2 del RITPyAJD, es el valor real de coste de la obra nueva más el valor real del terreno, y estos no son objeto de cambio o modificación alguna por el otorgamiento de la nueva escritura.

Si **la escritura se limita a recoger el acuerdo de subsanación o rectificación de los coeficientes de participación en la propiedad resultantes de la constitución original del edificio en régimen de propiedad horizontal, sin alteración de la superficie de los distintos elementos componentes de aquel, no está sujeta a la cuota gradual del ITPYAJD en la modalidad de documentos notariales**. El mismo régimen seguirán las escrituras públicas que modifiquen el coeficiente de participación de las fincas afectadas por la operación efectuada.

RESOLUCIÓN ADMINISTRATIVA

Consulta vinculante de la Dirección General de Tributos (V1297-10), de 9 de junio de 2010

Asunto: trascendencia en el ITPyAJD de los cambios de coeficientes de participación derivados de la demolición de parte de una terraza.

«Primera: En relación con la modalidad de transmisiones patrimoniales onerosas, la mera modificación de los coeficientes de participación en la propiedad de un edificio en régimen de propiedad horizontal y su formalización en escritura pública, sin alteración de las superficies de los pisos y locales que componen el edificio en dicho régimen, no supone un acto liquidable por dicha modalidad, ya que no se ha producido el hecho imponible configurado en la letra A) del apartado 1 del artículo 7 del Texto Refundido, consistente en la transmisión onerosa de un bien o derecho, ni ninguna de las otras figuras recogidas en la letra B) de dicho apartado (ni en los apartados 2, 3 y 4 siguientes, que recogen otros supuestos que se consideran transmisiones patrimoniales).

Segunda: En cuanto a la cuota fija de la modalidad de actos jurídicos documentados, documentos notariales, de acuerdo con el apartado 1 del artículo 31 del Texto Refundido, la matriz y las copias de la escritura notarial en que se formalice el acuerdo de modificación de los coeficientes de propiedad horizontal estarán sujetas a la cuota fija de la modalidad de actos jurídicos documentados, por lo que deben ser extendidas, en todo caso, en papel timbrado de 0,30 euros por pliego o 0,15 euros por folio, a elección del fedatario. Las copias simples no estarán sujetas al impuesto.

Tercera: En cuanto a la cuota gradual de dicha modalidad, a la que se refiere el apartado 2 del artículo 31 del Texto Refundido, de acuerdo con el mismo, la escritura pública estará sujeta a dicho gravamen gradual sólo si concurren todos los requisitos exigidos por el referido apartado:

· Tratarse de una primera copia de una escritura notarial.

· Tener por objeto cantidad o cosa valuable.

· Contener un acto o contrato inscribible en los Registros de la Propiedad, Mercantil y de la Propiedad Industrial.

· Que el citado acto o contrato no esté sujeto a la modalidad de transmisiones patrimoniales onerosas o de operaciones societarias, del Impuesto sobre Transmisiones Patrimoniales y Actos Jurídicos Documentados, o al Impuesto sobre Sucesiones y Donaciones.

De los requisitos anteriores, parece necesario analizar si se cumple el requisito de que la escritura pública tenga por objeto cantidad o cosa valuable en el caso planteado en el escrito de consulta, (consistente en la mera modificación de coeficientes de propiedad horizontal, sin alteración de las superficies de los pisos y locales que componen el edificio en dicho régimen), pues los otros tres sí se cumplen.

A este respecto, cabe señalar que la escritura pública de modificación de los coeficientes de propiedad horizontal de un edificio, siempre que no se alteren las superficies de los pisos y locales que lo componen, no tiene por objeto cantidad o cosa valuable, ya que lo valuable en la constitución de edificios en régimen de propiedad horizontal, de acuerdo con el artículo 70.2 del Reglamento del impuesto, es el valor real de coste de la obra nueva más el valor real del terreno, y éstos no son objeto de cambio o modificación alguna por el otorgamiento de la nueva escritura. Esta escritura se limita a recoger el acuerdo de subsanación o rectificación de los coeficientes de participación en la propiedad resultantes de la constitución original del edificio en régimen de propiedad horizontal, sin alteración de la superficie de los distintos elementos componentes de aquél.

El mismo régimen seguirán las escrituras públicas que modifiquen el coeficiente de participación de las fincas afectadas por la operación efectuada».

CUESTIÓN

Si una comunidad de propietarios detecta que la suma de los coeficientes de participación de su comunidad suma 97 %, en vez del 100 %, y realiza escritura de modificación de dichos coeficientes de participación para adaptarlos a la realidad y que sumen 100 %. ¿La escritura de modificación tributará por la cuota gradual del ITPyAJD en la modalidad de actos jurídicos documentados, documentos notariales?

No, ya que dicha modificación carece de contenido valuable y, por tanto, no cumple los requisitos del artículo 31.2 de la LITPyAJD.

➢ La desafectación de un elemento común y el ajuste de los coeficientes de participación que genera la misma

También puede ocurrir que la comunidad de propietarios decida desafectar un elemento como común. Por ejemplo, cuando una comunidad desafecta un trastero común o la antigua vivienda del portero que ya no tiene uso, con la intención de proceder posteriormente a su venta.

En este supuesto existen varias convenciones que podrían tributar separadamente en el ITPyAJD. Por un lado, está la operación de desagregación del local del conjunto de elementos comunes del edificio y, por otro, la modificación de las cuotas de participación de los copropietarios en aquellos.

Para determinar la tributación de las operaciones expuestas, debe tomarse como punto de partida lo dispuesto en el artículo 4 de la LITPyAJD, que estipula que «a una sola convención no puede exigírsele más que el pago de un solo derecho, pero cuando un mismo documento o contrato comprenda varias convenciones sujetas al impuesto separadamente, se exigirá el derecho señalado a cada una de aquéllas, salvo en los casos en que se determine expresamente otra cosa».

Por lo que se refiere a la operación de desafectación de los elementos comunes del edificio convirtiéndolos en elemento privativos, para conocer si la escritura pública en la que se formalice estará sujeta a la cuota gradual de actos jurídicos documentados, documentos notariales, nuevamente debemos analizar si cumple los requisitos exigidos por el artículo 31.2 de la LITPyAJD, es decir tratarse de una primera copia de una escritura notarial, tener por objeto cantidad o cosa valuable, contener un acto o contrato inscribible en los registros de la propiedad, mercantil y de la propiedad industrial, y que el acto o contrato no esté sujeto a la modalidad de transmisiones patrimoniales onerosas o de operaciones societarias, del ITPyAJD, o al Impuesto sobre Sucesiones y Donaciones.

Debemos comprobar si la escritura pública tiene por objeto cantidad o cosa valuable en el caso planteado y que el acto sea inscribible, requisitos que sí se cumplen. En este caso, el objeto de la escritura pública, el bien desafectado de los elementos comunes para adquirir individualidad como bien privativo, es valuable, ya que dicha finca tiene un valor como bien independiente (categoría que adquiere con la desafectación de los elementos comunes), valor que, además, no tiene por qué coincidir con el que tenía previamente como parte de los elementos comunes del edificio.

Por último, en cuanto al requisito de que se trate de un acto inscribible, cabe recordar que, según el apartado quinto del artículo 8 del Decreto de 8 de febrero de 1946 por el que se aprueba la nueva redacción oficial de la Ley Hipotecaria, son inscribibles «los pisos o locales de un edificio en régimen de propiedad horizontal, siempre que conste previamente en la inscripción del inmueble la constitución de dicho régimen».

Por tanto, **la escritura pública en la que se formalice la operación de desafectación de los elementos comunes del edificio, para convertirlos en elementos privativos, estará sujeta a la cuota gradual de actos jurídicos documentados, documentos notariales**, por cumplir los cuatro requisitos exigidos por el artículo 31.2 de la LITPyAJD. En cuanto a la base imponible, de acuerdo con lo previsto en el artículo 30 de la misma norma, estará constituida por «el valor declarado, sin perjuicio de la comprobación administrativa».

Queda por analizar si la formalización en escritura pública de la modificación de los coeficientes de propiedad horizontal del edificio, como consecuencia de la operación de desafectación, sin otra alteración de las superficies de los pisos y locales que componen el edificio, también estará sujeta a la cuota gradual de actos jurídicos documentados, documentos notariales, por constituir una convención diferente de las ya examinadas. En este caso, como analizamos exhaustivamente en el supuesto anterior, no estará sujeto al impuesto, toda vez que la mera modificación de los coeficientes de participación no tiene un contenido valuable.

RESOLUCIONES ADMINISTRATIVAS

Consulta vinculante de la Dirección General de Tributos (V3844-15), de 2 de diciembre de 2015

Asunto: la comunidad de propietarios consultante está considerando la posibilidad de desafectar un elemento común, un local ubicado en su última planta, para proceder posteriormente a su venta. Al pasar a ser privativo dicho elemento común, la desafectación implica una nueva redistribución de porcentajes, sin que el resto de los elementos que constituyen la división horizontal sufran alteración en sus superficies.

«De los requisitos anteriores, parece necesario analizar si se cumplen el segundo y el tercero que la escritura pública tenga por objeto cantidad o cosa valuable en el caso planteado y que el acto sea inscribible, pues los otros dos sí se cumplen. A este respecto, debe afirmarse que el objeto de la escritura pública a la vivienda del portero desafectada de los elementos comunes para adquirir individualidad como bien privativo es valuable, ya que dicha vivienda tiene un valor como bien independiente (categoría que adquiere con la desafectación de los elementos comunes), valor que, además, no tiene por qué coincidir con el que tenía previamente como parte de los elementos comunes del edificio.

Por último, en cuanto al tercero, cabe recordar que, según el artículo 8.5º del texto refundido de la Ley Hipotecaria de 8 de febrero de 1946 (BOE de 29 de mayo de 1946), son inscribibles "los pisos o locales de un edificio en régimen de propiedad horizontal, siempre que conste previamente en la inscripción del inmueble la constitución de dicho régimen".

Consecuencia de lo expuesto es que la escritura pública en la que se formalice la operación de desafectación de la vivienda en cuestión de los elementos comunes del edificio, para convertirla en elemento privativo, estará sujeta a la cuota gradual de actos jurídicos documentados, documentos notariales, por cumplir los cuatro requisitos exigidos por el artículo 31.2 del TRLITP. En cuanto a la base imponible, de acuerdo con lo previsto en el artículo 30 de la misma norma, estará constituida por "el valor declarado, sin perjuicio de la comprobación administrativa".

(...)

Primera: La operación de desafectación de la vivienda del portero como elemento común de un edificio en régimen de propiedad horizontal, para convertirla en bien individual, con la consiguiente modificación de las cuotas de participación de los pisos y locales, constituyen diferentes convenciones que están sujetas separadamente al Impuesto sobre Transmisiones Patrimoniales y Actos Jurídicos Documentados en los términos que se exponen a continuación.

Segunda: La escritura pública en la que se formalice la operación de desafectación de la vivienda en cuestión de los elementos comunes del edificio, para convertirla en elemento privativo, estará sujeta a la cuota gradual de actos jurídicos documentados, documentos notariales, por cumplir los cuatro requisitos exigidos por el artículo 31.2 del TRLITP, siendo la base imponible, de acuerdo con lo previsto en el artículo 30 de la misma norma, "el valor declarado, sin perjuicio de la comprobación administrativa".

Tercera: Sin embargo, la formalización en escritura pública de la modificación de los coeficientes de propiedad horizontal del edificio, como consecuencia de la operación de desafectación de la vivienda del portero (sin otra alteración de las superficies de los pisos y locales que componen el edificio) no estará sujeta a la cuota gradual de la modalidad de actos jurídicos documentados, documentos notariales, porque no tiene por objeto cantidad o cosa valuable, ya que lo valuable en la constitución de edificios en régimen de propiedad horizontal, de acuerdo con el artículo 70.2 del Reglamento del impuesto, es el valor real del coste de la obra nueva más el valor real del terreno, y éstos no son objeto de cambio o modificación alguna por el otorgamiento de la nueva escritura».

Consulta vinculante de la Dirección General de Tributos (V0539-09), de 20 de marzo de 2009

Asunto: en una comunidad de propietarios existe una vivienda de portería, que es un elemento común del edificio, pero sobre el que no se ha realizado la declaración de obra nueva. La comunidad de propietarios tiene la intención de desafectar dicha vivienda de los elementos comunes y proceder a su venta.

«Aplicando los preceptos transcritos a las operaciones que se pretenden realizar, no cabe duda de que existen varias convenciones que podrían tributar separadamente en el Impuesto sobre Transmisiones Patrimoniales y Actos Jurídicos Documentados. Por una parte, está la venta final de la vivienda del portero. Por otra parte, están las operaciones de declaración de obra nueva, desagregación de la vivienda del portero del conjunto de elementos comunes del edificio y la modificación de las cuotas de participación de los copropietarios en aquéllos. En efecto, con carácter previo a la venta de la vivienda, la comunidad de propietarios debe efectuar una operación de declaración de obra nueva, de desafectación de dicha vivienda de los elementos comunes del edificio, para convertirla en elemento privativo susceptible de transmisión separada, ya que los elementos comunes no pueden ser objeto de enajenación, ni siquiera con el acuerdo unánime de los copropietarios, a tenor de lo dispuesto en el párrafo segundo del artículo 396 del Código Civil, que determina que "Las partes en copropiedad no son en ningún caso susceptibles de división y sólo podrán ser enajenadas, gravadas o embargadas juntamente con la parte determinada privativa de la que son anejo inseparable".

La venta final de la vivienda del portero constituye una transmisión onerosa de un bien inmueble, por lo que estará sujeta a la modalidad de transmisiones patrimoniales onerosas del impuesto, en virtud de lo previsto en el artículo 7.1ª) del TRLITP, sin que resulte aplicable el supuesto de no sujeción al que se refiere el apartado 5 de dicho artículo, por tratarse de una entrega de bienes no sujeta al Impuesto sobre el Valor Añadido. La base imponible, como indica el artículo 10.1 del TRLITP, será el valor real de la vivienda del portero, sin perjuicio de la posibilidad de minorar tal valor en el importe de las cargas que sean deducibles.

Por lo que se refiere a la declaración de obra nueva, cumple todos los requisitos del artículo 31.2 del texto refundido del Impuesto para estar sujeto al mismo.

El artículo 70 del Real Decreto 828/1995, de 29 de mayo (BOE de 22 de junio), por el que se aprueba el reglamento del Impuesto sobre Transmisiones Patrimoniales y Actos Jurídicos Documentados, establece reglas especiales de fijación de la base imponible en el gravamen de Actos Jurídicos Documentados que afectan a la declaración de obra nueva y de división horizontal:

"1. La base imponible en las escrituras de declaración de obra nueva estará constituida por el valor real de coste de la obra nueva que se declare".

(...) debe afirmarse que el objeto de la escritura pública a la vivienda del portero desafectada de los elementos comunes para adquirir individualidad como bien privativo es valuable, ya que dicha vivienda tiene un valor como bien independiente (categoría que adquiere con la desafectación de los elementos comunes), valor que, además, no tiene porqué coincidir con el que tenía previamente como parte de los elementos comunes del edificio. Por último, en cuanto al tercero, cabe recordar que, según el artículo 8.5º del texto refundido de la Ley Hipotecaria de 8 de febrero de 1946 (BOE de 29 de mayo de 1946), son inscribibles "los pisos o locales de un edificio en régimen de propiedad horizontal, siempre que conste previamente en la inscripción del inmueble la constitución de dicho régimen".

Consecuencia de lo expuesto es que la escritura pública en la que se formalice la operación de desafectación de la vivienda en cuestión de los elementos comunes del edificio, para convertirla en elemento privativo, estará sujeta a la cuota gradual de actos jurídicos documentados, documentos notariales, por cumplir los cuatro requisitos exi-

gidos por el artículo 31.2 del TRLITP. En cuanto a la base imponible, de acuerdo con lo previsto en el artículo 30 de la misma norma, estará constituida por "el valor declarado, sin perjuicio de la comprobación administrativa".

(...)

Primera: la declaración de obra nueva es una operación sujeta al ITP y AJD en la modalidad de actos jurídicos documentados y la base imponible será el valor real de la obra declarada.

Segunda: La operación de desafectación de la vivienda del portero como elemento común de un edificio en régimen de propiedad horizontal, para convertirla en bien individual, con la consiguiente modificación de las cuotas de participación de los pisos y locales, y la posterior venta de dicha vivienda constituyen diferentes convenciones que están sujetas separadamente al Impuesto sobre Transmisiones Patrimoniales y Actos Jurídicos Documentados en los términos que se exponen a continuación.

Tercera: La escritura pública en la que se formalice la operación de desafectación de la vivienda en cuestión de los elementos comunes del edificio, para convertirla en elemento privativo, estará sujeta a la cuota gradual de actos jurídicos documentados, documentos notariales, por cumplir los cuatro requisitos exigidos por el artículo 31.2 del TRLITP, siendo la base imponible, de acuerdo con lo previsto en el artículo 30 de la misma norma, "el valor declarado, sin perjuicio de la comprobación administrativa".

Cuarta: Sin embargo, la formalización en escritura pública de la modificación de los coeficientes de propiedad horizontal del edificio, como consecuencia de la operación de desafectación de la vivienda del portero (sin otra alteración de las superficies de los pisos y locales que componen el edificio) no estará sujeta a la cuota gradual de la modalidad de actos jurídicos documentados, documentos notariales, porque no tiene por objeto cantidad o cosa valuable, ya que lo valuable en la constitución de edificios en régimen de propiedad horizontal, de acuerdo con el artículo 70.2 del Reglamento del impuesto, es el valor real del coste de la obra nueva más el valor real del terreno, y éstos no son objeto de cambio o modificación alguna por el otorgamiento de la nueva escritura.

Quinta: La venta final de la vivienda del portero constituye una transmisión onerosa de un bien inmueble, por lo que estará sujeta a la modalidad de transmisiones patrimoniales onerosas del impuesto, en virtud de lo previsto en el artículo 7.1ª) del TRLITP, siendo la base imponible, como indica el artículo 10.1 del TRLITP, el valor real de la vivienda del portero, sin perjuicio de la posibilidad de minorar tal valor en el importe de las cargas que sean deducibles».

CUESTIÓN

La desafectación de un trastero comunitario ¿tributará por el IPTyAJD?

Sí, tributará como acto jurídico documentado, documento notarial, por la escritura de desafectación. Y tributará tanto por la cuota fija del impuesto, que se genera por la propia escritura, como por la cuota gradual del impuesto, dado que la desafectación tiene un contenido valuable, que es el valor del trastero.

Tributación en el ITPAJD de la modificación de la división horizontal del edificio consistente en otorgar carácter de elementos comunes a determinadas fincas 1220

Este supuesto ocurre con relativa frecuencia, en los casos en los que la obra y la división horizontal se ha realizado a través de una cooperativa de viviendas y, al disolverse esta, quedan bienes sin repartir. Disuelta la cooperativa, la comunidad de propietarios, al carecer de personalidad jurídica, no puede ostentar la titularidad registral de un bien. Por tanto, una de las soluciones pasa por incluir esos bienes como elementos comunes. También puede haber bienes que eran de otro tipo de promotor, que, por la causa que sea, cede o enajena a favor de la comunidad, como pueden ser plazas de garaje que se convierten en elemento común para facilitar la maniobrabilidad del resto de plazas.

Nuevamente se producen dos convenciones: por un lado, la modificación de la naturaleza de unas fincas que, teniendo hasta ahora la consideración de elementos privativos, van a convertirse en elementos comunes del edificio y, por otro lado, la consecuente modificación de la división horizontal del edificio al variar los coeficientes de participación del resto de las fincas.

La cooperativa es una entidad con personalidad jurídica independiente de los socios que la constituyen y que, por tanto, **el hecho de que determinadas fincas antes privativas pasen a ser consideradas elementos comunes del edificio constituye una transmisión de la propiedad de los referidos inmuebles**. Lo mismo ocurre cuando quien trasmite es un tercero o el promotor distinto de una cooperativa de viviendas. La tributación de dicha transmisión dependerá del medio jurídico empleado para llevar a cabo el traspaso de la titularidad de los inmuebles, ya sea mediante **disolución de la cooperativa, en cuyo caso procedería aplicar la modalidad de operaciones societarias del ITPyAJD**, o **mediante la transmisión onerosa o gratuita de los bienes, en cuyo caso procedería tributar por la modalidad transmisiones onerosas del ITPyAJD o por el Impuesto sobre Sucesiones y Donaciones.**

Respecto de **la redistribución de los coeficientes de participación**, dado que estos no tienen contenido valuable, tal y como ya hemos analizado, **no tributarán en la cuota gradual del ITPyAJD** de la modalidad de actos jurídicos documentados, documentos notariales.

RESOLUCIONES ADMINISTRATIVAS

Consulta vinculante de la Dirección General de Tributos (V0478-12), de 5 de marzo de 2012

Asunto: acordada la disolución de la cooperativa, se procedió a la liquidación de la misma, adjudicando los locales antes referidos a la comunidad de propietarios en concepto de elementos privativos, mediante escritura de fecha 27 de junio de 2007. Sin embargo, el registrador de la propiedad rechazó su inscripción alegando que, al carecer de personalidad jurídica, la comunidad de propietarios no puede tener inscritos bienes a su nombre, por lo que, los referidos locales se deben incorporar a la comunidad como elementos comunes, siendo necesario otorgar una nueva escritura en la que se subsane la nulidad de la anterior en el extremo reseñado y se reajusten los coeficientes de la comunidad.

«En cuanto a la primera de las convenciones señaladas, debe tenerse en cuenta que la cooperativa, a cuyo nombre figuran registradas las fincas sin adjudicar, es una entidad con personalidad jurídica independiente de los socios que la constituyen y que, por tanto, el hecho de que determinadas fincas, cuya titularidad le pertenecía hasta ahora, pasen a ser consideradas elementos comunes del edificio, convirtiéndose en propiedad de los titulares de las viviendas, constituye una transmisión de la propiedad de los referidos inmuebles.

La tributación de dicha transmisión dependerá del medio jurídico empleado para llevar a cabo el traspaso de la titularidad de los inmuebles, ya sea mediante la transmi-

sión onerosa o gratuita de los bienes, en cuyo caso procedería tributar por la modalidad Transmisiones Onerosas del ITP y AJD o por el Impuesto sobre Sucesiones y Donaciones o, mediante la disolución de la cooperativa, en cuyo caso debe tributarse por la modalidad de Operaciones Societarias del ITP y AJD.

En el supuesto planteado el medio utilizado ha sido la disolución de la cooperativa que, según se declara en el escrito de consulta, se sujetó por el órgano liquidador (la Comunidad de Madrid) al Impuesto de Transmisiones Patrimoniales y Actos Jurídicos Documentados, por el concepto de Operaciones Societarias-Disolución de sociedades no anónimas, habiendo sido pagado, por lo que resulta de aplicación lo dispuesto en el artículo 45.I.B.13 del Texto Refundido:

"Están exentas: (...) 13. Las transmisiones y demás actos y contratos cuando tengan por exclusivo objeto salvar la ineficacia de otros actos anteriores por los que se hubiera satisfecho el impuesto y estuvieran afectados de vicio que implique inexistencia o nulidad".

En suma, la nueva escritura que se otorgue, en la que se proceda a adjudicar a la comunidad de propietarios los referidos locales en concepto de elementos comunes estará sujeta al ITP y AJD, por el concepto de operaciones societarias-disolución de sociedades, pero exenta del mismo en cuanto a este punto, en virtud del citado artículo 45.I.B.13 del Texto Refundido.

Por otro lado, conforme al artículo 7.2 del Texto Refundido "En ningún caso, un mismo acto podrá ser liquidado por el concepto de transmisiones patrimoniales onerosas y por el de operaciones societarias", disponiendo el artículo 31, en cuanto a la modalidad de actos jurídicos documentados, documentos notariales, que:

"1. Las matrices y las copias de las escrituras y actas notariales, así como los testimonios, se extenderán, en todo caso, en papel timbrado de 0,30 euros por pliego o 0,15 euros por folio, a elección del fedatario. Las copias simples no estarán sujetas al impuesto.

2. Las primeras copias de escrituras y actas notariales, cuando tengan por objeto cantidad o cosa valuable, contengan actos o contratos inscribibles en los Registros de la Propiedad, Mercantil y de la Propiedad Industrial y no sujetos al Impuesto sobre Sucesiones y Donaciones o a los conceptos comprendidos en los números 1 y 2 del artículo 1.º de esta Ley, tributarán, además, al tipo de gravamen que, conforme a lo previsto en la Ley 21/2001, de 27 de diciembre, por la que se regulan las medidas fiscales y administrativas del nuevo sistema de financiación de las Comunidades Autónomas de régimen común y Ciudades con Estatuto de Autonomía, haya sido aprobado por la Comunidad Autónoma.

Si la Comunidad Autónoma no hubiese aprobado el tipo a que se refiere el párrafo anterior, se aplicará el 0,50 por 100, en cuanto a tales actos o contratos".

Por tanto, la sujeción de la primera de las convenciones examinadas a la modalidad de operaciones societarias, aunque exenta, excluye la sujeción de la misma por las modalidades de transmisiones patrimoniales onerosas y por la cuota variable del documento notarial, no quedando sujeta más que a la cuota fija del apartado 1 del artículo 31, por lo que la primera copia de la escritura deberá extenderse en todo caso en papel timbrado de 0,30 euros por pliego o 0,15 euros por folio, a elección del fedatario.

En cuanto a la segunda de las convenciones, la modificación de la división horizontal del edificio al variar los coeficientes de participación del resto de las fincas, debemos examinar su posible sujeción por las modalidades de Transmisiones Patrimoniales Onerosas y de Actos Jurídicos Documentados.

En cuanto a transmisiones patrimoniales onerosas, la mera modificación de los coeficientes de participación en la comunidad de propietarios y su formalización en escritura pública, sin alteración de las superficies de las viviendas o locales que componen el edifi-

cio en dicho régimen, no supone un acto liquidable por dicha modalidad ya que no se ha producido el hecho imponible configurado en la letra A) del apartado 1 del artículo 7 del Texto Refundido, consistente en la transmisión onerosa de un bien o derecho, ni ninguna de las otras figuras recogidas en la letra B) de dicho apartado (ni en los apartados 2, 3 y 4 siguientes, que recogen otros supuestos que se consideran transmisiones patrimoniales).

Respecto a la sujeción por la modalidad de Documentos Notariales hay que distinguir:

- La sujeción a la cuota variable. (...)

De los requisitos anteriores parece necesario analizar si se cumple que la escritura pública tenga por objeto cantidad o cosa valuable pues los otros tres sí se cumplen, y sobre dicha cuestión ya se ha pronunciado esta Dirección General en anteriores consultas, como las de 29 de noviembre de 2002 (1865-02), 13 de septiembre de 2006 (V1845-06) y de 4 de octubre de 2011 (V2340-11), en los siguientes términos: "cabe señalar que la escritura pública de modificación de los coeficientes de propiedad horizontal de un edificio, siempre que no se alteren las superficies de los pisos y locales que lo componen, no tiene por objeto cantidad o cosa valuable, ya que lo valuable en la constitución de edificios en régimen de propiedad horizontal, de acuerdo con el artículo 70.2 del Reglamento del impuesto, es el valor real de coste de la obra nueva más el valor real del terreno, y éstos no son objeto de cambio o modificación alguna por el otorgamiento de la nueva escritura. Esta escritura se limita a recoger el acuerdo de subsanación o rectificación de los coeficientes de participación en la propiedad resultantes de la constitución original del edificio en régimen de propiedad horizontal, sin alteración de la superficie de los distintos elementos componentes de aquél".

- La sujeción a la cuota fija del apartado 1 del artículo 3, pero, a diferencia de la cuota variable, la cuota fija es un gravamen documental, por lo que su tributación se produce de forma única, abarcando las distintas convenciones contenidas en la escritura, de tal forma que la sujeción a la cuota fija por la primera de las convenciones ya determina la sujeción de la escritura a este concepto con carácter general, no teniendo la segunda de las convenciones que ahora se examina más repercusión que el mayor número de folios o pliegos que pueda suponer en la extensión de la matriz y consiguiente primera copia de la escritura que se otorgue.

CONCLUSIÓN:

El otorgamiento de la escritura de subsanación, sujeta y exenta de operaciones societarias por la primera de las convenciones y no sujeta a transmisiones patrimoniales onerosas ni a la cuota variable del documento notarial por la segunda, deberá tributar por la cuota fija del documento notarial, por lo que la matriz y las copias de la escritura deberán extenderse, en todo caso, en papel timbrado de 0,30 euros por pliego o 0,15 euros por folio, a elección del fedatario. Las copias simples no estarán sujetas al impuesto».

Consulta vinculante de la Dirección General de Tributos (V1845-06), de 13 de septiembre de 2006

Asunto: repercusiones tributarias que se derivarían de la modificación de la división horizontal del edificio consistente en otorgar carácter de elementos comunes a determinadas fincas que hasta el momento estaban sin adjudicar, modificando, en consecuencia, los coeficientes de participación del resto de las fincas.

«(...) en el supuesto que se examina son dos las convenciones que se plantean:

La modificación de la naturaleza de unas fincas que, teniendo hasta ahora la consideración de elementos privativos registrados a nombre de la cooperativa, van a convertirse en elementos comunes del edificio.

La consecuente modificación de la división horizontal del edificio al variar los coeficientes de participación del resto de las fincas.

En cuanto a la primera de las convenciones señaladas, debe tenerse en cuenta que la cooperativa, a cuyo nombre figuran registradas las fincas sin adjudicar, es una entidad con personalidad jurídica independiente de los socios que la constituyen, y que, por tanto, el hecho de que determinadas fincas, cuya titularidad le pertenecía hasta ahora, pasen a ser consideradas elementos comunes del edificio, convirtiéndose en propiedad de los titulares de las viviendas, constituye una transmisión de la propiedad de los referidos inmuebles.

La tributación de dicha transmisión dependerá del medio jurídico empleado para llevar a cabo el traspaso de la titularidad de los inmuebles, ya sea mediante disolución de la cooperativa, en cuyo caso procedería aplicar la modalidad de Operaciones Societarias del ITP y AJD, o mediante la transmisión onerosa o gratuita de los bienes, en cuyo caso procedería tributar por la modalidad Transmisiones Onerosas del ITP y AJD o por el Impuesto sobre Sucesiones y Donaciones.

Respecto de la segunda de las convenciones, la modificación de la división horizontal del edificio al variar los coeficientes de participación del resto de las fincas, no supone el devengo de la cuota gradual de la modalidad de Actos Jurídicos Documentados, Documentos Notariales, siendo este el criterio mantenido por este Centro Directivo en contestación a anteriores consultas como la de fecha 29 de noviembre de 2002 (nº 1865-02), en la que se preguntaba si la mera modificación de coeficientes de propiedad horizontal y su formalización en escritura pública, sin alteración de las superficies de los pisos y locales que componen el edificio en dicho régimen, supone un acto liquidable del Impuesto sobre Transmisiones Patrimoniales y Actos Jurídicos Documentados, en sus modalidades de Transmisiones Patrimoniales Onerosas o de Actos Jurídicos Documentados.

En ella se decía que de los distintos requisitos exigidos en el artículo 31.2 del Texto Refundido del Impuesto para la aplicación de la cuota gradual del Documento Notarial era necesario analizar si se cumplía el requisito de que la escritura pública tuviera por objeto cantidad o cosa valuable, señalando a este respecto que "la escritura pública de modificación de los coeficientes de propiedad horizontal de un edificio, siempre que no se alteren las superficies de los pisos y locales que lo componen, no tiene por objeto cantidad o cosa valuable, ya que lo valuable en la constitución de edificios en régimen de propiedad horizontal, de acuerdo con el artículo 70.2 del Reglamento del impuesto, es el valor real del coste de la obra nueva más el valor real del terreno, y éstos no son objeto de cambio o modificación alguna por el otorgamiento de la nueva escritura. Esta escritura se limita a recoger el acuerdo de subsanación o rectificación de los coeficientes de participación en la propiedad resultantes de la constitución original del edificio en régimen de propiedad horizontal, sin alteración de la superficie de los distintos elementos componentes de aquél".

CONCLUSIONES:

Primera: La conversión de determinadas fincas, elementos privativos propiedad de la cooperativa, en elementos comunes propiedad de los titulares de las viviendas constituye una transmisión de bienes inmuebles que deberá tributar por el Impuesto sobre Sucesiones y Donaciones o por el ITP y AJD, en su modalidad de Transmisiones Patrimoniales Onerosas o de Operaciones Societarias en función del medio jurídico que se utilice para llevar a cabo el traspaso de la titularidad de los bienes.

Segunda: La consecuente variación de las cuotas de participación de los elementos privativos del edificio no supone el devengo de la cuota gradual de la modalidad de actos jurídicos documentados, siempre que no se alteren las superficies de los pisos y locales que lo componen, al faltar el requisito de que la escritura pública tenga por objeto cantidad o cosa valuable, ya que lo valuable en la constitución de edificios en régimen de propiedad horizontal es el valor real de coste de la obra nueva más el valor real del terreno, los cuales no son objeto de cambio o modificación alguna».

CUESTIÓN

Si la comunidad de propietarios adquiere del promotor un trastero de su edificio para convertirlo en elemento común y dedicarlo a realizar las juntas de propietarios en él, ¿cómo tributará en el ITPyAJD dicha operación?

La adquisición tributará por la modalidad de transmisión patrimonial en el ITPyAJD y por la cuota fija de la modalidad de actos jurídicos documentados, documentos notariales.

La modificación de los coeficientes de participación no tributará por la cuota gradual, ya que no se modifica la superficie de los pisos y locales que componen el edificio y, por tanto, no hay contenido valuable en la modificación. Respecto de la cuota fija de la modalidad de actos jurídicos documentados, es un gravamen documental, por lo que al estar ya sujeta la escritura por la transmisión, la única repercusión de la modificación de los coeficientes de participación será el mayor número de folios o pliegos que pueda suponer.

1230 **Tributación en el ITPAJD de la corrección de la declaración de obra nueva o de la división horizontal, cuando no se ha llegado a construir parte de la comunidad**

Como ya expusimos, se pueden crear divisiones horizontales sobre fincas en proyecto o en construcción. Esto, en la práctica, supone que en determinadas ocasiones la realidad no se corresponda con la división horizontal realizada. A veces ocurre que la promotora quiebra, algo habitual en la época de la denominada «crisis del ladrillo», y queda una parte de un bloque de viviendas sin construir o viviendas de una urbanización sin edificar, etc. En estos supuestos, además de rectificar las cuotas de participación, puede ocurrir que haya que realizar una cancelación parcial de la declaración de obra nueva o una modificación de la división horizontal.

Ninguna de las operaciones planteadas (declaración de obra nueva o división horizontal) se pueden configurar como hecho imponible de la modalidad de transmisiones patrimoniales onerosas del ITPyAJD, en cuanto que ninguna supone más que modificaciones registrales de las fincas a las que se refieren, ya sea en relación con su configuración física, declaración de obra nueva, o jurídica, constitución o modificación del régimen de propiedad horizontal, pero sin que en ningún momento suponga una transmisión onerosa e *inter vivos* de bienes que siguen integrando el patrimonio de su titular.

Excluida la tributación por la modalidad de transmisiones patrimoniales onerosas, debemos examinar la posible incidencia de las referidas operaciones en la cuota variable de los documentos notariales, de la modalidad de actos jurídicos documentados. Como ya analizamos, tributarán por esta modalidad cuando se cumplan los requisitos del artículo 31.2 de la LITPyAJD, es decir, tratarse de una primera copia de una escritura o un acta notarial, tener por objeto cantidad o cosa valuable, contener actos o contratos inscribibles en los registros de la propiedad, mercantil, de la propiedad industrial o registro de bienes muebles, contener actos o contratos no sujetos al Impuesto sobre Sucesiones y Donaciones o a los conceptos comprendidos en las modalidades de transmisiones patrimoniales onerosas y operaciones societarias.

El único requisito que podría generar dudas es el del contenido económico. Para comprobar si se produce o no, debemos analizar, por un lado, la declaración de obra nueva y, por otro, la de división horizontal.

En cuanto a la **declaración de obra nueva, queda excluida la aplicación de la cuota variable** en base a lo dispuesto en el artículo 70.2 del RITPyAJD, ya que **en la escritura de rectificación que se pretende otorgar no hay obra nueva cuyo valor real pueda ser tenido en cuenta.**

Por el contrario, **en cuanto a la división horizontal**, sí procede la tributación por dicho concepto. Si bien, como ya vimos, la variación de las cuotas de participación de los elementos privativos del edificio no supone el devengo de la cuota gradual de la modalidad de actos jurídicos documentados, siempre que no se alteren las superficies de los pisos y locales que lo componen, al faltar el requisito de que la escritura pública tenga por objeto cantidad o cosa valuable, ya que lo valuable en la constitución de edificios en régimen de propiedad horizontal es el valor real de coste de la obra nueva más el valor real del terreno, los cuales no son objeto de cambio o modificación alguna. Sin embargo, **en este supuesto existe una alteración de la superficie del inmueble**. Por ello, debe entenderse que reúne todos los requisitos del artículo 31.2 de la LITPyAJD, y por tanto **tributará por la cuota gradual del impuesto**. En cuanto a la base imponible, le resulta aplicable lo dispuesto en el artículo 70.2 del RITPyAJD, entendiendo que el valor real de coste de la obra nueva y el valor real del terreno deberá estar referido exclusivamente a la parte que ha quedado sin edificar, al que se refiere la modificación de la división horizontal.

RESOLUCIÓN ADMINISTRATIVA

Consulta vinculante de la Dirección General de Tributos (V0732-18), de 19 de marzo de 2018

Asunto: implicaciones fiscales a efectos del ITPyAJD del otorgamiento de escritura de cancelación parcial de obra nueva, respecto de tres fincas que figuran erróneamente en construcción, y de modificación de la división horizontal respecto exclusivamente de esas tres viviendas, de tal forma que resulte una única finca.

«De acuerdo con los preceptos transcritos y en relación con la cuestión planteada en el escrito de consulta, este Centro Directivo realiza las siguientes consideraciones:

- Ninguna de las operaciones planteadas, declaración de obra nueva o división horizontal, se pueden configurar como hecho imponible de la modalidad de transmisiones patrimoniales onerosas del ITP y AJD, en cuanto que todas ellas no suponen más que modificaciones registrales de las fincas a las que se refieren, ya sea en relación a su configuración física, declaración de obra nueva, o jurídica, constitución o modificación del régimen de propiedad horizontal, pero sin que en ningún momento suponga una transmisión onerosa e inter vivos de bienes que siguen integrando el patrimonio de su titular.

- Excluida la tributación por la modalidad de transmisiones patrimoniales onerosas, resta que examinar la posible incidencia de las referidas operaciones en la cuota variable del Documento Notarial, de la modalidad de Actos Jurídicos Documentados, en tanto concurran los requisitos exigidos en el artículo 31.2 del Texto Refundido (...).

El único aspecto que puede originar alguna duda es el relativo al contenido económico del documento, debiendo examinarse por separado su concurrencia en la declaración de la obra nueva o en la división horizontal.

En cuanto a la declaración de obra nueva, queda excluida la aplicación de la cuota variable en base a lo dispuesto en el artículo 70.2 del Reglamento ya que en la escritura de rectificación que se pretende otorgar no hay obra nueva cuyo valor real pueda ser tenido en cuenta.

Por el contrario, en cuanto a la división horizontal, si procede la tributación por dicho concepto, sin que ello suponga apartarse de la doctrina establecida en la consulta V2340-11. En dicha consulta se mantenía que "la variación de las cuotas de participación de los elementos privativos del edificio no supone el devengo de la cuota gradual de la modalidad de actos jurídicos documentados, siempre que no se alteren las superficies de los pisos y locales que lo componen, al faltar el requisito de que la escritura pública tenga por objeto cantidad o cosa valuable, ya que lo valuable en la constitución de edificios en régimen de propiedad horizontal es el valor real de coste de la obra nueva más el valor real del terreno, los cuales no son objeto de cambio o modificación alguna". Sin embargo, en el supuesto planteado no se trata de una modificación de la naturaleza, el uso, o el coeficiente de participación de un inmueble, sino de la alteración de la superficie del mismo. Por ello debe entenderse que reúne todos los requisitos del artículo 31.2 del Texto Refundido, al que resulta de aplicación, en cuanto a la base imponible, lo dispuesto en el artículo 70.2 anteriormente transcrito, bien entendido que el valor real de coste de la obra nueva y el valor real del terreno deberá estar referido exclusivamente al chalet nº 10, al que se contrae la modificación de la división horizontal, sin incluir en ningún caso a los portales 1 a 9, que en nada se ven afectados por dicha modificación.

CONCLUSIÓN

1. La declaración de obra nueva no queda sujeta a la cuota variable del documento notarial de la modalidad de Actos Jurídicos Documentados, en base a lo dispuesto en el artículo 70.2 del Reglamento ya que en la escritura de rectificación que se pretende otorgar no hay obra nueva cuyo valor real pueda ser tenido en cuenta.

2. En cuanto a la división horizontal, si procede la tributación por dicho concepto en cuanto se produce la alteración de la superficie del inmueble. La base imponible estará constituida por el valor real de coste de la obra nueva y el valor real del terreno referido exclusivamente al chalet nº 10, al que se contrae la modificación de la división horizontal, sin incluir en ningún caso a los portales 1 a 9, que en nada se ven afectados por la misma».

1240 Tributación en el ITPAJD de la creación de una mancomunidad o de subcomunidades por la comunidad de propietarios

En ocasiones, las comunidades de propietarios, con la finalidad de organizar y administrar mejor los elementos y las zonas comunes, crean una agrupación de comunidades que tienen elementos comunes entre ellas, denominadas mancomunidades, o bien, dentro de una comunidad crean diferentes subcomunidades en la comunidad de propietarios existente, sin que la creación de estas subcomunidades suponga ninguna alteración ni física ni de coeficientes de participación en la comunidad general existente, como por ejemplo, una subcomunidad para cada portal de un edificio, o por cada edifico en un bloque de ellos.

La constitución de una entidad que agrupe varias comunidades de propietarios (mancomunidad), con la finalidad de organizar y administrar los elementos y las zonas comunes de las distintas comunidades de propietarios existentes y sin ejercicio de ninguna actividad económica, así como la creación de subcomunidades en la comunidad de propietarios existente, sin que la creación de estas subcomunidades suponga ninguna alteración ni física ni de coeficientes de participación en la comunidad general existente, no está sujeta a la modalidad de transmisiones patrimoniales onerosas del ITPyAJD, porque, en tanto la constitución de la mancomunidad se limite al establecimiento de normas de gestión y administración de elementos comunes, no supone transmisión patrimonial alguna.

La constitución de la mancomunidad o subcomunidad **tampoco constituye hecho imponible de la modalidad operaciones societarias del ITPyAJD**, en virtud de lo dispuesto en el apartado cuarto del artículo 22 de la LITPyAJD, por tratarse de una comunidad de bienes que no realizará actividad empresarial.

En cuanto a la **tributación de la escritura pública en que se formalice dicha constitución** por la cuota variable de actos jurídicos documentados, documentos notariales, sí concurre el requisito de ser una primera copia de escritura notarial, también cumple el requisito de ser inscribible y el requisito de no sujeción del contenido de la escritura por alguno de los otros conceptos de transmisiones patrimoniales onerosas y operaciones societarias. Sin embargo, no concurre el requisito de que la escritura deba tener por objeto cantidad o cosa valuable, pues al limitarse a meras normas o reglas de administración en nada se modifica el contenido o el ámbito de la propiedad de los titulares de los pisos individuales en relación con la situación anterior a la existencia de la mancomunidad. En consecuencia, **no se origina tributación alguna por la cuota variable del documento notarial de Actos Jurídicos Documentados**.

RESOLUCIONES ADMINISTRATIVAS

Consulta vinculante de la Dirección General de Tributos (V0776-21), de 31 de marzo de 2021

Asunto: tributación en el ITPyAJD de la constitución de una agrupación de comunidades.

«Primera: La constitución de una entidad que agrupe varias comunidades de propietarios (mancomunidad), con la finalidad de organizar y administrar los elementos y las zonas comunes de las distintas comunidades de propietarios existentes y sin ejercicio de ninguna actividad económica, no está sujeta a la modalidad de transmisiones patrimoniales onerosas del ITP, porque, en tanto la constitución de la mancomunidad se limite al establecimiento de normas de gestión y administración de elementos comunes, no supone transmisión patrimonial alguna.

Segunda: La constitución de la entidad en cuestión tampoco constituye hecho imponible de la modalidad operaciones societarias del ITP, en virtud de lo dispuesto en el artículo 22.4º del texto refundido de la Ley del impuesto, por tratarse de una comunidad de bienes que no realizará actividad empresarial.

Tercera: En cuanto a la posible tributación de la escritura pública en que se formalice dicha constitución por la cuota variable de actos jurídicos documentados, documentos notariales, dependerá de la concurrencia de los requisitos exigidos en el artículo 31.2 del texto refundido de la Ley del impuesto para determinar la sujeción por dicho concepto.

Sí concurre el requisito de inscribibilidad, conforme al artículo 8.4º de la Ley Hipotecaria y 24.2.b de la Ley 8/1999, de 6 de abril, de Reforma de la Ley 49/1969, sobre Propiedad Horizontal.

Asimismo, concurre el requisito de no sujeción del contenido de la escritura por alguno de los otros conceptos del impuesto transmisiones patrimoniales onerosas y operaciones societarias, en los términos antes vistos.

Sin embargo, no concurre el requisito de que la escritura deba tener por objeto cantidad o cosa valuable, pues al limitarse a meras normas o reglas de administración en nada se modifica el contenido o el ámbito de la propiedad de los titulares de los pisos individuales con relación a la situación anterior a la existencia de la mancomunidad. En consecuencia, no se origina tributación alguna por la cuota variable del documento notarial de Actos Jurídicos Documentados.

CONCLUSIÓN

La escritura de constitución de una agrupación de comunidades planteada por los consultantes y otorgada al amparo del artículo 24.2.b) de la Ley de Propiedad Horizontal no origina tributación alguna por la cuota variable del documento notarial de Actos Jurídicos Documentados».

Consulta vinculante de la Dirección General de Tributos (V0488-13), de 19 de febrero de 2013

Asunto: tributación en el ITPyAJD de la constitución de una agrupación de comunidades conforme al artículo 24.2.b) de la Ley de Propiedad Horizontal.

«(...) La aplicación de los anteriores preceptos a la cuestión planteada ya ha sido objeto de examen por este Centro Directivo en diversas resoluciones, como las señaladas por los consultantes, 1379-02 de 24 de septiembre de 2002 y V1511-07, de 5 de julio de 2007, cuyos postulados permanecen plenamente vigentes por no haber sido modificados desde entonces los preceptos referidos en ellas.

A continuación se expone un resumen de las principales conclusiones de dicha consulta:

Primera: La constitución de una entidad que agrupe varias comunidades de propietarios (mancomunidad), con la finalidad de organizar y administrar los elementos y las zonas comunes de las distintas comunidades de propietarios existentes y sin ejercicio de ninguna actividad económica, no está sujeta a la modalidad de transmisiones patrimoniales onerosas del ITP, porque, en tanto la constitución de la mancomunidad se limite al establecimiento de normas de gestión y administración de elementos comunes, no supone transmisión patrimonial alguna.

Segunda: La constitución de la entidad en cuestión tampoco constituye hecho imponible de la modalidad operaciones societarias del ITP, en virtud de lo dispuesto en el artículo 22.4° del texto refundido de la Ley del impuesto, por tratarse de una comunidad de bienes que no realizará actividad empresarial.

Tercera: En cuanto a la posible tributación de la escritura pública en que se formalice dicha constitución por la cuota variable de actos jurídicos documentados, documentos notariales, dependerá de la concurrencia de los requisitos exigidos en el artículo 31.2 del texto refundido de la Ley del impuesto para determinar la sujeción por dicho concepto.

Sí concurre el requisito de inscribibilidad, conforme al artículo 8.4° de la Ley Hipotecaria y 24.2.b de la Ley 8/1999, de 6 de abril, de Reforma de la Ley 49/1969, sobre Propiedad Horizontal.

Asimismo, concurre el requisito de no sujeción del contenido de la escritura por alguno de los otros conceptos del impuesto transmisiones patrimoniales onerosas y operaciones societarias, en los términos antes vistos.

Sin embargo, no concurre el requisito de que la escritura deba tener por objeto cantidad o cosa valuable, pues al limitarse a meras normas o reglas de administración en nada se modifica el contenido o el ámbito de la propiedad de los titulares de los pisos individuales con relación a la situación anterior a la existencia de la mancomunidad. En consecuencia, no se origina tributación alguna por la cuota variable del documento notarial de Actos Jurídicos Documentados.

CONCLUSIÓN

La escritura de constitución de una agrupación de comunidades planteada por los consultantes y otorgada al amparo del artículo 24.2.b) de la Ley de Propiedad Horizontal no origina tributación alguna por la cuota variable del documento notarial de Actos Jurídicos Documentados».

Consulta vinculante de la Dirección General de Tributos (V2558-11), de 25 de octubre de 2011

Asunto: tributación en el Impuesto sobre Transmisiones Patrimoniales y Actos Jurídicos Documentados de la escritura de constitución de las subcomunidades.

«Si las subcomunidades que se pretenden constituir no tienen más finalidad que la administración de los elementos y zonas comunes de la comunidad de propietarios ya existente, queda excluida la actividad empresarial y, en consecuencia, la posible tributación por la modalidad Operaciones Societarias del ITPAJD.

En cuanto a la sujeción a la cuota variable del documento notarial de Actos Jurídicos Documentados, dependerá de la concurrencia de los requisitos exigidos en el artículo 31.2 del texto refundido del ITPAJD. Conforme al citado precepto:

"2. Las primeras copias de escrituras y actas notariales, cuando tengan por objeto cantidad o cosa valuable, contengan actos o contratos inscribibles en los Registros de la Propiedad, Mercantil y de la Propiedad Industrial y no sujetos al Impuesto sobre Sucesiones y Donaciones o a los conceptos comprendidos en los números 1 y 2 del artículo 1º de esta Ley, tributarán, además, al tipo de gravamen que, conforme a lo previsto en el artículo 13.cinco de la Ley de Cesión de Tributos del Estado a las Comunidades Autónomas y de Medidas Fiscales Complementarias, haya sido aprobado por la Comunidad Autónoma.

Si la Comunidad Autónoma no hubiese aprobado el tipo a que se refiere el párrafo anterior o si aquélla no hubiese asumido competencias normativas en materia del Impuesto sobre Transmisiones Patrimoniales y Actos Jurídicos Documentados, se aplicará el 0,50 por 100, en cuanto a tales actos o contratos".

En la escritura de referencia concurre el requisito de inscribibilidad, pues, conforme al artículo 8.4º de la Ley Hipotecaria, cuando se inscribe un edificio en régimen de propiedad horizontal se describe tanto el inmueble en su conjunto como los distintos pisos o locales susceptibles de aprovechamiento independiente, la cuota de participación que a cada uno corresponde en relación con el inmueble y, además, las reglas contenidas en el título y en los Estatutos que configuren el contenido y ejercicio de dicha propiedad.

Asimismo, concurre el requisito de no sujeción del contenido de la escritura por alguno de los conceptos comprendidos en los números 1 y 2 del artículo 1 del texto refundido. Respecto de la modalidad operaciones societarias la no sujeción se deriva, como antes se ha dicho, de la ausencia de finalidad empresarial de las subcomunidades y respecto de la modalidad transmisiones patrimoniales onerosas, del hecho de que no se entiende producida transmisión patrimonial alguna en tanto la constitución de las subcomunidades se limite al establecimiento de las normas de gestión y administración de los elementos y zonas comunes a la comunidad, sin implicar alteración alguna de las titularidades existentes, ya sea de los elementos privativos o comunes de la comunidad.

Sin embargo, no concurre el requisito de que la escritura tenga por objeto cantidad o cosa valuable, pues al limitarse a meras normas o reglas de administración en nada se modifica el contenido o el ámbito de la propiedad de los titulares de los pisos individuales con relación a la situación anterior a la existencia de las subcomunidades.

En consecuencia, la escritura de constitución de las subcomunidades no origina tributación alguna por la cuota variable del documento notarial de Actos Jurídicos Documentados».

CUESTIÓN

Tres comunidades de propietarios quieren constituir una mancomunidad que las agrupe, a fin de acometer el mantenimiento de zonas comunes como serían el tejado y las fachadas de los bloques. ¿Cómo tributaría la escritura de constitución?

La mera agrupación de comunidades, para administrar y organizar los elementos y zonas comunes, no tributará en la modalidad de transmisión patrimonial, pues no se produce dicha transmisión. Tributará en la modalidad de actos jurídicos documentados, documentos notariales, por la cuota fija inherente a la escritura notarial. Pero no tributará por la cuota gradual de los actos notariales, ya que, a pesar de ser inscribible, no tiene un contenido valuable.

1250 Adaptación del edificio al régimen de propiedad horizontal

➤ Adaptación completando la descripción de cada uno de los pisos y locales

En la actualidad todavía existen edificios construidos con anterioridad al año 1960 que no se adaptaron a la Ley 49/1960, de 21 de julio, sobre propiedad horizontal (LPH). ¿Qué ocurre si deciden adaptar ahora la descripción del inmueble a la vigente normativa?

De igual forma que, en el supuesto de modificación de los coeficientes de propiedad horizontal de un edificio, de conformidad con la consulta vinculante de la Dirección General de Tributos (V0955-21), de 19 de abril de 2021, la escritura notarial que formaliza la modificación de la propiedad horizontal del edificio para adaptarla a las exigencias de la Ley 49/1960, 21 de julio, no estará sujeta a la cuota gradual de la modalidad de actos jurídicos documentados, documentos notariales, en tanto no se alteren las superficies de los pisos y locales que componen el edificio, al no tener por objeto cantidad o cosa valuable, pues lo valuable en la constitución de edificios en régimen de propiedad horizontal es el valor real de coste de la obra nueva más el valor real del terreno, los cuales no son objeto de cambio o modificación alguna.

RESOLUCIÓN ADMINISTRATIVA

Consulta vinculante de la Dirección General de Tributos (V0955-21), de 19 de abril de 2021

Asunto: si la adaptación del régimen de propiedad horizontal del edificio a la vigente Ley de 21 de julio de 1960, completando la descripción de cada uno de los pisos y locales con indicación de su respectiva extensión, linderos y cuota de participación, constituye o no hecho imponible de la modalidad Actos Jurídicos Documentados, documentos notariales, del ITPyAJD.

«De los requisitos citados parece necesario analizar si se cumple el requisito de que la escritura pública tenga por objeto cantidad o cosa valuable, pues los otros tres no ofrecen duda de que sí se cumplen.

Y, a este respecto, debe traerse a colación lo expuesto por este Centro Directivo en la contestación a consulta nº 1865-02 (de 29 de noviembre de 2002), por ser plenamente aplicable al supuesto que se analiza, criterio ratificado posteriormente en numerosas resoluciones (V2641-15 y V3844-15, de 10 de septiembre y 2 de diciembre de 2015 respectivamente y V3192-18, de 14 de diciembre de 2018). En dicha contestación, se decía, entre otras cosas, que "la escritura pública de modificación de los coeficientes de propiedad horizontal de un edificio, siempre que no se alteren las superficies de los pisos y locales que lo componen, no tiene por objeto cantidad o cosa valuable, ya que lo valuable en la constitución de edificios en régimen de propiedad horizontal, de acuerdo con el artículo 70.2 del Reglamento del impuesto, es el valor real del coste de la obra nueva más el valor real del terreno, y éstos no son objeto de cambio o modificación alguna por el otorgamiento de la nueva escritura ...".

De igual forma que en el supuesto de modificación de los coeficientes de propiedad horizontal de un edificio, el supuesto que se examina, en el que se formaliza en escritura pública la modificación de la propiedad horizontal del edificio para adaptarla a las exigencias de la Ley 21 de julio de 1960, dicha escritura no estará sujeta a la cuota gradual de la modalidad de actos jurídicos documentados, documentos notariales, en tanto no se alteren las superficies de los pisos y locales que componen el edificio, al no tener por objeto cantidad o cosa valuable, ya que lo valuable en la constitución o, en este caso, modificación del régimen de propiedad horizontal, de acuerdo con el artículo 70.2 del Reglamento del impuesto, es el valor real del coste de la obra nueva más el valor real del terreno, y estos no son objeto de cambio o modificación alguna por el otorgamiento de la nueva escritura.

CONCLUSIÓN

La inclusión en escritura pública de la extensión, linderos y cuotas de participación de los elementos privativos del edificio no supone el devengo de la cuota gradual de la modalidad de actos jurídicos documentados, siempre que no se alteren las superficies de los pisos y locales que lo componen, al faltar el requisito de que la escritura pública tenga por objeto cantidad o cosa valuable, pues lo valuable en la constitución de edificios en régimen de propiedad horizontal es el valor real de coste de la obra nueva más el valor real del terreno, los cuales no son objeto de cambio o modificación alguna».

➢ Supuesto en que con la división horizontal no se incluyan los estatutos de la comunidad y la comunidad de propietarios los apruebe con posterioridad

Como ya señalamos, lo habitual es que los estatutos de la comunidad de propietarios se incluyan en la división horizontal, pero en ocasiones no es así, rigiendo la LPH. Lo recomendable es tener unos estatutos adaptados a las necesidades de la comunidad de propietarios en concreto, por lo que es habitual que las comunidades que no tenían estatutos creen los mismos.

Los estatutos, recogidos en documento público, son inscribibles en el registro de la propiedad. De hecho, han de inscribirse para que tengan efectos para los futuros propietarios, en caso contrario solo regirían para los que eran propietarios en el momento de su aprobación.

La escritura que recoja la aprobación de los estatutos tributará por el ITPyAJD en la modalidad de actos jurídicos documentados, como documento notarial en cuanto a la cuota fija. Pero respecto a la cuota gradual del impuesto, siguiendo las resoluciones citadas anteriormente, no tributaría, al no tener los estatutos un contenido valuable.

6.2. OBLIGACIONES FISCALES DE LA COMUNIDAD DE PROPIETARIOS

6.2.1. Aspectos preliminares

1260 **Las comunidades de propietarios y sus relaciones con Hacienda**

Las comunidades de propietarios son comunidades de bienes, no tienen personalidad jurídica propia, pero sí son obligados tributarios. Como tales obligados, tienen diferentes obligaciones tanto con la AEAT, como con otros organismos tributarios.

Debemos recordar que, de conformidad con lo establecido en los artículos 19 a 29 de la Ley 58/2003, de 17 de diciembre, General Tributaria (LGT), las obligaciones tributarias pueden ser:

a) Obligación principal: el pago de tributos.

b) Obligación de realizar pagos a cuenta.

c) Obligación entre particulares resultantes del tributo.

d) Obligaciones accesorias.

e) Obligaciones tributarias formales.

f) Obligaciones tributarias en el marco de la asistencia mutua.

Y que, según el artículo 35.4 de la LGT, «tendrán la consideración de obligados tributarios, en las leyes en que así se establezca, las herencias yacentes, comunidades de bienes y demás entidades que, carentes de personalidad jurídica, constituyan una unidad económica o un patrimonio separado susceptibles de imposición».

Así, las comunidades de propietarios tendrán que cumplir con las diferentes obligaciones fiscales, tanto con las materiales como con las formales.

Debemos señalar que son **obligaciones tributarias materiales**:

- Aquellas de carácter principal, que no son otras que el pago de la cuota tributaria, esto es, la cantidad que debe ingresar el sujeto pasivo por la realización del hecho imponible de un tributo.
- La obligación tributaria de realizar pagos a cuenta.
- Las establecidas entre particulares resultantes del tributo.
- Las accesorias:
  - Obligaciones de satisfacer el interés de demora.
  - Los recargos por declaración extemporánea y los recargos del período ejecutivo.
  - Cualquier otra que imponga la ley.
- Las obligaciones tributarias en el marco de la asistencia mutua.

Son **obligaciones tributarias formales** los deberes jurídicos que, sin tener carácter pecuniario, se imponen por la ley al obligado tributario con relación a los procedimientos de aplicación de tributos (deberes de declaración, de contabilidad, de facturación, de utilización del número de identificación fiscal, de información, etc.). Estas obligaciones en ocasiones son accesorias de la obligación tributaria principal, mientras que en otras se imponen incluso a quien no tiene la condición de deudor tributario.

Las comunidades en ocasiones realizarán la obligación principal de pago de un tributo, pero en otras pueden ser obligadas a retener y a realizar ingresos a cuenta. También tendrán obligaciones de comunicación de datos o información. Dentro de estas obligaciones figurará la de facilitar información solicitada por la Administración tributaria.

CUESTIÓN

Una comunidad de propietarios recibe una notificación de embargo sobre cantidades a abonar al pintor que les pintó las zonas comunes de la comunidad de propietarios, pero la comunidad no tiene ninguna cuantía pendiente de abonarle. ¿Qué hace con ese requerimiento de Hacienda?

Aunque no se pueda practicar el embargo debe informarse a Hacienda que no es posible su práctica, dado que no hay cuantías pendientes de pago, y que si en algún momento las hubiese se procederá a ejecutar el embargo requerido e ingresar las cuantías en dicho organismo. Así, evitaremos la posibilidad de que le impongan a la comunidad una sanción por incumplimiento del deber de informar a Hacienda de tal extremo, al objeto de evitar sanciones por infracción tributaria por resistencia, obstrucción, excusa o negativa a las actuaciones de la Administración tributaria prevista en el 203.1.b) de la LGT.

Obtención del NIF y del certificado electrónico por la comunidad de propietarios 1270

➤ Obtención del NIF por la comunidad de propietarios

Quienes vayan a desarrollar actividades económicas y/o abonen rentas sujetas a retención e ingreso a cuenta deben solicitar el alta en el Censo de empresarios, profesionales y retenedores a través del **modelo 036** de la Agencia Española de Administración Tributaria (AEAT).

El modelo 036 se regula en la Orden EHA/1274/2007, de 26 de abril, por la que se aprueban los modelos 036 de Declaración censal de alta, modificación y baja en el Censo de empresarios, profesionales y retenedores y 037 Declaración censal simplificada de alta, modificación y baja en el Censo de empresarios, profesionales y retenedores. Este modelo de la AEAT **sirve, entre otras cosas, para solicitar la asignación del NIF, provisional o definitivo**, antes de realizar cualquier entrega, adquisición o importación de bienes o servicios, de percibir cobros o abonar pagos, o de contratar personal para desarrollar su actividad. Para ello, las comunidades de propietarios consignarán en el modelo 036 como motivo de la presentación: solicitud del número de identificación fiscal (NIF).

Aunque la comunidad de propietarios no fuese a realizar ninguno de los supuestos que requerirían su alta en el Censo de empresarios, profesionales y retenedores, sería **obligatorio tener el NIF a efectos de sus relaciones fiscales**. Así, la disposición adicional sexta de la LGT, en su apartado primero, dispone:

> «1. Toda persona física o jurídica, así como las entidades sin personalidad a que se refiere el apartado 4 del artículo 35 de esta ley, tendrán un número de identificación fiscal para sus relaciones de naturaleza o con trascendencia tributaria.
>
> Este número de identificación fiscal será facilitado por la Administración General del Estado, de oficio o a instancia del interesado.
>
> Reglamentariamente se regulará el procedimiento de asignación y revocación, la composición del número de identificación fiscal y la forma en que deberá utilizarse en las relaciones de naturaleza o con trascendencia tributaria».

En cualquier caso, no solo a efectos tributarios, sino que, actualmente, es imprescindible para las comunidades tener NIF para realizar prácticamente cualquier operación. Por ejemplo, es indispensable para poder abrir una cuenta bancaria.

Por su parte, el artículo 22.1 del Real decreto 1065/2007, de 27 de julio, por el que se aprueba el Reglamento General de las actuaciones y los procedimientos de gestión e inspección tributaria y de desarrollo de las normas comunes de los procedimientos de aplicación de los tributos (RGAT), dispone:

> «1. La Administración Tributaria asignará a las personas jurídicas y entidades sin personalidad jurídica un número de identificación fiscal que las identifique, y que será invariable cualesquiera que sean las modificaciones que experimenten aquellas, salvo que cambie su forma jurídica o nacionalidad.
>
> En los términos que establezca el Ministro de Economía y Hacienda, la composición del número de identificación fiscal de las personas jurídicas y entidades sin personalidad jurídica incluirá:
>
> a) Información sobre la forma jurídica, si se trata de una entidad española, o, en su caso, el carácter de entidad extranjera o de establecimiento permanente de una entidad no residente en España.
>
> b) Un número aleatorio.
>
> c) Un carácter de control».

Asimismo, la Orden EHA/451/2008, de 20 de febrero, por la que se regula la composición del número de identificación fiscal de las personas jurídicas y entidades sin personalidad jurídica, especifica, en su artículo 2, lo siguiente:

> «El número de identificación fiscal de las personas jurídicas y entidades sin personalidad jurídica estará compuesto por nueve caracteres, con la siguiente composición.
>
> a) Una letra, que informará sobre la forma jurídica, si se trata de una entidad española, o, en su caso, el carácter de entidad extranjera o de establecimiento permanente de una entidad no residente en España.
>
> b) Un número aleatorio de siete dígitos.
>
> c) Un carácter de control».

Además, dicha orden asigna la letra H para la identificación de las comunidades. Así, **actualmente el NIF en las comunidades de propietarios estará compuesto por la letra H seguida de siete dígitos y un carácter de control**.

A TENER EN CUENTA. Aunque la letra asignada para las comunidades de propietarios es la letra H, aquellas que lo solicitasen antes de 2008 y no hayan actualizado el mismo (por no habérselo notificado la AEAT o no haberlo solicitado, tal y como preveía la disposición transitoria única de la Orden EHA/451/2008, de 20 de febrero), pueden figurar con la letra E, que era la que se asignaba a todas las comunidades de bienes y hoy solo se aplica a comunidades de bienes y herencias yacentes. No obstante, pueden solicitar la actualización, a través del modelo 036, y conservarán el número modificándose solo la letra.

El artículo 23 del RGAT indica lo siguiente en cuanto a la **solicitud del NIF**:

«1. Las personas jurídicas o entidades sin personalidad jurídica que vayan a ser titulares de relaciones de naturaleza o con trascendencia tributaria deberán solicitar la asignación de un número de identificación fiscal.

En el caso de que no lo soliciten, la Administración tributaria podrá proceder de oficio a darles de alta en el Censo de Obligados Tributarios y a asignarles el número de identificación fiscal que corresponda.

2. Cuando se trate de personas jurídicas o entidades sin personalidad jurídica que vayan a realizar actividades empresariales o profesionales, deberán solicitar su número de identificación fiscal antes de la realización de cualquier entrega, prestación o adquisición de bienes o servicios, de la percepción de cobros o del abono de pagos, o de la contratación de personal laboral, efectuados para el desarrollo de su actividad. En todo caso, la solicitud se formulará dentro del mes siguiente a la fecha de su constitución o de su establecimiento en territorio español.

3. La solicitud se efectuará mediante la presentación de la oportuna declaración censal de alta regulada en el artículo 9, en la que se harán constar las circunstancias previstas en sus apartados 2 y 3 en la medida en que se produzcan o sean conocidas en el momento de la presentación de la declaración.

4. La solicitud de asignación del número de identificación fiscal en los supuestos recogidos en el artículo 22.3 y 4 deberá dirigirse al órgano de la Agencia Estatal de Administración Tributaria que se determine en sus normas de organización específica, por la entidad con personalidad jurídica propia interesada o por un departamento ministerial o consejería de una comunidad autónoma. En el escrito de solicitud se indicarán los sectores, órganos o centros para los que se solicita un número de identificación fiscal propio y las razones que motivan la petición.

Estimada la petición, el órgano competente de la Agencia Estatal de Administración Tributaria procederá a asignar el número de identificación fiscal».

Respecto de **las comunidades de propietarios**, la AEAT especifica (en su guía de cumplimentación del modelo 036) que, para solicitar el NIF, **junto con el modelo 036, deberán aportar**:

- Original y fotocopia de la escritura o documento fehaciente del título constitutivo de la propiedad horizontal.
- Fotocopia de la primera página del libro de actas debidamente diligenciado por el registrador de la propiedad.
- Fotocopia del NIF de la persona que firme la declaración censal, que habrá de ser el presidente de la comunidad. Si es el propio interesado el que comparece ante la Administración tributaria, no será precisa la aportación de fotocopia del NIF, siempre que autorice a los órganos de la AEAT a efectuar la verificación de sus datos de identidad.

– Original y fotocopia del acta o del documento donde se recoja el nombramiento del presidente.

A TENER EN CUENTA. Por razones prácticas y de agilización de la gestión censal, la AEAT señala que, si se acredita que el libro de actas está debidamente diligenciado por el registrador de la propiedad, se podrá entender que la comunidad de propietarios está constituida y se podrá asignar un **NIF definitivo**, sin necesidad de que se aporte el título constitutivo. En cambio, si solo se aportara el documento fehaciente del título constitutivo de la propiedad horizontal, se asignará un **NIF provisional** hasta que se justifique la oportuna diligenciación del libro de actas.

La regulación de la asignación del número de identificación fiscal de las personas jurídicas y entidades sin personalidad se contiene en el **artículo 24 del RGAT**, que establece:

«1. La **Agencia Estatal de Administración Tributaria asignará el número de identificación fiscal en el plazo de 10 días.**

La Administración tributaria podrá comprobar la veracidad de los datos comunicados por los interesados en sus solicitudes de número de identificación fiscal provisional o definitivo de acuerdo con lo previsto en el artículo 144.1 y 2. Cuando de la comprobación resultara que los datos no son veraces, la Administración tributaria, previa audiencia a los interesados por un plazo de 10 días, contados a partir del día siguiente al de la notificación de la apertura de dicho plazo, podrá denegar la asignación de dicho número.

2. El número de identificación fiscal de las personas jurídicas y entidades sin personalidad **tendrá carácter provisional mientras la entidad interesada no haya aportado copia de la escritura pública o documento fehaciente de su constitución y de los estatutos sociales o documento equivalente**, así como certificación de su inscripción, cuando proceda, en un registro público.

El número de identificación fiscal, provisional o definitivo, **no se asignará a las personas jurídicas o entidades que no aporten, al menos, un documento debidamente firmado en el que los otorgantes manifiesten su acuerdo de voluntades para la constitución** de la persona jurídica o entidad **u otro documento que acredite situaciones de cotitularidad**.

El firmante de la declaración censal de solicitud deberá acreditar que actúa en representación de la persona jurídica, entidad sin personalidad o colectivo que se compromete a su creación.

3. **Cuando se asigna un número de identificación fiscal provisional, la entidad quedará obligada a la aportación de la documentación pendiente necesaria** para la asignación del número de identificación fiscal definitivo en el plazo de un mes desde la inscripción en el registro público correspondiente o desde el otorgamiento de las escrituras públicas o documentos fehacientes de su constitución y de los estatutos sociales o documentos equivalentes de su constitución, cuando no fuera necesaria la inscripción de los mismos en el registro correspondiente.

Trascurrido el plazo al que se refiere el párrafo anterior, o vencido el plazo de seis meses desde la asignación de un número de identificación fiscal provisional, sin que se haya aportado la documentación pendiente, la Administración tributaria podrá requerir su aportación otorgando un plazo máximo de 10 días, contados a partir del día siguiente al de la notificación del requerimiento, para su presentación o para que se justifiquen los motivos que la imposibiliten, con indicación del plazo necesario para su aportación definitiva.

La falta de atención en tiempo y forma del requerimiento para la aportación de la documentación pendiente podrá determinar, previa audiencia al interesado, la revocación del número de identificación asignado, en los términos a que se refiere el artículo 147.

4. **Para solicitar el número de identificación fiscal definitivo se deberá presentar la declaración censal de modificación**, en la que se harán constar, en su caso, todas las modificaciones que se hayan producido respecto de los datos consignados en la declaración presentada para solicitar el número de identificación fiscal provisional que todavía no hayan sido comunicados a la Administración en anteriores declaraciones censales de modificación, y a la que se acompañará la documentación pendiente.

Cumplida esta obligación, se asignará el número de identificación fiscal definitivo.

5. La Administración tributaria podrá exigir una traducción al castellano o a otra lengua oficial en España de la documentación aportada para la asignación del número de identificación fiscal cuando aquella esté redactada en lengua no oficial.

6. La Agencia Estatal de Administración Tributaria podrá suscribir convenios con los organismos, instituciones o personas que intervienen en el proceso de creación de entidades para facilitar la comunicación del número de identificación fiscal, provisional o definitivo, asignado. Cuando en virtud de lo dispuesto en un convenio, la Agencia Estatal de Administración Tributaria tenga conocimiento por medio de organismos, instituciones o personas de la información necesaria para asignar a una entidad el número de identificación fiscal, podrá exonerar a la entidad de presentar una declaración censal para solicitar la asignación de dicho número, sin perjuicio de la obligación que incumbe a la entidad de comunicar las modificaciones que se hayan producido respecto de la información que haya hecho constar en las declaraciones censales que haya presentado con anterioridad».

CUESTIONES

1. ¿Cuánto tiempo tardará la AEAT en otorgar el NIF? ¿Podrá denegar la asignación de un NIF?

De conformidad con el artículo 24.1 del RGAT, el plazo será de 10 días. No obstante, la AEAT podrá comprobar la veracidad de los datos comunicados por los interesados en sus solicitudes de NIF provisional o definitivo. Si de la comprobación resultara que los datos no son veraces, se dará audiencia a los interesados por un plazo de 10 días, pudiendo en su caso, la AEAT denegar la asignación del NIF.

2. Obtenido el NIF provisional, ¿qué plazo se establece para obtener el NIF definitivo?

Asignado el NIF provisional, la entidad quedará obligada a la aportación de la documentación pendiente necesaria para la asignación del NIF definitivo en el plazo de un mes desde la inscripción en el registro público correspondiente o desde el otorgamiento de las escrituras públicas o documentos fehacientes de su constitución y de los estatutos sociales o documentos equivalentes de su constitución, cuando no fuera necesaria la inscripción de los mismos en el registro correspondiente.

Trascurrido el plazo señalado, o vencido el plazo de seis meses desde la asignación de un número de identificación fiscal provisional, sin que se haya aportado la documentación pendiente, la Administración tributaria podrá requerir su aportación otorgando un plazo máximo de 10 días, contados a partir del día siguiente al de la notificación del requerimiento, para su presentación o para que se justifiquen los motivos que la imposibiliten, con indicación del plazo necesario para su aportación definitiva. La falta de atención en tiempo y forma del requerimiento para la aportación de la documentación pendiente podrá determinar, previa audiencia al interesado, la revocación del NIF asignado.

3. Si el presidente de una comunidad de propietarios solicita el NIF a través del modelo 036, aportando copia del acta donde se le nombra presidente y libro de actas que está debidamente diligenciado por el registrador de la propiedad. ¿Qué tipo de NIF le darán, provisional o definitivo?

Definitivo. Por un lado, presenta el modelo adecuado para la solicitud de NIF, junto con el acta donde se le acredita como presidente; además, al ser el presidente el que comparece ante la Administración tributaria, no será precisa la aportación de fotocopia del NIF, siempre que autorice a los órganos de la AEAT a efectuar la verificación de sus datos de identidad. Por otro lado, atendiendo a razones prácticas y de agilización de la gestión censal, la AEAT señala que, si se acredita que el libro de actas está debidamente diligenciado por el registrador de la propiedad, se podrá entender que la comunidad de propietarios está constituida y se podrá asignar un NIF definitivo.

➢ Obtención del certificado electrónico

El artículo 14.2.b) de la Ley 39/2015, de 1 de octubre, del Procedimiento Administrativo Común de las Administraciones Públicas (LPACAP) establece en relación con el derecho y la obligación de relacionarse electrónicamente con las Administraciones públicas:

> «2. En todo caso, estarán obligados a relacionarse a través de medios electrónicos con las Administraciones Públicas para la realización de cualquier trámite de un procedimiento administrativo, al menos, los siguientes sujetos:
>
> (...)
>
> b) Las entidades sin personalidad jurídica».

Por tanto, las entidades sin personalidad jurídica están obligadas a relacionarse electrónicamente con las Administraciones de modo que **las comunidades de propietarios deberán relacionarse con las Administraciones tributarias digitalmente**.

Para relacionarse digitalmente es necesario un certificado digital que permita realizar los diferentes trámites. El certificado digital puede obtenerse a través de la Fábrica Nacional de Moneda y Timbre (FNMT), realizando la pertinente solicitud en su página web. En el caso de las comunidades de propietarios, se ha de realizar la solicitud «como representante».

El proceso de obtención del certificado de representante de entidad sin personalidad jurídica, que han de seguir las comunidades de propietarios, se divide en cuatro pasos, que deben realizarse en el orden señalado (según indica la propia FNMT):

- **Configuración previa.** Para solicitar el certificado es necesario instalar el *software* que se indica en la propia FNMT.
- **Solicitud vía internet del certificado.** Al finalizar el proceso de solicitud, en el que se debe indicar un correo electrónico, se recibirá el mismo un código de solicitud, que será requerido en el momento de acreditar la identidad y posteriormente a la hora de descargar el certificado.

- **Acreditación de la identidad**. Este trámite puede realizarse en las oficinas de acreditación de identidad de la Agencia tributaria (en las oficinas de la AEAT se requiere cita previa), de la Comisión Nacional del Mercado de Valores (la CNMV tiene un procedimiento específico) o de la Comunidad Foral de Navarra. Para la acreditación de la identidad, en el caso de las comunidades de propietarios, han de aportar la siguiente documentación:
  - **Documentación relativa al representante**:
    - Si el **representante fuese el presidente**, como representante legal de la comunidad de propietarios: libro de actas original, donde conste su nombramiento, o bien copia del acta donde se le nombra presidente o certificación de la misma con las firmas legitimadas ante notario.
    - Si el **representante fuese el administrador** de la comunidad: un poder notarial otorgado por junta o presidente en el que se incluya una cláusula especial para la solicitud y uso del certificado electrónico, o bien el libro de actas original o certificación del acta en la que se incluya la aprobación expresa en junta de propietarios del nombramiento del administrador como apoderado de la comunidad de propietarios, confiriéndole mandato tan amplio como en derecho convenga (en el marco de las facultades atribuidas por la ley y por la junta), para solicitar, obtener y utilizar el certificado de firma electrónica de entidad sin personalidad jurídica de la FNMT-RCM para las relaciones de la comunidad de propietarios con las Administraciones públicas, sus organismos y entidades. En el acta o certificación debe especificarse que el acuerdo es firme, que el acuerdo se ha adoptado válidamente con las mayorías exigidas por la ley y los estatutos, el número de colegiado del administrador y el colegio al que pertenece (siendo causa de revocación el cese, renuncia o pérdida de la condición de administrador) y que el acuerdo no se encuentra recurrido judicialmente por otros comuneros o participes.
    - Adicionalmente, si la que actúa como administradora es una sociedad, esta tendría que acreditar su existencia/inscripción (mediante certificación del registro mercantil o nota simple con las hojas selladas) y las facultades de su representante legal o voluntario, mediante escritura de nombramiento o apoderamiento.
  - **Documentación relativa a la comunidad de propietarios**: escrituras públicas, contratos, estatutos, pactos o cualesquiera otros documentos que puedan acreditar su constitución, vigencia e identificación de los miembros que las integran. Cuando la Agencia Estatal de Administración Tributaria actúe como oficina/autoridad de registro no será necesario aportar estos documentos.
- **Descarga del certificado**. Aproximadamente una hora después de que haya acreditado la identidad en una oficina de acreditación de identidad, desde el mismo ordenador desde el que se realizó la solicitud (requisito indispensable) y haciendo uso del código de solicitud correspondiente, desde la página de la FNMT se podrá descargar e instalar el certificado y realizar una copia de seguridad. Si se quiere dotar al certificado de mayor seguridad de uso se puede adquirir, a través de la propia FNMT, un kit lector y una tarjeta criptográfica.

CUESTIÓN

¿Está obligada la comunidad de propietarios a obtener el certificado digital?

Sí, dado que el artículo 14.2.b) de la LPACAP establece que las entidades sin personalidad jurídica están obligadas a relacionarse electrónicamente con las administraciones, las comunidades de propietarios deberán relacionarse con las Administraciones tributarias digitalmente. Por tanto, necesitan contar con un certificado digital que les permita cumplir con dicha obligación.

1280

Modelos y plazos tributarios de interés para las comunidades de propietarios

Las comunidades de propietarios son obligados tributarios y, como tales, deben cumplir con determinadas obligaciones fiscales.

A continuación, y a modo de resumen, incluimos un **calendario con los modelos que suele ser habitual que presenten las comunidades de propietarios y sus plazos de presentación.**

Modelo	Periodicidad	Plazos	Tipología
Modelo 600 Impuesto sobre Transmisiones Patrimoniales y Actos Jurídicos Documentados.		Como regla general, el plazo será de 30 días hábiles desde que se produce el acto o contrato.	Autoliquidación
Modelo 036 Declaración censal de alta, modificación y baja y declaración censal simplificada en el censo de empresarios, profesionales y retenedores.		Para solicitud del NIF todo el año. Para el alta debe presentarse con anterioridad al inicio de las correspondientes actividades, a la realización de las operaciones o al nacimiento de la obligación de retener o ingresar a cuenta sobre las rentas que se satisfagan, abonen o adeuden. Para la modificación, con carácter general, deberá presentarse en el plazo de un mes desde que se hayan producido los hechos que determinan su presentación, salvo en los casos previstos en el artículo 10.4 del RGAT. Para la baja la presentación tendrá que hacerse en el plazo de un mes desde que el cese de la actividad o desde que se deje de satisfacer rendimientos sujetos a retención o ingreso a cuenta.	Declaración censal

Modelo	Periodicidad	Plazos	Tipología
Modelo 111 Retenciones e ingresos a cuenta. Rendimientos del trabajo y de actividades económicas, premios y determinadas ganancias patrimoniales e imputaciones de Renta. Autoliquidación.	Trimestral	Se presentará en los veinte primeros días naturales siguientes al trimestre natural. Así: • Primer trimestre: del 1 al 20 de abril. • Segundo trimestre: del 1 al 20 de julio. • Tercer trimestre: del 1 al 20 de octubre. • Cuarto trimestre: del 1 al 20 de enero.	Autoliquidación
Modelo 184 Declaración Informativa. Entidades en régimen de atribución de rentas. Declaración anual.	Anual	Del 1 al 31 de enero del año posterior.	Declaración informativa
Modelo 190 Declaración Informativa. Retenciones e ingresos a cuenta. Rendimientos del trabajo y de actividades económicas, premios y determinadas ganancias patrimoniales e imputaciones de rentas. Resumen anual.	Anual	Del 1 al 31 de enero del año posterior.	Declaración informativa
Modelo 303 Autoliquidación IVA.	Trimestral	En los tres primeros trimestres, en los 20 primeros días naturales del mes siguiente a la finalización del período de liquidación. Esto es: • Primer trimestre: del 1 al 20 de abril. • Segundo trimestre: del 1 al 20 de julio. • Tercer trimestre: del 1 al 20 de octubre. • Cuarto trimestre: del 1 al 30 del mes de enero siguiente.	Autoliquidación

Modelo 390 Declaración resumen anual IVA.	Anual	Durante los 30 primeros días naturales del mes de enero del año posterior.	Declaración informativa
Modelo 347 Declaración informativa. Declaración anual de operaciones con terceras personas.	Anual	Durante el mes de febrero del año posterior.	Declaración informativa
IBI Impuesto sobre Bienes Inmuebles. (Es un impuesto que se devenga anualmente, y se rige por los plazos del artículo 62.5 de la LGT, pero cada ayuntamiento puede establecer plazos diferentes o fraccionamientos de la liquidación).	Anual	Por regla general, entre el 1 de septiembre y el 20 de noviembre; pero dicho plazo puede ser modificado por los ayuntamientos.	

A TENER EN CUENTA. Este calendario es el común, aplicable, con carácter general, por las comunidades de propietarios. Ahora bien, en el supuesto excepcional de que una comunidad de propietarios deba tributar por algunas de sus rentas por el Impuesto sobre Sociedades, en los términos y dados los requisitos que para ello establece el artículo 15 bis.12 de la LIS (tras la modificación realizada por el Real Decreto-ley 18/2022, de 18 de octubre, con efectos de 1 de enero de 2022), esta tendrá que cumplir con las obligaciones que a tales efectos y en tal ámbito puedan exigírsele. A modo de aproximación, y dado el carácter excepcional y residual que entendemos que tendrán estos supuestos, nos limitaremos a apuntar que la declaración del IS se presenta, con carácter general, en el plazo de los 25 días naturales siguientes a los seis meses posteriores a la conclusión del período impositivo (artículo 124.1 de la LIS), por medio del «Modelo 200. Impuesto sobre Sociedades e Impuesto sobre la Renta de no Residentes. Documentos de ingreso o devolución». En el caso de los pagos fraccionados, la presentación en principio es a través del «Modelo 202. Impuesto sobre Sociedades e Impuesto sobre la Renta de no Residentes (establecimientos permanentes y entidades en régimen de atribución de rentas constituidas en el extranjero con presencia en territorio español). Pago Fraccionado», en los primeros 20 días naturales de los meses de abril, octubre y diciembre (artículo 40.1 de la LIS). Por lo demás, el preámbulo del Real Decreto-ley 18/2022, de 18 de octubre, precisa que la entidad en régimen de atribución de rentas que deba aplicar lo previsto en el artículo 15 bis.12 de la LIS está obligada al cumplimiento de las obligaciones contables y registrales que corresponda al método de determinación de sus rentas, incluidas las que tributan según este impuesto.

➢ Días hábiles e inhábiles a efectos de la AEAT

El calendario de días inhábiles se elabora con sujeción al calendario laboral oficial, fijando en su respectivo ámbito (Administración estatal, autonómica y local) los días inhábiles (artículo 30.7 de la Ley 39/2015, de 1 de octubre, de Procedimiento Administrativo Común de las Administraciones Públicas).

Son **días inhábiles, para la Administración General del Estado y sus Organismos Públicos**, a efectos del cómputos de plazos:

- En todo el **territorio nacional**: los sábados, los domingos y los días declarados como fiestas de ámbito nacional no sustituibles, o sobre las que la totalidad de las comunidades autónomas no han ejercido la facultad de sustitución.
- En el **ámbito territorial de las comunidades autónomas**: aquellos días determinados por cada comunidad autónoma como festivos.
- En los **ámbitos territoriales de las entidades que integran la administración local**: los días que establezcan las respectivas comunidades autónomas en sus correspondientes calendarios de días inhábiles.

➢ ¿Qué sucede si el último día del plazo es inhábil?

Tal y como establece el artículo 30 de la LPACAP, cuando el **último día del plazo sea inhábil, se entenderá prorrogado al primer día hábil siguiente**. De igual manera, cuando **un día fuese hábil en** el municipio o comunidad autónoma donde tenga su **residencia el interesado, e inhábil en la sede del órgano administrativo, o a la inversa, se considerará inhábil en todo caso.**

Así, la AEAT tiene establecido que, **si el vencimiento del plazo** de presentación coincide con un **día inhábil, el plazo finaliza el primer día hábil siguiente** y el **plazo de domiciliación bancaria se ampliará** con carácter general el **mismo número de días que resulte ampliado el plazo de presentación de dicha declaración.**

➢ ¿Qué ocurre si hay problemas técnicos en la sede de la AEAT?

De conformidad con el artículo 32 de la LPACAP, cuando una incidencia técnica haya imposibilitado el funcionamiento ordinario del sistema o de la aplicación que corresponda, y hasta que se solucione el problema, la **administración podrá determinar una ampliación de los plazos no vencidos, debiendo publicar en la sede electrónica tanto la incidencia técnica acontecida como la ampliación concreta del plazo no vencido**.

Igualmente, cuando como consecuencia de un ciberincidente se hayan visto gravemente afectados los servicios y sistemas utilizados para la tramitación de los procedimientos y el ejercicio de los derechos de los interesados que prevé la normativa vigente, la administración podrá acordar la ampliación general de plazos de los procedimientos administrativos.

CUESTIÓN

En un determinado año el día 20 de abril cayó en sábado. ¿Hasta qué día tuvieron las comunidades de propietarios que debían presentar el modelo 303 para efectuar su presentación en relación con el primer trimestre de ese ejercicio?

Habida cuenta de que el último día del plazo era inhábil, el último día del plazo para presentar el modelo 303 de IVA correspondiente a ese trimestre se trasladó al día hábil inmediato posterior; en este caso, al lunes día 22 de abril.

1290 **La operativa de las comunidades de propietarios y sus obligaciones fiscales**

Una vez vistos los primeros pasos que ha de dar una comunidad de propietarios de cara al cumplimiento de sus obligaciones fiscales, en este epígrafe nos centraremos en el **análisis de las concretas obligaciones que debe afrontar, analizándolas de forma transversal para las principales operaciones a las que suele enfrentarse en su día a día**.

En particular, nos referiremos a los siguientes supuestos:

- La contratación de empleados propios o de empresas, empresarios o profesionales externos.
- La percepción de ingresos por parte de la comunidad de propietarios, siendo los básicos los de venta o arrendamiento de elementos comunes, así como los cobros de subvenciones e indemnizaciones.
- Las operaciones con terceras personas superiores a 3.005,06 euros.
- El pago de otros tributos, como podrían ser el IBI de un inmueble comunitario o ciertas tasas.

6.2.2. Contratación de empleados propios o de empresas, empresarios o profesionales externos

1300 **¿Qué obligaciones asume una comunidad de propietarios al contratar a un trabajador propio, a una empresa o a un profesional o empresario autónomos?**

Para su operativa diaria, las comunidades de propietarios tendrán que contar con ciertas empresas o profesionales que les presten los servicios que en cada caso necesiten, como podrían ser los de mantenimiento, limpieza, portería, jardinería, socorrismo o vigilancia. Es algo que podrán hacer por dos vías: contratando a un empleado propio, que trabajará por cuenta ajena, o bien contratando a una empresa o a un profesional o empresario individual, que prestarán sus servicios por cuenta propia.

Las obligaciones fiscales que la comunidad de propietarios tendrá que asumir serán diferentes en cada uno de los casos; pero, a grandes rasgos, podemos establecer el siguiente esquema general:

a) En caso de **contratación de un empleado sujeto a una relación laboral**, la comunidad de propietarios tendrá que darse de alta en el Censo de empresarios, profesionales y retenedores, y que practicar la correspondiente retención o ingreso a cuenta del IRPF del trabajador.

b) En caso de **contratación de una empresa o de un empresario o profesional externos**, la comunidad de propietarios tendrá que abonar el IVA correspondiente a la operación. Sin embargo, en ciertos supuestos también será necesario que realice el alta en el Censo de empresarios, profesionales y retenedores y que practique la correspondiente retención o ingreso a cuenta del IRPF del empresario o profesional que trabaje por cuenta propia. Fundamentalmente será así cuando contrate a autónomos que desempeñen actividades profesionales (un abogado o un arquitecto, por ejemplo) o con empresarios o empresas que determinen su rendimiento neto en el IRPF por el método de estimación objetiva.

Obligaciones fiscales de la comunidad de propietarios por la contratación de un empleado propio 1310

Cuando la comunidad de propietarios opte por la contratación de un empleado propio, que trabaje por cuenta ajena, será necesario que cumpla con las siguientes obligaciones básicas, según ya apuntamos antes:

- El alta censal.
- La práctica de la correspondiente retención o ingreso a cuenta del IRPF del trabajador.

➢ El alta censal

En primer lugar, la comunidad de propietarios tendrá que **presentar la declaración de alta como retenedora en el Censo de empresarios, profesionales y retenedores**, a través del modelo 036. Se trata de una obligación formal que parte de lo previsto en el artículo 29 y la disposición adicional quinta de la LGT, y que se encuentra desarrollada en los artículos 9 y siguientes del RGAT.

No en vano, las comunidades de propietarios son obligados tributarios de conformidad con lo previsto en el artículo 35 de la LGT, y deberán cumplir las obligaciones formales que a estos les impone el artículo 29.2 de la LGT. Dicho precepto recoge, en particular, las siguientes obligaciones en sus letras a) y b):

«a) La obligación de presentar declaraciones censales por las personas o entidades que desarrollen o vayan a desarrollar en territorio español actividades u operaciones empresariales y profesionales o satisfagan rendimientos sujetos a retención.

b) La obligación de solicitar y utilizar el número de identificación fiscal en sus relaciones de naturaleza o con trascendencia tributaria».

Cuando la comunidad de propietarios satisfaga rendimientos a empleados propios, estará obligada a practicar retención o ingreso a cuenta del IRPF del trabajador, en los términos que luego veremos, y por ese motivo, antes de nada, tendrá que presentar la declaración de alta en el Censo de Empresarios, Profesionales y Retenedores. Así se desprende de los apartados 1 y 2 de la **disposición adicional quinta de la LGT**, a cuyo tenor:

«1. **Las personas o entidades que** desarrollen o vayan a desarrollar en territorio español actividades empresariales o profesionales o **satisfagan rendimientos su-**

jetos a retención deberán comunicar a la Administración tributaria a través de las correspondientes declaraciones censales su alta en el Censo de Empresarios, Profesionales y Retenedores, las modificaciones que se produzcan en su situación tributaria y la baja en dicho censo. El Censo de Empresarios, Profesionales y Retenedores formará parte del Censo de Obligados Tributarios. En este último figurarán la totalidad de personas físicas o jurídicas y entidades a que se refiere el artículo 35 de la Ley General Tributaria, identificadas a efectos fiscales en España.

Las declaraciones censales servirán, asimismo, para comunicar el inicio de las actividades económicas que desarrollen, las modificaciones que les afecten y el cese en las mismas. A efectos de lo dispuesto en este artículo, tendrán la consideración de empresarios o profesionales quienes tuvieran tal condición de acuerdo con las disposiciones propias del Impuesto sobre el Valor Añadido, incluso cuando desarrollen su actividad fuera del territorio de aplicación de este impuesto.

2. Reglamentariamente se regulará el contenido, la forma y los plazos para la presentación de estas declaraciones censales».

En el mismo sentido se pronuncia el artículo 3.2.b) del RGAT, cuando señala que el Censo de empresarios, profesionales y retenedores estará formado por las personas o entidades que, entre otras actividades u operaciones, desarrollen o vayan a desarrollar en territorio español el «abono de rentas sujetas a retención o ingreso a cuenta». Y también el artículo 9.1 del RGAT, que completa lo anterior especificando que quienes hayan de formar parte de dicho censo deberán presentar una declaración de alta en él.

La declaración de alta censal **habrá de presentarse con anterioridad al nacimiento de la obligación de retener o ingresar a cuenta sobre las rentas que se satisfagan al trabajador** y, en término generales, según el artículo 9.4 del RGAT, contendrá la siguiente información:

- El nombre y apellidos o razón social del declarante.
- El número de identificación fiscal, sirviendo la propia declaración de alta para su solicitud, para lo cual la comunidad de propietarios deberá aportar la documentación que se establezca reglamentariamente y completar el resto de la información que se relaciona en este apartado.
- El domicilio fiscal, y el domicilio social, cuando sea distinto de aquel.
- La relación de establecimientos y locales en los que vaya a desarrollar actividades económicas, con identificación de la comunidad autónoma, provincia, municipio, y dirección completa de cada uno de ellos.
- La clasificación de las actividades económicas que vaya a desarrollar según la codificación de actividades establecida a efectos del IAE.
- El ámbito territorial en el que vaya a desarrollar sus actividades económicas, distinguiendo si se trata de ámbito nacional, de la Unión Europea o internacional. A estos efectos, el contribuyente que vaya a operar en la Unión Europea solicitará su alta en el Registro de operadores intracomunitarios en los términos que se definan reglamentariamente.
- La condición de persona o entidad residente o no residente. En este último caso, se especificará si cuenta o no con establecimientos permanentes, identificándose todos ellos, con independencia de que estos deban darse de alta individualmente. Si se trata de un establecimiento perma-

nente, en la declaración de alta se identificará la persona o entidad no residente de la que dependa, así como el resto de los establecimientos permanentes de dicha persona o entidad que se hayan dado de alta en el Censo de Empresarios, Profesionales y Retenedores.

- El régimen de tributación en el IS, en el IRPF o en el IRNR, según corresponda, con mención expresa de los regímenes y modalidades de tributación que le resulten de aplicación y los pagos a cuenta que le incumban.
- El régimen de tributación en el IVA, con referencia a las obligaciones periódicas derivadas de dicho impuesto que le correspondan y el plazo previsto para el inicio de la actividad, distinguiendo el previsto para el inicio de las adquisiciones e importaciones de bienes y servicios del previsto para las entregas de bienes y prestaciones de servicios que constituyen el objeto de su actividad, en el caso de que uno y otro sean diferentes.
- El régimen de tributación en los impuestos que se determinen reglamentariamente.
- En el caso en que se trate de entidades en constitución, la declaración de alta contendrá, al menos, los datos identificativos y domicilio completo de las personas o entidades que promuevan su constitución.

Además, una vez que la comunidad de propietarios haya presentado el alta censal, **también deberá comunicar a la AEAT a través de la oportuna declaración la alteración de cualquiera de los datos recogidos en la declaración de alta o cualquier modificación posterior, así como la baja en el censo cuando deje de satisfacer rendimientos sujetos a retención o ingreso a cuenta**. De no hacerlo y continuar de alta en dicho censo, la comunidad tendría que presentar periódicamente las declaraciones o autoliquidaciones y podría ser requerida para su cumplimiento.

Con carácter general, la declaración de modificación tendrá que presentarse en el plazo de un mes desde que se produzcan los hechos que determinan su presentación, si no se establece otro plazo según lo previsto en el artículo 10.4 del RGAT. Por su parte, el plazo para presentar la baja en el censo también será de un mes desde que se cumpla la circunstancia que la determina, aunque sin perjuicio de que la comunidad afectada deba presentar las declaraciones y cumplir las obligaciones tributarias que le incumban, y sin que a tales efectos deba darse de alta en el censo.

Todas estas declaraciones, tanto de alta censal como de modificación y de baja, se realizarán a través del **modelo 036 aprobado por la Orden EHA/1274/2007, de 26 de abril.**

RESOLUCIÓN ADMINISTRATIVA

Consulta vinculante de la Dirección General de Tributos (V2056-18), de 11 de julio de 2018

Asunto: presentación de declaración censal de alta y de baja por una comunidad de propietarios que puntualmente recibe facturas de profesionales con retención del IRPF.

«(...) la comunidad de propietarios consultante que según manifiesta no tiene de forma fija ningún profesional contratado que le realice facturas con retención del IRPF y

que esporádicamente recibe facturas por operaciones sometidas a retención deberá presentar el modelo 036 para su inclusión en el Censo de empresarios, profesionales y retenedores cuando abone rentas sujetas a retención o ingreso a cuenta y presentarlo de nuevo para su baja en el Censo cuando deje de satisfacer rendimientos sujetos a retención y así comunicar a la Administración tributaria tal circunstancia a efectos de su baja en el Censo de Empresarios, Profesionales y Retenedores puesto que de continuar de alta en el Censo tendría que presentar periódicamente declaraciones o autoliquidaciones y ser requerido para su cumplimiento».

➢ **La obligación de practicar retenciones e ingresos a cuenta del IRPF**

Las rentas que perciba el trabajador por cuenta ajena contratado por la comunidad de propietarios tendrán para la calificación de rendimientos del trabajo a efectos del IRPF, de conformidad con lo previsto en el artículo 17.1 de la LIRPF.

Por su parte, el artículo 99.2 de la LIRPF y los artículos 75.1.a) y 76.1.a) del RIRPF determinan que ciertas personas o entidades, entre las que se encuentran las comunidades de propietarios, están obligadas, con carácter general, a practicar retenciones e ingresos a cuenta del IRPF cuando satisfagan o abonen determinados tipos de rentas, como serían dichos rendimientos del trabajo que percibe su empleado.

Así las cosas, **la comunidad de propietarios tendrá que aplicar sobre las retribuciones que pague al trabajador el tipo de retención que proceda de conformidad con las reglas del artículo 101.1 de la LIRPF y de los artículos 80 y siguientes del RIRPF**.

A la base para el cálculo de la retención a que se refiere el artículo 83 del RIRPF se le aplicarán los tipos que se indican en la escala recogida en el artículo 101.1 de la LIRPF:

Base para calcular el tipo de retención Hasta euros	Cuota de retención En euros	Resto base para calcular el tipo de retención Hasta euros	Tipo aplicable Porcentaje
0,00	0,00	12.450,00	19,00
12.450,00	2.365,50	7.750,00	24,00
20.200,00	4.225,50	15.000,00	30,00
35.200,00	8.725,50	24.800,00	37,00
60.000,00	17.901,50	240.000,00	45,00
300.000,00	125.901,50	En adelante	47,00

La cuantía resultante se minorará en la cantidad derivada de aplicar al importe del mínimo personal y familiar para calcular el tipo de retención a que se refiere el artículo 84 del RIRPF, la escala prevista en la tabla anterior, sin que pueda resultar negativa.

El **tipo de retención** será el resultante de multiplicar por 100 el coeficiente obtenido de dividir la cuota de retención por la cuantía total de las retribuciones a que se refiere el artículo 83.2 del RIRPF y se expresará con dos decimales. Si la diferencia entre la base para calcular el tipo de retención y el mínimo personal y familiar fuese cero o negativa, el tipo de retención será cero.

A TENER EN CUENTA. El tipo de retención resultante no podrá ser inferior al 2 % cuando se trate de contratos o relaciones de duración inferior al año o deriven de una relación laboral especial de las personas artistas que desarrollan su actividad en las artes escénicas, audiovisuales y musicales, así como de las personas que realizan actividades técnicas o auxiliares necesarias para el desarrollo de dicha actividad, ni inferior al 15 % cuando los rendimientos del trabajo se deriven de otras relaciones laborales especiales de carácter dependiente (artículo 86.2 del RIRPF, tras la modificación efectuada por el Real Decreto 31/2023, de 24 de enero, con efectos desde el 26 de enero de 2023). Los citados porcentajes serán el 0,8 % y el 6 %, respectivamente, cuando se trate de rendimientos del trabajo obtenidos en Ceuta y Melilla que se beneficien de la deducción prevista en el artículo 68.4 de la LIRPF. Sin embargo, no serán de aplicación los tipos mínimos del 6 y 15 % de retención anteriores a los rendimientos obtenidos por los penados en las instituciones penitenciarias ni a los rendimientos derivados de relaciones laborales de carácter especial que afecten a personas con discapacidad.

Ahora bien, con carácter general, **no se practicará retención sobre los rendimientos del trabajo cuando su cuantía no supere el importe anual establecido en la tabla recogida en el artículo 81.1 del RIRPF**, en función del número de hijos y otros descendientes y de la situación del contribuyente:

Situación del contribuyente	N.º de hijos y otros descendientes		
	0 - Euros	1 - Euros	2 o más - Euros
Contribuyente soltero, viudo, divorciado o separado legalmente	-	17.644	18.694
Contribuyente cuyo cónyuge no obtenga rentas superiores a 1.500 euros anuales, excluidas las exentas	17.197	18.130	19.262
Otras situaciones	15.876	16.342	16.867

Por otro lado, cuando el **contribuyente obtenga una cuantía total de retribución no superior a 35.200 euros anuales**, la cuota de retención tendrá como límite máximo el resultado de aplicar el porcentaje del 43 % a la diferencia positiva entre el importe de la cuantía total de retribución y el que corresponda, según su situación, de los mínimos excluidos de retención conforme al artículo 81 del RIRPF (art. 85.3 del RIRPF).

A TENER EN CUENTA. La tabla del artículo 81.1 del RIRPF antes reproducida es la actualizada a la reforma realizada por el Real Decreto 142/2024, de 6 de febrero, con efectos desde el 8/2/2024.

En relación con esta cuestión, resulta interesante señalar que la página web de **la AEAT tiene disponible una completa herramienta online que permite el cálculo de retenciones**, simplemente rellenado los datos necesarios a tal fin, que la calculadora estructura en cuatro apartados (datos personales, ascendientes y descendientes, datos económicos, así como datos de regularización). Finalmente, una vez cubiertos los datos, la herramienta facilita el tipo de retención que se debería de estar aplicando al trabajador para cumplir con Hacienda y qué importe supone sobre su salario bruto.

Finalmente, resaltaremos las **obligaciones que surgen para la comunidad de propietarios como entidad obligada a retener y a ingresar a cuenta**, recogidas en el artículo 108 del RIRPF; aunque no sin antes señalar que la obligación de retener nacerá en el momento en que se satisfagan o abonen las rentas correspondientes (artículo 78.1 del RIRPF). Las obligaciones a las que nos referimos son, básicamente, las siguientes:

a) **Presentar, en los primeros veinte días naturales de los meses de abril, julio, octubre y enero, declaración de las cantidades retenidas y de los ingresos a cuenta correspondientes al trimestre natural inmediato anterior, así como ingresar su importe en el Tesoro Público (modelo 111)**. Se presentará declaración negativa cuando, a pesar de haberse satisfecho rentas sometidas a retención o ingreso a cuenta, no hubiera procedido, por razón de su cuantía, la práctica de retención o ingreso a cuenta alguno; pero no en caso de que no se hubieran satisfecho, en el período de declaración, rentas sometidas a retención e ingreso a cuenta. Esta declaración e ingreso se realizará en los veinte primeros días naturales de cada mes en relación con las cantidades retenidas e ingresos a cuenta correspondientes al mes inmediato anterior, cuando se trate de retenedores u obligados en los que concurran las circunstancias del artículo 71.3 números 1.º y 2.º del RIVA.

b) **Presentar, dentro de los primeros veinte días naturales del mes de enero, una declaración anual de las retenciones e ingresos a cuenta efectuados (modelo 190)**. En el caso de que esta declaración se presente en soporte directamente legible por ordenador o haya sido generado mediante la utilización, exclusivamente, de los correspondientes módulos de impresión desarrollados, a estos efectos, por la Administración tributaria, el plazo de presentación será el comprendido entre el 1 de enero y el 31 de enero del año siguiente al del que corresponde dicha declaración. La declaración habrá de reunir los datos y requisitos especificados en el artículo 108.2 del RIRPF.

c) **Expedir en favor del contribuyente una certificación acreditativa de la retención practicada o de los ingresos a cuenta efectuados, así como de los restantes datos referentes al contribuyente que hayan sido incluidos en el correspondiente resumen anual de retenciones e ingresos a cuenta del IRPF**. Esta certificación deberá ponerse a disposición del contribuyente antes de la apertura del plazo de declaración del IRPF.

d) **Comunicar a los contribuyentes la retención o ingreso a cuenta practicado en el momento que satisfagan las rentas, indicando el porcentaje** aplicado.

Obligaciones fiscales de la comunidad de propietarios por la contratación de una empresa o de un empresario o profesional externo 1320

En este supuesto, en que la comunidad de propietarios recurre a una empresa o a un empresario o profesional autónomo, externo, para que le preste los servicios que necesite por cuenta propia, existirán las siguientes obligaciones desde el punto de vista fiscal o tributario:

- El pago del IVA correspondiente a la operación.
- Según los casos:
  - El alta censal.
  - La práctica de las oportunas retenciones o ingresos a cuenta del IRPF del autónomo.

➢ El pago del IVA

El IVA es un tributo de naturaleza indirecta que recae sobre el consumo y grava, en la forma y condiciones que establece la LIVA, las siguientes operaciones:

- Las entregas de bienes y prestaciones de servicios efectuadas por empresarios o profesionales.
- Las adquisiciones intracomunitarias de bienes.
- Las importaciones de bienes.

Se encuentran sujetas a dicho impuesto, conforme al artículo 4.Uno de la LIVA, las **entregas de bienes y prestaciones de servicios realizadas en su** ámbito **espacial por empresarios o profesionales a título oneroso, con carácter habitual u ocasional, en el desarrollo de su actividad empresarial o profesional**, incluso si se efectúan en favor de los propios socios, asociados, miembros o partícipes de las entidades que las realicen.

A tales efectos, se consideran empresarios o profesionales aquellas personas o entidades que realicen actividades empresariales o profesionales en los términos que se definen en el artículo 5.Dos de la LIVA; esto es, cuando se trate de actividades que «impliquen la ordenación por cuenta propia de factores de producción materiales y humanos o de uno de ellos, con la finalidad de intervenir en la producción o distribución de bienes o servicios». En particular, tienen esta consideración las actividades extractivas, de fabricación, comercio y prestación de servicios, incluidas las de artesanía, agrícolas, forestales, ganaderas, pesqueras, de construcción, mineras y el ejercicio de profesiones liberales y artísticas.

Asimismo, las sociedades mercantiles se reputarán, salvo prueba en contrario, como empresarios o profesionales a los efectos del IVA.

En esa medida, **si una comunidad de propietarios contrata a un autónomo** para realizar trabajos de jardinería o para arreglar el portal de la entrada, o si contrata a una sociedad mercantil para que se encargue de la limpieza de las escaleras, todos ellos son sujetos que tienen la condición de empresarios o profesionales a los efectos del IVA y que **repercutirán tal impuesto a la comunidad a través de la oportuna factura**. Y, normalmente, la comunidad de propietarios asumirá su pago del mismo modo que lo haría cualquier otro consumidor final; puesto que, **con carácter general, las comunidades de propietarios no reúnen los requisitos necesarios para tener la consideración de empresarios o profesionales a los efectos del IVA.**

En este sentido, la Dirección General de Tributos ha reiterado que la actividad de las comunidades de propietarios por medio de la cual adquieren los bienes y servicios necesarios para el mantenimiento, la utilización o el funcionamiento de los bienes, elementos, pertenencias y servicios comunes, o en cuya virtud distribuyen los gastos efectuados por tales conceptos entre sus distintos miembros, no tiene el carácter de empresarial o profesional a los efectos del Impuesto sobre el Valor Añadido. Solamente tendrán tal consideración en aquellos casos en los que ordenen un conjunto de medios personales y materiales, con independencia y bajo su responsabilidad, para desarrollar a título oneroso una actividad empresarial a través de la realización continuada de entregas de bienes o de prestaciones de servicios, asumiendo el riesgo y ventura derivados de la misma.

➢ El tipo impositivo del IVA en las operaciones contratadas por las comunidades de propietarios

El tipo impositivo general del IVA es del 21 %, tal y como prevé el artículo 90 de la LIVA. Sin embargo, existen también una serie de supuestos para los cuales el artículo 91 de la LIVA establece otros tipos impositivos del 10, del 4 o del 0 %. De entre ellos, conviene destacar ciertas operaciones de ejecución de obras o de entrega de edificios para su uso como vivienda, que estarán sujetas a un tipo reducido del 10 % y pueden darse con relativa frecuencia en el ámbito de las comunidades de propietarios.

Así, conforme al número 7.º del artículo 91.Uno.1 de la LIVA, **se aplicará el tipo del 10 % en las entregas de edificios o partes de ellos que sean aptos para su uso como vivienda:**

> «Uno. Se aplicará el tipo del 10 por ciento a las operaciones siguientes:
>
> 1. Las entregas, adquisiciones intracomunitarias o importaciones de los bienes que se indican a continuación:
>
> (...)
>
> 7.º Los edificios o partes de los mismos aptos para su utilización como viviendas, incluidas las plazas de garaje, con un máximo de dos unidades, y anexos en ellos situados que se transmitan conjuntamente.
>
> En lo relativo a esta ley no tendrán la consideración de anexos a viviendas los locales de negocio, aunque se transmitan conjuntamente con los edificios o parte de los mismos destinados a viviendas.

No se considerarán edificios aptos para su utilización como viviendas las edificaciones destinadas a su demolición a que se refiere el artículo 20, apartado uno, número 22.°, parte A), letra c) de esta ley».

Por otra parte, **también estarán sujetas a dicho tipo impositivo las ejecuciones de obras de reparación o renovación**, en los términos que prevé el **artículo 91.Uno.2 de la LIVA, en su número 10.°**:

> «Uno. Se aplicará el tipo del 10 por ciento a las operaciones siguientes:
>
> (...)
>
> 2. Las prestaciones de servicios siguientes:
>
> (...)
>
> 10.° Las ejecuciones de obra de renovación y reparación realizadas en edificios o partes de los mismos destinados a viviendas, cuando se cumplan los siguientes **requisitos**:
>
> a) Que el **destinatario sea persona física, no actúe como empresario o profesional y utilice la vivienda a que se refieren las obras para su uso particular**.
>
> No obstante lo dispuesto en el párrafo anterior, también se comprenderán en este número las citadas ejecuciones de obra cuando su destinatario sea una comunidad de propietarios.
>
> b) Que **la construcción o rehabilitación de la vivienda a que se refieren las obras haya concluido al menos dos años antes del inicio de estas** últimas.
>
> c) Que **la persona que realice las obras no aporte materiales para su ejecución o, en el caso de que los aporte, su coste no exceda del 40 por ciento de la base imponible** de la operación».

A TENER EN CUENTA. Conforme al artículo 26 del RIVA y a los efectos de precepto, las circunstancias de que el destinatario no actúa como empresario o profesional, utiliza la vivienda para uso particular y que la construcción o rehabilitación de la vivienda haya concluido al menos dos años antes del inicio de las obras, podrán acreditarse mediante una declaración escrita firmada por el destinatario de las obras dirigida al sujeto pasivo, en la que aquel haga constar, bajo su responsabilidad, las circunstancias indicadas anteriormente.

La Dirección General de Tributos ha precisado que, a los efectos de este artículo, deben considerarse como «materiales aportados» por el empresario o profesional que ejecuta las obras de renovación y reparación realizadas en edificios o partes de los mismos destinados a viviendas, todos aquellos bienes corporales que, en ejecución de dichas obras, queden incorporados materialmente al edificio, directamente o previa su transformación. Sería el caso, por ejemplo, de ladrillos, piedras, cal, arena, yeso u otros semejantes.

Además, **el coste de tales materiales no podrá exceder del 40 % de la base imponible de la operación** o, de lo contrario, no se aplicaría el tipo reducido del impuesto. Se trata de un límite cuantitativo con respecto al cual el Centro Directivo viene sosteniendo lo siguiente [consulta vinculante (V0909-22), de 28 de abril de 2022]:

> «En todo caso, como se ha indicado, el coste de dichos materiales, Impuesto sobre el Valor Añadido excluido, no debe exceder del 40 por ciento de la base imponible de la operación.

Si se supera dicho límite, la ejecución de obra de renovación o reparación tendrá la calificación de entrega de bienes y, por consiguiente, tributará, toda ella, al tipo general del Impuesto del 21 por ciento. A estos efectos, no resultaría ajustado a Derecho diferenciar, dentro de una misma ejecución de obra calificada globalmente como de entrega de bienes, la parte correspondiente al servicio que lleve consigo con el objetivo de forzar la tributación de esa parte al tipo reducido del Impuesto.

En este sentido, los materiales que deben computarse para determinar si una operación tiene la consideración de entrega de bienes o de prestación de servicios serán todos los necesarios para llevar cabo las obras de renovación o reparación correspondientes, incluidas las actuaciones subcontratadas a terceros.

No tendrán la referida consideración de "materiales aportados" aquellos bienes utilizados como medios de producción por el empresario que lleve a cabo las operaciones de renovación o reparación, que no se incorporan materialmente al edificio al que la obra se refiere, tales como maquinaria, herramientas, etc. En particular, no tendrán la referida consideración de "materiales aportados" los andamios que el empresario que ejecuta la obra utiliza para la realización de la misma.

En general, el coste de los materiales es su precio de adquisición a terceros y, en el caso particular de que dichos materiales no sean objeto de comercialización y estos sean obtenidos por la propia entidad consultante como resultado de parte de su proceso productivo, será su coste de producción.

En el caso de las actuaciones subcontratadas con terceros y a efectos del cómputo del 40 por ciento, será preciso determinar la naturaleza que dichas actuaciones (entregas de bienes o prestaciones de servicios) tienen para el empresario que materialmente las realiza. En estos casos de subcontratación, y en el supuesto de que se actúe en nombre propio, las operaciones subcontratadas tendrán, a efectos de dicho cómputo para el contratista, la misma naturaleza que tengan para ese empresario».

En el mismo sentido la consulta vinculante de la Dirección General de Tributos (V0194-25), de 19 de febrero de 2025, añade:

«Esta Dirección General estima que, a efectos de lo dispuesto en el artículo 91.uno.2.10° de la Ley 37/1992, deben considerarse "materiales aportados" por el empresario o profesional que ejecuta las obras de renovación y reparación realizadas en edificios o partes de los mismos destinados a viviendas, todos aquellos bienes corporales que, en ejecución de dichas obras, queden incorporados materialmente al edificio, directamente o previa su transformación, tales como ladrillos, piedras, cal, arena, yeso y otros materiales. Además, el coste de dichos materiales no debe exceder del 40 por ciento de la base imponible de la operación. Si supera dicho importe no se aplicará el tipo reducido del Impuesto.

Este límite cuantitativo trae causa de lo dispuesto por la categoría 10 del Anexo III de la Directiva 2006/112/CE del Consejo, de 28 de noviembre de 2006, relativa al sistema común del impuesto sobre el valor añadido, donde se contempla la posible aplicación por los Estados miembros de tipos reducidos a la "renovación y reparación de viviendas y domicilios particulares". Conforme a lo previsto en el artículo 11, apartado dos, número 6° de la Ley 37/1992, en particular, se considerarán prestaciones de servicios "las ejecuciones de obra que no tengan la consideración de entregas de bienes con arreglo a lo dispuesto en el artículo 8 de esta Ley.".

Asimismo, dicho límite debe ponerse en relación con el artículo 8.dos.1° de la Ley 37/1992, donde se califica como entregas de bienes a las ejecuciones de obra que tengan por objeto la construcción o rehabilitación de una edificación, en el sentido del artículo 6 de dicha Ley, cuando el empresario que ejecute la obra aporte una parte de los materiales utilizados, siempre que el coste de los mismos exceda del 40 por ciento de la base imponible».

Finalmente, se extiende también dicho tipo reducido de IVA del 10 % a **ciertas ejecuciones de obras de construcción o rehabilitación de edificios destinados a vivienda o partes de ellos, con sujeción a una serie de requisitos** que analizaremos a continuación. Es una previsión que se contiene en el **artículo 91.Uno.3 de la LIVA**, que consta de tres números, de los cuales uno se refiere específicamente a las comunidades de propietarios:

«Uno. Se aplicará el tipo del 10 por ciento a las operaciones siguientes:

(...)

3. Las siguientes operaciones:

1.º Las ejecuciones de obras, con o sin aportación de materiales, consecuencia de contratos directamente formalizados entre el promotor y el contratista que tengan por objeto la construcción o rehabilitación de edificaciones o partes de las mismas destinadas principalmente a viviendas, incluidos los locales, anejos, garajes, instalaciones y servicios complementarios en ellos situados.

Se considerarán destinadas principalmente a viviendas, las edificaciones en las que al menos el 50 por ciento de la superficie construida se destine a dicha utilización.

2.º Las ventas con instalación de armarios de cocina y de baño y de armarios empotrados para las edificaciones a que se refiere el número 1º anterior, que sean realizadas como consecuencia de contratos directamente formalizados con el promotor de la construcción o rehabilitación de dichas edificaciones.

3.º Las ejecuciones de obra, con o sin aportación de materiales, consecuencia de contratos directamente formalizados entre las Comunidades de Propietarios de las edificaciones o partes de las mismas a que se refiere el número 1º anterior y el contratista que tengan por objeto la construcción de garajes complementarios de dichas edificaciones, siempre que dichas ejecuciones de obra se realicen en terrenos o locales que sean elementos comunes de dichas Comunidades y el número de plazas de garaje a adjudicar a cada uno de los propietarios no exceda de dos unidades».

Así las cosas, **la Dirección General de Tributos, por ejemplo en su consulta vinculante (V2078-24), de 25 de septiembre de 2024, ha precisado qué requisitos deben concurrir** para que proceda la aplicación del tipo reducido del IVA en estos últimos supuestos. Tales requisitos son los siguientes:

a) Que las operaciones realizadas tengan la naturaleza jurídica de **ejecuciones de obra**.

b) Que dichas operaciones sean **consecuencia de contratos directamente formalizados entre el promotor y el contratista**. En tal sentido, la expresión «directamente formalizados» debe entenderse como equivalente a «directamente concertados» entre el promotor y el contratista, con independencia de la forma oral o escrita que tengan los contratos que se hubiesen celebrado. Por otra parte, y a los efectos del IVA, se considerará como promotor de edificaciones al propietario de inmuebles de construyó sobre ellos (promotor-constructor) o que contrató la construcción de los mismos (promotor) para destinarlos a la venta, el alquiler o el uso propio.

c) Que dichas ejecuciones de obra **tengan por objeto la construcción o rehabilitación de edificios destinados fundamentalmente a viviendas, incluidos los locales, anejos, instalaciones y servicios complementarios** en ella situados.

d) Que las ejecuciones de obra **consistan materialmente en la construcción o rehabilitación de los edificios** sobre los que recaigan.

Por lo tanto y dado este último requisito que acabamos de exponer, uno de los elementos básicos para que pueda aplicarse el tipo reducido del IVA vendrá dado por que la ejecución de obra consista efectivamente en la construcción o rehabilitación de los edificios que precisa el artículo antes reproducido. En tal sentido, **la letra B) del artículo 20.Uno.22.º de la LIVA especifica qué se ha de entender por obras de rehabilitación de edificaciones** a los efectos de la LIVA:

«B) A los efectos de esta ley, son obras de rehabilitación de edificaciones las que reúnan los siguientes requisitos:

1.º Que su objeto principal sea la reconstrucción de las mismas, entendiéndose cumplido este requisito cuando más del 50 por ciento del coste total del proyecto de rehabilitación se corresponda con obras de consolidación o tratamiento de elementos estructurales, fachadas o cubiertas o con obras análogas o conexas a las de rehabilitación.

2.º Que el coste total de las obras a que se refiera el proyecto exceda del 25 por ciento del precio de adquisición de la edificación si se hubiese efectuado aquélla durante los dos años inmediatamente anteriores al inicio de las obras de rehabilitación o, en otro caso, del valor de mercado que tuviera la edificación o parte de la misma en el momento de dicho inicio. A estos efectos, se descontará del precio de adquisición o del valor de mercado de la edificación la parte proporcional correspondiente al suelo».

Así, **para determinar si unas obras son o no de rehabilitación, será necesario actuar en dos fases**, como ha reiterado la Dirección General de Tributos [por todas, considérese, por ejemplo, la consulta vinculante (V1721-24), de 15 de julio de 2024]:

1. En primera instancia, habrá que determinar si se trata efectivamente de obras de rehabilitación desde el punto de vista cualitativo.

Esto sucederá cuando más del 50 % del coste total del proyecto de rehabilitación se corresponda con obras de consolidación o tratamiento de elementos estructurales, fachadas o cubiertas o con obras análogas o conexas a las de rehabilitación. A tal respecto, el artículo 20.Uno.22.º de la LIVA especifica qué se considerarán obras análogas y conexas a las de rehabilitación.

En concreto, serán **obras análogas** a las de rehabilitación:

- Las de adecuación estructural que proporcionen a la edificación condiciones de seguridad constructiva, de forma que quede garantizada su estabilidad y resistencia mecánica.
- Las de refuerzo o adecuación de la cimentación, así como las que afecten o consistan en el tratamiento de pilares o forjados.
- Las de ampliación de la superficie construida, sobre y bajo rasante.
- Las de reconstrucción de fachadas y patios interiores.

- Las de instalación de elementos elevadores, incluidos los destinados a salvar barreras arquitectónicas para su uso por discapacitados.

Por su parte, serán **obras conexas** a las de rehabilitación las que se citan a continuación, cuando su coste total sea inferior al derivado de las obras de consolidación o tratamiento de elementos estructurales, fachadas o cubiertas y, en su caso, de las obras análogas a estas, siempre que estén vinculadas a ellas de forma indisociable y no consistan en el mero acabado u ornato de la edificación ni en el simple mantenimiento o pintura de la fachada:

- Las obras de albañilería, fontanería y carpintería.
- Las destinadas a la mejora y adecuación de cerramientos, instalaciones eléctricas, agua y climatización y protección contra incendios.
- Las obras de rehabilitación energética, esto es, aquellas destinadas a la mejora del comportamiento energético de las edificaciones reduciendo su demanda energética, al aumento del rendimiento de los sistemas e instalaciones térmicas o a la incorporación de equipos que utilicen fuentes de energía renovables.

En esta medida, **la determinación de qué obras se pueden calificar como de rehabilitación dentro de un proyecto de obra es una cuestión de naturaleza técnica para cuya valoración será preciso contar con suficientes elementos de prueba que acrediten la verdadera naturaleza de las obras que se proyectan**. Entre otros, por ejemplo, habrá que contar con dictámenes de profesionales o el visado y, si procede, la calificación del proyecto por parte de colegios profesionales.

2. En caso de cumplirse el primer requisito, será necesario analizar si también concurre el requisito cuantitativo. Es decir, habrá que verificar que el coste total de las obras o el coste del proyecto de rehabilitación exceda del 25 % del valor de adquisición o del precio de mercado de la edificación antes de su rehabilitación, con exclusión del valor del suelo.

Por otra parte, y a los efectos anteriores, el Centro Directivo especifica en su consulta vinculante (V1721-24), de 15 de julio de 2024, **qué se ha de entender por cada uno de los conceptos**:

«Coste total de las obras o coste total del proyecto de rehabilitación: el importe total, Impuesto sobre el Valor Añadido excluido, que soporte el promotor como consecuencia de las entregas de bienes y prestaciones de servicios que se deriven de la rehabilitación, incluidos los servicios que le sean prestados por el personal técnico que dirija las obras.

Precio de adquisición de las edificaciones: el realmente concertado en las operaciones en cuya virtud se haya efectuado la referida adquisición.

La prueba de dicho precio podrá efectuarse por los medios admisibles en Derecho.

Valor de mercado de una edificación o parte de la misma: el precio que se hubiese acordado para su transmisión onerosa en condiciones normales de mercado entre partes que fuesen independientes, excluido, en su caso, el valor correspondiente al terreno en que se halla enclavado el edificio.

Asimismo, el valor de mercado de las edificaciones o partes de las mismas podrá acreditarse por los medios de prueba admisibles en Derecho.

Partes de un edificio destinadas a viviendas: las partes de una edificación destinadas a constituir una o varias viviendas, de acuerdo con la legislación vigente, con posterioridad a su rehabilitación.

Por "partes" de una edificación ha de entenderse las partes de una edificación que, cualquiera que sea su destino (vivienda, comercial, etc.) sean susceptibles por sí mismas de actuaciones parciales de rehabilitación, por permitir un uso autónomo respecto del resto de la edificación al tener entidad propia de carácter objetivo, y no considerar como "parte" de una edificación los diferentes elementos constructivos (fachadas, techumbres, estructuras, etc.) objeto de actuaciones de rehabilitación».

Finalmente, **cuando un proyecto de obra no pueda calificarse como de construcción o rehabilitación según los criterios antes apuntados, en principio tributará al tipo impositivo del 21 % del IVA, salvo que pueda considerarse que se trata de obras de renovación y reparación** realizadas en edificios o partes de los mismos destinados a viviendas, **en los términos del número 10.° del artículo 91.Uno.2 de la LIVA**, antes reproducido, caso en que también procederá el tipo impositivo del 10 %.

RESOLUCIONES ADMINISTRATIVAS

Consulta vinculante de la Dirección General de Tributos (V0263-24), de 29 de febrero de 2024

Asunto: no consideración de la comunidad de propietarios como empresario o profesional a los efectos del IVA con carácter general y requisitos para que tenga tal carácter.

«(...) las comunidades de propietarios (...), tendrán la condición de empresarios a efectos del Impuesto sobre el Valor Añadido cuando ordenen un conjunto de medios personales y materiales, con independencia y bajo su responsabilidad, para desarrollar una actividad empresarial, sea de fabricación, comercio, de prestación de servicios, etc., mediante la realización continuada de entregas de bienes o prestaciones de servicios, asumiendo el riesgo y ventura que pueda producirse en el desarrollo de la actividad, siempre que se realicen a título oneroso.

También, tal y como se deduce de la descripción de los hechos contenida en el escrito de la consulta, tienen la condición de empresario o profesional los comuneros y estarán sujetas al Impuesto sobre el Valor Añadido las entregas de bienes y prestaciones de servicios que en el ejercicio de su actividad empresarial o profesional realicen en el territorio de aplicación del Impuesto.

2.- Las comunidades de propietarios, con carácter general, no reúnen los requisitos establecidos por la normativa del Impuesto sobre el Valor Añadido para atribuirles la condición de empresarios o profesionales. Es criterio reiterado de este Centro directivo que la actividad que realizan, que se concreta en la adquisición de los bienes y servicios necesarios para el mantenimiento, utilización, funcionamiento, etc., de los bienes, elementos, pertenencias y servicios comunes, y en la distribución de los gastos efectuados por tal concepto entre los miembros de la misma, no constituye una actividad de carácter empresarial o profesional a efectos del Impuesto sobre el Valor Añadido.

Dichas comunidades tienen, por tanto, la condición de consumidores finales a efectos del Impuesto sobre el Valor Añadido, no pudiendo repercutir dicho Impuesto sobre los comuneros con ocasión del cobro de las derramas que efectúan a los mismos, ni deducir las cuotas del Impuesto soportadas en la adquisición de bienes o servicios.

Sin embargo, este criterio general no obsta para que dichas comunidades de propietarios puedan efectivamente desarrollar en algunos casos actividades empresariales a título oneroso adquiriendo, por ello, la condición de sujetos pasivos del Impuesto. A título de ejemplo, cuando realiza la cesión o arrendamiento de espacios comunes (tales como terraza, fachada o local comunitario, etc.) estarán sujetas al Impuesto dichas operaciones realizadas por una comunidad de propietarios.

Por otra parte, cuando una comunidad de propietarios intermedie en nombre propio en la prestación de servicios efectuados a favor de los comuneros realizará una prestación de servicios sujeta al Impuesto sobre el Valor Añadido a favor de estos últimos.

Consulta vinculante de la Dirección General de Tributos (V1076-22), de 17 de mayo de 2022

Asunto: tipo impositivo de IVA aplicable a los trabajos puntuales de reparación e instalación de puertas automáticas de garajes y de trabajos realizados en bombas y grupos de pensión, cuando se realicen a comunidades de propietarios.

«(...) de la información contenida en la consulta, parece deducirse que los trabajos a realizar son de carácter puntual y por tanto, no de mantenimiento por lo que pudieran considerarse incluidas dentro del concepto de renovación y reparación a que se refiere el artículo 91.uno.2.10° de la Ley 37/1992 las ejecuciones de obras a realizar, consistentes en trabajos de cerrajería, reparaciones eléctricas, sustitución de puertas completas y automatismos, instalación de sistemas de apertura y elemento de seguridad en las puertas automáticas para vehículos y peatonales, así como instalación reparación y sustitución de los elementos que componen los equipos de bombas y grupos de presión, siempre que se realicen en las condiciones indicadas por el citado precepto, y tengan por destinatario a quien utiliza la vivienda para su uso particular o a una comunidad de propietarios de viviendas o mayoritariamente de viviendas.

A tal efecto, resulta aplicable lo dispuesto en el artículo 26 del Reglamento del Impuesto, aprobado por el Real Decreto 1624/1992, de 29 de diciembre (BOE del 31 de diciembre), que dispone que las circunstancias de que el destinatario no actúa como empresario o profesional, utiliza la vivienda para uso particular y que la construcción o rehabilitación de la vivienda haya concluido al menos dos años antes del inicio de las obras, podrán acreditarse mediante una declaración escrita firmada por el destinatario de las obras dirigida al sujeto pasivo, en la que aquél haga constar, bajo su responsabilidad, las circunstancias indicadas anteriormente.

En cuanto al coste de los materiales aportados para una ejecución de obras de renovación o reparación, debemos señalar que los materiales que deben computarse a estos efectos serán todos los necesarios para llevar cabo dichas obras, incluidas las actuaciones subcontratadas a terceros.

Por tanto, en el supuesto objeto de consulta, el coste de los materiales es su precio de adquisición a terceros y, en el caso particular de que dichos materiales no sean objeto de comercialización y estos sean obtenidos por la propia entidad consultante como resultado de parte de su proceso productivo, será su coste de producción.

Teniendo en cuenta todo lo anterior, si los trabajos realizados mencionados en el escrito de consulta tuvieran, según lo señalado en los apartados anteriores, la consideración de obras de reparación y renovación, y la aportación de materiales no superara el límite del 40 por ciento referido, el tipo aplicable a las mismas sería el reducido del 10 por ciento.

En caso contrario, será de aplicación a las obras objeto de consulta el tipo impositivo general del 21 por ciento».

Consulta vinculante de la Dirección General de Tributos (V2573-21), de 21 de octubre de 2021

Asunto: posibilidad de aplicar el tipo impositivo del 10 % de IVA cuando una comunidad de propietarios va a realizar obras de reparación y conservación que cumplen los requisitos del artículo 91.Uno.2.10.° de la LIVA y además otras auxiliares de colocación de andamios y plataforma elevadora, subcontratadas a otra entidad.

«2. En determinadas ocasiones puede darse, que una determinada operación esté compuesta por varios elementos suscitándose la cuestión de si dichas operaciones han

de fraccionarse para dar a cada una de ellas el tratamiento tributario que corresponda o si, por el contrario, han de tratarse como una operación única.

En este sentido, es criterio reiterado de este Centro directivo derivado de la jurisprudencia del Tribunal de Justicia de la Unión Europea manifestado, entre otras, en sus sentencias de 25 de febrero de 1999, Card Protection Plan Ltd (CPP), asunto C-349/96, de 2 de mayo de 1996, Faaborg-Gelting Linien, asunto C-231/94, y de 22 de octubre de 1998, Madgett y Baldwin, asuntos acumulados C-308/96 y C-94/97, y la de 27 de octubre de 2005, Levob Verzekeringen, asunto 41/04 que cuando una operación está constituida por un conjunto de elementos y de actos, procede tomar en consideración todas las circunstancias en las que se desarrolla la operación en cuestión, para determinar, por una parte, si se trata de dos o más prestaciones distintas o de una prestación única.

La jurisprudencia del Tribunal de Justicia se desprende que, en determinadas circunstancias, varias prestaciones formalmente distintas, deben considerarse como una operación única cuando no son independientes (sentencia de 27 de junio de 2013, RR Donnelley Global Turnkey Solutions Poland, asunto C-155/12).

El Tribunal de Justicia ha declarado que se trata de una prestación única, en particular, en el caso de que deba considerarse que uno o varios elementos constituyen la prestación principal, mientras que, a la inversa, uno o varios elementos deben ser considerados como una o varias prestaciones accesorias que comparten el tratamiento fiscal de la prestación principal.

De esta forma, con independencia de que se facture por un precio único o se desglose el importe correspondiente a los distintos elementos, una prestación debe ser considerada accesoria de una prestación principal cuando no constituye para la clientela un fin en sí, sino el medio de disfrutar en las mejores condiciones del servicio principal del prestador.

Con base en lo anterior, parece que en el supuesto considerado se dan las circunstancias necesarias para determinar que los medios auxiliares consultados, consistentes en la colocación de andamio y plataforma elevadora no constituye para el destinatario un fin en sí mismo, si no que el destinatario lo percibe como un medio para poder disfrutar en las mejores condiciones de la operación principal de renovación y reparación prestada por la consultante.

En estas circunstancias, con independencia de que sea facturado de forma independiente por la consultante, en el supuesto analizado, los medios auxiliares constituyen una prestación de servicios accesoria respecto de otra operación que tiene carácter principal (las obras de renovación y reparación) realizadas ambas (operación accesoria y operación principal) para un mismo destinatario. La prestación de servicios que tenga carácter accesorio no tributará de manera autónoma e independiente por el Impuesto sobre el Valor Añadido, sino que seguirá el régimen de tributación por dicho Impuesto que corresponda a la operación principal de la que dependa.

3.- Teniendo en cuenta todo lo anterior, será de aplicación el tipo impositivo del 10 por ciento previsto en el artículo 91.Uno.2.10° de la Ley 37/1992, a las ejecuciones de obra de renovación y reparación consultadas que se realicen en las condiciones indicadas por el citado precepto que tengan por destinatario a quien utiliza la vivienda para su uso particular o a una comunidad de propietarios de viviendas o mayoritariamente de viviendas. Se entenderá que una edificación se destina a vivienda cuando al menos el 50 por ciento de la superficie construida se destine a dicha finalidad. A lo anterior habrá que sumar, como hemos visto anteriormente, los requisitos siguientes: que el coste de los materiales aportados no exceda del 40 por ciento de la base imponible de la operación de reforma, y que, además, hayan transcurrido en el momento de la reforma, al menos dos años desde la rehabilitación o construcción de la edificación aludida.

En este sentido, el coste de los materiales aportados por la consultante, esto es, aquellos que en ejecución de dichas obras queden materialmente incorporados al edi-

ficio, incluirá las actuaciones subcontratadas a terceros, pero, sin embargo, no se considerarán materiales aportados aquellos bienes utilizados como medios de producción que no se incorporan materialmente al edificio, en particular, los andamios o la maquinaria utilizada».

CUESTIONES

1. Los trabajos de jardinería realizados por un autónomo a una comunidad de propietarios de viviendas, ¿podrán tributar al IVA del 10 % en algún caso?

Conforme a la consulta vinculante de la Dirección General de Tributos (V0909-22), de 28 de abril de 2022 podrían distinguirse varios supuestos:

a) Las operaciones de mantenimiento periódico de jardinería, que no tendrían, a efectos del IVA, la consideración de ejecuciones de obra, circunstancia que sería imprescindible para la aplicación del artículo 91.Uno.2.10.° de la LIVA. Así, se consideran prestaciones de servicios y tributan al tipo del 21 %.

b) Las obras que consistan en actuaciones no periódicas de renovación o reparación de jardinería, distintas de las mero mantenimiento periódico, en las que la aportación de materiales no supere el límite del 40 % de la base imponible de la operación y se cumplan el resto de requisitos que señala el artículo 91.Uno.2.10.° de la LIVA, a las que se aplicará el tipo impositivo del 10 % del IVA. Ahora bien, de no darse tales requisitos, tributarán el tipo general del 21 %.

2. Una empresa presta a comunidades de propietarios servicios de limpieza y desatascado de tuberías, limpieza de aljibes, vaciado de fosas sépticas e inspección de tuberías con cámara robotizada. Son servicios contratados de manera puntual, no programados, y en los que nunca se aportan materiales que superen el 40 % de la base imponible de la operación. ¿Qué tipo impositivo de IVA les resultará de aplicación?

Conforme al artículo 91.Uno.2 de la LIVA, en su número 5.°, se aplicará el tipo impositivo del 10 % de IVA a las prestaciones de servicios consistentes en:

«5.° Los servicios de recogida, almacenamiento, transporte, valorización o eliminación de residuos, limpieza de alcantarillados públicos y desratización de los mismos y la recogida o tratamiento de las aguas residuales.

Se comprenden en el párrafo anterior los servicios de cesión, instalación y mantenimiento de recipientes normalizados utilizados en la recogida de residuos.

Se incluyen también en este número los servicios de recogida o tratamiento de vertidos en aguas interiores o marítimas».

La aplicación de este precepto al supuesto planteado, según señaló la Dirección General de Tributos en su consulta vinculante (V1141-22), de 20 de mayo de 2022, permitiría distinguir las siguientes situaciones:

a) Operaciones que tributarán al tipo impositivo de IVA del 10 %:

- La recogida, transporte, eliminación o valorización de sustancias u objetos que, de acuerdo con la Ley 7/2022, de 8 de abril, de residuos y suelos contaminados para una economía circular, tengan la consideración de residuos, tanto los definidos como residuos peligrosos como los que no tengan dicha consideración. Entre otros, los servicios de recogida y transporte de aquellos productos provenientes de servicios de limpieza (lodos de fosas sépticas, pozos, alcantarillado, etc.), así como los de aceites usados de procedencia doméstica y hostelera.
- La recogida y tratamiento de aguas residuales sea cual fuere su procedencia (fosas sépticas, alcantarillado, etc.).

b) Operaciones que tributarán al tipo general del 21 % de IVA:

- La limpieza de fosas sépticas o pozos que no implique la recogida de las aguas residuales o lodos.
- El desatasco y limpieza de conducciones, canalizaciones y desagües de aguas sucias y residuales en viviendas particulares y comunidades de propietarios, cuando no lleve consigo la recogida, transporte y tratamiento de los residuos.

3. Una comunidad de propietarios ha contratado a un arquitecto técnico para realizar el proyecto y la dirección de una obra de reparación. ¿Tributará la operación al 10 % de IVA?

En este supuesto, como ha reiterado la Dirección General de Tributos, no resultaría de aplicación el tipo impositivo reducido de conformidad con los artículos 91.Uno.3 y 91.Uno.2.10.º de la LIVA por no cumplirse los requisitos que en ellos se establecen. Sería de aplicación, por tanto, el tipo impositivo de IVA general del 21 %.

En este sentido se pronuncia, por ejemplo, la consulta vinculante de la Dirección General de Tributos (V3026-19), de 28 de octubre de 2019.

4. A los efectos de aplicación del tipo reducido del 10 % del IVA, ¿qué se entiende por edificación destinada principalmente a vivienda?

La consulta vinculante de la Dirección General de Tributos (V0194-25), de 19 de febrero de 2025, nos da la respuesta a esta cuestión en los siguientes términos:

«A estos efectos, se considerarán destinadas principalmente a viviendas, las edificaciones en las que al menos el 50 por ciento de la superficie construida se destine a dicha utilización.

1330 **Supuestos en los que la comunidad de propietarios debe darse de alta en el censo y practicar retenciones e ingresos a cuenta del IRPF**

Cuando la comunidad de propietarios contrate a cierta clase de autónomos, estará obligada a practicar retenciones e ingresos a cuenta del IRPF de estos. En particular, tendrá tal obligación cuando abone las siguientes rentas (artículos 75 y 76 del RIRPF):

- Rendimientos de actividades profesionales.
- Rendimientos de actividades agrícolas y ganaderas.
- Rendimientos de actividades forestales.
- Rendimientos de actividades empresariales previstas en el artículo 95.6.2.º del RIRPF que determinen su rendimiento neto por el método de estimación objetiva.

Por tanto, **con carácter general, puede decirse que las comunidades de propietarios estarán obligadas a practicar retención e ingreso a cuenta del IRPF cuando contraten a profesionales autónomos** (notarios, abogados, arquitectos, administradores de fincas, economistas, etc.); **o bien cuando contraten a ciertos autónomos que estén dados de alta en los grupos y epígrafes de la sección primera del IAE enumerados en el artículo 95.6.2.º del RIRPF que determinen su rendimiento neto por el método de estimación objetiva**.

A estos efectos, se considerarán comprendidos entre los **rendimientos de actividades profesionales** los que especifican los apartados 2 y 3 del artículo 95 del RIRPF, cuyo tenor es el siguiente:

«2. (...) se considerarán comprendidos entre los rendimientos de actividades profesionales:

a) En general, los derivados del ejercicio de las actividades incluidas en las Secciones Segunda y Tercera de las Tarifas del Impuesto sobre Actividades Económicas, aprobadas por el Real Decreto Legislativo 1175/1990, de 28 de septiembre.

b) En particular, tendrán la consideración de rendimientos profesionales los obtenidos por:

1.° Los autores o traductores de obras, provenientes de la propiedad intelectual o industrial. Cuando los autores o traductores editen directamente sus obras, sus rendimientos se comprenderán entre los correspondientes a las actividades empresariales.

2.° Los comisionistas. Se entenderá que son comisionistas los que se limitan a acercar o a aproximar a las partes interesadas para la celebración de un contrato.

Por el contrario, se entenderá que no se limitan a realizar operaciones propias de comisionistas cuando, además de la función descrita en el párrafo anterior, asuman el riesgo y ventura de tales operaciones mercantiles, en cuyo caso el rendimiento se comprenderá entre los correspondientes a las actividades empresariales.

3.° Los profesores, cualquiera que sea la naturaleza de las enseñanzas, que ejerzan la actividad, bien en su domicilio, casas particulares o en academia o establecimiento abierto. La enseñanza en academias o establecimientos propios tendrá la consideración de actividad empresarial.

3. No se considerarán rendimientos de actividades profesionales las cantidades que perciban las personas que, a sueldo de una empresa, por las funciones que realizan en la misma vienen obligadas a inscribirse en sus respectivos colegios profesionales ni, en general, las derivadas de una relación de carácter laboral o dependiente. Dichas cantidades se comprenderán entre los rendimientos del trabajo».

Por su parte, y en cuanto a las **actividades empresariales que también podrán dar lugar a la obligación de retener e ingresar a cuenta del IRPF, el artículo 95.6.2.° del RIRPF** se refiere a lo siguiente:

«2.° Lo dispuesto en este apartado resultará de aplicación respecto de las actividades económicas clasificadas en los siguientes grupos y epígrafes de la Sección Primera de las Tarifas del Impuesto sobre Actividades Económicas:

I.A.E. Actividad económica

314 y 315 Carpintería metálica y fabricación de estructuras metálicas y calderería.

316.2, 3, 4 y 9 Fabricación de artículos de ferretería, cerrajería, tornillería, derivados del alambre, menaje y otros artículos en metales N.C.O.P.

453 Confección en serie de prendas de vestir y sus complementos, excepto cuando su ejecución se efectúe mayoritariamente por encargo a terceros.

453 Confección en serie de prendas de vestir y sus complementos ejecutada directamente por la propia empresa, cuando se realice exclusivamente para terceros y por encargo.

463 Fabricación en serie de piezas de carpintería, parqué y estructuras de madera para la construcción.

468 Industria del mueble de madera.

474.1 Impresión de textos o imágenes.

501.3 Albañilería y pequeños trabajos de construcción en general.

504.1 Instalaciones y montajes (excepto fontanería, frío, calor y acondicionamiento de aire).

504.2 y 3 Instalaciones de fontanería, frío, calor y acondicionamiento de aire.

504.4, 5, 6, 7 y 8 Instalación de pararrayos y similares. Montaje e instalación de cocinas de todo tipo y clase, con todos sus accesorios. Montaje e instalación de aparatos elevadores de cualquier clase y tipo. Instalaciones telefónicas, telegráficas, telegráficas sin hilos y de televisión, en edificios y construcciones de cualquier clase. Montajes metálicos e instalaciones industriales completas, sin vender ni aportar la maquinaria ni los elementos objeto de instalación o montaje.

505.1, 2, 3 y 4 Revestimientos, solados y pavimentos y colocación de aislamientos.

505.5 Carpintería y cerrajería.

505.6 Pintura de cualquier tipo y clase y revestimientos con papel, tejido o plásticos y terminación y decoración de edificios y locales.

505.7 Trabajos en yeso y escayola y decoración de edificios y locales.

722 Transporte de mercancías por carretera.

757 Servicios de mudanzas».

Una vez establecidos los supuestos en los que procederá la práctica de retención e ingreso a cuenta del IRPF, se hace necesario determinar cuál será el **importe de la retención en cada caso**. Habrá que acudir, en concreto, a las **reglas del artículo 95 del RIRPF**:

- En general, **cuando se retribuya una actividad profesional, se aplicará el tipo de retención del 15 % sobre los ingresos íntegros satisfechos**. Sin embargo, en el período impositivo en el que el profesional inicie el ejercicio de actividades profesionales y en los dos siguientes, siempre que no hubiese ejercido ninguna actividad profesional en el año anterior a la fecha de **inicio de las actividades, procederá una retención del 7 %**. Para la aplicación de esta retención, los profesionales deberán comunicar a la comunidad de propietarios que les abona los rendimientos que concurren las circunstancias que lo posibilitan, quedando obligada la comunidad a conservar la comunicación debidamente firmada.
- En el caso de **rendimientos satisfechos a recaudadores municipales, mediadores de seguros que utilicen servicios de auxiliares externos o delegados comerciales de la Sociedad Estatal Loterías y Apuestas del Estado, el tipo de retención será del 7 %.**
- La retención será también del 7 % en el caso de rendimientos satisfechos a contribuyentes que desarrollen actividades incluidas en los grupos 851, 852, 853, 861, 862, 864 y 869 de la sección segunda y en las agrupaciones 01, 02, 03 y 05 de la sección tercera, de las tarifas del IAE, o cuando la contraprestación de dicha actividad profesional derive de una prestación de servicios que por su naturaleza, si se realizase por cuenta ajena, quedaría incluida en el ámbito de la relación laboral especial de las personas artistas que desarrollan su actividad en las artes escénicas, audiovisuales y musicales, así como de las personas que realizan actividades técnicas o auxiliares necesarias para el desarrollo de dicha actividad. Para aplicar esta retención en cualquiera de dichos supuestos, será necesario que el volumen de rendimientos ín-

tegros del conjunto de tales actividades correspondiente al ejercicio inmediato anterior sea inferior a 15.000 euros y represente más del 75 % de la suma de los rendimientos íntegros de actividades económicas y del trabajo obtenidos por el contribuyente en dicho ejercicio. Asimismo, para que se aplique el tipo de retención del 7 %, los contribuyentes tendrán que comunicar al pagador que concurren las circunstancias mencionadas y este deberá conservar la comunicación debidamente firmada. Esta previsión fue añadida en la letra d) del artículo 95.1 del RIRPF, con efectos desde el 26 de enero de 2023, por el Real Decreto 31/2023, de 24 de enero.

- Las retenciones anteriores se reducirán en un 60 % cuando los rendimientos tengan derecho a la deducción en la cuota prevista en el artículo 68.4 de la LIRPF (deducción por rentas obtenidas en Ceuta o Melilla).
- Cuando se remunere una actividad agrícola o ganadera, la retención será del 1 % (actividades ganaderas de engorde de porcino y avicultura) o del 2 % (restantes casos).
- En caso de retribución de una actividad forestal también se aplicará un tipo de retención del 2 % sobre los ingresos íntegros satisfechos, con excepción de las subvenciones corrientes y de capital y de las indemnizaciones.
- **Cuando los rendimientos sean contraprestación de una de las actividades económicas previstas en el artículo 95.6.2.° del RIRPF y se determine el rendimiento neto de la misma con arreglo al método de estimación objetiva, se aplicará el tipo de retención del 1 % sobre los ingresos íntegros satisfechos**. Sin embargo, no procederá la práctica de esta retención cuando, conforme al artículo 99.10 de la LIRPF, el contribuyente que ejerza la actividad económica comunique a la comunidad de propietarios que determina el rendimiento neto de la misma conforme al método de estimación directa, en cualquiera de sus modalidades. Dicha comunicación deberá contener los datos que especifica el artículo 95.6.3.° del RIRPF, debiendo la comunidad de propietarios conservar las comunicaciones debidamente firmadas.

La obligación de retener nacerá, con carácter general, en el momento en que se satisfagan o abonen las rentas correspondientes (artículo 78.1 del RIRPF). Por otra parte, la comunidad de propietarios, en su condición de obligada a retener y practicar ingresos a cuenta, tendrá una serie de deberes, tal y como resulta del artículo 108 del RIRPF. Fundamentalmente, los siguientes:

a) **Presentar, en los primeros veinte días naturales de los meses de abril, julio, octubre y enero, declaración de las cantidades retenidas y de los ingresos a cuenta correspondientes al trimestre natural inmediato anterior, así como ingresar su importe en el Tesoro Público (modelo 111)**. Se presentará declaración negativa cuando, a pesar de haberse satisfecho rentas sometidas a retención o ingreso a cuenta, no hubiera procedido, por razón de su cuantía, la práctica de retención o ingreso a cuenta alguno; pero no en caso de que no se hubieran satisfecho, en el período de declaración, rentas sometidas a retención e ingreso a cuenta. Esta declaración e ingreso se realizará en los veinte primeros días naturales de cada mes en relación con las cantidades retenidas e ingresos a cuenta correspondientes al mes inmediato anterior, cuando se trate de retenedores u obligados en los que concurran las circunstancias del artículo 71.3 números 1.° y 2.° del RIVA.

b) **Presentar, dentro de los primeros veinte días naturales del mes de enero, una declaración anual de las retenciones e ingresos a cuenta efectuados (modelo 190)**. En el caso de que esta declaración se presente en soporte directamente legible por ordenador o haya sido generado mediante la utilización, exclusivamente, de los correspondientes módulos de impresión desarrollados, a estos efectos, por la Administración tributaria, el plazo de presentación será el comprendido entre el 1 de enero y el 31 de enero del año siguiente al del que corresponde dicha declaración. La declaración habrá de reunir los datos y requisitos especificados en el artículo 108.2 del RIRPF.

c) **Expedir en favor del contribuyente una certificación acreditativa de la retención practicada o de los ingresos a cuenta efectuados, así como de los restantes datos referentes al contribuyente que hayan sido incluidos en el correspondiente resumen anual de retenciones e ingresos a cuenta del IRPF**. Esta certificación deberá ponerse a disposición del contribuyente antes de la apertura del plazo de declaración del IRPF.

En aquellos **casos en que la comunidad de propietarios esté obligada a practicar retención e ingreso a cuenta del IRPF en los términos expuestos, deberá presentar la declaración de alta como retenedora en el Censo de empresarios, profesionales y retenedores**, a través del **modelo 036** (declaración censal normal).

No en vano, las comunidades de propietarios son obligados tributarios de conformidad con los apartados 3 y 4 del artículo 35 de la LGT, y estarán obligadas a cumplir las obligaciones que les impone el artículo 29 de la LGT. En particular, en este caso, la obligación de alta censal se recogería en la letra a) del artículo 29 de la LGT, encontrándose además desarrollada por la disposición adicional quinta de la LGT y los artículos 9 y siguientes del RGAT.

Nos remitimos, con carácter general, a lo ya apuntado al tratar del alta censal en los casos en que la comunidad de propietarios contrate a un empleado por cuenta ajena, limitándonos a insistir en este punto sobre las siguientes cuestiones básicas:

- La declaración de alta censal tendrá que presentarse con anterioridad al nacimiento de la obligación de retener o ingresar a cuenta (artículo 9.1 del RGAT), debiendo contener, al menos, la información que especifica la disposición adicional quinta de la LGT en su apartado 3.
- Una vez presentada el alta censal, la comunidad de propietarios deberá comunicar a la AEAT, a través de la oportuna declaración, la alteración de cualquiera de los datos recogidos en la declaración de alta o cual-

quier otra modificación posterior, así como la baja en el censo cuando deje de satisfacer rendimientos sujetos a retención o ingreso a cuenta. De no comunicar tal baja, tendría que seguir presentando periódicamente las declaraciones o autoliquidaciones correspondientes y sería requerida para su cumplimiento.

– Todas estas declaraciones, tanto de alta censal, como de modificación o de baja, habrán de realizarse a través del modelo 036 aprobador por la Orden EHA/1274/2007, de 26 de abril.

RESOLUCIÓN ADMINISTRATIVA

Consulta vinculante de la Dirección General de Tributos (V0022-14), de 10 de enero de 2014

Asunto: obligación de practicar retenciones a cuenta del IRPF de la comunidad de propietarios que contrata los servicios de un profesional que trabaja por cuenta propia.

«Según establece el artículo 74.1 del Reglamento del Impuesto sobre la Renta de las Personas Físicas, aprobado por el Real Decreto 439/2007, de 30 de marzo (BOE de 31 de marzo), la obligación de practicar retenciones e ingresos a cuenta del IRPF se produce cuando las personas contempladas en el artículo 76 del mencionado Reglamento satisfagan o abonen las rentas previstas en el artículo 75 del mismo.

En el artículo 76 del Reglamento del Impuesto sobre la Renta de las Personas Físicas, aprobado por el Real Decreto 439/2007, de 30 de marzo (BOE de 31 de marzo) se definen los obligados a retener o a ingresar a cuenta del IRPF. Entre estos obligados a retener o a ingresar a cuenta, la letra a) del apartado 1 incluye a las comunidades de propietarios.

Por su parte, en el artículo 75 del Reglamento del Impuesto se definen las rentas sujetas a retención, entre las que se encuentran los rendimientos de actividades profesionales (apartado 1, letra c).

En consecuencia, como los rendimientos obtenidos se encuentran incluidos entre las rentas sometidas a retención a cuenta y la comunidad de propietarios, que abona los mismos, está incluida entre los obligados a retener, existirá obligación, por parte de esta, de practicar retención a cuenta sobre los importes facturados por la consultante en el ejercicio de su actividad profesional».

CUESTIONES

1. Una comunidad de propietarios va a contratar a un abogado autónomo para efectuar una reclamación como consecuencia de los perjuicios sufridos tras la defectuosa ejecución de una obra sobre elementos comunes. La cuestión se ha resuelto por vía extrajudicial y el abogado va a facturar a la comunidad de propietarios 650 euros, excluidos impuestos. ¿Qué tipo impositivo de IVA se aplicará a la operación? ¿La comunidad de propietarios tendrá que practicar retención a cuenta del IRPF?

En este caso, al no tratarse de ninguno de los supuestos que conforme a la LIVA y el RIVA permiten la aplicación de un tipo impositivo reducido, resultará de aplicación el tipo general de IVA, del 21 %, resultando una cuota a pagar de 136,50 euros.

Además, y dado que la retribución que la comunidad de propietarios abona al abogado tiene la consideración de rendimientos de actividades profesionales, de conformidad con los artículos 75 y 76 del RIRPF, la comunidad estará obligada a practicar retención e ingreso a cuenta del IRPF del abogado. Así, con carácter general, deberá aplicarse un porcentaje de retención del 15 % sobre los ingresos íntegros satisfechos, lo que supondría que la comunidad de propietarios tuviese que ingresar en el Tesoro público la cantidad de 97,50 euros a cuenta del IRPF del abogado (650 euros x 15 %). Si el abogado iniciase el ejercicio de la actividad profesional en dicho período impositivo o se encontrase en los dos años siguientes a dicho inicio, el tipo de retención sería del 7 %. Nada indica en el enunciado que sea así, por lo que entendemos que resultaría de aplicación el porcentaje de retención del 15 %.

Por lo tanto, la comunidad de propietarios tendría que abonar al abogado la cantidad de 689 euros (650 euros + 136,50 euros - 97,50 euros) y que ingresar el importe de la retención, 97,50 euros, en el Tesoro público.

Además, y como consecuencia de esta obligación de practicar retención, la comunidad de propietarios tendría que darse de alta en el Censo de empresarios, profesionales y retenedores, y que cumplir con el resto de las obligaciones, tanto trimestrales como anuales, derivadas de su condición de retenedora.

2. Una comunidad de propietarios ha contratado a un albañil por cuenta propia para que realice ciertas reparaciones en elementos comunes del edificio. ¿Existirá obligación de practicar retención si el albañil entrega una comunicación en la que indica que determina el rendimiento neto de su actividad por el método de estimación directa?

Los trabajos de albañilería realizados por un profesional que esté dado de alta en la sección primera de las tarifas del IAE, estarán sujetos a retención o ingreso a cuenta del IRPF cuando el autónomo determine el rendimiento neto de su actividad con arreglo al método de estimación objetiva. En particular, en tal caso se aplicará el tipo de retención del 1 % sobre los ingresos íntegros satisfechos. Por el contrario, si el albañil no determina su rendimiento neto por dicho método, sino por el método de estimación directa, en cualquiera de sus modalidades, no existirá obligación de practicar retención a cuenta del IRPF.

Por lo tanto, y dado que en este caso el albañil comunica que determina el rendimiento neto de su actividad económica con arreglo al método de estimación directa, la comunidad de propietarios no estaría obligada a practicar retención e ingreso a cuenta del IRPF. Únicamente tendría que abonar el importe de la factura con el IVA correspondiente, sin necesidad tampoco de presentar por ello declaración censal de alta en el Censo de empresarios, profesionales y retenedores.

3. ¿Existe obligación legal de que el profesional o empresario autónomo indique en la factura la retención a cuenta del IRPF cuando deba practicarse?

No existe obligación de incluir en la factura la retención a cuenta del IRPF cuando deba practicarse, aunque tampoco existe ningún impedimento para que efectivamente se incluya.

No en vano, el artículo 26 del Real decreto 1619/2012, de 30 de noviembre, por el que se aprueba el Reglamento por el que se regulan las obligaciones de facturación, establece lo siguiente en cuanto a las particularidades de la obligación de documentar las operaciones en el IRPF:

«1. Los contribuyentes por el Impuesto sobre la Renta de las Personas Físicas, que obtengan rendimientos de actividades económicas, estarán obligados a expedir factura y copia de ésta por las operaciones que realicen en el desarrollo de su actividad en los términos previstos en este Reglamento, cuando determinen dichos rendimientos por el método de estimación directa, con independencia del régimen a que estén acogidos a efectos del Impuesto sobre el Valor Añadido.

También estarán obligados a expedir factura y copia de ésta los contribuyentes acogidos al método de estimación objetiva en el Impuesto sobre la Renta de las Personas Físicas que determinen su rendimiento neto en función del volumen de ingresos.

2. Las obligaciones establecidas en el apartado anterior se entenderán cumplidas mediante la expedición del recibo previsto en el artículo 16.1 por parte del destinatario de la operación realizada en el desarrollo de las actividades que se encuentren acogidas al régimen especial de la agricultura, ganadería y pesca del Impuesto sobre el Valor Añadido».

Así lo razona la Dirección General de Tributos en su **consulta vinculante (V1728-15), de 2 de junio de 2015**, en la que se planteaba la cuestión con respecto a un profesional:

«En el artículo 26 del Reglamento por el que se regulan las obligaciones de facturación, aprobado por el Real Decreto 1619/2012, de 30 de noviembre (BOE de 1 de diciembre) se establecen las particularidades de la obligación de documentar las operaciones en el IRPF.

En el apartado 1 de este precepto, se establece que los contribuyentes por el IRPF que obtengan rendimientos de actividades económicas y determinen su rendimiento neto por el régimen de estimación directa estarán obligados a expedir factura y copia de ésta por las operaciones que realicen en el desarrollo de su actividad en los términos previstos en dicho Reglamento a los efectos del Impuesto sobre el Valor Añadido.

Por tanto, entre los requisitos que debe reunir una factura no se encuentra la obligación de incluir en la misma la retención a cuenta del IRPF, en los casos en que esta deba practicarse.

Ahora bien, tampoco existe impedimento alguno para su inclusión en la factura de dicha retención a cuenta.

No obstante, que la retención no se incluya en la factura no supone que el pagador de las misma no esté obligado a practicarla cuando exista la obligación de retener, dado que los actos de retención tributaria corresponde realizarlos a quién satisface o abona los rendimientos, quién además vendrá obligado a comunicar la retención al contribuyente y a expedir en su momento certificación acreditativa de la misma, tal y como dispone el artículo 108, en sus apartados 3 y 4, del Reglamento del IRPF, aprobado por el Real Decreto 437/2007, de 30 de marzo (BOE de 31 de marzo)».

6.2.3. Percepción de ingresos por la comunidad de propietarios

6.2.3.1. Aspectos generales

Obligaciones fiscales de la comunidad de propietarios cuando percibe ingresos

1340

En determinados supuestos, la comunidad de propietarios no se limita a contratar a ciertas personas o entidades para que le presten servicios abonándoles a cambio la correspondiente remuneración, sino que **es ella misma la que realiza una actividad y percibe por ello una contraprestación**. Nos referimos, por ejemplo, a los supuestos en los que arriende la fachada del edificio para colocar publicidad o la azotea para la instalación de una antena de telecomunicaciones.

En principio, y en los términos que luego veremos, en estos supuestos, la comunidad de propietarios estaría obligada:

- Por una parte, a tramitar su alta en censo de empresarios, profesionales y retenedores.
- Por otra, a emitir factura por dichas operaciones, repercutiendo la cuota de IVA correspondiente.

Ahora bien, ciertos alquileres de elementos comunes estarán exentos de IVA; básicamente, cuando tengan por objeto un edificio o parte del mismo que se destine a uso exclusivo de vivienda.

Además, **también es posible que la comunidad de propietarios perciba otros ingresos**, no como consecuencia de la realización de actividades, sino en su condición de perjudicada por un siniestro o evento determinado **(indemnizaciones)** o de beneficiaria de una **subvención.** Por regla general, dichos ingresos se considerarían como una ganancia patrimonial para cada uno de los propietarios que integran la comunidad, que debería asumir por ello ciertas obligaciones fiscales (fundamentalmente, la presentación de una declaración informativa anual a través del modelo 184 y la expedición un certificado de percepción de rentas para cada propietario).

A continuación, analizaremos los principales supuestos que pueden darse en la operativa diaria de las comunidades de propietarios y las obligaciones fiscales que llevan aparejadas, distinguiendo tres apartados:

- El arrendamiento o la cesión del uso de elementos comunes.
- La venta de elementos comunes.
- La percepción de subvenciones y de indemnizaciones.

6.2.3.2. Fiscalidad del arrendamiento o la cesión del uso de elementos comunes

1350 **Fiscalidad del arrendamiento o cesión del uso de elementos comunes por comunidades de propietarios**

Una comunidad de propietarios puede arrendar alguno de los elementos comunes para obtener con ello nuevos ingresos.

En principio, al llevar a cabo tales operaciones, la comunidad de propietarios estaría actuado como un empresario o profesional a los efectos del IVA, de modo que tendría que expedir la correspondiente factura, repercutiendo dicho impuesto, y que presentar la declaración de alta en el Censo de empresarios, profesionales y retenedores.

Ahora bien, esta regla no puede generalizarse, puesto que en ciertos casos el arrendamiento se entenderá realizado al margen de una actividad empresarial o profesional, con lo que no existiría tributación por el IVA ni tampoco se exigirá el alta censal. Se trata, fundamentalmente, de los supuestos de arrendamiento de vivienda.

➤ **El IVA de la operación**

Según el artículo 4.Uno de la LIVA, se encuentran sujetas al Impuesto sobre el Valor Añadido «las entregas de bienes y prestaciones de servicios realizadas en el ámbito espacial del impuesto por empresarios o profesionales a título oneroso, con carácter habitual u ocasional, en el desarrollo de su actividad empresarial o profesional, incluso si se efectúan en favor de los propios socios, asociados, miembros o partícipes de las entidades que las realicen».

Por su parte, los apartados Uno y Dos del artículo 5 de la LIVA especifican qué se entenderá por empresario o profesional a tales efectos:

«Uno. A los efectos de lo dispuesto en esta Ley, se reputarán empresarios o profesionales:

a) Las personas o entidades que realicen las actividades empresariales o profesionales definidas en el apartado siguiente de este artículo.

No obstante, no tendrán la consideración de empresarios o profesionales quienes realicen exclusivamente entregas de bienes o prestaciones de servicios a título gratuito, sin perjuicio de lo establecido en la letra siguiente.

b) Las sociedades mercantiles, salvo prueba en contrario.

c) Quienes realicen una o varias entregas de bienes o prestaciones de servicios que supongan la explotación de un bien corporal o incorporal con el fin de obtener ingresos continuados en el tiempo.

En particular, tendrán dicha consideración los arrendadores de bienes.

d) Quienes efectúen la urbanización de terrenos o la promoción, construcción o rehabilitación de edificaciones destinadas, en todos los casos, a su venta, adjudicación o cesión por cualquier título, aunque sea ocasionalmente.

e) Quienes realicen a título ocasional las entregas de medios de transporte nuevos exentas del Impuesto en virtud de lo dispuesto en el artículo 25, apartados uno y dos de esta Ley.

Los empresarios o profesionales a que se refiere esta letra sólo tendrán dicha condición a los efectos de las entregas de los medios de transporte que en ella se comprenden.

Dos. Son actividades empresariales o profesionales las que impliquen la ordenación por cuenta propia de factores de producción materiales y humanos o de uno de ellos, con la finalidad de intervenir en la producción o distribución de bienes o servicios.

En particular, tienen esta consideración las actividades extractivas, de fabricación, comercio y prestación de servicios, incluidas las de artesanía, agrícolas, forestales, ganaderas, pesqueras, de construcción, mineras y el ejercicio de profesiones liberales y artísticas.

A efectos de este impuesto, las actividades empresariales o profesionales se considerarán iniciadas desde el momento en que se realice la adquisición de bienes o servicios con la intención, confirmada por elementos objetivos, de destinarlos al desarrollo de tales actividades, incluso en los casos a que se refieren las letras b), c) y d) del apartado anterior. Quienes realicen tales adquisiciones tendrán desde dicho momento la condición de empresarios o profesionales a efectos del Impuesto sobre el Valor Añadido».

A su vez, y por lo que se refiere en concreto a las comunidades de propietarios, el artículo 84.Tres de la LIVA determina que tendrán la consideración de sujetos pasivos del impuesto «las herencias yacentes, comunidades de bienes y demás entidades que, careciendo de personalidad jurídica, constituyan una unidad económica o un patrimonio separado susceptible de imposición, cuando realicen operaciones sujetas al Impuesto».

Así las cosas, **con carácter general, las comunidades de propietarios no reúnen los requisitos que la legislación sobre IVA establece para atribuirles la condición de empresarios o profesionales.** No en vano, la Dirección General de Tributos ha reiterado que su actividad, que se concreta en la adquisición de los bienes y servicios comunes, y en la distribución de los gastos efectuados por tal concepto entre los distintos propietarios, no constituye una actividad de carácter empresarial o profesional a efectos del IVA. Por lo tanto, en tales casos, las comunidades tendrán la consideración de consumidores finales a los efectos de este impuesto, no pudiendo repercutirlo sobre los miembros que la integran cuando les cobren las derramas ni tampoco deducir las cuotas del IVA soportadas en la adquisición de bienes o servicios.

Sin embargo, estas entidades podrán desarrollar efectivamente actividades empresariales a título oneroso y, con ello, adquirir la condición de sujetos pasivos del impuesto. En concreto, esto sucederá en aquellos supuestos en los que ordenen un conjunto de medios personales y materiales, con independencia y bajo su responsabilidad, para desarrollar una actividad empresarial (sea de fabricación, comercio, prestación de servicios...), mediante la realización continuada de entregas de bienes o prestaciones de servicios, asumiendo el riesgo y ventura que pueda derivarse del desarrollo de la actividad, siempre que actúen a título oneroso.

Por lo tanto, **cuando las comunidades de propietarios arrienden un elemento común o cedan su uso o disfrute mediante contraprestación, por regla general estarán actuando como empresarios o profesionales a los efectos del IVA y la operación constituirá una prestación de servicios sujeta a dicho impuesto**, en su condición de cesión de uso o disfrute de un bien. No en vano, los ordinales 2.° y 3.° del artículo 11.Dos de la LIVA consideran como prestaciones de servicios «los arrendamientos de bienes, industria o negocio, empresas o establecimientos mercantiles, con o sin opción de compra» y «las cesiones del uso o disfrute de bienes».

➢ La exención del IVA de los arrendamientos de inmuebles para uso exclusivo de vivienda

Sentada la regla general antes expuesta, conviene tener en cuenta que el **artículo 20.Uno.23.° de la LIVA** establece la exención en el impuesto de ciertas operaciones, en los siguientes términos:

> «Uno. **Estarán exentas de este impuesto** las siguientes operaciones:
>
> (...)
>
> 23.° **Los arrendamientos que tengan la consideración de servicios** con arreglo a lo dispuesto en el artículo 11 de esta Ley y la constitución y transmisión de derechos reales de goce y disfrute, **que tengan por objeto los siguientes bienes**:
>
> a) Terrenos, incluidas las construcciones inmobiliarias de carácter agrario utilizadas para la explotación de una finca rústica.
>
> Se exceptúan las construcciones inmobiliarias dedicadas a actividades de ganadería independiente de la explotación del suelo.
>
> b) **Los edificios o partes de los mismos destinados exclusivamente a viviendas** o a su posterior arrendamiento por entidades gestoras de programas públicos de apoyo a la vivienda o por sociedades acogidas al régimen especial de Entidades dedicadas al arrendamiento de viviendas establecido en el Impuesto sobre Sociedades. **La exención se extenderá a los garajes y anexos accesorios a las viviendas y los muebles, arrendados conjuntamente con aquéllos.**
>
> La exención no comprenderá:
>
> a´) Los arrendamientos de terrenos para estacionamientos de vehículos.
>
> b´) Los arrendamientos de terrenos para depósito o almacenaje de bienes, mercancías o productos, o para instalar en ellos elementos de una actividad empresarial.

c´) Los arrendamientos de terrenos para exposiciones o para publicidad.

d´) Los arrendamientos con opción de compra de terrenos o viviendas cuya entrega estuviese sujeta y no exenta al impuesto.

e´) Los arrendamientos de apartamentos o viviendas amueblados cuando el arrendador se obligue a la prestación de alguno de los servicios complementarios propios de la industria hotelera, tales como los de restaurante, limpieza, lavado de ropa u otros análogos.

f´) Los arrendamientos de edificios o parte de los mismos para ser subarrendados, con excepción de los realizados de acuerdo con lo dispuesto en la letra b) anterior.

g´) Los arrendamientos de edificios o parte de los mismos asimilados a viviendas de acuerdo con lo dispuesto en la Ley de Arrendamientos Urbanos.

h´) La constitución o transmisión de derechos reales de goce o disfrute sobre los bienes a que se refieren las letras a´), b´), c´), e´) y f´) anteriores.

j´) La constitución o transmisión de derechos reales de superficie».

Así las cosas, **el arrendamiento de un inmueble destinado para su uso exclusivo como vivienda, estará sujeto y exento del IVA, siempre y cuando no se trate de alguno de los supuestos expresamente excluidos** por la norma.

RESOLUCIÓN ADMINISTRATIVA

Consulta vinculante de la Dirección General de Tributos (V0151-25), de 12 de febrero de 2025

Asunto: servicio de hospedaje sin servicios complementarios se encontrarán sujetos pero exentos del IVA

«En este sentido, los servicios de hospedaje se caracterizan por extender la atención a los clientes más allá de la mera puesta a disposición de un inmueble o parte del mismo. Es decir, la actividad de hospedaje se caracteriza, a diferencia de la actividad de alquiler de viviendas, porque normalmente comprende la prestación de una serie de servicios tales como recepción y atención permanente y continuada al cliente en un espacio destinado al efecto, limpieza periódica del inmueble y el alojamiento, cambio periódico de ropa de cama y baño, y puesta a disposición del cliente de otros servicios (lavandería, custodia de maletas, prensa, reservas, etc.), y, a veces, prestación de servicios de alimentación y restauración.

En particular, se consideran servicios complementarios propios de la industria hotelera los siguientes:

-Servicio de limpieza del interior del apartamento prestado con periodicidad semanal.

-Servicio de cambio de ropa en el apartamento prestado con periodicidad semanal.

Por el contrario, no se consideran servicios complementarios propios de la industria hotelera los que a continuación se citan:

- Servicio de limpieza del apartamento prestado a la entrada y a la salida del periodo contratado por cada arrendatario.

- Servicio de cambio de ropa en el apartamento prestado a la entrada y a la salida del periodo contratado por cada arrendatario.

- Servicio de limpieza de las zonas comunes del edificio (portal, escaleras y ascensores) así como de la urbanización en que está situado (zonas verdes, puertas de acceso, aceras y calles).

- Servicios de asistencia técnica y mantenimiento para eventuales reparaciones de fontanería, electricidad, cristalería, persianas, cerrajería y electrodomésticos.

Según manifiesta la entidad consultante, la misma no va a prestar servicios complementarios propios de la industria hotelera, de manera que, en estas circunstancias, los arrendamientos turísticos objeto de consulta se encontrarán sujetos pero exentos del Impuesto sobre el Valor Añadido».

Por su interés, en este punto debemos hacer referencia a una de dichas exclusiones, la relativa a aquellos **supuestos en los que el edificio o parte del mismo vaya a ser subarrendado o cedido a otra persona por parte del arrendatario**. Y, es que, con anterioridad, la Dirección General de Tributos venía considerando en estos casos que la cesión posterior del inmueble realizada por el arrendatario en el ejercicio de una actividad empresarial o profesional suponía que el arrendamiento quedase sujeto y no exento; con referencia, entre otros casos, a los supuestos de cesión de la edificación destinada a vivienda por un empleador a favor de sus empleados o familiares de ellos, de cesión para el ejercicio de una actividad empresarial o profesional, o bien por cualquier otro título oneroso. Sin embargo, a la vista de las resoluciones del Tribunal Económico Administrativo Central n.º 3856/2013 y n.º 3857/2013, ambas de 15 de diciembre de 2016, ha modificado su criterio, pasando a entender lo siguiente [consulta vinculante de la Dirección General de Tributos (V1565-18), de 6 de junio de 2018]:

«(...) se mantiene la doctrina anterior de esta Dirección General y del Tribunal Económico-Administrativo Central en la medida en que **cuando se arriende una vivienda a un empresario o profesional para subarrendarla o ceder el uso a terceras personas, tal arrendamiento estará sujeto y no exento del Impuesto sobre el Valor Añadido**. Ahora bien, a la luz de las citadas resoluciones cabe entender que **no concurre tal subarrendamiento cuando quede acreditado, por cualquier medio de prueba admitido en derecho, que no existe intención de explotar el bien arrendado por parte del arrendatario sino destinarlo directamente a un uso efectivo y propio como vivienda por parte de una persona física concreta, la cual debe figurar necesariamente como usuaria en el propio contrato de arrendamiento**, y que, por tanto, no puede destinarse a su uso por persona distinta al tener prohibida el arrendatario la facultad de subarrendar o ceder la vivienda a terceros.

(...) si en el contrato de arrendamiento no figura concreta y específicamente la persona o personas físicas usuarias últimas de la vivienda, pudiendo el arrendatario designarlas posteriormente, el referido contrato de arrendamiento estará sujeto y no exento en la medida en que tiene lugar una cesión o subarrendamiento posterior que impide la aplicación de la exención prevista en el artículo 20.Uno.23º de la Ley del Impuesto».

CUESTIÓN

Un propietario pretende arrendar una vivienda a una fundación sin ánimo de lucro con el fin de que ésta la ceda a título gratuito a jóvenes tutelados, ¿dicho arrendamiento estará exento del IVA?

Para responder a esta cuestión podemos acudir a la consulta vinculante de la DGT (V0063-25), de 3 de febrero de 2025, en la que establece:

«(...) este Centro directivo ha manifestado, entre otras, en la contestación vinculante de 17 de mayo de 2021, número V1436-21, que "aunque figure exclusivamente como arrendataria la fundación consultante, en la medida en que pueda considerarse que la

misma no realiza ninguna actividad empresarial o profesional y se limite al arrendamiento de un inmueble que a su vez va a ceder como vivienda a personas en situación de exclusión y que dicha cesión no se realiza a título oneroso, sino que se limita a permitir el uso del mismo en las condiciones señaladas, sin que exista por ello ningún tipo de contraprestación por parte de los destinatarios ni por parte de terceras personas, el arrendamiento del inmueble objeto de consulta estará sujeto y exento del Impuesto sobre el Valor Añadido.

En el caso de no cumplir los requisitos anteriores el arrendamiento estará sujeto y no exento tributando al tipo general del 21 por ciento del Impuesto sobre el Valor Añadido."».

➢ La distinción entre arrendamientos exentos y no exentos de IVA

En definitiva, en relación con el IVA del arrendamiento de elementos comunes cabría distinguir dos supuestos:

♦ Arrendamientos sujetos y no exentos de IVA

El **alquiler de zonas comunes no destinadas a uso exclusivo de vivienda** estará sujeto y no exento del IVA, quedando gravado al tipo impositivo general del 21 %, así como el de **edificios o partes de los mismos que sí se destinen a vivienda pero no estén exentos**.

La comunidad de propietarios será sujeto pasivo del impuesto y deberá repercutir la cuota de IVA que corresponda al arrendatario, además de practicar la liquidación y el ingreso del tributo a través de las oportunas declaraciones. En este sentido, el artículo 164.Uno de la LIVA establece lo siguiente en cuanto a las **obligaciones** de los sujetos pasivos del impuesto:

«Uno. Sin perjuicio de lo establecido en el Título anterior, los sujetos pasivos del impuesto estarán obligados, con los requisitos, límites y condiciones que se determinen reglamentariamente, a:

1.º Presentar declaraciones relativas al comienzo, modificación y cese de las actividades que determinen su sujeción al impuesto.

2.º Solicitar de la Administración el número de identificación fiscal y comunicarlo y acreditarlo en los supuestos que se establezcan.

3.º Expedir y entregar factura de todas sus operaciones, ajustada a lo que se determine reglamentariamente.

4.º Llevar la contabilidad y los registros que se establezcan en la forma definida reglamentariamente, sin perjuicio de lo dispuesto en el Código de Comercio y demás normas contables.

5.º Presentar periódicamente, o a requerimiento de la Administración, información relativa a sus operaciones económicas con terceras personas y, en particular, una declaración recapitulativa de operaciones intracomunitarias.

6.º Presentar las declaraciones-liquidaciones correspondientes e ingresar el importe del impuesto resultante.

Sin perjuicio de lo previsto en el párrafo anterior, los sujetos pasivos deberán presentar una declaración-resumen anual.

En los supuestos del artículo 13, número 2.º, de esta Ley deberá acreditarse el pago del impuesto para efectuar la matriculación definitiva del medio de transporte.

7.º Nombrar un representante a efectos del cumplimiento de las obligaciones impuestas en esta Ley cuando se trate de sujetos pasivos no establecidos en la Comunidad, salvo que se encuentren establecidos en Canarias, Ceuta o Melilla, o en un Estado con el que existan instrumentos de asistencia mutua análogos a los instituidos en la Comunidad».

En concreto, los modelos que tendrá que presentar la comunidad de propietarios como sujeto pasivo del IVA son los siguientes:

- **«Modelo 303. IVA. Autoliquidación».** Ha de presentarse trimestralmente, en el mes siguiente al período de liquidación. Para los primeros tres trimestres del año, se presentará del día 1 al 20 de los meses de abril, julio y octubre; y para el cuarto trimestre la autoliquidación se presentará del 1 al 30 de enero.
- **«Modelo 390. IVA. Declaración Resumen Anual».** Se trata de un modelo de presentación anual, a realizar durante los 30 primeros días naturales del mes de enero siguiente al año al que se refiere la declaración.

Paralelamente, **la comunidad de propietarios podrá deducirse, en su caso, el IVA que hubiese soportado por las adquisiciones de bienes o servicios destinados a la actividad de arrendamiento.**

◆ Arrendamientos sujetos y exentos de IVA

El **arrendamiento de un inmueble para uso exclusivo de vivienda**, así como de los garajes o anexos accesorios que se alquilen conjuntamente con ella, constituirá una operación sujeta y exenta del IVA, siempre que no se trate de alguno de los supuestos que excluye el artículo 20.Uno.23.º de la LIVA en su letra b).

Ahora bien, el hecho de que estos arrendamientos se encuentren exentos del IVA no supone que no estén sujetos a tributación, puesto que, al margen de la que corresponda por los rendimientos que generen para los propietarios que integran la comunidad, se trataría de una operación sujeta al Impuesto sobre Transmisiones Patrimoniales y Actos Jurídicos Documentados (ITPyAJD).

No en vano, en principio, dicho impuesto se exigirá, en su modalidad de transmisiones patrimoniales, en las transmisiones onerosas *inter vivos* de toda clase de bienes y derechos que integren el patrimonio de las personas físicas o jurídicas [artículo 7.1.a) de la LITPyAJD]; siempre que no se trate de operaciones realizadas por empresarios o profesionales en el ejercicio de su actividad económica y sujetas al IVA, en los términos que especifica el artículo 7.5 de la LITPyAJD:

> «5. No estarán sujetas al concepto "transmisiones patrimoniales onerosas" regulado en el presente Título las operaciones enumeradas anteriormente cuando, con independencia de la condición del adquirente, los transmitentes sean empresarios o profesionales en el ejercicio de su actividad económica y, en cualquier caso, cuando constituyan entregas de bienes o prestaciones de servicios sujetas al Impuesto sobre el Valor Añadido. No obstante, **quedarán sujetos a dicho concepto impositivo las entregas o arrendamientos de bienes inmuebles, así como la constitución y transmisión de derechos reales de uso y disfrute que recaigan sobre los mismos, cuando gocen de exención en el Impuesto sobre el Valor Añadido.** También quedarán sujetas las entregas de aquellos inmuebles que estén incluidos en la transmisión de un patrimonio empresarial o profesional, cuando por las circunstancias concurrentes la transmisión de este patrimonio no quede sujeta al Impuesto sobre el Valor Añadido».

Como antes indicamos, los arrendamientos a los que ahora nos estamos refiriendo constituyen operaciones sujetas y no exentas del IVA, de modo que estarían sujetas al ITPyAJD en su modalidad de transmisiones patrimoniales onerosas, siendo **sujeto pasivo de dicho impuesto el arrendatario** [artículo 8.f) de la LITPyAJD]. Con todo, el artículo 45.I.B) de la LITPyAJD declara que estarán **exentos los arrendamientos de vivienda para uso estable y permanente a los que se refiere el artículo 2 de la Ley 29/1994, de 24 de noviembre**, de Arrendamientos Urbanos (apartado 26 del precepto).

CUESTIONES

1. Una comunidad de propietarios arrienda un inmueble común del edificio a una persona jurídica, que luego lo cederá a otro arrendatario en ejercicio de su actividad. ¿La operación estará exenta de IVA?

El arrendamiento de un inmueble, cuando se destine para su uso exclusivo como vivienda, estará sujeto y exento del IVA de acuerdo con la letra b) del artículo 20.Uno.23.° de la LIVA, salvo en los casos expresamente excluidos de la exención por el precepto.

Justamente, en el supuesto planteado nos encontraríamos ante una de dichas excepciones, puesto que el destinatario del arrendamiento es una persona jurídica, que no podrá destinar el inmueble directamente a vivienda para sí y que, además, lo cederá con posterioridad a otro arrendatario en el ejercicio de su actividad empresarial. Por lo tanto, la operación estaría sujeta y no exenta del IVA, tributando al tipo impositivo general del 21 %.

2. ¿Y si la persona jurídica arrendase el inmueble para que un empleado suyo lo destine a vivienda, figurando este en el contrato de arrendamiento como usuario y sin que quepa que se subarriende o ceda a otra persona?

En este caso, a la vista de la doctrina reciente de la Dirección General de Tributos, no existiría un subarrendamiento a un tercero que excluyese la exención del IVA, puesto que la persona jurídica arrendataria no tiene intención de explotar el bien arrendado, sino que va destinarlo a un uso efectivo y propio como vivienda por parte de una persona física concreta, que figura como usuaria en el propio contrato de arrendamiento, sin que pueda destinarse a su uso por persona distinta, al estar prohibida la facultad de subarrendar o ceder la vivienda a terceros.

Así se recoge, por ejemplo, en la consulta vinculante de la Dirección General de Tributos (V1565-18), de 6 de junio de 2018.

RESOLUCIÓN ADMINISTRATIVA

Consulta vinculante de la Dirección General de Tributos (V3246-19), de 27 de noviembre de 2019

Asunto: tributación en el IVA de un arrendamiento de zonas comunes realizado por la comunidad de propietarios a un tercero.

«Las comunidades de propietarios, con carácter general, no reúnen los requisitos establecidos por la normativa del Impuesto sobre el Valor Añadido para atribuirles la condición de empresarios o profesionales. Es criterio reiterado de este Centro directivo que la actividad que realizan, que se concreta en la adquisición de los bienes y servicios necesarios para el mantenimiento, utilización, funcionamiento, etc., de los bienes, elementos, pertenencias y servicios comunes, y en la distribución de los gastos efectuados por tal concepto entre los miembros de la misma, no constituye una actividad de carácter empresarial o profesional a efectos del Impuesto sobre el Valor Añadido.

Dichas comunidades tienen, por tanto, la condición de consumidores finales a efectos del Impuesto sobre el Valor Añadido, no pudiendo repercutir dicho Impuesto sobre los comuneros con ocasión del cobro de las derramas que efectúan a los mismos, ni deducir las cuotas del Impuesto soportadas en la adquisición de bienes o servicios.

Sin embargo, este criterio general no obsta para que dichas comunidades de propietarios puedan efectivamente desarrollar actividades empresariales a título oneroso adquiriendo, por ello, la condición de sujetos pasivos del Impuesto.

De la descripción de hechos contenida en el escrito de consulta parece deducirse que será la propia comunidad de propietarios quién arriende las zonas comunes por lo que dicha comunidad tendría la condición de empresario o profesional a efectos del Impuesto sobre el Valor Añadido, ya que el arrendamiento de un elemento común a favor de terceros mediante contraprestación tiene la consideración de una prestación de servicios sujeta por constituir una cesión de uso o disfrute de un bien.

No obstante, el reparto de los gastos comunes que efectúe la comunidad de propietarios a los comuneros, con ocasión del cobro de las derramas, será una actividad efectuada al margen de su actividad empresarial o profesional, respecto de la que actuará como consumidor final, y por tanto no deberá repercutir el Impuesto sobre el Valor Añadido, ni deducirá las cuotas del Impuesto soportadas en la adquisición de dichos bienes y servicios no relacionados con su actividad empresarial o profesional.

2.- En relación con la actividad de arrendamiento ejercida por el consultante, ésta estará sujeta al Impuesto sobre el Valor Añadido de conformidad con los artículos 4 y 5 de la Ley 37/1992.

No obstante, (...) el arrendamiento de un inmueble, conforme al artículo 20.Uno.23° de la Ley 37/1992, cuando se destine para su uso exclusivo como vivienda, estará sujeto y exento del Impuesto sobre el Valor Añadido, siempre y cuando no se trate de alguno de los supuestos excluidos de la exención establecida en este mismo artículo.

En caso contrario, como parece suceder en el supuesto objeto de consulta, el alquiler de zonas comunes no destinadas a uso exclusivo de vivienda, estará sujetos y no exento y queda gravado al tipo impositivo general del 21 por ciento del Impuesto sobre el Valor Añadido».

Consulta vinculante de la Dirección General de Tributos (V0273-22), de 14 de febrero de 2022

Asunto: no exención en el IVA del arrendamiento de inmueble destinado a uso exclusivo de vivienda que sea objeto de cesión posterior por parte del arrendatario en el ejercicio de una actividad empresarial.

«(...) el arrendamiento de un inmueble, cuando se destine para su uso exclusivo como vivienda, estará sujeto y exento del Impuesto sobre el Valor Añadido, siempre y cuando no se trate de alguno de los supuestos excluidos de la exención establecida en este mismo artículo.

En otro caso, el mencionado arrendamiento estará sujeto y no exento del Impuesto sobre el Valor Añadido. En particular, será así cuando se alquile a personas jurídicas (dado que no los pueden destinar directamente a viviendas) o se presten por el arrendador los servicios propios de la industria hotelera, o en los arrendamientos de viviendas que sean utilizadas por el arrendatario para otros usos, tales como oficinas o despachos profesionales, etc.

Por tanto, los arrendamientos de edificaciones, que a su vez son objeto de una cesión posterior por parte de su arrendatario en el ejercicio de una actividad empresarial, dejan de estar exentos en el Impuesto sobre el Valor Añadido para pasar a estar sujetos y no exentos, y ello con independencia de que la ulterior cesión de los mismos se realice en virtud de un nuevo contrato de arrendamiento, letra f´) del precepto, o en virtud de otro título».

Consulta vinculante de la Dirección General de Tributos (V1565-18), de 6 de junio de 2018

Asunto: aplicación de la exención en el IVA de un arrendamiento de inmueble realizado a una sociedad que lo va a destinar como vivienda para su administrador.

«En relación con la aplicación de la exención al arrendamiento de vivienda cuando el arrendatario no sea el usuario de dicha vivienda porque permita el uso a otra persona, se ha pronunciado reiteradamente este Centro directivo, por todas, contestación a la consulta de fecha 31 de octubre de 2016, número V4618-16, en la que se indica que "cuando el arrendatario de una vivienda no tiene la condición de empresario o profesional, pues realiza exclusivamente entregas de bienes o prestaciones de servicios a título gratuito, como señala el artículo 5, apartado uno, letra a) párrafo segundo, de la Ley 37/1992, o actúa, por cualquier otra razón, como consumidor final, ya sea persona física, ya sea una persona jurídica, el arrendamiento de la vivienda estará exento, sin perjuicio de que este consumidor final permita el uso de la vivienda a otras personas".

Por el contrario, los arrendamientos de viviendas, que a su vez son objeto de una cesión posterior por parte de su arrendatario en el ejercicio de una actividad empresarial, dejan de estar exentos en el Impuesto sobre el Valor Añadido para pasar a estar sujetos y no exentos, y ello con independencia de que la ulterior cesión de los mismos se realice en virtud de un nuevo contrato de arrendamiento, conforme a la letra f´) del artículo 20.Uno.23° de la Ley 37/1992, o en virtud de otro título. Hay que entender que existe cesión posterior por el arrendatario en el ejercicio de una actividad empresarial y profesional, de forma que el arrendamiento resulta sujeto y no exento, entre otros, en los siguientes supuestos:

- Cesión de la edificación destinada a vivienda por un empleador a favor de sus empleados o los familiares de éstos.

- Cesión de la edificación destinada a vivienda para el ejercicio de una actividad empresarial o profesional.

- Cesión de la edificación destinada a vivienda por cualquier otro título oneroso.

No obstante lo anterior, este criterio debe matizarse a la vista de las recientes resoluciones del Tribunal Económico-Administrativo Central de fecha 15 de diciembre de 2016, en las que en sendos Fundamentos de Derecho tercero se señala lo siguiente:

"(...) de acuerdo con la doctrina señalada por este Tribunal, el arrendamiento de una vivienda a una entidad jurídica que no lo destina directa y efectivamente a dicha finalidad, sino que cede su uso a un tercero, está sujeto y no exento del Impuesto sobre el Valor Añadido, con la salvedad transcrita en los párrafos anteriores. Esto es, con la dicción del artículo 20.Uno.23° letra b) de la Ley del IVA, la exención se aplica a los arrendamientos destinados únicamente a vivienda del propio arrendatario, siempre que no se subarriende en todo o en parte.

La cuestión será determinar si dicho subarrendamiento debe producirse en un momento posterior a la celebración del contrato de arrendamiento, o lo que es lo mismo, si dentro del ámbito de la exención pueden incluirse aquellos supuestos en los, siendo el arrendatario una persona jurídica, de manera concreta y específica, en el propio contrato de arrendamiento, figure ya la persona o personas usuarias últimas del inmueble, de manera que se impida el subarrendamiento o cesión posterior a personas ajenas a aquellas designadas en el contrato de arrendamiento; no facultándose al arrendatario ni a subarrendar o ceder la vivienda ni a designar con posterioridad a la firma del contrato a las personas físicas usuarias del inmueble, no teniendo la posibilidad de que la vivienda se destine a su utilización por distintas personas físicas durante la vigencia del contrato de arrendamiento. En definitiva, debe concretarse si las estipulaciones contractuales del arrendamiento evidencian que el contrato se pactó con la única finalidad de que el inmueble fuese objeto de uso por una persona física concreta, sin que por ello y en caso afirmativo, se acuda a una interpretación extensiva de la exención no permitida por el ordenamiento tributario.

La dicción del precepto y finalidad de la exención deben permitir incluir este supuesto en la norma, dado que con ello no se violenta ni su ámbito de aplicación ni la finalidad perseguida por el legislador. En este sentido se deduce que lo que se pretende con la exención es que la finalidad del contrato de arrendamiento debe ser únicamente servir de vivienda a una concreta persona, es decir, que cuando se acredita que no existe un negocio jurídico posterior al contrato de arrendamiento por el que se cede el uso de la vivienda (porque se concreta la persona física o personas físicas que van a ocupar el inmueble destinado a vivienda), y que por ello no puede destinarse a residencia de otra persona, cualquiera que sea su título o el motivo de la cesión, debe incluirse la operación dentro de la exención que ahora examinamos.

No se incluirá en el ámbito de aplicación de la exención aquel contrato de arrendamiento por el que se faculta al arrendatario a designar a las personas que vayan a ocupar la vivienda. Esta designación posterior de la persona o de las personas (es así cuando puede destinarse a un uso de distintas personas por períodos temporales inferiores al del contrato de arrendamiento de forma sucesiva) que van a ocupar el inmueble no puede sino comportar una cesión o subarriendo que impide que el arrendamiento este exento de IVA".

En virtud de lo expuesto, se mantiene la doctrina anterior de esta Dirección General y del Tribunal Económico-Administrativo Central en la medida en que cuando se arriende una vivienda a un empresario o profesional para subarrendarla o ceder el uso a terceras personas, tal arrendamiento estará sujeto y no exento del Impuesto sobre el Valor Añadido. Ahora bien, a la luz de las citadas resoluciones cabe entender que no concurre tal subarrendamiento cuando quede acreditado, por cualquier medio de prueba admitido en derecho, que no existe intención de explotar el bien arrendado por parte del arrendatario sino destinarlo directamente a un uso efectivo y propio como vivienda por parte de una persona física concreta, la cual debe figurar necesariamente como usuaria en el propio contrato de arrendamiento, y que, por tanto, no puede destinarse a su uso por persona distinta al tener prohibida el arrendatario la facultad de subarrendar o ceder la vivienda a terceros.

En este caso, de concurrir todas las circunstancias expuestas, el arrendamiento de la vivienda al empresario o profesional estará sujeto pero exento del Impuesto sobre el Valor Añadido de conformidad con lo previsto en el artículo 20.Uno.23° de la Ley 37/1992.

Por el contrario, si en el contrato de arrendamiento no figura concreta y específicamente la persona o personas físicas usuarias últimas de la vivienda, pudiendo el arrendatario designarlas posteriormente, el referido contrato de arrendamiento estará sujeto y no exento en la medida en que tiene lugar una cesión o subarrendamiento posterior que impide la aplicación de la exención prevista en el artículo 20.Uno.23° de la Ley del Impuesto».

1360

La deducción de las cuotas de IVA soportadas por la comunidad de propietarios

En aquellos supuestos en los que la **comunidad de propietarios arriende una zona común y dicho arrendamiento se encuentre sujeto y no exento de IVA, podrá deducirse el IVA que hubiese soportado por las adquisiciones de bienes**

o servicios destinados a la actividad de arrendamiento. Así se desprende del **artículo 92.Uno de la LIVA**, según el cual:

«Uno. Los sujetos pasivos podrán deducir de las cuotas del Impuesto sobre el Valor Añadido devengadas por las operaciones gravadas que realicen en el interior del país las que, devengadas en el mismo territorio, hayan soportado por repercusión directa o correspondan a las siguientes operaciones:

1.° Las entregas de bienes y prestaciones de servicios efectuadas por otro sujeto pasivo del Impuesto.

2.° Las importaciones de bienes.

3°. Las entregas de bienes y prestaciones de servicios comprendidas en los artículos 9.1.° c) y d); 84.uno.2.° y 4.°, y 140 quinque, todos ellos de la presente Ley.

4.° Las adquisiciones intracomunitarias de bienes definidas en los artículos 13, número 1.°, y 16 de esta Ley».

Para la deducción será preciso el cumplimiento de los requisitos generales que la posibilitan, dentro de los cuales merecen especial referencia los **requisitos formales que recoge el artículo 97 de la LIVA**. Y es que solo podrán ejercitar el derecho a la deducción los empresarios o profesionales (como sería en este caso la comunidad de propietarios) que estén en posesión del documento justificativo de su derecho, carácter que únicamente tendrán los documentos que especifica dicho precepto:

«1.° La **factura original** expedida por quien realice la entrega o preste el servicio o, en su nombre y por su cuenta, por su cliente o por un tercero, siempre que, para cualquiera de estos casos, se cumplan los requisitos que se establezcan reglamentariamente.

2.° La factura original expedida por quien realice una entrega que dé lugar a una adquisición intracomunitaria de bienes sujeta al impuesto, siempre que dicha adquisición esté debidamente consignada en la declaración-liquidación a que se refiere el número 6.° del apartado uno del artículo 164 de esta ley.

3.° En el caso de las importaciones, el documento en el que conste la liquidación practicada por la Administración o, si se trata de operaciones asimiladas a las importaciones, la autoliquidación en la que se consigne el Impuesto devengado con ocasión de su realización.

4.° La factura original o el justificante contable de la operación expedido por quien realice una entrega de bienes o una prestación de servicios al destinatario, sujeto pasivo del Impuesto, en los supuestos a que se refieren los números 2.°, 3.° y 4.° del apartado uno del artículo 84 y el artículo 140 quinque de esta Ley, siempre que dicha entrega o prestación esté debidamente consignada en la declaración-liquidación a que se refiere el número 6.° del apartado uno del artículo 164 de esta Ley.

Cuando quien realice la entrega de bienes o la prestación de servicios esté establecido en la Comunidad, la factura original a que se refiere el párrafo anterior deberá contener los requisitos recogidos en el artículo 226 de la Directiva 2006/112/CE, del Consejo, de 28 de noviembre de 2006, relativa al sistema común del impuesto sobre el valor añadido.

5.° El recibo original firmado por el titular de la explotación agrícola, forestal, ganadera o pesquera a que se refiere el artículo 134, apartado tres, de esta ley».

Los documentos ahora mencionados, que no cumplan todos y cada uno de los requisitos previstos legal y reglamentariamente, no servirán para justificar el derecho a la deducción del IVA, salvo que se produzca su rectificación. Ahora bien, el derecho a la deducción de las cuotas cuyo ejercicio se justifique mediante un documento rectificativo solo podrá realizarse en el período impositivo en el que el empresario o profesional reciba dicho documento o en los siguientes, siempre que no haya transcurrido el plazo a que se refiere el artículo 100 de la LIVA, que regula la caducidad del derecho a la deducción, y sin perjuicio de lo previsto en el artículo 114.2 de la LIVA (rectificación de deducciones).

No se admitirá el derecho a deducir en cuantía superior a la cuota tributaria expresa y separadamente consignada que hubiese sido repercutida o, en su caso, satisfecha según el documento que justifique la deducción.

CUESTIONES

1. Una comunidad de propietarios tiene alquilada su fachada para la colocación de un cartel publicitario; motivo por el que, en su día, colocó unos focos de iluminación específicos. Ahora ha tenido que repararlos, recibiendo una factura a nombre de la comunidad de propietarios. ¿Podría deducirse el IVA soportado por esta operación?

El gasto de reparación de los focos que ha afrontado la comunidad de propietarios está directamente relacionado con la actividad de arrendamiento que desarrolla dicha comunidad, por lo que será deducible para esta siempre que se cumplan los requisitos generales para ello (en especial, su adecuada justificación documental).

2. ¿Y los gastos de limpieza del edificio?

La limpieza del edificio constituye un gasto general de la comunidad de propietarios y no estaría ligado a la actividad de arrendamiento de la fachada. Por lo tanto, con respecto a este gasto general la comunidad de propietarios no tendría la consideración de empresario o profesional a los efectos del IVA, sino de consumidor final, y no tendría derecho a deducirse el IVA en ella soportado.

RESOLUCIÓN ADMINISTRATIVA

Consulta vinculante de la Dirección General de Tributos (V0595-20), de 16 de marzo de 2020

Asunto: posibilidad de deducción del IVA soportado por una comunidad de propietarios que arrienda plazas de garaje a terceros, tratándose de un edificio integrado exclusivamente por oficinas y locales. Se plantea tanto la deducibilidad del IVA soportado por los gastos exclusivamente afectos a la actividad de arrendamiento como la del correspondiente a los demás gastos generales de la comunidad (seguridad, limpieza, jardinería, etc.).

«El arrendamiento por horas de un elemento común como son algunas de las plazas de garaje del edificio mediante contraprestación tiene la consideración de una prestación de servicios sujeta, por constituir una cesión de uso o disfrute de un bien y convierte a la comunidad de propietarios que la realiza en sujeto pasivo del Impuesto del Valor Añadido.

Por tanto, se encuentra sujeto y no exento del Impuesto sobre el Valor Añadido el arrendamiento efectuado por la comunidad de propietarios a la que pertenece el consultante.

El sujeto pasivo de la operación será, en este caso, la propia comunidad de propietarios que, tal como se señala en el texto de la consulta, debe repercutir sobre el destinatario (los arrendatarios de las plazas de garaje) la cuota correspondiente y realizar la liquidación e ingreso del tributo en las correspondientes declaraciones- liquidaciones. ***La comunidad de propietarios podrá asimismo deducir, en su caso, el Impuesto que haya soportado por las adquisiciones de bienes o servicios destinados a la actividad de arrendamiento*** *señalada.*

3.- Por lo que se refiere a ***los restantes servicios que recibe la comunidad de propietarios, y por los cuales soporta cuotas del Impuesto sobre el Valor Añadido, al no estar relacionados con la actividad de arrendamiento por la cual ostenta la condición de empresario o profesional no resultarán deducibles para la misma****, ya que en relación con los mismos tiene la condición de consumidor final a efectos del Impuesto sobre el Valor Añadido, no pudiendo repercutir dicho Impuesto sobre los comuneros con ocasión del cobro de las derramas que efectúa a los mismos.*

Por consiguiente, los empresarios o profesionales que pertenezcan a una comunidad de propietarios no podrán, en principio, deducir las cuotas del Impuesto sobre el Valor Añadido que hubiesen sido soportadas por la comunidad. La razón es que dichas cuotas han sido repercutidas directamente a la comunidad de propietarios, no a los comuneros. Es decir, los comuneros no soportan ninguna cuota por repercusión directa. Ello implica que, de acuerdo con lo establecido en el artículo 92 de la Ley 37/1992, dichos comuneros no podrán deducirse estas cuotas que no les han sido directamente repercutidas, aunque tengan la condición de empresario o profesional.

(...)

La factura y los duplicados deben ser expedidas por quien realice las operaciones sujetas al impuesto a favor del destinatario de éstas, es decir, de la comunidad de bienes y, en su caso, de los distintos miembros que forman esta comunidad.

Por tanto, ***si en las facturas que documentan las operaciones de entregas de bienes y prestaciones de servicios cuya destinataria sea la comunidad de propietarios se consigna, en forma distinta y separada, la porción de base imponible y cuota repercutida a cada uno de los citados propietarios, éstos podrán deducir el Impuesto que les ha sido repercutido, siempre que se trate de empresarios o profesionales y se cumplan los demás requisitos*** *para efectuar la deducción, de conformidad con lo previsto en los artículos 92 y siguientes de la Ley 37/1992.*

Alternativamente, y teniendo en cuenta los criterios establecidos por la sentencia del Tribunal de Justicia de las Comunidades Europeas que se ha transcrito [la sentencia del Tribunal de Justicia de la Unión Europea, de 21 de abril de 2005, asunto C-25/03, ECLI:EU:C:2005:241], ***los empresarios o profesionales miembros de una comunidad de propietarios que por sí misma no tiene la condición de empresario o profesional, podrán deducir las cuotas soportadas por las adquisiciones de bienes y servicios efectuadas a través de la citada comunidad****, para lo cual deberán estar en posesión de un duplicado de la factura expedida a nombre de aquella, aunque en la misma no consten el porcentaje de base imponible y cuota tributaria que les corresponda en función de su participación en la comunidad. Dicho porcentaje podrá acreditarse mediante otro tipo de documentos (escritura de división horizontal y obra nueva, estatutos de la comunidad, etc.)*

Esta alternativa, excepcional, y que trae causa de la jurisprudencia comunitaria, únicamente se considera ajustada a derecho en la medida en que la comunidad que aparece como destinataria en la factura no tenga la condición de empresario o profesional, de forma que no cabe, en ninguna medida ni cuantía, la deducción por ésta de las cuotas que soporta*, por lo que no hay posibilidad alguna de fraude, evasión o abuso.*

En cualquier otra circunstancia, como ocurre en el caso objeto de la presente consulta, el ejercicio del derecho a la deducción estará condicionado al cumplimiento de los requisitos formales en los términos que se han señalado en los demás apartados de esta contestación».

1370 **¿Debe la comunidad de propietarios darse de alta censal para el alquiler de zonas o elementos comunes?**

La comunidad de propietarios tendrá que presentar la **declaración de alta en el Censo de empresarios, profesionales y retenedores, a través del modelo 036** (declaración censal normal), **en aquellos supuestos en los que arriende o ceda zonas o elementos comunes y tenga la consideración de empresario o profesional.**

Así se desprendería del artículo 29.2 y de los apartados 1 y 2 de la disposición adicional quinta de la LGT. No en vano, esta última norma especifica lo siguiente:

«1. **Las personas o entidades que desarrollen o vayan a desarrollar en territorio español actividades empresariales o profesionales o satisfagan rendimientos sujetos a retención deberán comunicar a la Administración tributaria a través de las correspondientes declaraciones censales su alta en el Censo de Empresarios, Profesionales y Retenedores, las modificaciones que se produzcan en su situación tributaria y la baja en dicho censo.** El Censo de Empresarios, Profesionales y Retenedores formará parte del Censo de Obligados Tributarios. En este último figurarán la totalidad de personas físicas o jurídicas y entidades a que se refiere el artículo 35 de la Ley General Tributaria, identificadas a efectos fiscales en España.

Las declaraciones censales servirán, asimismo, para comunicar el inicio de las actividades económicas que desarrollen, las modificaciones que les afecten y el cese en las mismas. A efectos de lo dispuesto en este artículo, tendrán la consideración de empresarios o profesionales quienes tuvieran tal condición de acuerdo con las disposiciones propias del Impuesto sobre el Valor Añadido, incluso cuando desarrollen su actividad fuera del territorio de aplicación de este impuesto.

2. Reglamentariamente se regulará el contenido, la forma y los plazos para la presentación de estas declaraciones censales».

En el mismo sentido, el artículo 3.2.a) del RGAT añade lo siguiente:

«2. **El Censo de Empresarios, Profesionales y Retenedores estará formado por las personas o entidades que desarrollen o vayan a desarrollar en territorio español** alguna de las actividades u operaciones que se mencionan a continuación:

a) **Actividades empresariales o profesionales.** Se entenderá por tales aquellas cuya realización confiera la condición de empresario o profesional, incluidas las agrícolas, forestales, ganaderas o pesqueras.

No se incluirán en el Censo de Empresarios, Profesionales y Retenedores quienes efectúen exclusivamente arrendamientos de inmuebles exentos del Impuesto sobre el Valor Añadido, conforme al artículo 20.uno.23.° de la Ley 37/1992, de 28 de diciembre, del Impuesto sobre el Valor Añadido, **siempre que su realización no constituya el desarrollo de una actividad empresarial de acuerdo con lo dispuesto en la normativa reguladora del Impuesto sobre la Renta de las Personas Físicas.** Tampoco se incluirán en este censo quienes efectúen entregas a título ocasional de medios de transporte nuevos exentas del Impuesto sobre el Valor Añadido en virtud de lo dispuesto en el artículo 25.uno y dos de su ley reguladora, y adquisiciones intracomunitarias de bienes exentas en virtud de lo dispuesto en el artículo 26.tres de la misma ley».

A TENER EN CUENTA. Asimismo, también formarán parte de este censo las personas o entidades que no cumplan ninguno de los requisitos que en principio determinan la inclusión en él, pero que sean partícipes de entidades en régimen de atribución de rentas (como serían las comunidades de propietarios) que desarrollen actividades empresariales o profesionales y tengan obligaciones tributarias derivadas de su condición de miembros de tales entidades.

El último párrafo del artículo 3.2.a) del RGAT excluye de la inclusión en el Censo de empresarios, profesionales o retenedores a quienes realicen arrendamientos de inmuebles para uso exclusivo de vivienda en los términos del artículo 20.Uno.23.° de la LIVA, siempre que dicha actividad no tenga la consideración de empresarial conforme a la normativa sobre IRPF. A tales efectos debe acudirse al artículo 27 de la LIRPF, que define lo que ha de entenderse por rendimientos de actividades económicas y delimita en qué casos se ha de considerar el arrendamiento de inmuebles como tal actividad económica:

> «1. Se considerarán rendimientos íntegros de actividades económicas aquellos que, procediendo del trabajo personal y del capital conjuntamente, o de uno solo de estos factores, supongan por parte del contribuyente la ordenación por cuenta propia de medios de producción y de recursos humanos o de uno de ambos, con la finalidad de intervenir en la producción o distribución de bienes o servicios.
>
> En particular, tienen esta consideración los rendimientos de las actividades extractivas, de fabricación, comercio o prestación de servicios, incluidas las de artesanía, agrícolas, forestales, ganaderas, pesqueras, de construcción, mineras, y el ejercicio de profesiones liberales, artísticas y deportivas.
>
> (...)
>
> 2. A efectos de lo dispuesto en el apartado anterior, se entenderá que el arrendamiento de inmuebles se realiza como actividad económica, únicamente cuando para la ordenación de esta se utilice, al menos, una persona empleada con contrato laboral y a jornada completa».

Este **artículo 27.2 de la LIRPF establece los requisitos mínimos para que la actividad de arrendamiento de inmuebles pueda considerarse como una actividad empresarial**, exigiendo una mínima infraestructura y organización de medios empresariales para ello. En concreto, será necesario que se tenga al menos a una persona empleada con contrato que pueda calificarse de laboral conforme a la legislación vigente, una cuestión ajena al ámbito tributario, y a jornada completa.

En cualquier caso, cuando proceda, la declaración de alta censal habrá de presentarse con anterioridad al inicio de las actividades (artículo 9.1 del RGAT) y supondrá el nacimiento de la obligación de presentar las correspondientes declaraciones y liquidaciones a la AEAT. Además, una vez que la comunidad se haya dado de alta en el censo, también **deberá comunicar a la Agencia Tributaria** a través de la oportuna declaración la alteración de cualquiera de los datos recogidos en la declaración de alta o **cualquier modificación** posterior, así como **la baja** en el censo cuando cese en el desarrollo de todo tipo de actividades empresariales o profesionales. De no hacerlo y continuar de alta en dicho censo, la comunidad tendría que presentar periódicamente las declaraciones o autoliquidaciones y sería requerida para su cumplimiento.

Con carácter general, la declaración de modificación tendrá que presentarse en el plazo de un mes desde que se produzcan los hechos que determinan su presentación, si no se establece otro plazo según lo previsto en el artículo 10.4 del RGAT. Por su parte, el plazo para presentar la baja en el censo también será de un mes desde que se cumpla la circunstancia que la determina, aunque sin perjuicio de que la comunidad afectada deba presentar las declaraciones y cumplir las obligaciones tributarias que le incumban, sin que a tales efectos deba darse de alta en el censo.

Todas estas declaraciones, tanto de alta censal como de modificación y de baja, se realizarán a través del **modelo 036 aprobado por Orden EHA/1274/2007, de 26 de abril** y Hacienda por medio de la Orden EHA/1274/2007, de 26 de abril.

CUESTIÓN

Una comunidad de propietarios va a arrendar una plaza de garaje comunitaria a un tercero. ¿Tendrá que darse de alta como empresario o profesional en el Censo de empresarios, profesionales y retenedores?

Habida cuenta de que la actividad de arrendamiento de una plaza de garaje es una operación sujeta y no exenta del IVA, que tributará al tipo impositivo general del 21 %; y de que, por tanto, la comunidad de propietarios tendrá la consideración de empresario o profesional, estará obligada a presentar la declaración de alta censal a través del modelo 036.

En este sentido, por ejemplo, puede acudirse a la consulta vinculante de la Dirección General de Tributos (V2877-20), de 23 de septiembre de 2020.

1380

Obligaciones en relación con el IRPF o el IS de los propietarios por el alquiler de zonas comunes por comunidad de propietarios

Las comunidades de vecinos no son contribuyentes del Impuesto sobre Sociedades (salvo en el excepcional supuesto previsto en el artículo 15 bis.12 de la LIS) **ni del Impuesto sobre la Renta de las Personas Físicas**, sino que se configuran como una agrupación de **los distintos propietarios que las integran, que son los que se atribuyen las rentas generadas por la actividad y quienes tributarán por ellas** (en su IRPF si se trata de propietarios que sean personas físicas o en su IS si son personas jurídicas).

Así se desprende, por una parte, del artículo 6 de la LIS:

> «1. Las rentas correspondientes a las sociedades civiles que no tengan la consideración de contribuyentes de este Impuesto, herencias yacentes, comunidades de bienes y demás entidades a que se refiere el artículo 35.4 de la Ley 58/2003, de 17 de diciembre, General Tributaria, así como las retenciones e ingresos a cuenta que hayan soportado, se atribuirán a los socios, herederos, comuneros o partícipes, respectivamente, de acuerdo con lo establecido en la Sección 2.ª del Título X de la Ley 35/2006, de 28 de noviembre, del Impuesto sobre la Renta de las Personas Físicas y de modificación parcial de las leyes de los Impuestos sobre Sociedades, sobre la Renta de no Residentes y sobre el Patrimonio.
>
> 2. Las entidades en régimen de atribución de rentas no tributarán por el Impuesto sobre Sociedades, a excepción de lo dispuesto en el apartado 12 del artículo 15 bis de esta Ley».

En el mismo sentido, el artículo 87.3 de la LIRPF señala que «las entidades en régimen de atribución de rentas no estarán sujetas al Impuesto sobre Sociedades, a excepción de lo dispuesto en el apartado 12 del artículo 15 bis de la Ley del Impuesto sobre Sociedades».

A TENER EN CUENTA. Estos dos preceptos citados fueron modificados por el Real Decreto-ley 18/2022, de 18 de octubre, con efectos desde el 1 de enero de 2022. A fin de evitar ciertas asimetrías híbridas, se introdujo la excepción contenida en los últimos incisos del artículo 6.2 de la LIS y del artículo 87.3 de la LIRPF, según la cual las entidades en régimen de atribución de rentas (como serían las comunidades de propietarios) pasan a tributar en el Impuesto sobre Sociedades excepcionalmente por algunas de sus rentas cuando concurran los requisitos que especifica el artículo 15 bis.12 de la LIS (apartado introducido ex novo por esa misma reforma, que renumeró los anteriores apartados 12 y 13 del precepto como 13 y 14, respectivamente). Se trata de un supuesto que, salvo en supuestos muy excepcionales en los que concurran los concretos requisitos exigidos, no parece que resulte de aplicación al régimen de las comunidades de propietarios. Aun así, reproducimos dicho artículo 15 bis.12 de la LIS a continuación:

«12. Una entidad en régimen de atribución de rentas en la que una o varias entidades, vinculadas entre sí en el sentido del apartado 13 del artículo 15.bis de esta ley, participen directa o indirectamente en cualquier día del año, en el capital, en los fondos propios, en los resultados o en los derechos de voto en un porcentaje igual o superior al 50 por ciento y sean residentes en países o territorios que califiquen a la entidad en régimen de atribución como contribuyente por un impuesto personal sobre la renta, tributará, en calidad de contribuyente, por las siguientes rentas positivas que corresponda atribuir a todos los partícipes residentes en países o territorios que consideren a la entidad en atribución de rentas como contribuyente por imposición personal sobre la renta:

– Rentas obtenidas en territorio español que estén sujetas y exentas de tributación en el Impuesto sobre la Renta de no Residentes.

– Rentas de fuente extranjera que no estén sujetas o estén exentas de tributación por un impuesto exigido por el país o territorio de la entidad o entidades pagadoras de tales rentas.

El período impositivo coincidirá con el año natural en el que se obtengan tales rentas.

El resto de rentas obtenidas por la entidad en atribución de rentas se atribuirán a los socios, herederos, comuneros o partícipes y tributarán de acuerdo con lo dispuesto en la sección 2.ª del título X de la Ley 35/2006, de 28 de noviembre, del Impuesto sobre la Renta de las Personas Físicas y de modificación parcial de las leyes de los Impuesto sobre Sociedades, sobre la Renta de no Residentes y sobre el Patrimonio».

De manera análoga, el artículo 8.3 de la LIRPF apunta lo siguiente:

«3. No tendrán la consideración de contribuyente las sociedades civiles no sujetas al Impuesto sobre Sociedades, herencias yacentes, comunidades de bienes y demás entidades a que se refiere el artículo 35.4 de la Ley 58/2003, de 17 de diciembre, General Tributaria. Las rentas correspondientes a las mismas se atribuirán a los socios, herederos, comuneros o partícipes, respectivamente, de acuerdo con lo establecido en la Sección 2.ª del Título X de esta Ley».

Como indicamos, fuera del supuesto específico y excepcional recogido en el artículo 15 bis.12 de la LIS, en el que no entraremos más a fondo por su carácter residual en este ámbito, podemos decir que las comunidades de propietarios son entidades en régimen de atribución de rentas que no tributarán en el IS ni el IRPF por sí mismas, sino que serán sus partícipes los que tributen de manera personal por las rentas que obtengan a través de ellas, siendo ese el régimen en cuyo estudio vamos a centrarnos a continuación.

En esa medida, antes de nada conviene tener en cuenta que el artículo 86 de la LIRPF señala que «las rentas correspondientes a las entidades en régimen de atribución de rentas se atribuirán a los socios, herederos, comuneros o partícipes, respectivamente, de acuerdo con lo establecido en esta sección 2.ª» y el artículo 88 de la LIRPF añade que «**las rentas de las entidades en régimen de atribución de rentas atribuidas a los socios, herederos, comuneros o partícipes tendrán la naturaleza derivada de la actividad o fuente de donde procedan para cada uno** de ellos».

La determinación de las rentas que se han de atribuir a cada uno de los propietarios se realizará de conformidad con las reglas que especifica el artículo 89 de la LIRPF:

- La renta atribuible se determinará conforme a las normas del Impuesto sobre la Renta de las Personas Físicas y no serán aplicables las deducciones previstas en los artículos 23.2, 23.3, 26.2 y 32 de la LIRPF, con las siguientes especialidades:
  - La renta atribuible se determinará con arreglo a la normativa del Impuesto sobre Sociedades cuando todos los miembros de la comunidad de propietarios sean sujetos pasivos de dicho impuesto o contribuyentes por el Impuesto sobre la Renta de no Residentes con establecimiento permanente.
  - La determinación de la renta atribuible a los contribuyentes del Impuesto sobre la Renta de no Residentes sin establecimiento permanente se llevará a cabo según lo previsto en el capítulo IV del Real decreto legislativo 5/2004, de 5 de marzo, por el que se aprueba el texto refundido de la Ley del Impuesto sobre la Renta de no Residentes.
  - Para el cálculo de la renta atribuible a los miembros de la entidad en régimen de atribución de rentas, que sean sujetos pasivos del Impuesto sobre Sociedades o contribuyentes por el Impuesto sobre la Renta de no Residentes con establecimiento permanente o sin establecimiento permanente que no sean personas físicas, procedente de ganancias patrimoniales derivadas de la transmisión de elementos no afectos al desarrollo de actividades económicas, no resultará de aplicación lo establecido en la disposición transitoria novena de la LIRPF (que regula el régimen transitorio aplicable a las ganancias patrimoniales derivadas de elementos patrimoniales adquiridos con anterioridad a 31 de diciembre de 1994).
- La parte de renta atribuible a los propietarios, contribuyentes por el IRPF o por el IS, que formen parte de una entidad en régimen de atribución de rentas constituida en el extranjero, se determinará de acuerdo con lo señalado en la regla anterior.
- Cuando la entidad en régimen de atribución de rentas obtenga rentas de fuente extranjera que procedan de un país con el que España no tenga suscrito un convenio para evitar la doble imposición con cláusula de intercambio de información, no se computarán las rentas negativas que excedan de las positivas obtenidas en el mismo país y procedan de la misma fuente. El exceso se computará en los cuatro años siguientes de acuerdo con lo señalado en esta regla.

- Los propietarios que se integren en la comunidad y que sean contribuyentes por el IRPF podrán practicar en su declaración las reducciones previstas en los artículos 23.2, 23.3, 26.2 y 32.1 de la LIRPF.

Por otra parte, dicha atribución de rentas a cada propietario que integra la comunidad se efectuará **en proporción a su cuota de participación en la misma,** salvo que en los estatutos se contemple otro reparto, y aunque su importe no haya sido distribuido entre ellos.

Finalmente, conviene resaltar de manera especial que **las rentas que obtenga la comunidad de propietarios estarán, en su caso, sujetas a retención o ingreso a cuenta del IRPF conforme a las normas de dicho impuesto, deduciéndose las retenciones que puedan efectuarse de la imposición personal de cada propietario** en la misma proporción en que se le atribuyan dichos rendimientos.

En tal sentido se pronuncia el apartado 2 del artículo 89 de la LIRPF, conforme al cual:

> «2. Estarán sujetas a retención o ingreso a cuenta, con arreglo a las normas de este Impuesto, las rentas que se satisfagan o abonen a las entidades en régimen de atribución de rentas, con independencia de que todos o alguno de sus miembros sea contribuyente por este Impuesto, sujeto pasivo del Impuesto sobre Sociedades o contribuyente por el Impuesto sobre la Renta de no Residentes. Dicha retención o ingreso a cuenta se deducirá en la imposición personal del socio, heredero, comunero o partícipe, en la misma proporción en que se atribuyan las rentas».

Por lo tanto, **para determinar si existe o no obligación de retener o ingresar a cuenta, será necesario acudir al artículo 99 de la LIRPF y a su desarrollo reglamentario a través de los artículos 75 y 76 del RIRPF**. En base a ellos, y a grandes rasgos, puede decirse que existirá tal obligación cuando las rentas procedan del arrendamiento o subarrendamiento de muebles o inmuebles urbanos y se abonen por arrendatarios obligados a practicar retención o ingreso a cuenta según el artículo 76.1 del RIRPF (como, por ejemplo, personas jurídicas, entidades en régimen de atribución de rentas o contribuyentes que lo hagan en el ejercicio de una actividad económica), siempre que no se trate de alguno de los supuestos excluidos por el artículo 75.3.g) del RIRPF.

➤ **La calificación de dichos rendimientos**

Según lo ya apuntado, las rentas de la comunidad de propietarios han de atribuirse a cada propietario y determinarse con arreglo a las normas del IRPF, por lo que **la calificación de las derivadas del arrendamiento o la cesión de zonas comunes será, con carácter general, la de rendimientos del capital inmobiliario**, de acuerdo con lo dispuesto por el artículo 22 de la LIRPF, a cuyo tenor:

> «1. Tendrán la consideración de rendimientos íntegros procedentes de la titularidad de bienes inmuebles rústicos y urbanos o de derechos reales que recaigan sobre ellos, todos los que se deriven del arrendamiento o de la constitución o cesión de derechos o facultades de uso o disfrute sobre aquéllos, cualquiera que sea su denominación o naturaleza.
>
> 2. Se computará como rendimiento íntegro el importe que por todos los conceptos deba satisfacer el adquirente, cesionario, arrendatario o subarrendatario, incluido, en su caso, el correspondiente a todos aquellos bienes cedidos con el inmueble

y excluido el Impuesto sobre el Valor Añadido o, en su caso, el Impuesto General Indirecto Canario».

Sin embargo, **la calificación de las rentas obtenidas por el arrendamiento será la de rendimientos de actividades económicas cuando concurran los requisitos que especifica el artículo 27 de la LIRPF:**

«1. Se considerarán rendimientos íntegros de actividades económicas aquellos que, procediendo del trabajo personal y del capital conjuntamente, o de uno solo de estos factores, supongan por parte del contribuyente la ordenación por cuenta propia de medios de producción y de recursos humanos o de uno de ambos, con la finalidad de intervenir en la producción o distribución de bienes o servicios.

En particular, tienen esta consideración los rendimientos de las actividades extractivas, de fabricación, comercio o prestación de servicios, incluidas las de artesanía, agrícolas, forestales, ganaderas, pesqueras, de construcción, mineras, y el ejercicio de profesiones liberales, artísticas y deportivas.

(...)

2. A efectos de lo dispuesto en el apartado anterior, se entenderá que el arrendamiento de inmuebles se realiza como actividad económica, únicamente cuando para la ordenación de esta se utilice, al menos, una persona empleada con contrato laboral y a jornada completa».

Si las rentas tienen la consideración, a efectos del IRPF, de rendimientos del capital inmobiliario, se imputarán temporalmente en el período impositivo en el que sean exigibles a su perceptor [artículo 14.1.a) de la LIRPF]. Si, por el contrario, tienen la consideración de rendimientos de actividades económicas, se imputarán conforme a lo dispuesto en la normativa del Impuesto sobre Sociedades, sin perjuicio de las especialidades que reglamentariamente puedan establecerse [artículo 14.1.b) de la LIRPF].

➢ Concretas obligaciones fiscales de las comunidades de propietarios como entidades en régimen de atribución de rentas

A TENER EN CUENTA. En el supuesto excepcional de que, conforme al artículo 15 bis.12 de la LIS antes referido, una comunidad de propietarios deba tributar por el IS por una parte de sus rentas, la comunidad de vecinos quedaría sujeta al cumplimiento de las obligaciones que a esos efectos puedan corresponderle. En el tema nos centraremos en el estudio del régimen general de las comunidades de propietarios a las que no les resulte de aplicación esa previsión y que, por tanto, no serán contribuyentes por el IS.

La consideración de las comunidades de propietarios como entidades en régimen de atribución de rentas por cuyos rendimientos tributan los propietarios que las integran supone para estas la obligación de presentar una declaración informativa, con el contenido reglamentariamente establecido, relativa a las rentas a atribuir a sus partícipes, sean o no residentes en territorio español, tal y como reconoce el artículo 90 de la LIRPF; no estando obligadas a ello las entidades que no ejerzan actividades económicas y cuyas rentas no excedan de 3.000 euros. Asimismo, deberán notificar a los propietarios que en ella se integren la renta total de la entidad y la renta atribuible a cada uno de ellos. Dichas **obligaciones de información** se encuentran desarrolladas en el artículo 70 del RIRPF, que especifica lo siguiente:

«1. **Las entidades en régimen de atribución de rentas mediante las que se ejerza una actividad económica, o cuyas rentas excedan de 3.000 euros anuales, deberán presentar anualmente una declaración informativa** en la que, además de sus datos identificativos y, en su caso, los de su representante, deberá constar la siguiente información:

a) Identificación, domicilio fiscal y número de identificación fiscal de sus socios, herederos, comuneros o partícipes, residentes o no en territorio español, incluyéndose las variaciones en la composición de la entidad a lo largo de cada período impositivo.

En el caso de que alguno de los miembros de la entidad no sea residente en territorio español, identificación de quien ostente la representación fiscal del mismo de acuerdo con lo establecido en el artículo 10 del texto refundido de la Ley del Impuesto sobre la Renta de no Residentes, aprobado por el Real Decreto Legislativo 5/2004, de 5 de marzo.

Tratándose de entidades en régimen de atribución de rentas constituidas en el extranjero, se deberá identificar, en los términos señalados en este artículo, a los miembros de la entidad contribuyentes por este Impuesto o sujetos pasivos del Impuesto sobre Sociedades, así como a los miembros de la entidad contribuyentes por el Impuesto sobre la Renta de no Residentes respecto de las rentas obtenidas por la entidad sujetas a dicho Impuesto.

b) Importe total de las rentas obtenidas por la entidad y de la renta atribuible a cada uno de sus miembros, especificándose, en su caso:

1.º Ingresos íntegros y gastos deducibles por cada fuente de renta.

2.º Importe de las rentas de fuente extranjera, señalando el país de procedencia, con indicación de los rendimientos íntegros y gastos.

3.º En el supuesto a que se refiere el apartado 5 del artículo 89 de la Ley del Impuesto, identificación de la institución de inversión colectiva cuyas acciones o participaciones se han adquirido o suscrito, fecha de adquisición o suscripción y valor de adquisición de las acciones o participaciones, así como identificación de la persona o entidad, residente o no residente, cesionaria de los capitales propios.

c) Bases de las deducciones.

d) Importe de las retenciones e ingresos a cuenta soportados por la entidad y los atribuibles a cada uno de sus miembros.

e) Importe neto de la cifra de negocios de acuerdo con el artículo 191 del texto refundido de la Ley de Sociedades Anónimas, aprobado por el Real Decreto Legislativo 1564/1989, de 22 de diciembre.

2. **Las entidades en régimen de atribución de rentas deberán notificar por escrito a sus miembros la información a que se refieren los párrafos b), c) y d) del apartado anterior**. La notificación deberá ponerse a disposición de los miembros de la entidad en el plazo de un mes desde la finalización del plazo de presentación de la declaración a que se refiere el apartado 1 anterior.

3. El Ministro de Economía y Hacienda establecerá el modelo, el plazo, el lugar y la forma de presentación de la declaración informativa a que se refiere este artículo».

Por lo tanto, la comunidad de propietarios tendrá que determinar la renta total de la entidad y la atribuible a cada uno de los propietarios que la conforman y que cumplimentar dos obligaciones:

- Presentar, cuando esté obligada a ello, la declaración informativa a que se refiere el primer apartado del artículo ahora reproducido, que se realiza por medio del **modelo 184 «Declaración Informativa. Entidades en régimen de atribución de rentas. Declaración anual»,** aprobado por la Orden HAP/2250/2015, de 23 de octubre. Se trata de un modelo de presentación anual, entre el 1 de enero y del 31 de enero.
- **Remitir por escrito a los distintos propietarios, dentro de un mes desde la finalización del plazo de presentación de la declaración anterior, un certificado** en el que les informe de los rendimientos obtenidos por la comunidad de propietarios, de los que se le hayan atribuido a cada uno, de las bases de las deducciones que puedan aplicarse y de las retenciones e ingresos a cuenta atribuibles a su favor.

RESOLUCIÓN ADMINISTRATIVA

Consulta vinculante de la Dirección General de Tributos (V2512-18), de 18 de septiembre de 2018

Asunto: tributación de las rentas obtenidas por el arrendamiento de la fachada del edificio por parte de la comunidad de propietarios en el IRPF de los partícipes, su consideración como rendimientos del capital inmobiliario con carácter general y los gastos que serían deducibles.

«Al determinarse las rentas de la comunidad de propietarios con arreglo a las normas del IRPF, y asumiendo que la calificación tributaria de las rentas obtenidas por el arrendamiento de la fachada del edificio es la de rendimientos del capital inmobiliario, el apartado 1 del artículo 22 de la LIRPF, regula los rendimientos íntegros del capital inmobiliario, y dispone que:

"Tendrán la consideración de rendimientos íntegros procedentes de la titularidad de bienes inmuebles rústicos y urbanos o de derechos reales que recaigan sobre ellos, todos los que se deriven del arrendamiento o de la constitución o cesión de derechos o facultades de uso o disfrute sobre aquéllos, cualquiera que sea su denominación o naturaleza".

Respecto a los gastos deducibles para la determinación del rendimiento neto del capital inmobiliario, el apartado 1 del artículo 23.1 de la LIRPF establece lo siguiente:

"1. Para la determinación del rendimiento neto, se deducirán de los rendimientos íntegros los gastos siguientes:

a) Todos los gastos necesarios para la obtención de los rendimientos. Se considerarán gastos necesarios para la obtención de los rendimientos, entre otros, los siguientes:

1.° Los intereses de los capitales ajenos invertidos en la adquisición o mejora del bien, derecho o facultad de uso y disfrute del que procedan los rendimientos, y demás gastos de financiación, así como los gastos de reparación y conservación del inmueble. El importe total a deducir por estos gastos no podrá exceder, para cada bien o derecho, de la cuantía de los rendimientos íntegros obtenidos. El exceso se podrá deducir en los cuatro años siguientes de acuerdo con lo señalado en este número 1.

2.° Los tributos y recargos no estatales, así como las tasas y recargos estatales, cualquiera que sea su denominación, siempre que incidan sobre los rendimientos computados o sobre el bien o derecho productor de aquéllos y no tengan carácter sancionador.

3.º Los saldos de dudoso cobro en las condiciones que se establezcan reglamentariamente.

4.º Las cantidades devengadas por terceros como consecuencia de servicios personales.

b) Las cantidades destinadas a la amortización del inmueble y de los demás bienes cedidos con éste, siempre que respondan a su depreciación efectiva, en las condiciones que reglamentariamente se determinen. Tratándose de inmuebles, se entiende que la amortización cumple el requisito de efectividad si no excede del resultado de aplicar el 3 por ciento sobre el mayor de los siguientes valores: el coste de adquisición satisfecho o el valor catastral, sin incluir el valor del suelo.

(...)".

Conforme con lo anterior, serán deducibles todos los gastos necesarios para la obtención de los rendimientos. Pues bien, desde esta perspectiva de "gastos necesarios para la obtención de los rendimientos", sólo puede concluirse la no deducibilidad de los gastos incurridos en las obras de conservación de la fachada, tales como los derivados de la instalación y alquiler de andamios y las tasas por ocupación de la vía pública, entre otros, gastos que se pueden considerar ajenos a los rendimientos generados por el arrendamiento de la fachada, elemento común del edificio, pues se trata de gastos que ya venían produciéndose con anterioridad al arrendamiento, sin vinculación con los "nuevos" rendimientos».

Consulta vinculante de la Dirección General de Tributos (V1163-20), de 29 de abril de 2020

Asunto: calificación a efectos del IRPF de las rentas obtenidas por el arrendamiento de inmuebles comunitarios por parte de una comunidad de propietarios y reglas básicas para su atribución a los propietarios o partícipes de la comunidad.

«Por otro lado, las comunidades de bienes (término que incluye las comunidades de propietarios del régimen de propiedad horizontal) no constituyen contribuyentes del Impuesto sobre la Renta de las Personas Físicas, sino que se configuran como una agrupación de los mismos que se atribuyen las rentas generadas en la entidad, tal como establece el artículo 8.3 de la LIRPF.

El artículo 88 del mismo texto legal añade que las rentas atribuidas tendrán la naturaleza derivada de la actividad o fuente de donde procedan, para cada uno de los socios o comuneros.

Partiendo de la consideración de que el arrendamiento del local de la portería de la comunidad de propietarios objeto de consulta no se realiza como actividad económica, por no reunir los requisitos previstos en el artículo 27.2 de la LIRPF, los rendimientos derivados del arrendamiento constituyen rendimientos del capital inmobiliario, de acuerdo con el artículo 22 de la LIRPF.

En el caso de una comunidad de propietarios, la renta obtenida por la comunidad se atribuirá a los copropietarios de acuerdo con lo dispuesto en el apartado 3 del artículo 89 de la LIRPF, que establece lo siguiente:

"Las rentas se atribuirán a los socios, herederos, comuneros o partícipes según las normas o pactos aplicables en cada caso y, si éstos no constaran a la Administración tributaria en forma fehaciente, se atribuirán por partes iguales".

En consecuencia, las rentas derivadas del arrendamiento del local que pertenece a una comunidad de propietarios, se imputarán a efectos del IRPF a cada uno de los copropietarios en función de su grado de participación en la misma, salvo que en los estatutos de dicha comunidad se dispusiese otro reparto, con independencia de que los copropietarios hagan suyo el importe obtenido, lo cedan gratuitamente a la comunidad o a un tercero o lo destinen a cualquier otra finalidad».

6.2.3.3. Fiscalidad de la venta de elementos comunes

1390 **¿Cómo es la fiscalidad de la venta de elementos comunes por las comunidades de propietarios?**

En ocasiones, la **comunidad de vecinos puede proceder a la venta de un elemento común**, en lugar de ceder simplemente su uso a un tercero o de celebrar un contrato de arrendamiento. Por ejemplo, en la práctica es frecuente que la comunidad decida vender la vivienda de la portería o un trastero comunitario que puedan estar en desuso.

Se trata de una operación que puede realizar como un particular más o bien en el marco de una actividad económica, cuyo impacto tributario sería distinto en uno y otro caso:

- Si la **comunidad de propietarios enajena el elemento común actuando como empresario o profesional en ejercicio de una actividad económica**, la operación estaría sujeta al IVA, a cuyos efectos la comunidad de propietarios tendría que estar también dada de alta en el censo.
- Por el contrario, cuando la **comunidad de propietarios venda el elemento común como un simple particular, al margen de cualquier actividad económica, sin actuar con ello como empresario o profesional**, la transmisión no estará sujeta al IVA, pero tributará por el Impuesto sobre Transmisiones Patrimoniales y Actos Jurídicos Documentados (ITPyAJD).

Además, en cualquiera de los dos supuestos, la previa desafectación del elemento común y el reajuste de las cuotas de participación serán, en su caso, hecho imponible del Impuesto sobre Transmisiones Patrimoniales y Actos Jurídicos Documentados; y, tratándose de la venta de un elemento común inmueble urbano podrá existir también tributación por el Impuesto sobre el Incremento de Valor de los Terrenos de Naturaleza Urbana (IIVTNU).

Cuando la comunidad de propietarios decida vender un elemento común del inmueble, **como paso previo a la transmisión en sí, será necesario que se efectúe la desafectación del elemento común en cuestión**. Es decir, habrá de procederse al otorgamiento de una escritura pública en la que se transforme la naturaleza del elemento que quiera enajenarse, de modo que pase de tener el carácter de elemento común del edificio en régimen de propiedad horizontal a ser un elemento privativo, susceptible de transmisión separada. No en vano, los elementos comunes no pueden ser objeto de enajenación, ni siquiera con el acuerdo unánime de todos los propietarios (artículo 396 del CC). En cualquier caso, dicha desafectación supondría asimismo el oportuno ajuste y modificación de las cuotas de participación de los distintos pisos y locales que integran el régimen.

Son supuestos en los que **existirán distintos conceptos o convenciones susceptibles de tributar por el Impuesto sobre Transmisiones Patrimoniales y Actos Jurídicos Documentados**, tal y como se desprende del artículo 4 de la LITPyAJD, a cuyo tenor:

> «A una sola convención no puede exigírsele más que el pago de un solo derecho, pero cuando un mismo documento o contrato comprenda varias convenciones sujetas al impuesto separadamente, se exigirá el derecho señalado a cada una de aquéllas, salvo en los casos en que se determine expresamente otra cosa».

La tributación de la desafectación de un elemento común y el correspondiente ajuste de los coeficientes de participación en el ITPyAJD ya se trató con cierto detalle en el primer epígrafe de esta obra, al que nos remitimos. Sin embargo, y a modo de resumen, en este punto debemos reiterar lo siguiente:

- **La escritura pública en la que se formalice la operación de desafectación** de un elemento común para convertirlo en privativo **estará sujeta a la cuota gradual del impuesto en su modalidad de actos jurídicos documentados**, documentos notariales, al cumplirse los requisitos que exige el artículo 31.2 de la LITPyAJD. Su base imponible estará constituida por el valor declarado, sin perjuicio de la comprobación administrativa.
- Ahora bien, **la modificación, también en escritura pública, de los coeficientes de participación** derivada de la desafectación del elemento común que se quiera vender, sin otra alteración que afecte a las superficies de los pisos o locales, **no estará sujeta a la cuota gradual de la modalidad de actos jurídicos documentados del impuesto**, documentos notariales. Es una operación que no tiene por objeto cantidad o cosa valuable, habida cuenta de que lo valuable en la constitución de un edificio en régimen de propiedad horizontal sería el valor real del coste de la obra nueva más el valor real del terreno (artículo 70.2 del RITPyAJD), elementos que en este caso no sufrirían ninguna modificación con el otorgamiento de la nueva escritura.

RESOLUCIÓN ADMINISTRATIVA

Consulta vinculante de la Dirección General de Tributos (V0539-09), de 20 de marzo de 2009

Asunto: tributación en el ITPyAJD de la desafectación de un elemento común, la consiguiente modificación de los coeficientes de participación y su posterior venta a un tercero por parte de la comunidad de propietarios.

«CONCLUSIONES:

(...)

Segunda: La operación de desafectación de la vivienda del portero como elemento común de un edificio en régimen de propiedad horizontal, para convertirla en bien individual, con la consiguiente modificación de las cuotas de participación de los pisos y locales, y la posterior venta de dicha vivienda constituyen diferentes convenciones que están sujetas separadamente al Impuesto sobre Transmisiones Patrimoniales y Actos Jurídicos Documentados en los términos que se exponen a continuación.

Tercera: La escritura pública en la que se formalice la operación de desafectación de la vivienda en cuestión de los elementos comunes del edificio, para convertirla en elemento privativo, estará sujeta a la cuota gradual de actos jurídicos documentados, documentos notariales, por cumplir los cuatro requisitos exigidos por el artículo 31.2 del TRLITP, siendo la base imponible, de acuerdo con lo previsto en el artículo 30 de la misma norma, "el valor declarado, sin perjuicio de la comprobación administrativa".

Cuarta: Sin embargo, la formalización en escritura pública de la modificación de los coeficientes de propiedad horizontal del edificio, como consecuencia de la operación de desafectación de la vivienda del portero (sin otra alteración de las superficies de los pisos y locales que componen el edificio) no estará sujeta a la cuota gradual de la modalidad de actos jurídicos documentados, documentos notariales, porque no tiene por objeto cantidad o cosa valuable, ya que lo valuable en la constitución de edificios en ré-

gimen de propiedad horizontal, de acuerdo con el artículo 70.2 del Reglamento del impuesto, es el valor real del coste de la obra nueva más el valor real del terreno, y éstos no son objeto de cambio o modificación alguna por el otorgamiento de la nueva escritura.

Quinta: La venta final de la vivienda del portero constituye una transmisión onerosa de un bien inmueble, por lo que estará sujeta a la modalidad de transmisiones patrimoniales onerosas del impuesto, en virtud de lo previsto en el artículo 7.1ª) del TRLITP, siendo la base imponible, como indica el artículo 10.1 del TRLITP, el valor real de la vivienda del portero, sin perjuicio de la posibilidad de minorar tal valor en el importe de las cargas que sean deducibles».

1400 ¿La comunidad de propietarios actúa como empresario en ejercicio de una actividad económica al efectuar la venta a efectos de IVA o ITPyAJD?

Como antes apuntamos, la comunidad de propietarios puede proceder a la enajenación de un elemento común al margen de cualquier actividad económica que pueda desarrollar, como si de cualquier particular se tratase, o bien llevarla a cabo como empresario o profesional en el ejercicio de una actividad económica.

Este último supuesto se daría, por ejemplo, en aquellos casos en los que la comunidad de vecinos construye sobre un elemento común con el objeto de destinar la construcción a su venta o adjudicación, aunque sea de manera ocasional, y de obtener con ello ciertos ingresos.

➢ La comunidad de propietarios enajena el elemento común actuando como empresario en ejercicio de una actividad económica

Por **regla general, las comunidades de propietarios no reúnen los requisitos que establece la normativa de IVA para atribuirles la condición de empresarios o profesionales, salvo** en aquellos casos en que **desarrollen actividades empresariales a título oneroso y adquieran la condición de sujetos pasivos de dicho impuesto**.

En particular, esto sucederá cuando ordenen un conjunto de medios personales y materiales, con independencia y bajo su responsabilidad, para desarrollar una actividad empresarial (sea de fabricación, comercio, prestación de servicios...), mediante la realización continuada de entregas de bienes o prestaciones de servicios, asumiendo el riesgo y ventura que pueda derivarse de desarrollo de la actividad, siempre que actúen a título oneroso.

No en vano, según el artículo 4.Uno de la LIVA, están sujetas al Impuesto sobre el Valor Añadido «las entregas de bienes y prestaciones de servicios realizadas en el ámbito espacial del impuesto por empresarios o profesionales a título oneroso, con carácter habitual u ocasional, en el desarrollo de su actividad empresarial o profesional, incluso si se efectúan en favor de los propios socios, asociados, miembros o partícipes de las entidades que las realicen».

Y, a tales efectos, el **artículo 5 de la LIVA** especifica en sus apartados Uno y Dos qué se entenderá por empresario o profesional:

«Uno. A los efectos de lo dispuesto en esta Ley, **se reputarán empresarios o profesionales**:

a) **Las personas o entidades que realicen las actividades empresariales o profesionales definidas en el apartado siguiente de este artículo.**

No obstante, no tendrán la consideración de empresarios o profesionales quienes realicen exclusivamente entregas de bienes o prestaciones de servicios a título gratuito, sin perjuicio de lo establecido en la letra siguiente.

b) Las sociedades mercantiles, salvo prueba en contrario.

c) **Quienes realicen una o varias entregas de bienes o prestaciones de servicios que supongan la explotación de un bien corporal o incorporal con el fin de obtener ingresos continuados en el tiempo.**

En particular, tendrán dicha consideración los arrendadores de bienes.

d) **Quienes efectúen la urbanización de terrenos o la promoción, construcción o rehabilitación de edificaciones destinadas, en todos los casos, a su venta, adjudicación o cesión por cualquier título, aunque sea ocasionalmente.**

e) Quienes realicen a título ocasional las entregas de medios de transporte nuevos exentas del Impuesto en virtud de lo dispuesto en el artículo 25, apartados uno y dos de esta Ley.

Los empresarios o profesionales a que se refiere esta letra sólo tendrán dicha condición a los efectos de las entregas de los medios de transporte que en ella se comprenden.

Dos. **Son actividades empresariales o profesionales las que impliquen la ordenación por cuenta propia de factores de producción materiales y humanos o de uno de ellos, con la finalidad de intervenir en la producción o distribución de bienes o servicios.**

En particular, tienen esta consideración las actividades extractivas, de fabricación, comercio y prestación de servicios, incluidas las de artesanía, agrícolas, forestales, ganaderas, pesqueras, de construcción, mineras y el ejercicio de profesiones liberales y artísticas.

A efectos de este impuesto, las actividades empresariales o profesionales se considerarán iniciadas desde el momento en que se realice la adquisición de bienes o servicios con la intención, confirmada por elementos objetivos, de destinarlos al desarrollo de tales actividades, incluso en los casos a que se refieren las letras b), c) y d) del apartado anterior. Quienes realicen tales adquisiciones tendrán desde dicho momento la condición de empresarios o profesionales a efectos del Impuesto sobre el Valor Añadido».

De hecho, el artículo 84.Tres de la LIVA incluso puntualiza que tendrán la consideración de sujetos pasivos del impuesto «las herencias yacentes, comunidades de bienes y demás entidades que, careciendo de personalidad jurídica, constituyan una unidad económica o un patrimonio separado susceptible de imposición, cuando realicen operaciones sujetas al Impuesto»; previsión dentro de la cual deben entenderse también comprendidas las comunidades de propietarios.

Así las cosas, es posible que **una comunidad de propietarios proceda a la venta de un elemento común actuando como empresario o profesional en el marco de una actividad económica**, en los términos que exponen dichos preceptos. Por ejemplo, si una comunidad de propietarios promueve la construcción de múltiples plazas de aparcamiento sobre una finca común, adquiriría el carácter de empresario como consecuencia de dicha promoción ocasional, siendo sujeto pasivo del IVA por las entregas de plazas de aparcamiento que realice.

En tales supuestos, **la operación estaría sujeta al IVA**, resultando en principio de aplicación el **tipo impositivo general del 21 %, si bien en ciertos supuestos cabría la aplicación del tipo reducido del 10 %**, tal y como prevé el artículo 91.Uno.1.7.° de la LIVA, a cuyo tenor:

«Uno. Se aplicará el tipo del 10 por ciento a las operaciones siguientes:

1. **Las entregas**, adquisiciones intracomunitarias o importaciones de los bienes que se indican a continuación:

(...)

7.° Los **edificios o partes de los mismos aptos para su utilización como viviendas, incluidas las plazas de garaje, con un máximo de dos unidades, y anexos en ellos situados que se transmitan conjuntamente**.

En lo relativo a esta ley no tendrán la consideración de anexos a viviendas los locales de negocio, aunque se transmitan conjuntamente con los edificios o parte de los mismos destinados a viviendas.

No se considerarán edificios aptos para su utilización como viviendas las edificaciones destinadas a su demolición a que se refiere el artículo 20, apartado uno, número 22.°, parte A), letra c) de esta ley».

A estos efectos, tal y como apuntó la consulta vinculante de la Dirección General de Tributos (V3054-17), de 23 de noviembre de 2017, a los efectos de este precepto, «por anexos o anejos se entienden, entre otros, además de las plazas de garaje, los sótanos, las buhardillas o trasteros, escaleras, porterías, así como pistas de deporte, jardines, piscinas y espacios de uso común en la propia parcela y que se transmitan simultáneamente con ellos».

Con todo, conviene tener en cuenta que el artículo 20.Uno de la LIVA establece ciertas exenciones en el impuesto, de entre las cuales podrían resultar de aplicación en este caso las contempladas en los numerales 20.° y 22.° del precepto:

«Uno. Estarán exentas de este impuesto las siguientes operaciones:

(...)

20.° **Las entregas de terrenos rústicos y demás que no tengan la condición de edificables, incluidas las construcciones de cualquier naturaleza en ellos enclavadas, que sean indispensables para el desarrollo de una explotación agraria, y los destinados exclusivamente a parques y jardines públicos o a superficies viales de uso público.**

A estos efectos, se consideran edificables los terrenos calificados como solares por la Ley sobre el Régimen del Suelo y Ordenación Urbana y demás normas urbanística, así como los demás terrenos aptos para la edificación por haber sido ésta autorizada por la correspondiente licencia administrativa.

La exención no se extiende a las entregas de los siguientes terrenos, aunque no tengan la condición de edificables:

a) Las de terrenos urbanizados o en curso de urbanización, excepto los destinados exclusivamente a parques y jardines públicos o a superficies viales de uso público.

b) Las de terrenos en los que se hallen enclavadas edificaciones en curso de construcción o terminadas cuando se transmitan conjuntamente con las mismas y las entregas de dichas edificaciones estén sujetas y no exentas al impuesto. No obstante, estarán exentas las entregas de terrenos no edificables en los que se hallen enclavadas construcciones de carácter agrario indispensables para su explotación y las de terrenos de la misma naturaleza en los que existan construcciones paralizadas, ruinosas o derruidas.

(...)

22.ºA) **Las segundas y ulteriores entregas de edificaciones, incluidos los terrenos en que se hallen enclavadas, cuando tengan lugar después de terminada su construcción o rehabilitación.**

A los efectos de lo dispuesto en esta Ley, se considerará primera entrega la realizada por el promotor que tenga por objeto una edificación cuya construcción o rehabilitación esté terminada. No obstante, no tendrá la consideración de primera entrega la realizada por el promotor después de la utilización ininterrumpida del inmueble por un plazo igual o superior a dos años por su propietario o por titulares de derechos reales de goce o disfrute o en virtud de contratos de arrendamiento sin opción de compra, salvo que el adquirente sea quien utilizó la edificación durante el referido plazo. No se computarán a estos efectos los períodos de utilización de edificaciones por los adquirentes de los mismos en los casos de resolución de las operaciones en cuya virtud se efectuaron las correspondientes transmisiones.

Los terrenos en que se hallen enclavadas las edificaciones comprenderán aquéllos en los que se hayan realizado las obras de urbanización accesorias a las mismas. No obstante, tratándose de viviendas unifamiliares, los terrenos urbanizados de carácter accesorio no podrán exceder de 5.000 metros cuadrados.

Las transmisiones no sujetas al Impuesto en virtud de lo establecido en el número 1.º del artículo 7 de esta Ley no tendrán, en su caso, la consideración de primera entrega a efectos de lo dispuesto en este número.

La exención prevista en este número **no se aplicará**:

a) A las entregas de edificaciones efectuadas en el ejercicio de la opción de compra inherente a un contrato de arrendamiento, por empresas dedicadas habitualmente a realizar operaciones de arrendamiento financiero. A estos efectos, el compromiso de ejercitar la opción de compra frente al arrendador se asimilará al ejercicio de la opción de compra.

Los contratos de arrendamiento financiero a que se refiere el párrafo anterior tendrán una duración mínima de diez años.

b) A las entregas de edificaciones para su rehabilitación por el adquirente, siempre que se cumplan los requisitos que reglamentariamente se establezcan.

c) A las entregas de edificaciones que sean objeto de demolición con carácter previo a una nueva promoción urbanística.

B) A los efectos de esta ley, son obras de rehabilitación de edificaciones las que reúnan los siguientes requisitos:

1.º Que su objeto principal sea la reconstrucción de las mismas, entendiéndose cumplido este requisito cuando más del 50 por ciento del coste total del proyecto de rehabilitación se corresponda con obras de consolidación o tratamiento de elementos estructurales, fachadas o cubiertas o con obras análogas o conexas a las de rehabilitación.

2.º Que el coste total de las obras a que se refiera el proyecto exceda del 25 por ciento del precio de adquisición de la edificación si se hubiese efectuado aquélla durante los dos años inmediatamente anteriores al inicio de las obras de rehabilitación o, en otro caso, del valor de mercado que tuviera la edificación o parte de la misma en el momento de dicho inicio. A estos efectos, se descontará del precio de adquisición o del valor de mercado de la edificación la parte proporcional correspondiente al suelo.

Se considerarán obras análogas a las de rehabilitación las siguientes:

a) Las de adecuación estructural que proporcionen a la edificación condiciones de seguridad constructiva, de forma que quede garantizada su estabilidad y resistencia mecánica.

b) Las de refuerzo o adecuación de la cimentación así como las que afecten o consistan en el tratamiento de pilares o forjados.

c) Las de ampliación de la superficie construida, sobre y bajo rasante.

d) Las de reconstrucción de fachadas y patios interiores.

e) Las de instalación de elementos elevadores, incluidos los destinados a salvar barreras arquitectónicas para su uso por discapacitados.

Se considerarán obras conexas a las de rehabilitación las que se citan a continuación cuando su coste total sea inferior al derivado de las obras de consolidación o tratamiento de elementos estructurales, fachadas o cubiertas y, en su caso, de las obras análogas a éstas, siempre que estén vinculadas a ellas de forma indisociable y no consistan en el mero acabado u ornato de la edificación ni en el simple mantenimiento o pintura de la fachada:

a) Las obras de albañilería, fontanería y carpintería.

b) Las destinadas a la mejora y adecuación de cerramientos, instalaciones eléctricas, agua y climatización y protección contra incendios.

c) Las obras de rehabilitación energética.

Se considerarán obras de rehabilitación energética las destinadas a la mejora del comportamiento energético de las edificaciones reduciendo su demanda energética, al aumento del rendimiento de los sistemas e instalaciones térmicas o a la incorporación de equipos que utilicen fuentes de energía renovables».

Las exenciones previstas en estos números 20.º y 22.º de la LIVA podrán ser objeto de renuncia por el sujeto pasivo, en la forma y con los requisitos que se determinen reglamentariamente, cuando el adquirente sea un sujeto pasivo que actúe en el ejercicio de sus actividades empresariales o profesionales y se le atribuya el derecho a efectuar la deducción total o parcial del IVA soportado al realizar la adquisición o, cuando no cumpliéndose lo anterior, en función de su destino previsible, los bienes adquiridos vayan a ser utilizados, total o parcialmente, en la realización de operaciones, que originen el derecho a la deducción. Así lo establece el artículo 20.Dos de la LIVA.

En su consecuencia, cuando la **operación de venta esté sujeta y no exenta de IVA**, la **comunidad de propietarios será sujeto pasivo del impuesto y deberá repercutir la cuota de IVA que corresponda** al adquirente del elemento común, además de practicar la liquidación y el ingreso del tributo a través de las oportunas declaraciones. En este sentido, el artículo 164.Uno de la LIVA establece lo siguiente en cuanto a las obligaciones de los sujetos pasivos del impuesto:

«Uno. Sin perjuicio de lo establecido en el Título anterior, los sujetos pasivos del impuesto estarán obligados, con los requisitos, límites y condiciones que se determinen reglamentariamente, a:

1.º Presentar declaraciones relativas al comienzo, modificación y cese de las actividades que determinen su sujeción al impuesto.

2.º Solicitar de la Administración el número de identificación fiscal y comunicarlo y acreditarlo en los supuestos que se establezcan.

3.º Expedir y entregar factura de todas sus operaciones, ajustada a lo que se determine reglamentariamente.

4.º Llevar la contabilidad y los registros que se establezcan en la forma definida reglamentariamente, sin perjuicio de lo dispuesto en el Código de Comercio y demás normas contables.

5.º Presentar periódicamente, o a requerimiento de la Administración, información relativa a sus operaciones económicas con terceras personas y, en particular, una declaración recapitulativa de operaciones intracomunitarias.

6.º Presentar las declaraciones-liquidaciones correspondientes e ingresar el importe del impuesto resultante.

Sin perjuicio de lo previsto en el párrafo anterior, los sujetos pasivos deberán presentar una declaración-resumen anual.

En los supuestos del artículo 13, número 2.º, de esta Ley deberá acreditarse el pago del impuesto para efectuar la matriculación definitiva del medio de transporte.

7.º Nombrar un representante a efectos del cumplimiento de las obligaciones impuestas en esta Ley cuando se trate de sujetos pasivos no establecidos en la Comunidad, salvo que se encuentren establecidos en Canarias, Ceuta o Melilla, o en un Estado con el que existan instrumentos de asistencia mutua análogos a los instituidos en la Comunidad».

De una manera más concreta, los modelos que tendrá que presentar como sujeto pasivo del IVA serán los siguientes:

- **«Modelo 303. IVA. Autoliquidación»**. Ha de presentarse trimestralmente, en el mes siguiente al período de liquidación. Para los primeros tres trimestres del año, se presentará del día 1 al 20 de los meses de abril, julio y octubre; y para el cuarto trimestre, la autoliquidación se presentará del 1 al 30 de enero.
- **«Modelo 390. IVA. Declaración Resumen Anual»**. Se trata de un modelo de presentación anual, durante los treinta primeros días naturales del mes de enero siguiente al año al que se refiere la declaración.

Paralelamente, la comunidad de propietarios podrá deducirse, en su caso, el IVA que hubiese soportado por las adquisiciones de bienes o servicios destinados a la actividad de arrendamiento.

Al mismo tiempo, conviene tener en cuenta que **la comunidad de propietarios podrá deducirse, en su caso, el IVA que hubiese soportado por las adquisiciones de bienes o servicios destinados a su actividad empresarial**.

En el caso de que, por el contrario, **la enajenación estuviese exenta de IVA de conformidad con lo previsto en alguno de los apartados del artículo 20 de la LIVA, la operación tributaría por el ITPyAJD, del que sería sujeto pasivo el adquirente** [artículo 8.a) de la LITPyAJD]. No en vano, dicho impuesto se exigirá, en su modalidad de transmisiones patrimoniales, en las transmisiones onerosas *inter vivos* de toda clase de bienes y derechos que integren el patrimonio de las personas físicas o jurídicas [artículo 7.1.a) de la LITPyAJD]; siempre que no se trate de operaciones realizadas por empresarios o profesionales en el ejercicio de su actividad económica y sujetas al IVA, en los términos que especifica el artículo 7.5 de la LITPyAJD:

«5. No estarán sujetas al concepto "transmisiones patrimoniales onerosas" regulado en el presente Título las operaciones enumeradas anteriormente cuando, con independencia de la condición del adquirente, los transmitentes sean empresarios o profesionales en el ejercicio de su actividad económica y, en cualquier caso, cuando constituyan entregas de bienes o prestaciones de servicios sujetas al Impuesto sobre el Valor Añadido. No obstante, quedarán sujetos a dicho concepto impositivo las entregas o arrendamientos de bienes inmuebles, así como la constitución y transmisión de derechos reales de uso y disfrute que recaigan sobre los mismos, cuando gocen de exención en el Impuesto sobre el Valor Añadido. También quedarán sujetas las entregas de aquellos inmuebles que estén incluidos en la transmisión de un patrimonio empresarial o profesional, cuando por las circunstancias concurrentes la transmisión de este patrimonio no quede sujeta al Impuesto sobre el Valor Añadido».

La **comunidad de propietarios deberá presentar la declaración de alta en el Censo de empresarios, profesionales y retenedores**, a través del **modelo 036** (declaración censal normal), en aquellos supuestos en los que venda zonas o elementos comunes, tenga la consideración de empresario o profesional y actúa en el ejercicio de su actividad.

Así se desprendería del artículo 29.2 y de los apartados 1 y 2 de la disposición adicional quinta de la LGT, a cuyo tenor:

«1. **Las personas o entidades que desarrollen o vayan a desarrollar en territorio español actividades empresariales o profesionales o satisfagan rendimientos sujetos a retención deberán comunicar a la Administración tributaria a través de las correspondientes declaraciones censales su alta en el Censo de Empresarios, Profesionales y Retenedores, las modificaciones que se produzcan en su situación tributaria y la baja en dicho censo.** El Censo de Empresarios, Profesionales y Retenedores formará parte del Censo de Obligados Tributarios. En este último figurarán la totalidad de personas físicas o jurídicas y entidades a que se refiere el artículo 35 de la Ley General Tributaria, identificadas a efectos fiscales en España.

Las declaraciones censales servirán, asimismo, para comunicar el inicio de las actividades económicas que desarrollen, las modificaciones que les afecten y el cese en las mismas. A efectos de lo dispuesto en este artículo, tendrán la consideración de empresarios o profesionales quienes tuvieran tal condición de acuerdo con las disposiciones propias del Impuesto sobre el Valor Añadido, incluso cuando desarrollen su actividad fuera del territorio de aplicación de este impuesto.

2. Reglamentariamente se regulará el contenido, la forma y los plazos para la presentación de estas declaraciones censales».

En el mismo sentido, el artículo 3.2.a) del RGAT añade lo siguiente:

«2. **El Censo de Empresarios, Profesionales y Retenedores estará formado por las personas o entidades que desarrollen o vayan a desarrollar en territorio español alguna de las actividades u operaciones** que se mencionan a continuación:

a) **Actividades empresariales o profesionales.** Se entenderá por tales aquellas cuya realización confiera la condición de empresario o profesional, incluidas las agrícolas, forestales, ganaderas o pesqueras.

No se incluirán en el Censo de Empresarios, Profesionales y Retenedores quienes efectúen exclusivamente arrendamientos de inmuebles exentos del Impuesto sobre el Valor Añadido, conforme al artículo 20.uno.23.º de la Ley 37/1992, de 28 de diciembre, del Impuesto sobre el Valor Añadido, siempre que su realización no constituya el desarrollo de una actividad empresarial de acuerdo con lo dispuesto en la normativa reguladora del Impuesto sobre la Renta de las Personas Físicas. Tampoco se incluirán en este censo quienes efectúen entregas a título ocasional de medios de transporte nuevos exentas del Impuesto sobre el Valor Añadido en virtud de lo dispuesto en el artículo 25.uno y dos de su ley reguladora, y adquisiciones intracomunitarias de bienes exentas en virtud de lo dispuesto en el artículo 26.tres de la misma ley».

A TENER EN CUENTA. También formarán parte de este censo las personas o entidades que no cumplan ninguno de los requisitos que en principio determinan la inclusión en él, pero que sean partícipes de entidades en régimen de atribución de rentas (como serían las comunidades de propietarios) que desarrollen actividades empresariales o profesionales y tengan obligaciones tributarias derivadas de su condición de miembros de tales entidades.

Dicha declaración de alta censal **habrá de presentarse con anterioridad al inicio de las actividades** (artículo 9.1 del RGAT) y supondrá el nacimiento de la **obligación de presentar las correspondientes declaraciones y liquidaciones** a la AEAT. Además, una vez que la comunidad se haya dado de alta en el censo, también **deberá comunicar a la Agencia Tributaria a través de la oportuna declaración la alteración de cualquiera de los datos** recogidos en la declaración de alta o cualquier modificación posterior, **así como la baja en el censo** cuando cese en el desarrollo de todo tipo de actividades empresariales o profesionales. De no hacerlo y continuar de alta en dicho censo, la comunidad tendría que presentar periódicamente las declaraciones o autoliquidaciones y sería requerido para su cumplimiento.

Con carácter general, la declaración de modificación tendrá que presentarse en el plazo de un mes desde que se produzcan los hechos que determinan su presentación, si no se establece otro plazo según lo previsto en el artículo 10.4 del RGAT. Por su parte, el plazo para presentar la baja en el censo también será de un mes desde que se cumpla la circunstancia que la determina, aunque sin perjuicio de que la comunidad afectada deba presentar las declaraciones y cumplir las obligaciones tributarias que le incumban, sin que a tales efectos deba darse de alta en el censo.

Todas estas declaraciones, tanto de alta censal como de modificación y de baja, se realizarán a través del modelo 036 aprobado por Orden EHA/1274/2007, de 26 de abril.

CUESTIÓN

Una comunidad de propietarios dada de alta en el modelo 036 como urbanizador de terrenos, que ha asumido el pago de cuotas de urbanización, vende una parcela de propiedad comunitaria que está en curso de urbanización. ¿La operación estará sujeta al IVA? En caso de ser así, ¿a qué tipo impositivo?

En este caso, la comunidad de propietarios titular de la finca está dada de alta como urbanizador de terrenos a través del modelo 036 y asumió el pago de cuotas de urbanización, por lo que cabría deducir su condición de empresario o profesional a los efectos del IVA, de conformidad con los artículos 4, 5 y 84 de la LIVA. En esa medida, la transmisión de la parcela estaría sujeta a dicho impuesto.

Por otra parte, no cabría aplicar la exención prevista en el artículo 20.Uno.20.° de la LIVA, en la medida en que la parcela se encuentra en curso de urbanización, de modo que nos encontraríamos ante una venta sujeta y no exenta del IVA.

Finalmente, en cuanto al tipo impositivo a aplicar, la operación quedaría sujeta al tipo general del 21 %.

En este sentido se pronuncia la consulta vinculante de la Dirección General de Tributos (V2703-17), de 23 de octubre de 2017.

RESOLUCIÓN ADMINISTRATIVA

Consulta vinculante de la Dirección General de Tributos (V1936-18), de 29 de junio de 2018

Asunto: tributación en el IVA de la venta de plazas de garaje construidas por una comunidad de propietarios en una zona común.

«Las comunidades de propietarios (comunidades de vecinos), con carácter general, no reúnen los requisitos establecidos por la normativa del Impuesto sobre el Valor Añadido para atribuirles la condición de empresarios o profesionales.

Dichas comunidades tienen por tanto la condición de consumidores finales a efectos del Impuesto sobre el Valor Añadido, salvo que realicen alguna actividad empresarial que le confiera el carácter de empresarios a efectos de este impuesto.

En particular, el artículo 5 antes citado, dispone en la letra d) de su apartado Uno, que tendrán la condición de empresarios "quienes efectúen la urbanización de terrenos o la promoción, construcción o rehabilitación de edificaciones destinadas, en todos los casos, a su venta, adjudicación o cesión por cualquier título, aunque sea ocasionalmente".

En el presente supuesto, la consultante ha promovido la construcción de unos garajes, por lo que esta comunidad de vecinos ha adquirido el carácter de empresario por esta promoción ocasional, siendo sujeto pasivo de este impuesto por las entregas de los garajes que realice.

Así pues, la entrega realizada por la comunidad de vecinos promotora de las plazas de aparcamiento estará sujeta al Impuesto sobre el Valor Añadido.

(...)

2.- En cuanto al tipo impositivo aplicable, el artículo 90, apartado uno de la Ley 37/1992 establece que el impuesto se exigirá al tipo impositivo del 21 por ciento, salvo lo previsto en el artículo 91 de la misma Ley.

Por su parte, el artículo 91.Uno.1.7° de la Ley 37/1992 dispone que tributarán al tipo reducido del 10 por ciento las entregas de "los edificios o partes de los mismos aptos para su utilización como viviendas, incluidas las plazas de garaje, con un máximo de dos unidades, y anexos en ellos situados que se transmitan conjuntamente.

En lo relativo a esta ley no tendrán la consideración de anexos a viviendas los locales de negocio, aunque se transmitan conjuntamente con los edificios o parte de los mismos destinados a viviendas.

No se considerarán edificios aptos para su utilización como viviendas las edificaciones destinadas a su demolición a que se refiere el artículo 20, apartado uno, número 22.°, parte A), letra c) de esta ley".

Tal y como ha manifestado este Centro directivo, entre otras, en la contestación vinculante a la consulta, de 23 de noviembre de 2017, con número de referencia V3054-17, a efectos de este artículo, por anexos o anejos se entienden, entre otros, además de las plazas de garaje, los sótanos, las buhardillas o trasteros, escaleras, porterías, así como pistas de deporte, jardines, piscinas y espacios de uso común en la propia parcela y que se transmitan simultáneamente con ellos.

De acuerdo con lo anterior, tributarán sobre el Impuesto sobre el Valor añadido al tipo del 10 por ciento las entregas de plazas de garaje que no excedan de dos, cuando se den las siguientes circunstancias:

a) Que se transmitan conjuntamente con viviendas situadas en dichos edificios.

b) Que se encuentren construidas en el subsuelo que ocupa toda la superficie de las zonas comunes de una promoción inmobiliaria, o en la superficie de dichas zonas comunes.

Se entenderán transmitidas conjuntamente las plazas de garaje y las viviendas cuando la transmisión se efectúe en el mismo acto y simultáneamente. Dicha circunstancia es una cuestión de hecho que podrá probarse por los medios admisibles en derecho.

A tales efectos, será indiferente que las entregas de viviendas y plazas de garaje se documenten o no en una misma escritura pública, o que se documenten mediante escrituras separadas, pues lo relevante, conforme se ha indicado, es que la transmisión se efectúe de forma conjunta.

Con respecto a la situación de las plazas de garaje, es criterio de este Centro directivo que para que puedan ser consideradas anexos de un edificio de viviendas y tengan el mismo tratamiento que estas, es condición necesaria que se encuentren construidas en la superficie o el subsuelo de la misma parcela que ocupan los edificios y las zonas comunes de una promoción inmobiliaria.

En el caso de que el garaje no se encuentre en el subsuelo del edificio de viviendas, sino en superficie, también se entenderá cumplido el requisito, siempre y cuando el garaje pertenezca a la misma parcela que el edificio de viviendas. Diferente sería el caso en que las plazas de garaje se encontraran en parcelas distintas con accesos independientes de las viviendas y sin vinculación alguna con éstas, en cuyo caso, las entregas de plazas de garaje tributarán al tipo impositivo del 21 por ciento.

En estas circunstancias no serán considerados parte de una vivienda los anexos a la misma, entre los que se cuentan las plazas de garaje y trastero objeto de consulta, que no cumplan las condiciones anteriormente señaladas o cuya entrega no se pueda considerar accesoria a la entrega de la vivienda a la que acompañan.

Por tanto, en el supuesto objeto de consulta, en que las plazas de garaje se transmiten a los vecinos en un momento posterior al de la compraventa de la vivienda, no resultará de aplicación el tipo impositivo reducido del 10 por ciento, sino el tipo impositivo general del 21 por ciento.

4.- Por último, en lo que se refiere a la tributación por parte de los copropietarios en caso de repartirse el dinero obtenido en la venta de las plazas de parking, tal y como se ha señalado en el punto primero de la presente contestación, será la comunidad de vecinos la que ostente la consideración de empresario o profesional a título ocasional por la promoción de las plazas de garaje, y tendrá por tanto la consideración de sujeto pasivo en la transmisión de las mismas.

Así pues, los vecinos o comuneros no tendrán la obligación de presentar declaración por el Impuesto sobre el Valor Añadido en relación con esta operación, con independencia de que se distribuya o no el beneficio resultante de la misma, dado que dicha distribución constituye un pago que no se corresponde con una entrega de bienes ni prestación de servicios sujeta al Impuesto».

➢ La comunidad de propietarios enajena el elemento común sin tener la consideración de empresario o al margen de su actividad

En aquellos casos en los que la comunidad de propietarios no efectúe la venta como empresario o profesional en el ejercicio de una actividad económica o no se trate de operaciones sujetas al IVA, **la venta del elemento común, ya desafectado y privativo, constituiría una transmisión onerosa** y **estaría sujeta al Impuesto sobre Transmisiones Patrimoniales y Actos Jurídicos Documentado, en su modalidad de transmisiones patrimoniales onerosas.**

No en vano, el artículo 7.1.A) de la LITPyAJD, determina lo siguiente:

«1. Son transmisiones patrimoniales sujetas:

A) Las transmisiones onerosas por actos "inter vivos" de toda clase de bienes y derechos que integren el patrimonio de las personas físicas o jurídicas».

No resultaría de aplicación el supuesto de no sujeción contemplado en el apartado 5 de ese mismo precepto, según el cual no estarían sujetas al impuesto dichas operaciones «cuando, con independencia de la condición del adquirente, los transmitentes sean empresarios o profesionales en el ejercicio de su actividad económica y, en cualquier caso, cuando constituyan entregas de bienes o prestaciones de servicios sujetas al Impuesto sobre el Valor Añadido». Sin embargo, sí lo estarán las entregas o arrendamientos de bienes inmuebles, así como la constitución y transmisión de derechos reales de uso y disfrute que recaigan sobre los mismos, cuando gocen de exención en el IVA. Y lo mismo las entregas de inmuebles incluidos en la transmisión de un patrimonio empresarial o profesional, cuando por las circunstancias concurrentes la transmisión de este patrimonio no quede sujeta al IVA.

Ahora bien, el **sujeto pasivo del impuesto derivado de esta transmisión patrimonial onerosa** no será la comunidad de propietarios, sino **el adquirente del bien** [artículo 8.a) de la LITPyAJD]; determinándose la base imponible de conformidad con el artículo 10 de la LITPyAJD:

«1. **La base imponible está constituida por el valor del bien transmitido** o del derecho que se constituya o ceda. Únicamente **serán deducibles las cargas que disminuyan el valor de los bienes, pero no las deudas aunque estén garantizadas con prenda o hipoteca.**

A efectos de este impuesto, salvo que resulte de aplicación alguna de las reglas contenidas en los apartados siguientes de este artículo o en los artículos siguientes, **se considerará valor de los bienes y derechos su valor de mercado**. No obstante, si el valor declarado por los interesados, el precio o contraprestación pactada o ambos son superiores al valor de mercado, la mayor de esas magnitudes se tomará como base imponible.

Se entenderá por valor de mercado el precio más probable por el cual podría venderse, entre partes independientes, un bien libre de cargas.

2. **En el caso de los bienes inmuebles, su valor será el valor de referencia previsto en la normativa reguladora del catastro inmobiliario, a la fecha de devengo del impuesto.**

No obstante, si el valor del bien inmueble declarado por los interesados, el precio o contraprestación pactada, o ambos son superiores a su valor de referencia, se tomará como base imponible la mayor de estas magnitudes.

Cuando no exista valor de referencia o este no pueda ser certificado por la Dirección General del Catastro, la base imponible, sin perjuicio de la comprobación administrativa, será la mayor de las siguientes magnitudes: el valor declarado por los interesados, el precio o contraprestación pactada o el valor de mercado.

3. El valor de referencia solo se podrá impugnar cuando se recurra la liquidación que en su caso realice la Administración Tributaria o con ocasión de la solicitud de rectificación de la autoliquidación, conforme a los procedimientos regulados en la Ley 58/2003, de 17 de diciembre, General Tributaria.

Cuando los obligados tributarios consideren que la determinación del valor de referencia ha perjudicado sus intereses legítimos, podrán solicitar la rectificación de la autoliquidación impugnando dicho valor de referencia.

(...)».

A TENER EN CUENTA. Este precepto ha sido objeto de modificación por la Ley 11/2021, de 9 de julio, de medidas de prevención y lucha contra el fraude fiscal, de transposición de la Directiva (UE) 2016/1164, del Consejo, de 12 de julio de 2016, por la que se establecen normas contra las prácticas de elusión fiscal que inciden directamente en el funcionamiento del mercado interior, de modificación de diversas normas tributarias y en materia de regulación del juego. A través de tal modificación, se ha introducido la mención al nuevo valor de referencia de los bienes inmuebles.

El IIVTNU en la venta del elemento común inmueble y urbano 1410

El Impuesto sobre el Incremento de Valor de los Terrenos de Naturaleza Urbana es un tributo directo que grava el incremento de valor que experimenten dichos terrenos y que se ponga de manifiesto como consecuencia de la transmisión de su propiedad por cualquier título o de la constitución o transmisión de cualquier derecho real de goce, limitativo del dominio, sobre ellos. Se encuentra regulado en los **artículos 104 y siguientes del Real decreto legislativo 2/2004, de 5 de marzo**, por el que se aprueba el texto refundido de la Ley Reguladora de las Haciendas Locales (LRHL).

En esa medida, para que se produzca su **hecho imponible** deben darse **dos condiciones simultáneas**, que se desprenden de los apartados 1 y 2 del artículo 104 de la LRHL, que muchas veces concurrirán en los supuestos de enajenación de elementos comunes por parte de las comunidades de propietarios:

- Que **se produzca un incremento del valor de los terrenos que tengan la consideración de urbanos a los efectos del IBI,** con independencia de que estén o no contemplados como tales en el Catastro o en el padrón de aquel. Asimismo, también estará sujeto el incremento de valor que experimenten los terrenos integrados en los inmuebles clasificados como de características especiales a efectos del IBI. Se excluyen, por tanto, los que tengan la consideración de rústicos en cuanto al IBI.
- Que **tal incremento se produzca como consecuencia de una transmisión de esos terrenos o de la constitución o transmisión de derechos reales sobre los mismos**; transmisión que podrá realizarse tanto a título oneroso como lucrativo.

No existirá sujeción al impuesto en las transmisiones de terrenos con respecto a los cuales **se constate** «la **inexistencia de incremento de valor por diferencia entre los valores de dichos terrenos en las fechas de transmisión y**

adquisición» (artículo 104.5 de la LRHL). Para ello, el sujeto pasivo interesado en acreditar la inexistencia de tal incremento de valor, tendrán que declarar la transmisión y aportar los títulos que documenten la transmisión y la adquisición.

Para constatar la inexistencia de incremento de valor, habrá que atender a las reglas que recoge el precepto ya indicado:

a) Como valor de transmisión o de adquisición del terreno se tomará en cada caso el mayor de los siguientes valores, sin que a estos efectos puedan computarse los gastos o tributos que graven dichas operaciones: el que conste en el título que documente la operación o el comprobado, en su caso, por la Administración tributaria.

b) Cuando se trate de la transmisión de un inmueble en el que haya suelo y construcción, se tomará como valor del suelo a estos efectos el que resulte de aplicar la proporción que represente en la fecha de devengo del impuesto el valor catastral del terreno respecto del valor catastral total y esta proporción se aplicará tanto al valor de transmisión como, en su caso, al de adquisición.

c) Si la adquisición o la transmisión hubiera sido a título lucrativo se aplicarán las reglas de los apartados anteriores tomando, en su caso, por el primero de los dos valores a comparar señalados anteriormente, el declarado en el Impuesto sobre Sucesiones y Donaciones.

En la posterior transmisión de los inmuebles con respecto a los que se constate la inexistencia de incremento de valor, para el cómputo del número de años a lo largo de los cuales se ha puesto de manifiesto el incremento de valor de los terrenos, no se tendrá en cuenta el período anterior a su adquisición. Lo dispuesto en este párrafo no será de aplicación en los supuestos de aportaciones o transmisiones de bienes inmuebles que resulten no sujetas en virtud de lo dispuesto en el artículo 104.3 de la LRHL o en la disposición adicional segunda de la Ley 27/2014, de 27 de noviembre, del Impuesto sobre Sociedades.

Por su parte, el **artículo 105 de la LRHL establece una serie de exenciones** que, fundamentalmente, alcanzan a la constitución y transmisión de derechos de servidumbre, a la transmisión de bienes integrados dentro del perímetro delimitado como conjunto histórico-artístico o declarados individualmente de interés cultural en ciertos supuestos, así como a las transmisiones realizadas por personas físicas con motivo de la dación en pago de la vivienda habitual del deudor hipotecario o garante, para la cancelación de las deudas garantizadas. Asimismo, también se encuentran exentos ciertos incrementos de valor cuando la obligación de satisfacer el IIVTNU recaiga sobre ciertos sujetos como el Estado, las comunidades autónomas y entidades locales, instituciones benéficas, entidades gestoras de la Seguridad Social, Cruz Roja Española, etc.

➢ La comunidad de propietarios como contribuyente del IIVTNU y momento del devengo

El sujeto pasivo del IIVTNU será el transmitente del inmueble, al tratarse de transmisiones a título oneroso [artículo 106.1.b) de la LRHL]. Sin embargo, si la transmisión se efectuase a título gratuito, el sujeto pasivo del IIVTNU sería el adquirente.

Aquí nos estamos refiriendo en concreto a las operaciones de venta de elementos comunes realizadas por comunidades de propietarios, por lo que podrían surgir dudas a la hora de determinar quién es el auténtico sujeto pasivo del impuesto: ¿lo es la comunidad de propietarios o cada uno de los propietarios en proporción a sus cuotas de participación?

Según ha indicado en alguna ocasión la Dirección General de Tributos, parece que **habrá que atender a la titularidad de la propiedad del inmueble y a quién figure como transmitente en la escritura pública de compraventa**.

El **devengo** del impuesto, en estos casos de transmisión de la propiedad, tanto a título oneroso como gratuito, se producirá en la **fecha de la transmisión** [artículo 109.1.a) de la LRHL].

RESOLUCIÓN ADMINISTRATIVA

Consulta no vinculante de la Dirección General de Tributos (0001-22), de 4 de enero de 2022

Asunto: condición de contribuyente por el IIVTNU en caso de venta de la vivienda de portería por parte de los vecinos de una comunidad de propietarios.

«El contribuyente del impuesto en el caso de transmisión de la propiedad de un terreno por compraventa es la persona física, jurídica o entidad del artículo 35.4 de la Ley General Tributaria (LGT), que transmita dicha propiedad.

La entidad consultante, comunidad de propietarios del edificio al que pertenecía el inmueble transmitido, es una de las entidades a las que se refiere el artículo 35.4 de la LGT, como entidad sin personalidad jurídica, que constituya una unidad económica o un patrimonio susceptible de imposición.

En cuanto a la cuestión planteada relativa a quién tiene la condición de contribuyente del IIVTNU, si la comunidad de propietarios o todos y cada uno de los copropietarios de dicha comunidad, habrá que estar a quién es el titular de la propiedad del inmueble transmitido. Dado que la entidad consultante no aporta documentación alguna, habrá que atender a la persona o entidad que conste como transmitente del inmueble en la correspondiente escritura pública, a la identidad del titular de la propiedad en el Registro de la Propiedad y a la identidad de la persona o entidad que conste como transmitente en la declaración del impuesto presentada ante el ayuntamiento.

Resultando que, si el titular de la propiedad del inmueble y entidad transmitente es la comunidad de propietarios, esta será quien tenga la condición de contribuyente del IIVTNU. Y los propietarios de las distintas viviendas o locales de dicha comunidad tendrán la condición de responsables solidarios del pago del impuesto, en virtud de lo dispuesto en el artículo 42.1.b) de la Ley 58/2003, de 17 de diciembre, General Tributaria (LGT), que establece que serán responsables solidarios de la deuda tributaria, los partícipes o cotitulares de las entidades a que se refiere el artículo 35.4 de esta ley, en proporción a sus respectivas participaciones respecto de las obligaciones tributarias materiales de dichas entidades.

En el caso de que los titulares de la propiedad del inmueble transmitido y, por tanto, personas transmitentes, sean todos y cada uno de los copropietarios de los distintos inmuebles de la comunidad en proporción a su participación en la propiedad de la vivienda del portero transmitida, entonces estos serán quienes tengan la condición de contribuyentes del IIVTNU».

➢ La base imponible del IIVTNU

La base imponible de este tributo está **constituida por el incremento del valor de los terrenos puesto de manifiesto en el momento del devengo y experimentado a lo largo de un período máximo de veinte años**.

Como regla general, se determinará **multiplicando el valor del terreno en el momento del devengo** calculado conforme a lo previsto en los apartados 2 y 3 del artículo 107 de la LRHL, **por el coeficiente que corresponda al período de generación** conforme a lo previsto en el apartado 4 del mismo precepto. Sin embargo, cuando a instancias del sujeto pasivo **se constate que el importe del incremento de valor es inferior al importe de la base imponible** de tal modo determinada, se tomará como base imponible el **importe de dicho incremento de valor**.

En particular, y por lo que aquí nos interesa, nos centraremos en las reglas que dicho precepto establece para la determinación de la **base imponible en el caso de transmisiones de terrenos**, a cuyos efectos el artículo 107 de la LRHL establece, en sus apartados 2.a), 3 y 4, lo siguiente:

> «2. El **valor del terreno en el momento del devengo** resultará de lo establecido en las siguientes reglas:
>
> a) En las **transmisiones de terrenos**, el valor de estos en el momento del devengo **será el que tengan determinado en dicho momento a efectos del Impuesto sobre Bienes Inmuebles.**
>
> No obstante, cuando dicho valor sea consecuencia de una ponencia de valores que no refleje modificaciones de planeamiento aprobadas con posterioridad a la aprobación de la citada ponencia, se podrá liquidar provisionalmente este impuesto con arreglo a aquel. En estos casos, en la liquidación definitiva se aplicará el valor de los terrenos una vez se haya obtenido conforme a los procedimientos de valoración colectiva que se instruyan, referido a la fecha del devengo. Cuando esta fecha no coincida con la de efectividad de los nuevos valores catastrales, estos se corregirán aplicando los coeficientes de actualización que correspondan, establecidos al efecto en las leyes de presupuestos generales del Estado.
>
> Cuando el terreno, aun siendo de naturaleza urbana o integrado en un bien inmueble de características especiales, en el momento del devengo del impuesto, no tenga determinado valor catastral en dicho momento, el ayuntamiento podrá practicar la liquidación cuando el referido valor catastral sea determinado, refiriendo dicho valor al momento del devengo.
>
> Los **ayuntamientos podrán establecer en la ordenanza fiscal un coeficiente reductor** sobre el valor señalado en los párrafos anteriores que pondere su grado de actualización, con el máximo del 15 por ciento.
>
> (...)
>
> 3. Los **ayuntamientos podrán establecer una reducción cuando se modifiquen los valores catastrales como consecuencia de un procedimiento de valoración colectiva de carácter general.** En ese caso, se tomará como valor del terreno, o de la parte de este que corresponda según las reglas contenidas en el apartado anterior, el importe que resulte de aplicar a los nuevos valores catastrales dicha reducción durante el período de tiempo y porcentajes máximos siguientes:
>
> a) La reducción, en su caso, se aplicará, como máximo, respecto de cada uno de los cinco primeros años de efectividad de los nuevos valores catastrales.
>
> b) La reducción tendrá como porcentaje máximo el 60 por ciento. Los ayuntamientos podrán fijar un tipo de reducción distinto para cada año de aplicación de la reducción.

La reducción prevista en este apartado no será de aplicación a los supuestos en los que los valores catastrales resultantes del procedimiento de valoración colectiva a que aquel se refiere sean inferiores a los hasta entonces vigentes.

El valor catastral reducido en ningún caso podrá ser inferior al valor catastral del terreno antes del procedimiento de valoración colectiva.

La regulación de los restantes aspectos sustantivos y formales de la reducción se establecerá en la ordenanza fiscal.

4. El **periodo de generación del incremento de valor** será el **número de años a lo largo de los cuales se haya puesto de manifiesto dicho incremento**.

En los supuestos de no sujeción, salvo que por ley se indique otra cosa, para el cálculo del periodo de generación del incremento de valor puesto de manifiesto en una posterior transmisión del terreno, se tomará como fecha de adquisición, a los efectos de lo dispuesto en el párrafo anterior, aquella en la que se produjo el anterior devengo del impuesto.

En el cómputo del número de años transcurridos se tomarán años completos, es decir, sin tener en cuenta las fracciones de año. En el caso de que el periodo de generación sea inferior a un año, se prorrateará el coeficiente anual teniendo en cuenta el número de meses completos, es decir, sin tener en cuenta las fracciones de mes.

El coeficiente a aplicar sobre el valor del terreno en el momento del devengo, calculado conforme a lo dispuesto en los apartados anteriores, será el que corresponda de los aprobados por el ayuntamiento según el periodo de generación del incremento de valor, sin que pueda exceder de los límites siguientes:

(...)

Estos coeficientes máximos serán actualizados anualmente mediante norma con rango legal, pudiendo llevarse a cabo dicha actualización mediante las leyes de presupuestos generales del Estado.

Si, como consecuencia de la actualización referida en el párrafo anterior, alguno de los coeficientes aprobados por la vigente ordenanza fiscal resultara ser superior al correspondiente nuevo máximo legal, se aplicará este directamente hasta que entre en vigor la nueva ordenanza fiscal que corrija dicho exceso».

El **tipo de gravamen a aplicar será el fijado por cada ayuntamiento**, sin que pueda exceder del 30 % (artículo 108.1 de la LRHL). Dentro de este límite, los ayuntamientos podrán fijar un solo tipo de gravamen o uno para cada uno de los períodos de generación del incremento de valor indicados en el artículo 107.4 de la LRHL.

➢ Obligaciones básicas del sujeto pasivo del IIVTNU

Las comunidades de propietarios, en aquellos supuestos en que sean sujetos pasivos del IIVTNU, estarán obligadas a **presentar ante el ayuntamiento correspondiente la declaración que determine la ordenanza** respectiva, conteniendo los elementos de la relación tributaria imprescindibles para practicar la liquidación correspondiente. Dicha declaración, al tratarse de una transmisión *inter vivos*, tendrá que presentarse en el **plazo de 30 días hábiles a contar desde que se produzca el devengo** del impuesto [artículo 110.2.a) de la LRHL]; y deberá ir acompañada del documento en el que conste el acto o contrato que determina la imposición (la compraventa, en este caso).

Ahora bien, el **artículo 110.4 de la LRHL faculta a los ayuntamientos para establecer el sistema de autoliquidación por el sujeto pasivo**, que llevará consigo el ingreso de la cuota resultante de aquella dentro del plazo indicado. Respecto de dichas autoliquidaciones, sin perjuicio de las facultades de comprobación de los valores declarados por el interesado o el sujeto pasivo a los efectos de lo dispuesto en los artículos 104.5 y 107.5 de la LRHL, respectivamente, el ayuntamiento correspondiente solo podrá comprobar que se han efectuado mediante la aplicación correcta de las normas reguladoras del impuesto, sin que puedan atribuirse valores, bases o cuotas diferentes de las resultantes de tales normas.

A TENER EN CUENTA. El impuesto no podrá exigirse en ningún caso en régimen de autoliquidación cuando se trate de la transmisión de un terreno que, aún siendo de naturaleza urbana o integrado en un bien inmueble de características especiales, no tenga determinado valor catastral en el momento del devengo del impuesto.

Cuando los ayuntamientos no establezcan el sistema de autoliquidación, las liquidaciones del impuesto se notificarán íntegramente a los sujetos pasivos con indicación del plazo de ingreso y expresión de los recursos procedentes.

CUESTIONES

1. Si el contrato de compraventa de la vivienda del portero quedase sin efecto por mutuo acuerdo de la comunidad de propietarios y el comprador, ¿cabrá la devolución de lo pagado por el IIVTNU?

Según prevé el artículo 109.3 de la LRHL, si el contrato queda sin efecto por mutuo acuerdo de las partes contratantes, no procederá la devolución del impuesto satisfecho y se considerará como un acto nuevo sujeto a tributación. Además, se considerará como tal mutuo acuerdo la avenencia en acto de conciliación y el simple allanamiento a la demanda.

2. Cuando una comunidad de propietarios vende la vivienda del portero en escritura pública, ¿en qué momento se entiende producida la transmisión de la propiedad como circunstancia determinante del devengo del IIVTNU?

En nuestro derecho, la adquisición de la propiedad se basa en la «teoría del título y el modo», por lo que para adquirir el dominio por transmisión inter vivos no basta con el mero contrato traslativo o acto constitutivo, sino que será también necesario otro requisito: el modo de adquirir o tradición, esto es, la entrega de la posesión.

En este sentido, conforme al artículo 1462 del Código Civil, en los casos de compraventa, la cosa vendida se entenderá entregada cuando se ponga en poder y posesión del comprador; pero, cuando se haga la venta mediante escritura pública, el otorgamiento de esta equivaldrá a la entrega de la cosa objeto del contrato, si de la propia escritura no resulta o se deduce claramente lo contrario.

Por lo tanto, si de la escritura de compraventa no se desprende lo contrario, el IIVTNU se devengará en la fecha de la transmisión de la propiedad del inmueble, es decir, en la fecha de otorgamiento de la escritura pública de compraventa.

1420 La tributación de las rentas derivadas de la venta de elementos comunes y las obligaciones fiscales que supone para la comunidad

Las rentas derivadas de la venta de un elemento común tendrán un tratamiento análogo al apuntado al tratar de las generadas por el arrendamiento de zonas o elementos comunes, aunque con la calificación que en este caso les corresponda.

Las comunidades de propietarios no son contribuyentes del IS (salvo en el excepcional supuesto previsto en el artículo 15 bis.12 de la LIS) ni del IRPF, sino que se consideran como una agrupación de **los distintos propietarios que las integran, que son quienes tendrán que tributar por las rentas obtenidas por la comunidad**. Son, por tanto, entidades en régimen de atribución de rentas, tal y como se desprende de los artículos 6 de la LIS y 8.3 y 87.3 de la LIRPF:

Artículo 6 de la LIS

«1. Las rentas correspondientes a las sociedades civiles que no tengan la consideración de contribuyentes de este Impuesto, herencias yacentes, comunidades de bienes y demás entidades a que se refiere el artículo 35.4 de la Ley 58/2003, de 17 de diciembre, General Tributaria, así como las retenciones e ingresos a cuenta que hayan soportado, se atribuirán a los socios, herederos, comuneros o partícipes, respectivamente, de acuerdo con lo establecido en la Sección 2.ª del Título X de la Ley 35/2006, de 28 de noviembre, del Impuesto sobre la Renta de las Personas Físicas y de modificación parcial de las leyes de los Impuestos sobre Sociedades, sobre la Renta de no Residentes y sobre el Patrimonio.

2. Las entidades en régimen de atribución de rentas no tributarán por el Impuesto sobre Sociedades, a excepción de lo dispuesto en el apartado 12 del artículo 15 bis de esta Ley».

Artículo 8.3 de la LIRPF

«3. No tendrán la consideración de contribuyente las sociedades civiles no sujetas al Impuesto sobre Sociedades, herencias yacentes, comunidades de bienes y demás entidades a que se refiere el artículo 35.4 de la Ley 58/2003, de 17 de diciembre, General Tributaria. Las rentas correspondientes a las mismas se atribuirán a los socios, herederos, comuneros o partícipes, respectivamente, de acuerdo con lo establecido en la Sección 2.ª del Título X de esta Ley».

Artículo 87.3 de la LIRPF

«3. Las entidades en régimen de atribución de rentas no estarán sujetas al Impuesto sobre Sociedades, a excepción de lo dispuesto en el apartado 12 del artículo 15 bis de la Ley del Impuesto sobre Sociedades».

A TENER EN CUENTA. Tal y como se indicaba en el **marginal 1400**, los artículos 6.2 de la LIS y 87.3 de la LIRPF fueron modificados por el Real Decreto-ley 18/2022, de 18 de octubre, con efectos desde el 1 de enero de 2022. A fin de evitar ciertas asimetrías híbridas, se introdujo la excepción contenida en los últimos incisos del artículo 6.2 de la LIS y del artículo 87.3 de la LIRPF, según la cual las entidades en régimen de atribución de rentas (como serían las comunidades de propietarios) pasan a tributar en el Impuesto sobre Sociedades excepcionalmente por algunas de sus rentas cuando concurran los requisitos que especifica el artículo 15 bis.12 de la LIS (apartado introducido *ex novo* por esa misma reforma, que renumeró los anteriores apartados 12 y 13 del precepto como 13 y 14, respectivamente). Se trata de un supuesto que, salvo en supuestos muy excepcionales en los que concurran los concretos requisitos exigidos, no parece que resulte de aplicación al régimen de las comunidades de propietarios.

Así las cosas, fuera del supuesto específico y excepcional recogido en el artículo 15 bis.12 de la LIS, en el que no entraremos más a fondo por su carácter residual en este ámbito, podemos decir que las comunidades de propietarios son entidades en régimen de atribución de rentas que no tributarán en el IS ni el IRPF por sí mismas, sino que serán sus partícipes los que tributen de manera personal por las rentas que obtengan a través de ellas, siendo ese el régimen en cuyo estudio vamos a centrarnos a continuación. Dichas rentas se atribuirán a los propietarios que forman parte de la comunidad de vecinos, de acuerdo con lo establecido en la sección segunda del título X de la LIRPF, teniendo para cada uno de ellos la naturaleza que se derive de la actividad o fuente de donde procedan (artículos 86 y 88 de la LIRPF).

La atribución de dichas rentas a los propietarios se ha de regir por los criterios que especifica el artículo 89 de la LIRPF, que son, básicamente, los siguientes:

- La renta atribuible se determinará conforme a las normas del Impuesto sobre la Renta de las Personas Físicas y no serán aplicables las deducciones previstas en los artículos 23.2, 23.3, 26.2 y 32 de la LIRPF, con las siguientes especialidades:
  - La renta atribuible se determinará con arreglo a la normativa del Impuesto sobre Sociedades cuando todos los miembros de la comunidad de propietarios sean sujetos pasivos de dicho impuesto o contribuyentes por el Impuesto sobre la Renta de no Residentes con establecimiento permanente.
  - La determinación de la renta atribuible a los contribuyentes del Impuesto sobre la Renta de no Residentes sin establecimiento permanente se llevará a cabo según lo previsto en el capítulo IV del Real decreto legislativo 5/2004, de 5 de marzo, por el que se aprueba el texto refundido de la Ley del Impuesto sobre la Renta de no Residentes.
  - Para el cálculo de la renta atribuible a los miembros de la entidad en régimen de atribución de rentas, que sean sujetos pasivos del Impuesto sobre Sociedades o contribuyentes por el Impuesto sobre la Renta de no Residentes con establecimiento permanente o sin establecimiento permanente que no sean personas físicas, procedente de ganancias patrimoniales derivadas de la transmisión de elementos no afectos al desarrollo de actividades económicas, no resultará de aplicación lo establecido en la disposición transitoria novena de la LIRPF (que regula el régimen transitorio aplicable a las ganancias patrimoniales derivadas de elementos patrimoniales adquiridos con anterioridad a 31 de diciembre de 1994).
- La parte de renta atribuible a los propietarios, contribuyentes por el IRPF o por el IS, que formen parte de una entidad en régimen de atribución de rentas constituida en el extranjero, se determinará de acuerdo con lo señalado en la regla anterior.
- Cuando la entidad en régimen de atribución de rentas obtenga rentas de fuente extranjera que procedan de un país con el que España no tenga suscrito un convenio para evitar la doble imposición con cláusula de intercambio de información, no se computarán las rentas negativas que excedan de las positivas obtenidas en el mismo país y procedan de la misma fuente. El exceso se computará en los cuatro años siguientes de acuerdo con lo señalado en esta regla.

– Los propietarios que se integren en la comunidad y que sean contribuyentes por el IRPF podrán practicar en su declaración las reducciones previstas en los artículos 23.2, 23.3, 26.2 y 32.1 de la LIRPF.

Dicha atribución de rentas a cada propietario, por otra parte, **se efectuará en proporción a la cuota de participación que tengan en la comunidad, salvo que en los estatutos se contemple otro reparto**, y aunque su importe no haya sido distribuido entre ellos.

➢ La calificación de los rendimientos obtenidos

Tal y como venimos señalando, en principio y de conformidad con la normativa del IRPF, la calificación de las rentas derivadas de la venta de un elemento común por parte de cada propietario será la de **ganancias o pérdidas patrimoniales**, tal y como se desprende del artículo 33.1 de la LIRPF, a cuyo tenor:

«1. Son ganancias y pérdidas patrimoniales las variaciones en el valor del patrimonio del contribuyente que se pongan de manifiesto con ocasión de cualquier alteración en la composición de aquél, salvo que por esta Ley se califiquen como rendimientos».

Así las cosas, dicha venta generará una ganancia o pérdida patrimonial cuyo importe se calculará de acuerdo con lo previsto en el artículo 34 de la LIRPF, por la **diferencia entre los valores de adquisición y transmisión**, que se definen en los artículos 35 y 36 de la LIRPF para las transmisiones a título oneroso y lucrativo, respectivamente.

➢ Las obligaciones de la comunidad de propietarios

A TENER EN CUENTA. En el supuesto excepcional de que, conforme al artículo 15 bis.12 de la LIS antes referido, una comunidad de propietarios deba tributar por el IS por una parte de sus rentas, la comunidad de vecinos quedaría sujeta al cumplimiento de las obligaciones que a esos efectos puedan corresponderle. En el tema nos centraremos en el estudio del régimen general de las comunidades de propietarios a las que no les resulte de aplicación esa previsión y que, por tanto, no serán contribuyentes por el IS.

Al igual que sucedía en los casos en los que la comunidad de propietarios arrendaba elementos comunes, el hecho de que se trate de entidades en régimen de atribución de rentas por cuyos rendimientos tributen sus partícipes supone que deban cumplir, también en estos supuestos, con las **obligaciones de información que recoge el artículo 90 de la LIRPF y desarrolla el artículo 70 del RIRPF**.

En concreto, este último precepto determina lo siguiente:

«1. **Las entidades en régimen de atribución de rentas mediante las que se ejerza una actividad económica, o cuyas rentas excedan de 3.000 euros anuales, deberán presentar anualmente una declaración informativa** en la que, además de sus datos identificativos y, en su caso, los de su representante, deberá constar la siguiente información:

a) Identificación, domicilio fiscal y número de identificación fiscal de sus socios, herederos, comuneros o partícipes, residentes o no en territorio español, incluyéndose las variaciones en la composición de la entidad a lo largo de cada período impositivo.

En el caso de que alguno de los miembros de la entidad no sea residente en territorio español, identificación de quien ostente la representación fiscal del mismo de acuerdo con lo establecido en el artículo 10 del texto refundido de la Ley del Impuesto sobre la Renta de no Residentes, aprobado por el Real Decreto Legislativo 5/2004, de 5 de marzo.

Tratándose de entidades en régimen de atribución de rentas constituidas en el extranjero, se deberá identificar, en los términos señalados en este artículo, a los miembros de la entidad contribuyentes por este Impuesto o sujetos pasivos del Impuesto sobre Sociedades, así como a los miembros de la entidad contribuyentes por el Impuesto sobre la Renta de no Residentes respecto de las rentas obtenidas por la entidad sujetas a dicho Impuesto.

b) Importe total de las rentas obtenidas por la entidad y de la renta atribuible a cada uno de sus miembros, especificándose, en su caso:

1.º Ingresos íntegros y gastos deducibles por cada fuente de renta.

2.º Importe de las rentas de fuente extranjera, señalando el país de procedencia, con indicación de los rendimientos íntegros y gastos.

3.º En el supuesto a que se refiere el apartado 5 del artículo 89 de la Ley del Impuesto, identificación de la institución de inversión colectiva cuyas acciones o participaciones se han adquirido o suscrito, fecha de adquisición o suscripción y valor de adquisición de las acciones o participaciones, así como identificación de la persona o entidad, residente o no residente, cesionaria de los capitales propios.

c) Bases de las deducciones.

d) Importe de las retenciones e ingresos a cuenta soportados por la entidad y los atribuibles a cada uno de sus miembros.

e) Importe neto de la cifra de negocios de acuerdo con el artículo 191 del texto refundido de la Ley de Sociedades Anónimas, aprobado por el Real Decreto Legislativo 1564/1989, de 22 de diciembre.

2. **Las entidades en régimen de atribución de rentas deberán notificar por escrito a sus miembros la información a que se refieren los párrafos b), c) y d) del apartado anterior**. La notificación deberá ponerse a disposición de los miembros de la entidad en el plazo de un mes desde la finalización del plazo de presentación de la declaración a que se refiere el apartado 1 anterior.

3. El Ministro de Economía y Hacienda establecerá el modelo, el plazo, el lugar y la forma de presentación de la declaración informativa a que se refiere este artículo».

Así las cosas, la comunidad de propietarios deberá determinar la renta total percibida por la entidad y la atribuible a cada uno de los propietarios que forman parte de ella, asumiendo las siguientes dos obligaciones:

- Presentar, cuando esté obligada a ello, la declaración informativa a que se refiere el primer apartado del artículo ahora reproducido, que se realiza por medio del **modelo 184 «Declaración Informativa. Entidades en régimen de atribución de rentas. Declaración anual»**, aprobado por la Orden HAP/2250/2015, de 23 de octubre. Se trata de un modelo de presentación anual, entre el 1 de enero y del 31 de enero.
- **Remitir por escrito a los distintos propietarios**, dentro de un mes desde la finalización del plazo de presentación de la declaración anterior, un **certificado** en el que les informe de los rendimientos obtenidos por la comunidad de propietarios, de los que se le hayan atribuido a cada uno,

de las bases de las deducciones que puedan aplicarse y de las retenciones e ingresos a cuenta atribuibles a su favor.

RESOLUCIÓN ADMINISTRATIVA

Consulta vinculante de la Dirección General de Tributos (V3077-18), de 28 de noviembre de 2018

Asunto: tributación del rendimiento obtenido por la venta de un elemento común (vivienda portería) por parte de una comunidad de propietarios.

«De acuerdo con esta configuración, la venta del inmueble dará lugar a una ganancia o pérdida patrimonial cuyo importe se calculará de acuerdo con lo dispuesto en el artículo 34, por diferencia entre los valores de adquisición y transmisión, que vienen definidos en los artículos 35 y 36 de la LIRPF para las transmisiones a título oneroso y a título lucrativo, respectivamente.

(...)

En el supuesto planteado, al tratarse de la venta de un elemento común, vivienda portería, la consultante deberá calcular los valores de adquisición y de transmisión que proporcionalmente les correspondan. De acuerdo con los artículos anteriormente expuestos, los valores de transmisión y de adquisición para cada copropietario serían los siguientes:

- El valor de transmisión será el resultante de aplicar su coeficiente de propiedad en el inmueble o edificio en el que se encuentra situado el elemento patrimonial que se transmite, anterior a la segregación, sobre el importe real por el que la enajenación se hubiera efectuado, una vez deducidos los gastos y tributos inherentes a la transmisión que hubieran sido satisfechos por los transmitentes. Por importe real del valor de enajenación se tomará el efectivamente satisfecho, siempre que no resulte inferior al normal de mercado, en cuyo caso prevalecerá éste.

- El valor de adquisición será el resultado de aplicar el porcentaje que resulte de la diferencia entre los coeficientes de propiedad en el inmueble o edificio en el que se encuentra situado el elemento patrimonial que se transmite anterior y posterior a la segregación sobre la cantidad resultante de sumar el importe real satisfecho por la adquisición de la vivienda y los gastos y tributos inherentes a la adquisición, excluidos los intereses, que hubieran sido satisfechos por los ellos».

6.2.3.4. Fiscalidad de la percepción de subvenciones e indemnizaciones

Tratamiento fiscal de la percepción de subvenciones o indemnizaciones por las comunidades de propietarios 1430

En no pocas ocasiones, las comunidades de propietarios perciben ingresos como consecuencia de la obtención de subvenciones o de indemnizaciones.

Su tratamiento fiscal y las obligaciones que dichas percepciones suponen para las comunidades de propietarios vienen marcadas por su consideración como entidades en régimen de atribución de rentas, según ya abordamos en los epígrafes anteriores.

Así las cosas, las comunidades de propietarios no son, ellas mismas, contribuyentes del IS (salvo en el supuesto excepcional del artículo 15 bis.12 de la LIS) ni del IRPF, sino que **los rendimientos que obtengan se atribuirán a los propietarios** que las integran, que **serán quienes tributarán por ellos** (en su IRPF si se trata de propietarios que sean personas físicas o en su IS si son personas jurídicas). Así resultaría de los artículos 6 de la LIS y 8.3 y 87.3 de la LIRPF.

A TENER EN CUENTA. Los artículos 6.2 de la LIS y 87.3 de la LIRPF fueron modificados por el Real Decreto-ley 18/2022, de 18 de octubre, con efectos desde el 1 de enero de 2022. A fin de evitar ciertas asimetrías híbridas, se introdujo la excepción contenida en los últimos incisos del artículo 6.2 de la LIS y del artículo 87.3 de la LIRPF, según la cual las entidades en régimen de atribución de rentas (como serían las comunidades de propietarios) pasan a tributar en el Impuesto sobre Sociedades excepcionalmente por algunas de sus rentas cuando concurran los requisitos que especifica el artículo 15 bis.12 de la LIS (apartado introducido ex novo por esa misma reforma, que renumeró los anteriores apartados 12 y 13 del precepto como 13 y 14, respectivamente). Se trata de un supuesto que, salvo en supuestos muy excepcionales en los que concurran los concretos requisitos exigidos, no parece que resulte de aplicación al régimen de las comunidades de propietarios.

Al margen del supuesto previsto en el artículo 15 bis.12 de la LIS, en el que no entraremos por su carácter excepcional y de muy escasa aplicación en este ámbito, podemos decir que la atribución de dichas rentas a los propietarios que integran la comunidad de vecinos se realizará de acuerdo con lo previsto en la sección segunda del título X de la LIRPF y tendrán la naturaleza derivada de la actividad o fuente de la que provengan para cada uno de ellos (artículos 86 y 88 de la LIRPF). Habrá de llevarse a cabo, por otra parte, de conformidad con las reglas que recoge el **artículo 89 de la LIRPF.**

La atribución de rentas a cada propietario que integra la comunidad se realizará en función de su coeficiente de participación, por ser este el criterio que determina la participación de cada uno en las cargas y beneficios comunitarios según el artículo 3 de la LPH, salvo que en los estatutos de la misma se estableciese otro reparto.

Además, conviene resaltar de manera especial que, tal y como reconoce el artículo 95.2 de la LIRPF ya reproducido, **las rentas que obtenga la comunidad de propietarios estarán, en su caso, sujetas a retención o ingreso a cuenta del IRPF conforme a las normas de dicho impuesto**, deduciéndose las retenciones que puedan efectuarse de la imposición personal de cada propietario en la misma proporción en que se le atribuyan dichos rendimientos.

Por lo tanto, será necesario **acudir al artículo 99 de la LIRPF y a los artículos 75 y 76 del RIRPF** para determinar en cada caso si existe o no obligación de retener o ingresar a cuenta por parte de quien abone los rendimientos.

JURISPRUDENCIA

Sentencia del Tribunal Supremo n.º 56/2026, de 21 de enero, ECLI:ES:TS:2026:179

Las subvenciones a comunidades de propietarios no impiden cobrar el Ingreso Mínimo Vital

«La beneficiaria recurre en casación unificadora invocando un único motivo de la letra e del artículo 207 LRJS, en el que alega la infracción del artículo 18 del Real Decreto Ley 20/2020, de 29 de mayo, que, bajo la rúbrica «cómputo de los ingresos y patrimonio», en el apartado e) 2° del párrafo 1 dispone que: «Se exceptuarán del cómputo de rentas: 2° Las prestaciones y ayudas económicas públicas finalistas que hayan sido concedidas

para cubrir una necesidad específica de cualquiera de las personas integrantes de la unidad de convivencia, tales como becas o ayudas para el estudio, ayudas por vivienda, ayudas de emergencia, y otras similares». Sostiene la recurrente que la subvención/ ayuda para rehabilitación de fachada de la vivienda debe encuadrarse en este apartado al margen de su consideración fiscal como ganancia patrimonial.

Pues bien, como hemos visto es cierto que las subvenciones públicas no vinculadas al ejercicio de actividad económica deben considerarse como ganancias patrimoniales en el IRPF, salvo que su normativa las declare exentas o las excepcione de algún modo y ello conforme al artículo 18 del Real Decreto-ley 20/2020 determina a priori su cómputo como ingreso, tanto si es propio de la beneficiaria como si lo fuese de otro miembro de su unidad de convivencia. Ahora bien, esa norma viene excepcionada por el propio artículo 18, como dice correctamente la recurrente, cuando exime de cómputo las ayudas a la vivienda, sin diferenciar entre si se trata de ayudas para el arrendamiento o de ayudas para el acceso a la propiedad o la rehabilitación. Solamente a partir de la Ley 19/2021 podría cuestionarse si queda o no incluida la rehabilitación cuando en su literalidad se refiere a la adquisición. Pero esa no es la norma aplicable al caso ratione temporis.

Como en este caso no se cuestiona que el inmueble cuya fachada fue rehabilitada con la ayuda pública incluyese la vivienda habitual de la beneficiaria, debemos considerar que se trata de una ayuda a la vivienda y por tanto exenta de cómputo».

➢ Calificación tributaria de los rendimientos derivados de la obtención de indemnizaciones

Cuando la comunidad de propietarios perciba una indemnización, la determinación de las rentas deberá realizarse en principio conforme a las normas del IRPF y su calificación tributaria será la de **ganancias o pérdidas patrimoniales**. No en vano, tendrán tal carácter, según el artículo 33.1 de la LIRPF «las variaciones en el valor del patrimonio del contribuyente que se pongan de manifiesto con ocasión de cualquier alteración en la composición de aquél, salvo que por esta Ley se califiquen como rendimientos».

Dichas ganancias o pérdidas patrimoniales se valorarán de conformidad con el artículo 37.1.g) de la LIRPF, a cuyo tenor:

«1. Cuando la alteración en el valor del patrimonio proceda.

(...)

g) De indemnizaciones o capitales asegurados por pérdidas o siniestros en elementos patrimoniales, se computará como ganancia o pérdida patrimonial la diferencia entre la cantidad percibida y la parte proporcional del valor de adquisición que corresponda al daño. Cuando la indemnización no fuese en metálico, se computará la diferencia entre el valor de mercado de los bienes, derechos o servicios recibidos y la parte proporcional del valor de adquisición que corresponda al daño. Sólo se computará ganancia patrimonial cuando se derive un aumento en el valor del patrimonio del contribuyente».

A partir de lo previsto en el último inciso de este precepto, **la Dirección General de Tributos viene considerando que, en los casos en que la indemnización coincida con el coste de reparación, no procederá ganancia o pérdida patrimonial** [entre otras, en las consultas vinculantes (V0037-15), de 9 de enero de 2015, o (V1171-14), de 28 de abril de 2014]. Es decir, únicamente existirá ganancia patrimonial con respecto a la parte de la indemnización que exceda del coste de las reparaciones que, en su caso, pudieran haberse realizado. Además, tampoco puede olvidarse que dicha ganancia luego tendrá que repartirse y atribuirse a cada propietario en función de su cuota de participación.

Dichas ganancias o pérdidas patrimoniales se imputarán temporalmente al período impositivo en el que tenga lugar la alteración patrimonial, según la regla que establece el artículo 14.1.c) de la LIRPF.

RESOLUCIÓN ADMINISTRATIVA

Consulta vinculante de la Dirección General de Tributos (V0219-21), de 10 de febrero de 2021

Asunto: tributación como ganancial patrimonial en el IRPF de cada propietario de una indemnización percibida por la comunidad de propietarios.

«Al determinarse las rentas de la comunidad de propietarios con arreglo a las normas del Impuesto sobre la Renta de las Personas Físicas, la calificación tributaria de la indemnización no puede ser otra que la ganancia o pérdida patrimonial, en cuanto se corresponde con el concepto que de las mismas establece el artículo 33.1 de la Ley del Impuesto: "Las variaciones en el valor del patrimonio del contribuyente que se pongan de manifiesto con ocasión de cualquier alteración en la composición de aquél, salvo que por esta ley se califiquen como rendimientos".

Desde esta consideración, la determinación de su valoración viene dada por lo dispuesto en el artículo 37.1.g) de la misma ley, en el cual se dispone que cuando la alteración en el valor del patrimonio proceda "de indemnizaciones o capitales asegurados por pérdidas o siniestros en elementos patrimoniales, se computará como ganancia o pérdida patrimonial la diferencia entre la cantidad percibida y la parte proporcional del valor de adquisición que corresponda al daño. Cuando la indemnización no fuese en metálico, se computará la diferencia entre el valor de mercado de los bienes, derechos o servicios recibidos y la parte proporcional del valor de adquisición que corresponda al daño. Sólo se computará ganancia patrimonial cuando se derive un aumento en el valor del patrimonio del contribuyente".

Conforme con lo expuesto y, en particular, teniendo en cuenta la última frase del precepto anterior (sólo se computará ganancia patrimonial cuando se derive un aumento en el valor del patrimonio del contribuyente), este centro viene manteniendo el criterio (consultas nº 2081-01, V1998-05, V1669-07, V0117-10, V1058-11, V1869-11, V0824-13, V1171-14 y V0037-15, entre otras) que en la medida que la indemnización percibida coincida con el coste de reparación no procede computar ganancia o pérdida patrimonial alguna; variaciones patrimoniales que sí se producen cuando no se da esa equivalencia entre indemnización y coste de reparación».

➢ Calificación tributaria de los rendimientos derivados de intereses

Además del cobro de una indemnización, en muchas ocasiones la comunidad de propietarios también percibirá ciertos importes en concepto de intereses. Su calificación a los efectos del IRPF puede ser diversa, en función de cuál sea la naturaleza de los intereses: remuneratoria o indemnizatoria:

- Los **intereses remuneratorios** constituyen una contraprestación de la entrega de un capital que debe ser reintegrado en el futuro o del aplazamiento en el pago, se haya concedido por el acreedor o pactado entre las partes. Tributarán en el IRPF como **rendimientos del capital mobiliario**, salvo que deban considerarse como rendimientos de una actividad empresarial o profesional conforme al artículo 25 de la LIRPF.

- Los **intereses indemnizatorios** persiguen resarcir al acreedor por los daños y perjuicios derivados del incumplimiento de una obligación o el retraso en su cumplimiento. Por lo tanto, y al tener tal carácter indemnizatorio, no se consideran rendimientos del capital mobiliario, sino que se calificarán como **ganancias patrimoniales** de conformidad con los artículos 25 y 33.1 de la LIRPF.

RESOLUCIÓN ADMINISTRATIVA

Consulta vinculante de la Dirección General de Tributos (V2608-17), de 13 de octubre de 2017

Asunto: tributación de los intereses percibidos por resolución judicial por una comunidad de propietarios en ejecución de sentencia.

«(...) los intereses establecidos judicialmente en favor de la comunidad de propietarios se atribuirán a cada propietario «a efectos de su tributación en el Impuesto sobre la Renta de las Personas Físicas», en función de «las normas o pactos aplicables en cada caso», lo que en este ámbito suele corresponderse con su cuota de participación en el edificio, en cuanto "conforme al artículo 3 de la Ley 49/1960, de 21 de julio, sobre Propiedad Horizontal" este es el módulo para determinar la participación de cada propietario en las cargas y beneficios por razón de la comunidad.

Respecto a la calificación tributaria de los intereses establecidos por resolución judicial, procede indicar que en el Impuesto sobre la Renta de las Personas Físicas los intereses percibidos por el contribuyente tienen diferente calificación, en función de su naturaleza remuneratoria o indemnizatoria. Los intereses remuneratorios constituyen la contraprestación, bien de la entrega de un capital que debe ser reintegrado en el futuro, bien del aplazamiento en el pago, otorgado por el acreedor o pactado por las partes. Estos intereses tributarán en el impuesto como rendimientos del capital mobiliario, salvo cuando, de acuerdo con lo previsto en el artículo 25 de la Ley del Impuesto, proceda calificarlos como rendimientos de la actividad empresarial o profesional.

Por su parte, los intereses indemnizatorios tienen como finalidad resarcir al acreedor por los daños y perjuicios derivados del incumplimiento de una obligación o el retraso en su correcto cumplimiento. Estos intereses, debido a su carácter indemnizatorio, no pueden calificarse como rendimientos del capital mobiliario. En consecuencia, a tenor de lo dispuesto en los artículos 25 y 33.1 del mismo texto legal, los intereses objeto de consulta han de tributar como ganancia patrimonial, ganancia que al no proceder de una transmisión procederá cuantificarla por el importe de los intereses que se perciban».

➢ Calificación tributaria de los rendimientos derivados de subvenciones

Las subvenciones de las que sea beneficiaria la comunidad de propietarios, con arreglo a las normas del IRPF tendrán la calificación de **ganancias patrimoniales**, según se desprende del artículo 33.1 de la LIRPF.

A TENER EN CUENTA. Tanto en este supuesto como en el de las indemnizaciones, debe tenerse presente que la legislación sobre IRPF contempla ciertos supuestos de no sujeción o exención. Así, por ejemplo, estarían exentas de este impuesto las indemnizaciones obtenidas como consecuencia de responsabilidad civil por daños personales y las derivadas de contratos de seguro de accidentes o las ayudas excepcionales por daños causados por desastres naturales (como las derivadas del volcán de La Palma o la borrasca Filomena). En el caso concreto de las subvenciones, dado que cada una podrá tener un tratamiento distinto en el IRPF, sería conveniente consultar su acuerdo de concesión para comprobar si debe o no declararse, dado que en él se especificará si está exenta o no.

Atendiendo al artículo 14 de la LIRPF, por regla general las ganancias y pérdidas patrimoniales se imputarán al período impositivo en el que tenga lugar la alteración patrimonial. Sin embargo, **las derivadas de ayudas públicas se imputarán al período impositivo en el que tenga lugar su cobro, sin perjuicio de las opciones que señalan las letras g), i), j) y l) del artículo 14.2 de la LIRPF**, a cuyo tenor:

«g) Las ayudas públicas percibidas como compensación por los defectos estructurales de construcción de la vivienda habitual y destinadas a su reparación podrán imputarse por cuartas partes, en el periodo impositivo en el que se obtengan y en los tres siguientes.

(...)

i) Las ayudas incluidas en el ámbito de los planes estatales para el acceso por primera vez a la vivienda en propiedad, percibidas por los contribuyentes mediante pago único en concepto de Ayuda Estatal Directa a la Entrada (AEDE), podrán imputarse por cuartas partes en el período impositivo en el que se obtengan y en los tres siguientes.

j) Las ayudas públicas otorgadas por las Administraciones competentes a los titulares de bienes integrantes del Patrimonio Histórico Español inscritos en el Registro general de bienes de interés cultural a que se refiere la Ley 16/1985, de 25 de junio, del Patrimonio Histórico Español, y destinadas exclusivamente a su conservación o rehabilitación, podrán imputarse por cuartas partes en el período impositivo en que se obtengan y en los tres siguientes, siempre que se cumplan las exigencias establecidas en dicha ley, en particular respecto de los deberes de visita y exposición pública de dichos bienes.

(...)

l) Las ayudas públicas para la primera instalación de jóvenes agricultores previstas en el Marco Nacional de Desarrollo Rural de España que se destinen a la adquisición de una participación en el capital de empresas agrícolas societarias podrán imputarse por cuartas partes, en el período impositivo en el que se obtengan y en los tres siguientes».

RESOLUCIÓN ADMINISTRATIVA

Consula vinculante de la Dirección General de Tributos (V0528-25), de 28 de marzo de 2025

La subvención concedida para la instalación del ascensor no debe atribuirse fiscalmente sólo a los vecinos que hayan pagado efectivamente la obra, sino que corresponde, según el régimen de atribución de rentas, a todos los propietarios que en el momento del cobro ostenten tal condición.

«(...) las subvenciones de las que es beneficiaria la comunidad de propietarios consultante se atribuirán a cada uno de los propietarios en función de su coeficiente de participación en el edificio, en cuanto —conforme al artículo 3 de la Ley 49/1960, de 21 de julio, sobre Propiedad Horizontal— este es el módulo para determinar la participación de cada propietario en las cargas y beneficios por razón de la comunidad: "A cada piso o local se atribuirá una cuota de participación con relación al total del valor del inmueble y referida a centésimas del mismo. Dicha cuota servirá de módulo para determinar la participación en las cargas y beneficios por razón de la comunidad. Las mejoras o menoscabos de cada piso o local no alterarán la cuota atribuida, que sólo podrá variarse de acuerdo con lo establecido en los artículos 10 y 17 de esta Ley".

A su vez, esta atribución deberá tener en cuenta —según la regla antes transcrita del artículo 89.1.1ª— el criterio de imputación temporal que se recoge en el artículo 14.2.c) de la Ley del Impuesto, donde se establece lo siguiente:

"Las ganancias patrimoniales derivadas de ayudas públicas se imputarán al período impositivo en que tenga lugar su cobro, sin perjuicio de las opciones previstas en las letras g), i) y j) de este apartado".

Esta imputación al período impositivo de cobro, nos lleva a afirmar que su atribución deberá efectuarse a quien ostente la condición de propietario de cada piso o local en el momento del cobro de las subvenciones».

➢ Las obligaciones de información de las comunidades de propietarios en estos casos

A TENER EN CUENTA. En el supuesto excepcional de que, conforme al artículo 15 bis.12 de la LIS antes referido, una comunidad de propietarios deba tributar por el IS por una parte de sus rentas, la comunidad de vecinos quedaría sujeta al cumplimiento de las obligaciones que a esos efectos puedan corresponderle. En el tema nos centraremos en el estudio del régimen general de las comunidades de propietarios a las que no les resulte de aplicación esa previsión y que, por tanto, no serán contribuyentes por el IS.

Tratándose de una entidad en régimen de atribución de rentas por cuyos rendimientos tributarán sus partícipes, la comunidad de propietarios debe cumplir, al igual que sucedía en los supuestos de rendimientos derivados de arrendamientos o ventas de elementos comunes, una serie de obligaciones de información, tal y como se recoge en el artículo 90 de la LIRPF y el artículo 70 del RIRPF.

Así las cosas, la comunidad de propietarios tendrá las siguientes obligaciones:

A) El modelo 184

Las comunidades de propietarios mediante las que se ejerza una actividad económica o cuyas rentas excedan de 3.000 euros anuales deberán presentar anualmente una declaración informativa en la que, además de sus datos informativos y, en su caso, los de su representante, conste la información que especifica el artículo 70.1 del RIRPF.

Dicha declaración informativa se realiza por medio del **modelo 184 «Declaración Informativa. Entidades en régimen de atribución de rentas. Declaración anual»**, aprobado por la Orden HAP/2250/2015, de 23 de octubre. Su presentación es anual, entre el 1 de enero y del 31 de enero.

B) El certificado de rentas

Asimismo, la comunidad de propietarios deberá **notificar por escrito a sus miembros la información relativa al importe total de las rentas obtenidas por la entidad y la atribuible a cada uno** de los propietarios, las bases de deducción y, en su caso, el importe de las retenciones e ingresos a cuenta soportados por la entidad y los atribuibles a cada uno de sus miembros, en los términos que especifican las letras b), c) y d) del artículo 70.1 de la LIRPF.

Dicha notificación deberá ponerse a disposición de los miembros de la entidad en el plazo de un mes desde la finalización del plazo de presentación del modelo 184.

CUESTIONES

1. Una comunidad de propietarios ha obtenido de su compañía de seguros una indemnización por los daños sufridos en el tejado por importe de 4.450 euros, ascendiendo el coste de la reparación de los daños a 4.100 euros (IVA incluido). ¿Cuál es la ganancia patrimonial obtenida por la comunidad y a atribuir a los propietarios en función de sus cuotas de participación?

Únicamente se computará como ganancia patrimonial la parte de la indemnización percibida que exceda del coste de reparación. Por lo tanto, en este supuesto tendría un valor de 350 euros (4.450 euros - 4.100 euros), que luego sería atribuible a los distintos propietarios en proporción a sus cuotas de participación.

2. En el supuesto anterior, ¿la comunidad de propietarios tendría obligación de presentar el modelo 184?

Si la comunidad de propietarios no ejerce una actividad económica y la única renta que obtiene es la antes mencionada, parece que no estaría obligada a presentar el modelo 184, dado que sus rentas no excederían de los 3.000 euros anuales que determinan la obligación de presentarlo conforme al artículo 70.1 del RIRPF.

3. Una comunidad de propietarios ha resultado beneficiaria de una subvención para la instalación del sistema de videoportero. La subvención les fue concedida a finales del año 2020, pero su cobro no se produjo hasta enero de 2021. ¿A qué período impositivo tendrá que imputar cada propietario la renta que le resulte atribuida?

Los rendimientos que cada propietario obtenga tendrán la calificación de ganancia patrimonial a los efectos del IRPF y deberían imputarlos al período impositivo en el que se produjo el cobro (el ejercicio 2021), con independencia de que el reconocimiento de la subvención y la propuesta de pago fuesen a finales de 2020. Así se desprendería del artículo 14.2.c) de la LIRPF.

4. A mediados del año 2020, la comunidad de propietarios del edificio Lucero decidió realizar obras de reparación de la fachada. Se aprobó el oportuno acuerdo de la comunidad y, en enero de 2021, cada propietario procedió al pago de la parte de la derrama que le correspondía en proporción a su cuota de participación.

Paralelamente, se solicitó una subvención para la rehabilitación y mejora de la eficiencia energética de los edificios en régimen de propiedad horizontal, de la que fue beneficiaria la comunidad de propietarios. Le fue reconocida a finales de 2021 y abonada en enero de 2022.

Actualmente, Marco es propietario del piso 3.º A, que adquirió por compraventa en octubre de 2021, y se pregunta a quién se le atribuirán las rentas derivadas de la subvención cobrada por la comunidad, si a él o al propietario anterior, que fue el que en su día pagó la derrama.

En este supuesto, la beneficiaria de la subvención es la comunidad de propietarios, pero las rentas que con ella se generen se atribuirán a cada uno de los propietarios en función de su coeficiente de participación en el edificio.

Dichas rentas, de conformidad con el artículo 33.1 de la LIRPF, tendrán la consideración de ganancia patrimonial para cada uno de ellos y tendrán que imputarse temporalmente al período impositivo en el que tenga lugar su cobro [artículo 14.2.c) de la LIRPF]. Por lo tanto, tendrán que atribuirse a la persona que en ese momento tenía la condición de propietario del piso, esto es, al comprador y actual propietario.

6.2.4. Operaciones con terceras personas superiores a 3.005,06 euros

¿Cuándo tendrán que presentar el modelo 347 las comunidades de propietarios? 1440

Las comunidades de propietarios tienen el carácter de obligados tributarios de conformidad con el artículo 35.4 de la LGT y, en esa medida, entre otras obligaciones y cuando concurran en ellas ciertos requisitos, **deberán presentar una declaración anual relativa a sus operaciones con terceras personas o entidades**, cualquiera que sea su naturaleza o carácter, **con quienes se hayan efectuado operaciones que en su conjunto para cada una de dichas personas o entidades hayan superado la cifra de 3.005,06 euros durante el año natural** correspondiente.

En concreto, cuando proceda, dicha declaración se efectuará a través del «Modelo **347. Declaración Informativa. Declaración anual de operaciones con terceras personas»**, aprobado por la Orden EHA/3012/2008, de 20 de octubre, por la que se aprueba el modelo 347 de Declaración anual de operaciones con terceras personas, así como los diseños físicos y lógicos y el lugar, forma y plazo de presentación. Su presentación es anual y deberá llevarse a cabo durante el **mes de febrero de cada año** en relación con las operaciones realizadas durante el año natural anterior.

Se trata de una obligación que parte del artículo 93 de la LGT, en el que se regulan las obligaciones de información que incumben a determinados sujetos entre los que se incluyen las comunidades de vecinos, y se desarrolla en los **artículos 31 y siguientes del RGAT**. En particular, a tal respecto, establece el artículo 31.1 del RGAT lo siguiente:

> «1. De acuerdo con lo dispuesto en el artículo 93 de la Ley 58/2003, de 17 de diciembre, General Tributaria, las personas físicas o jurídicas, públicas o privadas, así como las entidades a que se refiere el artículo 35.4 de dicha ley, que desarrollen actividades empresariales o profesionales, deberán presentar una declaración anual relativa a sus operaciones con terceras personas.
>
> A estos efectos, se considerarán actividades empresariales o profesionales todas las definidas como tales en el artículo 5.dos de la Ley 37/1992, de 28 de diciembre, del Impuesto sobre el Valor Añadido. Asimismo, tendrán esta consideración las actividades realizadas por quienes sean calificados de empresarios o profesionales en el artículo 5.uno de dicha ley, con excepción de lo dispuesto en su párrafo e).
>
> Las entidades a las que sea de aplicación la Ley 49/1960, de 21 de junio sobre la propiedad horizontal, así como, las entidades o establecimientos privados de carácter social a que se refiere el artículo 20.Tres de la Ley 37/1992 de 28 de diciembre, del Impuesto sobre el Valor Añadido, incluirán también en la declaración anual de operaciones con terceras personas las adquisiciones en general de bienes o servicios que efectúen al margen de las actividades empresariales o profesionales, incluso aunque no realicen actividades de esta naturaleza».

El artículo 32 del RGAT establece, por su parte, una serie de **supuestos en los que no existirá obligación de presentar la declaración anual de operaciones con terceras personas**:

«No estarán obligados a presentar la declaración anual:

a) Quienes realicen en España actividades empresariales o profesionales sin tener en territorio español la sede de su actividad económica, un establecimiento permanente o su domicilio fiscal o, en el caso de entidades en régimen de atribución de rentas constituidas en el extranjero, sin tener presencia en territorio español.

b) **Las personas físicas y entidades en atribución de rentas en el Impuesto sobre la Renta de las Personas Físicas, por las actividades que tributen en dicho impuesto por el método de estimación objetiva y, simultáneamente, en el Impuesto sobre el Valor Añadido por los regímenes especiales simplificado o de la agricultura, ganadería y pesca o del recargo de equivalencia, salvo por las operaciones por las que emitan factura**.

No obstante lo anterior, los sujetos pasivos acogidos al régimen simplificado del Impuesto sobre el Valor Añadido incluirán en la declaración anual de operaciones con terceras personas las adquisiciones de bienes y servicios que realicen que deban ser objeto de anotación en el libro registro de facturas recibidas del artículo 40.1 del Reglamento del Impuesto sobre el Valor Añadido aprobado por el Real Decreto 1624/1992, de 29 de diciembre.

c) **Los obligados tributarios que no hayan realizado operaciones que en su conjunto, respecto de otra persona o entidad, hayan superado la cifra de 3.005,06 euros durante el año natural** correspondiente o de 300,51 euros durante el mismo periodo, cuando, en este último supuesto, realicen la función de cobro por cuenta de terceros de honorarios profesionales o de derechos derivados de la propiedad intelectual, industrial o de autor u otros por cuenta de sus socios, asociados o colegiados.

d) **Los obligados tributarios que hayan realizado exclusivamente operaciones no sometidas al deber de declaración**, según lo dispuesto en el artículo 33.

e) Los obligados tributarios a que se refiere el artículo 62.6 del Reglamento del Impuesto sobre el Valor Añadido, aprobado por el Real Decreto 1624/1992, de 29 de diciembre, así como los obligados tributarios a que se refiere el artículo 49.5 del Reglamento de gestión de los tributos derivados del Régimen Económico y Fiscal de Canarias, aprobado por el Decreto 268/2011, de 4 de agosto».

Así las cosas, a grandes rasgos puede decirse que **las comunidades de propietarios no tendrán que presentar esta declaración** cuando **no hayan realizado operaciones que respecto de otra persona o entidad hayan superado la cifra de 3.005,06 euros en el año natural** o hayan **realizado exclusivamente operaciones no sometidas al deber de declarar**, que luego veremos.

➢ **Operaciones a declarar**

En la declaración anual **deberán relacionarse todas aquellas personas o entidades**, cualquiera que sea su naturaleza o carácter, **con quienes se hayan efectuado operaciones que en su conjunto para cada una de dichas personas o entidades hayan superado la cifra de 3.005,06 euros durante el año natural** correspondiente. Así se desprende del artículo 33.1 del RGAT.

A tales efectos, tendrán la consideración de operaciones tanto las entregas de bienes y prestaciones de servicios como las adquisiciones de los mismos; incluyéndose en ambos casos las operaciones típicas y habituales, las ocasionales, las operaciones inmobiliarias y las subvenciones, auxilios o ayudas no reintegrables que puedan otorgar o recibir.

Los sujetos pasivos que realicen operaciones a las que sea de aplicación el régimen especial del criterio de caja de la LIVA y aquellos otros que sean destinatarios de las operaciones incluidas en el mismo, deberán incluir en su declaración anual los importes devengados durante el año natural, conforme a la regla general de devengo del artículo 75 de la LIVA. Son operaciones que también deberán incluirse en la declaración anual por los importes devengados durante el año natural de acuerdo con el artículo 163 terdecies de la LIVA.

Las comunidades de propietarios **suministrarán toda la información que vengan obligados a relacionar en su declaración anual, sobre una base de cómputo anual**.

Por otra parte, en dicha declaración anual **se incluirán las entregas, prestaciones o adquisiciones de bienes y servicios sujetas y no exentas en el IVA, así como las no sujetas o exentas de dicho impuesto, con las excepciones que establece el apartado 2 del artículo 33 del RGAT**. Dicho precepto excluye del deber de declaración las siguientes operaciones:

«a) **Aquellas que hayan supuesto entregas de bienes o prestaciones de servicios por las que los obligados tributarios no debieron expedir y entregar factura**, así como aquellas en las que no debieron consignar los datos de identificación del destinatario o no debieron firmar el recibo emitido por el adquirente en el régimen especial de la agricultura, ganadería y pesca del Impuesto sobre el Valor Añadido.

b) Aquellas **operaciones realizadas al margen de la actividad empresarial o profesional del obligado** tributario.

c) Las **entregas, prestaciones o adquisiciones de bienes o servicios efectuadas a título gratuito no sujetas o exentas del Impuesto sobre el Valor Añadido**.

d) Los **arrendamientos de bienes exentos del Impuesto sobre el Valor Añadido** realizados por personas físicas o entidades sin personalidad jurídica al margen de cualquier otra actividad empresarial o profesional.

e) Las adquisiciones de efectos timbrados o estancados y signos de franqueo postal, excepto los que tengan la consideración de objetos de colección, según la definición que se contiene en el artículo 136.uno.3.° a) de la Ley 37/1992, de 28 de diciembre, del Impuesto sobre el Valor Añadido.

f) Las operaciones realizadas por las entidades o establecimientos de carácter social a que se refiere el artículo 20.tres de la Ley 37/1992, de 28 de diciembre, del Impuesto sobre el Valor Añadido, y que correspondan al sector de su actividad, cuyas entregas de bienes y prestaciones de servicios estén exentos de dicho impuesto, sin perjuicio de lo establecido en el apartado 1 del artículo 31 de este reglamento.

g) Las importaciones y exportaciones de mercancías, así como las operaciones realizadas directamente desde o para un establecimiento permanente del obligado tributario situado fuera del territorio español, salvo que aquel tenga su sede en España y la persona o entidad con quien se realice la operación actúe desde un establecimiento situado en territorio español.

h) Las entregas y adquisiciones de bienes que supongan envíos entre el territorio peninsular español o las islas Baleares y las islas Canarias, Ceuta y Melilla.

i) En general, **todas aquellas operaciones respecto de las que exista una obligación periódica de suministro de información a la Administración tributaria estatal y que como consecuencia de ello hayan sido incluidas en declaraciones específicas** diferentes a la regulada en esta subsección y cuyo contenido sea coincidente».

A TENER EN CUENTA. Las entidades aseguradoras incluirán en su declaración anual las operaciones de seguro, atendiéndose a estos efectos al importe de las primas o contraprestaciones percibidas y a las indemnizaciones o prestaciones satisfechas y no será de aplicación a estas operaciones, en ningún caso, lo dispuesto en el párrafo a) de este artículo 33.2 del RGAT. Además, las entidades integradas en las distintas administraciones públicas deberán relacionar en dicha declaración todas las personas o entidades a quienes hayan satisfecho subvenciones, auxilios o ayudas, de cualquier importe, sin perjuicio de la aplicación de la excepción recogida en el artículo 33.2.i) del RGAT.

Además, **en el caso de las comunidades de propietarios, la obligación de declarar tampoco incluirá**, en concreto, las siguientes operaciones (artículo 33.5 del RGAT):

- Las de **suministro de energía eléctrica y combustibles** de cualquier tipo con destino a su uso y consumo comunitario.
- Las de **suministro de agua** con destino a su uso y consumo comunitario.
- Las **derivadas de seguros que tengan por objeto el aseguramiento de bienes y derechos relacionados con zonas y elementos comunes.**

Por lo tanto, de lo apuntado hasta ahora podemos extraer, en línea de principio, que **las comunidades de propietarios tendrán que presentar el modelo 347** en los siguientes supuestos:

- Cuando **desarrollen actividades empresariales o profesionales a los efectos del IVA, si efectúan operaciones que en su conjunto para una persona o entidad superen los 3.005,06 euros durante el año natural**.
- Cuando **realicen adquisiciones en general de bienes o servicios al margen de las actividades empresariales o profesionales que efectúen, e incluso aunque no desarrollen esta clase de actividades, si superan la cifra de 3.005,06 euros** durante el año natural para el mismo proveedor.

Aunque, ello, siempre teniendo en cuenta las operaciones que se encuentran excluidas de esta obligación conforme a lo antes indicado.

RESOLUCIÓN ADMINISTRATIVA

Consulta vinculante de la Dirección General de Tributos (V5149-16), de 28 de noviembre de 2016

Asunto: en su caso, obligación de presentar el modelo 347 por parte comunidades que no realicen actividades empresariales.

«El artículo 33.1 del Reglamento general de las actuaciones y los procedimientos de gestión e inspección tributaria y de desarrollo de las normas comunes de los procedimientos de aplicación de los tributos, señala:

"De acuerdo con lo dispuesto en el artículo 93 de la Ley 58/2003, de 17 de diciembre, General Tributaria, las personas físicas o jurídicas, públicas o privadas, así como las entidades a que se refiere el artículo 35.4 de dicha ley, que desarrollen actividades empresariales o profesionales, deberán presentar una declaración anual relativa a sus operaciones con terceras personas.

A estos efectos, se considerarán actividades empresariales o profesionales todas las definidas como tales en el artículo 5.dos de la Ley 37/1992, de 28 de diciembre, del Impuesto sobre el Valor Añadido. Asimismo, tendrán esta consideración las actividades realizadas por quienes sean calificados de empresarios o profesionales en el artículo 5.uno de dicha ley, con excepción de lo dispuesto en su párrafo e).

Las entidades a las que sea de aplicación la Ley 49/1960, de 21 de junio sobre la propiedad horizontal, así como, las entidades o establecimientos privados de carácter social a que se refiere el artículo 20.Tres de la Ley 37/1992 de 28 de diciembre, del Impuesto sobre el Valor Añadido, incluirán también en la declaración anual de operaciones con terceras personas las adquisiciones en general de bienes o servicios que efectúen al margen de las actividades empresariales o profesionales, incluso aunque no realicen actividades de esta naturaleza".

En tal sentido, lo que las comunidades de propietarios que no realicen operaciones empresariales han de consignar en la Declaración Anual de Operaciones con Terceras Personas son "las adquisiciones en general de bienes o servicios que efectúen al margen de las actividades empresariales"».

➢ Datos a declarar en el modelo 347

En la declaración anual de operaciones con terceras personas, de conformidad con el **artículo 34.1 del RGAT**, las comunidades de propietarios tendrán que consignar, fundamentalmente, los siguientes datos:

- Nombre y apellidos o razón social o denominación completa, así como el NIF y el domicilio fiscal del declarante.
- Nombre y apellidos o razón social o denominación completa, así como el NIF de cada una de las personas o entidades incluidas en la declaración, o en su caso, el NIF a efectos del IVA atribuido al empresario o profesional con el que se efectúe la operación por el Estado miembro de establecimiento.
- El importe total, expresado en euros, de las operaciones realizadas con cada persona o entidad durante el año natural al que la declaración se refiera.
- En particular, se harán constar separadamente de otras operaciones que, en su caso, se realicen entre las mismas partes, los arrendamientos de locales de negocios, sin perjuicio de su consideración unitaria a efectos de lo dispuesto en el artículo 33.1 del reglamento. En estos casos, el arrendador consignará el nombre y apellidos o razón social o denominación completa y el NIF de los arrendatarios, así como las referencias catastrales y los datos necesarios para la localización de los inmuebles arrendados.
- Se harán constar los importes superiores a 6.000 euros que se hubieran percibido en metálico de cada una de las personas o entidades relacionadas en la declaración.

- Se harán constar separadamente de otras operaciones que, en su caso, se realicen entre las mismas partes, las cantidades que se perciban en contraprestación por transmisiones de inmuebles, efectuadas o que se deban efectuar, que constituyan entregas sujetas en el IVA.
- Se harán constar separadamente de otras operaciones que, en su caso, se realicen entre las mismas partes, las operaciones a las que sea de aplicación el régimen especial del criterio de caja del IVA. En el momento en que se hubieran devengado, estas operaciones se consignarán conforme a la regla general de devengo del artículo 75 de la LIVA, como si a dichas operaciones no les hubiera sido de aplicación el régimen especial; y en el momento en que se produzca el devengo total o parcial de las mismas de conformidad con los criterios del artículo 163 terdecies de la LIVA por los importes correspondientes.
- Se harán constar separadamente de otras operaciones que, en su caso, se realicen entre las mismas partes, las operaciones en las que el sujeto pasivo sea el destinatario de acuerdo con lo establecido en el artículo 84.Uno.2.º de la LIVA.

➢ **Fijación del importe de las operaciones realizadas con terceras personas**

Para la determinación del importe total de las operaciones realizadas con cada persona o entidad, habrá que atender a los siguientes criterios, que recoge el **artículo 34.2 del RGAT**:

a) En el caso de **operaciones sujetas y no exentas del IVA**, se declarará el **importe total de las contraprestaciones, incluidas las cuotas y recargos repercutidos o soportados por dicho impuesto**.

b) En el caso de operaciones que hayan generado el derecho para el transmitente del bien o prestador del servicio a percibir una compensación, según el régimen especial de la agricultura, ganadería y pesca del IVA, se declarará el importe de las contraprestaciones totales y se añadirán las compensaciones percibidas o satisfechas. Sin embargo, tratándose de las operaciones a las que se refiere el párrafo segundo del artículo 84.Uno de la LIVA, se declarará el importe total de las contraprestaciones.

c) A efectos de la obligación de informar sobre las operaciones con terceras personas, se entenderá por importe total de la contraprestación el que resulte de aplicar las normas de determinación de la base imponible del IVA contenidas en los artículos 78, 79 y 80 de la LIVA, incluso respecto de aquellas operaciones no sujetas o exentas del mismo que deban incluirse en la declaración anual de operaciones con terceras personas, todo ello sin perjuicio de lo dispuesto en el artículo 34.4 del RGAT.

El importe total de las operaciones se declarará neto de las devoluciones, descuentos y bonificaciones concedidas y de las operaciones que queden sin efecto en el mismo año natural (artículo 34.4 del RGAT). Asimismo, se tendrán en cuenta las alteraciones del precio que se hayan producido en el mismo período.

Por otra parte, en el supuesto de insolvencias que, según el artículo 80.Tres de la LIVA, hayan dado lugar a modificaciones en la base imponible de dicho impuesto en el año natural al que se refiera la declaración, el importe total de las operaciones a declarar tendrá en cuenta dichas modificaciones.

➢ **La imputación temporal de las operaciones**

Según el artículo 35 del RGAT, las operaciones que deben incluirse en la declaración anual son **las realizadas en el año natural al que se refiere la declaración.** A tales efectos, las operaciones se entenderán producidas en el período en el que, conforme al artículo 69 del RIVA, se debe realizar la anotación registral de la factura o documento contable que sirva de justificante de las mismas. Sin embargo, las operaciones a las que sea de aplicación el régimen especial del criterio de caja del IVA se consignarán en el año natural correspondiente al momento del devengo total o parcial, de conformidad con los criterios contenidos en el artículo 163 terdecies de la LIVA por los importes correspondientes.

Se establecen **reglas especiales de imputación temporal para los supuestos en los que las circunstancias modificativas a las que se refiere el artículo 34.4 del RGAT** (devoluciones, descuentos, bonificaciones, operaciones que queden sin efecto...) **tengan lugar en un año natural diferente** a aquel al que corresponda la declaración anual de operaciones con terceras personas en la que debió incluirse la operación, deberán ser consignados en la declaración del año natural en que se hayan producido las circunstancias modificativas. El importe total de las operaciones realizadas con la misma persona o entidad se declarará teniendo en cuenta dichas modificaciones.

Si las modificaciones a que se refería el artículo 34.4 del RGAT se produjesen **en un trimestre natural diferente** a aquel en el que deba incluirse la operación, tendrán que consignarse en el apartado correspondiente al trimestre natural en que se hayan producido las circunstancias modificativas.

Por lo demás, en los apartados 3, 4 y 5 del artículo 35 del RGAT se fijan las siguientes particularidades para los anticipos recibidos, las subvenciones y las cantidades percibidas en metálico que no puedan incluirse en la declaración del año natural en el que se realicen las operaciones por ciertas razones:

- Los **anticipos de clientes y a proveedores y otros acreedores** son operaciones que **deben incluirse en la declaración anual**. Cuando posteriormente se efectúe la operación, se declarará el importe total de la misma, minorado en el importe del anticipo anteriormente declarado, siempre que el resultado de esta minoración supere, junto con el resto de las operaciones realizadas con la misma persona o entidad, el límite de 3005,06 euros.
- Las **subvenciones, auxilios o ayudas que concedan los obligados tributarios a que se refiere el párrafo segundo del artículo 31.2 del RGAT**, se entenderán satisfechos el día en que se expida la correspondiente orden de pago. De no existir orden de pago se entenderán satisfechas cuando se efectúe el pago.
- Cuando las **cantidades percibidas en metálico previstas por importe superior a 6.000 euros no puedan incluirse en la declaración del año natural en el que se realizan las operaciones** por percibirse con poste-

rioridad a su presentación o por no haber alcanzado en ese momento un importe superior a 6.000 euros, los obligados tributarios deberán incluirlas separadamente en la declaración correspondiente al año natural posterior en el que se hubiese efectuado el cobro o se hubiese alcanzado el importe señalado anteriormente.

CUESTIONES

1. La comunidad de propietarios del edificio Lugano tiene cedida en arrendamiento a un tercero la vivienda de la portería a cambio de una renta mensual de 300 euros, cumpliéndose los requisitos para la exención en el IVA. Si no realiza ninguna otra operación que suponga el ejercicio por su parte de una actividad empresarial o profesional ni tampoco adquisiciones de bienes o servicios superiores a 3.005,06 euros anuales, ¿deberá presentar el modelo 347?

El alquiler de inmuebles a particulares con destino exclusivo para vivienda se encuentra exento del IVA. Por lo tanto, y habida cuenta de lo previsto en el artículo 33.2.d) del RGAT, si la comunidad de propietarios no realiza otra actividad empresarial o profesional ni adquisición de bienes o servicios ajena a una actividad de tal clase, que determinen la existencia de operaciones con terceras personas o entidades por un importe superior a 3.005,06 euros durante el año natural, no tendría que presentar el modelo 347.

2. Otra comunidad de propietarios ha contratado a un arquitecto autónomo para que elaborase un proyecto de obras por el que dicho profesional les emitió una factura por importe de 3.150 euros (IVA incluido). ¿Debe declararse esta operación en el modelo 347?

La contraprestación abonada al arquitecto estará sujeta a retención e ingreso a cuenta de su IRPF, de conformidad con los artículos 75 y 76 del RIRPF. En esa medida, la comunidad de propietarios ya tendrá que declarar dicha operación en el modelo 190, de resumen anual de retenciones e ingresos a cuenta. Por lo tanto, y a pesar de que la operación excede de 3.005,06 euros, conforme al artículo 33.2.i) del RGAT no se incluirá en el modelo 347 de declaración anual de operaciones con terceras personas.

6.2.5. Pago de tributos municipales

1450

La relación de las comunidades de propietarios con las haciendas locales

Hasta ahora hemos visto las diferentes obligaciones que pueden tener las comunidades de propietarios con respecto a la AEAT y las comunidades autónomas, en el caso de impuestos cedidos como es el de ITPyAJD. Pero las comunidades de propietarios también pueden tener que abonar otros tributos a las haciendas locales.

A continuación, vamos a ver diferentes tributos a los que puede hacer frente la comunidad de propietarios en materia de haciendas locales. En concreto, nos referiremos a los siguientes:

- El Impuesto sobre Bienes Inmuebles (IBI).
- La tasa de paso de vehículos.
- Otras tasas.
- Contribuciones especiales.

➢ El Impuesto sobre Bienes Inmuebles (IBI)

Las comunidades de propietarios pueden tener elementos comunes sin repartir. En no pocas ocasiones nos encontramos con la parte destinada a aparcamiento o garaje de las comunidades, la zona dedicada a trasteros, u otras zonas comunes o de esparcimiento con una referencia catastral propia. Existe una amplia casuística, desde comunidades que no tienen adjudicadas el uso de una plaza en concreto a cada propietario y pueden utilizarlas de forma indistinta, comunidades que establecen turnos rotatorios o por sorteo del elemento común, etc. También puede ocurrir, en ocasiones, que catastro y división horizontal no coincidan, y continúe bajo una sola referencia catastral todo el garaje, zona de trasteros u zonas comunes de esparcimiento. En todo caso, a nivel fiscal figura la comunidad de propietarios como obligado tributario al pago del correspondiente IBI.

El **IBI es un impuesto periódico de devengo anual, cuyo período impositivo coincide con el año natural**, que grava el valor de los bienes inmuebles. Figura regulado en los artículos 60 a 77 del Real Decreto Legislativo 2/2004, de 5 de marzo, por el que se aprueba el texto refundido de la Ley Reguladora de las Haciendas Locales (LRHL).

La base de este impuesto estará constituida por el valor catastral de los bienes inmuebles. El tipo de gravamen mínimo y supletorio, cuando el municipio no haya fijado otro, según el artículo 72.1 de la LRHL, será el 0,4 % cuando se trate de bienes inmuebles urbanos y el 0,3 % cuando se trate de bienes inmuebles rústicos, y el máximo será el 1,10 % para los urbanos y el 0,90 % para los rústicos.

No obstante, los ayuntamientos respectivos podrán incrementar los tipos fijados en dicho apartado 1 con los puntos porcentuales que para cada caso se indican, cuando concurra alguna de las circunstancias siguientes. En el supuesto de que sean varias, se podrá optar por hacer uso del incremento previsto para una sola, algunas o todas ellas:

Puntos porcentuales	Bienes urbanos	Bienes rústicos
A) Municipios que sean capital de provincia o comunidad autónoma	0,07	0,06
B) Municipios en los que se preste servicio de transporte público colectivo de superficie	0,07	0,05
C) Municipios cuyos ayuntamientos presten más servicios de aquellos a los que están obligados según lo dispuesto en el artículo 26 de la Ley 7/1985, de 2 de abril, reguladora de las Bases del Régimen Local.	0,06	0,06
D) Municipios en los que los terrenos de naturaleza rústica representan más del 80 por ciento de la superficie total del término	0,00	0,15

Dentro de los límites resultantes según lo expuesto anteriormente, los ayuntamientos podrán establecer, para los bienes inmuebles urbanos, excluidos los de uso residencial (las comunidades de propietarios pueden ser residenciales o destinadas a usos diferentes, como, por ejemplo, una comunidad de propietarios de naves industriales), tipos diferenciados atendiendo a los usos establecidos en la normativa catastral para la valoración de las construcciones. Cuando los inmuebles tengan atribuidos varios usos se aplicará el tipo correspondiente al uso de la edificación o dependencia principal.

Dichos tipos solo podrán aplicarse, como máximo, al 10 % de los bienes inmuebles urbanos del término municipal que, para cada uso, tenga mayor valor catastral, a cuyo efecto la ordenanza fiscal del impuesto señalará el correspondiente umbral de valor para todos o cada uno de los usos, a partir del cual serán de aplicación los tipos incrementados.

CUESTIÓN

Si el ayuntamiento no tiene ordenanza fiscal reguladora del IBI, ¿puede exigirle dicho impuesto a la comunidad de propietarios?

El IBI, de acuerdo con el artículo 59.1 de la LRHL, es un impuesto de exacción obligatoria en todos los municipios, por lo que **podrá ser exigido sin necesidad de ordenanza fiscal de imposición y ordenación**. No obstante, los ayuntamientos podrán regular en sus ordenanzas fiscales, además de los aspectos generales sobre la liquidación y recaudación del impuesto, determinadas exenciones y bonificaciones, así como ciertos requisitos de las mismas y su compatibilidad con otros beneficios fiscales.

El impuesto **se devenga el primer día del período imponible, es decir, el 1 de enero** (artículo 75 de la LRHL). Los **plazos de liquidación y recaudación** del IBI son los **generales** establecidos en el artículo 62.3 de la Ley 58/2003, de 17 de diciembre, General Tributaria, es decir del **1 de septiembre al 20 de noviembre**. No obstante, **los ayuntamientos suelen establecer plazos de pago del impuesto diferentes**. Igualmente, muchos municipios permiten el fraccionamiento del recibo en varios plazos.

Ello es así, ya que la liquidación y recaudación, así como la revisión de los actos dictados en vía de gestión tributaria de este impuesto, serán competencia exclusiva de los ayuntamientos y comprenderán las funciones de reconocimiento y denegación de exenciones y bonificaciones, realización de las liquidaciones conducentes a la determinación de las deudas tributarias, emisión de los documentos de cobro, resolución de los expedientes de devolución de ingresos indebidos, resolución de los recursos que se interpongan contra dichos actos y actuaciones para la asistencia e información al contribuyente referidas a las materias comprendidas en este apartado.

A TENER EN CUENTA. Si bien este es un impuesto de competencia exclusiva de los ayuntamientos, en base al artículo 7 de la LRHL, estos pueden delegar de las facultades de gestión, liquidación, inspección y recaudación tributarias que dicha ley les atribuye a las comunidades autónomas o diputaciones, principalmente, en cuyo territorio estén integradas.

Lo habitual es que se pueda domiciliar el recibo en la cuenta de la comunidad de propietarios, en cuyo caso el ayuntamiento (comunidad autónoma o diputación, en el caso de cesión de la gestión), girarán el recibo, realizándose el oportuno cobro en la cuenta bancaria señalada. Pero también se puede hacer el pago directo del impuesto. Debemos recordar que, al tratarse de un recibo de cobro periódico, una vez notificada el alta en el padrón catastral, no es obligatorio que el ayuntamiento en cuestión notifique la liquidación, sino que puede hacerlo de forma colectiva mediante edictos. A pesar de no ser obligatorio, la mayoría de los ayuntamientos continúan remitiendo el recibo correspondiente, pero, aun así, la comunidad de propietarios o su administrador deberán estar pendientes de los plazos fijados por el ayuntamiento para no incurrir en recargos.

RESOLUCIÓN ADMINISTRATIVA

Consulta vinculante de la Dirección General de Tributos (V2080-06), de 14 de febrero de 2006

Asunto: se desea saber cuál es el régimen de notificación de las liquidaciones tributarias de los tributos de cobro periódico por recibo, concretamente la notificación de la liquidación correspondiente al alta del padrón correspondiente.

«Por último, y de acuerdo con el apartado 3 del artículo 102 de la LGT, las sucesiva liquidaciones, aun cuando haya habido variaciones en el padrón respecto a los sujetos pasivos, podrán notificarse colectivamente mediante edictos que así lo adviertan.

En el capítulo VI, "Recaudación de deudas de vencimiento periódico y notificación colectiva", del libro II, "Procedimiento de recaudación en período voluntario", del derogado, aunque vigente respecto de los hechos objeto de consulta, Reglamento General de Recaudación, aprobado por el Real Decreto 1684/1990, de 20 de diciembre, se recoge la recaudación de deudas de vencimiento periódico y notificación colectiva; concretamente en el artículo 88 se regulaban los anuncios de cobranza en los siguientes términos:

"Artículo 88. Anuncios de cobranza.

1. La comunicación del período de cobro se llevará a cabo de forma colectiva, publicándose los correspondientes edictos en el 'Boletín Oficial' de la provincia y en los locales de los Ayuntamientos afectados. Dichos edictos podrán divulgarse por los medios de comunicación que se consideren adecuados. Cuando se trate de recibos de Organismos autónomos, los edictos se publicarán en el 'Boletín Oficial' de la provincia y en los locales del Ente correspondiente.

2. El anuncio de cobranza deberá contener, al menos:

a) El plazo de ingreso.

b) La modalidad de ingreso utilizable de entre las enumeradas en el artículo 86 de este Reglamento.

c) Los lugares, días y horas de ingreso.

d) La advertencia de que, transcurrido el plazo de ingreso, las deudas serán exigidas por el procedimiento de apremio y devengarán el recargo de apremio, intereses de demora y, en su caso, las costas que se produzcan.

3. El anuncio de cobranza podrá ser sustituido por notificaciones individuales"».

➢ La tasa de paso de vehículos

Dentro de las tasas que los entes locales pueden establecer está la recogida en el artículo 20.3.h) de la LRHL: una tasa por la entrada de vehículos a través de las aceras y reservas de vía pública para aparcamiento exclusivo, es decir, la tasa por los conocidos como vados.

De esta tasa será **sujeto pasivo quien solicite o resulte beneficiado**. Lo habitual, cuando la tasa por la entrada de vehículos a través de las aceras y reservas de vía pública lo es para el acceso a un inmueble o conjunto de estos con división horizontal, es que el sujeto pasivo sea la comunidad de propietarios.

La cuota tributaria **consistirá,** según disponga la correspondiente ordenanza fiscal, y como prevé el artículo 24.3 de la LRHL, en:

- La cantidad resultante de aplicar una tarifa.
- Una cantidad fija señalada al efecto.
- La cantidad resultante de la aplicación conjunta de ambos procedimientos.

Dada la naturaleza material de la «tasa de vado», el **devengo de la misma será periódico**, y tendrá lugar el 1 de enero de cada año, coincidiendo el período impositivo con el año natural, salvo en los supuestos de inicio o cese en la utilización del paso, en cuyo caso el período impositivo se ajustará a esa circunstancia con el consiguiente prorrateo de la cuota. Al igual que ocurre con el IBI, una vez notificada su alta, los sucesivos recibos podrán notificarse de forma colectiva, sin necesidad de remitir recibo individualizado a la comunidad de propietarios.

➢ Otras tasas

De forma habitual, las comunidades de propietarios harán frente a otras tasas, como puede ser la de **gestión de residuos urbanos**; pero en otras ocasiones abonarán tasas de forma puntual, como puede ser la de **solicitud de licencia de obras** o de **ocupación de la vía pública para instalar andamios o similares** para la ejecución de obras en la comunidad.

Dichas tasas se rigen por lo dispuesto en las diferentes ordenanzas municipales. Por estas tasas se girará liquidación, comunicando importe y plazo de pago.

➢ Contribuciones especiales

Las comunidades de propietarios también pueden ser sujeto pasivo de las contribuciones especiales, que se regulan en los artículos 28 y siguientes de la LRHL.

Son contribuciones especiales aquellas que **se abonan por la obtención por el sujeto pasivo de un beneficio o de un aumento de valor de sus bienes como consecuencia de la realización de obras públicas o del establecimiento o ampliación de servicios públicos, de carácter local**, por las entidades respectivas. Estas obras o servicios pueden ser voluntarios u obligatorios.

La **base imponible** de las contribuciones especiales, según prevé el artículo 31 de la LRHL, está constituida, como máximo, por el 90 % del coste que la entidad local soporte por la realización de las obras o por el establecimiento o ampliación de los servicios. A efectos de calcular la base imponible, se entenderá por coste soportado por la entidad la cuantía resultante de restar a la cifra del coste total el importe de las subvenciones o auxilios que la entidad local obtenga del Estado o de cualquier otra persona, o entidad pública o privada.

A TENER EN CUENTA. Si la subvención o el auxilio citados se otorgasen por un sujeto pasivo de la contribución especial, su importe se destinará primeramente a compensar la cuota de la respectiva persona o entidad. Si el valor de la subvención o auxilio excediera de dicha cuota, el exceso reducirá, a prorrata, las cuotas de los demás sujetos pasivos.

La base imponible de las contribuciones especiales se repartirá entre los sujetos pasivos, teniendo en cuenta la clase y naturaleza de las obras y servicios, con carácter general se aplicarán como módulos de reparto los metros lineales de fachada de los inmuebles, su superficie, su volumen edificable y el valor catastral a efectos del Impuesto sobre Bienes Inmuebles.

Una vez determinada la cuota a satisfacer, la corporación podrá conceder, a solicitud del sujeto pasivo, el fraccionamiento o aplazamiento de aquella por un plazo máximo de cinco años.

Una vez finalizada la realización total o parcial de las obras, o iniciada la prestación del servicio, se procederá a señalar los sujetos pasivos, la base y las cuotas individualizadas definitivas, girando las liquidaciones que procedan y compensando como entrega a cuenta los pagos anticipados que se hubieran efectuado.

ESPECIALIDADES DEL TRATAMIENTO DE DATOS RESPECTO A LAS COMUNIDADES DE PROPIETARIOS

SUMARIO

7.1. Aspectos generales

7.1.1. Normativa aplicable .... Marginal 1460 y siguientes

7.1.2. Obligaciones: registro de actividades de tratamiento y evaluación de riesgos .... Marginal 1470 y siguientes

7.1.3. Designación del delegado de protección .... Marginal 1510 y siguientes

7.1.4. La figura del administrador de fincas como encargado del tratamiento .... Marginal 1520 y siguientes

7.2. Tratamientos especiales de datos sujetos a cuórums especiales

7.2.1. Tratamiento de datos con fines de videovigilancia .... Marginal 1550 y siguientes

7.2.2. Datos biométricos para el acceso a la propiedad .... Marginal 1590 y siguientes

7.3. Utilización de los datos en las comunidades de propietarios

7.3.1. Publicación de datos en el tablón de la comunidad de propietarios .... Marginal 1600 y siguientes

7.3.2. Protección de datos en la documentación de la comunidad de propietarios .... Marginal 1630 y siguientes

7.1. ASPECTOS GENERALES

7.1.1. Normativa aplicable

Aspectos normativos de la protección de datos en las comunidades de propietarios 1460

- **Marco legislativo de la protección de datos en las comunidades de vecinos**

  - Ley Orgánica 3/2018, de 5 de diciembre, de Protección de Datos Personales y garantía de los derechos digitales (**LOPDGDD**).
  - Reglamento (UE) 2016/679 del Parlamento Europeo y del Consejo, de 27 de abril de 2016, relativo a la protección de las personas físicas en lo que respecta al tratamiento de datos personales y a la libre circulación de estos datos y por el que se deroga la Directiva 95/46/CE (**RGPD**).
  - Ley Orgánica 4/1997, de 4 de agosto, mediante la cual se regula la utilización de videocámaras por las fuerzas y cuerpos de seguridad en lugares públicos.
  - Ley 5/2014, de 4 de abril, de Seguridad Privada (**LSP**).
  - Ley 49/1960, de 21 de julio, sobre propiedad horizontal (**LPH**).

- **Glosario de definiciones**

En primer lugar, debemos aclarar varios conceptos de interés con el fin de facilitar la comprensión de los siguientes puntos a tratar, estos son:

  - **Datos personales**: toda información sobre una persona física identificada o identificable («el interesado»); se considerará persona física identificable toda persona cuya identidad pueda determinarse, directa o indirectamente, en particular mediante un identificador, como por ejemplo un nombre, un número de identificación, datos de localización, un identificador en línea o uno o varios elementos propios de la identidad física, fisiológica, genética, psíquica, económica, cultural o social de dicha persona (artículo 4.1 del RGPD).
  - **Tratamiento**: cualquier operación o conjunto de operaciones realizadas sobre datos personales o conjuntos de datos personales, ya sea por procedimientos automatizados o no, como la recogida, registro, organización, estructuración, conservación, adaptación o modificación, ex-

tracción, consulta, utilización, comunicación por transmisión, difusión o cualquier otra forma de habilitación de acceso, cotejo o interconexión, limitación, supresión o destrucción (artículo 4.2 del RGPD).

- **Responsable del tratamiento:** la persona física o jurídica, autoridad pública, servicio u otro organismo que, solo o junto con otros, determine los fines y medios del tratamiento; si el derecho de la Unión o de los Estados miembros determina los fines y medios del tratamiento, el responsable del tratamiento o los criterios específicos para su nombramiento podrá establecerlos el derecho de la Unión o de los Estados miembros (artículo 4.7 del RGPD).
- **Encargado del tratamiento:** la persona física o jurídica, autoridad pública, servicio u otro organismo que trate datos personales por cuenta del responsable del tratamiento (artículo 4.8 del RGPD).

7.1.2. Obligaciones: registro de actividades de tratamiento y evaluación de riesgos

1470 **Obligaciones en el tratamiento de datos realizados por la comunidad de propietarios**

La base principal sobre la que se justifica el tratamiento de datos por parte de una comunidad de propietarios es asegurar el correcto desenvolvimiento de la comunidad. A su vez, este tratamiento de datos por la comunidad tiene como finalidad garantizar un ejercicio adecuado de los derechos que correspondan a los comuneros y a los «terceros» en la comunidad, así como, asegurar el cumplimiento por parte de los propietarios de las obligaciones que les son impuestas en la LPH.

La categoría de responsable del tratamiento de datos conlleva una serie de obligaciones como son:

- Llevanza de un registro de actividades de tratamiento.
- Adopción de medidas técnicas y organizativas orientadas a garantizar un nivel de seguridad adecuado al riesgo.
- Notificar las violaciones de seguridad de los datos personales (brechas de seguridad).
- Elaboración de una evaluación de impacto de protección de datos (EIPD).
- Cumplimiento de las solicitudes de derechos por los interesados.

El cumplimiento de estas obligaciones en ocasiones viene determinado por la ley y, en otros casos, aunque el cumplimiento no sea preceptivo, puede darse como conducta proactiva hacia el cumplimiento de la LOPDGDD por parte de los responsables del tratamiento.

➢ Deberes de la comunidad de propietarios en el tratamiento de datos

Acudiendo a los artículos 5 y siguientes del Reglamento General de Protección de Datos y artículos 4 y siguientes de la LOPDGDD, encontramos los principios aplicables a la protección de datos. Es interesante partir de la premisa del artículo 5, apartado 1, del RGPD que indica que los datos personales serán:

- Tratados de manera lícita, leal y transparente en relación con el interesado **(«licitud, lealtad y transparencia»)**.
- Recogidos con fines determinados, explícitos y legítimos, y no serán tratados ulteriormente de manera incompatible con dichos fines **(«limitación de la finalidad»)**.
- Adecuados, pertinentes y limitados a lo necesario en relación con los fines para los que son tratados **(«minimización de datos»)**.
- Exactos y, si fuera necesario, actualizados, debiendo eliminarse o rectificarse los datos personales inexactos con respecto a los fines para los que tratan **(«exactitud»)**.
- Mantenidos de forma que se permita la identificación de los interesados durante no más tiempo del necesario para los fines del tratamiento de los datos personales, a excepción de que puedan conservarse durante períodos más largos siempre que se traten exclusivamente con fines de archivo en interés público, fines de investigación científica o histórica o fines estadísticos, sin perjuicio de la aplicación de las medidas técnicas y organizativas como la limitación del plazo de conservación **(«limitación del plazo de conservación»)**.
- Tratados garantizando una seguridad adecuada de los datos personales **(«integridad y confidencialidad»)**.

CUESTIÓN

La práctica requiere un tratamiento de datos de calidad por parte de la comunidad de propietarios, pero ¿a qué se refiere con calidad de datos?

Lo que se pretende en el tratamiento de datos, sea cual sea el responsable del mismo, es la calidad de los datos; es decir, que se recopilen los datos que sean necesarios para el tratamiento, pero única y estrictamente los indispensables para el desempeño del buen funcionamiento de la comunidad de propietarios y para el cumplimiento de las obligaciones que también recoge la LPH.

♦ Tratamiento lícito de los datos personales

El **artículo 6 del RGPD** indica que el tratamiento se presume lícito cuando:

- El interesado dio su consentimiento para el tratamiento de sus datos personales para uno o varios fines específicos.
- El tratamiento es necesario para la ejecución de un contrato en el que el interesado es parte o para la aplicación a petición de este de medidas precontractuales.
- **El tratamiento es necesario para el cumplimiento de una obligación legal aplicable al responsable del tratamiento.**
- El tratamiento es necesario para proteger intereses vitales del interesado o de otra persona física.

- El tratamiento es necesario para el cumplimiento de una misión realizada en interés público o en el ejercicio de poderes públicos conferidos al responsable del tratamiento.
- El tratamiento es necesario para la **satisfacción de intereses legítimos** perseguidos por el responsable del tratamiento o por un tercero, siempre que sobre dichos intereses no prevalezcan los intereses o los derechos y libertades fundamentales del interesado que requieran la protección de datos personales, en particular cuando el interesado sea un niño.

Por tanto, dentro de lo que establece el artículo 6 del RGPD, el tratamiento de datos por la comunidad de propietarios se entiende lícito ya que se da en cumplimiento de las obligaciones y otras disposiciones de la Ley de Propiedad Horizontal (LPH).

CUESTIÓN

Si se convoca una junta al amparo del artículo 16 de la LPH, por petición de la cuarta parte de los propietarios o por petición de aquellos comuneros que representen el 25 % de las cuotas de participación, ¿es lícito el tratamiento de datos para la convocatoria de los demás comuneros?

En atención al artículo 6 del RGPD, se interpreta que en estos casos el tratamiento de datos es lícito al estar amparado por la propia normativa.

♦ Consentimiento para el tratamiento de datos (art. 7 del RGPD y art. 6 de la LOPDGDD)

Conforme al **artículo 4, apartado 11, del RGPD**, se considera consentimiento del interesado:

> «Toda manifestación de voluntad libre, específica, informada e inequívoca por la que el interesado acepta, ya sea mediante una declaración o una clara acción afirmativa, el tratamiento de datos personales que le conciernen».

Para que el consentimiento justifique la licitud en el consentimiento, ha de tenerse en cuenta que:

- El responsable debe ser capaz de demostrar que el interesado consintió el tratamiento.
- Si el escrito de consentimiento incluye otros asuntos, la solicitud debe ser clara y distinta del resto del documento, inteligible y de fácil acceso y utilizando un lenguaje claro y sencillo.
- El consentimiento puede ser retirado en cualquier momento.
- Si el consentimiento se da para una pluralidad de finalidades, debe constar de manera precisa e inequívoca que se otorga a tales fines.

CUESTIÓN

En el caso de interesados que sean menores de edad, ¿cómo procede el consentimiento para el tratamiento de datos?

El **artículo 7 de la LOPDGDD** indica que el tratamiento de datos personales será lícito si es basado en el consentimiento del menor cuando sea mayor de 14 años, salvo los supuestos en los que la ley exija asistencia de los titulares de la patria potestad o tutela para la celebración del acto o negocio jurídico en cuyo contexto se recaba el consentimiento para el tratamiento.

Si el menor tuviera menos de 14 años, debe darse consentimiento por el titular de la patria potestad o de la tutela sobre el menor y alcanzará hasta donde se autorizó.

♦ **Transparencia de la información**

Recoge el preámbulo de la LOPDGDD que en la regulación de los derechos de los interesados la ley intenta normativizar la denominada «información **por capas»**, ya aceptada en ámbitos como el de la videovigilancia o el de la instalación de dispositivos de almacenamiento de datos. Se intenta facilitar al afectado la información básica indicando una dirección electrónica u otro medio que permita acceder de forma sencilla e inmediata a la restante información.

Como ya recogía el **considerando (39) del RGPD**, el principio de transparencia «exige que toda información y comunicación relativa al tratamiento de dichos datos sea fácilmente accesible y fácil de entender, y que se utilice un lenguaje sencillo y claro. Dicho principio se refiere en particular a la información de los interesados sobre la identidad del responsable del tratamiento y los fines del mismo y a la información añadida para garantizar un tratamiento leal y transparente con respecto a las personas físicas afectadas y a su derecho a obtener confirmación y comunicación de los datos personales que les conciernan que sean objeto de tratamiento. Las personas físicas deben tener conocimiento de los riesgos, las normas, las salvaguardias y los derechos relativos al tratamiento de datos personales así como del modo de hacer valer sus derechos en relación con el tratamiento».

Conforme al **artículo 12 del RGPD**, la comunicación relativa al tratamiento debe darse de manera concisa, transparente, inteligible y de fácil acceso, con lenguaje claro y sencillo, con especial atención si el interesado se trata de un menor.

Así mismo, debe destacarse:

- La información será facilitada por escrito o por otros medios, incluidos medios electrónicos.
- Se facilitará verbalmente si así lo solicita el interesado.
- La información se debe **facilitar por el responsable del tratamiento sin dilación indebida**, y en **plazo de un mes a partir de la recepción de la solicitud**. Este plazo podrá prorrogarse otros **dos meses** según la complejidad y el número de solicitudes, debiendo comunicarlo al interesado en el plazo de un mes a partir de la recepción de la solicitud e indicando los motivos de dilación.
- El responsable puede establecer un canon razonable en función de los costes administrativos o negarse a actuar respecto de la solicitud cuando la considere infundada, excesiva o repetitiva.

Por su parte, el **artículo 11 de la LOPDGDD** establece, sobre este principio en el tratamiento de datos cuando los datos fueran obtenidos directamente del afectado, que el responsable de tratamiento ha de facilitar al afectado información básica e indicarle una dirección electrónica u otro medio que permita acceder de forma sencilla e inmediata a la restante información. Tal información básica debe incluir:

- La identidad del responsable del tratamiento y de su representante, en su caso.
- La finalidad del tratamiento.
- La posibilidad de ejercer los derechos que le son propios al interesado conforme a los artículos 15 a 22 del RGPD.
- Si los datos obtenidos del afectado fueran a ser tratados para la elaboración de perfiles, la información básica comprenderá asimismo esta circunstancia.

Y para el caso de que se trate de datos no obtenidos del afectado, la información básica también debe incluir:

- Las categorías de datos objeto de tratamiento.
- Las fuentes de las que procedieran los datos.

♦ **Confidencialidad y el deber de secreto**

Como indica **el artículo 5, apartado 1, letra f), del RGPD,** los datos personales deben ser «tratados de tal manera que se garantice una seguridad adecuada de los datos personales, incluida la protección contra el tratamiento no autorizado o ilícito y contra su pérdida, destrucción o daño accidental, mediante la aplicación de medidas técnicas u organizativas apropiadas ("integridad y confidencialidad")».

Desarrolla la **LOPDGDD en su artículo 5** que el deber de confidencialidad es complementario del deber de secreto profesional, obligación que persiste una vez finalizada la relación del obligado con el responsable o encargado del tratamiento.

➢ **¿Qué sanciones pueden imponerse por la autoridad de control por incumplimiento de las obligaciones en materia de protección de datos?**

El régimen sancionador se regula a lo largo de los artículos 70 a 78 de la LOPDGDD estableciéndose unas condiciones generales para la imposición de multas de carácter administrativo en el artículo 83 del RGPD.

De manera ejemplificativa, podemos citar algunas de las infracciones más comunes y sus posibles sanciones:

1. **El impedimento o la obstaculización o no atención reiterada del ejercicio de los derechos de los interesados (recogidos a lo largo de los artículos 15 a 22 RGPD).**El artículo 72, apartado 1, letra k) de la LOPDGDD tipifica esta conducta como infracción muy grave.

CUESTIONES

1. ¿Cuándo prescriben este tipo de infracciones?

Atendiendo a lo establecido en el art. 72 de la LOPDGDD, las infracciones muy graves prescriben a los tres años.

2. ¿Qué sanción puede imponerse por este tipo de infracción?

Se podrá imponer multa administrativa de hasta 20.000.000 euros como máximo o, tratándose de una empresa, de una cuantía equivalente al 4 % como máximo del volumen de negocio total anual global del ejercicio financiero anterior, optándose por la de mayor cuantía (art. 83.5 del RGPD).

3. ¿Puede prescribir la sanción?

Tal y como dispone el art. 78 de la LOPDGDD, el plazo de prescripción comienza a contarse desde el día en que la resolución sancionadora sea ejecutable o transcurriera el plazo para recurrirla, y la regla es la siguiente:

- Las sanciones por importe igual o inferior a 40.000 euros prescriben en el plazo de un año.
- Las sanciones de importe comprendido entre 40.001 euros y 300.000 euros prescriben en el plazo de dos años.
- Las sanciones con importe superior a 300.000 euros prescriben a los tres años.

2. **No disponer de un registro de actividades.**Se tipifica como infracción grave, al amparo del artículo 73 n) de la LOPDGDD.

CUESTIONES

1. ¿Cuándo prescriben este tipo de infracciones?

Conforme a lo dispuesto en el art. 73 de la LOPDGDD, las infracciones graves prescriben a los dos años.

2. ¿Qué sanción puede imponerse por este tipo de infracción?

Podrá imponerse multas administrativas de hasta 10.000.000 euros como máximo o, tratándose de una empresa, de una cuantía equivalente al 2 % como máximo del volumen de negocio total anual global del ejercicio financiero anterior, optándose por la de mayor cuantía (art. 83.4 del RGPD).

3. ¿Puede prescribir la sanción?

Sí, en los mismos plazos y términos que indica el artículo 78 de la LOPDGDD.

3. **Incumplimiento del principio de transparencia.** El artículo 74 a) de la LOPDGDD califica como infracción leve el incumplimiento de este deber. Esta infracción prescribe en el plazo de un año.

A TENER EN CUENTA. Respecto al tipo de sanciones, plazos de prescripción o interrupción, atenderemos, como en los casos anteriores, a los artículos 83, apartados 4 y 5, del RGPD y artículo 78 de la LOPDGDD.

Llevanza de un registro de actividades de tratamiento (RAT) 1480

Ha de partirse de la regulación ofrecida en los artículos 30 del RGPD y 31 de la LOPDGDD.

CUESTIONES

1. ¿Cuándo se presume que no es obligatorio llevar un registro de actividades de tratamiento?

El artículo 30, apartado 5, del RGPD indica que las obligaciones relativas a la llevanza del registro de actividades por el responsable no se aplicarán a empresas u organizaciones que empleen a menos de 250 personas, a menos que el tratamiento pueda entrañar un riesgo para los derechos y libertades de los interesados, no sea ocasional o incluya categorías especiales de datos personales indicados en el artículo 9.1 del RGPD (que revelen el origen étnico o racial, las opiniones políticas, las convicciones religiosas o filosóficas, o la afiliación sindical, datos genéticos, datos biométricos dirigidos a identificar de manera unívoca a una persona física, datos relativos a la salud o datos relativos a la vida sexual o la orientación sexual de una persona física) o datos personales relativos a condenas e infracciones penales a que se refiere el artículo 10 del RGPD.

2. En aplicación de lo anterior, ¿el responsable del tratamiento de datos de una comunidad de propietarios debe seguir un registro de actividades de tratamiento?

La norma indica de manera clara que:

- El tratamiento no puede entrañar un riesgo para los derechos y libertades de los interesados.
- El tratamiento no debe ser ocasional.
- El tratamiento no puede revelar datos de categorías especiales.

En base a lo anterior, podemos concluir que la comunidad de propietarios ha de llevar un registro de actividades puesto que, de su actividad normal en el desempeño de las funciones y obligaciones que exige la LPH, se deriva un tratamiento de datos habitual, desmarcándose así de los requisitos excluyentes del artículo 30.5 del RGPD.

La **AEPD en su *Guía sectorial sobre Protección de Datos y Administración de Fincas*** dispone en ese sentido de manera inequívoca que: «(...) al menos todas las comunidades de propietarios deberán tener el registro de actividades referente al tratamiento derivado de la "gestión de la comunidad de propietarios" o "propietarios", por cuanto que las actividades de tratamiento no son ocasionales. Otro registro que podría existir sería el relativo a la "videovigilancia" o "cámaras de seguridad"».

En una comunidad de propietarios, se llevan a cabo los siguientes **tipos de tratamiento de datos**:

- Datos de los propietarios.
- Datos de videovigilancia en zonas comunes.
- Datos de los proveedores de servicios que puedan contratase por la comunidad de propietarios.
- Datos de personal laboral al servicio de la comunidad (por ejemplo: limpieza, portero...).

Conforme a lo estipulado en los **artículos 30 del RGPD y 31 de la LOPDGDD**, cuando sea **obligatorio llevar el registro de actividades**, deben tenerse en cuenta las siguientes indicaciones:

- El registro lo llevará el responsable del tratamiento y, en su caso, su representante.
- El registro puede organizarse en torno a conjuntos estructurados de datos y debe especificar sus finalidades, actividades de tratamiento que lleva a cabo y:
  - El nombre y los datos de contacto del responsable y, en su caso, del corresponsable, del representante del responsable, y del delegado de protección de datos.

- Los fines del tratamiento.
- La descripción de las categorías de interesados y de las categorías de datos personales.
- Las categorías de destinatarios a quienes se comunicaron o comunicarán los datos personales, incluidos los destinatarios en terceros países u organizaciones internacionales.
- Las transferencias de datos personales a un tercer país o una organización internacional, incluida la identificación de dicho tercer país u organización internacional y, en el caso de las transferencias indicadas en el artículo 49, apartado 1, párrafo segundo, del RGPD (que se efectúen desde un registro público y que no abarquen la totalidad de los datos personales ni categorías enteras contenidos en el registro), la documentación de garantías adecuadas.
- Cuando sea posible, los plazos previstos para la supresión de las diferentes categorías de datos.
- Cuando sea posible, una descripción general de las medidas técnicas y organizativas de seguridad a que se refiere el artículo 32, apartado 1, del RGPD: entre otras, la **seudonimizacion** y el cifrado de datos, la capacidad de garantizar la confidencialidad, integridad y disponibilidad, capacidad de restaurar la disponibilidad y el acceso a datos personales de forma rápida, proceso de verificación...

– Debe estar a disposición de la autoridad de control que lo solicite.
– Debe constar por escrito, inclusive en formato electrónico.
– Si hubiese DPD, el responsable o encargado debe comunicarle cualquier adición, modificación o exclusión en el contenido del registro.

Análisis de riesgos en materia de protección de datos en una comunidad de propietarios 1490

Respecto a la gestión de riesgos en el tratamiento de datos por una comunidad de propietarios han de destacarse una serie de conceptos que se extraen del propio RGPD.

Así, el **considerando (74) del RGPD** (y el artículo 24 del RGPD en ese mismo sentido) indica que:

«Debe quedar establecida la responsabilidad del responsable del tratamiento por cualquier tratamiento de datos personales realizado por él mismo o por su cuenta. En particular, el responsable debe estar obligado a aplicar medidas oportunas y eficaces y ha de poder demostrar la conformidad de las actividades de tratamiento con el presente Reglamento, incluida la eficacia de las medidas. Dichas medidas deben tener en cuenta la naturaleza, el ámbito, el contexto y los fines del tratamiento así como el riesgo para los derechos y libertades de las personas físicas».

Y continúa el **considerando (83) del RGPD**:

«A fin de mantener la seguridad y evitar que el tratamiento infrinja lo dispuesto en el presente Reglamento, el responsable o el encargado deben evaluar los riesgos inherentes al tratamiento y aplicar medidas para mitigarlos, como el cifrado. Estas medidas deben garantizar un nivel de seguridad adecuado, incluida la confidencialidad, teniendo en cuenta el estado de la técnica y el coste de su aplicación con respecto a los riesgos y la naturaleza de los datos personales que deban protegerse (...)».

El **artículo 32 del RGPD** indica que el responsable o encargado del tratamiento aplicará medidas técnicas y organizativas apropiadas para garantizar un nivel de seguridad adecuado al riesgo y teniendo en cuenta:

- El estado de la técnica.
- Los costes de aplicación.
- La naturaleza.
- El alcance.
- El contexto.
- Los fines del tratamiento.
- Los riesgos de probabilidad y gravedad variables para los derechos y libertades de las personas físicas.

Y en ese mismo precepto del reglamento indica que tales medidas deben incluir, entre otros:

- La **seudonimización** y el cifrado de datos personales. La seudonimización consiste en el tratamiento de datos personales cuya atribución a un interesado requiera de información adicional que figure por separado y esté sujeta a medidas técnicas y organizativas destinadas a garantizar que los datos personales no se atribuyan a una persona identificada o identificable.
- La **capacidad de garantizar** la confidencialidad, integridad, disponibilidad y resiliencia permanentes de los sistemas y servicios de tratamiento.
- La **capacidad de restaurar** la disponibilidad y el acceso a los datos personales de forma rápida en caso de incidente físico o técnico.
- Un **proceso de verificación, evaluación y valoración** regulares de la eficacia de las medidas técnicas y organizativas para garantizar la seguridad del tratamiento.

Añadiendo el **apartado 2, del artículo 32, del RGPD** que:

«2. Al evaluar la adecuación del nivel de seguridad se tendrán particularmente en cuenta los riesgos que presente el tratamiento de datos, en particular como consecuencia de la destrucción, pérdida o alteración accidental o ilícita de datos personales transmitidos, conservados o tratados de otra forma, o la comunicación o acceso no autorizados a dichos datos».

Hablamos en el caso anterior de «violación **de la seguridad de los datos personales»** que define el **artículo 4, apartado 12, del RGPD** como «toda violación de la seguridad que ocasione la destrucción, pérdida o alteración accidental o ilícita de datos personales transmitidos, conservados o tratados de otra forma, o la comunicación o acceso no autorizados a dichos datos».

CUESTIÓN

En base a lo dispuesto en el artículo 32 del RGPD, ¿quién debe adoptar las medidas de seguridad en una comunidad de propietarios?

Por norma general, en el tratamiento de datos de una comunidad de propietarios será el administrador de fincas quien custodie los ficheros con los datos personales, en su oficina y con sus propios medios, ante las funciones que le son propias frente a la comunidad.

Por tanto, será él quien deba adoptar las medidas de seguridad adecuadas, en calidad de encargado del tratamiento y estas deberán documentarse en el contrato de encargo del tratamiento (art. 28.3 del RGPD), conformando así una de las obligaciones básicas del administrador de fincas, como encargado del tratamiento, cuya actividad se limita a la custodia de los datos y demás funciones que le sean propias (art. 28 del RGPD y art. 33 de la LOPDGDD).

A TENER EN CUENTA. El artículo 32, en sus apartados 3 y 4, del RGPD establece que la adhesión a un código de conducta aprobado a tenor del artículo 40 del RGPD o a un mecanismo de certificación aprobado a tenor del artículo 42 del RGPD puede servir de elemento para demostrar el cumplimiento de los requisitos establecidos en el apartado 1, del artículo 32, del RGPD.

Así mismo, ordena al responsable y el encargado del tratamiento que deben tomar medidas para garantizar que cualquier persona que actúe bajo la autoridad del responsable o del encargado y tenga acceso a datos personales, solo pueda tratar dichos datos siguiendo instrucciones del responsable, salvo que esté obligada a ello en virtud del Derecho de la UE o de los EE. MM.

Siguiendo la ***Guía sectorial de la AEPD sobre Protección de Datos y Administración de Fincas***, en ella se plantean **medidas de seguridad** como:

- Creación de varios usuarios o perfiles en dispositivos informáticos para el caso de que se utilice el mismo ordenador o dispositivo para el tratamiento de datos personales y fines de uso personal.
- Disponer de perfiles con derechos de administración para la instalación y configuración del sistema y usuarios sin privilegios o derechos de administración para el acceso a los datos personales para evitar que en caso de **ataque de ciberseguridad** puedan obtenerse privilegios de acceso o modificar el sistema operativo.
- Existencia de contraseñas para el acceso a los datos personales almacenados en sistemas electrónicos.
- Un usuario y contraseña por cada persona que acceda a los datos personales (identificación inequívoca).
- Confidencialidad de las contraseñas, evitando que queden expuestas a terceros. Para la determinación de las contraseñas ha de conseguirse que sean fuertes o robustas, y no utilizar la misma en varios servicios, utilizando patrones que permitan recordar las claves o incluso utilizar un gestor de contraseñas para el caso de que pueda olvidarse (Guía de privacidad y seguridad en internet de la Agencia Española de Protección de Datos y el Instituto Nacional de Ciberseguridad).

En la mencionada guía también se recogen otras **medidas de salvaguarda en los sistemas y dispositivos de almacenamiento y tratamiento de datos personales**. Véase:

- **Mantenimiento y actualización** de ordenadores y dispositivos.
- **Sistema antivirus** frente a *malwares*.
- **Cortafuegos o** ***Firewall*** para evitar accesos remotos indebidos.
- **Cifrado de datos** para cuando se precise realizar la extracción de datos personales fuera del recinto donde se realiza su tratamiento, ya sea por medios físicos o por medios electrónicos (encriptación).
- **Copia de seguridad** de forma periódica en un segundo soporte distinto del que se utiliza para el trabajo diario, que debe almacenarse en un lugar seguro con el fin de permitir la recuperación de los datos personales en caso de pérdida de la información.

1500 **Evaluación de impacto relativa a protección de datos (EIPD)**

En primer lugar, **el considerando (84) del RGPD** dispone:

«A fin de mejorar el cumplimiento del presente Reglamento en aquellos casos en los que sea probable que las operaciones de tratamiento entrañen un alto riesgo para los derechos y libertades de las personas físicas, debe incumbir al responsable del tratamiento la realización de una evaluación de impacto relativa a la protección de datos, que evalúe, en particular, el origen, la naturaleza, la particularidad y la gravedad de dicho riesgo. El resultado de la evaluación debe tenerse en cuenta cuando se decidan las medidas adecuadas que deban tomarse con el fin de demostrar que el tratamiento de los datos personales es conforme con el presente Reglamento. Si una evaluación de impacto relativa a la protección de datos muestra que las operaciones de tratamiento entrañan un alto riesgo que el responsable no puede mitigar con medidas adecuadas en términos de tecnología disponible y costes de aplicación, debe consultarse a la autoridad de control antes del tratamiento».

CUESTIÓN

¿Qué es una EIPD?

La EIPD se configura como una herramienta ciertamente preventiva, destinada a la identificación, evaluación y gestión constante de los riesgos a los que se exponen las actividades de tratamiento de una entidad. Esta evaluación, por su propia naturaleza, se debe realizar con anterioridad a la puesta en marcha de las actividades de la entidad, al menos, previamente a la realización de aquellas actividades que se refieran al tratamiento de datos de carácter personal del interesado.

Dicta el **artículo 35, apartado 1, del RGPD** que:

«1. Cuando sea probable que un tipo de tratamiento, en particular si utiliza nuevas tecnologías, por su naturaleza, alcance, contexto o fines, entrañe un alto riesgo para los derechos y libertades de las personas físicas, el responsable del tratamiento realizará, antes del tratamiento, una evaluación del impacto de las operaciones de tratamiento en la protección de datos personales. Una única evaluación podrá abordar una serie de operaciones de tratamiento similares que entrañen altos riesgos similares».

El condicionante de «alto **riesgo»** será determinante para saber si procede la realización de una EIPD. La AEPD dispuso al respecto que los tratamientos referidos a la gestión de la comunidad de propietarios entrañan un riesgo mínimo, por lo que no se ve necesario ese análisis de riesgos, no obstante ofreció una herramienta *(online)* que ayuda a cumplir dicha obligación en esos supuestos concretos: **Facilita.**

CUESTIONES

1. ¿En qué consiste la herramienta Facilita?

Facilita se configura como un mecanismo gratuito que ofrece la AEPD cuyo objetivo es dar ayuda a empresas que realicen un tratamiento de datos personales de escaso riesgo para el cumplimiento del RGPD.

Una vez finalice su ejecución, los datos que fueran aportados se eliminan, de manera que la AEPD no puede conocer la información facilitada.

Esta herramienta se caracteriza por haber sido diseñada para ser un recurso útil para cualquier empresa o profesional. El mecanismo es el siguiente: a través de tres pantallas de preguntas muy concretas permite a su usuario valorar su situación respecto del tratamiento de datos personales que lleva a cabo, si se adapta a los requisitos exigidos para utilizar Facilita o si debe realizar un análisis de riesgos.

Fuente: página web AEPD.

2. ¿Qué tratamientos se supone que implican un nivel de riesgo escaso o mínimo?

La AEPD relacionó una serie de ejemplos que entrañan escaso nivel de riesgo, y que pueden darse en el tratamiento de datos por las comunidades de propietarios, como puede ser: el tratamiento de datos de contacto y facturación o el tratamiento de datos de contacto de proveedores.

Fuente: página web AEPD.

7.1.3. Designación del delegado de protección

¿Debe la comunidad de propietarios designar un «Data Protection Officer» (DPO) o delegado de protección de datos (DPD)? 1510

Los artículos 37 y siguientes del RGPD regulan la figura del DPD, que ha de ser designado por el responsable y encargado del tratamiento de manera obligatoria cuando:

- El tratamiento lo lleve a cabo una autoridad u organismo público, excepto los tribunales que actúen en ejercicio de su función judicial.
- Las actividades principales del responsable o del encargado consistan en operaciones de tratamiento que, en razón de su naturaleza, alcance y/o fines, requieran una observación habitual y sistemática de interesados a gran escala.
- Las actividades principales del responsable o del encargado consistan en el tratamiento a gran escala de categorías especiales de datos con arreglo al artículo 9 del RGPD o de datos personales relativos a condenas e infracciones penales a que se refiere el artículo 10 del mismo texto legal.

Así mismo, el artículo 34 de la LOPDGDD indica que se debe nombrar un DPD, en todo caso, cuando se trate de colegios profesionales y sus consejos generales, centros docentes y universidades, entidades que exploten redes y presten servicios de comunicaciones electrónicas conforme a lo dispuesto en su legislación específica, prestadores de servicios de la sociedad de la información cuando elaboren a gran escala perfiles de los usuarios del servicio, entidades de crédito, establecimientos financieros de crédito, entidades aseguradoras y reaseguradoras, empresas de servicios de inversión, reguladas por la legislación del Mercado de Valores, distribuidores y comercializadores de energía eléctrica y los distribuidores y comercializadores de gas natural, entidades responsables de ficheros comunes para la evaluación de la solvencia patrimonial y crédito, prevención del fraude y financiación del terrorismo, entidades que desarrollen actividades de publicidad y prospección comercial, centros sanitarios legalmente obligados al mantenimiento de las historias clínicas de los pacientes (excepto ejercicio a título individual), entidades que tengan como uno de sus objetos la emisión de informes comerciales que puedan referirse a personas físicas, operadores que desarrollen la actividad de juego a través de canales electrónicos, informáticos, telemáticos e interactivos, empresas de seguridad privada, federaciones deportivas cuando traten datos de menores de edad.

En interpretación de lo anterior, se concluye que la **comunidad de propietarios no tiene que designar un DPD**. No obstante, y como siempre se repite en materia de protección de datos, puede designarse libremente atendiendo a criterios meramente de proactividad y predisposición por el encargado y responsable para el cumplimiento de la normativa de protección de datos.

7.1.4. La figura del administrador de fincas como encargado del tratamiento

1520 **¿De qué forma interviene el administrador de fincas en el tratamiento de datos personales de la comunidad?**

Cabe plantear la siguiente pregunta, ¿en **qué se fundamenta la legitimación del administrador de fincas para el tratamiento de datos personales?**

Ha de tomarse como punto de partida para fundamentar esta legitimación **el artículo 28 del RGPD**. En este precepto se indica que, cuando se vaya a realizar un tratamiento por cuenta de un responsable, este elegirá un **encargado** que ofrezca garantías suficientes para aplicar medidas técnicas y organizativas apropiadas para cumplir con la normativa en materia de protección de datos.

El tratamiento por el encargado **se regirá mediante la forma de contrato u acto jurídico**, siempre conforme al derecho de la UE o de los Estados miembro, y en el mismo se establecerá:

- El objeto.
- La duración.
- La naturaleza del tratamiento.
- La finalidad del tratamiento.

- El tipo de datos personales.
- Las categorías de interesados.
- Las obligaciones y los derechos del responsable.

En el caso de los administradores de fincas, estos actúan por cuenta de las comunidades de propietarios (mediante relación contractual), por lo que, en cumplimiento de sus funciones como tal, realizan múltiples tratamientos de datos de carácter personal. **Dentro de la organización del tratamiento de datos, los administradores de fincas se encajan como encargados del tratamiento de los datos de la comunidad de propietarios, siendo esta la responsable del tratamiento.**

Así mismo, en cumplimiento del artículo 28 del RGPD, para que la relación entre responsable y encargado (comunidad de propietarios-administrador de fincas) se desarrolle conforme a la normativa en protección de datos, deben cumplirse los requisitos que en tal precepto se establecen, que son:

- Que **el acceso a los datos por el administrador de fincas se efectúe** con la exclusiva finalidad de prestar un servicio al responsable del tratamiento, y que dicha relación de servicios se encuentre contractualmente establecida.
- La **relación contractual deberá constar por escrito** o en alguna otra forma que permita acreditar su celebración y contenido.
- Se establecerá expresamente que el administrador de fincas únicamente **tratará los datos conforme a las instrucciones de la comunidad de propietarios**, y que no los aplicará o utilizará con fin distinto al que figure en dicho contrato, ni los comunicará, ni siquiera para su conservación, a otras personas.
- **El administrador de fincas debe limitarse a emplear los datos en el ámbito de las funciones** que la comunidad de propietarios le haya designado.
- Que **tanto el administrador de fincas, como cualquier persona que trabaje para él, deberán respetar la confidencialidad** en el tratamiento de los datos personales.
- Se entiende que **el administrador de fincas actúa conforme a las instrucciones del responsable del tratamiento** cuando, en el ejercicio de sus funciones, trata los datos de los propietarios contenidos en los ficheros que custodia.
- **Al término de su relación**, el administrador de fincas deberá devolver a la comunidad de propietarios todos los soportes y/o documentos en los que consten datos de carácter personal objeto de tratamientos de datos.
- No obstante, **el administrador podrá conservar los datos personales objeto de tratamiento en tanto pudieran derivarse responsabilidades de su relación con la comunidad de propietarios.**
- **Asistirá a la comunidad de propietarios** cuando por algún afectado se ejercite alguno de los derechos que reconoce la normativa de protección de datos de carácter personal.

- **Ayudará al responsable** para garantizar el cumplimiento de sus obligaciones en aquellos supuestos en que se produzca una brecha de seguridad, sobre todo cuando se deba comunicar a la AEPD.
- **Las medidas de seguridad que hayan de ser adoptadas por los administradores que realicen tratamientos de datos por cuenta de comunidades serán las mismas que las que sean exigibles al responsable.**

Por su parte, **el artículo 33 de la LOPDGDD** hace las siguientes apreciaciones respecto al encargado, que han de asimilarse para el caso de los administradores de fincas, y son:

- **No es comunicación de datos el acceso por el administrador**, como encargado del tratamiento, **a los datos personales que resulten necesarios para la prestación de un servicio al responsable.**
- **Será responsable y no encargado si actúa en su propio nombre y sin que conste que actúa por cuenta de otro** y establezca relaciones con los afectados aun existiendo contrato o acto jurídico entre ambos.
- **Es responsable el que figurando como encargado utilice los datos para sus propias finalidades.**
- **El responsable del tratamiento determinará si**, cuando finalice la prestación de los servicios del encargado, los datos personales deben ser destruidos, devueltos al responsable o entregados, en su caso, a un nuevo encargado. Excepto si existe previsión legal de conservación de datos.
- **El encargado del tratamiento podrá conservar**, debidamente bloqueados, los datos en tanto pudieran derivarse responsabilidades de su relación con el responsable del tratamiento.

CUESTIÓN

Respecto a la conservación de datos por el administrador de fincas, ¿qué debe tenerse en cuenta?

En aplicación del artículo 28 del RGPD y del artículo 33 de la LOPDGDD, se concluye que el administrador de fincas solo puede conservar los datos personales que pudieran ser desencadenantes de otras responsabilidades. Para ello, debe prestar atención a los períodos o específicos de prescripción según la naturaleza del dato que trate, esto es, acudir por ejemplo a la normativa fiscal, contable, social o civil para valorar los plazos de conservación.

1530 El administrador de fincas como encargado del tratamiento

El administrador como responsable del tratamiento de los datos de la comunidad debe desarrollar las actividades que le atribuye la LPH, entre las que se incluyen aquellas que conllevan el tratamiento de datos de personas físicas identificadas o identificables, desde los propietarios dentro de la comunidad, hasta vecinos no propietarios o terceros que también pueden verse afectados por la gestión de la comunidad o de los comuneros.

De manera literal, el **artículo 20 de la LPH** prescribe:

«**Corresponde al administrador:**

a) Velar por el buen régimen de la casa, sus instalaciones y servicios, y hacer a estos efectos las oportunas advertencias y apercibimientos a los titulares.

b) Preparar con la debida antelación y someter a la Junta el plan de gastos previsibles, proponiendo los medios necesarios para hacer frente a los mismos.

c) Atender a la conservación y entretenimiento de la casa, disponiendo las reparaciones y medidas que resulten urgentes, dando inmediata cuenta de ellas al presidente o, en su caso, a los propietarios.

d) Ejecutar los acuerdos adoptados en materia de obras y efectuar los pagos y realizar los cobros que sean procedentes.

e) **Actuar, en su caso, como secretario de la Junta y custodiar a disposición de los titulares la documentación de la comunidad.**

f) Todas las demás atribuciones que se confieran por la Junta».

Y como secretario, **el artículo 19, apartado 4, de la LPH** indica que el administrador tendrá que custodiar «los libros de actas de la Junta de propietarios. Asimismo deberá conservar, durante el plazo de cinco años, las convocatorias, comunicaciones, apoderamientos y demás documentos relevantes de las reuniones».

La AEPD en la *Guía sectorial de Protección de datos y administración de fincas* **concluye** al respecto de las normas citadas **que no debe interpretarse como un acceso generalizado por parte del administrador a la documentación de la comunidad, sino que será solo a aquellos (datos) concretos y necesarios para los fines que son tratados**:

«El artículo 20 e) de la LPH dispone que corresponde al administrador actuar, en su caso, como secretario de la Junta y custodiar a disposición de los titulares la documentación de la comunidad. Este artículo debe ser interpretado de conformidad con la normativa de protección de datos, de modo que no permite un acceso generalizado a toda la documentación obrante en los archivos de la comunidad que pueda contener datos personales, sino solamente a aquellos datos que sean estrictamente pertinentes, adecuados y limitados en relación con los fines para los que son tratados. En consecuencia, fuera de los supuestos en los que expresamente la LPH obliga a la comunicación a otros propietarios de determinados datos personales, deberá examinarse en cada caso si el acceso a los documentos cumple el principio de proporcionalidad resultando idóneo, necesario y equilibrado para obtener la finalidad perseguida, según señala el Tribunal Constitucional. En otro caso, no procederá el acceso directo al documento».

CUESTIONES

1. Si el tratamiento de datos no tiene fundamentación en la LPH ya que tiene por objeto otro tipo de servicio o gestión, ¿puede realizarse igualmente?

Puede realizarse el tratamiento de datos, pero requerirá de autorización, es decir, será necesario que concurra consentimiento específico, informado e inequívoco de los interesados, para que el tratamiento sea lícito (art. 6 del RGPD).

Fuente: Guía sectorial de la AEPD Protección de datos y administración de fincas.

2. ¿Puede el encargado comunicar los datos a otras personas? ¿Y si el objetivo de su comunicación es la conservación de estos datos?

Cuando el administrador actúe como encargado del tratamiento de una comunidad de propietarios no podrá comunicar los datos a otras personas, ni siquiera para su conservación, salvo que dicha comunicación sea a otro encargado (subencargado), al que le podrá comunicar los datos contando con autorización previa por escrito, que podrá ser de carácter general, por ejemplo, para la subcontratación de servicios de cloud computing. En ese caso el administrador habrá de informar a la comunidad de propietarios de cualquier cambio que se produzca con el subencargado.

Fuente: Guía sectorial de la AEPD Protección de datos y administración de fincas.

3. ¿En qué consiste el *cloud computing*?

También denominada computación en la nube, es un modelo de computación que permite a un proveedor tecnológico proporcionar servicios informáticos mediante Internet. Viene a ser una forma de prestación de los servicios de tratamiento de la información que es válida tanto para una empresa, un particular o una propia Administración pública y que, además, permite al usuario optimizar la asignación y coste de los recursos asociados a sus necesidades de tratamiento de información.

Fuente: Guía para clientes que contraten servicios de Cloud Computing (AEPD).

➢ Deber de confidencialidad del administrador de fincas

Como recoge el artículo 5 de la LOPDGDD, el administrador de fincas como encargado del tratamiento se encuentra sujeto al deber de confidencialidad que contempla el artículo 5, apartado 1, f) del RGPD, que se entiende como principio complementario al deber de secreto profesional y se mantiene a lo largo del tiempo incluso una vez finalizado la relación del encargado con el responsable del tratamiento.

Así, el mencionado **artículo del RGPD** regula el deber de confidencialidad que viene a fijar que el tratamiento de datos se dé garantizando una seguridad adecuada de los datos personales, evitando el tratamiento no autorizado o la pérdida, destrucción o daño accidental, mediante medidas técnicas u organizativas apropiadas.

Véase como ejemplo de incumplimiento del deber de confidencialidad por el administrador de fincas:

PS 00166/2020, de 1 de septiembre de 2020 (AEPD)

Comunicación, a un tercero, por parte del administrador de la comunidad de propietarios de los datos relativos a un propietario sobre deudas comunitarias y costas relativas al procedimiento judicial en el que estaba incurso. Este tercer sujeto mantenía un contrato de opción de compra sobre la vivienda titularidad del reclamante en la comunidad de propietarios en la que el reclamado ejerce como administrador. En este caso, se está vulnerando el deber de confidencialidad, tal y como dispone la AEPD:

«(...) la difusión de un vecino deudor podrá publicarse únicamente en el supuesto recogido en el artículo 9 de la Ley de Propiedad Horizontal apartado h) párrafo segundo, "Si intentada una citación o notificación al propietario fuese imposible practicarla en el lugar prevenido en el párrafo anterior, se entenderá realizada mediante la colocación de la comunicación correspondiente en el tablón de anuncios de la comunidad, o en lugar visible de uso general habilitado al efecto". Además, para proceder de esta forma deberán acreditarse los intentos de notificación. Sin embargo, en el presente caso el tratamiento llevado a cabo por el administrador no es encajable en ninguna de las causas legitimadoras contempladas en la norma y materializado, como anteriormente se señalaba, en la comunicación de las deudas comunitarias y costas relativas a un procedimiento judicial, a un tercero con el que el reclamante había suscrito un contrato de opción de compra sobre la vivienda de su titularidad en la que el reclamado ejerce como Administrador. El respeto al principio de licitud de los datos exige que conste acreditado que existe una causa legitimadora para el tratamiento de los datos y desplegar una razonable diligencia imprescindible para acreditar ese extremo. De no actuar así el resultado sería vaciar de contenido el principio de licitud».

➢ Subencargado del tratamiento

El **artículo 28, apartado 4, del RGPD** indica que para el caso de que el encargado recurra a otro encargado para realizar determinadas actividades de tratamiento por cuenta del responsable, este «subencargado» estará sujeto a las mismas obligaciones en materia de protección de datos que las que se hubieran establecido en su momento en el contrato celebrado entre el responsable y el primer encargado. Así mismo, debe destacarse en estas designaciones que:

- Es necesario **celebrar un contrato o acto jurídico** con arreglo al derecho de la UE o de los Estados miembros donde se establezcan obligaciones en protección de datos.
- El subencargado deberá prestar **las garantías suficientes** de aplicación de medidas técnicas y organizativas apropiadas para que el tratamiento sea conforme al RGPD.
- El **encargado inicial del tratamiento responde por los incumplimientos del otro encargado** frente al responsable.
- El **contrato debe constar por escrito inclusive en formato electrónico.**
- El **contrato puede basarse, total o parcialmente, en las cláusulas contractuales tipo** fijadas por la Comisión o autoridad de control.

➢ ¿Qué obligaciones le son propias al administrador de fincas como encargado del tratamiento?

El administrador de fincas asesora y representa a las comunidades de propietarios, actuando como encargado del tratamiento, por lo que se presume como función propia, o como obligación, ayudar al responsable del tratamiento en el cumplimiento de la normativa en protección datos, así como adoptar todas las medidas necesarias para cumplir adecuadamente con la misma.

Acudiendo a la mencionada *Guía sectorial sobre protección de datos* de la AEPD, así como al RGPD y LOPDGDD, deben relacionarse una serie puntualidades sobre el tratamiento de datos por parte de los administradores de fincas. Así, entre sus obligaciones estarán:

- Debe **facilitar a las comunidades de propietarios toda la información que precisen para adecuar sus tratamientos de datos de carácter personal a la normativa de protección de datos**. Dicha información y asesoramiento debe referirse tanto a la actividad interna y ordinaria de la comunidad, como a la relativa a la contratación de obras, bienes y/o servicios provenientes de terceros.
- **Adoptar medidas técnicas y organizativas** apropiadas para garantizar un nivel de seguridad adecuado (art. 32 del RGPD), que incluirá entre otros: la seudonimización y el cifrado de datos, la garantía de confiden-

cialidad, la integridad, la disponibilidad y la resiliencia, la garantía de la disponibilidad y el acceso a datos y el proceso de verificación, evaluación y valoración de la eficacia de las medidas.

- **Elaborar un registro de actividades de tratamiento (RAT)** en relación con las comunidades de propietarios a las que prestan su servicio (art. 30.2 del RGPD). Este registro debe incluir:
  - El nombre y los datos de contacto del encargado o encargados y de cada responsable por cuenta del cual actúe el encargado y, en su caso, de los representantes y del delegado de protección de datos.
  - Las categorías de tratamientos efectuados por cuenta de cada responsable; cuando sea posible, una descripción general de las medidas técnicas y organizativas de seguridad implementadas en relación con los tipos de tratamientos de datos realizados.
  - En su caso, las transferencias internacionales a un tercer país que, aunque no sean frecuentes, se pueden producir, por ejemplo, si se contratan servicios de *cloud computing* con servidores fuera del Espacio Económico Europeo, así como las garantías para el supuesto excepcional recogido en el artículo 49.1 segundo párrafo del RGPD, si es que tuviera lugar.
  - Estos registros constarán por escrito, inclusive en formato electrónico.
  - El encargado del tratamiento y, en su caso, su representante, pondrá el registro a disposición de la AEPD si esta lo solicita.
- **Notificar al responsable las violaciones de seguridad** de las que tenga conocimiento (art. 33.2 del RGPD).
- **Cooperar con la autoridad de control** (art. 31 del RGPD).
- **Elaborar, modificar o ampliar códigos de conducta** (art. 40.2 del RGPD).

➢ Régimen sancionador aplicable al administrador de fincas como encargado del tratamiento

Como indica el **artículo 28, apartado 10, del RGPD**:

> «10. Sin perjuicio de lo dispuesto en los artículos 82, 83 y 84, si un encargado del tratamiento infringe el presente Reglamento al determinar los fines y medios del tratamiento, será considerado responsable del tratamiento con respecto a dicho tratamiento».

Así mismo, el artículo 70, apartado 1 b), de la LOPDGDD establece que los encargados del tratamiento están sujetos al régimen sancionador del RGPD. A tales efectos, debe saberse al respecto, y de manera genérica:

1. Son **infracciones muy graves** por el encargado del tratamiento **(art. 72 de la LOPDGDD)**:
   - La vulneración del deber de confidencialidad del artículo 5 del RGPD.
   - Uso de datos para fines no compatibles con la finalidad para la que fueron recogidos sin consentimiento del afecto.
   - Obstrucción del ejercicio de la función inspectora por la autoridad de protección de datos competente.

2. Son **infracciones graves** por el encargado del tratamiento **(art. 73 de la LOPDGDD)**:
   - La falta de atención a las solicitudes efectuadas por la autoridad de protección de datos o por los afectados.
   - La contratación de otro encargado sin contar con la autorización previa del responsable o sin informarle sobre los cambios producidos en la subcontratación cuando fueran exigibles legalmente.
   - Infracción de lo dispuesto en el RGPD y la LOPDGDD al determinar los fines y medios del tratamiento, conforme al artículo 28.10 del RGPD.
   - No notificar las violaciones de seguridad al responsable del tratamiento.
3. Son **infracciones leves** por el encargado del tratamiento **(art. 74 de la LOPDGDD)**:
   - No informar al responsable sobre la posible infracción por una instrucción recibida de aquel.
   - Incumplimiento de las estipulaciones impuestas en el contrato o acto jurídico que regula el tratamiento o las instrucciones del responsable, salvo que esté obligado a ello por el propio RGPD o la LOPDGDD o si fuera necesario para evitar la infracción de la legislación en materia de protección de datos y se hubiera advertido de ello al responsable o encargado del tratamiento.

CUESTIONES

1. ¿Qué plazo de prescripción rige en estas infracciones? ¿Puede interrumpirse este plazo?

El plazo de prescripción de las infracciones es el siguiente:

- Infracciones **muy graves**: 3 años.
- Infracciones **graves**: 2 años.
- Infracciones **leves**: 1 año.

Por norma general, como recoge el artículo 75 de la LOPDGDD, estos plazos pueden interrumpirse por la iniciación, con conocimiento del interesado, del procedimiento sancionador, reiniciándose el plazo si el expediente sancionador estuviere paralizado durante más de 6 meses por causas no imputables al presunto infractor.

2. ¿Qué sanciones pueden imponerse?

Si bien el artículo 58, apartado 2, letra b) del RGPD otorga poder a la AEPD o a la autoridad competente para dirigir al encargado un **apercibimiento si el tratamiento infringe el RGPD, en el artículo 83, en sus apartados 4 y 5, del mismo cuerpo legal se regulan** sanciones muy severas y de naturaleza pecuniaria, como son:

- **Multas administrativas de hasta 10.000.000 de euros** como máximo o, tratándose de una empresa, de una cuantía equivalente al 2 % como máximo del volumen de negocio total anual global del ejercicio financiero anterior, optándose por la de mayor cuantía para aquellas infracciones relativas a las obligaciones del encargado.
- **Multas administrativas de hasta 20.000.000 de euros** como máximo o, tratándose de una empresa, de una cuantía equivalente al 4 % como máximo del volumen de negocio total anual global del ejercicio financiero anterior, optándose por

la de mayor cuantía, para aquellas infracciones relativas a los principios básicos para el tratamiento, incluidas las condiciones para el consentimiento, a los derechos de los interesados, o al incumplimiento de una resolución de una autoridad de control o de otras obligaciones impuestas en virtud de la LOPDGDD.

3. ¿Qué plazo de prescripción se establece para las sanciones? ¿Puede interrumpirse este plazo?

Establece el **artículo 78 de la LOPDGDD** que el plazo de prescripción de las sanciones empieza a contar desde el siguiente al que sea ejecutable la resolución por la que se impone la sanción o transcurriera el plazo para recurrir tal resolución, y se computará de la siguiente forma:

- Las sanciones por importe igual o menor a 40.000 euros: 1 año.
- Las sanciones por importe 40.001 euros a 300.000 euros: 2 años.
- Las sanciones por importe mayor a 300.000 euros: 3 años.

Estos plazos pueden interrumpirse por la iniciación, con conocimiento del interesado, del procedimiento de ejecución, reiniciándose si el proceso se encuentra paralizado durante más de 6 meses por causa no imputable al infractor.

1540

El administrador de fincas como responsable de tratamiento: el régimen de propiedad vertical

La actividad del administrador de fincas en el régimen de propiedad vertical consiste en **intervenir en supuestos de gestión de alquileres y otras rentas inmobiliarias de sus clientes**.

Como estudia la AEPD en su *Guía sectorial Protección de datos y administración de fincas*, en estos casos, los titulares de las viviendas y locales de negocios no son los propietarios, vecinos de una comunidad, pero tampoco son empresarios, **son personas físicas que obtienen dichas rentas a través de la gestión de alquileres**, realizada eventualmente por un administrador de fincas, planteándose así el tipo de obligaciones que corresponden a cada uno de los sujetos a los que se refiere esta actividad. En estos casos el tratamiento de datos se configura así:

- Cuando los datos personales de los afectados son tratados por el **administrador**, decidiendo este sobre el objeto, contenido y uso de dichos tratamientos, este **se convierte en responsable del tratamiento**.
- A diferencia de lo que ocurre con el régimen de propiedad horizontal, en este régimen el cargo de responsable concurrirá en el propio administrador o, en su caso, en el agente de la propiedad inmobiliaria actuante.
- El administrador de fincas **debe contar con una base contractual para la realización de los tratamientos de datos** y, a su vez, **cumplir con el derecho de información** en los términos contenidos en la normativa de protección de datos.
- **El administrador deberá disponer de autorización** para el tratamiento de datos.
- En calidad de responsable, el administrador **también hará frente a sus obligaciones como la elaboración del registro de las actividades de tratamiento.**

7.2. TRATAMIENTOS ESPECIALES DE DATOS SUJETOS A CUÓRUMS ESPECIALES

7.2.1. Tratamiento de datos con fines de videovigilancia

Régimen jurídico aplicable al tratamiento de datos con fines de videovigilancia 1550

El *Diccionario del Español Jurídico de la RAE* define la **videovigilancia** como: «(...) **captación de imágenes** por cualquier medio de grabación, con fines de prevención y persecución de los delitos».

El derecho a la propia imagen es un derecho fundamental y como tal se encuentra recogido en el apartado primero del artículo 18 de nuestra Carta Magna; además, el desarrollo de su contenido se realiza a través de la **Ley Orgánica 1/1982, de 5 de mayo, de protección civil del derecho al honor, a la intimidad personal y familiar y a la propia imagen.**

Así, el **apartado tercero del artículo primero** de la citada ley atribuye al derecho a la propia imagen tres características:

- Irrenunciabilidad.
- Inalienabilidad.
- Imprescriptibilidad.

Es más, el Tribunal Constitucional ha estimado en numerosas sentencias que el derecho fundamental a la propia imagen «**no puede ser concebido como una faceta o manifestación más del derecho a la intimidad o el honor**, pues si bien todos los derechos identificados en el art. 18.1 CE mantienen una estrecha relación, en tanto que se inscriben en el ámbito de la personalidad, **cada uno de ellos tiene un contenido propio y específico**». (**STC n.º 18/2015, de 16 de febrero, ECLI:ES:TC:2015:18**).

De igual manera, el órgano constitucional expone que el derecho a la propia imagen «(...) **pretende salvaguardar un** ámbito **propio y reservado, aunque no** íntimo, **frente a la acción y conocimiento de los demás**; un ámbito necesario para poder decidir libremente el desarrollo de la propia personalidad y, en definitiva, un ámbito necesario según las pautas de nuestra cultura para mantener una calidad mínima de vida humana. **Ese bien jurídico se salvaguarda reconociendo la facultad de evitar la difusión incondicionada de su aspecto físico, ya que constituye el primer elemento configurador de la esfera personal de todo individuo, en cuanto instrumento básico de identificación y proyección exterior y factor imprescindible para su reconocimiento como sujeto individual». (STC n.º 27/2020, de 24 de febrero, ECLI:ES:TC:2020:27).**

Ahora bien, la esfera normativa de protección de datos gira entorno al concepto de datos personales que a tenor de lo dispuesto en el **apartado primero del artículo 4 del RGPD** es:

> «(...) **toda información sobre una persona física identificada o identificable ("el interesado");** se considerará persona física identificable toda persona cuya identidad pueda determinarse, directa o indirectamente, en particular mediante un identificador, como por ejemplo un nombre, un número de identificación, datos de localización, un identificador en línea o uno o varios elementos propios de la identidad física, fisiológica, genética, psíquica, económica, cultural o social de dicha persona».

En lo que nos ocupa, el **artículo 22 de la Ley Orgánica 3/2018, de 5 de diciembre, de Protección de Datos Personales y garantías de los derechos digitales** (en adelante LOPDGDD) estipula que las **personas (físicas o jurídicas), públicas o privadas**, pueden realizar el **tratamiento de imágenes**, a través de **sistemas de cámaras o videocámaras**, con la finalidad de **preservar la seguridad de las personas, bienes y de sus instalaciones**.

A título ilustrativo, podemos destacar la **Instrucción n.º 1/2006, de 8 de noviembre, de la Agencia Española de Protección de Datos (AEPD), sobre el tratamiento de datos personales con fines de videovigilancia a través de sistemas de cámaras o videocámaras**, que, aunque se refiere a la derogada LOPD, especifica los siguientes aspectos:

- Ámbito objetivo (artículo 1 de la Instrucción de la AEPD n.º 1/2006).
- Legitimación (artículo 2 de la Instrucción de la AEPD n.º 1/2006).
- Información (artículo 3 de la Instrucción de la AEPD n.º 1/2006).
- Principios de calidad, proporcionalidad y finalidad del tratamiento (artículo 4 de la Instrucción de la AEPD n.º 1/2006).
- Derechos de las personas (artículo 5 de la Instrucción de la AEPD n.º 1/2006).
- Cancelación (artículo 6 de la Instrucción de la AEPD n.º 1/2006).
- Notificación de ficheros (artículo 7 de la Instrucción de la AEPD n.º 1/2006).
- Seguridad y secreto (artículo 8 de la Instrucción de la AEPD n.º 1/2006).

Para concluir, no podemos perder de vista que los principios que rigen el tratamiento de los datos personales, sean de la índole que sean, tal y como dispone el artículo quinto del RGPD, son:

- Principio de licitud, lealtad y transparencia.
- Principio de limitación de la finalidad.
- Principio de la minimización de datos.
- Principio de exactitud.
- Principio de limitación del plazo de conservación.
- Principio de integridad y confidencialidad.

A TENER EN CUENTA. El tratamiento de los datos personales procedentes de las imágenes y sonidos obtenidos mediante la utilización de cámaras y videocámaras por las Fuerzas y Cuerpos de Seguridad y por los órganos competentes para la vigilancia y control en los centros penitenciarios y para el control, regulación, vigilancia y disciplina del tráfico, se regirá por la legislación de transposición de la Directiva (UE) 2016/680, cuando el tratamiento tenga fines de prevención, investigación, detección o enjuiciamiento de infracciones penales o de ejecución de sanciones penales, incluidas la protección y la prevención frente a las amenazas contra la seguridad pública. Fuera de estos supuestos, dicho tratamiento se regirá por su legislación específica y supletoriamente por el RGPD y la LOPDGDD.

CUESTIONES

1. ¿Podrán captarse imágenes de la vía pública?

En virtud de lo dispuesto en el apartado segundo del artículo 22 de la LOPDGDD, solamente podrán captarse imágenes de la vía pública en la medida en que resulte imprescindible para la finalidad del apartado primero del referido artículo, es decir, solo podrán captarse imágenes con el único propósito de preservar la seguridad de las personas, bienes e instalaciones.

Ahora bien, podrán captarse imágenes de la vía pública «en una extensión superior cuando fuese necesario para garantizar la seguridad de bienes o instalaciones estratégicos o de infraestructuras vinculadas al transporte, sin que en ningún caso pueda suponer la captación de imágenes del interior de un domicilio privado».

2. ¿Los datos captados deberán suprimirse? En caso afirmativo, ¿en qué plazo?

Sí, los datos recogidos serán suprimidos en el plazo máximo de un mes desde que se hubieren captado, excepto cuando deban ser conservados para acreditar la realización de actos que ataquen la integridad de personas, bienes o instalaciones; en dicho caso, las imágenes se pondrán a disposición de la autoridad competente en un plazo máximo de 72 horas desde que se tenga conocimiento de la existencia de la grabación.

Si bien, no será aplicable a los tratamientos de referencia la obligación de bloqueo establecida en el artículo 32 de la LOPDGDD.

A mayor abundamiento, la AEPD, en su ***Guía sobre el uso de cámaras y videocámaras para seguridad y otras finalidades***, manifiesta que «con la aplicación del RGPD desde el 25 de mayo de 2018, debe considerarse que la mayor parte de la Instrucción 1/2006 ha quedado desplazada, ya que el contenido de la misma, como puede ser la legitimación o los derechos de las personas, queda desplazado por lo establecido al respecto por la norma europea. (...) **No obstante, puede considerarse que queda en vigor lo dispuesto en el artículo 6 de la citada instrucción que regula el plazo de conservación, y que se refiere a que se produzca la cancelación de imágenes en el plazo máximo de un mes. Sin embargo, una interpretación acorde con el RGPD, ya que este no contempla la cancelación sino la supresión, supone que ese plazo de conservación de máximo de un mes no será de cancelación sino de supresión,** salvo en aquellos supuestos en que se deban conservar para acreditar la comisión de actos que atenten contra la integridad de personas, bienes o instalaciones».

3. ¿En qué consiste el bloqueo de datos?

En virtud del apartado segundo del artículo 32 del texto legal de referencia, el bloqueo de datos consiste en «la identificación y reserva de los mismos, adoptando medidas técnicas y organizativas, para impedir su tratamiento, incluyendo su visualización, excepto para la puesta a disposición de los datos a los jueces y tribunales, el Ministerio Fiscal o las Administraciones Públicas competentes, en particular de las autoridades de protección de datos, para la exigencia de posibles responsabilidades derivadas del tratamiento y solo por el plazo de prescripción de las mismas».

4. ¿Cuándo se entenderá cumplido el deber de información del artículo 12 del RGPD?

En primer lugar, el artículo 12 del RGPD regula la transparencia de la información, comunicación y modalidades de ejercicio de los derechos del interesado. Así, el deber de información regulado en el antedicho precepto se estimará cumplido «mediante la colocación de un dispositivo informativo en lugar suficientemente visible identificando, al menos, la existencia del tratamiento, la identidad del responsable y la posibilidad de ejercitar los derechos previstos en los artículos 15 a 22 del Reglamento (UE) 2016/679. También podrá incluirse en el dispositivo informativo un código de conexión o dirección de internet a esta información».

No obstante, el responsable del tratamiento deberá mantener a disposición de los afectados la información relacionada en el RGPD.

5. ¿Se aplicará el régimen jurídico expuesto a la captación de imágenes en nuestro propio domicilio?

Partiendo de la premisa de que el RGPD no se aplica al tratamiento de datos personales efectuado por una persona física en el ejercicio de actividades exclusivamente personales o domésticas, se considerará excluido de su ámbito de aplicación el tratamiento por una persona física de imágenes que únicamente capten el interior de su propio domicilio.

Sin embargo, dicha salvedad no comprende el tratamiento efectuado por las empresas de seguridad privada contratadas para la vigilancia del domicilio que pudieran acceder a las imágenes captadas. Para mayor comprensión de la cuestión que nos ocupa véanse los siguientes artículos de la Ley 5/2014, de 4 de abril, de seguridad privada (LSP):

a) Actividades de seguridad privada (artículo 5.1. f de la LSP).

b) Actividades compatibles (artículos 6.1.b, 6.4 y 6.5 de la LSP).

c) Servicios de videovigilancia (artículo 42 de la LSP).

d) Servicios de instalación y mantenimiento (artículo 46 de la LSP).

e) Infracción del personal que desempeñe funciones de seguridad privada [artículos 58.1.k), 58.2.j) y 58.3.c) de la LSP].

Además, lo dispuesto en el artículo 22 de la LOPDGDD se entenderá sin perjuicio de lo regulado tanto en la citada Ley de Seguridad Privada como en su normativa de desarrollo.

6. ¿El derecho del empleador a tratar las imágenes obtenidas a través de sistemas de cámaras o videocámaras para el ejercicio de sus funciones de control de los trabajadores tiene algún límite?

Sí, conforme al art. 89 de la LOPDGDD, el tratamiento por el empleador de datos captados mediante sistemas de cámaras o videocámaras se supedita a lo regulado en relación al derecho a la intimidad frente al uso de dispositivos de videovigilancia y de grabación de sonidos en el lugar de trabajo.

1560 **Servicios de videovigilancia en el ámbito de la seguridad privada**

Los servicios de videovigilancia en el sector privado se regulan en el artículo 42 de la Ley 5/2014, de 4 de abril, de Seguridad Privada (en adelante LSP) definiéndolos en su apartado primero como:

«(...) **el ejercicio de la vigilancia a través de sistemas de cámaras o videocámaras, fijas o móviles, capaces de captar y grabar imágenes y sonidos,** incluido cualquier medio técnico o sistema que permita los mismos tratamientos que éstas».

Si bien, se prestarán los referidos servicios por vigilantes de seguridad o por guardas rurales cuando el objetivo de los mismos sea algunos de los siguientes:

– Prevenir infracciones y evitar daños a las personas o bienes que deban ser protegidos.
– Impedir accesos no autorizados.

No obstante, no serán considerados servicios de videovigilancia y podrán llevarse a cabo por personal distinto al de seguridad privada, el uso de cámaras o videocámaras cuyo fin principal sea verificar:

– El estado de instalaciones o bienes.
– El control de accesos a aparcamientos y garajes.
– Las actividades que se desarrollan desde los centros de control y otros puntos, zonas o áreas de las autopistas de peaje.

También, la monitorización, grabación, tratamiento y registro de imágenes y sonidos por parte de los sistemas de videovigilancia estará supeditada a lo regulado en la normativa en materia de protección de datos de carácter personal, en especial, a los principios de proporcionalidad, idoneidad e intervención mínima.

En cuanto a la proporcionalidad, **el Tribunal Constitucional, en su sentencia n.º 207/1996, de 16 de diciembre, ECLI:ES:TC:1996:207**, declara que se trata de:

> «(...) **una exigencia común y constante para la constitucionalidad de cualquier medida restrictiva de derechos fundamentales** (por todas, STC 56/1996), entre ellas las que supongan una injerencia en los derechos a la integridad física y a la intimidad (por todas, SSTC 120/1990, 7/1994 y 143/1994), y más en particular de las medidas restrictivas de derechos fundamentales adoptadas en el curso de un proceso penal (por todas, SSTC 37/1989, 85/1994 y 54/1996) viene determinada por la estricta observancia del principio de proporcionalidad».

De igual manera expone, en su **sentencia n.º 66/1995, de 8 de mayo, ECLI:ES:TC:1995:66**, que para comprobar si una medida impeditiva de derechos supera el juicio de proporcionalidad exigible, «**es necesario constatar si cumple los siguientes tres requisitos o condiciones: si tal medida era susceptible de conseguir el objetivo propuesto —la garantía del orden público sin peligro para personas y bienes—; si, además, era necesaria en el sentido de que no existía otra medida más moderada para la consecución de tal propósito con igual eficacia; y, finalmente, si la misma era proporcionada, en sentido estricto**, es decir, ponderada o equilibrada por derivarse de ella más beneficios o ventajas para el interés general que perjuicios sobre otros bienes o valores en conflicto».

Ahora bien, en lo no regulado en la LSP y en sus normas de desarrollo se aplicará lo estipulado en la normativa sobre videovigilancia por parte de las Fuerzas y Cuerpos de Seguridad, es decir, la **Ley Orgánica 4/1997, de 4 de agosto, mediante la cual se regula la utilización de videocámaras por las fuerzas y cuerpos de seguridad en lugares públicos.**

Dicha ley tiene como objeto, por un parte, regular «la utilización por las Fuerzas y Cuerpos de Seguridad de videocámaras para grabar imágenes y sonidos en lugares públicos, abiertos o cerrados, y su posterior tratamiento, a fin de contribuir a asegurar la convivencia ciudadana, la erradicación de la violencia y la utilización pacífica de las vías y espacios públicos, así como de prevenir la comisión de delitos, faltas e infracciones relacionados con la seguridad pública»; y por otra, establecer «el régimen de garantías de los derechos fundamentales y libertades públicas de los ciudadanos que habrá de respetarse ineludiblemente en las sucesivas fases de autorización, grabación y uso de las imágenes y sonidos obtenidos conjuntamente por las videocámaras».

En ese ámbito, la utilización de videocámaras estará dirigida también por el principio de proporcionalidad «en su doble versión de idoneidad y de intervención mínima»:

- Idoneidad: únicamente podrá utilizarse cuando resulte adecuado para el mantenimiento de la seguridad ciudadana.
- Intervención mínima: es necesaria la ponderación, en cada caso particular, entre la finalidad que se pretende y la posible afectación al derecho al honor, a la propia imagen y a la intimidad de las personas.

Con respecto a la instalación de videocámaras por las Fuerzas y Cuerpos de Seguridad, la ***Guía sobre el uso de videocámaras para seguridad y otras finalidades* de la AEPD** expone que:

«**La instalación de videocámaras en lugares públicos, tanto fijas como móviles, es competencia exclusiva de las Fuerzas y Cuerpos de Seguridad, rigiéndose el tratamiento de dicha imágenes por su legislación específica, contenida en la Ley Orgánica 4/1997, de 4 de agosto, y su Reglamento de desarrollo, sin perjuicio de que les sea aplicable, en su caso, lo especialmente previsto en el RGPD, en aspectos como la adopción de las medidas de seguridad que resulten de la realización del análisis de riesgos así como el registro de actividades de tratamientos**.

(...)

Para autorizar su instalación se tendrá en cuenta, conforme al principio de proporcionalidad, los criterios de intervención mínima e idoneidad de manera que:

· Sólo podrá emplearse la videocámara cuando resulte adecuado, en una situación concreta, para el mantenimiento de la seguridad ciudadana, de conformidad con lo dispuesto en la Ley.

· Se deberá ponderar, en cada caso, entre la finalidad pretendida y la posible afectación por la utilización de la videocámara al derecho al honor, a la propia imagen y a la intimidad de las personas.

· Su utilización exigirá la existencia de un razonable riesgo para la seguridad ciudadana, en el caso de las fijas, o de un peligro concreto, en el caso de las móviles.

· No se podrán utilizar para tomar imágenes ni sonidos del interior de las viviendas, ni de sus vestíbulos, salvo consentimiento del titular o autorización judicial, ni en lugares públicos, abiertos o cerrados, cuando se afecte de forma directa y grave a la intimidad de las personas, así como tampoco para grabar conversaciones de naturaleza estrictamente privada».

CUESTIONES

1. ¿Podrán captarse imágenes o sonidos de vías públicas?

En virtud del apartado segundo del artículo 42 de la LSP, no se podrán usar cámara o videocámaras con fines de seguridad privada para «(...) **tomar imágenes y sonidos de vías y espacios públicos o de acceso público salvo en los supuestos y en los términos y condiciones previstos en su normativa específica, previa autorización administrativa por el órgano competente** en cada caso».

Por el contrario, el Tribunal Supremo en su **sentencia n.º 649/2019, de 20 de diciembre, ECLI:ES:TS:2019:4281**, considera que la instalación de cámaras de videovigilancia en el entorno seguro de los establecimientos comerciales no puede originar una intromisión al derecho a la intimidad, basándose en que:

«(...) en ningún caso invade espacios o entornos privados por lo que no se vulnera ni el derechos a la inviolabilidad del domicilio ni el derecho a la intimidad, sin que dichos derechos puedan considerarse afectados cuando la grabación de la cámara colocada en la puerta comprende el espacio circundante imprescindible para los fines de vigilancia».

Y añade, en relación al valor probatorio de las filmaciones captadas por los dispositivos de videovigilancia, que, «(...) **su valor como elemento acreditativo de lo acaecido sitúa la grabación videográfica del suceso más cerca de la prueba directa que de la consideración de mero factor indiciario**, en cuanto que, no cuestionada su autenticidad, la filmación se revela como una suerte de testimonio mecánico y objetivo de un suceso, con entidad probatoria similar —o incluso, superior, al quedar excluida la subjetividad, el error o la mendacidad del testimonio personal— a la del testigo humano)».

Ahora bien, el uso de cámaras y videocámaras en el interior de un domicilio tendrá que ser consentido por su titular.

No obstante, las cámaras de videovigilancia que «formen parte de medidas de seguridad obligatorias o de sistemas de recepción, verificación y, en su caso, respuesta y transmisión de alarmas, no requerirán autorización administrativa para su instalación, empleo o utilización».

Por añadidura, la ***Guía sobre el uso de videocámaras para seguridad y otras finalidades* elaborada por la AEPD** aclara que:

«En algunas ocasiones ***para la protección de espacios privados, donde se hayan instalado cámaras en fachadas o en el interior, puede ser necesario para garantizar la finalidad de seguridad la grabación de una porción de la vía pública****. Es decir, las cámaras y videocámaras instaladas con fines de seguridad no podrán obtener imágenes de la vía pública salvo que resulte imprescindible para dicho fin, o resulte imposible evitarlo por razón de la ubicación de aquéllas. Por lo tanto, las cámaras podrían captar la porción mínimamente necesaria para la finalidad de seguridad que se pretende.*

Será posible la captación de la vía pública en una extensión superior cuando fuese necesario para garantizar la seguridad de bienes o instalaciones estratégicas o de infraestructuras vinculadas al transporte.

Gran parte de la actividad de los ciudadanos se desarrolla en espacios que admiten el acceso al público en general, como centros comerciales, restaurantes, lugares de ocio o aparcamientos. ***Nos referimos a lugares a los que los ciudadanos pueden tener libre acceso aunque sean de propiedad privada, en los que sus titulares utilizan los sistemas de videovigilancia para garantizar la seguridad de las personas e instalaciones».***

2. ¿Podrán utilizarse las grabaciones realizadas por los sistemas de videovigilancia para un uso distinto al de su finalidad?

No, las grabaciones efectuadas por los sistemas de videovigilancia no podrán dedicarse a un uso distinto al de su finalidad.

Si bien, cuando las antedichas grabaciones estén vinculadas con «hechos delictivos o que afecten a la seguridad ciudadana, se aportarán, de propia iniciativa o a su requerimiento, a las Fuerzas y Cuerpos de Seguridad competentes, respetando los criterios de conservación y custodia de las mismas para su válida aportación como evidencia o prueba en investigaciones policiales o judiciales».

3. ¿Cuáles son las actividades de seguridad privada?

El apartado primero del artículo 5 de la LSP dispone que son actividades de seguridad privada:

«a) La vigilancia y protección de bienes, establecimientos, lugares y eventos, tanto públicos como privados, así como de las personas que pudieran encontrarse en los mismos.

b) El acompañamiento, defensa y protección de personas físicas determinadas, incluidas las que ostenten la condición legal de autoridad.

c) El depósito, custodia, recuento y clasificación de monedas y billetes, títulos-valores, joyas, metales preciosos, antigüedades, obras de arte u otros objetos que, por su valor económico, histórico o cultural, y expectativas que generen, puedan requerir vigilancia y protección especial.

d) El depósito y custodia de explosivos, armas, cartuchería metálica, sustancias, materias, mercancías y cualesquiera objetos que por su peligrosidad precisen de vigilancia y protección especial.

e) El transporte y distribución de los objetos a que se refieren los dos párrafos anteriores.

f) La instalación y mantenimiento de aparatos, equipos, dispositivos y sistemas de seguridad conectados a centrales receptoras de alarmas o a centros de control o de videovigilancia.

g) La explotación de centrales para la conexión, recepción, verificación y, en su caso, respuesta y transmisión de las señales de alarma, así como la monitorización de cualesquiera señales de dispositivos auxiliares para la seguridad de personas, de bienes muebles o inmuebles o de cumplimiento de medidas impuestas, y la comunicación a las Fuerzas y Cuerpos de Seguridad competentes en estos casos.

h) La investigación privada en relación a personas, hechos o delitos sólo perseguibles a instancia de parte».

1570 **Servicios de videovigilancia en las comunidades de propietarios**

En el ámbito de la comunidad de propietarios regirá la **Ley 49/1960, de 21 de julio, sobre propiedad horizontal** (en adelante LPH), en concreto, el *quorum* necesario para la instalación de los sistemas de cámaras o videocámaras se regula en el **apartado tercero de su artículo 17**, de modo que:

«3. **El establecimiento o supresión de los servicios de portería, conserjería, vigilancia u otros servicios comunes de interés general**, supongan o no modificación del título constitutivo o de los estatutos, **requerirán el voto favorable de las tres quintas partes del total de los propietarios que, a su vez, representen las tres quintas partes de las cuotas de participación**».

A este respecto, la ***Guía sobre el uso de videocámaras para seguridad y otras finalidades* de la AEPD** relaciona unos supuestos específicos de tratamiento de imágenes con fines de seguridad en el entorno vecinal:

a) **Zonas comunes de comunidad de propietarios**:

«Sería conveniente que el acuerdo reflejara las características del sistema de videovigilancia, número de cámaras y espacios que captan».

b) **Viviendas unifamiliares**:

«La instalación de sistemas de videovigilancia en viviendas unifamiliares posee unas características especiales:

· Si las cámaras se instalan en el interior de la vivienda se considera que se realiza en el ejercicio de una actividad personal o doméstica, a la que no le es aplicable la legislación de protección de datos.

· Si las cámaras se instalan en el exterior y pueden captar imágenes de personas en entradas, fachadas o medianerías, se aplicarán las previsiones del RGPD en los términos descritos en el apartado anterior.

En este último supuesto, cuando las cámaras se encuentran conectadas a una central de recepción de alarmas dichos servicios sólo podrán prestarse por empresas de seguridad privada que cumplan los requisitos establecidos en la Ley 5/2014, de 4 de abril, ostentando éstas la condición de responsables».

c) **Plazas de garaje**:

«Existirá un interés público de los particulares en la captación de imágenes mediante cámaras de videovigilancia para garantizar la seguridad de personas o instalaciones en los espacios de su propiedad, como puede ser su domicilio o su plaza de garaje».

d) **Servidumbres de paso**:

«Si existiese una servidumbre de paso sobre un inmueble o terreno, el propietario podrá también utilizar estos sistemas, siempre que cumplan los principios de proporcionalidad, sobre el terreno cubierto por la servidumbre, aunque por dicho terreno puedan transitar otras personas, entendiendo como tal, a todos aquellos que tienen constituida la servidumbre a su favor y las personas autorizadas».

e) **Videoporteros:**

«En aquellos casos en los que la utilización de videoporteros se limite a su función de verificar la identidad de la persona que llamó al timbre así como facilitar el acceso a la vivienda, no será de aplicación la normativa sobre protección de datos.

Sin embargo, si el servicio se articula mediante procedimientos que reproducen y/o graban imágenes de modo constante, y en particular cuando el objeto de las mismas alcance al conjunto del patio y/o a la vía pública colindante, o se graben imágenes sobre situaciones que concurran en la portería de un edificio, al exceder estas actuaciones del ámbito personal y doméstico, resultará de plena aplicación el RGPD».

f) **Mirillas digitales**:

«En principio, y al igual que el supuesto descrito anteriormente referido a los videoporteros, el uso de las mirillas digitales estaría excluido en la aplicación de la normativa de protección de datos aplicando la citada excepción doméstica, siempre y cuando su uso se limite a de verificar la identidad de la persona que llamó al timbre y a facilitar el acceso a la vivienda.

Sin embargo, si este tipo de mirillas reproducen y/o graban imágenes, resultará de plena aplicación el RGPD».

Igualmente, la **AEPD** elaboró las siguientes **fichas prácticas para la instalación de cámaras de videovigilancia en las comunidades de propietarios**:

LEGITIMACIÓN PARA LA INSTALACIÓN

- Para la instalación de cámaras en zonas comunes será necesario el acuerdo de la Junta de Propietarios que quedará reflejado en las actas de dicha Junta. Este acuerdo también será necesario para la instalación de cámaras en las piscinas comunitarias.
- Se recomienda que en el acuerdo se reflejen algunas de las características del sistema de videovigilancia, como el número de cámaras o el espacio captado por las mismas.

REGISTRO DE ACTIVIDADES DE TRATAMIENTO

- Previamente a su puesta en funcionamiento, se elaborará el registro de actividades referido a este tratamiento. Se trata de un documento interno. Puede utilizarse la herramienta FACILITA_RGPD disponible en la web de la AEPD cuando no se trate de grandes infraestructuras (estaciones de ferrocarril, centros comerciales). La Guía sobre el uso de videocámaras para seguridad y otras finalidades ofrece un modelo de registro de actividades.

DERECHO DE INFORMACIÓN

- Se instalarán en los distintos accesos a la zona videovigilada, y en lugar visible, uno o varios carteles que informen de que se accede a una zona videovigilada. El cartel indicará de forma clara la identidad del responsable de la instalación ante quién y dónde dirigirse para ejercer los derechos que prevé la normativa de protección de datos, y dónde obtener más información sobre el tratamiento de los datos personales. La AEPD ofrece un modelo de cartel en la Guía sobre el uso de videocámaras. Así mismo, se pondrá a disposición de los afectados la restante información que exige la legislación de protección de datos.
- La información puede estar disponible en conserjería, recepción, oficinas, tablones de anuncios, o ser accesible a través de Internet.
- Si se usan las cámaras para controlar a los trabajadores, consulte la ficha sobre «CÁMARAS PARA EL CONTROL EMPRESARIAL».

INSTALACIÓN

- Las cámaras solamente podrán captar imágenes de las zonas comunes de la comunidad. No podrán captarse imágenes de la vía pública salvo que resulte imprescindible para la finalidad perseguida, a excepción de una franja mínima de los accesos al inmueble, ni tampoco imágenes de terrenos y viviendas colindantes o de cualquier otro espacio ajeno.
- Si se utilizan cámaras orientables y/o con zoom será necesaria la instalación de máscaras de privacidad para evitar captar imágenes de la vía pública, terrenos y viviendas de terceros.
- La contratación de un servicio de videovigilancia externo o la instalación de las cámaras por un tercero no exime a la comunidad de propietarios del cumplimiento de la normativa en materia de protección de datos personales.

MONITORES Y VISUALIZACIÓN DE IMÁGENES

- El acceso a las imágenes estará restringido a las personas designadas por la comunidad.
- En ningún caso estarán accesibles a los vecinos mediante canal de televisión comunitaria.
- Si el acceso se realiza con conexión a Internet se restringirá con un código de usuario y una contraseña (o cualquier otro medio que garantice la identificación y autenticación unívoca), que sólo serán conocidos por las personas autorizadas a acceder a dichas imágenes.
- Una vez instalado el sistema, se recomienda el cambio de la contraseña, evitando las fácilmente deducibles.

SISTEMA DE GRABACIÓN

- El sistema de grabación se ubicará en un lugar vigilado o de acceso restringido. A las imágenes grabadas accederá sólo el personal autorizado que deberá introducir un código de usuario y una contraseña.
- Las imágenes serán conservadas durante un plazo máximo de un mes desde su captación, transcurrido el cual se procederá al borrado.
- Las imágenes que se utilicen para denunciar delitos o infracciones se acompañarán a la denuncia y serán conservadas para su posible entrega a las Fuerzas y Cuerpos de Seguridad o a los Juzgados y Tribunales que las requieran. No podrán utilizarse para otro fin.
- La petición de imágenes por las Fuerzas y Cuerpos de Seguridad se realizará en el marco de actuaciones judiciales o policiales. El requerimiento al responsable del tratamiento será el documento que ampare a éste para ceder datos a las mismas o a los Juzgados y Tribunales que los requieran.

NOTA IMPORTANTE

- Este documento se refiere únicamente a las obligaciones en materia de protección de datos personales. Pueden existir otras normas que impongan requisitos adicionales a la instalación de sistemas de videovigilancia que no han sido recogidos aquí.
- Para una mayor información, se puede consultar la Guía de la AEPD sobre Protección de Datos y Administración de Fincas.

Para ejemplificar el uso de cámaras en las comunidades de propietarios, el **informe de la AEPD, de 10 de febrero de 2014**, en respuesta a una consulta sobre la instalación, por parte de un propietario, de una cámara de videovigilancia en un garaje propiedad de la comunidad, establece lo siguiente:

> «La captación de imágenes por cámaras de videovigilancia en los espacios comunes de una comunidad de propietarios puede quedar incardinado en la esfera del interés público de dicha comunidad en garantizar la seguridad de la misma, incluyendo a las personas, bienes e instalaciones.
>
> Igualmente, existirá un interés público de los particulares en la captación de imágenes mediante cámaras de videovigilancia para garantizar esta seguridad en los espacios de su propiedad como puede ser su domicilio o su plaza de garaje.

No obstante, **en el presente supuesto no se trata de la captación de imágenes por parte de la comunidad propietaria del garaje, sino de uno de sus miembros que pretende captar imágenes de diversas plazas, no solamente aquélla sobre la que tiene atribuido un uso exclusivo, así como sobre una parte de la zona común de acceso a dichas plazas dentro del garaje.**

Dentro de los elementos a tomar en cuenta para determinar si en el presente caso sería factible realizar la instalación, **debe tomarse en consideración lo siguiente, en primer lugar, y respecto a la zona común del garaje que supondría la grabación de personas que transiten por la misma, sería necesaria la obtención de la autorización, con las mayorías señaladas en la Ley 49/1960, de 21 de julio, de Propiedad Horizontal, de los demás miembros de la comunidad de propietarios lo que vendría a legitimar dicha captación mientras dicha autorización se mantenga.**

En segundo lugar, la captación de imágenes en las plazas de garaje distintas a la que el consultante tiene derecho a utilizar exige la autorización de aquellas personas que tienen atribuido el uso exclusivo de las mismas.

Es decir, **si la finalidad consiste en evitar que se produzcan actos vandálicos en los bienes del consultante situados en su plaza de garaje, la proporcionalidad vendrá determinada por que la captación se encuentre limitada a dichos espacios propios y, en tanto sea estrictamente necesario para la salvaguardia de sus bienes, a una captación parcial de las** áreas **comunes circundantes,** de manera que se interfiera lo menos posible en los derechos de las personas que utilizan dichas zonas comunes o transitan por las plazas de garaje al tratarse de espacios abiertos.

Por lo tanto, en el presente supuesto, **no se cumplen los requisitos señalados que vendrían a legitimar el tratamiento de los datos por el consultante: En la documentación aportada se observa que no se reúnen las mayorías exigidas por la Ley 49/1960, de Propiedad Horizontal y, de lo expuesto en la consulta, se desprende que se carece de autorización de los propietarios que tienen atribuido el uso de las plazas a que se extiende la grabación.**

Por otra parte, **la captación de imágenes no cumple el criterio de proporcionalidad en tanto no se limita a una captación tangencial de la zona común que da acceso a su plaza de garaje sino que capta una buena parte de ella incluida la que da acceso a otras plazas**».

1580

Casuística relativa a procedimientos sancionadores derivados de reclamaciones sobre instalaciones de videovigilancia en comunidades de propietarios

➢ Resolución de procedimiento sancionador n.º PS/00343/2020, de 17 de mayo de 2021, derivada de reclamación por instalación de videovigilancia en zonas comunes de una comunidad de propietarios

a) Antecedentes

«PRIMERO: Con fecha 27 de enero de 2020, tuvo entrada en esta Agencia Española de Protección de Datos un escrito presentado por COMUNIDAD DE PROPIETARIOS R.R.R. (en lo sucesivo, el reclamante), mediante el que formula reclamación contra A.A.A. con NIF ***NIF.1 (en adelante, el reclamado), **por la instalación de un sistema de videovigilancia instalado en ZONAS COMUNES** C.P. R.R.R., ***VIVIENDA.1, **existiendo indicios de un posible incumplimiento de lo dispuesto en la normativa de protección de datos.**

Los motivos que fundamentan la reclamación y, en su caso, los documentos aportados por el reclamante son los siguientes:

"Que por parte del usuario de la ***VIVIENDA.1 de esta Comunidad, D. A.A.A., **ha procedido a instalar sin autorización de la Comunidad dos cámaras de vigilancia en el pasillo comunitario (fotos adjuntas), por lo que estaría incumpliendo con RGPD, al estar captando imágenes de los vecinos y usuarios de la Comunidad incluido menores** [...]".

Adjunta reportaje fotográfico de la ubicación de las cámaras».

b) Fundamentos de derecho

«De conformidad con las evidencias de las que se dispone y que no han sido desvirtuadas en el procedimiento sancionador, **el reclamado tiene instalada dos cámaras de videovigilancia que capta imágenes en el pasillo comunitario y que podría estar captando imágenes de los vecinos y usuarios de la Comunidad, por lo que se considera que estos hechos vulneran lo establecido en el artículo 5.1.c) del RGPD lo que supone la comisión de infracciones tipificadas en el artículo 83.5 del RGPD** (...).

(...)

En el presente caso, se considera que **la sanción que corresponde imponer es la de apercibimiento, de acuerdo con lo establecido en el artículo 58.2 b) del RGPD, en relación con lo señalado en el Considerando 148, antes citados.**

Además, se han tenido en cuenta, en especial, los siguientes elementos.

- que **se trata de un particular cuya actividad principal no está vinculada con el tratamiento de datos personales.**

- que **no se aprecia reincidencia,** por no constar la comisión, en el término de un año, de más de una infracción de la misma naturaleza.

(...)

No obstante, como ya se señalaba en el acuerdo de inicio y de acuerdo con lo establecido en el citado artículo 58.2 d) del RGPD, según el cual cada autoridad de control podrá "ordenar al responsable o encargado del tratamiento que las operaciones de tratamiento se ajusten a las disposiciones del presente Reglamento, cuando proceda, de una determinada manera y dentro de un plazo especificado [...]", **se requiere al reclamado para que adopte las siguientes medidas**:

- **aporte las imágenes que se observen con los dispositivos en cuestión, indicando en un plano de situación las partes que se corresponden con su propiedad particular**.

- **acredite haber procedido a la retirada de las cámaras de los lugares actuales, o bien a la reorientación de las mismas hacia su zona particular**».

c) Resolución

«La Directora de la Agencia Española de Protección de Datos RESUELVE:

PRIMERO: IMPONER a A.A.A., con NIF ***NIF.1, por una infracción del artículo 5.1.c) del RGPD, tipificada en el artículo 83.5.h) del RGPD, una sanción de apercibimiento.

SEGUNDO: REQUERIR a A.A.A., con NIF ***NIF.1, para que en el plazo de un mes desde la notificación de esta resolución, acredite:

- **aporte las imágenes que se observen con el dispositivo en cuestión, indicando en un plano de situación las partes que se corresponden con su propiedad particular**.

- **acredite haber procedido a la retirada de la cámara del lugar actual, o bien a la reorientación de la misma hacia su zona particular**.

TERCERO: NOTIFICAR la presente resolución a A.A.A., con NIF ***NIF.1».

➢ Resolución del procedimiento sancionador n.º PS/00054/2020, de 26 de febrero de 2021, originada por reclamación a causa de la instalación de un sistema de videovigilancia en un inmueble

a) Antecedentes

«PRIMERO: Con fecha 6 de septiembre de 2019, tuvo entrada en esta Agencia Española de Protección de Datos un escrito presentado por A.A.A., en representación de B.B.B. (en lo sucesivo, el reclamante), mediante el que formula reclamación contra C.C.C. con NIF ***NIF.1 (en adelante, el reclamado), por **la instalación de un sistema de videovigilancia en el inmueble sito en ***DIRECCIÓN.1 - ***LOCALIDAD.1 (OURENSE), respecto al que existen indicios de un posible incumplimiento de lo dispuesto en la normativa de protección de datos personales.**

Los motivos que fundamentan la reclamación son los siguientes:

"**Don C.C.C., instala cámara de vigilancia en el recinto de la escalera, sin autorización por nuestra parte, ni mención, de que va a poner una cámara. El hecho es que nos sentimos totalmente intimidados y controlados por el propietario de la vivienda. No entendemos el fin, pues no existe vandalismo alguno, y este control de saber nuestras entradas y salidas de la finca, nos hace pensar que es por un mal propósito por su parte, pues sabemos que le muestra a gente nuestras entradas y salidas del edificio. Pues este señor es el propietario de una casa de 2 viviendas, una de ellas es la que yo tengo alquilada, y de un local que es de use y disfrute de** él. **Por lo cual no existe comunidad de propietarios. Y sin más ha colocado esta cámara que les adjunto fotografías. No existe ninguna señalización de dicha cámara** [...]".

Adjunta reportaje fotográfico donde muestra la ubicación de la cámara».

b) Fundamentos de derecho

«(...) **lo establecido en el artículo 83.5, apartados a) y b), del RGPD, su art. 58.2 b) dispone la posibilidad de sancionar con apercibimiento, en relación con lo señalado en el Considerando 148**:

"En caso de infracción leve, o si la multa que probablemente se impusiera constituyese una carga desproporcionada para una persona física, en lugar de sanción mediante multa puede imponerse un apercibimiento. Debe no obstante prestarse especial atención a la naturaleza, gravedad y duración de la infracción, a su carácter intencional, a las medidas tomadas para paliar los daños y perjuicios sufridos, al grado de responsabilidad o a cualquier infracción anterior pertinente, a la forma en que la autoridad de control haya tenido conocimiento de la infracción, al cumplimiento de medidas ordenadas contra el responsable o encargado, a la adhesión a códigos de conducta y a cualquier otra circunstancia agravante o atenuante".

En el presente caso, al decidir la sanción que corresponde imponer, se han tenido en cuenta los siguientes elementos,

- Que **el responsable es una persona física**.

- Que **no se aprecia reincidencia ni reiteración por no constar la comisión de infracciones previas**.

- Que **ha mostrado colaboración en este organismo en el seno del presente procedimiento sancionador**.

Por todo ello, se considera que la sanción que correspondería imponer es de apercibimiento, de acuerdo con lo establecido en el artículo 58.2 b) del RGPD, en relación con lo señalado en el Considerando 148, antes citados».

c) Resolución

«Por lo tanto, de acuerdo con la legislación aplicable y valorados los criterios de graduación de las sanciones cuya existencia ha quedado acreditada, la Directora de la Agencia Española de Protección de Datos RESUELVE:

PRIMERO: IMPONER a C.C.C., con NIF ***NIF.1, por una infracción del artículo 5.1.c), tipificada en el artículo 83.5 del de la citada norma, una sanción de APERCIBIMIENTO.

SEGUNDO: **ORDENAR, al amparo de los dispuesto en el artículo 58.2.d) del RGPD, que el sistema de videovigilancia** únicamente **esté operativo cuando** él **o algún miembro de su familia hagan uso de la vivienda de que disponen en el inmueble donde aquel se encuentra** instalado.

TERCERO: NOTIFICAR la presente resolución a C.C.C. e informar al reclamante».

- **Resolución del procedimiento sancionador n.º PS/00379/2020, de 16 de abril de 2021, a causa de reclamación basada en la instalación de una cámara de videovigilancia en un bajo de una vivienda**

a) Antecedentes

«PRIMERO: A.A.A. (*en adelante, el reclamante) con fecha 18 de junio de 2020 interpuso reclamación ante la Agencia Española de Protección de Datos. La reclamación se dirige contra B.B.B. con NIF ***NIF.1 (en adelante, el reclamado). Los motivos en que basa la reclamación son de manera sucinta:

"la presencia de una cámara de video-vigilancia instalada en el bajo de una vivienda (Bajo A) que está obteniendo imágenes de la propiedad del reclamante. Me parece que esto es ilegal pues me asomo a la terraza y me está viendo y violando mi intimidad".

"La Comunidad de propietarios no ha dado permiso y seguro que no están legalizadas" (folio n.º 1). Junto a la reclamación aporta material fotográfico (Anexo I) que acredita los hechos expuestos, en lo relativo a la presencia del dispositivo y el "tratamiento de las imágenes"».

b) Fundamentos de derecho

«El denunciado niega los "hechos" manifestando que ha retirado la cámara y que existe una controversia con el reclamante que está actuando con notoria "mala fe", inclusive cometiendo un presunto hecho delictivo al obtener imágenes del interior de su vivienda.

No se ha constatado el "tratamiento de datos" del reclamado, ni que cámara alguna esté orientada hacia espacio privativo de su vivienda, manifestando el denunciado que las mismas fueran retiradas hace tiempo.

El principio de presunción de inocencia impide imputar una infracción administrativa cuando no se haya obtenido y constatado una prueba de cargo acreditativa de los hechos que motivan la imputación o de la intervención en los mismos del presunto infractor. Aplicando el principio "in dubio pro reo" en caso de duda respecto de un hecho concreto y determinado, que obliga en todo caso a resolver dicha duda del modo más favorable al interesado.

La presunción de inocencia debe regir sin excepciones en el ordenamiento sancionador y ha de ser respetada en la imposición de cualesquiera sanciones, pues el ejercicio del ius puniendi en sus diversas manifestaciones está condicionado al juego de la prueba y a un procedimiento contradictorio en el que puedan defenderse las propias posiciones. En tal sentido, el Tribunal Constitucional en su Sentencia 76/1990, de 26/04, considera que el derecho a la presunción de inocencia comporta: "que la sanción esté basada en actos o medios probatorios de cargo o incriminadores de la conducta reprochada; que la carga de la prueba corresponda a quien acusa, sin que nadie esté obligado a probar su propia inocencia; y que cualquier insuficiencia en el resultado de las pruebas practicadas, libremente valorado por el órgano sancionador, debe traducirse en un pronunciamiento absolutorio».

c) Resolución

«La Directora de la Agencia Española de Protección de Datos RESUELVE:

PRIMERO: ORDENAR el ARCHIVO del presente procedimiento al no quedar acreditada la comisión de infracción administrativa alguna.

SEGUNDO: NOTIFICAR la presente resolución a Don B.B.B. e INFORMAR del resultado de las actuaciones al reclamante A.A.A.».

7.2.2. Datos biométricos para el acceso a la propiedad

1590 **Datos biométricos para el acceso a la propiedad**

Como establece el **artículo 14, letra e), de la LPH,** la junta de propietarios debe conocer y decidir en los demás asuntos de interés general para la comunidad, acordando las medidas necesarias o convenientes para el mejor servicio común, con la especialidad del **artículo 17, apartado 3, de la LPH** respecto al *quorum* necesario para el establecimiento o supresión de servicios de portería, conserjería, vigilancia u otros servicios comunes de interés general para la comunidad.

Por ello, en relación con lo anterior, debe hablarse también de sistemas de acceso a la comunidad mediante herramientas de reconocimiento dactilar o incluso facial, que vienen a denominarse como **datos biométricos**, concepto que se desarrolla en el **artículo 4, apartado 14), del RGPD**, que los describe como:

«Datos personales obtenidos a partir de un tratamiento técnico específico, relativos a las características físicas, fisiológicas o conductuales de una persona física que permitan o confirmen la identificación única de dicha persona, como imágenes faciales o datos dactiloscópicos».

Lo que ha de tenerse en cuenta para la instalación de este tipo de sistemas de acceso, además de las pautas establecidas para su votación, son estos requisitos:

- **Proporcionalidad:** valorar que no existan otros medios de acceso más adecuados.
- **Necesidad**: que el sistema implantado responda a la necesidad identificada, y si es esencial para su satisfacción.
- **Idoneidad**: que resulte adecuado para el fin perseguido.

En la práctica es un sistema utilizado en aquellas comunidades donde confluyen viviendas privadas y establecimientos hoteleros. Sirva de ejemplo la resolución de la **AEPD E/01280/2017** que, en aplicación de lo anteriormente expuesto, concluye:

> «Considerando además que para acceder a la Comunidad, deben tenerse en cuenta que existen sistemas y modalidades que producen una menor intromisión en el derecho, pudiendo existir un sistema igualmente eficaz cuya implantación implicase una menor injerencia en el derecho de los inquilinos, propietarios o huéspedes y que dicha modalidad ha de basarse en el consentimiento de los afectados, no se considera proporcionado el sistema de tratamiento de datos aprobado por la CP».

A TENER EN CUENTA. Consúltese también el Dictamen 3/2012, sobre la evolución de las tecnologías biométricas, de 27 de abril de 2012.

7.3. UTILIZACIÓN DE LOS DATOS EN LAS COMUNIDADES DE PROPIETARIOS

7.3.1. Publicación de datos en el tablón de la comunidad de propietarios

Requisitos en la publicación de datos en el tablón de la comunidad: datos de propietarios y de personal laboral al servicio de la comunidad 1600

Como ya se ha referenciado en otros temas, **el artículo 5 del RGPD** indica los principios relativos al tratamiento de datos, y respecto a este tratamiento, cuando hablamos de publicación de datos de vecinos morosos o comunicación de datos del personal laboral al servicio de la comunidad (portería, limpieza...), debemos recalcar la necesidad de un tratamiento de datos regido por la:

1. **Minimización.** Limitando la comunicación a los datos estrictamente necesarios, que sean adecuados, pertinentes y limitados a lo necesario con la finalidad para la que son tratados, que en este caso sería el buen funcionamiento y vivir de la comunidad.

   Por ejemplo, en el aviso relativo a las cuotas pendientes no debe publicarse la totalidad de los datos del propietario, sino los precisos para que este se dé por notificado. O respecto a los datos de personal al servicio de la comunidad, como propietario de la comunidad se debe conocer los presupuestos y cuanto se destina a ese tipo de servicio, pero a lo que no se podrá acceder es a la nómina de ese personal laboral.

2. **Proporcionalidad.** El derecho de protección de datos debe darse en equilibrio con otras libertades y derechos fundamentales. Por ejemplo,

en el caso de publicación de datos de un vecino moroso en un tablón, se producirá un tratamiento de datos que tiene como fin la publicación en el tablón de la comunidad, pero que atañerá solo a los datos necesarios para que se produzca la notificación al vecino moroso. Con ello tienen acceso a los datos el resto de la comunidad, pero esta medida será proporcionada en base a que se ha intentado la notificación pertinente pero sin éxito alguno.

3. **Respeto al deber de confidencialidad.** Se publicarán los datos en el tablón, pero siempre con máximo respeto al deber de confidencialidad, que se configura como principio inquebrantable, que evitará el tratamiento no autorizado o ilícito y la pérdida o destrucción de datos.

RESOLUCIONES RELEVANTES

Resolución de la AEPD n.º de procedimiento PS/00224/2020, de 16 de noviembre de 2020

Se publica de forma sistemática en el tablón de anuncios, ubicado en el *hall* de entrada y salida de cada bloque de viviendas, **la relación de vecinos deudores**, identificados por piso y letra, **permitiendo que dicha información sea conocida por terceros, vulnerándose el deber de confidencialidad del artículo 5 del RGPD**.

«En el presente caso, ***los hechos expuestos ponen de manifiesto la vulneración del deber de confidencialidad en el tratamiento de los datos de carácter personal al publicar en los tablones de anuncios de cada uno de los portales del reclamado y en lugar visible el listado de propietarios deudores de la comunidad;*** *es cierto que para que la publicación en el tablón de anuncios comunitario sea conforme a la ley tiene que haberse intentado la notificación previa a los propietarios deudores en el lugar designado a efectos de notificaciones, aportándose en este caso el burofax con el que se pretendió comunicar la deuda al reclamante; por tanto, la información publicada en el tablón y expuesta al público no se ajusta a los requisitos señalados en la LPH.*

Por tanto, ***la publicación en el citado elemento comunitario cuyo cierre está bajo el control de los órganos de gobierno de la comunidad de propietarios, en las condiciones expuestas, constituye una vulneración del deber de confidencialidad y cuyo responsable se identifica en el presente caso con el reclamado, toda vez que es quien decide sobre la finalidad, contenido y uso de los datos de los diferentes propietarios que la conforman y quien debe controlar el uso que se realiza de los elementos comunitarios».***

Resolución de la AEPD n.º de procedimiento E/02595/2019, de 4 de noviembre de 2019

Reclamación presentada ante la AEPD por la **publicación de datos personales** de los reclamantes **en el tablón de anuncios de su comunidad y por ceder sus datos a una tercera empresa, lo cual supone la vulneración del artículo 6 del RGPD en relación a la licitud en el tratamiento de los datos personales, y del artículo 5.1 f) del RGPD**.

La AEPD archiva las actuaciones al no apreciar vulneración del derecho a la protección de datos.

«La entidad reclamada en respuesta al requerimiento de esta Agencia ha manifestado que no es una Comunidad de Propietarios, sino una entidad urbanística colaboradora y que como tal ha contratado una Consultoría especializada para realizar el proceso de adaptación a la normativa de protección de datos personales.

En relación con la reclamación de las cuotas impagadas afirma que se ampara en lo establecido en el artículo 181.2 del Reglamento de Disciplina Urbanística para el desarrollo de la Ley sobre Régimen del suelo y Ordenación Urbana (...).

(...) la vía de apremio requiere para su tramitación la notificación a los morosos mediante publicación en el tablón de anuncios de la junta como en el B.O.E., destacando que la imposibilidad de publicación de los deudores en el Tablón de anuncios implicaría la quiebra técnica de la urbanización ya que el orden competente para la reclamación de propietarios morosos en el seno de una junta de compensación es el Contencioso Administrativo. (sentencia del Tribunal Supremo de la Sala Primera de lo Civil 26/2015).

En consecuencia, resulta necesario e imprescindible la publicación en el Tablón de anuncios de los datos de los morosos para poder tramitar la citada vía de apremio.

No obstante, los datos de los propietarios morosos no son descifrables para el resto de los propietarios ya que no se publica el nombre del propietario de la parcela, solo el número y la deuda, y el tablón de anuncios se encuentra en el interior de la urbanización, sin que pueda ser accesible a terceros».

Resolución de la AEPD n.º de procedimiento PS/00168/2019

Se **publica en el tablón de anuncios** de la comunidad de propietarios **el listado de propietarios de cuotas impagadas** pero también los **propietarios** frente a los que se ha **iniciado procedimiento monitorio por falta de pago de gastos comunes** que les corresponden y los propietarios demandados, **vulnerando el deber de confidencialidad del artículo 5 del RGPD**.

*«(...) los hechos expuestos ponen de manifiesto la vulneración del deber de confidencialidad en el tratamiento de los datos de carácter personal al publicar en el tablón de anuncios del reclamado el listado de vecinos deudores de la comunidad; y, si bien es cierto que para que la publicación en el tablón de anuncios comunitario sea conforme a la ley tiene que haberse intentado la notificación previa a los propietarios deudores en el lugar designado a efectos de notificaciones, aportándose en este caso el burofax con el que se pretendió comunicar la deuda al reclamante; no es menos cierto, que **la información publicada en el tablón y expuesta al público no se ajusta a los requisitos señalados en la LPH, ya que en el mismo se incluye listado de propietarios que ya han sido demandados en procedimiento monitorio** —luego no se trata de notificar el requerimiento previo por cuotas comunitarias impagadas— e incluso la información insertada en el elemento comunitario y referida a los "propietarios inicio monitorio" no está haciendo referencia a su exposición con la finalidad de completar el trámite previo de notificación de deudas a los propietarios deudores para que conozcan el importe y procedan a su pago sino una finalidad distinta como es dar a conocer quienes se hallan incursos en el procedimiento civil.*

*Por tanto, **la publicación en el citado elemento comunitario cuyo cierre está bajo el control de los órganos de gobierno de la comunidad de propietarios, en las condiciones expuestas, constituye una vulneración del deber de confidencialidad y cuyo responsable se identifica en el presente caso con el reclamado, toda vez que es quien decide sobre la finalidad, contenido y uso de los datos de los diferentes propietarios que la conforman y quien debe controlar el uso que se realiza de los elementos comunitarios».***

4. **Calidad de los datos**. Los datos deben ser claros, exactos, actualizados y ajustados al fin para que son tratados (art. 5 del RGPD).

1610 **Publicación en el tablón de anuncios de la comunidad de la lista de morosos**

En el desarrollo cotidiano dentro de una comunidad de propietarios surgen diferentes situaciones que pueden suponer conflictos entre comuneros; por ejemplo, el impago de cuotas, vecinos que incumplen con sus deberes como propietarios (artículo 9 de la LPH que relaciona las obligaciones de cada propietario), y su aviso o anuncio conforme al derecho de protección de datos.

Para un estudio de este punto es importante acudir a la Guía sectorial de la AEPD *Protección de Datos y Administración de Fincas*, donde se establecen las siguientes normas generales:

- Con carácter general, la publicación en el tablón de avisos de la comunidad de una relación de propietarios que no se encuentran al corriente en pago de sus cuotas no está amparada por la normativa de protección de datos.
- Ahora bien, la **LPH permite la publicidad de la identidad de los deudores y de sus deudas con la comunidad**, incorporando dichos datos a la convocatoria de la junta.
- Excepcionalmente, **cuando no exista constancia del domicilio de algún propietario, al no haber facilitado este dato a la comunidad, se podrá publicar en el tablón de anuncios de la comunidad** —o en otro lugar visible de uso general habilitado al efecto— la convocatoria de la junta de propietarios. Para este supuesto, deberán hacerse constar, junto con el documento publicado, los motivos de dicha publicación, extendiéndose diligencia por la persona que ejerza las funciones de secretario.

A TENER EN CUENTA. El tablón de avisos no debe colocarse en un lugar de tránsito fácilmente accesible por cualquier persona, ya que así se estaría vulnerando el principio de confidencialidad.

La AEPD nos remite a la **LPH** y por tanto es necesario exponer el articulado que sería aplicable a estos casos:

Artículo 9, apartado 1, letra h), de la LPH

«Comunicar a quien ejerza las funciones de secretario de la comunidad, por cualquier medio que permita tener constancia de su recepción, el domicilio en España a efectos de citaciones y notificaciones de toda índole relacionadas con la comunidad. En defecto de esta comunicación se tendrá por domicilio para citaciones y notificaciones el piso o local perteneciente a la comunidad, surtiendo plenos efectos jurídicos las entregadas al ocupante del mismo.

Si intentada una citación o notificación al propietario fuese imposible practicarla en el lugar prevenido en el párrafo anterior, se entenderá realizada mediante la colocación de la comunicación correspondiente en el tablón de anuncios de la comunidad, o en lugar visible de uso general habilitado al efecto, con diligencia expresiva de la fecha y motivos por los que se procede a esta forma de notificación, firmada por quien ejerza las funciones de secretario de la comunidad, con el visto bueno del presidente. La notificación practicada de esta forma producirá plenos efectos jurídicos en el plazo de tres días naturales».

Artículo 16, apartado 2, de la LPH

«La convocatoria de las Juntas la hará el presidente y, en su defecto, los promotores de la reunión, con indicación de los asuntos a tratar, el lugar, día y hora en que se celebrará en primera o, en su caso, en segunda convocatoria, practicándose las citaciones en la forma establecida en el artículo 9. **La convocatoria contendrá una relación de los propietarios que no estén al corriente en el pago de las deudas vencidas a la comunidad y advertirá de la privación del derecho de voto** si se dan los supuestos previstos en el artículo 15.2.

Cualquier propietario podrá pedir que la Junta de propietarios estudie y se pronuncie sobre cualquier tema de interés para la comunidad; a tal efecto dirigirá escrito, en el que especifique claramente los asuntos que pide sean tratados, al presidente, el cual los incluirá en el orden del día de la siguiente Junta que se celebre.

Si a la reunión de la Junta no concurriesen, en primera convocatoria, la mayoría de los propietarios que representen, a su vez, la mayoría de las cuotas de participación se procederá a una segunda convocatoria de la misma, esta vez sin sujeción a "quórum".

La Junta se reunirá en segunda convocatoria en el lugar, día y hora indicados en la primera citación, pudiendo celebrarse el mismo día si hubiese transcurrido media hora desde la anterior. En su defecto, será nuevamente convocada, conforme a los requisitos establecidos en este artículo, dentro de los ocho días naturales siguientes a la Junta no celebrada, cursándose en este caso las citaciones con una antelación mínima de tres días».

Artículo 19, apartados 2 y 3, de la LPH

«2. El acta de cada reunión de la Junta de propietarios deberá expresar, al menos, las siguientes circunstancias:

a) La fecha y el lugar de celebración.

b) El autor de la convocatoria y, en su caso, los propietarios que la hubiesen promovido.

c) Su carácter ordinario o extraordinario y la indicación sobre su celebración en primera o segunda convocatoria.

d) Relación de todos los asistentes y sus respectivos cargos, así como de los propietarios representados, con indicación, en todo caso, de sus cuotas de participación.

e) El orden del día de la reunión.

f) Los acuerdos adoptados, con indicación, en caso de que ello fuera relevante para la validez del acuerdo, de los nombres de los propietarios que hubieren votado a favor y en contra de los mismos, así como de las cuotas de participación que respectivamente representen.

3. El acta deberá cerrarse con las firmas del presidente y del secretario al terminar la reunión o dentro de los diez días naturales siguientes. Desde su cierre los acuerdos serán ejecutivos, salvo que la Ley previere lo contrario.

El acta de las reuniones se remitirá a los propietarios de acuerdo con el procedimiento establecido en el artículo 9.

Serán subsanables los defectos o errores del acta siempre que la misma exprese inequívocamente la fecha y lugar de celebración, los propietarios asistentes, presentes o representados, y los acuerdos adoptados, con indicación de los votos a favor y en contra, así como las cuotas de participación que respectivamente suponga y se encuentre firmada por el presidente y el secretario. Dicha subsanación deberá efectuarse antes de la siguiente reunión de la Junta de propietarios, que deberá ratificar la subsanación».

Es más, a efectos de reclamación de la deuda en un proceso monitorio, el **artículo 21, apartado 2, de la LPH** requiere como fase previa la certificación del acuerdo de la Junta aprobando la liquidación de la deuda con la comunidad de propietarios por quien actúe como secretario de la misma, con el visto bueno del presidente, siempre que tal acuerdo haya sido notificado a los propietarios afectados.

A mayor abundamiento, respecto a la normativa susceptible de aplicación a esta materia, debe tenerse en cuenta y prestar especial atención a los **derechos forales**, como el caso del Código Civil Catalán que ordena, en su **artículo 553-21.d)** de la Ley 5/2006, de 10 de mayo, del libro quinto del Código Civil de Cataluña, relativo a los derechos reales que:

«La convocatoria de la reunión de la junta de propietarios debe expresar de forma clara y detallada: (...) d) La lista de los propietarios con deudas pendientes con la comunidad por razón de las cuotas, los cuales, de conformidad con el artículo 553-24, tienen voz pero no tienen derecho de voto, de todo lo cual es preciso advertir».

CUESTIONES

1. Si hay vecinos morosos, ¿puedo publicar sus datos en el tablón de avisos de la comunidad?

Sí se pueden publicar los datos de vecinos morosos que no están al corriente con sus obligaciones comuneras cuando se realice en cumplimiento de un acuerdo expreso adoptado por la junta de propietarios, encontrándonos en ese caso ante una cesión de datos con consentimiento previo de los interesados, no vulnerando con ello, en principio, la normativa de protección de datos.

Fuente: Guía sectorial de la AEPD Protección de Datos y Administración de Fincas.

2. Y si se hace una comunicación particular a cada vecino sobre la situación de impago de cuotas vencidas y pendientes de pago por parte de algunos vecinos, aunque no se haga mención expresa de la identificación personal del vecino/s deudor/es, ¿se incumple la normativa en protección de datos?

Sí, ya que, aunque no se citen los datos completos del vecino deudor, el simple hecho de que se refiere a una comunicación sobre una vivienda del edificio permite concluir quien es el propietario y se produce con ello una cesión de datos a una generalidad de personas que puede resultar excesivo y que, en consecuencia, no encuentra amparo legal en la LPH puesto que esta norma solo posibilita la comunicación de este tipo de datos si se incluyó en la convocatoria de la junta de propietarios y en el acta que de la misma se concluya.

Fuente: Guía sectorial de la AEPD Protección de Datos y Administración de Fincas.

3. Si se expresa, de forma oral y de manera que puedan escuchar los demás vecinos, la morosidad de un propietario, ¿puede vulnerarse la LOPDGDD y el RGPD?

En la **sentencia de la Audiencia Nacional, rec. 37/2018, de 29 de abril de 2019, ECLI:ES:AN:2019:1901**, se observa un supuesto en el que la presidenta de una comunidad de propietarios hablando con su marido en la terraza de su domicilio, en tono muy alto, dice que la demandante es una morosa y añade que esta debe cuatro años a la comunidad.

Resuelve la AN que **no se produce vulneración en materia de protección de datos**, razonando:

«En estas circunstancias y a la vista de la documentación adjuntada por la denunciante ante la AEPD y la aportada con la demanda, se adelanta que la resolución recurrida resulta ajustada a Derecho.

Efectivamente, al imputarse la revelación o utilización o cesión de datos de forma oral, en un contexto como el de autos, las declaraciones de la recurrente, su esposo e hija así como la denuncia ante la Guardia Civil por amenazas, los partes médicos por ansiedad y la certificación aportada con la demanda, no constituyen prueba de cargo ni indicios de la comisión de una infracción de la normativa de protección de datos, que es la que aquí nos interesa.

Así las cosas, no cabe apreciar indicios de infracción de la normativa de protección de datos que justifiquen la apertura de una investigación, no concretada por la actora, ni en correlación, vulneración procedimental por la AEPD, procediendo, en definitiva, la desestimación del recurso contencioso administrativo interpuesto».

4. ¿Podría hablarse también de vulneración del derecho al honor por la publicación injustificada de la lista de morosos?

Sí, pues como bien recoge el propio preámbulo de la LOPDGDD, su redacción obedece al artículo 18, apartado 4, de la CE que ordena que la «la ley limitará el uso de la informática para garantizar el honor y la intimidad personal y familiar de los ciudadanos y el pleno ejercicio de sus derechos».

De esta forma, el derecho al honor se vería afectado al cometerse un incumplimiento de la normativa en protección de datos como es la publicación de la lista de morosos si no encuentra justificación legal.

Puede consultarse, entre otras, las resoluciones de la AEPD **PS/00084/2019** o **PS/00190/2018**.

¿Qué tipo de sanciones se aplican a las infracciones de protección de datos en materia de publicaciones en tablones de anuncios? 1620

La vulneración de los principios básicos que deben regir en la publicación de datos —tanto de los de morosos como del personal al servicio de la comunidad— supone una infracción muy grave, como así se regula en el artículo 72, apartado 1 a) de la LOPDGDD, que se sanciona mediante multa administrativa de hasta 20.000.000 euros como máximo o, tratándose de una empresa, de una cuantía equivalente al 4 % como máximo del volumen de negocio total anual global del ejercicio financiero anterior, optándose por la de mayor cuantía (art. 83.5 del RGPD). No obstante, el citado artículo 83, apartado 2, del RGPD también indica que las multas administrativas se impondrán **a título adicional o sustitutivo de las medidas contempladas en el artículo 58, apartado 2, letra a) a h) y j) del RGPD.**

Pues bien, esta es la vía por la que suele optar la AEPD en la resolución de procedimientos sancionadores, ya que **como bien indica el artículo 58, apartado 2 b), del RGPD:**

«2. Cada autoridad de control dispondrá de todos los siguientes poderes correctivos indicados a continuación:

(...)

b) dirigir a todo responsable o encargado del tratamiento un apercibimiento cuando las operaciones de tratamiento hayan infringido lo dispuesto en el presente Reglamento».

En este sentido, y como ha expresado la propia AEPD en la resolución PS-00091-2020, de 23 de febrero de 2021, «(...) no corregir las incidencias producidas de conformidad con lo señalado en el RGPD o bien reiterar la conducta puesta de manifiesto en la reclamación y que es causa del presente procedimiento, así como no informar a esta AEPD de las medidas adoptadas podría dar lugar al ejercicio de posibles actuaciones ante el responsable del tratamiento a fin de que se apliquen de manera efectiva las medidas apropiadas para garantizar y no comprometer la confidencialidad de los datos de carácter personal y el derecho a la intimidad de las personas».

CUESTIÓN

¿Qué otro tipo de requerimientos puede exigir la AEPD al responsable del tratamiento de datos en este tipo de procedimientos sancionadores?

Podría requerir a la comunidad de propietarios para que, en plazo determinado, acredite la adopción de medidas necesarias y suficientes para el cumplimiento del RGPD y la LOPDGDD con el fin de evitar futuras incidencias por el mismo motivo.

7.3.2. Protección de datos en la documentación de la comunidad de propietarios

1630 **Obtención de copias de la documentación de la comunidad por parte de los propietarios de viviendas en régimen de propiedad horizontal**

Cuando hablamos de obtención de copias de la documentación de la comunidad, no hablamos de la obtención de copias de datos personales de los propios propietarios (que regula el art. 15.3 del RGPD) sino de documentación que gestiona la propia comunidad relativa a su funcionamiento y gestión. Es por ello que su acceso debe estar más «restringido» al suponer un manejo de datos personales de diferentes sujetos y naturaleza que pueden rozar la vulneración del derecho de protección de datos: números de cuentas corrientes, coeficientes de participación, consumos individuales, ingresos a la comunidad, datos de contacto de los propietarios, etc.

La AEPD en su *Guía sectorial Protección de Datos y Administración de Fincas* establece al respecto que la propia LPH habilita diversas comunicaciones de datos personales que a efectos del RGPD se encuentran legitimadas en base al cumplimiento de una obligación legal, como en el caso de la convocatoria de juntas y la advertencia en la misma sobre los propietarios morosos (art. 16.2 de la LPH) o sobre la remisión de actas a los propietarios en las que también figuran diversos tipos de carácter personal (art. 19 de la LPH).

Si bien existe amparo legal para estas comunicaciones, no debe olvidarse el respeto y cumplimiento de los principios reguladores del tratamiento de datos: minimización, confidencialidad, proporcionalidad, idoneidad, calidad, etc. Los datos que se comuniquen han de ser adecuados, pertinentes y limitados con el único objetivo de que se cedan para el buen gobierno de la comunidad y su control.

CUESTIONES

1. ¿Pueden comunicarse los directorios con los datos de domicilio de los propietarios o su número de cuenta corriente?

No, ya que su comunicación no contribuye a la finalidad de control de la buena administración de la comunidad.

Fuente: *Guía sectorial Protección de Datos y Administración de Fincas (AEPD).*

2. ¿Pueden comunicarse las nóminas del portero de la comunidad?

Las nóminas, ya sean del portero de la comunidad o de cualquier otro empleado al servicio de esta, no pueden comunicarse puesto que en las mismas se refleja información personal, como datos fiscales u otros laborales (afiliación sindical, por ejemplo), de carácter especial y limitados por el propio artículo 9 del RGPD que prohíbe su tratamiento, salvo en casos concretos. Además, su cesión no contribuye al control de la gestión de la comunidad, por lo que sería desproporcionado y vulneraría el derecho a protección de datos.

Fuente: *Guía sectorial Protección de Datos y Administración de Fincas (AEPD).*

Exhibición a las entidades financieras del libro de actas de la comunidad de propietarios 1640

De nuevo entra en juego los principios rectores del tratamiento de datos, en especial el principio de proporcionalidad, ya que la exhibición del libro de actas de la comunidad a un banco puede afectar a los derechos del interesado. Recordar que, como indica el **artículo 20 de la LPH**, el **libro de actas debe ser custodiado por el administrador de fincas**, como parte de la documentación de la comunidad.

En el libro de actas se refleja información tanto de las formalidades de la Junta de propietarios, como de los convocantes y de los demás propietarios; por lo que, en el momento en el que se expone el libro de actas a un tercero, como en estos casos, a una entidad financiera para la apertura de una cuenta bancaria de la comunidad o para el cambio anual de firmas de los cargos de la comunidad, surge la duda de si estos hechos se realizan bajo el amparo de la normativa de protección de datos. A este respecto, como recoge la AEPD en su *Guía Protección de Datos y Administración de Fincas*:

> «(...) la apertura y desenvolvimiento de una cuenta corriente con la entidad financiera provoca la necesidad de que esta tenga conocimiento de los datos de identificación de quien asume esa representación legal y de los cambios que se produzcan anualmente (o cuando fueren removidos de su cargo antes de este período), así como de los datos personales de aquellos cargos de la comunidad a los que el presidente otorgue la facultad de firma, independiente o conjunta, para las operaciones referidas a dicha cuenta».

Si bien, esos datos pueden ser comunicados mediante certificación expedida por el administrador de la comunidad u otro documento de apoderamiento legal. Como refiere la AEPD en la citada guía:

> «La certificación expedida por el administrador será documento suficiente para formalizar ante la entidad financiera la apertura de una cuenta corriente o para el cambio anual de firmas de los cargos de la comunidad».

8 LA PROPIEDAD HORIZONTAL EN CATALUÑA

SUMARIO

8.1. Aspectos generales

8.1.1. Concepto y regulación .... Marginal 1650 y siguientes

8.1.2. Cuota de participación y deudas comunitarias .... Marginal 1670 y siguientes

8.1.3. Constitución y extinción de la comunidad de propietarios .... Marginal 1700 y siguientes

8.1.4. Órganos de la comunidad de propietarios .... Marginal 1740 y siguientes

8.2. Acuerdos de la junta de propietarios

8.2.1. Adopción de acuerdos comunitarios .... Marginal 1800 y siguientes

8.2.2. Impugnación de acuerdos comunitarios .... Marginal 1830 y siguientes

8.3. Formas de constitución

8.3.1. Propiedad horizontal simple .... Marginal 1860 y siguientes

8.3.2. Propiedad horizontal compleja y propiedad horizontal por parcelas .... Marginal 1890 y siguientes

8.4. La acción de cesación .... Marginal 1920 y siguientes

8.1. ASPECTOS GENERALES

8.1.1. Concepto y regulación

La propiedad horizontal en Cataluña y su regulación 1650

➢ **¿Cómo se regula la propiedad horizontal en Cataluña?**

El régimen de propiedad horizontal en Cataluña, a partir del 1 de julio de 2006, se regula conforme a lo establecido en la Ley 5/2006, de 10 de mayo, del libro quinto del Código civil de Cataluña (en adelante CCCat). El título V de esta norma regula las llamadas situaciones de comunidad, dedicando el capítulo III a la regulación de la propiedad horizontal que, según señala el propio preámbulo de la ley, supone una de las novedades más importantes.

La regulación parte de la base de la existencia de un inmueble unitario en el que concurre más de un titular y que está compuesto simultáneamente de bienes privativos y bienes comunes relacionados entre ellos de modo inseparable. Adopta el modelo de la Ley de Propiedad Horizontal estatal de 1960, vigente en el momento de la aprobación de la presente ley, pero introduce varias modificaciones. La **primera sección** contiene las **disposiciones generales,** con la configuración de la comunidad, el título de constitución y el funcionamiento de la junta de propietarios, adaptado a las necesidades que la experiencia de los años y la evolución de la legislación hacían imprescindibles, entre las que destaca la limitación del principio de unanimidad a casos muy puntuales. Las **secciones segunda y tercera** regulan la **propiedad horizontal simple** y la **compleja**, esta última adecuada a los conjuntos inmobiliarios con varios edificios, pero con zonas comunitarias, como son piscinas o zonas de recreo. Es preciso destacar también la regulación de las zonas comunes de uso privativo y de los elementos privativos de uso común, el establecimiento de la acción de cesación sobre determinadas actividades y la exclusión de los derechos de tanteo y retracto para los locales con garajes y otros usos similares. La **sección cuarta** regula la **propiedad horizontal por parcelas** y, de acuerdo con la práctica jurídica, extiende los principios de la normativa a las mal llamadas urbanizaciones privadas.

Esta parte del Código Civil de Cataluña ha sufrido varias **reformas**, destacando las llevadas a cabo por las siguientes normas:

- Ley 5/2015, de 13 de mayo, de modificación del libro quinto del CCCat relativo a los derechos reales, que no ha alterado el sentido ni los principios de la redacción original, pero ha servido para dar solución a problemas que se manifestaron en la práctica, así como corregir imprecisiones, disfunciones y contrasentidos que se habían detectado —así lo declara el preámbulo de la ley—.

- El Decreto Ley 28/2021, de 21 de diciembre, de modificación del libro quinto del CCCat, con el fin de incorporar la regulación de las instalaciones para la mejora de la eficiencia energética o hídrica y de los sistemas de energías renovables en los edificios sometidos al régimen de propiedad horizontal, por la que se modifican seis artículos con la finalidad de facilitar el acceso a las comunidades de propietarios a los fondos europeos Next Generation para la rehabilitación de viviendas con el objeto de hacerlas más sostenibles.

- La Ley 11/2022, de 29 de diciembre, de mejoramiento urbano, ambiental y social de los barrios y villas, modificó el artículo 553-25 bis del CCCat, regulador del régimen simplificado de adopción de acuerdos para instalaciones de energías renovables (posteriormente derogado por la Ley 3/2023, de 16 de marzo).

- La Ley 1/2023, de 15 de febrero, en relación con la adopción de medidas urgentes para afrontar la inactividad de los propietarios en los casos de ocupación ilegal de viviendas con alteración de la convivencia vecinal, modificó el artículo 553-40 del CCCat, regulador de las prohibiciones y restricciones de uso de los elementos privativos y comunes.

- La Ley 3/2023, de 16 de marzo, modificó el artículo 553-25, sobre el régimen general de adopción de acuerdos; derogó el artículo 553-25 bis, sobre el régimen simplificado de adopción de acuerdos para instalaciones de energías renovables y las disposiciones transitorias 14.ª y 22.ª, sobre redención de los censos constituidos de acuerdo con la legislación anterior a la Ley 6/1990.

➢ Régimen transitorio de la Ley 5/2006, de 10 de mayo

El régimen transitorio aplicable a las comunidades prexistentes se establece a través de dos disposiciones transitorias.

D.T. 6.ª Régimen de propiedad horizontal

«1. Los **edificios y conjuntos establecidos bajo el régimen de propiedad horizontal antes de la entrada en vigor del presente libro se rigen** íntegramente **por las normas del mismo**, que, a partir de su entrada en vigor, **se aplican con preferencia a las normas de comunidad** o los estatutos que las regían, incluso si constan inscritas, **sin que sea necesario ningún acto de adaptación específica.**

2. La junta de propietarios, sin perjuicio de lo establecido por el apartado 1, debe adaptar los estatutos y, si procede, el título de constitución al presente código si lo pide una décima parte de los propietarios. Para adoptar el acuerdo que corresponde, es suficiente la mayoría de cuotas en primera convocatoria y la mayoría de las cuotas de los presentes o representados en segunda convocatoria. Si la adaptación que se propone no alcanza la mayoría necesaria, cualquiera de los propietarios que la ha propuesto puede solicitar a la autoridad judicial que obligue a la comunidad a hacer la adaptación. La autoridad judicial debe dictar una resolución, en todo caso, con imposición de las costas».

CUESTIÓN

Mi comunidad de propietarios se creó en el año 2001, los estatutos desde entonces no han sido modificados, por lo que no se han adaptado a la nueva regulación, ¿esto es legal?

Sí, la disposición transitoria 6.ª de la Ley 5/2006, de 10 de mayo, no obliga a la comunidad a adaptar los estatutos o, en su caso, el título constitutivo, por lo tanto, es legal que una comunidad tenga unos estatutos que no estén adaptados a la nueva regulación. Así lo ha recogido la **SAP de Girona n.º 96/2016, de 29 de abril, ECLI:ES:APGI:2016:201**:

«En definitiva las normas que regulan la propiedad horizontal son en primer lugar el título constitutivo y los estatutos, teniendo en cuenta que ambos deben adaptarse a lo dispuesto en el capítulo tercero, título quinto del libro quinto del Código Civil de Cataluña, que será la norma supletoria en todo aquello no previsto por el título constitutivo o los estatutos. El CCCat. deja un amplio margen a la autonomía de la voluntad, desmarcándose así de la imperatividad de la normativa estatal vigente hasta el momento de su publicación.

Por otra parte y a fin de evitar la costosa adaptación de los estatutos de la comunidades vigentes al tiempo de entrada en vigor del Libro V, la Disposición Transitoria sexta permite que cada comunidad pueda decidir libremente si adapta o no sus estatutos a la legalidad. Salvo cuando así lo solicite la décima parte de propietarios, en cuyo caso la adaptación deviene obligatoria y, de no alcanzarse la mayoría necesaria, podrán los interesados solicitar a tal fin el auxilio de la autoridad judicial.

Por lo tanto ***es perfectamente legal que comunidades*** *como la demandada* ***no hayan adaptado hasta el momento sus estatutos a las disposiciones del CCCat.*** *al no haberlo solicitado la décima parte de los propietarios».*

En los supuestos en que no se ha adaptado los estatutos o el título constitutivo a la nueva regulación, se aplicará la ley con preferencia a las normas de la comunidad.

La disposición transitoria 7.ª establece un **régimen transitorio especial para las propiedades horizontales por parcelas existentes** en el momento de entrada en vigor de la ley, para las cuales se establece la obligación de constituirse de acuerdo con la nueva regulación.

D.T. 7.ª Propiedades horizontales por parcelas preexistentes

«1. Las propiedades horizontales por parcelas existentes antes de la entrada en vigor del presente libro **deben constituirse de acuerdo con las normas del título quinto**. Una vez transcurrido el plazo de cinco años, cualquier propietario o propietaria puede pedir judicialmente el otorgamiento del título.

2. Para el otorgamiento del título, es suficiente el voto favorable de los propietarios que representen a dos terceras partes del total de las parcelas concernidas, pero es preciso aportar la licencia del ayuntamiento del término municipal donde está situada la urbanización, o bien acreditar que se ha solicitado con más de tres meses de anticipación respecto al otorgamiento de la escritura.

3. Las parcelas o los elementos privativos pueden describirse simplemente haciendo referencia a la descripción que consta en el Registro de la Propiedad, indicando el número que les corresponde en la urbanización, los datos registrales de cada una y, si procede, la referencia catastral, así como, si procede, los elementos privativos destinados al aprovechamiento exclusivo de determinados propietarios.

4. La descripción de los elementos comunes debe especificar los viales, espacios, zonas verdes y obras de infraestructura común que tenga la propiedad hori-

zontal por parcelas, sin que sea imprescindible que conste la superficie ni la longitud de las calles, viales y zonas verdes.

5. Debe acompañarse el título de constitución, que se otorga de acuerdo con el artículo 553-57, del plano actualizado de las fincas que integran la propiedad horizontal por parcelas y de las fincas ocupadas por los elementos comunes. Si los viales han pasado al dominio público, el régimen de comunidad puede constituirse incluso si los propietarios de un número no superior al 20 % de las parcelas concernidas no se integran en la misma.

6. Para que las modificaciones que provienen de la adaptación del título de constitución o del otorgamiento de un nuevo título, si procede, consten en el Registro de la Propiedad, debe abrirse un folio separado e independiente para la urbanización en conjunto y debe hacerse una referencia con una nota marginal a cada una de las inscripciones de las fincas privativas, en la cual debe hacerse constar la cuota que le corresponde, de acuerdo con el artículo 553-58.

7. Las asociaciones de propietarios legalmente constituidas tienen la consideración de propietarios si los bienes que gestionan son de su propiedad y sus bienes tienen la calificación que resulta de la titularidad y el destino establecidos por el título. Los órganos de gobierno de estas asociaciones están legitimados para promover y gestionar el proceso de constitución de la propiedad horizontal por parcelas.

8. La propiedad de los bienes corresponde particularmente a los miembros de las asociaciones de propietarios de acuerdo con las normas civiles si dichos bienes no son patrimonio de la asociación o si esta no está legalmente constituida.

9. El otorgamiento del título de constitución no permite ni comporta en ningún caso la regularización de situaciones urbanísticamente irregulares y no comporta necesariamente la extinción de las asociaciones de propietarios».

1660 **Concepto de propiedad horizontal y ámbito de aplicación**

La sección primera recoge una serie de disposiciones generales que se refieren a la configuración de la comunidad y su constitución. El artículo 553-1 del CCCat recoge la definición de la propiedad horizontal. El régimen de propiedad horizontal supone para los propietarios el **derecho de propiedad exclusiva sobre unos elementos,** los llamados elementos **privativos**, y un **derecho en comunidad** sobre los denominados **elementos comunes**. Una de las principales características del régimen de propiedad horizontal es que los elementos comunes son inseparables de los elementos privativos, por lo que, cualquier acto que afecte al elemento privativo repercutirá del mismo modo sobre el elemento común.

En este sentido se ha manifestado el Tribunal de Superior de Justicia de Cataluña en la **sentencia n.º 835/2017, de 27 de noviembre, ECLI:ES:TSJCAT:2017:11436:**

«Y el artículo 553.1, del libro quinto del Codi civil de Cataluña, es terminante al señalar: "3. **Los elementos comunes son inseparables de los elementos privativos**. Los actos de enajenación y gravamen y el embargo de los elementos privativos se extienden a la participación que les corresponde en los elementos comunes. 4. El régimen de la propiedad horizontal excluye la acción de división sobre los elementos comunes y los derechos de adquisición preferente de carácter legal entre propietarios de diferentes elementos privativos. Esta exclusión no afecta a las situaciones de comunidad indivisa sobre los elementos privativos". Queda, pues, fuera de toda duda que la adquisición por el ayuntamiento de Barcelona de la totalidad de los apartamentos existentes en el inmueble en cuestión ha comportado también, por ministerio de la ley, la transmisión a la dicha Administración municipal de la respectiva participación que a los mismos correspondía en los elementos comunes del inmueble».

El Tribunal Superior de Justicia de Cataluña señala que derivado del hecho de que en el régimen de propiedad horizontal concurren sobre los elementos comunes, derechos individuales de igual clase, se hace necesario establecer una reglamentación de la convivencia, tanto desde el aspecto legal como por la voluntad de los propietarios, por lo que, adquiere importancia la aprobación del título constitutivo y de los estatutos.

RESOLUCIÓN RELEVANTE

STSJ de Cataluña n.º 33/2016, de 19 de mayo, ECLI:ES:TSJCAT:2016:3181

«Como hemos dicho en otras ocasiones, por todas STSJC de 20 de julio de 2015, la regulación actual de la propiedad horizontal viene recogida en Cataluña en el art. 553 del CCCat, aunque el art. 551-2,2 ya dice, que ***la comunidad en régimen de propiedad horizontal se rige por el título de constitución****, que debe adecuarse a lo establecido en el capítulo III.*

Ello no obstante, es perfectamente posible subrayar como característica de este tipo de comunidad aquello que ya decía la Exposición de Motivos de la Ley de 21 de julio de 1960 cuando afirmaba que: "A tal fin, a este objeto de la relación, constituido por el piso o local, se incorpora el propio inmueble, sus pertenencias y servicios. Mientras sobre el piso 'stricto sensu', o espacio, delimitado y de aprovechamiento independiente, el uso y disfrute son privativos, sobre el 'inmueble', edificación, pertenencias y servicios —abstracción hecha de los particulares espacios— tales usos y disfrute han de ser, naturalmente, compartidos.

El sistema de derechos y deberes en el seno de la propiedad horizontal aparece estructurado en razón de los intereses en juego.

Los derechos de disfrute tienden a atribuir al titular las máximas posibilidades de utilización, con el límite representado tanto por la concurrencia de los derechos de igual clase de los demás cuanto por el interés general, que se encarna en la conservación del edificio y en la subsistencia del régimen de propiedad horizontal, que requiere una base material y objetiva. Por lo mismo, íntimamente unidos a los derechos de disfrute aparecen los deberes de igual naturaleza.

Se ha tratado de configurarlos con criterios inspirados en las relaciones de vecindad, procurando dictar unas normas dirigidas a asegurar que el ejercicio del derecho propio no se traduzca en perjuicio del ajeno ni en menoscabo del conjunto, para así dejar establecidas las bases de una convivencia normal y pacífica".

Los ***Estatutos de la comunidad*** *constituyen un conjunto de reglas plasmadas por escrito y con fuerza de ley establecidas de común acuerdo por los copropietarios de un edificio sujeto al régimen de propiedad horizontal* ***para completar y desarrollar su ordenación legal****».*

Para la creación del régimen de propiedad horizontal es necesario el otorgamiento del título de constitución y supone:

- La existencia, presente o futura, de uno o más titulares de la propiedad de, al menos, un inmueble integrado por elementos privativos y elementos comunes.

- La determinación de la cuota de participación en los elementos comunes que corresponde a cada elemento privativo.
- La configuración de una organización para el ejercicio de los derechos y el cumplimiento de los deberes de los propietarios.

A TENER EN CUENTA. El artículo 551-2.2 del CCCat señala el régimen al que quedan sometidas las comunidades de propietarios que no han otorgado título constitutivo; en este sentido establece «2. La comunidad en régimen de propiedad horizontal se rige por el título de constitución, que debe adecuarse a lo establecido por el capítulo III. Las situaciones de comunidad que cumplen los requisitos de la propiedad horizontal y no se hayan configurado de acuerdo con lo establecido por el capítulo III se rigen por los pactos establecidos entre los copropietarios, por las normas de la comunidad ordinaria y, si procede, por las disposiciones del capítulo III que sean adecuadas a las circunstancias del caso».

La propiedad horizontal puede constituirse sobre cualquier edificio o inmueble, incluso en construcción, en los que coexisten elementos privativos que pertenecen a un propietario y tienen independencia funcional, y elementos comunes necesarios para el uso y disfrute de los elementos privativos. La Ley 5/2006, de 10 de mayo, amplía el concepto de propiedad horizontal a otras construcciones que no se regulan en la LPH. En este sentido el artículo 553-2.2 del CCCat establece que:

«Puede constituirse un régimen de propiedad horizontal en los casos de coexistencia en suelo, vuelo o subsuelo de edificaciones o usos privados y dominio público, de **puertos deportivos** con relación a los puntos de amarre, de **mercados** con relación a las paradas, de **cementerios** con relación a las sepulturas y en **otros semejantes**. Estas situaciones se rigen por los preceptos del presente capítulo adaptados a la naturaleza específica de cada caso y por la normativa administrativa que les es de aplicación».

Por su parte, la Ley de Propiedad Horizontal, en su art. 2, establece:

«Esta Ley será de aplicación:

a) A las comunidades de propietarios constituidas con arreglo a lo dispuesto en el artículo 5.

b) A las comunidades que reúnan los requisitos establecidos en el artículo 396 del Código Civil y no hubiesen otorgado el título constitutivo de la propiedad horizontal.

Estas comunidades se regirán, en todo caso, por las disposiciones de esta Ley en lo relativo al régimen jurídico de la propiedad, de sus partes privativas y elementos comunes, así como en cuanto a los derechos y obligaciones recíprocas de los comuneros.

c) A los complejos inmobiliarios privados, en los términos establecidos en esta Ley.

d) A las subcomunidades, entendiendo por tales las que resultan cuando, de acuerdo con lo dispuesto en el título constitutivo, varios propietarios disponen, en régimen de comunidad, para su uso y disfrute exclusivo, de determinados elementos o servicios comunes dotados de unidad e independencia funcional o económica.

e) A las entidades urbanísticas de conservación en los casos en que así lo dispongan sus estatutos».

El Tribunal Superior de Justicia de Cataluña define las **características del régimen de propiedad horizontal**. Así la **STSJ de Cataluña n.º 14/2020, de 21 de mayo, ECLI:ES:TSJCAT:2020:5009**, determina las siguientes:

«(...) Se añade que **este tipo especial de la propiedad es fruto inescindible de la propiedad separada de un piso o local y la copropiedad sobre elementos comunes** de modo que, tanto si se entiende como una yuxtaposición de propiedades (con cita de la STS S. 1ª de 21-4-2004) o como un único derecho de naturaleza especial y compleja (RDGRN 19 de abril de 2007 y 27 de diciembre de 2010) tiene como características relevantes, entre otras, conforme dispone el art. 553-1 CCCat: (d) La **coexistencia de elementos privativos y elementos comunes** que sirven a los primeros. (e) La **fijación de una cuota o coeficiente de participación** de los elementos privativos en relación con el total del inmueble que determina y concreta la relación de los derechos sobre los bienes privativos con los derechos sobre los elementos comunes y que ha de servir para la distribución de las cargas y beneficios, de conformidad con el art. 553-3 CCCat. (f) La **inseparabilidad y la indisponibilidad de la cuota sobre las partes en copropiedad** que solamente podrán ser embargadas, gravadas o enajenadas conjuntamente con la parte privativa de la cual las partes comunes son inseparables, tal como establece el art. 553-1. 3 CCCat. De esta forma, el objeto presupuesto de la existencia de la propiedad horizontal es el edificio en el cual coexistan elementos privativos como viviendas o locales y espacios físicos susceptibles de independencia funcional. Los primeros pueden contar con elementos anejos que conforme al art 553-35 del CCCat vienen constituidos por espacios físicos vinculados en forma inseparable al elemento privativo del que forman parte ya que no tienen cuota separada ni autonomía propia. Los elementos comunes que pueden ser por naturaleza o accesorios son aquellos cuya existencia deriva de su necesariedad para el adecuado uso y utilización de los elementos privativos. El **titulo constitutivo constituye la estructura de cada concreta propiedad horizontal**, el punto de referencia de la configuración del objeto y del alcance de los derechos, obligaciones y limitaciones de los propietarios y de quienes les sucedan».

8.1.2. Cuota de participación y deudas comunitarias

¿En qué consiste la cuota de participación? 1670

La singular configuración del régimen de propiedad horizontal, en la que existen elementos privativos y elementos comunes hace necesario determinar quién se hace cargo de los gastos de la comunidad y en qué medida. En este caso son los copropietarios quienes deben asumir el pago de los gastos que supone el mantenimiento y conservación de los elementos comunes. Lo harán conforme a su una cuota de participación sobre los elementos comunes, salvo que se haya previsto un criterio de contribución distinto en el título constitutivo.

La cuota define la participación que tiene cada comunero en los elementos comunes. Será determinante para establecer la medida en que cada propietario debe contribuir a los gastos comunes y al fondo de reserva, así como en la formación de las mayorías necesarias para aprobar los acuerdos de la junta de propietarios.

En el momento de constitución de la propiedad horizontal **se debe disponer en el título constitutivo** de la cuota de participación en los elementos comunes que corresponde a cada elemento privativo. El artículo 553-3 del CCCat establece que la misma se fija proporcionalmente a la superficie y ponderando el uso, el destino y los demás datos físicos y jurídicos de los bienes que integren la comunidad y se expresa en un porcentaje. Además de la cuota de participación se pueden establecer cuotas especiales para determinados gastos.

Esta cuota **puede ser fijada por el promotor** que constituya el régimen de propiedad horizontal **o por la junta de propietarios**. Para su aprobación por la junta se requerirá el **acuerdo unánime de los propietarios**. En el caso de que no sea posible llegar a un acuerdo, se podrá establecer por medio de la autoridad judicial o a través de un procedimiento extrajudicial de resolución de conflictos.

A TENER EN CUENTA. Por medio de la reforma llevada a cabo por la Ley 5/2015, de 13 de mayo se introduce la posibilidad de establecer la cuota de participación por medio de procedimiento extrajudicial de resolución de conflictos ya sea a través de arbitraje o de mediación.

Para la **modificación** de la cuota de participación, se requiere no solo unanimidad, sino incluso el consentimiento expreso de los afectados (art. 553-25.4 del CCCat); si no se logra el acuerdo puede acudirse a la autoridad judicial o a un procedimiento extrajudicial de resolución de conflictos (art. 553-3.3 del CCCat).

CUESTIÓN

El título constitutivo lo hizo el promotor del inmueble y estableció la misma cuota de participación para todos los pisos, ahora los propietarios queremos modificarla, ¿podemos hacerlo?

Sí, las cuotas de participación pueden ser modificadas por la junta de propietarios, para ello deberá ser aprobado mediante consentimiento expreso de todos los comuneros, conforme a lo establecido en el artículo 553-3.3 del CCCat «Las cuotas de participación se determinan y se modifican por acuerdo unánime de los propietarios o, si este no es posible, por medio de la autoridad judicial o de un procedimiento de resolución extrajudicial de conflictos», en relación con el art. 553-25.4 del CCCat: «Los acuerdos que modifiquen la cuota de participación, los que priven a cualquier propietario de las facultades de uso y disfrute de elementos comunes y los que determinen la extinción del régimen de la propiedad horizontal simple o compleja requieren el consentimiento expreso de los propietarios afectados».

Es preciso diferenciar la modificación de la cuota de participación de la modificación de la forma de contribución de los gastos comunes. En este último caso estamos ante un supuesto de modificación del título constitutivo, por lo que, conforme el artículo 553-26.2 del CCCat, es suficiente con que se apruebe con el voto favorable de las cuatro quintas partes de los propietarios con derecho al voto, que tienen que representar al mismo tiempo las cuatro quintas partes de las cuotas de participación —en este punto la ley catalana difiere de la LPH que exige unanimidad—. Sobre esta distinción se ha pronunciado la **SAP de Barcelona n.º 662/2021, de 7 de diciembre, ECLI:ES:APB:2021:15217:**

«Por tanto, **mientras que para la modificación o determinación de las cuotas de participación previstas en el título constitutivo se requiere unanimidad, para la determinación o modificación del sistema para repartir los gastos, sin alterar los coeficientes o cuota de participación, no es necesaria la unanimidad**. La contribución a los gastos conforme al coeficiente previsto en el título de constitución (art. 553.3.1.c del CCC) no es una regla absoluta, pudiéndose modificar la forma de contribuir a los gastos. Así lo expresa también la sentencia de la AP de Barcelona de 18/6/14 (Secc. 13) cuando dice: "...Centrada así la cuestión discutida, es doctrina constante, uniforme, y reiterada (Sentencia de la Sección 1ª, de 30 de marzo de 2009, de la Sección 19ª, de 17 de junio de 2009, de esta misma Sección 13ª, de 28 de abril de 2010, de la Sección 11ª, de 28 de junio de 2011, de la Sección 16ª, de 22 de julio de 2011, o de la Sección 17ª, de 22 de septiembre de 2011, de la Audiencia Provincial de Barcelona; ROJ SAP B 2686 y 7378/2009, 5342/2010, 6956, 6755, y 11024/2011), que la contribución a los gastos conforme al coeficiente previsto en el título de constitución no es una regla absoluta, pudiendo distinguirse en el régimen jurídico de la propiedad horizontal del Código Civil de Cataluña, entre:

1.- la determinación, o la modificación, de las cuotas de participación previstas en el título de constitución: para lo que se requiere la unanimidad, según lo exigido en el artículo 553.3.4 del Código Civil de Cataluña.

2.- la determinación, o la modificación, de la forma de contribuir a los gastos comunes, o del sistema de repartir los gastos, sin alterar la cuota prevista en el título de constitución: para lo que basta el acuerdo de la junta de propietarios, según lo previsto en el artículo 553.3.1.c) del Código Civil de Cataluña, según el cual la cuota de participación establece la distribución de los gastos y el reparto de los ingresos, "salvo pacto en contrario".

En cuanto a las mayorías que son necesarias para el acuerdo de modificación del sistema de contribución a los gastos comunes, a su vez, es necesario distinguir entre:

2.1.- el acuerdo que consiste en adoptar el régimen de distribución por cuotas del título constitutivo: basta la mayoría simple del artículo 553.25.5 del Código Civil de Cataluña, por cuanto no supone ninguna modificación del título constitutivo.

2.2.- el acuerdo que consiste en adoptar un régimen distinto de la distribución por cuotas del título constitutivo: es necesaria la mayoría reforzada del artículo 553.25.2 del Código Civil de Cataluña, según el cual es preciso el voto favorable de las cuatro quintas partes de los propietarios, que deben representar las cuatro quintas partes de las cuotas de participación, para adoptar acuerdos de modificación del título de constitución y de los estatutos, salvo que el título establezca otra cosa.

Por lo tanto, para la adopción de un acuerdo que consiste en el reparto de los gastos entre los copropietarios de modo distinto al previsto en el título constitutivo, basta la mayoría reforzada del artículo 553.25.2 del Código Civil de Cataluña, y no es necesaria la unanimidad, a diferencia de lo exigido en el ámbito de aplicación del derecho español por el artículo 17.1ª de la Ley 49/1960, de 21 de julio (RCL 1960, 1042), sobre Propiedad Horizontal, en la redacción de la Ley 8/1999, de 6 de abril"».

A TENER EN CUENTA. La Ley de Propiedad Horizontal establece en el art. 17.6 que «Los acuerdos no regulados expresamente en este artículo, que impliquen la aprobación o modificación de las reglas contenidas en el título constitutivo de la propiedad horizontal o en los estatutos de la comunidad, requerirán para su validez la unanimidad del total de los propietarios que, a su vez, representen el total de las cuotas de participación».

La cuota de participación determina y concreta la participación que corresponde a los titulares de los elementos privativos en las cargas, los beneficios, la gestión y el gobierno de la comunidad, así como los derechos de los propietarios en caso de extinción del régimen. La cuota de participación también determina la contribución a los gastos de la comunidad, sin perjuicio de que mediante acuerdo se puedan fijar especialidades, tal y como reconoce la **sentencia de la Audiencia Provincial de Barcelona n.º 6/2021, de 15 de enero, ECLI:ES:APB:2021:98,** «Los propietarios de un edificio en régimen de propiedad horizontal deben sufragar los gastos comunes en proporción a su cuota de participación, de acuerdo con las especialidades fijadas por el título de constitución y los estatutos, y los sucesivos acuerdos anuales que han aprobado los presupuestos de la comunidad, y la consiguiente cuota a cargo de cada copropietario, han sido adoptados válidamente por la junta de propietarios, pues no consta lo contrario, y son ejecutivos inmediatamente (art. 553.29 CCC), y ni siquiera su impugnación judicial suspende la ejecutabilidad de los mismos, salvo que cautelarmente se acuerde por la autoridad judicial (art. 553. 32 CCC)».

CUESTIÓN

Un comunero demanda a la comunidad de propietarios para impugnar un acuerdo. ¿Son gastos generales los gastos judiciales que tiene que asumir la comunidad mientras está pendiente el proceso? ¿El comunero que demandó tiene que pagarlos?

Los gastos judiciales que nacen de la defensa de la comunidad no son gastos generales y en consecuencia el disidente que litigue contra la comunidad no debe contribuir a las mismas en tanto no quede resuelta definitivamente la situación, y se esté a lo que el tribunal establezca en materia de costas. Así se reconoce en la **STSJ de Cataluña n.º 42/2011, de 28 de septiembre, ECLI:ES:TSJCAT:2011:9600**:

«(...) cuando un propietario disidente litigue contra la comunidad de propietarios por la impugnación de acuerdos de la junta, cual acontece en el presente caso, los gastos de defensa satisfechos por la comunidad (abogado, procurador, etc...), no pueden conceptuarse gastos generales —ni siquiera, a diferencia de lo argumentado por el Tribunal de apelación, con carácter provisional—, a abonar también por el disidente, pues a cada parte litigante le corresponde pagar sus propios gastos y si la demandada es la Comunidad de Propietarios, como acontece en el caso de autos, obviamente, ha de excluirse a la demandante del abono de los mismos, pues se daría el contrasentido que, al imputar tales gastos de la comunidad a todos los copropietarios, el comunero disidente los abonaría por duplicado. En tales casos, la repercusión de los gastos judiciales sólo es posible cuando se producen en litigios con terceros, esto es, con personas que no forman parte de la concreta Comunidad de Propietarios, pero no en pleitos entre ésta y alguno o algunos de sus miembros.

En definitiva, cada parte litigante debe satisfacer sus propios gastos para comparecer en la litis, siendo como son claramente susceptibles de individualización, y de ahí, que mientras dure el proceso, no pueden éstos reputarse gastos comunes incardinables en el artículo 553-45.1 CCC. Una vez recaiga sentencia definitiva deberá procederse a su liquidación, acorde con los pronunciamientos recaídos en materia de costas procesales».

1680 **¿En qué consiste el fondo de reserva de la comunidad de propietarios?**

El artículo 553-6 del CCCat prevé la creación de un fondo de reserva que deberá establecerse en el presupuesto de la comunidad, cuya titularidad corresponde a todos los propietarios y que quedará afectado a la misma sin que ningún propietario pueda reclamar su devolución en el caso de que enajene el bien privativo de su titularidad. A diferencia de la LPH que fija que el fondo de reserva no podrá ser inferior al 10 % de su último presupuesto ordinario, el Código Civil de Cataluña establece que no podrá ser inferior al 5 % de los gastos comunes. La finalidad del fondo de reserva es la de evitar situaciones de iliquidez en la comunidad y así lo ha señalado la **SAP de Barcelona n.º 39/2020, de 5 de febrero, ECLI:ES:APB:2020:547,** «El fondo de reserva cumple la **función de evitar situaciones de iliquidez de las Comunidades de Propietarios** a fin de hacer frente a gastos imprevistos de carácter urgente, pero también, siempre que la Junta lo autorice, a las obras extraordinarias de conservación, reparación etc.».

El CCCat es mucho más riguroso que la LPH en relación a la regulación de la gestión del fondo de reserva, prevé que el mismo debe depositarse en una cuenta bancaria independiente a nombre de la comunidad de propietarios, y del mismo debe llevarse una contabilidad separada. El artículo 553-6.3 del CCCat establece que para poder disponer de este dinero es necesario que los administradores tengan autorización de la presidencia o de la junta de propietarios, en función del gasto que se pretenda cubrir, así:

– Se requerirá **autorización de la presidencia** para atender gastos de la comunidad imprevistos de carácter urgente.
– Será necesaria **autorización de la junta** de propietarios para hacer frente a las obras extraordinarias de conservación, reparación, rehabilitación, instalación de nuevos servicios comunes y seguridad, así como para las que sean exigibles de acuerdo con las normativas especiales.

A TENER EN CUENTA. La previsión de que se lleve una contabilidad separada del fondo de reserva se introduce con la reforma operada por la Ley 5/2015, de 13 de mayo, la redacción original solo establecía el depósito en una cuenta especial. Así mismo, se modificó los supuestos en los que se requiere autorización de la junta de propietarios para disponer del fondo de reserva, ya que originariamente solo se establecía esta previsión para contratar un seguro.

CUESTIÓN

¿Qué ocurre si no se hace uso de la totalidad del fondo de reserva?

Si dentro del año no ha sido necesario emplear todo el fondo de reserva, el remanente se acumulará en el fondo del año siguiente (art. 553-6.4 del CCCat).

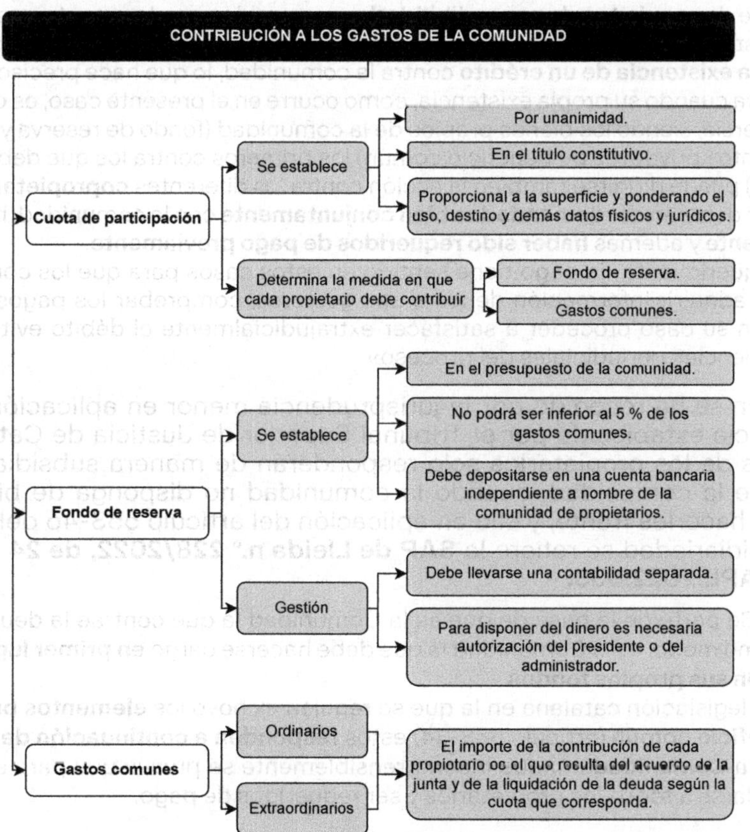

1690 **Créditos y deudas de la comunidad de propietarios**

Conforme el artículo 553-4.1 del CCCat, «Todos los propietarios son titulares mancomunados, tanto de los créditos constituidos a favor de la comunidad como de las deudas contraídas válidamente en su gestión, de acuerdo con las respectivas cuotas de participación». La responsabilidad de los propietarios en relación con las deudas y créditos de la comunidad es una responsabilidad mancomunada de acuerdo con la cuota de participación de cada uno de ellos.

La responsabilidad que establece el artículo 553-4.1 del CCCat respecto de las deudas contraídas por la comunidad, no debe entenderse desde la perspectiva de que un copropietario deba hacerse cargo directamente del pago de los débitos comunitarios, sino que para que esto sea posible la ley exige una serie de requisitos de procedibilidad. En primer lugar, es necesario que conste la existencia de un crédito contra la comunidad, en caso de que su existencia sea discutida deberá demandarse a la comunidad siendo los bienes de la comunidad los primeros contra los que debe procederse. La acción también puede dirigirse contra los copropietarios, pero para ello deberán ser demandados conjuntamente con la comunidad o posteriormente y además haber sido requeridos individualmente de pago previamente. En este sentido se ha manifestado la **STSJ de Cataluña n.º 59/2012, de 15 de octubre, ECLI:ES:TSJCAT:2012:10900:**

> «No se trata tanto de que los propietarios no deban responder de las deudas de las comunidades en las que están integrados, sino de que para hacerlo la Ley exige una serie de **requisitos de procedibilidad** que no se dan en el presente caso.
>
> De este modo resulta necesario conforme a lo que se viene razonando: a) que **conste la existencia de un crédito** contra la comunidad, lo que hace preciso demandar a ésta cuando su propia existencia, como ocurre en el presente caso, es objeto de controversia, siendo los bienes propios de la comunidad (fondo de reserva y créditos y elementos privativos de beneficio común) los primeros contra los que debe procederse; b) puede dirigirse también la acción contra los diferentes **copropietarios** pero para ello deberán ser **demandados bien conjuntamente** con la comunidad, bien **posteriormente** y además **haber sido requeridos de pago previamente**.
>
> El requerimiento de pago tiene sentido en estos casos para que los comuneros puedan adquirir información de los entes gestores, comprobar los pagos realizados, y en su caso proceder a satisfacer extrajudicialmente el débito evitando las consecuencias perjudiciales del proceso».

También se ha recogido por la jurisprudencia menor en aplicación de la jurisprudencia establecida por el Tribunal Superior de Justicia de Cataluña que los bienes de los propietarios solo responderán de manera subsidiaria de las deudas de la comunidad, cuando la comunidad no disponga de bienes propios para hacerles frente, y ello en aplicación del artículo 553-46 del CCCat. A esta subsidiariedad se refiere la **SAP de Lleida n.º 228/2022, de 24 de marzo, ECLI:ES:APL:2022:353:**

> «(...) Se parte de la base de que es la Comunidad la que contrae la deuda y que del mismo modo, es la Comunidad la que debe hacerse cargo **en primer lugar de su pago con sus propios fondos.**
>
> En la legislación catalana en la que se regulan ex novo los **elementos privativos de beneficio común** (artículo 553-34) estos **responden a continuación de las deudas de la Comunidad** aunque incomprensiblemente se prevea que para ello deba demandarse a todos los propietarios y ser requeridos de pago.

En último **lugar, puede procederse contra los bienes de todos los propietarios** pero teniendo en cuenta que los elementos privativos solo pueden embargarse por deudas de la comunidad si a los primeros se les requiere el pago y se los demanda personalmente. I afegeix més endavant que: "Es cierto que el propietario no es un ente ajeno a la comunidad como también lo es que un reglado y ordenado régimen jurídico no soporta que los acreedores se dirijan directamente contra los copropietarios siquiera sea por sus coeficientes, prescindiendo de toda la estructura que, precisamente para la mejor defensa de los intereses de todas las partes implicadas (comunidad y terceros desde el punto de vista de las relaciones externas y comunidad y comuneros entre sí en las internas), ha previsto la Ley para el desenvolvimiento en la vida jurídica de esta clase de comunidades"».

A TENER EN CUENTA. Con la reforma que introdujo la Ley 5/2015, de 13 de mayo, se modifica el art. 553-46 del CCCat y se elimina la necesidad de requerir de pago y demandar personalmente a los propietarios para poder embargar los elementos privativos de beneficio común, facilitando así el proceso de cobro de los acreedores de la comunidad.

CUESTIÓN

Una comunidad de propietarios tiene una deuda con una empresa de reformas por unas obras en el edificio, el empresario ha demandado a la comunidad de propietarios. ¿Con qué bienes responde? ¿Podría ir contra los bienes privativos?

En este caso como solo se ha demandado a la comunidad la misma responderá de la deuda con los créditos y fondos comunes de la comunidad y los elementos privativos de beneficio común. Para poder proceder contra los bienes privativos es necesario requerir de pago a los propietarios y demandarlos personalmente (art. 553-46 del CCCat).

Como ya hemos hecho referencia, el importe de la contribución de cada propietario a los gastos, comunes, ordinarios y extraordinarios, se establecerá en función de la cuota de participación que se haya fijado para cada uno de ellos, sin perjuicio de las especialidades que se puedan establecer en el título constitutivo. El artículo 553-4.2 del CCCat establece «El importe de la contribución de cada propietario a los gastos comunes, ordinarios y extraordinarios, y al fondo de reserva es el que resulta del acuerdo de la junta y de la liquidación de la deuda según la cuota que corresponda». Esto implica que para que la deuda sea exigible al propietario es necesario un acuerdo de la junta en el que se liquide la deuda. Esta previsión es importante con relación a lo dispuesto en el artículo 553-4.4 del CCCat que establece que los créditos devengan intereses desde el momento en que debe efectuarse el pago correspondiente. En relación con la exigibilidad de la deuda y la necesidad de liquidación de la misma se ha pronunciado la **SAP de Barcelona n.° 454/2018, de 17 de septiembre, ECLI:ES:APB:2018:7861:**

«Por tanto, no actuando en representación de dicha junta de propietarios, **ni acreditada tampoco la existencia de ningún acuerdo comunitario que liquidase** tal supuesta deuda, es obvio que el recurso debe prosperar, ante la concurrencia de esa excepción perentoria de examen previo, la falta de legitimación activa ligada inexorablemente a una **deuda no líquida, vencida ni exigible**, como argumenta a continuación el apelante, en cuanto la actora en ningún momento rindió las cuentas por las que reclamaba, ni distinguió entre ejercicios ni entre cuotas ordinarias ni extraordinarias, ni en ningún otro sentido, a pesar de tener a su cargo la probanza de los hechos de los que ordinariamente se desprendería el buen fundamento de su pretensión, conforme a lo establecido en el art. 217.2 de la Ley de Enjuiciamiento Civil».

A TENER EN CUENTA. El Código Civil de Cataluña tras la reforma operada por la Ley 5/2015, de 13 de mayo, de modificación del libro quinto del Código Civil de Cataluña, incorpora en el apartado 3 del artículo 553-4 del CCCat la preferencia de cobro sobre el elemento privativo de los créditos de la comunidad contra los propietarios por los gastos comunes, ordinarios y extraordinarios, y por el fondo de reserva correspondientes a la parte vencida del año en curso y a los cuatro años inmediatamente anteriores.

El apartado 5 del CCCat recoge la **afección real de los elementos privativos** y establece «Los elementos privativos están afectados con carácter real y responden del pago de los importes que deben los titulares, así como los anteriores titulares, por razón de los gastos comunes, ordinarios o extraordinarios, y por el fondo de reserva, que correspondan a la parte vencida del año en curso y a los cuatro años inmediatamente anteriores, contados del 1 de enero al 31 de diciembre, sin perjuicio, si procede, de la responsabilidad de quien transmite».

La propia ley recoge la obligación de que cuando se transmite un elemento privativo los transmitentes deben declarar estar al corriente de pago. En el supuesto de que exista una deuda pendiente deben especificar la misma. Para ello deben aportar un certificado, expedido por quien ejerce la secretaría, en el que además de las posibles deudas pendientes, deben hacerse constar los gastos y aportaciones al fondo de reserva que están aprobados pero pendientes de vencimiento. Este certificado requiere el visto bueno del presidente, salvo en el caso de que la secretaría sea ejercida por un administrador profesional. En el caso de que el transmitente no aporte este certificado no puede otorgarse la escritura pública, salvo que las partes renuncien expresamente a ella. En cualquier caso, sin perjuicio de la afección del bien privativo en relación con las deudas, el transmitente responde personalmente de la deuda que tiene con la comunidad en el momento de la transmisión. También se establece la obligación de que cuando se enajena un elemento privativo la persona que realiza la transmisión debe comunicar el cambio de titularidad a la secretaría de la comunidad, mientras esa comunicación no se realice responde solidariamente de las deudas con la comunidad (art. 553-37 CCCat).

Los tribunales se han pronunciado con relación a la responsabilidad para el pago de las deudas contraídas con anterioridad a la transmisión del bien y señalan que, si bien la ley establece que el obligado al pago es el transmitente, derivado de la previsión de afección real del bien privativo, el adquiriente podrá verse obligado a hacerse cargo de la deuda, sin perjuicio de repetir lo satisfecho frente al titular. Así lo ha recogido la **sentencia de la Audiencia Provincial de Girona n.º 401/2019, de 22 de octubre, ECLI:ES:APGI:2019:1555**:

«El **privilegio crediticio derivado de la afección real del inmueble** es un gravamen preferente ante el que no pueden prevalecer los derechos reales ni derechos de crédito, de manera que una vez inscrita en el Registro el régimen de propiedad horizontal, ya consta la carga de esa afección real, la cual no debe verse menoscabada por otros gravámenes frente a los que tiene carácter preferente.

La regulación establecida en el art 553-4 y 5 del CCCat, a partir de la entrada en vigor de la Llei 5/2015, conducen sin ningún género de dudas a la decisión del órgano "a quo", pues la exigencia de la declaración de pagos pendientes y certificación de deudas, constituyen una obligación legal que enerva la alegación de tercero de buena fe del comprador, en virtud de la afección real del elemento privativo que establece el primer párrafo del art 553-5 CCCat.

Es decir, que en la relación interna entre transmitente y adquirente del inmueble, la titularidad de la deuda es de la persona propietaria civilmente del mismo y la fecha de trasmisión determinará el momento en que el adquiriente asumirá la obligación de pago de los gastos comunitarios, tal y como se desprende del art 553-4 del CCCat.

Pero como consecuencia de la afección real sobre la finca, que establece el art 553-5, el adquirente podrá verse obligado a hacerse cargo de las cuotas impagadas anteriores a la adquisición del inmueble, devengadas en el periodo que el precepto dispone, sin perjuicio de repetir en su caso lo satisfecho, contra quien era titular cuando dichos gastos se generaron.

Lo expuesto es coincidente con los razonamientos de la sentencia apelada, la cual se ajusta a lo dispuesto en los preceptos que aplica, siendo todo ello admitido por la Sala que en su consecuencia ha de confirmar la sentencia apelada con rechazo del recurso de apelación sin otras consideraciones».

CUESTIÓN

En el caso de que compre un piso en el que el anterior propietario le debe a la comunidad el pago de unos gastos, ¿pueden exigirme que pague esas deudas?

Sí, aunque el titular de la deuda es el antiguo propietario, la comunidad puede reclamar el pago al nuevo propietario porque la ley establece una carga real sobre el inmueble —afección real—. Ahora bien, si el nuevo propietario paga la deuda puede reclamarle lo satisfecho al antiguo propietario en tanto que deudor.

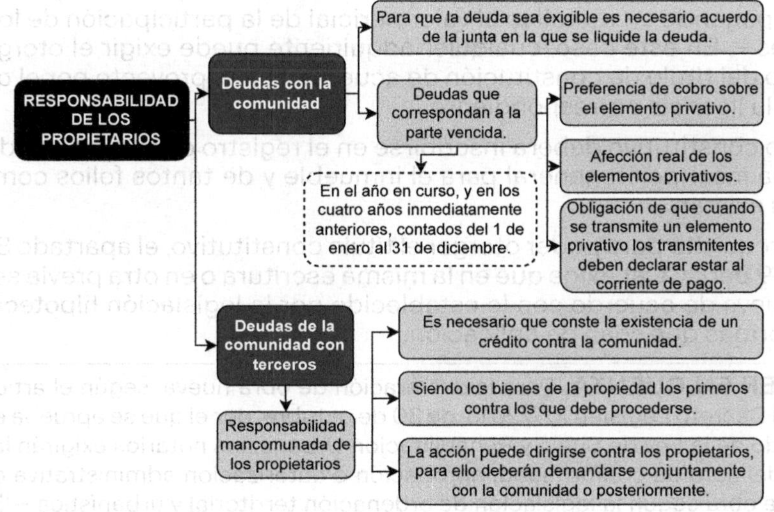

8.1.3. Constitución y extinción de la comunidad de propietarios

1700 **El título constitutivo de la propiedad horizontal en Cataluña**

Aun cuando no se hubiere otorgado el título constitutivo, es obligatorio someterse al régimen de propiedad horizontal, tal como declara la letra b) del artículo 2 de la LPH: «A las comunidades que reúnan los requisitos establecidos en el artículo 396 del Código Civil y no hubiesen otorgado el título constitutivo de la propiedad horizontal».

En sentido análogo, declara el apartado 2 del artículo 551-2 CCCat que «La comunidad en régimen de propiedad horizontal se rige por el título de constitución, que debe adecuarse a lo establecido por el capítulo III. Las situaciones de comunidad que cumplen los requisitos de la propiedad horizontal y no se hayan configurado de acuerdo con lo establecido por el capítulo III se rigen por los pactos establecidos entre los copropietarios, por las normas de la comunidad ordinaria y, si procede, por las disposiciones del capítulo III que sean adecuadas a las circunstancias del caso».

Si alguno de los propietarios enajenase un bien privativo, en el momento de realizar la escritura pública, deberá reseñar el título constitutivo e incorporar a ella los estatutos y demás normas de la comunidad.

A TENER EN CUENTA. Antes de la reforma llevada a cabo por la Ley 5/2015, de 13 de mayo, no era obligatorio reseñar en la escritura pública el título constitutivo, ni incorporar los estatutos y demás normas de la comunidad.

En el caso del promotor, si este ha transmitido una cuota indivisa del inmueble, no puede hacer uso de la facultad que le concede el apartado 4 del artículo 552-11 CCCat —exigir la adjudicación de la totalidad del bien objeto de la comunidad pagando en metálico el valor pericial de la participación de los demás cotitulares—. En este caso, cualquier adquiriente puede exigir el otorgamiento inmediato del título de constitución de acuerdo con el proyecto por el que se ha obtenido la licencia correspondiente.

El título constitutivo deberá inscribirse en el registro de la propiedad por medio de una inscripción general para el inmueble y de tantos folios como fincas privativas existan.

Como requisito para poder otorgar el título constitutivo, el apartado 3 del artículo 553-9 del CCCat exige que en la misma escritura o en otra previa se declare la obra nueva de acuerdo con lo establecido por la legislación hipotecaria y las demás normas que sean de aplicación.

A TENER EN CUENTA. Para la declaración de obra nueva, según el artículo 28 del Real Decreto Legislativo 7/2015, de 30 de octubre, por el que se aprueba el texto refundido de la Ley de Suelo y Rehabilitación Urbana, los notarios exigirán la aportación del acto de conformidad, aprobación o autorización administrativa que requiera la obra según la legislación de ordenación territorial y urbanística —licencia municipal de obras—, así como certificación expedida por técnico competente y acreditativa del ajuste de la descripción de la obra al proyecto. Si la obra estuviera terminada se exigirá también la certificación expedida por técnico competente acreditativa de la finalización de esta conforme al proyecto.

Además, conforme a la letra k) del apartado 1 del artículo 187 del Decreto Legislativo 1/2010, de 3 de agosto, por el que se aprueba el Texto refundido de la Ley de urbanismo de Cataluña, está sujeto a licencia urbanística la constitución o modificación de un régimen de propiedad horizontal, simple o compleja. Por lo que se refiere a la licencia de primera ocupación, en caso de que el edificio esté terminado, señalar que en el régimen catalán solo está sujeto a licencia la primera utilización y ocupación parcial de los edificios, en caso de que la ocupación sea total, únicamente se exige comunicación previa, conforme a lo establecido en la letra b) del artículo 187 bis del Decreto Legislativo 1/2010, de 3 de agosto.

➢ ¿Cuál es el contenido del título constitutivo?

El título constitutivo debe constar en escritura pública y el artículo 553-9 del CCCat establece el contenido mínimo que debe incluir:

- La descripción del inmueble con los elementos, instalaciones y servicios comunes de que dispone. El artículo señala que esto debe hacerse esté acabado el inmueble o no, de lo que se deduce que el régimen de propiedad horizontal puede constituirse antes de que finalice la construcción del inmueble.
- La descripción de todos los elementos privativos, con el correspondiente número de orden interno en el inmueble, la cuota general de participación y, si procede, las especiales que les corresponden, así como la superficie útil, la situación, los límites, la planta, el destino y, si procede, los espacios físicos o los derechos que constituyan sus anexos o vinculaciones.
- Un plano descriptivo del inmueble.
- Los estatutos, si existen.
- Las reservas de derechos o facultades, si existen, establecidas a favor del promotor o de los constituyentes del régimen.
- La previsión, si procede, de formación de subcomunidades.

La ley limita el contenido de las cláusulas que el constituyente puede establecer. En este sentido, declara la nulidad de las estipulaciones que se recojan en el título de constitución o en cualquier otro documento, que impliquen una reserva de la facultad de modificación unilateral del título constitutivo a favor del constituyente o que le permitan decidir en el futuro asuntos que deban someterse a la aprobación de la junta de propietarios (apartado 5 del art. 553-9 del CCCat), por ser la facultad decisoria de la junta indelegable.

A TENER EN CUENTA. La Ley 5/2015, de 13 de mayo, amplía el contenido mínimo del título constitutivo estableciendo como obligatorias las cláusulas que la redacción original establecía como dispositivas. Asimismo introduce la limitación recogida en el apartado 5 del 553-9 del CCCat.

El Código Civil de Cataluña regula la posibilidad de establecer una reserva expresa del derecho para sobreelevar, subedificar o edificar en el mismo solar del inmueble a favor de los constituyentes o de terceras personas. Para que esta constitución o reserva sea válida deberá establecerse mediante una cláusula específica en el título constitutivo tal y como recoge el artículo 553-13 del CCCat.

La cláusula que determina el derecho de vuelo debe tener el contenido que se prevé en el artículo 567-2 del CCCat.

Artículo 567-2 del CCCat

«1. El derecho de vuelo debe constar necesariamente en escritura pública, que debe contener, al menos, los siguientes datos:

a) El número máximo de plantas, edificios, si procede, y elementos privativos que pueden construirse, de acuerdo con la normativa urbanística y de la propiedad horizontal vigentes en el momento de constituirse el derecho.

b) Los criterios que deben aplicarse en la determinación de las cuotas de participación que corresponden a los elementos privativos situados en las plantas o edificios nuevos y las que corresponden a los situados en las plantas o edificios preexistentes, que deben garantizar la proporcionalidad adecuada entre todas.

c) El plazo para ejercerlo, que no puede superar en ningún caso, sumándole las prórrogas, los treinta años.

d) El precio o contraprestación que, si procede, debe satisfacer la persona que adquiere el derecho, o bien la forma en que se valora este si se reserva.

2. El título de constitución del derecho de vuelo puede incluir los siguientes contenidos:

a) Las normas de comunidad o de propiedad horizontal por las que debe regirse el edificio una vez se ha ejercido.

b) La limitación de la disponibilidad del derecho de vuelo.

c) La facultad de los titulares del derecho de vuelo de establecer o modificar el régimen de propiedad horizontal, de modificar la descripción del edificio preexistente y de fijar o redistribuir las cuotas de participación sin el consentimiento de los concedentes.

d) Los demás pactos lícitos que se consideren convenientes.

3. La constitución del derecho de vuelo y sus modificaciones pueden oponerse a terceras personas de buena fe desde que se efectúa su inscripción en el Registro de la Propiedad en la forma y con los efectos establecidos por la legislación hipotecaria o desde que las terceras personas han tenido conocimiento de las mismas».

Este derecho supone que sus titulares están facultados para edificar a su cargo de acuerdo con el título de constitución del derecho, para hacer suyos los elementos privativos que sean resultado del ejercicio del derecho y para otorgar las correspondientes declaraciones o ampliaciones de obra nueva y, si se ha previsto al constituir el régimen o el derecho, la modificación de la división horizontal. El ejercicio sucesivo del derecho puede conllevar la redistribución de las cuotas de participación, que llevan a cabo los titulares de los derechos sin necesidad del consentimiento de la junta de propietarios, siempre que así se haya previsto expresamente en el título constitutivo.

La jurisprudencia ha reconocido la posibilidad de establecer esta reserva incluso por parte del promotor o del propietario único en el título constitutivo o en los estatutos. Así mismo señala la importancia de determinar claramente las condiciones del ejercicio del derecho, por cuanto afecta a terceros. En este sentido se manifiesta la **sentencia del Tribunal Supremo n.° 389/2009, de 27 de mayo, ECLI:ES:TS:2009:3564:**

«(...) La posibilidad de que en el momento de la formación de la propiedad horizontal el Promotor o el propietario inicial del edificio **se reserven en el título constitutivo** o en los Estatutos del mismo ciertos elementos en principio comunes de la finca para su construcción posterior, como es **el suelo y el vuelo, es algo admitido en la doctrina y en la jurisprudencia**, con alguna excepción, como la contenida en la sentencia de 10 de mayo de 1999. Su regulación aparece en el artículo 16.2 del Reglamento Hipotecario, única norma dedicada al derecho de sobreelevación (si bien tiene como finalidad la fijación de su contenido a efectos de su publicidad en el Registro de la Propiedad), junto con la Ley 5/2006, de 10 de mayo, del Libro Quinto del Código Civil de Cataluña, relativo a derechos reales, cuyo artículo 553-13 reconoce la validez de la constitución o la reserva expresa del derecho a sobreelevar, subedificar o edificar en el mismo solar del edificio a favor de los promotores o de terceras personas siempre que se establezca en el título de constitución en cláusula separada y específica de acuerdo con el artículo 567.2 (número máximo de plantas; cuotas de participación; plazo para su ejercicio; precio o contraprestación, si procede...). **Su inclusión en el título constitutivo o en los Estatutos hace innecesario adoptar acuerdo alguno de la Comunidad de Propietarios que facilite su ejercicio posterior** por parte del titular del derecho puesto que no se modifica el Título, desde el momento en que la facultad de llevarla a término —por sí solo— está claramente atribuida en el mismo.

Ahora bien, este no es realmente el problema que plantea la reserva (al margen de la conveniencia de su limitación o, en su caso, de una adecuada regulación). Lo esencial de este derecho radica en los requisitos que impone su especial naturaleza para que produzca el efecto jurídico real pues una cosa es que la voluntad del Promotor o propietario único sirva para organizar el régimen jurídico propio de un inmueble sujeto al régimen de la Propiedad Horizontal, y otra distinta la creación de un derecho real de características propias, como es el que resulta de la reserva, que trasciende a quienes, con la compra posterior, van a ser a ser sus nuevos propietarios. La naturaleza misma del derecho, limitativo del dominio, consistente en la facultad de levantar nuevas construcciones en el edificio, excluye que pueda configurarse con absoluta generalidad. La actuación unilateral del Promotor o del propietario único o los pactos acerca del modo de construir, duración y demás requisitos que impone el artículo 16.2 del Reglamento Hipotecario forman el contenido real del derecho, por lo que tienen eficacia frente a terceros, que deben tener conocimiento de la exacta determinación de su naturaleza y extensión que, por otra parte, se inscribe en el Registro de la Propiedad, cumplidos los requisitos dimanantes de los principios de especialidad, cuya eficacia resulta determinante en todo el ámbito de los derechos reales (...)».

➢ ¿Cómo se modifica el título constitutivo del régimen de propiedad horizontal?

Para modificar el título de constitución es necesario el acuerdo de la junta de propietarios que conforme al apartado 2 del artículo 553-26 del CCCat deberá aprobarlo con el voto favorable de las cuatro quintas partes de los propietarios con derecho al voto, que tienen que representar al mismo tiempo las cuatro quintas partes de las cuotas de participación. Además, es preciso que la escritura observe los requisitos del artículo 553-9 del CCCat que sean de aplicación en función de la modificación que se realice.

En los casos de modificaciones que no precisen acuerdo de la junta de propietarios, los responsables de formalizarlas serán los titulares de los derechos o propietarios de los bienes privativos a los que afecte. Esta obligación deriva de lo previsto en el apartado 2 del artículo 553-10 del CCCat.

> «2. No es preciso el acuerdo de la junta de propietarios para la modificación del título de constitución si la motivan los siguientes hechos:
>
> a) El ejercicio de un derecho de vuelo, sobreelevación, subedificación y edificación si se ha previsto así al constituir el régimen o el derecho.
>
> b) Las agrupaciones, agregaciones, segregaciones y divisiones de los elementos privativos o las desvinculaciones de anexos, si los estatutos así lo establecen.
>
> c) Las alteraciones del destino de los elementos privativos, salvo que los estatutos las prohíban expresamente.
>
> d) La ejecución de actuaciones ordenadas por la Administración pública de conformidad con la legislación vigente en materia urbanística, de habitabilidad, de accesibilidad y sobre rehabilitación, regeneración y renovación urbanas».

En relación con las modificaciones del título constitutivo se ha manifestado el Tribunal Superior de Justicia de Cataluña, indicando que para poder establecer prohibiciones o limitaciones de uso es necesario que conste de manera expresa y que deben inscribirse en el Registro de la Propiedad para que tenga efectos frente terceros.

RESOLUCIÓN RELEVANTE

STSJ de Cataluña n.° 23/2011, de 3 de junio, ECLI:ES:TSJCAT:2011:6914

«Más reciente es todavía la Sentencia de STS 30-12-2010 Ponente Sr. Xiol Rios, que con cita de otras anteriores y en un caso prácticamente igual al presente —cambio de uso de local-despacho, a vivienda y no por tanto de usos comerciales— reitera que ***las limitaciones o prohibiciones referidas al cambio del uso del inmueble exigen para que sean eficaces que consten de forma expresa.*** *Recuerda la Sala Primera del Tribunal Supremo que el derecho a la propiedad privada constituye un derecho constitucionalmente reconocido (artículo 33 CE), y que si bien tiene una indudable función social, sus limitaciones deben hallarse establecidas legal o convencionalmente debiendo ser interpretadas de un modo restrictivo.*

Textualmente se afirma que: "En el ámbito de la propiedad horizontal, resulta posible, el establecimiento de limitaciones o prohibiciones que en general atienden al interés general de la comunidad. Estas prohibiciones referidas a la realización de determinadas actividades o al cambio de uso del inmueble, deben constar de manera expresa, y a fin de tener eficacia frente a terceros deben aparecer inscritas en el Registro de la Propiedad.

La doctrina de esta Sala es prácticamente unánime (SSTS 23 de febrero de 2006, 120 de octubre de 2008, entre otras) al considerar que la mera descripción del inmueble no supone una limitación del uso o de las facultades dominicales. Para que las prohibiciones o limitaciones resulten eficaces, resulta imprescindible que una cláusula o regla precisa así lo establezca. Los copropietarios no pueden verse privados de la utilización de su derecho a la propiedad como consideren más adecuado, a no ser que este uso no esté legalmente prohibido o que el cambio de destino aparezca expresamente limitado por el régimen de dicha propiedad horizontal, su título constitutivo o su regulación estatutaria"».

A TENER EN CUENTA. En esta sentencia no resulta de aplicación la letra c) del apartado 2 del artículo 553-10 de la Ley 5/2006, de 10 de mayo, por cuestiones temporales, pero este artículo no hace más que recoger el sentir de la jurisprudencia comentada.

Los estatutos de la comunidad de propietarios según el CC de Cataluña 1710

La junta de propietarios podrá aprobar unos estatutos —su aprobación no es obligatoria— que recojan el régimen jurídico de la comunidad. El Código Civil de Cataluña no regula un contenido obligatorio de los estatutos, sino que se limita a señalar una serie de reglas que pueden contener en el caso de que se aprueben.

Artículo 553-11 del CCCat

«1. Los estatutos regulan los aspectos referentes al régimen jurídico real de la comunidad y pueden contener reglas sobre las siguientes cuestiones:

a) El destino, uso y aprovechamiento de los elementos privativos y de los elementos comunes.

b) Las limitaciones de uso y demás cargas de los elementos privativos.

c) El ejercicio de los derechos y el cumplimiento de las obligaciones.

d) La aplicación de gastos e ingresos y la distribución de cargas y beneficios.

e) Los órganos de gobierno complementarios de los establecidos por el presente código y sus competencias.

f) La forma de gestión y administración.

2. Son válidas las siguientes cláusulas estatutarias, entre otras:

a) Las que permiten las operaciones de agrupación, agregación, segregación y división de elementos privativos y las de desvinculación de anexos con creación de nuevas entidades sin consentimiento de la junta de propietarios. En este caso, las cuotas de participación de las fincas resultantes se fijan por la suma o la distribución de las cuotas de los elementos privativos afectados.

b) Las que exoneran a determinados propietarios de elementos privativos de la obligación de satisfacer los gastos de conservación de elementos comunes concretos, que pueden incluir las del portal, la escalera, los ascensores, los jardines, las zonas de recreo y demás espacios semejantes.

c) Las que establecen la utilización exclusiva y, si procede, el cierre de una parte del solar, o de las cubiertas o de cualquier otro elemento común o parte determinada de este en favor de algún elemento privativo.

d) Las que permiten el uso o el disfrute de elementos comunes mediante la colocación de carteles de publicidad.

e) Las que limitan las actividades que pueden realizarse en los elementos privativos.

f) Las que prevén la resolución de los conflictos mediante el arbitraje o la mediación para cualquier cuestión del régimen de la propiedad horizontal.

3. Las normas de los estatutos que no estén inscritas en el Registro de la Propiedad no perjudican a terceros de buena fe».

CUESTIÓN

En mi comunidad se ha aprobado modificar los estatutos para prohibir en el edificio los apartamentos turísticos, ¿esta cláusula es legal?

Sí, el artículo 553-11.2.e) admite que en los estatutos se incluyan cláusulas que limiten las actividades que pueden realizarse en los elementos privativos.

En este sentido se ha manifestado la **SAP de Barcelona n.º 399/2017, de 5 de julio, ECLI:ES:APB:2017:7254:** «Por el contrario, la prohibición acordada en la Junta de Propietarios es plenamente conforme al artículo 553.11.2.e) del Código Civil de Cataluña que admite la validez de las cláusulas estatutarias que limiten las actividades que pueden realizarse en los elementos privativos, en relación con el artículo 553.47 que impide a los propietarios de los pisos o locales que puedan realizar, en el elemento privativo o en el resto del inmueble, actividades que los estatutos prohíban, o que sean perjudiciales para la finca, lo cual significa que para prohibir en los estatutos una actividad la misma no tiene que ser necesariamente una actividad perjudicial para la finca, encontrándose en cualquier caso sometido el acuerdo de prohibición a los límites de la ley, y del abuso de derecho».

En el caso de que la comunidad de propietarios haya elaborado unos estatutos, los mismos deberán **inscribirse en el Registro de la Propiedad** para que tengan efectos frente a terceros. Esto se deduce de una interpretación a sensu contrario del apartado 3 del artículo 553-11 del CCCat que establece «Las normas de los estatutos que no estén inscritas en el Registro de la Propiedad no perjudican a terceros de buena fe». Esta interpretación la ha desarrollado la **SAP de Barcelona n.º 22/2020, de 28 de enero, ECLI:ES:APB:2020:375:**

«En último término, debemos analizar la cuestión de la protección del tercer adquirente de un piso o local de negocio en fecha anterior a la inscripción del acuerdo en el Registro de la Propiedad. Precisamente al amparo de lo previsto en el artículo 553-11 del Codi Civil de Catalunya, cuya redacción permanece idéntica después de la reforma de 13 de mayo de 2015. Según este precepto **las normas de los estatutos que no estén inscritas en el Registro de la Propiedad no perjudican a terceros de buena fe**. En este precepto se acoge el principio de protección del tercer adquirente de buena fe, que rige en nuestro sistema inmobiliario registral (artículo 34 de la Ley Hipotecaria), aunque aquí la cuestión se circunscribe a la inscripción de los acuerdos de las Juntas de Propietarios que modifiquen los estatutos de la comunidad. Esta cuestión ha sido resuelta por el TSJC en las sentencias 33/2016, de 19 de mayo y 74/2018, de 13 de septiembre, declarándose en esta última se declara: "Cuestión distinta es que la restricción sobre el uso o destino de los elementos privativos sea oponible con efectos retroactivos a aquellos copropietarios que adquirieron los pisos o locales sin que constase inscrita la limitación en el Registro o lo que es igual la eficacia de una restricción adoptada ex post, esto es, después de la adquisición del titular, cuando no ha consentido que se limite el uso de su elemento privativo oponiéndose al acuerdo.

En la sentencia 33/2016, de 19 de mayo, ya avanzamos que el art. 553-11,3 del CCCat (tanto en la redacción aplicable a los hechos que nos ocupan como en la actual) **impedía que los acuerdos restrictivos de un uso antes no prohibido pudiese ser opuesto a quienes adquirieron sus elementos privativos sin esa limitación**, por vulnerar la norma antes citada y el principio de seguridad jurídica establecido en el art. 9,3 de la CE.

También dijimos en la Sentencia citada que **el acuerdo de modificación de los Estatutos una vez inscrito, sería eficaz y oponible a los futuros terceros adquirentes además, lógicamente, de serlo a los actuales que no se hubiesen opuesto al mismo.** O que incluso pudiera serlo en el momento en que se produjese el cese de la actividad posteriormente prohibida"».

La modificación de los estatutos de la comunidad deberá realizarse por la junta de propietarios y se requiere para ello el **voto favorable de las cuatro quintas**

partes de los propietarios con derecho al voto, que tienen que representar al mismo tiempo las cuatro quintas partes de las cuotas de participación, tal y como establece el apartado 2 del artículo 553-26 del CCCat. En este punto, **el régimen catalán difiere de la regulación de la LPH** que establece, por normal general, la necesidad de unanimidad del total de los propietarios que a su vez representen el total de las cuotas de participación. Así lo ha recogido el Tribunal Superior de Justicia de Cataluña, entre otras, en su **sentencia n.º 74/2018, de 13 de septiembre, ECLI:ES:TSJCAT:2018:5827:**

> «Como indicamos en la STSJCat 33/2016 de 19 de mayo, en Cataluña, a diferencia del régimen regulador de la LPH de 21-7-1960, **la modificación de los Estatutos, no requiere del acuerdo unánime** de los miembros de la comunidad **sino solo de las cuatro quintas partes**, incluida la restricción o limitación del uso de los elementos privativos según resulta de lo dispuesto en el art. 553-25, 2 en relación con el art. 553-11 del CCCat en su redacción originaria, que es la aplicable al caso por razones temporales [Es preciso el voto favorable de las cuatro quintas partes de los propietarios, que deben representar las cuatro quintas partes de las cuotas de participación, para adoptar acuerdos de modificación del título de constitución y de los Estatutos, salvo que el título establezca otra cosa]. A partir de su inscripción en el Registro de la Propiedad la modificación de los Estatutos podrá ser opuesta a terceros.
>
> Para la válida adopción de un acuerdo de esta clase no es aplicable (salvo que la modificación estatutaria se refiriese específicamente al uso de un piso o local concreto y no a la generalidad de los departamentos de la comunidad), la previsión del artículo 553-25,4 en su primitiva redacción conforme al cual los acuerdos que disminuyan las facultades de uso y goce de cualquier propietario o propietaria requieren que este los consienta expresamente.
>
> No siendo exigible en estos casos la unanimidad, la voluntad contraria de uno o varios miembros de la comunidad no puede alterar el sistema de mayorías previsto por la norma legal para modificar los Estatutos.
>
> Interpretarlo de otro modo ese modo dejaría vacía de contenido la posibilidad de modificar los Estatutos con el régimen de los 4/5.
>
> En consecuencia, el acuerdo que restrinja o limite las actividades que pueden realizarse en los elementos privativos, adoptado por los órganos competentes de la Comunidad con el quórum previsto en el art. 553-25,2 del CCCat (actualmente art. 553-26,2), es válido como tal e inscribible en el Registro de la Propiedad. Así lo ha entendido —en este punto acertadamente— la Sentencia recurrida».

A TENER EN CUENTA. La validez de estas cláusulas prohibitivas se ha visto definitivamente blindada. La **Ley 11/2025 de Medidas Urgentes en materia de Vivienda en Cataluña** vino a ratificar el criterio de que las comunidades de propietarios ostentan la potestad legal implícita para autorregular sus fines residenciales. Además, los tribunales catalanes han extendido este criterio restrictivo no solo a las Viviendas de Uso Turístico (HUT) tradicionales, sino también a la **modalidad de alquiler por habitaciones de corta duración** y a los **arrendamientos de temporada fraudulentos**, siempre que el estatuto prohíba de forma genérica «actividades comerciales, de hospedaje o explotación hotelera» en los elementos privativos.

1720 **El reglamento de régimen interior de la comunidad de propietarios según el CC de Cataluña**

El artículo 553-12 del CCCat se refiere al reglamento de régimen interior señalando que «El reglamento de régimen interior, que no puede oponerse a los estatutos, contiene las reglas internas referentes a las relaciones de convivencia y buena vecindad entre los propietarios y a la utilización de los elementos de uso común y de las instalaciones». Este reglamento, en el caso de existir, obliga a todos los propietarios y usuarios de los elementos privativos.

El reglamento debe ser **aprobado** por la junta de propietarios **por mayoría simple de los propietarios que han participado en la votación, que tiene que representar, al mismo tiempo, la mayoría simple del total de sus cuotas de participación**. Para la modificación se exige la misma mayoría que para la aprobación.

Al reglamento de régimen interior se ha referido la jurisprudencia catalana, diferenciándolo de los estatutos y estableciendo que la interpretación de las normas del reglamento debe hacerse de manera restrictiva, por cuanto suponen una limitación a la propiedad individual.

RESOLUCIÓN RELEVANTE

STSJ de Cataluña, rec. 220/2016, de 21 de diciembre de 2017, ECLI:ES:TSJCAT:2017:10700

«Los Estatutos de la Comunidad constituyen un conjunto de reglas plasmadas por escrito y con fuerza de ley establecidas de común acuerdo por los copropietarios de un edificio sujeto al régimen de propiedad horizontal para completar y desarrollar su ordenación legal.

Conforme a la normativa catalana los ***Estatutos regulan los aspectos referentes al régimen jurídico real de la Comunidad,*** *pudiendo contener reglas sobre el destino, uso y aprovechamiento de los bienes privativos y de los bienes comunes; limitaciones de uso y demás cargas de los elementos privativos; ejercicio de los derechos y el cumplimiento de las obligaciones o, entre otros, la aplicación de gastos e ingresos y la distribución de cargas y beneficios. Siendo lícitas aquellas cláusulas que limiten las actividades que pueden realizarse en los elementos privativos (art. 553-11 Libro V CCCat).*

El ***Reglamento de régimen interior****, que ciertamente no puede oponerse a los Estatutos,* ***contiene las reglas internas referentes a las relaciones de convivencia y buena vecindad entre los propietarios y a la utilización de los elementos de uso común y las instalaciones****. Tanto los Estatutos como el Reglamento de régimen interior, obligan siempre a los propietarios y usuarios de los elementos privativos (art. 553-12 CCCat).*

Ambas disposiciones tienen, en su origen, carácter convencional y una vez acordadas se convierten en normas que no pueden ser modificadas sino por acuerdo de los propietarios.

Los Estatutos tienen su límite en la ley imperativa y el Reglamento en los Estatutos, diferenciándose fundamentalmente en el régimen de mayorías necesarias para su adopción y para su modificación. Los Estatutos son inscribibles en el Registro, el Reglamento no.

La jurisprudencia del Tribunal Supremo, Sala 1ª en relación con la Ley de Propiedad horizontal de 21 de julio de 1960, en la que se recogen también ambas figuras, se ha referido en diferentes ocasiones a su naturaleza destacando la Sentencia de 3 de mayo de 2007 que el Reglamento de régimen interior constituye un documento para fijar unas normas de mero funcionamiento de los servicios y elementos comunes, cuya rectificación o reforma es posible verificarla por cada Junta de la Comunidad, mediante su determinación en el Orden del Día, para concretar o modificar los sistemas de prestación de los mismos y los comportamientos exigidos a los propietarios.

La STS de 30-9-2010 recuerda sentencias anteriores en las que se indicaba, en la misma línea, que "toda limitación a la propiedad individual, al derecho singular, ha de interpretarse de modo restrictivo, salvo que afecte en esta especial institución y yuxtaposición de propiedades, a los elementos comunes".

De este modo, la labor de concreción de los preceptos relativos al uso de los elementos privativos y de los elementos comunes así como de la doctrina elaborada en torno a ellos debe realizarse sobre la base de la propiedad de que se trate, su destino y configuración».

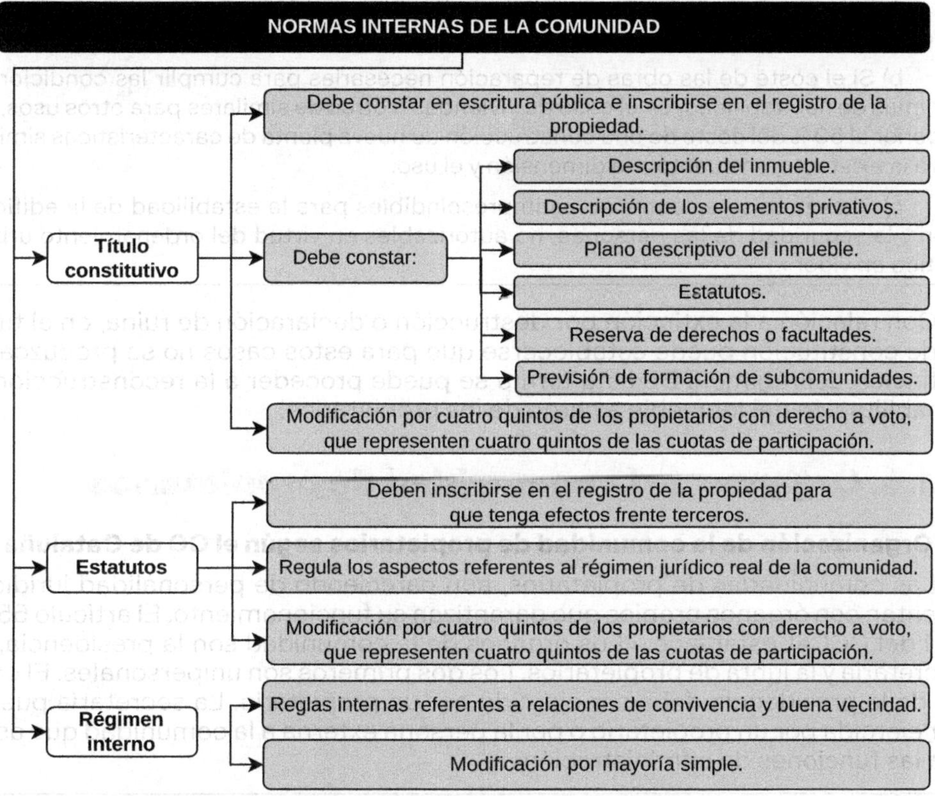

¿Cómo se extingue el régimen de propiedad horizontal según el CC de Cataluña? 1730

El artículo 553-14 del CCCat recoge como causas de extinción del régimen de propiedad horizontal las siguientes:

- Acuerdo voluntario de la junta de propietarios o por decisión del propietario único.
- Destrucción.
- Declaración de ruina.
- Expropiación forzosa.

Para la extinción por medio de acuerdo de la junta de propietarios no solo es necesario que se apruebe por unanimidad, sino que es necesario el consentimiento expreso de todos los comuneros (art. 553-25.3 del CCCat).

A TENER EN CUENTA. La declaración de estado ruinoso es competencia del ayuntamiento que actuará de oficio o a instancia de parte y previa audiencia de las personas propietarias y residentes, salvo que la situación sea de peligro inminente. El artículo 198.2 del Decreto Legislativo 1/2010, de 3 de agosto, por el que se aprueba el texto refundido de la Ley de Urbanismo de Cataluña, señala los supuestos en los que se hace la declaración de ruina:

«a) Si los daños comportan la necesidad de una verdadera reconstrucción del edificio porque no son reparables técnicamente por los medios normales.

b) Si el coste de las obras de reparación necesarias para cumplir las condiciones mínimas de habitabilidad, en el caso de viviendas u otros de similares para otros usos, es superior al 50 % del coste de una construcción de nueva planta de características similares a la existente, en cuanto a la dimensión y el uso.

c) Si es preciso ejecutar obras imprescindibles para la estabilidad de la edificación y la seguridad de las personas, no autorizables en virtud del ordenamiento urbanístico en vigor».

Con relación a la extinción por destrucción o declaración de ruina, en el título de constitución puede establecerse que para estos casos no se produzca la extinción del régimen. De esta forma se puede proceder a la reconstrucción o rehabilitación del inmueble a cargo de los propietarios.

8.1.4. Órganos de la comunidad de propietarios

1740 **Organización de la comunidad de propietarios según el CC de Cataluña**

Las comunidades de propietarios, aun careciendo de personalidad jurídica, cuentan con órganos propios que garantizan su funcionamiento. El artículo 553-15.1 del CCCat establece: «Los órganos de la comunidad son la presidencia, la secretaría y la junta de propietarios. Los dos primeros son unipersonales. El cargo de la presidencia debe ser ejercido por un propietario. La secretaría puede ser ejercida por un propietario o por la persona externa a la comunidad que asuma las funciones de administración».

A TENER EN CUENTA. En la redacción original se incluía en este apartado el cargo de administrador, sin embargo, con la reforma de llevada a cabo por la Ley 5/2015, de 13 de mayo, el nombramiento de un administrador pasa a ser voluntario.

1750 **Disposiciones generales sobre los órganos de la comunidad de propietarios**

Los cargos de los órganos de la comunidad son designados por la junta de propietarios por **mayoría simple de los propietarios que hayan participado en la votación, que tiene que representar, al mismo tiempo, la mayoría simple del total de cuotas de participación**, en aplicación del artículo 553-25.2.j) del CCCat. También pueden ser designados por el promotor, en cuyo caso ejercen el cargo hasta la primera reunión de la junta de propietarios en la que se deberá realizar un nuevo nombramiento.

La designación de los cargos se realizará por elección entre los candidatos que se presenten y solo en el supuesto en que no existan candidatos, se hará por un turno rotatorio o por sorteo entre las personas que no hayan ejercido el cargo. En el nombramiento no debe producirse ningún tipo de discriminación por razón de sexo, orientación sexual, origen, creencias o cualquier otro motivo.

Una vez elegidos, el ejercicio del cargo es obligatorio, a pesar de que la junta de propietarios puede considerar la alegación de motivos de excusa fundamentados. Los cargos no son remunerados, salvo que los ejerzan personas ajenas a la comunidad —en el caso del administrador— en cuyo caso puede establecerse una remuneración. La previsión de que no sean remunerados se establece sin perjuicio del derecho a resarcirse de los gastos ocasionados por el ejercicio del cargo.

Además de los cargos regulados por la ley, los estatutos pueden regular la creación de otros órganos.

El artículo 553-15.9 del CCCat establece la organización de aquellas comunidades de propietarios en las que el número de propietarios es inferior a tres y con relación a esta situación preceptúa que «En los casos en que el número de propietarios sea inferior a tres, y mientras se mantenga esta situación, el régimen de funcionamiento de la organización de la comunidad es el que el artículo 552-7 establece para la comunidad ordinaria indivisa». La remisión que realiza al artículo 552-7 del CCCat supone que, en estos supuestos, la administración de la comunidad les corresponde a todos los copropietarios.

El presidente de la comunidad de propietarios según el CC de Cataluña 1760

El cargo de presidente es unipersonal y en todo caso deberá ser ejercido por un propietario. El artículo 553-16 del CCCat establece las funciones que le corresponden:

«1. Corresponden a la presidencia las siguientes funciones:

a) Convocar y presidir las reuniones de la junta de propietarios.

b) Representar a la comunidad judicial y extrajudicialmente.

c) Elevar a públicos los acuerdos, si procede.

d) Velar por el buen funcionamiento de la comunidad y por el cumplimiento de los deberes del secretario y del administrador.

e) Cualesquiera otras funciones que establezca la ley».

En lo que se refiere a la relación del presidente con la comunidad, aunque es el legal representante de la comunidad por su carácter orgánico, sus funciones o competencias vienen conferidas directamente por la ley, no por la comunidad a la que representa, por lo que, jurídicamente no es posible asimilar la figura del presidente a la del simple mandatario, ni sus competencias a las facultades que puede conferirles su mandate. Así lo ha declarado en sentencia la **AP de Barcelona, n.º 238/2020, de 20 de noviembre, ECLI:ES:APB:2020:11339**, en relación a un caso en que las obras de un propietario en elemento común habían sido permitidas por el presidente, no siendo esto posible, al no formar parte de sus atribuciones, debiendo ser autorizadas por el órgano competente de la comunidad:

> «En efecto, en cuanto a la relación del presidente con la comunidad, conviene recordar que las comunidades de propietarios, aun careciendo de personalidad jurídica, cuentan con órganos propios que garantizan su funcionamiento. Y entre ellos figura la presidencia (art. 553-15 CCCat), que es un cargo obligatorio que necesariamente debe desempeñar uno de los propietarios. Además **aunque es el legal representante de la Comunidad,** tanto en juicio como fuera de él, **por su carácter orgánico sus funciones o competencias le vienen atribuidas directamente por la Ley, no de la Comunidad a la que representa, por lo que no es jurídicamente correcto asimilar su figura a la del simple mandatario ni sus competencias a la facultades que puede conferirle su mandante**. En consecuencia, como bien señala la sentencia apelada, la autorización para realizar obras debía ser concedida por el órgano competente y, dado el alcance de dichas obras, ese órgano no podía ser otro más que la Junta General de Propietarios».

En el ámbito procesal las entidades sin personalidad jurídica tienen capacidad para ser parte cuando se les reconozca en la ley (art. 6.5.º de la LEC). En el caso de las comunidades de propietarios y en las subcomunidades, esta capacidad viene reconocida en el artículo 553-1.2.c) del CCCat al señalar que el régimen de propiedad horizontal supone la configuración de una organización para el ejercicio de los derechos y el cumplimiento de los deberes de los propietarios. En los supuestos en que una entidad sin personalidad comparece en juicio debe hacerlo por medio de las personas a las que la ley le atribuye su representación (art. 7.6 de la LEC). Como hemos visto la representación en juicio le corresponde al presidente de la comunidad conforme establece el artículo 553-16.1.b) del CCCat. Sin embargo, esto no autoriza a que pueda realizar cualquier actuación, sino que está sometido a la voluntad de la comunidad que debe autorizar las actuaciones mediante acuerdo. En este sentido se ha manifestado el Tribunal Superior de Justicia de Cataluña en varias sentencias, así como el Tribunal Supremo.

JURISPRUDENCIA

Sentencia del Tribunal Supremo, rec. 4466/2012, de 21 de septiembre de 2015, ECLI:ES:TS:2015:3985

«En cuyo sentido recuerda la jurisprudencia que para el ejercicio de acciones en nombre de un ente colectivo es preciso acreditar, si se niega por la parte contraria, que aquél goza de personalidad jurídica, por haberse cumplido los requisitos legalmente establecidos para su válida constitución, al ser la personalidad presupuesto de la capacidad procesal. Pero además, es necesario, si se niega también de contrario, que se aporte la correspondiente prueba acreditativa de que el acuerdo para el ejer-

cicio de acciones ha sido tomado por el órgano al que legal o estatutariamente viene encomendada tal competencia y para autorizar a las personas que han de actuar en nombre y representación del ente colectivo, pues sólo así quienes resulten facultados podrán ostentar la capacidad procesal exigida por el artículo 18 de la ley jurisdiccional para comparecer en juicio y para poder apoderar a letrado o procurador que haya de representar en el proceso al ente.

TERCERO.- La Ley 5/2006, de 10 de mayo, del libro quinto del Código Civil de Cataluña, relativo a los derechos reales, aplicable al caso en méritos de su disposición transitoria sexta, atribuye en su artículo 553.18, donde se fijan las de la administración, atribuyen a ninguno de tales órganos la competencia para la adopción del acuerdo para entablar la acción que ahora nos ocupa, es evidente que corresponde su adopción a la Junta de Vecinos, sin que la ausencia de tal acuerdo pueda ser suplida por cualquier información suministrada a los propietarios, en Junta o fuera de ella, acerca de la existencia del recurso y de su estado de tramitación o de los honorarios del abogado, pues el artículo 45.2.d) de la ley jurisdiccional impone acompañar el escrito de interposición del recurso contencioso-administrativo el documento o documentos que acrediten el cumplimiento de los requisitos exigidos para entablar acciones las personas jurídicas (condición que obviamente reúne la actora) con arreglo a las normas o estatutos que les sean de aplicación».

RESOLUCIÓN RELEVANTE

STSJ de Cataluña n.º 3/2019, de 17 de enero, ECLI:ES:TSJCAT:2019:1

«Es decir, pese a que la Ley de Propiedad Horizontal reconozca al Presidente de la comunidad de propietarios la representación de la misma en juicio y fuera de él, la jurisprudencia ha matizado que "esto no significa que esté legitimado para cualquier actuación por el mero hecho de ostentar el cargo de Presidente ya que no puede suplir o corregir la voluntad de la comunidad expresada en las juntas ordinarias o extraordinarias" De igual forma la STS 10 de octubre de 2011 aclara que: "No se trata, por tanto, de poner duda que la representación de la comunidad de propietarios le corresponde al Presidente, que es el único legitimado legalmente para representar judicialmente a la comunidad. Se trata de impedir que su voluntad personal sea la que deba vincular a la comunidad, lo que se consigue sometiendo al conocimiento de la junta de propietarios la cuestión que se somete a la decisión judicial, habida cuenta el carácter necesario de las normas que rigen la propiedad horizontal, que impide dejarlas al arbitrio y consideración exclusiva del Presidente". 5. En definitiva estima la Sala que las facultades del Presidente ***para accionar en nombre y representación de la comunidad exigen un plus de acreditación de que su actuación representa la verdadera voluntad de la comunidad*** *en la medida en que sus actos en el proceso han de vincular a su representado o lo que es igual han de incidir en el patrimonio o en los intereses jurídicos de la comunidad.*

6. Cierto es también que la Sala 1ª suele emplear la palabra "legitimación" para negar la actuación del Presidente en ausencia del acuerdo comunitario. Y que igual ha hecho esta Sala en la STSJCat 48/2011 antes citada.

Sin embargo, fuera de utilización de dicho término que procede del Preámbulo de la Ley de Propiedad Horizontal de 21 de julio de 1960, y que no puede sino referirse a la que algún sector doctrinal y jurisprudencial denomina legitimatio ad processum no aparece con claridad que la doctrina del alto tribunal haya situado tal cuestión en el campo de la legitimación ad causam, y no en la de la mera representación y que, en cualquier caso, haya declarado insubsanable el defecto.

7. Así, reiteradamente ha dicho que la parte legítima es en todo caso la comunidad y no el Presidente que es su mero representante».

Además, la junta de propietarios puede designar un vicepresidente que realizará las funciones del presidente en caso de muerte, imposibilidad, ausencia o incapacidad de este. Así mismo, podrá actuar por delegación del titular. La Audiencia Provincial de Barcelona ha reconocido la posibilidad de que el vicepresidente sustituya al presidente en la representación de la comunidad en juicio, en supuesto de imposibilidad, pero también cuando el presidente desconozca los hechos del proceso. Así lo recoge en la **SAP de Barcelona, n.° 166/2007, de 20 de marzo, ECLI:ES:APB:2007:3437:** «(...) la junta de propietarios es soberana para apoderar a un copropietario, para representar a la comunidad en los procedimientos entablados, en los que la misma es parte y por hechos acaecidos bajo el mandato de dicho propietario como presidente. Se trata de una autorización temporal de representación con una finalidad concreta y determinada y revocable en cualquier momento por parte de la comunidad, la cual en este caso **viene justificada por el mejor conocimiento de los hechos por parte de dicho comunero, actualmente vicepresidente de la misma comunidad, lo que le faculta para "asistir" al presidente en sus funciones, entre las que puede entenderse comprendida la propia de representar a la comunidad cuando, en beneficio de ella, lo requieran las circunstancias** (enfermedad, imposibilidad o desconocimiento de los hechos por parte del presidente vigente) (...)».

A TENER EN CUENTA. El apartado 2 del art. 553-16 del CCCat, que se refiere al vicepresidente, se introdujo con la reforma de la Ley 5/2015, de 13 de mayo con el fin de darle visibilidad y regular este cargo, ya que en la redacción originaria quedaba confuso.

1770 **El secretario de la comunidad de propietarios según el CC de Cataluña**

El secretario al igual que el presidente es un órgano unipersonal, pero en este caso puede estar ocupado por un propietario o por una persona externa a la comunidad que asuma las funciones de administración. La posibilidad de que el cargo sea ocupado por una persona que no sea propietaria en la comunidad solo se da cuando las funciones de secretaría las asuma el administrador, no siendo posible el nombramiento en una tercera persona. A este respecto se manifiesta la Audiencia Provincial de Lleida en su **sentencia n.° 228/2022, de 24 de marzo, ECLI:ES:APL:2022:353:**

> «Como ya consideramos en nuestra Sentencia n° 523 de 11 de noviembre de 2019 (rec. 66/2018), dictada con relación a un acuerdo de esta misma COMUNIDAD en la Junta celebrada el 7 de marzo de 2015, (confirmando en este punto la Sentencia de 31 de julio de 2017 dictada por el Juzgado de Primera Instancia n° 1 de Vielha e Mijaran en el Juicio Ordinario n° 144/2916), "Conforme a dicho precepto **es posible que el cargo de Secretario y Administrador recaiga sobre la misma persona ajena a la Comunidad y en ese caso es retribuido, o cabe que se ejerza por un comunero, en cuyo caso ya no es retribuido",** a lo que debemos añadir que, conforme a la normativa del CCCat, o el cargo de Secretario de la Comunidad recae en un comunero y no es retribuido, o puede ostentarlo un tercero profesional que no forme parte de la COMUNIDAD, pero en este último caso solo es admisible que se ejerzan por ese tercero profesional conjuntamente los cargos de Administrador y de Secretario, y será retribuido. **De modo que no es admisible, ex art. 553-15 CCCat, que se acuerde desvincular las funciones de Secretario y de Administrador ejerciéndose por dos profesionales externos distintos con una remuneración diferenciada**».

Las funciones que se atribuyen al secretario se recogen en el artículo 553-17 del CCCat al disponer: «El secretario extiende las actas de las reuniones, realiza las notificaciones, expide los certificados y custodia, durante cinco años como mínimo, las convocatorias, las comunicaciones, los poderes, la documentación contable y los demás documentos relevantes de las reuniones y de la comunidad. La custodia y la teneduría de los libros de actas son reguladas por el artículo 553-28».

La función de custodiar los libros de actas de la junta de propietarios aparece delimitada en el tiempo por la ley. Así el artículo 553-28 del CCCat señala que mientras el régimen de propiedad horizontal exista se debe conservar el libro durante treinta años, y si el régimen se extingue el plazo de conservación se limita a cinco años.

A TENER EN CUENTA. El plazo de custodia en caso de extinción del régimen de propiedad horizontal se introdujo por medio de la Ley 5/2015, de 13 de mayo, de modificación del libro quinto del Código civil de Cataluña, relativo a los derechos reales.

También le corresponde al secretario emitir el certificado de impago de gastos para instar la reclamación deuda por medio del juicio monitorio. En el mismo deberá constar la existencia de la deuda y su importe, manifestación de que la deuda es exigible y que se corresponde con las cuentas de la comunidad y el requerimiento de pago hecho al deudor.

El administrador de fincas según el CC de Cataluña 1780

El cargo de administrador es de constitución voluntaria para la comunidad, al disponer el artículo 553-15.2 del CCCat que «La comunidad puede encargar la administración a un profesional externo que cumpla las condiciones profesionales legalmente exigibles. En este caso, las funciones de administración incluyen también las de secretaría». El administrador podrá ser nombrado por la junta de propietarios o por el promotor, siendo la función ejercida por un profesional y, por tanto, es un cargo remunerado, y será denominado «administrador de fincas».

A TENER EN CUENTA. Las condiciones profesionales legalmente exigidas para ejercer el cargo de administrador en Cataluña las encontramos en el artículo 54 de la Ley 18/2007, de 28 de diciembre, del derecho a la vivienda de Cataluña, que señala que los administradores de fincas para el ejercicio de su cargo deben tener:

- Capacitación profesional requerida.
- Suscrito un seguro de responsabilidad civil.

El administrador de fincas se encarga de la gestión ordinaria de la comunidad y sus funciones, conforme establece el artículo 553-18 del CCCat, consisten en:

«a) Tomar las medidas convenientes y hacer los actos necesarios para conservar los bienes y el funcionamiento correcto de los servicios de la comunidad.

b) Velar por que los propietarios cumplan las obligaciones y hacerles las advertencias pertinentes.

c) Preparar las cuentas anuales del ejercicio precedente y el presupuesto.

d) Ejecutar los acuerdos de la junta de propietarios y efectuar los cobros y pagos que correspondan.

e) Decidir la ejecución de las obras de conservación y reparación de carácter urgente, de todo lo cual debe dar cuenta inmediatamente a la presidencia.

f) Pagar, con autorización de la presidencia, los gastos de carácter urgente que pueden correr a cargo del fondo de reserva.

g) Las demás funciones que expresamente le sean delegadas por la junta de propietarios o atribuidas por la ley».

De todas sus actuaciones el administrador de fincas es responsable ante la junta de propietarios. Este responde de la misma forma que el artículo 1718 del CC establece para el mandato, pues ambas figuras se equiparan. Así se ha establecido en la **SAP de Málaga n.º 662/2021, de 15 de noviembre, ECLI:ES:APMA:2021:4488:**

«Pues bien, expuesto lo anterior habrá que tener en consideración que, el administrador, es órgano de gobierno también, de la Comunidad de propietarios (artículo 13.1 d) de la LPH). Las sentencias de las Audiencias Provinciales, vienen **a calificar la relación jurídica existente entre el administrador y la comunidad de propietarios como de contrato de mandato, o como de un mandato "sui géneris"**, (así SSAP Madrid, Sección 13ª, de 25 de febrero de 1997, Valencia, Sección 3, de 25 de abril de 1996 (AC 1996, 2530), Cáceres, Sección 1ª, de 7 de junio de 2004 (AC 2004, 1019), Barcelona, Sección 1ª, de 30 de junio de 2004, Girona, Sección 1ª, de 27 de mayo de 2005, Málaga, Sección 5ª, de 31 de marzo de 2006 (JUR 2006, 189412), y Madrid, Sección 18ª, de 13 de julio de 2006 (JUR 2007, 32561)). Como esta Sala participa de esta calificación de que la relación jurídica que vincula al administrador con la comunidad lo es de mandato, aún sui géneris, constituirán deberes esenciales el de llevar a cabo la gestión encomendada y cumplir con el mandato (artículo 1.718 del Código Civil), **por lo que será causa de responsabilidad el incumplimiento de los deberes de gestión que le son propios, así cómo la realización de actos de manera distinta a la encomendada o diferente a la que razonablemente cabía esperar**».

1790 **Regulación de la junta de propietarios según el CC de Cataluña**

La junta de propietarios es el órgano supremo de la comunidad de propietarios y está integrada por todos los propietarios de elementos privativos. El artículo 553-19.2 del CCCat establece el mínimo de funciones que se le atribuyen y, además de estas, le corresponden todas aquellas funciones que no tengan atribuidas otros órganos:

«2. La junta de propietarios tiene las competencias no atribuidas expresamente a otros órganos y, como mínimo, las siguientes:

a) El nombramiento y remoción de las personas que deben ocupar u ocupan los cargos de la comunidad.

b) La modificación del título de constitución.

c) La aprobación y modificación de los estatutos y del reglamento de régimen interior.

d) La aprobación de los presupuestos y de las cuentas anuales.

e) La aprobación de la realización de reparaciones de carácter ordinario no presupuestadas y de las de carácter extraordinario y de mejora, de su importe y de la imposición de derramas para su financiación.

f) El establecimiento o modificación de los criterios generales para fijar o modificar cuotas.

g) La extinción voluntaria del régimen».

La junta de propietarios debe reunirse de manera ordinaria al menos una vez al año para la aprobación de las cuentas y de los presupuestos de la comunidad, así como para elegir a las personas que deban ocupar los cargos de presidente y secretario.

Además, la junta de propietarios puede reunirse de **manera extraordinaria** cuando lo considere conveniente el presidente o cuando lo solicite, como mínimo, una cuarta parte de los propietarios o los que representen una cuarta parte de las cuotas de participación. En los estatutos puede establecerse la convocatoria de reuniones especiales para tratar cuestiones que afecten solo a propietarios determinados o, si procede, a las subcomunidades.

Por último, el artículo 553-20.4 del CCCat recoge la posibilidad de que la junta de propietarios pueda reunirse sin que se haya hecho una convocatoria, si concurren a ella todos los propietarios y acuerdan por unanimidad la reunión y su orden del día.

Las reuniones serán convocadas por el presidente, aunque en el caso de vacante, inactividad o negativa podrá convocarla la vicepresidencia, y si esta no lo hiciera podrá convocarla una cuarta parte de los propietarios o los que representen una cuarta parte de las cuotas de participación.

Los estatutos regularán la forma en que deben realizarse las convocatorias y para el caso de que no hayan establecido nada al respeto, el artículo 553-21.2 del CCCat establece que «Las convocatorias, citaciones y notificaciones, salvo que los estatutos establezcan expresamente otra cosa, deben enviarse, con una antelación mínima de ocho días naturales, a la dirección comunicada por el propietario a la secretaría. El envío puede hacerse por correo postal o electrónico, o por otros medios de comunicación, siempre y cuando se garantice la autenticidad de la comunicación y de su contenido. Si el propietario no ha comunicado dirección alguna, deben enviarse al elemento privativo del que es titular. Además, el anuncio de la convocatoria debe publicarse con la misma antelación en el tablón de anuncios de la comunidad o en un lugar visible habilitado a tal efecto. Dicho anuncio produce el efecto de notificación efectiva cuando la personal no ha tenido éxito». La jurisprudencia menor se ha manifestado en cuanto a la forma en que debe realizarse la comunicación, estableciendo que la ley no exige que la convocatoria se realice por medio fehaciente, **siendo suficiente acreditar que se hizo el envío.**

A este respecto, podemos citar, como ejemplo, la **SAP de Girona n.º 408/2021, de 3 de noviembre, ECLI:ES:APGI:2021:1405,** que recoge que:

> «Del precepto transcrito **no se desprende que las comunicaciones con los propietarios deban realizarse necesariamente por un medio fehaciente**, esto es, que deje constancia de su envío y recepción por el destinatario, sino que puede considerarse válida la fórmula del correo ordinario y, en la actualidad, mediante correo electrónico.
>
> Al no exigir la Ley la utilización de un medio fehaciente, a la Comunidad demandada le **basta con acreditar que hizo el envío** del correo electrónico para dar cumplimiento al artículo 553.21.2 del CCC.

Y ello por cuanto la finalidad que se persigue es que la convocatoria de la junta llegue a conocimiento del comunero con antelación suficiente para que pueda documentarse, si a su derecho conviniere, sobre los temas a tratar en la misma según el orden del día previsto.

En el caso de juntas extraordinarias para tratar de asuntos urgentes, no es necesario el preaviso de ocho días exigiéndose únicamente que los propietarios hayan podido tener conocimiento de las convocatorias, citaciones y notificaciones antes de la fecha en que deba celebrarse la reunión».

En cuanto al **contenido de la convocatoria de la junta de propietarios** el artículo 553-21.4 del CCCat establece que la misma debe incluir de forma clara y detallada:

«a) El orden del día. Si la reunión se convoca a petición de propietarios promotores, deben constar en él los puntos que proponen. El orden del día incluye, entre otros asuntos, los propuestos por escrito a la presidencia, antes de la convocatoria, por cualquiera de los propietarios.

b) El día, el lugar y la hora de la reunión.

c) La advertencia que, con relación a los acuerdos a que se refiere el artículo 553-26, los votos de los propietarios que no asisten a la reunión se computan en el sentido del acuerdo tomado por la mayoría, sin perjuicio de su derecho de oposición.

d) La lista de los propietarios con deudas pendientes con la comunidad por razón de las cuotas, los cuales, de conformidad con el artículo 553-24, tienen voz pero no tienen derecho de voto, de todo lo cual es preciso advertir».

El **orden del día** es uno de los puntos esenciales de la convocatoria, en él se especifican los temas que se van a tratar en la reunión, concretando, de esta manera, las votaciones que se realizarán. El artículo 553-25.1 del CCCat establece que solo se pueden someter a votación los puntos incluidos en el orden del día, y en este sentido se ha manifestado la **sentencia de la Audiencia Provincial de Lleida n.º 328/2022, de 10 de mayo, ECLI:ES:APL:2022:419**:

«En cuanto a esta exigencia de que todos los puntos a tratar en la junta de propietarios consten en el orden del día, indicábamos en nuestra sentencia de 20-5-2013 (nº 194/2013), siguiendo el criterio de nuestras sentencias de 5 de marzo de 2009 y 5/10/2012, que "...En relación con los acuerdos establece el párrafo 1 del art. 553-25 C.C Cat que **'sólo pueden adoptarse acuerdos sobre los asuntos incluidos en el orden del día'**. La previsión legal no puede ser más clara —en consonancia, a su vez, con lo dispuesto en el art. 111.6 C.C Cat. al referirse al principio de libertad civil que informa las disposiciones de este código y de las otras leyes civiles catalanas, salvo que en ellas se establezca expresamente su imperatividad o cuando ésta se deduzca necesariamente de su contenido—, y la única excepción que se contempla al respecto es la que la misma norma prevé a continuación en el sentido que 'sin embargo, la junta de propietarios puede acordar, aunque no consten en el orden del día, la destitución del presidente o presidenta, del administrador o administradora y del secretario o secretaria y emprender acciones contra ellos, así como el nombramiento de personas para ejercer dichos cargos'. Sobre la infracción de los requisitos de la convocatoria de la junta y, más en concreto, en cuanto al contenido del orden del día, se ha pronunciado reiteradamente el Tribunal Supremo (en aplicación del actual art. 16-2, antes art. 15 de la LPH, siendo extrapolables sus criterios a lo que disponen los arts. 553-21-4a) y 553-25- 1 C.C Cat.) en el sentido que 'en las comunidades de propietarios no se pueden tomar acuerdos que no estén en el orden del día, pues sería fácil burlar la voluntad de determinados propietarios, consiguiendo en la junta convocada acuerdos diferentes de los señalados en dicho orden, **nulidad que abarca igualmente a dichos acuerdos si se adoptaren bajo la rúbrica de ruegos y preguntas**, pues el art. 15 LPH señala entre los requisitos de convocatoria para las juntas la indicación de los asuntos a tratar''' (STS de 26 de junio de 1995)».

Con la convocatoria debe enviarse toda la documentación relacionada con el orden del día o bien debe indicarse el lugar donde se encuentra para que pueda ser consultada por los propietarios. Si de las funciones de administración se encarga un profesional externo, este debe tener dicha documentación a disposición de los propietarios desde el momento en el que se envía la convocatoria.

El Tribunal Superior de Justicia de Cataluña se ha pronunciado sobre las consecuencias de que en la convocatoria de la junta no se incluya de forma clara y detallada la lista de propietarios que tengan deudas pendientes y la advertencia de que tienen voz pero no voto (mientras no sufraguen las deudas pendientes). Establece que estamos ante una exigencia de carácter no imperativo en términos generales y por tanto su omisión solo comportará la nulidad del acuerdo cuando haya producido indefensión a alguno de los propietarios —**STSJ de Cataluña n.º 3/2013, de 9 de enero, ECLI:ES:TSJCAT:2013:680—**. Siguiendo la interpretación establecida por el Tribunal Superior de Justicia de Cataluña, la Audiencia Provincial de Barcelona también determina que la nulidad de los acuerdos solo es posible si se produce indefensión al propietario.

RESOLUCIÓN RELEVANTE

SAP de Barcelona n.º 46/2019, de 31 de enero, ECLI:ES:APB:2019:484

«La sentencia de la Sección 4ª fue recurrida en casación y el recurso fue desestimado por el Tribunal de Justicia de Catalunya de 9/1/2013, que dijo lo siguiente: "... Tampoc podem obviar que aquesta Sala en la recent sentència de 29 de novembre de 2012, ha dit, a títol d'obiter dicta: 'A) Por lo que se refiere al supuesto defecto de la convocatoria a la mencionada Junta, consistente en no haber acompañado a la misma la lista de propietarios morosos con la advertencia de que, conforme a lo dispuesto en el art. 553-21.4.e) CCCat, serían privados por ello del derecho de voto, teniendo en cuenta que los actores conocieron con la suficiente antelación los estados de cuentas de los que resultaban claramente que tenían deudas pendientes con la COMUNIDAD y que la convocatoria sí contenía una advertencia expresa en línea con lo demandado, debemos concluir que en el presente caso se han cumplido adecuadamente las prescripciones de dicho precepto, sin necesidad de acudir a los efectos correctores que propician la exigencia de la buena fe (art. 111-7 CCCat) y la proscripción del abuso de derecho (art. 7.2 CC), puesto que ***las mismas no pueden ser entendidas en la de su estricta formalidad, sino en la de la materialidad de la información que los propietarios convocados han conocer para acudir a dicho acto en las condiciones adecuadas para poder ejercer su derecho de participación efectiva en los asuntos comunitarios****'.*

Les anteriors consideracions, aplicades al cas que ara debatem han de comportar concloure que l'exigència establerta en l' article 553.21.4 e) del Codi civil de Catalunya, en el sentit que la convocatòria ha d'expressar de manera clara i detallada la llista de propietaris amb deutes pendents amb la comunitat i l'advertiment que tenen veu però no vot, és una exigència de caràcter no imperatiu en termes generals, ja que la seva omissió, justificarà la nul litat de la junta de propietaris, i dels seus acords, només quan la dita omissió hagi produït indefensió a algun dels propietaris, i, això pel fet que aquesta norma no es pot entendre en la seva estricta formalitat sinó des d'un aspecte material de manera que s'ha d'eradicar una nul litat que s'empari en un mer defecte formal sense incidència material de cap índole...".

En el caso de autos, partiendo de las anteriores consideraciones, cabe destacar que la actora ***tenía conocimiento cumplido de la existencia de deudas*** *con la comunidad y prueba de ello es que se puso al corriente de sus deudas con la Comunidad con carácter previo a la reunión, pudo asistir a la Junta y pudo también impugnar los acuerdos de la Junta.* ***Ninguna indefensión observamos****, por tanto, para el actor».*

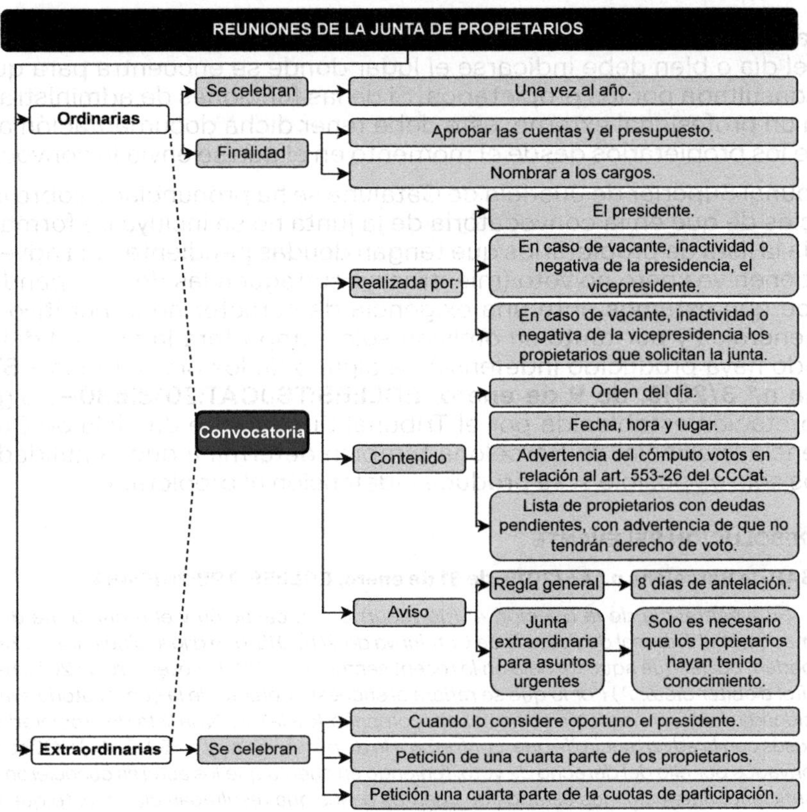

8.2. ACUERDOS DE LA JUNTA DE PROPIETARIOS

8.2.1. Adopción de acuerdos comunitarios

1800 **Acuerdos de la comunidad de propietarios en Cataluña**

Todos los propietarios tienen derecho a asistir a las reuniones de la junta de propietarios, personalmente o por medio de representación. Los estatutos pueden establecer la posibilidad de asistir por videoconferencia o por otros medios telemáticos de comunicación sincrónica similares. En el supuesto de que el propietario asista por medio de representante, la representación deberá acreditarse por escrito.

Para supuestos especiales la ley prevé quien debe asistir a las juntas:

- En el caso de **cotitularidad del bien privativo**, los cotitulares deberán **designar a uno para que asista** a la junta de propietarios.
- En una situación de **usufructo**, se entiende que los **nudos propietarios están representados por el usufructuario**, salvo que exista una manifestación en contra. Esta representación debe ser expresa para acuerdos sobre el título de constitución, los estatutos y las obras extraordinarias o de mejora.

Para que la junta de propietarios quede válidamente constituida la ley no establece un *quorum* mínimo necesario, sino que el artículo 553-23 del CCCat señala que «La junta de propietarios se constituye válidamente sea cual sea el número de propietarios que concurran y las cuotas de las que sean titulares o representante». En el supuesto de que no esté presente alguno de los cargos —presidente, vicepresidente o secretario— la junta de propietarios designará uno entre los asistentes.

A TENER EN CUENTA. Con la reforma llevada a cabo por la Ley 5/2015, de 13 de mayo, se suprime la necesidad de hacer una primera y segunda convocatoria, ya que se considera que no presenta utilidad práctica la exigencia de doble convocatoria, tratándose de una convocatoria única.

Por lo que se refiere al derecho de voto, lo tienen aquellos propietarios que no tengan deudas pendientes con la comunidad. Los propietarios que las tengan podrán votar si acreditan que han consignado judicial o notarialmente su importe o que las han impugnado judicialmente.

Artículo 553-24.2 del CCCat

«2. El derecho de voto se ejerce de las siguientes formas:

a) Personalmente.

b) Por representación, de acuerdo con lo establecido por el artículo 553-22.1.

c) Por delegación en otro propietario, efectuada mediante un escrito que designe nominativamente a la persona delegada y en el que puede indicarse el sentido del voto con relación a los puntos del orden del día. La delegación debe efectuarse para una reunión concreta de la junta de propietarios y debe recibirse antes de que comience».

En lo referente al cómputo de los votos, los de las personas que se abstengan y el correspondiente a los elementos privativos de beneficio común se computan en el mismo sentido que en el de la mayoría conseguida.

1810 ¿Qué mayorías se necesitan para la adopción de acuerdos en la junta de propietarios según el CC de Cataluña?

Solo se pueden adoptar acuerdos sobre los asuntos que se recogen en el orden del día. El Código Civil de Cataluña recoge tres mayorías necesarias para la adopción de los acuerdos en relación con la materia que sea objeto de votación.

➢ Mayoría simple

Artículo 553-25. Régimen general de adopción de acuerdos

«2. Se adoptan por **mayoría simple de los propietarios** que han participado en cada votación, que tiene que representar, al mismo tiempo, la **mayoría simple del total de sus cuotas de participación**, los acuerdos que hacen referencia a:

a) La ejecución de obras o el establecimiento de servicios que tienen la finalidad de **suprimir barreras arquitectónicas o la instalación de ascensores**, aunque el acuerdo comporte la modificación del título de constitución y de los estatutos o aunque las obras o los servicios afecten a la estructura o la configuración exterior.

b) Las **innovaciones exigibles para la habitabilidad, accesibilidad, seguridad del inmueble o eficiencia energética o hídrica** según su naturaleza y características, aunque el acuerdo comporte la modificación del título de constitución y de los estatutos o afecten a la estructura o a la configuración exterior.

c) La ejecución de las obras para **instalar infraestructuras comunes o equipos con la finalidad de mejorar la movilidad de los usuarios, para conectar servicios de telecomunicaciones de banda ancha o para individualizar la medición de los consumos de agua, gas o electricidad o para la instalación general de puntos de recarga para vehículos eléctricos** aunque el acuerdo comporte la modificación del título deconstitución y de los estatutos.

d) La ejecución de las obras para **instalar infraestructuras comunes o equipos con el fin de mejorar la eficiencia energética o hídrica**, así como para instalar **sistemas de energías renovables** y sus elementos auxiliares de uso común en elementos comunes, aunque el acuerdo comporte la modificación del título de constitución y de los estatutos o afecten a la estructura o la configuración exterior.

e) La ejecución de las obras para **instalar infraestructuras o equipos con la finalidad de mejorar la eficiencia energética o hídrica, así como para instalar sistemas de energías renovables de utilidad particular en elementos comunes**, a solicitud de los propietarios interesados, aunque afecten a la estructura o a la configuración exterior. El acuerdo adoptado incluye, si la instalación existente lo permite, el acceso de otros propietarios siempre que abonen el importe que les hubiera correspondido cuando se hizo la instalación, debidamente actualizado, así como el coste de la adaptación necesaria para tener acceso. Los propietarios que quieran tener acceso a las instalaciones preexistentes tienen que comunicarlo previamente a la presidencia o a la administración de la comunidad.

f) La participación en la generación de **energías renovables compartidas con otras comunidades de propietarios**, en la agregación de la demanda, así como también en comunidades energéticas locales o ciudadanas de energía, y en el ejercicio de los derechos derivados de esta participación, aunque el acuerdo comporte la modificación del título de constitución y de los estatutos.

g) Los **contratos de financiación** para hacer frente a los gastos derivados de la ejecución de las obras o de las instalaciones previstas en los apartados anteriores.

h) Las **normas del reglamento de régimen interior**.

i) El **acuerdo de someter a mediación** cualquier cuestión propia del régimen de la propiedad horizontal.

j) Los acuerdos que no tengan fijados una mayoría diferente para adoptarlos».

A TENER EN CUENTA. El artículo 553-25 del Código Civil de Cataluña se ha visto modificado por la Ley 3/2023, de 16 de marzo, con entrada en vigor el 18/3/2023.

La adopción del acuerdo por mayoría simple requiere que los votos y las cuotas de propietarios a favor sean superiores a los votos y cuotas en contra. Para calcular la mayoría se computa los votos y las cuotas de todos los propietarios que hayan asistido a la junta ya sea personalmente o por medio de representante.

A diferencia de la Ley de Propiedad Horizontal, **la ley catalana no establece ningún mecanismo de resolución de conflictos para los supuestos en los que no sea posible alcanzar la mayoría**. El artículo 17.7 de la LPH, en su párrafo segundo, establece: «Cuando la mayoría no se pudiere lograr por los procedimientos establecidos en los apartados anteriores, el Juez, a instancia de parte deducida en el mes siguiente a la fecha de la segunda Junta, y oyendo en comparecencia los contradictores previamente citados, resolverá en equidad lo que proceda dentro de veinte días, contados desde la petición, haciendo pronunciamiento sobre el pago de costas». Sin embargo, el CCCat no hace referencia alguna a la posibilidad de acudir al juicio de equidad, lo que plantea dudas acerca del proceso a seguir en caso de no lograr la mayoría, optando, en muchos casos, por hacerlo a través del juicio ordinario.

Los acuerdos que modifiquen las cuotas de participación, los que priven a cualquier propietario de las facultades de uso y disfrute de elementos comunes y los que determinen la extinción del régimen de propiedad horizontal simple o compleja, requieren el consentimiento expreso de los propietarios afectados. En este sentido se ha manifestado la Audiencia Provincial de Barcelona en su **sentencia n.º 386/2022, de 17 de junio, ECLI:ES:APB:2022:6362**, especificando que ante una modificación que afecta al derecho de propiedad es necesario el consentimiento del interesado, y en el caso de que no exista conformidad, el acuerdo es nulo:

> «El acuerdo de forma indudable limita (en tanto lo define) el derecho de propiedad del actor —cuya extensión es discutida, si bien se recuerda que no es objeto del procedimiento— de modo que establece cuáles son los límites del elemento privativo y cuáles los de los elementos comunes en su entorno. Y tal no puede acontecer mediante un acuerdo de la junta de propietarios si no es con la aquiescencia del interesado por aplicación del art. 553-25.4 y concordantes del CCC, y ello aunque el caso concreto pueda no encajar milimétricamente en los supuestos que dicho precepto contempla. Si no existe dicha conformidad, el acuerdo es nulo por ser contrario a la ley. Y será mediante el ejercicio de las acciones que al derecho de la demandada convengan como se pueda (o no) conseguir lo pretendido, pero desde luego no mediante un acuerdo de junta de propietarios con el que no está de acuerdo la persona cuyo derecho de propiedad se ve afectado.
>
> En definitiva, la junta de propietarios, al adoptar el acuerdo en cuestión, se ha atribuido funciones cuasi jurisdiccionales porque ha fijado unilateralmente la extensión y límites de la plaza de aparcamiento propiedad del actor, sin contar con su consentimiento y sin posibilidad de más oposición que la que ahora ejercita».

El artículo 553-25.5 del CCCat recoge la posibilidad de acudir a los tribunales para la realización de obras de **eliminación de barreras arquitectónicas** y establece que «Los propietarios o titulares de un derecho posesorio sobre el elemento privativo, en caso de que ellos mismos o las personas con quienes conviven o trabajan sufran alguna discapacidad o sean mayores de setenta años, si no consiguen que se adopten los acuerdos a qué hacen referencia las letras a) y b) del apartado 2, pueden pedir a la autoridad judicial que obligue a la comunidad a suprimir las barreras arquitectónicas o a hacer las innovaciones exigibles, siempre que sean razonables y proporcionadas, para alcanzar la accesibilidad y transitabilidad del inmueble en atención a la discapacidad que las motiva». La ley no establece los requisitos que la autoridad judicial debe tener en cuenta para establecer la obligación de realizar las obras necesarias. Sobre esto se ha pronunciado la **STSJ de Cataluña n.º 15/2019, de 21 de febrero, ECLI:ES:TSJCAT:2019:1240:**

«12. Decíamos entonces que el silencio de la norma respecto de los requisitos exigidos para obligar a la Comunidad a realizar la instalación, no suponía, obviamente, que los Tribunales estuviesen obligados a acceder en todo caso a la demanda, sino que debían **hacer un juicio equitativo en función de las circunstancias de cada caso concreto,** siendo necesario que exista un equilibrio entre los derechos de unos y otros propietarios para que no se provoque el efecto contrario al querido por la Ley (integración social de las personas con minusvalías) así como que las decisiones que se tomen sean posibles y ejecutables.

13. Para realizar este juicio equitativo debía **considerarse**, por un lado, la clase y tipo de minusvalías físicas o la edad de los concretos peticionarios incluso su número, con independencia de que tales discapacidades hubiesen sido determinadas en vía administrativa y, de otro, sin ánimo exhaustivo: a) el **mantenimiento del propio sistema**; b) los **derechos que en su caso podrían resultar afectados** por la instalación; c) el coste total de las obras; d) la **capacidad de la Comunidad y de sus miembros para llevarlas a cabo** sin afectar a su propia subsistencia, y, e) las **ayudas oficiales previstas** y con las que podría contar la Comunidad para sufragar las obras.

14. Asimismo, añadíamos, que todas estas circunstancias que el tribunal debía valorar debían **alegarse y acreditarse en la fase declarativa** del procedimiento y no en la de ejecución, en tanto que condicionaban la decisión a adoptar».

➢ Unanimidad

El artículo 553-26 del CCCat recoge los supuestos en los que se requiere una mayoría especial para la aprobación de acuerdos, estableciendo para los mismos la exigencia de unanimidad o una mayoría cualificada de cuatro quintas partes de propietarios y cuotas. Así, en el apartado primero del artículo 553-26 del CCCat se recogen los acuerdos sujetos a unanimidad:

«1. Se requiere el voto favorable de **todos los propietarios con derecho al voto** para:

a) **Modificar las cuotas de participación**.

b) **Desvincular un anexo.**

c) **Vincular el uso exclusivo** de patios, jardines, terrazas, cubiertas del inmueble u otros elementos comunes a uno o varios elementos privativos.

d) **Ceder gratuitamente el uso de elementos comunes** que tienen un uso común.

e) Constituir un **derecho de sobreelevación, subedificación y edificación** sobre el inmueble.

f) **Extinguir el régimen** de propiedad horizontal, simple o compleja, y convertirla en un tipo de comunidad diferente.

g) **Acordar la integración en una propiedad horizontal compleja.**

h) **Someter a arbitraje** cualquier cuestión relativa al régimen de la propiedad horizontal, a menos que haya una disposición estatutaria contraria».

➢ Mayoría cualificada

El apartado segundo del artículo 553-26 del CCCat establece una mayoría cualificada en la que se exige la aprobación de los acuerdos con el voto favorable de las cuatro quintas partes de los propietarios con derecho al voto que representen las cuatro quintas partes de las cuotas de participación:

> «2. Es necesario el voto favorable de las **cuatro quintas partes de los propietarios con derecho al voto**, que tienen que representar al mismo tiempo las **cuatro quintas partes de las cuotas de participación**, para:
>
> a) **Modificar el título de constitución y los estatutos**, salvo que exista una disposición legal en sentido contrario.
>
> b) Adoptar acuerdos relativos a **innovaciones físicas en el inmueble, si afectan a su estructura o configuración exterior**, salvo los supuestos regulados en las letras b), d) y e) del artículo 553-25.2, así como los relativos a la construcción de piscinas e instalaciones recreativas.
>
> c) **Desafectar un elemento común.**
>
> d) **Constituir, enajenar, gravar y dividir un elemento privativo de beneficio común.**
>
> e) Acordar **cuotas especiales de gastos**, o un incremento en la participación en los gastos comunes correspondientes a un elemento privativo por el uso desproporcionado de elementos o servicios comunes, de acuerdo con lo que establece el artículo 553-45.4.
>
> f) Acordar la **extinción voluntaria del régimen de propiedad horizontal por parcelas**.
>
> g) La **cesión onerosa del uso y el arrendamiento de elementos comunes** que tienen un uso común por un **plazo superior a quince años**.
>
> h) Los **contratos de financiación que tengan un plazo de amortización superior a quince años**».

En cuanto a las mayorías recogidas en este artículo, el apartado tercero establece unas **especialidades de cómputo** por las que se entienden adoptados los acuerdos:

- La **unanimidad** se obtiene cuando han votado a favor todos los propietarios que han participado en la votación, siempre que **no se oponga ningún propietario en el plazo de un mes** desde que se haya notificado el acuerdo. La oposición debe hacerse mediante escrito a la secretaría que se envíe por cualquier medio fehaciente.
- Para la **mayoría de cuatro quintas partes** se entiende alcanzada, cuando ha votado favorablemente la mayoría simple de los propietarios y de las cuotas participantes a la votación y, en el plazo de un mes desde la notificación del acuerdo, se alcanza la mayoría cualificada contando como **voto favorable la posición de los propietarios ausentes que**, en dicho plazo, **no se han opuesto al acuerdo** mediante un escrito enviado a la secretaría por cualquier medio fehaciente.

A TENER EN CUENTA. Las mayorías exigidas han sido objeto de modificación reciente por el Decreto Ley 28/2021, de 21 de diciembre, de modificación del libro quinto del Código civil de Cataluña, con el fin de incorporar la regulación de las instalaciones para la mejora de la eficiencia energética o hídrica y de los sistemas de energías renovables en los edificios sometidos al régimen de propiedad horizontal, y de modificación del Decreto ley 10/2020, de 27 de marzo, por el que se establecen nuevas medidas extraordinarias para hacer frente al impacto sanitario, económico y social de la COVID-19, en el ámbito de las personas jurídicas de derecho privado sujetas a las disposiciones del derecho civil catalán. Por medio de esta reforma la norma pretende facilitar y agilizar la adopción de acuerdos respecto de la elección de los proyectos técnicos relativos a la mejora de la eficiencia energética y a los sistemas de energías renovables más adecuados para los intereses de la comunidad.

1820 El acta de la junta de propietarios según el CC de Cataluña

De las reuniones de la junta de propietarios debe quedar constancia y para ello se realizan las actas. El secretario de la comunidad es el encargado de su redacción, que deberá autorizarse con las firmas de este y del presidente. Deberá estar redactada al menos en catalán, o en aranés en Arán, y deberá hacerse en un plazo de cinco días desde el día después de la reunión. El artículo 553-27.2 del CCCat establece el contenido mínimo que debe constar en la misma:

«2. El acta de la reunión debe redactarse al menos en catalán, o en aranés en Arán, y deben constar en ella los siguientes datos:

a) La fecha y el lugar de celebración, el carácter ordinario o extraordinario y el nombre de la persona que ha realizado la convocatoria.

b) El orden del día.

c) La indicación de la persona que la ha presidido y de la persona que ha actuado como secretario.

d) La relación de personas que han asistido personalmente o por representación y, si procede, de las que delegan.

e) Los acuerdos adoptados, los participantes en cada votación y sus cuotas respectivas, así como el resultado de las votaciones, con la indicación de los que han votado a favor, los que han votado en contra y los que se han abstenido.

f) Los acuerdos susceptibles de formación sucesiva, de acuerdo con el artículo 553-26.3».

El incumplimiento de alguna de las formalidades exigidas por la ley en la redacción del acta no supone per se la nulidad de la misma, sino que es preciso estar al caso concreto. Hay que tener en cuenta que la finalidad del acta no es constitutiva, sino que se limita a reflejar el acuerdo que se ha adoptado. Así lo han entendido tanto el Tribunal Supremo como la jurisprudencia menor.

JURISPRUDENCIA

Sentencia del Tribunal Supremo de 2 de marzo de 1992, ECLI:ES:TS:1992:1733

«(...) Aparte de incurrir en una conducta procesalmente contradictoria (la demanda de impugnación se fecha el 24 de diciembre de 1986, siendo así que en la argumentación del motivo se afirma que hasta el 10 de febrero de 1987 no podía haber comenzado el cómputo) que no ha de ampararse, se ***atribuye al acta de la junta un carácter constitutivo de los acuerdos que no posee;*** *es mero "reflejo" de los mismos (artículo 17 de la Ley de Propiedad Horizontal), y* ***sólo se puede reflejar lo que ya existe.*** *El acta podrá ser-*

vir como prueba preconstituida, pero en modo alguno la única admisible; la solemnidad "ad probationem" no se establece expresamente por la Ley de Propiedad Horizontal, y por su importancia procesal no puede interpretarse el artículo 17 de la Ley de Propiedad Horizontal en ese sentido. La norma 4.a del artículo 16 de la Ley de Propiedad Horizontal además es clara: el plazo comienza a contarse desde acuerdo o desde la notificación, si hubiera estado ausente el que impugna. Probado en autos, sin que se haya combatido en el recurso esta apreciación, que el recurrente asistió y votó en la junta de 28 de octubre de 1986, los treinta días de plazo de ejercicio de la acción impugnatoria empiezan desde el siguiente, pues el precepto legal no exige que a la demanda se acompañe copia o certificado del acta».

RESOLUCIÓN RELEVANTE

SAP de Tarragona n.º 456/2020, de 26 de noviembre, ECLI:ES:APT:2020:1651

«(...) Además, prima facie, la posible nulidad del acta no acarrearía, sin más, la de los acuerdos en la junta adoptados, ***pues el acta es únicamente un medio de prueba de los datos recogidos en ella y de los acuerdos adoptados****, según el contenido recogido en el artículo referido, careciendo de eficacia constitutiva respecto de ellos. En este sentido se pronunció, por ejemplo, la STS de 2 de marzo de 1992: "se atribuye al acta de la junta un carácter constitutivo de los acuerdos que no posee; es mero 'reflejo' de los mismos (artículo 17 de la Ley de Propiedad Horizontal) y sólo se puede reflejar lo que ya existe. El acta podrá servir como prueba preconstituida, pero en modo alguno la única admisible; la solemnidad 'ad probationem' no se establece expresamente por la Ley de Propiedad Horizontal, y por su importancia procesal no puede interpretarse el artículo 17 de la Ley de Propiedad Horizontal en ese sentido" (SAP de Tarragona, sección 1, del 19 de Mayo del 2008).* ***Las actas de las juntas no son constitutivas: el acuerdo es el que se adopta realmente en la junta de propietarios, aunque en el acta no se recoja fielmente*** *(Tribunal Supremo sentencias de 2 de marzo de 1.992 y 19 de julio de 1.993)».*

El acta podrá ser levantada por un notario cuando así lo requiera el presidente y en todo caso cuando haya una solicitud escrita presentada, al menos cinco días antes de la fecha de la reunión, por una cuarta parte de los propietarios o por menos si representan la cuarta parte de las cuotas. En este caso, debe hacerse en el libro de actas una referencia clara a la fecha de celebración de la reunión y al nombre y la residencia del notario que asistió a ella.

En el plazo de diez días a contar desde el siguiente a la reunión debe remitirse el acta a los propietarios mediante correo postal o electrónico o por otros medios de comunicación, con las mismas garantías requeridas para la convocatoria. En el caso de que en la reunión se sometiera a votación algún acuerdo susceptible de formación sucesiva, una vez haya transcurrido un mes desde la notificación del acuerdo, debe enviarse a todos los propietarios un anexo al acta en el que debe indicarse el resultado final de la votación.

Los acuerdos de las juntas deben transcribirse en un libro de actas que debe legalizarse, al menos en catalán o en aranés en Arán, en el registro de la propiedad que corresponda. El libro de actas estará custodiado por el secretario, y debe conservarse durante treinta años mientras exista el régimen de propiedad horizontal o durante cinco años desde el momento en que haya extinguido. La Audiencia Provincial de Tarragona se ha pronunciado en relación con la exigencia de que las actas se transcriban en catalán, y ha determinado que el hecho de que **el acta se redacte solo en castellano no determina la nulidad de la misma**:

SAP de Tarragona n.º 250/2014, de 1 de julio, ECLI:ES:APT:2014:1144

«(...) que por otra parte, parece existir amplio consenso en considerar que cuando la Ley establece que el acta será redactada, cuando menos, en catalán, no supone que esté prohibido que se haga sólo en castellano, que también es idioma oficial. Esa exigencia difícilmente encaja con la libertad civil y la autonomía de la voluntad proclamada en el preámbulo de la misma Ley 5/2006 que aprueba el libro quinto del CCC. Además, **dicha transgresión no tiene sanción jurídica ni transcendencia desde el punto de vista de la eficacia ante los tribunales, a lo sumo, una hipotética sanción administrativa.** En todo caso, esa obligación legal faculta a cualquiera de los comuneros para exigir la transcripción del acta también en catalán o, en su caso, impugnar el acuerdo que excluya la transcripción en esta lengua. Finalmente, como expresa la SAP de Barcelona, sección 14, de 23-enero-2014 (ROJ: SAP B 503/2014), "Tampoco puede acogerse la pretensión de que se subsane el idioma del acta al no haberse redactado en catalán, toda vez que la acción que se interpone en la demanda rectora es la de impugnación de acuerdos para que se decrete la nulidad y no para su subsanación"».

8.2.2. Impugnación de acuerdos comunitarios

1830 **Validez de los acuerdos de la junta de propietarios según el CC de Cataluña**

Los acuerdos adoptados válidamente por la junta de propietarios, salvo que los estatutos establezcan otra cosa, **son ejecutivos desde el momento en que se adoptan y vinculan a todos los propietarios incluidos a los disidentes**. Esta vinculación se mantiene aunque se haya impugnado el acuerdo, tal y como establece el artículo 553-32.1 del CCCat que señala que «La impugnación de un acuerdo de la junta de propietarios no suspende su ejecutabilidad». Con relación a esta ejecutabilidad se ha manifestado la **SAP de Barcelona n.º 46/2022, de 7 de febrero, ECLI:ES:APB:2022:1086**:

«En el régimen de las comunidades de propietarios, la voluntad de las mismas se forma en las Juntas de propietarios (ordinarias y extraordinarias) que válidamente se celebren, y su expresión formal se contendrá en los acuerdos que se consignen en las actas de tales juntas, salvo que los mismos resulten impugnados en los plazos y por las causas que legalmente se establezcan, siendo la "ratio legis" del sistema la necesidad de dotar de certeza y seguridad a los acuerdos comunitarios, en el sentido de limitar el plazo de impugnación, puesto que de otro modo, si cualquier acuerdo con vicios formales pudiese ser impugnado por el comunero interesado en el tiempo que quisiera, se crearía una intolerable inseguridad en la vida jurídica de la comunidad (entre otras, SSTS de 2 noviembre 2004 o 30 diciembre 2005).

Por ello, de conformidad con lo dispuesto en los arts. 553-29 y 553-30 del Código Civil de Catalunya, **los acuerdos adoptados válidamente por la junta de propietarios son ejecutivos inmediatamente después de que el acta haya sido notificada a los propietarios, y obligan y vinculan a todos los propietarios, incluso a los disidentes.**

El artículo 553.29 del Código Civil de Catalunya dispone lo siguiente: "Los acuerdos adoptados válidamente por la junta de propietarios son ejecutivos inmediatamente después de que el acta haya sido notificada a los propietarios". Y el artículo 553.30.1 que "1. Los acuerdos adoptados por la junta de propietarios son obligatorios y vinculan a todos los propietarios, incluso a los disidentes", salvo que se impugnen en los casos y con los requisitos a que se refiere el artículo 553.31».

¿Están los disidentes obligados a cumplir con los acuerdos de la junta de propietarios? 1840

Por norma general, conforme al principio de vinculación universal de los acuerdos, los disidentes están obligados a cumplir con los acuerdos de la junta, siempre que el acuerdo no se haya impugnado. El Código Civil de Cataluña recoge una serie de previsiones sobre los gastos a los que debe hacer frente, quien haya votado en contra del acuerdo. En este sentido el artículo 553-30 del CCCat establece:

- En relación con las **nuevas instalaciones o nuevos servicios** comunes los disidentes **no están obligados a pagar los gastos de aquellos que no sean exigibles de acuerdo con la ley si el valor total del gasto acordado es superior a la cuarta parte del presupuesto anual** vigente de la comunidad. Para calcular el total del gasto se debe descontar las subvenciones o las ayudas públicas y los costes derivados de la obtención del crédito necesario con entidades financieras. Si con posterioridad los propietarios que votaron en contra y no pagaron los gastos, desean hacer uso de las nuevas instalaciones o servicios, deberán abonar los gastos de ejecución y de mantenimiento con la actualización que corresponda aplicando el índice general de precios de consumo.
- Para el caso de **supresión de barreras arquitectónicas** o la instalación de ascensores y los que hagan falta para **garantizar la accesibilidad y la habitabilidad del edificio**, si la obra se ha aprobado por acuerdo de la junta de propietarios, los **gastos son a cargo de todos los propietarios**. En el supuesto de que la obra derive de una decisión judicial conforme el artículo 553-25.5 del CCCat, será la autoridad judicial quien determine el importe al que deben hacer frente en función de los gastos ordinarios de la comunidad.
- En los supuestos en los que la comunidad de propietarios apruebe un acuerdo para la **instalación de infraestructuras o equipos comunes con la finalidad de mejorar la eficiencia energética o hídrica, así como la instalación de sistemas de energías renovables** de uso común en elementos comunes, los gastos serán de cargo de todos los propietarios. En el caso de los disidentes **están obligados si el valor total del gasto acordado no excede de las tres cuartas partes del presupuesto anual** vigente de la comunidad en razón de los gastos ordinarios. Para el cálculo del gasto total que supone, con relación al pago de los disidentes, debe descontarse las subvenciones o las ayudas que puedan corresponder a la comunidad por este concepto.

A TENER EN CUENTA. Las obligaciones de los disidentes con relación a los gastos fueron modificadas por la Ley 5/2015, de 13 de mayo, que suprimió el límite presupuestario en relación con las obras para la eliminación de barreras arquitectónicas y las realizadas para garantizar la accesibilidad y habitabilidad del edificio. También ha sido objeto de reforma por el Decreto Ley 28/2021, de 21 de diciembre, que establece en el apartado cuarto la responsabilidad del disidente en los gastos por instalación de infraestructura y equipos comunes para mejorar la eficiencia energética o hídrica, así como en la instalación de sistemas de energía renovables.

CUESTIONES

1. En mi comunidad se ha aprobado la instalación de un gimnasio cuyo coste será de 30.000 euros, el presupuesto de la comunidad es de 100.000 euros. Yo he votado en contra de la obra, ¿tengo que pagar el gasto?

No, en este caso estamos ante una nueva instalación que no está exigida por la ley y que supera la cuarta parte del presupuesto anual, por tanto, no tiene obligación de pagar los gastos. Para el supuesto de que no abone el importe que le correspondería, la comunidad de propietarios puede prohibir que haga uso de las instalaciones.

2. Finalmente la comunidad ha contratado la obra a otra empresa que supone una reducción en el coste, por lo que, el importe total es ahora de 20.000 euros. En este caso, ¿tengo que pagar?

Sí, como se ha reducido el importe y ya no supera el límite marcado en el artículo 553-30 del CCCat de la cuarta parte del presupuesto anual, todos los propietarios deben asumir el gasto, incluso los disidentes.

Existen supuestos en los que una autoridad competente obliga a una comunidad a realizar unas obras si algún propietario se opone a las actuaciones u obras necesarias o demora su ejecución. En estos casos, el propietario disidente que se oponga sin causa justificada responderá de manera personalmente de las sanciones que se impongan en vía administrativa. Mediante el apartado 5 del artículo 553-30 del CCCat se establece una responsabilidad individual de los propietarios que impidan la realización de la obra exigida por la autoridad y cuyo incumplimiento suponga la imposición de sanciones administrativas de las que, sin esta previsión, sería responsable la comunidad de propietarios.

A TENER EN CUENTA. Esta previsión de responsabilidad del propietario que impide realizar obras o actuaciones exigidas se estableció a través de la reforma llevada a cabo por la Ley 5/2015, de 13 de mayo, de modificación del libro quinto del Código civil de Cataluña, relativo a los derechos reales.

1850 ¿Cómo se impugnarán los acuerdos de la junta de propietarios?

El Código Civil de Cataluña establece en el artículo 553-31 la posibilidad de impugnar judicialmente los acuerdos que se adopten en la junta de propietarios. Este artículo legitima para ejercer la acción de impugnación a los propietarios que votaron en contra, los ausentes que se hayan opuesto y a los que hayan sido privados ilegítimamente del derecho a voto.

RESOLUCIÓN RELEVANTE

SAP de Girona n.º 482/2017, de 5 de diciembre, ECLI:ES:APGI:2017:1151

«Consecuentemente, la decisión de primera instancia de acoger la falta de legitimación activa del demandante debe ser revocada, porque el comunero accionante goza conforme al art. 553-31.1.2 CCCat, de legitimación procesal para el ejercicio de la acción deducida en la demanda, basada en la afirmación de la titularidad de la relación jurídica planteada en el juicio (legitimación activa), frente a la Comunidad de Propie-

tarios a la cual se atribuye el deber u obligación correlativos (legitimación pasiva), a los derechos invocados en la demanda.

Mientras que el art. 553-25.6 del CCCat que disciplina el régimen general de adopción de acuerdos, cuando establece que: "A los efectos únicamente de la legitimación para la impugnación de los acuerdos y la exoneración del pago de gastos para nuevas instalaciones o servicios comunes, los propietarios que no han participado en la votación pueden oponerse al acuerdo mediante un escrito enviado a la secretaría, por cualquier medio fehaciente, en el plazo de un mes desde que les ha sido notificado. Si una vez pasado el mes no han enviado el escrito de oposición, se considera que se adhieren al acuerdo".

Dicho precepto se viene a referir a la oposición a los acuerdos en el ámbito interno de la comunidad, mediante escrito ante la Secretaría remitido en el plazo de un mes por los propietarios que no han participado en la votación, teniendo ocasión de hacerlo. Caso de no hacerlo así, se les considera adheridos al acuerdo.

Pero este precepto no puede ser de aplicación ***a los supuestos en que los propietarios no han sido convocados a la junta, lo cual comporta actos contrarios a la ley; no han dispuesto de su derecho a voto, viéndose ilegítimamente privados del mismo****; y se ven implicados en unos acuerdos de la junta que les afectan directamente, en los que se introducen "ex novo" modificaciones en el régimen comunitario preexistente, sin específica advertencia previa, lo cual comportaría un evidente abuso de derecho. En estos casos, para la impugnación judicial de los acuerdos comunitarios, ha de regir el art. 553-31 CCCat, que legitima a los propietarios privados del derecho de voto que por ello no han podido votar en contra y disponen del plazo de un año para proceder a la impugnación judicial desde la notificación del acta».*

Además, para poder impugnar, los propietarios deberán **estar al corriente de pago de las deudas** de la comunidad que estén vencidas en el momento de la adopción del acuerdo que desee impugnarse o haber consignado su importe judicial o notarialmente.

Artículo 553-31.3 CCCat

«3. Para ejercer la acción de impugnación es preciso estar al corriente de pago de las deudas con la comunidad que estén vencidas en el momento de la adopción del acuerdo que desee impugnarse o haber consignado su importe».

En cuanto al **momento** en el que el propietario **debe estar al corriente de pago**, la ley catalana es muy clara a diferencia de la Ley de Propiedad Horizontal, y señala que el momento en el que debe valorarse la morosidad **es el de la adopción del acuerdo**. Así lo ha interpretado la **Audiencia Provincial de Barcelona en su sentencia n.º 541/2020, de 9 de diciembre, ECLI:ES:APB:2020:12895**:

«El artículo 553-31, 3 del Código Civil de Cataluña, en la nueva redacción dada al mismo por la Ley 5/2015, de 13 de mayo, de modificación del libro quinto del Código Civil de Cataluña, relativo a los derechos reales establece "Para ejercer la acción de impugnación es preciso estar al corriente de pago de las deudas con la comunidad que estén vencidas en el momento de la adopción del acuerdo que desee impugnarse o haber consignado su importe".

De este modo, frente a la anterior regulación, y en paralelo a lo dispuesto en la LPH, se ha añadido la prohibición de impugnar si se está en mora, algo que había dado sus problemas de interpretación, toda vez que en el precepto anterior no se establecía de forma clara el supuesto, de ahí que existía doctrina y jurisprudencia a favor o en contra de dicha interpretación.

Además, de la redacción literal que el legislador catalán ha dado al precepto, a diferencia de la del artículo 18,2 de la LPH, que establece "Para impugnar los acuerdos de la Junta el propietario deberá estar al corriente en el pago de la totalidad de las deudas vencidas con la comunidad o proceder previamente a la consignación judicial de las mismas. Esta regla no será de aplicación para la impugnación de los acuerdos de la Junta relativos al establecimiento o alteración de las cuotas de participación a que se refiere el artículo 9 entre los propietarios", **es claro el momento en que se ha de tener en cuenta la morosidad, siendo este "el momento de la adopción de acuerdos"**, de tal modo que **con pagar lo que había emitido la Comunidad cuando la Junta se celebró se está legitimado para impugnar, aunque luego se dejen de abonar las derramas ordinarias y extraordinarias que se pasen con posterioridad a esa fecha**. De este modo en Cataluña el propietario que es moroso cuando presenta la demanda de impugnación, pero que no lo era cuando se tomó el acuerdo impugnado, está legitimado para la presentar la impugnación"; y así lo ha entendido esta Audiencia en Sentencia de la sección 19 de 8 de octubre de 2020 que señala que "esa obligación no se extiende al pago de deudas cuyo devengo o imputación resulte, precisamente, de los acuerdos impugnados"».

A TENER EN CUENTA. La exigencia de estar al corriente de pago se introduce a partir de la reforma que realiza la Ley 5/2015, de 13 de mayo.

El artículo 553-31.1 del CCCat establece los acuerdos que pueden impugnarse y el plazo para realizarlo:

- Si son **contrarios a las leyes, al título de constitución o a los estatutos** o si, dadas las circunstancias, **implican un abuso de derecho**. En este caso la acción de impugnación **caduca en el plazo de 1 año**.
- Si son **contrarios a los intereses de la comunidad o son gravemente perjudiciales para uno de los propietarios**. El plazo de **caducidad en este supuesto es de 3 meses**.

El **plazo de caducidad de la acción de impugnación** de los acuerdos se cuenta **desde la notificación del acta o del anexo del acta,** según proceda. Acerca del cómputo del plazo de caducidad se ha pronunciado el Tribunal Superior de Justicia de Cataluña con referencia a la Ley de Propiedad Horizontal. En la regulación de derecho común se establece «(...) Para los propietarios ausentes dicho plazo se computará a partir de la comunicación del acuerdo conforme al procedimiento establecido en el artículo 9». Se deduce del artículo 18 de la LPH que el cómputo para el resto de los propietarios presentes comienza desde que tienen conocimiento del acuerdo, es decir, desde el momento de la reunión de la Junta de Propietarios del acta, sin necesidad de notificación. Por el contrario, el Código Civil de Cataluña especifica que el cómputo de la caducidad comienza en todo caso desde la notificación del acta, y no antes, sin realizar distinción entre propietarios presentes y ausentes, por lo que, dicha regla afecta a todos los propietarios. Así lo ha entendido el **Tribunal Superior de Justicia de Cataluña en su sentencia n.º 10/2013, de 31 de enero, ECLI:ES:TSJCAT:2013:689:**

«c) Otra razón que avala la interpretación literal de la referida norma es que el legislador catalán cuando aprueba el Llibre cinquè del Codi civil de Catalunya tiene pleno conocimiento de la Ley de Propiedad Horizontal estatal y del contenido de su artículo 18.3, en el que no sólo distingue entre propietarios presentes y ausentes, sino que también el plazo para el ejercicio de la acción es más extenso, ya que es de tres meses —y no dos, como en el artículo 553-31.3 CCC—, por lo que es perfectamente factible que la diferencia entre una y otra normativa se hiciere de forma "intencionada" y, en base al principio pro actione, con la finalidad de alargar el breve plazo de 2 meses legalmente previsto para impugnar el acuerdo.

d) Asimismo **corrobora la tesis de que la notificación debe realizarse tanto a los propietarios presentes como a los ausentes y que el dies a quoempieza a contar desde la fecha en que se notifique el acuerdo**, la interpretación sistemática de toda la nueva normativa catalana en materia de propiedad horizontal referente a la adopción de acuerdos comunitarios, pues ésta difiere en gran manera de la estatal, tanto en lo concerniente a la convocatoria de la Junta, como en la forma de redacción del acta, como también en lo relativo a la ejecutoriedad de los acuerdos —vide. Arts. 553-21.2, 553-27 y 553-29 CCC—, en todos cuyos preceptos se hace referencia al término notificación, a diferencia de lo que acontece en los artículos 16.2 y 19.3 de la LPH, de suerte que en la ley estatal los acuerdos son ejecutivos desde el cierre del acta, mientras que en la catalana lo son, una vez el acta haya sido notificada a los propietarios».

CUESTIÓN

En mi comunidad se aprobó por mayoría simple de propietarios la instalación de un ascensor, pero no se había alcanzado la mayoría simple de cuotas, por lo que he decidido impugnar el acuerdo, sabiendo que ya ha pasado un año y medio. ¿Puedo impugnar? ¿Ha caducado la acción?

Sí, puede impugnar, aunque el artículo 553-31.4 del CCCat señala que el plazo de caducidad para impugnar acuerdos contrarios a las leyes, al título de constitución o a los estatutos es de un año, la jurisprudencia catalana se ha pronunciado y ha establecido que cuando un acuerdo no se aprueba por la mayoría requerida no existe y, por tanto, no puede alegarse caducidad de la acción. En este sentido la **STSJ de Cataluña n.º 44/2021, de 8 de septiembre, ECLI:ES:TSJCAT:2021:9195**, recoge que:

«Y en el mismo sentido, en la STSJCat 49/2012 de 26 de julio, dijimos en relación con un acuerdo de una Junta de propietarios inexistente por falta de quórum para su adopción, que:

"La sentencia recurrida estima, asimismo, la caducidad de la acción de impugnación pues había transcurrido el plazo de dos meses establecidos en el art. 553.31.3 CCCat, pero debe rechazarse dicha caducidad en tanto que, para su estimación, se requerirá la previa existencia de un acuerdo. Y como hemos señalado precedentemente, dicho acuerdo no existió al no reunirse los quórum legales, por lo cual, su impugnación aun habiendo transcurrido el plazo de dos meses (aun cuando no superaba el año) no puede entenderse caducado, siendo que, en todo caso, resultan nulos de

pleno derecho, conforme declara reiterada jurisprudencia del TS —SSTS 7 Julio 1989, 15 Febrero 1992, entre otras—, aplicable al caso examinado, los acuerdos adoptados sin las mayorías necesarias —como sucede en el supuesto enjuiciado— al emanar de un quórum que hace inviable, en absoluto, el acuerdo, por haberse adoptado por una mayoría de propietarios que no tenía la mayoría de cuotas (art. 553.25. 5 CCCat), que comporta, por ello, una nulidad de 'pleno iure' sin posibilidad de convalidación —SSTS 19- Julio 1994 y 14 Octubre 2008—, declarándose por la citada STS 15 Febrero 1992 en lo relativo a la caducidad de las acciones contra acuerdos adoptados en Junta de Propietarios (con cita de las sentencias de 31 de marzo, 4 de abril y 18 de diciembre de 1984) que no resulta aplicable cuando:

'... (la) insubsanabilidad se produce por emanar de un 'quorum' que hace inviable en absoluto tal acuerdo, al haber sido adoptado por mayoría cuando se precise unanimidad (o en el supuesto examinado adoptado por mayoría de propietarios y no de cuotas, cuando requería de mayoría de propietarios y cuotas), ya que en tal caso el acuerdo no se produce de modo alguno, ni de hecho, ni jurídicamente, dado que en ese aspecto es de distinguir casuísticamente entre un orden de acuerdos cuya ilegalidad es susceptible de subsanación por efecto de la caducidad sobrevenida de la acción de impugnación y otro orden en que la ilegalidad conlleva la nulidad 'pleno iure' sin posibilidad de convalidación por el transcurso del plazo de caducidad...'"».

La impugnación de un acuerdo de la junta no lleva consigo la suspensión de la ejecución. En cualquier caso, la autoridad judicial podrá adoptar las medidas cautelares que considere convenientes, incluso la de decretar provisionalmente la suspensión del acuerdo de la junta de propietarios impugnado. En este sentido se manifiesta la **STSJ de Cataluña n.º 50/2019, de 8 de julio, ECLI:ES:TSJCAT:2019:6123:**

«A estos efectos, debe señalarse que el art. 533-30.1 CCCat dispone que los acuerdos adoptados en la Junta de Propietarios son obligatorios y vinculantes, incluso para los disidentes. **Aunque sean impugnados, no se suspende su ejecutividad** —art. 553-32.1 CCCat—, **sin perjuicio de la adopción de medidas cautelares.** En todo caso, concurriendo en el supuesto controvertido una singularidad derivada de un acuerdo de la Comunidad de Propietarios que adopta la decisión de no iniciar acciones legales para obligar a la demolición de la obra, aunque, otro precedente, imponía un plazo para su derribo, impide una actuación en contra del adoptado en Junta de 26 de febrero de 2.015, sin su previa impugnación. Como hemos avanzado, al igual que sucede para la comunidad ordinaria que a los disidentes —art. 552- 8 CCCat— se posibilita acudir a la Autoridad Judicial si por el acuerdo de la mayoría se consideran perjudicados, también en el régimen jurídico de la propiedad horizontal, el art. 553-31-1 b) CCCat posibilita su impugnación si los acuerdos son contrarios a los intereses de la comunidad o gravemente perjudiciales para uno de los propietarios.

El actor debió con carácter previo o simultáneo impugnar el acuerdo adoptado de no iniciar acciones legales, pues siendo firme, en aquel momento, la voluntad de la Comunidad de Propietarios de no interponer la demanda contra los propietarios del NUM002, no puede actuar en su contra y entender que lo hace en beneficio e interés de la comunidad cuando la misma ha acordado no deducir pretensión alguna contra el titular del NUM002».

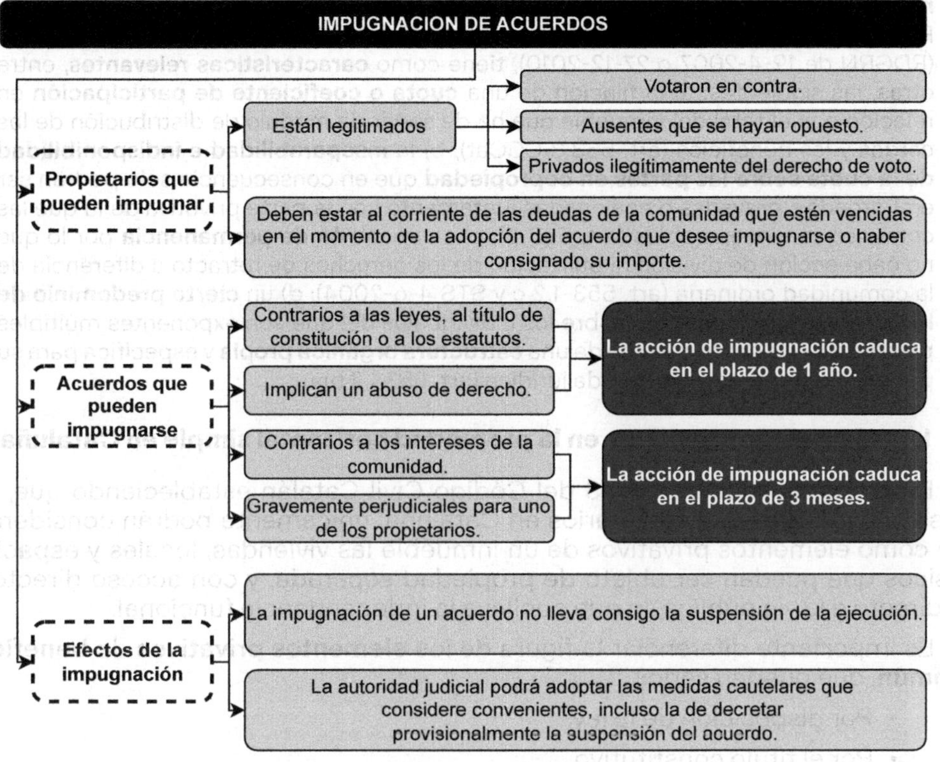

8.3. FORMAS DE CONSTITUCIÓN

8.3.1. Propiedad horizontal simple

La propiedad horizontal simple en el Código Civil de Cataluña 1860

La Ley 5/2006, de 10 de mayo, del Libro Quinto del Código Civil de Cataluña (CCCat), relativo a derechos reales, dedica la sección segunda del capítulo III a la propiedad horizontal simple.

El CCCat realiza una distinción entre elementos privativos y elementos comunes, dedicando los artículos que van del 553-33 al 553-40 a los elementos privativos, y los artículos 553-41 al 553-47 a los elementos comunes.

Tal y como se recoge en la **sentencia del Tribunal Superior de Justicia de Cataluña n.º 59/2012, de 15 de octubre, ECLI:ES:TSJCAT:2012:10900**, en la propiedad horizontal confluyen la propiedad separada sobre un piso o local, con la copropiedad sobre los elementos comunes:

«Esta clase especial de propiedad es, por tanto, fruto de la **unión inescindible de la propiedad separada de un piso o local y la copropiedad sobre los elementos co-**

munes de modo que ya se entienda como yuxtaposición de propiedades (así STS Sala Primera de 21-4-2004) ya como un único derecho de naturaleza especial y compleja (RDGRN de 19-4-2007 o 27-12-2010), tiene como **características relevantes**, entre otras, las siguientes: a) la fijación de una **cuota o coeficiente de participación** en relación con el total del inmueble que ha de servir de módulo de distribución de las cargas y los beneficios (art. 553.3 CCCat); b) la **inseparabilidad e indisponibilidad de la cuota sobre las partes en copropiedad** que en consecuencia solo podrán ser embargadas, gravadas o enajenadas juntamente con la parte privativa de la que las comunes son inseparables (art. 553-2); c) su **vocación de permanencia** por lo que no cabe acción de división ni utilización de los derechos de retracto a diferencia de la comunidad ordinaria (art. 553-1,2 c y STS 4-6-2004); d) un **cierto predominio de los intereses comunitarios** sobre los individuales del que son exponentes múltiples preceptos; e) la conformación de una **estructura orgánica propia** y específica para su protección y actuación en la vida jurídica (art. 553,1,2 b)».

1870 Los elementos privativos en la propiedad horizontal simple en Cataluña

Empieza el artículo 553-33 del Código Civil Catalán estableciendo que, en las comunidades de propietarios en Cataluña, únicamente podrán considerarse como elementos privativos de un inmueble las viviendas, locales y espacios físicos que puedan ser objeto de propiedad separada, y con acceso directo o indirecto a la vía pública, lo que conlleva la independencia funcional.

Es importante diferenciar la figura de los **elementos privativos de beneficio común**, que pueden serlo:

- Por disposición de la ley.
- Por el título constitutivo.
- Por acuerdo de la junta de propietarios.

Este tipo de elementos pertenecen a todos los propietarios en proporción a la cuota de participación, y no pueden separarse de la propiedad del elemento privativo concreto.

Por su parte, el apartado 2 del art. 553-34 del Código Civil Catalán también recoge que tendrán este carácter de elemento privativo de beneficio común los elementos comunes desafectados por acuerdo de la junta de propietarios, salvo que se establezca otra cosa.

CUESTIÓN

¿Por qué normas se rige la administración y disposición de un elemento privativo de beneficio común?

La administración y disposición de un elemento privativo de beneficio común se rige por las normas de la propiedad horizontal (apartado 3 del art. 553-34 del Código Civil Catalán).

La SAP de Barcelona n.º 874/2025, de 10 de diciembre, ECLI:ES:APB:2025:12741, constituye un buen ejemplo de la diferencia entre elementos privativo y elemento común de uso privativo. La audiencia califica el vestíbulo de acceso como elemento común, cuyo eventual uso exclusivo solo podía nacer en los dos supuestos tasados por la norma tercera del título constitutivo(mismo titular de todos los bajos y del piso principal, o acuerdo conjunto de los propietarios de los locales/bajos y de los pisos señalados). Tas la compraventa a favor de una S.L., ya no se cumplía el primer supuesto, ni llegó a existir el acuerdo real entre propietarios exigido por los estatutos, por lo que el vestíbulo siguió siendo un elemento común sin derecho de uso exclusivo a favor de la actora.

La sentencia subraya que un pacto privado de arras entre el vendedor y comprador, donde se «garantiza» mantener el uso exclusivo del vestíbulo, es solo una declaración de intenciones inoponible a la comunidad y no puede sustituir al acuerdo formal exigido por el título constitutivo ni convertir un elemento común en un privativo. De ahí que se confirme la obligación de reponer el vestíbulo a su estado originario (retirada de cubierta, desbloqueo de accesos, eliminación de cristales) y se niegue que la actuación de la comunidad suponga abuso de derecho, reforzando la idea de que el uso privativo de elementos comunes es excepcional y requiere un estricto respeto al título y a los acuerdos comunitarios válidos.

El Código Civil de Cataluña recoge una mención especial a los **anexos**, considerados también como elementos privativos a todos los efectos, definiéndolos como espacios físicos o derechos vinculados de modo inseparable a un elemento privativo. Estos anexos no tienen atribuida una cuota especial (art. 553-35 del CCCat).

A TENER EN CUENTA. Antes de la entrada en vigor de la Ley 5/2015, de 13 de mayo, de modificación del libro quinto del Código Civil de Cataluña, relativo a los derechos reales, se incluía en el art. 553-35 del CCCat un apartado segundo que regulaba la posibilidad de limitar en los estatutos la cesión aislada del uso de los anexos consistentes en plazas de aparcamiento, boxes o trasteros. En la actualidad dicho apartado ha sido eliminado, no estando por tanto limitado el alquiler de los anexos.

En lo que respecta al **uso y disfrute de los elementos privativos** de las comunidades de propietarios en Cataluña, el art. 553-36 del CCCat dispone que los propietarios de elementos privativos podrán ejercer todas las facultades del derecho de propiedad, estableciendo como únicas restricciones aquellas derivadas del régimen de propiedad horizontal.

A la hora de realizar **obras de conservación y de reforma** en los elementos privativos el Código Civil Catalán parte de la libertad de los propietarios, estableciendo como requisitos:

- Que no perjudiquen a los demás propietarios.
- Que no perjudiquen a la comunidad.
- Que no disminuyan la solidez del inmueble.
- Que no disminuyan la accesibilidad del inmueble.
- Que no alteren la configuración o el aspecto exterior del conjunto.
- Que se comuniquen previamente a la presidencia o a la administración de la comunidad.

Cuando la obra implique una alteración de los elementos comunes se exige acuerdo de la junta de propietarios. Por norma general, cuando se produzca la alteración de los elementos comunes y no se hubiese obtenido el consentimiento, la comunidad podría exigir que los elementos comunes sean repuestos a su estado originario.

CUESTIÓN

¿Cómo debe ser el consentimiento de la comunidad a las obras?

La SAP Barcelona n.º 65/2022, de 23 de febrero, ECLI:ES:APB:2022:1590, hace alusión a las características de este consentimiento entendiendo que «(...) puede ser previo a la realización de las obras (es lo más idóneo) o posterior (convalidando las ejecutadas) y el mismo debe obtenerse por medio de un acuerdo de la Comunidad de acuerdo con las mayorías que son de aplicación de acuerdo con el art. 553-25 CCCat, salvo que impliquen una modificación del título constitutivo, ya que en tal caso es necesario que tal cambio se lleve a efecto lo que requiere de la unanimidad conforme a lo previsto en el art 553-26 CCCat». También se dice en la misma que «(...) para entender que existe consentimiento de la Comunidad de Propietarios a obras que pudieren afectar a elementos comunes, debe constar el mismo en los acuerdos de las Juntas de Propietarios».

Sobre estos requisitos y su alcance se ha pronunciado la sentencia de la Audiencia Provincial de Barcelona n.º 61/2022, de 21 de febrero, ECLI:ES:APB:2022:1690, en los siguientes términos:

«De esta norma deriva que los propietarios de elementos privativos pueden realizar obras de conservación y reforma de los mismos, si bien las facultades de modificación o alteración del elemento privativo no pueden implicar perjuicio a la comunidad o al resto de propietarios, no pudiendo nunca disminuir la solidez del edificio, ni alterar la composición o el aspecto exterior del conjunto.

La existencia de **perjuicio para el resto de propietarios** o para la comunidad debe ser real y efectivo debiéndose acreditar el mismo.

La no afectación de la **solidez del edificio** trata de salvaguardar la seguridad del propio inmueble y por ello la de todos los copropietarios. Ello supone que no es posible realizar en ningún caso obras que afecten a los elementos arquitectónicos de sustentación del edificio, de forma que los forjados, vigas, cimientos y demás elementos análogos, al tener la consideración de estructurales no pueden alterarse, por comprometer directamente la seguridad del edificio.

La **alteración de la composición o aspecto exterior del conjunto** es un aspecto respecto del que progresivamente se han ido perfilando los conceptos que lo integran, lo que requiere siempre el análisis del caso concreto, huyendo de normas generales, pues no se trata de un término absoluto, sino de contornos flexibles en función de las circunstancias, debiendo estarse a su importancia o trascendencia, así como a la situación o estado exterior de cada inmueble.

En todo caso, los propietarios, con carácter previo a la realización de obras en su elemento privativo, lo han de **comunicar al presidente** o a la administración de la comunidad.

Para el caso en la obra en un elemento privativo comporte alteración de elementos comunes (para lo que hay que estar a la realidad material de la obra a realizar y al concepto de elemento común), es necesario un **acuerdo de la Comunidad** de acuerdo con las mayorías que son de aplicación de acuerdo con el art. 553-25 CCCat.

La aprobación de la Comunidad ha de ser previa a la realización de las obras, si bien cabe considerar que no existe problema en que ello se convalide a posteriori (se entiende además prestado si la existencia de estas obras es notoria y la comunidad no ha mostrado oposición en el plazo de seis años desde que finalizaron).

Tal acuerdo de la Junta de Propietarios solo puede darse en los casos en los que la obra altere elementos comunes, no en aquellos supuestos en que se disminuya la solidez del edificio como antes se ha indicado.

No obstante lo anterior, en los supuestos en los que la actuación derivada de las obras vaya más allá de una alteración de elementos comunes, hasta el punto de comportar una **ocupación o apropiación** de los mismos, dado que ello **implica una modificación del título constitutivo** (cambia la descripción de los elementos comunes y el régimen de cuotas), se considera aún cuando siempre es posible que la Comunidad las autorice, ello no obstante el acuerdo de la Junta de Propietarios no basta que reúna las mayorías del art 553-25 CCCat, sino que es necesario que se siga el régimen previsto para la modificación del título, lo que solo se puede llevar a cabo 553-26 por unanimidad CCCat.

De no tener amparo las obras en los supuestos anteriores (entre los que están el no haberse obtenido la autorización de la Comunidad conforme al régimen de mayorías que se acaba de exponer), debe procederse a la **demolición de lo construido**».

Como especificidad del CCCat se recogen unos requisitos para entender concedido el **consentimiento tácito**, que se entenderá otorgado cuando:

- La ejecución de las obras es notoria.
- No disminuye la solidez del edificio.
- No supone la ocupación de elementos comunes.
- No supone la constitución de nuevas servidumbres.
- La comunidad no se ha opuesto en el plazo de caducidad de 4 años desde la finalización de las obras.

A TENER EN CUENTA. Antes de la reforma llevada a cabo por la Ley 5/2015, de 13 de mayo, de modificación del libro quinto del Código civil de Cataluña, relativo a los derechos reales, en vigor desde el 20 de junio de 2015, el plazo de la comunidad para oponerse a las obras realizadas era de 6 años.

Cabe citar aquí la **sentencia de la Audiencia Provincial de Barcelona n.º 471/2024, de 4 de julio, ECLI:ES:APB:2024:8046**, que realiza un estudio de esta figura analizando la **doctrina del Tribunal Supremo** al respecto:

«En materia de consentimiento tácito de la Comunidad de Propietarios de un edificio en régimen de propiedad horizontal frente a las alteraciones que los diversos copropietarios puedan acometer de los elementos comunes, ha venido siendo doctrina del Tribunal Supremo contenida en las Sentencias núm. 993/2008, de 5 de noviembre (RJ 2008, 5897)(FD2), 564/2009, de 16 de julio (RJ 2009, 4476) (FFDD2 - 3), 808/2010, de 26 de noviembre (RJ 2011, 1314)(FD5), 465/2011, de 5 de julio (RJ 2011, 4999)(FD3), y 135/2012, de 29 de febrero (RJ 2012, 4996) (FD4), citadas por la Sentencia del Tribunal Superior de Justicia de Cataluña de 31 de octubre de 2012 (RJA 11183/2012):

1.- que, **en general, la realización de obras que afectan a elementos comunes exige** para su validez el **consentimiento unánime** de la comunidad (SSTS 1ª 564/2009 FD2 y 465/2011 FD3);

2.- que **el consentimiento** de la comunidad necesario para considerar lícitamente realizadas las obras que afectan a elementos comunes en edificios sometidos al régimen de propiedad horizontal **puede ser tácito** (SSTS 1ª 993/2008 FD2, 564/2009 FD3, 808/2010 FD5, 465/2011 FD3 y 135/2012 FD4);

3.- que, en principio, **el conocimiento no equivale a consentimiento** como exteriorización de una voluntad, ni el silencio supone una declaración genérica en la que se pueda encontrar justificación para no obtener los consentimientos legalmente exigidos (SSTS 1ª 808/2010 FD5 y 135/2012 FD4);

4.- que, de todas formas, **ha de estarse a los hechos concretos para decidir si el silencio puede ser apreciado como consentimiento tácito** o manifestación de una determinada voluntad, por lo que, para poder establecer si en un determinado supuesto se ha producido un silencio por parte de la comunidad de propietarios capaz de ser interpretado como un consentimiento tácito, deberán valorarse las relaciones preexistentes entre las partes, la conducta o comportamiento de éstas y las circunstancias que preceden y acompañan al silencio susceptible de ser interpretado como asentimiento (SSTS 1.ª 808/20120 FD5, 465/2011 FD3 y 135/2012 FD4); y

5.- que, en este sentido, **cabe interpretar como consentimiento (tácito) la inactividad de la Comunidad de Propietarios** y de los propios integrantes de la misma cuando, siendo conocedores de la realización de obras que hubieran requerido el consentimiento unánime de todos ellos, se han mantenido en silencio durante un largo periodo de tiempo (SSTS 1ª 993/2008 (RJ 2008, 5897) FD2 y 564/2009 FD2).

(...)».

Resulta aplicable en estos casos de obras inconsentidas la figura del **abuso del derecho**, en el sentido de estar prohibido el uso de la norma con mala fe, en perjuicio de otros copropietarios, sin obtener un beneficio propio. Un ejemplo lo encontramos en la **sentencia de la Audiencia Provincial de Barcelona, n.º 116/2022, de 11 de marzo, ECLI:ES:APB:2022:2860**, que recoge que:

«Sobre la base de que las obras ejecutadas por la demandada son ilegales, al haberse ejecutado alterando elementos comunes y sin acuerdo de la junta de propietarios, conforme a lo dispuesto en el artículo 553. 36.3 del CcC, pretende la Comunidad, como consecuencia de dicha declaración, al amparo del artículo 553.36.4 que señala «La comunidad puede exigir la reposición al estado originario de los elementos comunes alterados sin su consentimiento» la reposición de las mismas, dejando los elementos afectados en el mismo estado que tenían antes de su ejecución.

Frente a dicha pretensión, la otra línea defensiva de la parte demandada, además de la señalada anteriormente, es que en el edificio se han llevado a cabo, a lo largo del tiempo, numerosas modificaciones sin que la comunidad las haya impedido, y de ahí la imputación de abuso de derecho y discriminación con que califica la conducta de la comunidad. Además considera que el derribo de las obras y la reposición de los elementos a su estado anterior en nada beneficia a la comunidad, más bien al contrario, supondría un perjuicio para la misma a efectos de seguridad, sin que por tanto esté legitimada la actora para ejercitar la acción interpuesta.

En materia de propiedad horizontal, **el abuso de derecho, se traduce en el uso de una norma, por parte de la comunidad o de un propietario, con mala fe, en perjuicio de otro u otros copropietarios, sin obtener con ello un beneficio propio**. En definitiva la actuación calificada como abusiva no debe fundarse en una justa causa.

Respecto a la primera cuestión, aunque es cierto, como dicen las STSJC 39/14, 5 de junio Jurisprudencia citada STSJ, Sala de lo Civil y Penal, Cataluña, Sección 1ª,

05-06-2014 (rec. 17/2012) y 18/19, 7 marzo, Jurisprudencia citada STSJ, Sala de lo Civil y Penal, Cataluña, Sección 1ª, 07-03-2019 (rec. 176/2018) que uno de los principios en que debe descansar la actuación de la comunidad (para no caer en conductas arbitrarias, que deslegitimarían su proceder) es el de la **igualdad de trato,** de tal modo que no puede responder a peticiones iguales con respuestas distintas, ignorándose si las obras referidas, que no consta sean de la misma naturaleza que las ejecutadas por la demandada, fueron o no autorizadas por la comunidad, dicha alegación no puede fundamentar una actuación abusiva por parte de la comunidad al ignorarse las circunstancias en que se ejecutaron tales obras.

La resolución sobre la ilegalidad de las obras por inconsentidas y su consiguiente derribo debe analizarse desde la perspectiva del abuso del derecho en el ámbito de la propiedad horizontal, debiendo tener en consideración si la comunidad obtiene o no algún beneficio de su reposición, así como el hecho de que la demandada, pudiera creer que, motivada la actuación del Ayuntamiento, y la consiguiente ejecución de las obras que impuso el mismo, por la denuncia de la Comunidad de Propietarios, que existía un consentimiento o autorización a la ejecución de dichas obras por parte, precisamente, de quien las había motivado».

Cuando la obra consista en la instalación de un **punto de recarga individual de vehículo eléctrico**, el CCCat recoge que solo es preciso enviar a la presidencia o a la administración:

1. El proyecto técnico, en el plazo de 30 días antes del inicio de las obras.
2. La certificación técnica correspondiente, una vez finalizada la instalación.

La comunidad tiene reconocida la facultad de proponer una alternativa razonable, dentro del plazo anteriormente citado, pero si en el plazo de 2 meses no se hace efectiva la instalación alternativa, el propietario interesado podrá ejecutar la instalación proyectada inicialmente.

A TENER EN CUENTA. El Real Decreto 1053/2014, de 12 de diciembre, por el que se aprueba una nueva Instrucción Técnica Complementaria (ITC) BT 52 «Instalaciones con fines especiales. Infraestructura para la recarga de vehículos eléctricos», del Reglamento electrotécnico para baja tensión, aprobado por Real Decreto 842/2002, de 2 de agosto, y se modifican otras instrucciones técnicas complementarias del mismo, regula las dotaciones mínimas de infraestructura de recarga de vehículos eléctricos que deben de tener los edificios de nueva construcción. Este ha sido modificado por el Real Decreto 450/2022, de 14 de junio, por el que se modifica el Código Técnico de la Edificación, aprobado por el Real Decreto 314/2006, de 17 de marzo.

En cuanto a la **disposición de los elementos privativos**, el Código Civil Catalán en su art. 553-37 regula que los propietarios podrán:

- Modificar.
- Enajenar.
- Gravar.
- Realizar todo tipo de actos de disposición.

Es decir, existe una libertad a la hora de llevar a cabo actos de disposición sobre los bienes privativos, estableciéndose una serie de particularidades.

La primera de ellas se refiere a las servidumbres establecidas en beneficio de otras fincas, que se extinguirán en caso de destrucción o derribo del edificio.

La segunda particularidad se refiere a los arrendamientos o cualquier otra transmisión del disfrute del elemento privativo, disponiendo el CCCat que en estos casos los propietarios son responsables de las obligaciones derivadas del régimen de propiedad horizontal, tanto ante la comunidad como ante terceras personas.

También se recoge en el CCCat que el que enajene un elemento privativo debe comunicar el cambio de titularidad a la comunidad, en concreto a la secretaría de la misma, especificando que mientras no realice la comunicación, responderá solidariamente de las deudas con la comunidad (apartado 3 del art. 553-37 del CCCat).

Hay que tener en cuenta que los elementos privativos están afectados con carácter real y responden del pago de los importes que deben los titulares, así como los anteriores titulares, por razón de los gastos comunes, ordinarios o extraordinarios, y por el fondo de reserva, que correspondan a la parte vencida del año en curso y a los cuatro años inmediatamente anteriores, contados del 1 de enero al 31 de diciembre, sin perjuicio, si procede, de la responsabilidad de quien transmite (apartado 1 del art. 553-5 del Código Civil Catalán).

El hecho de convivir en una comunidad de propietarios además de derechos implica también una serie de **obligaciones**, recogiéndose en el art. 553-38 del CCCat la obligación de conservar en buen estado los elementos privativos, y de mantener los servicios e instalaciones que se ubiquen en ellos.

Esta obligación en ocasiones entra en colisión con el art. 553-44 del mismo cuerpo legal, que establece la obligación de la comunidad de conservar los elementos comunes del inmueble, ya que se plantea la cuestión de quien debe de llevar a cabo las reparaciones, y asumir la responsabilidad en el caso de los elementos comunes que tienen atribuido un uso privativo. Como regla general en estos casos a la comunidad le corresponde asumir las obras y reparaciones no derivadas del uso ordinario cuando no intervenga el dolo del beneficiario del uso privativo, mientras que el propietario que disfruta del uso del bien debe asumir el mantenimiento ordinario derivado del uso normal del elemento.

Un ejemplo lo encontramos en la **sentencia de la Audiencia Provincial de Tarragona n.º 51/2018, de 6 de febrero, ECLI:ES:APT:2018:73**, que con relación a una terraza comunitaria de uso privativo se discute si la reparación de la misma debe ser asumida por los propietarios que tienen el disfrute de la misma (en virtud del art. 553-38 del CCCat) por no haber realizado las tareas de mantenimiento y conservación necesarias, o por el contrario si deben ser llevadas a cabo por la comunidad (atendiendo al art. 553-44 del CCCat). En el caso concreto, tras analizar los informes periciales concluye la sala que la reparación debe ser asumida por la comunidad dado que trae causa de defectos constructivos, siendo la falta de mantenimiento poco determinante en este caso.

Existe otra obligación recogida en el art. 553-39 del CCCat consistente en el deber de soportar las restricciones imprescindibles en los elementos privativos, ya sea en beneficio de otros, o en beneficio de la propia comunidad, para hacer las obras de conservación y mantenimiento tanto de los elementos comunes como de los demás elementos privativos, fijando como requisito que no haya otra forma de hacer las citadas obras, o si la hay, que esta sea desproporcionadamente cara o gravosa.

Continúa el artículo estableciendo una distinción entre las **servidumbres** que puede exigir la comunidad y las que pueden exigir los propietarios. Así, la comunidad puede exigir la constitución de servidumbres permanentes sobre los anexos de uso privativo cuando sean indispensables tanto para la ejecución de los acuerdos de la junta de propietarios de supresión de las barreras arquitectónicas o de mejora, como para el acceso a elementos comunes que no tengan otro. Por su parte, los propietarios de elementos privativos también podrán exigir la constitución de servidumbres, permanentes o temporales, imprescindibles para hacer las obras de conservación y de acceso a redes generales de suministros de servicios.

Con relación al carácter indispensable que debe tener la servidumbre, podemos citar la **sentencia de la Audiencia Provincial de Barcelona, n.º 605/2018, de 24 de octubre, ECLI:ES:APB:2018:10360**, que afirma: «En consecuencia, para determinar cuando deba considerarse indispensable la constitución dc una servidumbre de ascensor sobre un elemento privativo que no constituya vivienda en sentido estricto **será preciso valorar razonadamente, además de la viabilidad técnica de las diversas soluciones propuestas y de sus respectivos costes económicos, todos los perjuicios transitorios y permanentes que para la Comunidad, para todos y cada uno los propietarios** que la integren **y para el propietario directamente afectado por la servidumbre pueda comportar la constitución de esta**, especialmente los que puedan incidir negativamente en la supresión efectiva de las barreras arquitectónicas existentes en la finca de que se trate, de manera que, solo cuando la valoración conjunta de todos los factores apunte de manera clara e inconcusa hacia la necesidad de constituir la servidumbre de ascensor, deberá darse lugar a ella (...)».

CUESTIÓN

¿Los afectados por la servidumbre tienen derecho a algún tipo de compensación?

Sí, los titulares de las servidumbres deben compensar los daños y el menoscabo que causen tanto en los elementos privativos como en los elementos comunes afectados (art. 553-39.3 del CCCat). A pesar de que el legislador no especificó cuáles son los criterios que deben tenerse en cuenta a la hora de fijar la compensación, los tribunales han tenido en cuenta parámetros tales como las molestias que pueda acarrear la servidumbre, el destino del elemento afectado por la servidumbre, la disminución de valor que puede sufrir el elemento privativo... A modo de ejemplo cabe citar la **sentencia de la Audiencia Provincial de Barcelona n.º 18/2015, de 21 de enero, ECLI:ES:APB:2015:1065**, que establece: «(...) la instalación del servicio de ascensor en una finca que careciese de él permite, igualmente, la constitución de una servidumbre con la oportuna indemnización de daños y perjuicios aunque implique la ocupación de parte del elemento privativo anexo o accesorio a una vivienda que viniera determinado como tal en el título de constitución, siempre que el gravamen no suponga una pérdida intolerable de funcionalidad o económica del mismo ponderadas racionalmente las circunstancias del caso y los intereses en juego».

Cabe mentar aquí la **sentencia del Tribunal Superior de Justicia de Cataluña n.º 15/2012, de 20 de febrero, ECLI:ES:TSJCAT:2012:1948**, que enumera los requisitos de las servidumbres en los siguientes términos:

«Conviene precisar, no obstante, que la constitución de la servidumbre requiere conforme a la normativa catalana:

a) Que la instalación del servicio que constituya una mejora haya sido **acordada por la Junta** con el quórum debido.

b) **Que no exista otra forma de implementar la mejora**. Se trata éste de un requisito general en toda constitución de servidumbre forzosa sujeta a los dictámenes técnicos que al efecto se emitan.

c) Como se ha dicho, la constitución de la servidumbre **no debería suponer una privación total del elemento de uso privativo** ya que la servidumbre (art. 566-1-1 CCCat) es un derecho real que grava parcialmente una finca en beneficio de otra.

d) **El elemento afectado debe ser distinto de la vivienda en sentido estricto**. Por tanto puede constituirse la servidumbre en locales, aparcamientos, terrazas o patios incluso de uso privativo si se dan los restantes requisitos.

e) Debe procederse a **abonar la indemnización procedente** según el 553-39.4, que comprende los daños y perjuicios que se causen.

También el Tribunal Supremo ha venido entendiendo, en Sentencias de 18-12-2008; 15 y 22 diciembre 2010 y 10-10-2011, que **resulta compatible el derecho de servidumbre con la ocupación parcial de un elemento privativo** con el fin de instalar un ascensor pronunciándose claramente a favor de que la instalación de un ascensor en una comunidad de vecinos que carece de este servicio, considerado como de interés general, permite la constitución de una servidumbre para tal fin, incluso cuando suponga la ocupación de parte de un espacio privativo, siempre que concurran las mayorías exigidas legalmente para la adopción de tal acuerdo.

De igual forma establece que la servidumbre **no puede suponer una privación del derecho de propiedad al extremo de suponer una pérdida de habitabilidad y funcionalidad** de su espacio privativo».

A TENER EN CUENTA. Tras la modificación realizada por la Ley 5/2015, de 13 de mayo, de modificación del libro quinto del Código Civil de Cataluña, relativo a los derechos reales, en vigor desde el 20 de junio de 2015, ya no se habla de vivienda estricta, si no de anexos de los elementos de uso privativo, impidiendo que las servidumbres puedan privar de utilidad no solo a las viviendas sino a los locales de negocio u otros usos distintos de vivienda.

Ya para finalizar con el bloque de artículos dedicados a los elementos privativos, el art. 553-40 del CCCat aborda el tema de las prohibiciones y restricciones de uso de los elementos privativos y comunes, es decir, se recoge en este punto la conocida como **acción de cesación**.

El punto de partida de esta acción es la prohibición de propietarios y ocupantes de realizar, en los elementos privativos y en el resto del inmueble, actividades o actos que:

- Sean contrarios a la convivencia normal en la comunidad.
- Que dañen o hagan peligrar el inmueble.
- Que se encuentren excluidas o prohibidas de forma expresa en los estatutos, en la normativa urbanística o en la ley.

En estos casos el presidente de la comunidad por iniciativa propia o por petición de una cuarta parte de los propietarios, debe de requerir fehacientemente a quien esté realizando las actividades o los actos mencionados para que deje de hacerlos, y cuando el infractor persista, la junta de propietarios estará facultada para ejercer contra los propietarios y ocupantes la acción para hacerla cesar.

Como requisito procedimental se establece que a la demanda deben de acompañarse el requerimiento de cese y el certificado del acuerdo de la junta de propietarios facultativo para el ejercicio de acciones judiciales.

CUESTIÓN

¿Cabe la adopción de medidas cautelares en la acción de cesación?

Sí, el CCCat recoge que, una vez presentada la demanda, la autoridad judicial debe adoptar las medidas cautelares que considere convenientes, destacando el cese inmediato de la actividad prohibida.

En **caso de ocupación sin título habilitante**, la acción puede ejercerse contra los ocupantes, aunque no se conozca su identidad. Si las actividades o los actos contrarios a la convivencia o que dañen o hagan peligrar el inmueble los hacen los ocupantes del elemento privativo ilegítimamente y sin la voluntad de los propietarios, la junta de propietarios puede denunciar los hechos al ayuntamiento de su municipio a fin de que inicie, previo expediente acreditativo de que se han producido efectivamente las actividades o los actos prohibidos, el procedimiento establecido por el artículo 44 bis de la Ley 18/2007, de 28 de diciembre, del derecho a la vivienda. (Novedad introducida por la Ley 1/2023, de 15 de febrero, de modificación de la Ley 18/2007, del derecho a la vivienda, y del libro quinto del Código civil de Cataluña, relativo a los derechos reales, en relación con la adopción de medidas urgentes para afrontar la inactividad de los propietarios en los casos de ocupación ilegal de viviendas con alteración de la convivencia vecinal, con entrada en vigor el 18/2/2023).

La comunidad tiene derecho a solicitar:

- El cese de la actividad prohibida.
- La indemnización por los perjuicios que se le causen.
- La privación del uso y disfrute del elemento privativo, cuando las actividades prohibidas continúan, durante un período no superior a dos años.
- Cuando las actividades sean realizadas por los ocupantes, no propietarios, también podrá solicitarse la extinción del contrato de arrendamiento o de cualquier otro que atribuya a los ocupantes un derecho sobre el elemento privativo.

A TENER EN CUENTA. La acción de cesación aparece también regulada en el apartado 2 del art. 7 de la Ley 49/1960, de 21 de julio, sobre Propiedad Horizontal y, desde el 03/04/2025, en su apartado 3. Esta modificación, introducida por la LO 1/2025, de 2 de enero, permite al presidente de la comunidad, a iniciativa propia o de cualquiera de los propietarios u ocupantes, requerir a quien explote una vivienda turística en el inmueble sin que haya sido aprobada expresamente, la inmediata cesación de la actividad, bajo apercibimiento de iniciar las acciones judiciales procedentes.

1880 **Los elementos comunes en la propiedad horizontal simple de Cataluña**

Los artículos del 553-41 al 553-47 del CCCat regulan los elementos comunes en las comunidades de propietarios. En concreto, el artículo 553-41 del CCCat enumera los elementos que son considerados comunes:

- El solar.
- Los jardines.
- Las piscinas.
- Las estructuras.
- Las fachadas.
- Las cubiertas.
- Los vestíbulos.
- Las escaleras.
- Los ascensores.
- Las antenas.

Para finalizar, añade una cláusula de cierre con la que se incluyen las instalaciones y los servicios de elementos privativos que se destinan al uso comunitario o a facilitar el uso y disfrute de dichos elementos privativos.

Tal y como se recoge en la **sentencia del Tribunal Superior de Justicia de Cataluña n.° 20/2011, de 12 de mayo, ECLI:ES:TSJCAT:2011:8393**: «El artículo 553-41 CCCat define los elementos comunes tanto en **forma ejemplificativa**, como mediante una **cláusula residual**».

CUESTIÓN

¿Una pared construida por un propietario en una terraza comunitaria de uso privativo tiene la consideración de comunitaria?

Sí, tal y como se recoge en la **sentencia de la Audiencia Provincial de Barcelona n.° 120/2020 de 3 de junio, ECLI:ES:APB:2020:4420**, en un supuesto en el que un propietario coloca una puerta en una pared situada en una terraza de la que tenía el uso privativo, recoge que: «(...) versando el objeto del presente litigio sobre una pared existente en la terraza que corona el edificio de autos, que no deja ser más que una cubierta practicable, resulta indiscutible su condición de elemento común con independencia de que dicha pared venga reflejada en el titulo constitutivo e inclusive de quien la hubiera construido atendida la regla de que **lo accesorio sigue a lo principal y, por consiguiente, siendo comunitaria la cubierta, comunitaria será también cualquier pared divisoria que sobre la misma pueda levantarse** sin perjuicio de las indemnizaciones que en su caso correspondan (art. 542-1 CCCat) (...)». En el supuesto concreto entiende la sala que a pesar de que los demandados consideran que no se causaba perjuicio alguno a la comunidad o al resto de propietarios, lo cierto es que la colocación de una puerta reporta a la recurrente una ventaja inmerecida que no encuentra justificación ni en el título constitutivo ni en acuerdos de la junta de propietarios.

Con relación al **uso y disfrute de los elementos comunes**, el CCCat dispone que el mismo corresponde a todos los propietarios de elementos privativos, debiendo adaptarse al destino establecido por los estatutos o al que resulte normal y adecuado a su naturaleza, fijando como límite que no se perjudique el interés de la comunidad.

Se recoge también una particularidad para cuando la junta acuerde llevar a cabo instalaciones para la eficiencia energética o hídrica o de sistemas de energía renovable para el uso comunitario en elementos comunes donde existan instalaciones o sistemas de utilidad particular previamente autorizados, estableciendo que cuando estas sean incompatibles con el nuevo acuerdo, la comunidad debe asumir la remoción e indemnizar los daños que esta comporte al propietario (apartado 2 del art. 553-42 del CCCat).

A TENER EN CUENTA. El art. 553-42 ha sido modificado por el Decreto Ley 28/2021, de 21 de diciembre, en vigor desde 23 de diciembre de 2021, añadiendo el apartado segundo en el que se recoge la obligación de la comunidad de asumir la remoción e indemnizar los daños cuando se acuerde llevar a cabo instalaciones para una mejor eficiencia energética o instalar sistemas de energía renovable en elementos comunes, y estas impliquen la retirada de instalaciones particulares previamente autorizadas. Tal y como se explica en la exposición de motivos de la mentada ley «(...) si el acuerdo de la junta para instalar infraestructuras o equipos con la finalidad de mejorar la eficiencia energética o hídrica o sistemas de energía renovable de uso comunitario es incompatible con instalaciones o sistemas de utilidad particular previamente autorizadas. En este caso, el interés de la comunidad en el uso del elemento común propiamente dicho es prevalente, aunque la comunidad tiene que hacerse cargo de la remoción de las instalaciones o sistemas y de indemnizar el daño que esta comporte al propietario».

Mención aparte merecen los **elementos comunes de uso exclusivo**. El CCCat se refiere a ellos en el art. 553-43, que dispone que ya sea en el título constitutivo, o mediante acuerdo unánime de la junta, puede vincularse el uso exclusivo de patios, jardines, terrazas, cubiertas del inmueble u otros elementos comunes, a uno o varios elementos privativos.

CUESTIÓN

¿La vinculación del uso de un elemento común a uno o varios elementos privativos conlleva que se transforme en elemento privativo?

No, el propio apartado 1 del art. 553-43 del CCCat recoge que esta vinculación no los hace perder la naturaleza de elemento común.

Es importante tener en consideración que «(...) los derechos de disfrute tienden a atribuir al titular las máximas posibilidades de utilización y las restricciones a las facultades de uso han de interpretarse limitadamente y no pueden suponer una alteración del título constitutivo sin modificación de éste con las mayorías exigidas legalmente» (**SAP Barcelona n.º 476/2018, de 23 de julio, ECLI:ES:APB:2018:7072**).

Decidir quién debe asumir los gastos que generan estos elementos comunes de uso exclusivo es una importante fuente de conflictos en las comunidades de propietarios. La Ley 5/2006, de 10 de mayo, diferencia entre los que deben asumir los propietarios de los elementos privativos que disfrutan del uso exclusivo, y los que corresponden a la comunidad de propietarios:

- Corresponden a los propietarios de los elementos privativos que tienen el uso y disfrute exclusivo todos aquellos gastos de conservación y mantenimiento, teniendo estos la obligación de conservar adecuadamente los citados elementos y mantenerlos en buen estado.
- Corresponde a la comunidad de propietarios asumir las reparaciones que se deben a vicios de construcción o estructurales, ya sean originarios o sobrevenidos. También serán a cargo de la comunidad las reparaciones que afectan y benefician a todo el inmueble. Se establece una excepción para cuando estas reparaciones sean consecuencia de un mal uso o de una mala conservación.

La **sentencia de la Audiencia Provincial de Barcelona n.º 476/2018, de 23 de julio, ECLI:ES:APB:2018:7072,** así lo refleja: «en este caso los propietarios de los elementos privativos que tienen el uso y goce exclusivo de los elementos comunes, asumen sus gastos ordinarios de conservación y mantenimiento y tienen la obligación de conservarlos adecuadamente y mantenerlos en buen estado. Los gastos estructurales, de refacción y los demás gastos extraordinarios son comunes».

También la **sentencia de la Audiencia Provincial de Girona n.º 228/2019, de 6 de junio, ECLI:ES:APGI:2019:737**, con relación a un tubo extractor que tiene como destino facilitar el uso del local privativo de los demandados, al que en principio se atribuye la condición de elemento común de uso privativo, establece que:

> «Luego siendo la causa de las filtraciones una deficiente conservación o mantenimiento del tubo, elemento común de uso privativo de los propietarios del local al cual sirve, según el citado precepto, a estos corresponde la obligación de conservarlos y mantenerlos en buen estado, así como asumir los gastos que ello conlleve.
>
> El origen de los daños no está en vicios de construcción o estructurales ni en las reparaciones que afectan a todo el inmueble, que correrían a cargo de la comunidad, sino en una mala conservación del tubo extractor, que se solventó mediante el sellado llevado a cabo por la Comunidad de Propietarios.
>
> Siendo por tanto una obligación de los titulares del local al que sirve con carácter exclusivo el referido tubo, su mantenimiento y conservación, no hay motivo para imputar la responsabilidad de la Comunidad de Propietarios en los daños derivados de las filtraciones provocadas a la actora como consecuencia de la falta de conservación y mantenimiento de la conducción de humos».

El Decreto-Ley 28/2021, de 21 de diciembre, de modificación del libro quinto del Código Civil de Cataluña, que entró en vigor el 23 de diciembre del 2021, introduce el apartado 3 del art. 553-43 del CCCat, que tal y como se explica en la exposición de motivos «tiene por objeto regular la posibilidad que tienen los propietarios que disponen del uso exclusivo de elementos comunes para instalar infraestructuras o equipos de utilidad particular con la finalidad de mejorar la eficiencia energética o hídrica o de sistemas de energías renovables en dichos elementos comunes de uso exclusivo. Los propietarios interesados en promover estas instalaciones o sistemas en beneficio particular tienen la obligación de presentar el proyecto técnico a la presidencia o administración, en un plazo de treinta días antes del inicio de las obras. En este caso, por lo tanto, no hace falta un acuerdo previo por parte de la junta. La puesta a disposición del proyecto técnico ya proporciona información suficiente para que la comunidad pueda proponer, si lo considera adecuado, una alternativa que no comporte a quien lo promueve un incremento económico sustancial respecto del proyecto técnico que ha presentado. Los costes de dichas instalaciones y su mantenimiento son exclusivamente de los propietarios que se benefician de ellas. Con la voluntad de impulsar estos tipos de instalaciones, se adopta el mismo protocolo de actuaciones establecido por el artículo 553-36.3 respecto de la instalación de puntos de carga individual de vehículos eléctricos».

CUESTIÓN

¿Qué ocurre cuando la junta de propietarios no realiza ninguna alternativa al proyecto técnico presentado?

En estos casos, a falta de alternativa, los propietarios pueden llevar a cabo las obras o instalaciones conforme al proyecto presentado.

Desde la entrada en vigor del Decreto-Ley 28/2021, el art. 553-43.3 del CCCat permite que los propietarios con el uso exclusivo de elementos comunes puedan instalar de forma individual infraestructuras o equipos de utilidad particular (como paneles solares o infraestructuras de eficiencia energética o hídrica) en esos elementos comunes de uso exclusivo. Bastará con comunicar el proyecto técnico a la presidencia o administración treinta días antes de su ejecución. Si la comunidad no propone una alternativa razonable y económicamente viable para el interesado, el propietario podrá ejecutar su proyecto; los costes de instalación y mantenimiento son íntegramente de los propietarios que promueven la obra. Esta regulación pretende agilizar la implantación de soluciones de eficiencia y renovables, salvaguardando igualmente la coordinación comunitaria.

Por su parte, la comunidad de propietarios posee como **obligación la de conservar** los elementos comunes del inmueble (art. 553-44 del Código Civil Catalán). Esta obligación se concreta en cumplir las siguientes condiciones:

- Estructurales.
- De habitabilidad.
- De accesibilidad.
- De estanquidad.
- De seguridad.
- De eficiencia energética o hídrica.
- Mantener en funcionamiento correcto los servicios y las instalaciones.

Para ello los propietarios tienen que asumir las obras de conservación y reparación necesarias.

A TENER EN CUENTA. Desde la entrada en vigor del Decreto Ley 28/2021, de 21 de diciembre (el 23/12/2021) se recoge una particularidad en el apartado segundo del art. 553-44 del CCCat según la cual los propietarios que se benefician de la instalación de infraestructuras o equipos de mejora energética o hídrica o de sistemas de energías renovables situadas en elementos comunes, incluidos los de uso exclusivo, tendrán la obligación de asumir la conservación y el mantenimiento en su totalidad.

La **contribución al pago de los gastos comunes** (art. 553-45 del CCCat) se hará en función de la cuota de participación que tenga asignada cada propietario, o de acuerdo con las especialidades fijadas en el título de constitución, los estatutos o los acuerdos de la junta. Por su parte, la contribución al pago de determinados gastos sobre los que los estatutos establecen cuotas especiales diferentes a las de participación, como por ejemplo escaleras diferentes, piscinas o zonas ajardinadas, se hará de acuerdo con la cuota específica.

CUESTIÓN

¿La falta de uso de un elemento común puede eximir de la obligación de contribuir a los gastos?

No, la falta de uso y disfrute de un elemento común como norma general no exime de la obligación de sufragar los gastos que derivan de su mantenimiento, con las excepciones de que así se establezca en los estatutos, que únicamente podrán referirse a servicios o elementos especificados de forma concreta, o que tal y como se recoge en el apartado 2 del art. 553-30 del CCCat, estemos ante un supuesto de nuevas instalaciones o nuevos servicios comunes que no sean exigibles de acuerdo con la ley, y su valor total supone un gasto superior a la cuarta parte del presupuesto anual vigente.

El **Tribunal Superior de Justicia de Cataluña, en su sentencia n.º 20/2011, de 12 de mayo, ECLI:ES:TSJCAT:2011:8393**, ya resumía la contribución a los gastos comunes de la siguiente manera:

«El régimen de pago de los gastos de mantenimiento de los elementos comunes ordinarios, esto es, los no vinculados a algunos elementos privativos, se rigen por lo dispuesto en el art. 553-44 y 45, conforme a los cuales es obligación de todos los propietarios hacerse cargo de los gastos que comporten de acuerdo con la cuota de participación conforme a las especialidades que se fijen en el título constitutivo y en los estatutos, sin que la falta de uso y disfrute de elementos comunes concretos exima de la obligación de sufragar los gastos que se deriven de su mantenimiento, salvo que en los Estatutos se prevea lo contrario respecto de servicios o elementos, también especificados de manera concreta».

Se regula la posibilidad de que ya sea en el título constitutivo, o a través de un acuerdo de la junta de propietarios, se establezca un incremento de la participación en los gastos comunes que corresponde a un elemento privativo concreto, atendiendo a que realice un uso o disfrute especialmente intensivo de elementos o servicios comunes como consecuencia del ejercicio de actividades empresariales o profesionales en el piso o el local. Este incremento no podrá suponer en ningún caso un importe superior al doble de lo que le correspondería por la cuota.

En virtud del art. 553-45.2 CCCat, la exoneración de la obligación de contribuir a los gastos puede acordarse en estatutos únicamente respecto de servicios o elementos concretos, claramente especificados; nunca puede ser general ni por mera falta de uso voluntaria del propietario

La regulación contenida en el CCCat también recoge la responsabilidad de la comunidad por las deudas contraídas, disponiendo que de las mismas responderán:

- Los créditos y fondos comunes de los propietarios.
- Los elementos privativos de beneficio común.

- Subsidiariamente, los propietarios de los elementos privativos en proporción a su cuota de participación.

CUESTIÓN

Cuando se demanda a la comunidad de propietarios, ¿puede solicitarse el embargo de elementos privativos?

No, el CCCat establece que, si bien para embargar los fondos, créditos y elementos privativos en beneficio común es suficiente con demandar a la comunidad, para embargar los otros elementos privativos debe requerirse el pago a todos los propietarios y demandarlos personalmente.

A TENER EN CUENTA. El art. 553-47 del CCCat aborda el procedimiento monitorio especial aplicable en estos casos: «*1. La comunidad puede reclamar todas las cantidades que le sean debidas por el impago de los gastos comunes, tanto si son ordinarios como extraordinarios, o del fondo de reserva, mediante el proceso monitorio especial aplicable a las comunidades de propietarios de inmuebles en régimen de propiedad horizontal establecido por la legislación procesal.*

2. Para instar la reclamación basta con un certificado del impago de los gastos comunes, emitido por quien haga las funciones de secretario de la comunidad con el visto bueno del presidente. En este certificado debe constar la existencia de la deuda y su importe, la manifestación de que la deuda es exigible y que se corresponde de forma exacta con las cuentas aprobadas por la junta de propietarios que constan en el libro de actas correspondiente, y el requerimiento de pago hecho al deudor».

8.3.2. Propiedad horizontal compleja y propiedad horizontal por parcelas

Otros tipos de propiedad horizontal según el CC de Cataluña 1890

El Código Civil de Cataluña regula dos tipos especiales de propiedad horizontal: la propiedad horizontal compleja (arts. 553-48 a 553-52) y la propiedad horizontal por parcelas (art. 553-53 a 553-59).

La **sentencia de la Audiencia Provincial de Barcelona n.º 740/2017, de 9 de noviembre, ECLI:ES:APB:2017:12561**, hace alusión a estos tipos de propiedad horizontal afirmando que:

«De la misma forma, el Libro V del CCCat regula en las secciones segunda y tercera del capítulo III del título V, la propiedad horizontal simple y la compleja, ésta última adecuada a los conjuntos inmobiliarios con varios edificios pero con zonas comunitarias, como son piscinas o zonas de recreo, regulando en la sección cuarta la propiedad horizontal por parcelas extendiendo también a éstas los principios de la normativa.

De este modo además de la propiedad horizontal simple de un único edificio unitario compuesto de entidades privativas y elementos comunes a la que se refieren los artículos 553-1 y 553-33 y ss. del CCCat en el que el suelo y el vuelo dan cobertura a todos los elementos privativos, las secciones tercera y cuarta regulan **otras realidades más complejas** como la de los terrenos en los que se sitúan varios edificios, siendo la zona no ocupada por la edificación elemento común destinado a pasos o parking o al ocio y esparcimiento de los propietarios; la de un solo edificio con estructura común que se sitúa en una sola parcela con portales independientes, con planta de garaje común a todos los portales; parcelas privativas sobre las que existe un chalet único o un edificio en régimen propiedad horizontal, cada una de las cuales tiene como anejo la copropiedad de otras parcelas destinadas a jardines, parques o piscina, etc.

(...)

Por su parte el art. 553-48 en su primitiva redacción, en orden a la **propiedad horizontal compleja** admite la coexistencia de subcomunidades integradas en un edificio o en un conjunto inmobiliario formado por distintas escaleras o portales o por una pluralidad de edificios independientes y separados siempre que se conecten entre ellos y compartan zonas ajardinadas y de recreo, piscinas u otros elementos comunes similares.

En el caso de las **urbanizaciones por parcelas** el art. 553-53 en su redacción originaria, extiende los principios de la propiedad horizontal, debidamente adaptados, al conjunto de fincas vecinas físicamente independientes que tienen la consideración de solares, edificados o no, formen parte de una urbanización y participen con carácter inseparable de unos elementos de titularidad común, entre los que se incluyen otras fincas o servicios colectivos, así como de limitaciones sobre su goce a favor de todas o de algunas de las demás fincas del conjunto.

En suma, en todas las modalidades de conjuntos o complejos inmobiliarios susceptibles de regirse por los principios de la propiedad horizontal, sea en forma vertical o tumbada o por parcelas, **siempre será necesario que coexistan junto con los elementos privativos, elementos comunes**, aunque no se superpongan en planos horizontales sino en un mismo plano horizontal y que por tanto se mantenga la unidad jurídica y funcional de la finca, al permanecer el suelo y el vuelo como elementos comunes, sin división o fraccionamiento jurídico del terreno que pueda calificarse de parcelación (RDGRN de 14-6-2004 y 21 enero 2014)».

1900 **La propiedad horizontal compleja en Cataluña**

➢ Regulación y constitución de subcomunidades

La propiedad horizontal compleja encuentra su regulación en la sección tercera del capítulo III del título V de la Ley 5/2006, de 10 de mayo, del libro quinto del Código Civil de Cataluña, relativo a derechos reales.

La definición de la misma nos la da el art. 553-48 del CCCat, que se refiere a este tipo de propiedad como aquel que implica la coexistencia de subcomunidades integradas en un inmueble o en un conjunto inmobiliario y que se encuentra formada por varias escaleras o portales, o por una pluralidad de edificios independientes y separados que se conectan entre ellos y comparten elementos comunes tales como zonas ajardinadas y de recreo, piscinas u otros elementos comunes similares.

Es decir, podemos hablar de propiedad horizontal compleja en supuestos en los que nos encontramos distintas subcomunidades en:

- Un inmueble con varias escaleras o portales.
- Varios edificios que comparten zonas comunes.

Cada una de las subcomunidades constituidas para cada escalera, portal o edificio se rige por las disposiciones del CCCat que se refieren tanto a las disposiciones generales sobre el régimen jurídico de la propiedad horizontal, como a las disposiciones que regulan la propiedad horizontal simple (secciones primera y segunda del capítulo III del Título V del libro quinto del CCCat).

También podrán configurarse como una subcomunidad los elementos privativos que están conectados entre sí y que tienen independencia económica y funcional, ya se encuentren situados en uno o más inmuebles.

En lo que respecta a las cuotas de participación, el art. 553-49 del CCCat recoge que: «Cada uno de los elementos privativos que integran una subcomunidad tiene asignada una cuota particular de participación, separada de la cuota general que le corresponde en el conjunto de la propiedad horizontal compleja».

La propiedad horizontal compleja se constituye bien como una sola comunidad con subcomunidades, o bien como una agrupación de varias comunidades.

La **sentencia de la Audiencia Provincial de Barcelona n.° 29/2020, de 4 de febrero, ECLI:ES:APB:2020:651**, se refiere a la propiedad horizontal compleja en los siguientes términos:

> «(...) Se da esa denominación legislativa a aquellos casos en los que exista un complejo inmobiliario formado por una pluralidad de edificios independientes y separados entre ellos o bien un edificio integrado por diferentes escaleras, que compartan zonas ajardinadas y de recreo, piscinas u otros tipos de elementos comunes similares (art. 553-48.1). Junto a la mancomunidad o comunidad matriz, cada edificio independiente o cada escalera o portal constituyen una subcomunidad y se rigen por las normas de la propiedad horizontal simple. Asimismo, una o más de una nave se puede conceptuar también como subcomunidades si se destinan a plazas de aparcamiento o trasteros u otros elementos privativos de un o más edificios si gozan de unidad e independencia funcional y económica (art. 553.48-3).
>
> La regulación de la propiedad horizontal compleja se orienta al establecimiento del régimen jurídico entre las subcomunidades, que se rigen por las normas de la propiedad horizontal simple, y la mancomunidad en cuanto a la forma de adoptar aquellos acuerdos que se proyectan sobre los elementos comunes de todo el complejo inmobiliario».

CUESTIÓN

En una agrupación de comunidades, ¿quién puede otorgar el título de constitución?

En estos casos, el título puede ser otorgado por los propietarios únicos de los diferentes inmuebles o los presidentes de las respectivas comunidades autorizados por un acuerdo previo de cada junta de propietarios.

El apartado 2 del art. 553-50 del CCCat recoge los requisitos que se exigen al título de constitución:

- Debe constar en escritura pública.
- Debe contener una descripción de:
  - » El complejo inmobiliario en conjunto.
  - » Los elementos privativos que lo componen, incluyendo la subcomunidad de la que formen parte, y la cuota de participación general y particular.

» Los viales, las zonas ajardinadas y de recreo y los demás servicios y elementos comunes del complejo.

Para inscribirse en el Registro de la Propiedad se estará a lo dispuesto en la legislación hipotecaria, especificando el CCCat que se llevará a cabo mediante una inscripción general en folio propio para la propiedad horizontal compleja, y además en otro folio propio para cada subcomunidad y cada elemento privativo.

Cabe citar aquí la **sentencia de la Audiencia Provincial de Barcelona n.º 838/2018, de 22 de noviembre, ECLI:ES:APB:2018:11662**, que realiza un análisis de la regulación jurídica de la propiedad horizontal compleja en los siguientes términos:

«De conformidad con lo expuesto la existencia de propiedad horizontal compleja **requiere no sólo la existencia de un conjunto inmobiliario formado por varias escaleras o portales o por una pluralidad de edificios independientes y separados, sino que además dichos edificios deben conectarse entre ellos y compartir zonas** ajardinadas y de recreo, piscinas u otros elementos comunes similares.

Por tanto, **el concepto complejo inmobiliario no implica per se que se trate de un supuesto de propiedad horizontal compleja puesto que se requiere la conexión entre edificios y compartir entre ellos elementos comunes**, siendo estos dos requisitos presupuestos previos para que formalmente pueda constituirse la propiedad horizontal compleja.

En este sentido la sentencia del Tribunal Supremo de 27 de octubre de 2008 declara que "basta para la calificación como complejo inmobiliario la existencia de un régimen de copropiedad o de titularidad compartida sobre instalaciones o servicios inherente al derecho de propiedad privativo sobre los respectivos inmuebles que conforman el complejo, aunque no se trate de una copropiedad en sentido propio. En la Carta de Roma (V Congreso Internacional de Derecho Registral de 1982) se caracteriza a los complejos inmobiliarios 'por la existencia de una pluralidad de inmuebles conectados entre sí, a través de elementos o servicios comunes, o de un régimen de limitaciones y deberes entre los mismos, con vocación de pertenecer a una multiplicidad de titulares, para la consecución y mantenimiento de los intereses generales y particulares de los partícipes'.

Según la doctrina científica, la característica de los conjuntos inmobiliarios a que se refiere la LPH es, pues, la existencia de una pluralidad de fincas ligadas por un punto de conexión cifrado en la titularidad compartida, inherente a los derechos privativos sobre cada una de ellas, de elementos inmobiliarios de utilidad común, viales, instalaciones o servicios".

Asimismo la sentencia del Tribunal Superior de Justicia de Cataluña de 21 de marzo de 2016 afirma que "en todas las modalidades de conjuntos o complejos inmobiliarios susceptibles de regirse por los principios de la propiedad horizontal, sea en forma vertical o tumbada o por parcelas, siempre **será necesario que coexistan junto con los elementos privativos, elementos comunes**, aunque no se superpongan en planos horizontales sino en un mismo plano horizontal y que por tanto se mantenga la unidad jurídica y funcional de la finca, al permanecer el suelo y el vuelo como elementos comunes, sin división o fraccionamiento jurídico del terreno que pueda calificarse de parcelación (RDGRN de 14-6-2004 y 21 enero 2014)". **La constitución de la propiedad horizontal compleja puede realizarse mediante la existencia de una comunidad formada por subcomunidades, o bien mediante la agrupación de comunidades.** Asimismo, se prevé que puede existir subcomunidad de garajes y trasteros del complejo inmobiliario que actúe con independencia si se cumplen determinados requisitos, así como se establecen los supuestos expresos en que no resulta posible dicha subcomunidad».

CUESTIÓN

¿Puede una subcomunidad no formalmente constituida, pero que actúa de hecho como tal, adoptar acuerdos vinculantes frente a otros comuneros?

No, porque solo las subcomunidades cuya existencia de facto se prueba (actuación continuada como tal, órganos, juntas, CIF, etc.) pueden operar internamente; si no se acredita ni esa actuación mínima, los acuerdos carecen de valor como acuerdos de subcomunidad (SAP de Barcelona n.º 639/2025, de 12 de noviembre, ECLI:ES:APB:2025:11618).

Con relación a la **regulación y los acuerdos** en la propiedad horizontal compleja, el art. 553-51 del CCCat establece que cada subcomunidad tiene sus órganos específicos y adopta sus propios acuerdos en el ámbito material que tenga reconocido en el título de constitución, y ello con independencia tanto de las demás subcomunidades, como de la comunidad general.

El CCCat recoge la posibilidad de nombrar un consejo de presidentes que actuará de forma colegiada para la administración ordinaria de los elementos comunes.

CUESTIÓN

¿Por qué normas se rige el consejo de presidentes regulado en el art. 553-51 del CCCat?

Este consejo se regirá por las normas de la junta de propietarios adaptadas a su naturaleza específica.

➢ Especial referencia a las comunidades y subcomunidades para garajes o trasteros

El art. 553-52 del CCCat hace alusión a las comunidades de garajes o trasteros que funcionarán independientemente de la comunidad general en los asuntos que le sean de su interés exclusivo, en los siguientes casos:

«a) Si se configura en régimen de comunidad como elemento privativo de un régimen de propiedad horizontal y la adquisición de una cuota indivisa atribuye el uso exclusivo de plazas de aparcamiento o de trasteros y la utilización de las rampas de acceso y salida, las escaleras y las zonas de maniobras. En este caso, los titulares de la cuota indivisa no pueden ejercer la acción de división de la comunidad ni gozan de derechos de adquisición preferente.

b) Si las diferentes plazas de aparcamiento o los trasteros de un local de un inmueble en régimen de propiedad horizontal se constituyen como elementos privativos. En este caso, se asigna a cada plaza, además del número de orden y de la cuota que le corresponde en el régimen de propiedad horizontal, un número o letra de identificación concretos; las rampas, las escaleras y las zonas de acceso, maniobra y salida de los vehículos se consideran elementos comunes del garaje o el trastero».

No existe subcomunidad para garajes o trasteros en los siguientes dos supuestos:

1. Cuando las plazas de aparcamiento o los trasteros tengan la consideración de anexos inseparables de los elementos privativos de la comunidad. En estos casos no tienen cuota especial, y son de titularidad privativa a todos los efectos.

2. Cuando el local del garaje o trastero se configure como elemento común del régimen de propiedad horizontal. Si se da esta situación, el uso concreto de las plazas de aparcamiento o de los trasteros no puede cederse a terceros con independencia del elemento privativo respectivo.

Cuando varios inmuebles sujetos a propiedad horizontal comparten el uso del local o locales destinados a garaje o trasteros puede constituirse una subcomunidad. Esta formará parte de cada propiedad horizontal en la proyección vertical que le corresponde. En estos casos, salvo que los estatutos establezcan lo contrario, los titulares de las plazas tendrán derecho a utilizar todas las zonas de acceso, distribución, maniobra y salida de vehículos situadas en el local, o locales, independientemente del inmueble concreto en el que estén situadas.

1910 La propiedad horizontal por parcelas en Cataluña

La propiedad horizontal por parcelas se encuentra regulada en la sección cuarta del capítulo III del título V de la Ley 5/2006, de 10 de mayo, del Libro Quinto del Código Civil de Cataluña, relativo a derechos reales.

Comienza su regulación en el art. 553-53 del CCCat, en el que se establecen los siguientes requisitos que deben de cumplirse en la propiedad horizontal por parcelas:

- Se establece sobre un conjunto de fincas independientes que tienen la condición de solares, ya estén edificados o no.
- Estas fincas deben de formar parte de una actuación urbanística, es decir, forman parte de una misma urbanización.
- Comparten elementos de titularidad común con carácter inseparable.

La **Audiencia Provincial de Barcelona en su sentencia n.° 361/2018, de 29 de junio, ECLI:ES:APB:2018:6416**, se refiere a este tipo de propiedad horizontal con el siguiente tenor literal:

> «Dentro del mismo se regula la "propiedad horizontal por parcelas" y se puede establecer sobre un conjunto de fincas vecinas independientes que tienen la consideración de solares, edificados o no, formen parte de una urbanización (o actuación urbanística según la Llei 5/2015), y participen con carácter inseparable de unos elementos de titularidad común, según se desprende del art. 553-53.1 del CCCat, modificado en cuanto a este régimen jurídico, por la Llei 5/2015.
>
> Estos elementos de titularidad común lo constituyen obviamente no solo los edificios, patios, muros, servicios etc., sino el vuelo, suelo y el subsuelo así como los diversos servicios comunes (como pueden ser los bienes o servicios públicos integrados por viales, jardines, parques, etc. cuyo mantenimiento corresponda a la urbanización)».

Cabe mentar aquí, por ilustrativa, la **sentencia de la Audiencia Provincial de Barcelona n.° 838/2018, de 22 de noviembre, ECLI:ES:APB:2018:11662**, que nos da la siguiente definición de la propiedad horizontal por parcelas:

> «La propiedad horizontal por parcelas concurre en los supuestos de un complejo inmobiliario de una urbanización formada por parcelas en que pueden ubicarse viviendas unifamiliares (adosadas o separadas), con zonas de uso común, recibiendo

usualmente dichos complejos el nombre de **propiedad horizontal tumbada**. Estos supuestos se caracterizan por la titularidad exclusiva de las parcelas (y en su caso las viviendas en ellas construidas) y por la presencia de elementos y servicios comunes de uso exclusivo por los titulares de las parcelas. El régimen jurídico de dichos complejos inmobiliarios se encuentra actualmente previsto en los art. 553-53 y ss del CCCataluña dedicados a la propiedad horizontal por parcelas y el mismo se constituye sobre un conjunto de fincas independientes que tienen la consideración de solares, edificados o no, forman parte de una actuación urbanística y participan con carácter inseparable de unos elementos de titularidad común».

CUESTIÓN

¿Qué normas rigen la propiedad horizontal por parcelas?

Se rigen por lo que se establezca en el título constitutivo y, en lo no recogido por este, por las normas recogidas en la sección cuarta del capítulo III del título V de la Ley 5/2006, de 10 de mayo, del Libro Quinto del Código Civil de Cataluña, relativo a derechos reales (arts. 553-53 al 553-59 del CCCat). Supletoriamente se regirán por las disposiciones del capítulo III de la mentada ley, de acuerdo con su naturaleza específica y con la normativa urbanística aplicable.

Se realiza una diferenciación entre las fincas privativas y los elementos comunes. Así, el art. 553-54 del CCCat se refiere a las fincas privativas que forman parte de la propiedad horizontal por parcelas, disponiendo que las mismas pertenecen en exclusiva a tus titulares, en el régimen de propiedad que les sea de aplicación.

La cuota de participación es inseparable de las fincas privativas, lo que conlleva que tal y como se recoge en apartado segundo del art. 553-54 del CCCat: «Los actos de enajenación y gravamen y el embargo de las fincas privativas se extienden de modo inseparable a la cuota de participación que les corresponde en los elementos comunes».

Al igual que en la propiedad horizontal en general, no existen derechos de adquisición preferente en el caso de enajenarse una finca privativa.

Por su parte el art. 553-55 del CCCat realiza un listado de elementos considerados comunes, entendiendo que serán comunes las fincas, los elementos inmobiliarios y los servicios e instalaciones que se destinan al uso y disfrute común, citando a modo de ejemplo:

- Zonas ajardinadas y de recreo.
- Instalaciones deportivas.
- Locales sociales.
- Servicios de vigilancia.
- Otros elementos similares.

Estos elementos comunes son inseparables de las fincas privativas y se encuentran vinculados a las mismas por la cuota de participación.

Cabe destacar que el art. 553-56 del CCCat dispone que: «Las restricciones al ejercicio de las facultades dominicales sobre fincas privativas impuestas por el título de constitución, los estatutos, el planeamiento urbanístico o las leyes tienen la consideración de elementos comunes».

En el **título constitutivo de la propiedad horizontal por parcelas** debe constar:

- La descripción del conjunto en general, incluyendo:
  - El nombre.
  - La ubicación.
  - La extensión.
  - La aprobación administrativa de la actuación urbanística en que se integra.
  - Los datos esenciales de la licencia o del acuerdo de parcelación.
  - El número de solares que la configuran.
  - La referencia y descripción de las fincas e instalaciones comunes.
- La relación de las obras de la urbanización y de las instalaciones del conjunto.
- El sistema previsto para su conservación y mantenimiento.
- Información sobre la prestación de servicios no urbanísticos.
- Otras circunstancias derivadas del plan de ordenación.
- La descripción de todas las parcelas y de los demás elementos privativos, incluyendo:
  - El número de orden.
  - La cuota general de participación.
  - Las cuotas especiales cuando correspondan.
  - La superficie.
  - Los límites.
  - Los espacios físicos o derechos que constituyan sus anexos o que estén vinculados a ellos.
- Las reglas sobre el destino y la edificabilidad de las fincas.
- Información sobre si las fincas son divisibles.
- Los estatutos, cuando estos existan.
- Los terrenos de uso y dominio público incluidos en el ámbito de la propiedad horizontal por parcelas.
- Un plano descriptivo del conjunto, en el que deben identificarse las fincas privativas y los elementos comunes.

A TENER EN CUENTA. En el CCCat se establece una excepción a la descripción de todas las parcelas, recogiendo que «No es preciso describir cada una de las parcelas si el régimen de propiedad horizontal por parcelas se establece por acuerdo de todos o de una parte de los propietarios de parcelas, edificadas o no, situadas en una unidad urbanística consolidada, que ya están inscritas en el Registro de la Propiedad como fincas independientes, pero se ha hecho constar, como mínimo, el número que les corresponde en la urbanización, la identificación registral, la referencia catastral y los nombres de los propietarios» (Art. 553-57.3 del CCCat).

CUESTIÓN

¿Qué efectos tienen las determinaciones urbanísticas contenidas en el título constitutivo?

El art. 553-57 del CCCat en su apartado segundo recoge que: «Las determinaciones urbanísticas que contenga el título de constitución tienen efectos meramente informativos».

Con respecto a la **constancia registral** del régimen de propiedad horizontal por parcelas el CCCat se remite a la legislación hipotecaria.

En el Registro de la Propiedad debe realizarse:

- Una inscripción general para el conjunto.
- Una inscripción para cada una de las fincas privativas.
- Cuando proceda, una inscripción de las fincas destinadas a uso y disfrute o servicios comunes.

CUESTIONES

1. ¿Qué ocurre cuando la propiedad horizontal por parcelas recae sobre varias fincas?

En estos casos debe realizarse una agrupación instrumental, haciendo constar este carácter instrumental en la nota de referencia y debe considerarse, a todos los efectos, que nunca ha existido comunidad. Tal y como se establece en el art. 553-58.2 del CCCat, las fincas privativas pueden adjudicarse directamente al titular que corresponda.

2. ¿A favor de quién se realiza la inscripción de la propiedad horizontal por parcelas?

En el régimen de propiedad horizontal por parcelas, la inscripción se practica a favor de sus integrantes. En el caso de las fincas destinadas a uso y disfrute o a los servicios comunes se inscriben a favor de los integrantes de la propiedad horizontal por parcelas, sin mencionarlos de forma explícita ni hacer constar las cuotas que le corresponden.

En el CCCat se recogen los datos que deben contenerse en la inscripción diferenciando la inscripción general del régimen de propiedad horizontal por parcelas y las inscripciones de las fincas privativas.

En el primer caso, la inscripción del régimen de propiedad horizontal por parcelas debe contener los datos exigidos por la legislación hipotecaria, y además también los establecidos en el art. 553-57 del CCCat para el título constitutivo que tengan trascendencia real y la referencia del archivo del plano. Se especifica que deben hacerse las notas marginales de referencia a las inscripciones de las fincas privativas.

En el segundo caso, las inscripciones de las fincas privativas deben contener:

- Los datos exigidos por la legislación hipotecaria.
- El número de parcela que les corresponde.
- La cuota o cuotas de participación.
- El régimen especial o las restricciones que pueden afectarlas.
- La referencia a la inscripción general y la sujeción al régimen de la propiedad horizontal por parcelas.

En último lugar, para los casos de propiedad horizontal por parcelas sobrevenida, la ley recoge que deberá abrirse un folio separado e independiente para la propiedad horizontal en conjunto, y en el deberá de hacerse constar las circunstancias establecidas en el art. 553-57, haciendo referencia en una nota marginal, a cada una de las inscripciones de las fincas que pasan a ser privativas, dejando constancia de la cuota que les corresponde.

CUESTIONES

1. ¿Puede extinguirse la propiedad horizontal por parcelas de forma voluntaria?

Sí, pero será necesario el consentimiento expreso de todos los propietarios (art. 553-25.4 del CCCat).

2. ¿Qué conlleva esta extinción voluntaria?

La extinción voluntaria conlleva que, una vez acordada la extinción, deban liquidarse totalmente las obligaciones con terceros y, si procede, también con los propietarios.

3. ¿Qué debe hacer la junta de propietarios en el proceso de liquidación?

En estos casos, durante el proceso de liquidación la junta debe mantener sus funciones. Además, debe percibir las cuotas atrasadas y los demás créditos a favor de la propiedad horizontal por parcelas. Cuando se haya acordado enajenar inmuebles de uso común, también le corresponde a la junta su enajenación. Y para finalizar, una vez realizadas todas las operaciones, debe rendir cuentas a todos los propietarios.

8.4. LA ACCIÓN DE CESACIÓN

1920 **Regulación de la acción de cesación en el Código Civil Catalán**

Tanto en la Ley de Propiedad Horizontal como en el Código Civil Catalán se regula una acción específica conocida como acción de cesación, cuya finalidad es salvaguardar los intereses de la comunidad de propietarios y de sus integrantes cuando se encuentran con algún vecino que realiza actividades perjudiciales o prohibidas.

La acción de cesación se regula en el art. 553-40 del CCCat, dedicado a las prohibiciones y restricciones de uso de los elementos privativos y comunes:

«1. Los propietarios y los ocupantes no pueden hacer en los elementos privativos, ni en el resto del inmueble, actividades o actos contrarios a la convivencia normal en la comunidad o que dañen o hagan peligrar el inmueble. Tampoco pueden llevar a cabo las actividades que los estatutos, la normativa urbanística o la ley excluyen o prohíben de forma expresa.

2. La presidencia de la comunidad, si se hacen las actividades o los actos a que se refiere el apartado 1, por iniciativa propia o a petición de una cuarta parte de los propietarios, debe requerir fehacientemente a quien los haga que deje de hacerlos. Si la persona o personas requeridas persisten en su actividad, la junta de propietarios puede ejercer contra los propietarios y ocupantes del elemento privativo la acción para hacerla cesar, que debe tramitarse de acuerdo con las normas procesales correspondientes. Una vez presentada la demanda, que debe acompañarse del requerimiento y el certificado del acuerdo de la junta de propietarios, la autoridad judicial debe adoptar las medidas cautelares que considere convenientes, entre las

cuales, la cesación inmediata de la actividad prohibida. En caso de ocupación sin título habilitante, la acción puede ejercerse contra los ocupantes aunque no se conozca su identidad. Si las actividades o los actos contrarios a la convivencia o que dañen o hagan peligrar el inmueble los hacen los ocupantes del elemento privativo ilegítimamente y sin la voluntad de los propietarios, la junta de propietarios puede denunciar los hechos al ayuntamiento de su municipio a fin de que inicie, previo expediente acreditativo de que se han producido efectivamente las actividades o los actos prohibidos, el procedimiento establecido por el artículo 44 bis de la Ley 18/2007, de 28 de diciembre, del derecho a la vivienda.

3. La comunidad tiene derecho a la indemnización por los perjuicios que se le causen y, si las actividades prohibidas continúan, a instar judicialmente a la privación del uso y goce del elemento privativo por un periodo que no puede exceder de dos años y, si procede, a la extinción del contrato de arrendamiento o de cualquier otro que atribuya a los ocupantes un derecho sobre el elemento privativo».

A TENER EN CUENTA. El artículo 553-40 del CCCat ha sido modificado por la Ley 1/2023, de 15 de febrero, con entrada en vigor el 1/2/2023.

Tal y como se recoge en la **sentencia de la Audiencia Provincial de Barcelona n.º 598/2011 de 25 de noviembre, ECLI:ES:APB:2011:13325**: «La norma que nos ocupa, como su homónima de la Ley de Propiedad Horizontal estatal, va dirigida a **proteger a la comunidad de los actos perturbadores de un ocupante** (por el título que sea) que sean contrarios a la convivencia normal en el inmueble».

En la **sentencia de la Audiencia Provincial de Barcelona n.º 240/2020, de 30 de junio, ECLI:ES:APB:2020:6180**, se recoge el fundamento de dicha acción, destacando que el beneficio propio no puede perjudicar lo ajeno:

«En relación con la acción de cesación, es doctrina reiterada (Sentencia del Tribunal Superior de Justicia de Cataluña, (Sala de lo Civil y Penal, Sección 1.ª), de 28 de abril de 2014) que la norma del artículo 553-40 del Código Civil de Cataluña, inspirada en el artículo 7.2 de la Ley de Propiedad Horizontal de 21 julio 1960, y que debemos entender complementaria, responde a un **principio fundamental en toda comunidad: que el beneficio propio no puede traducirse en perjuicio ajeno**, o como se indica en la STSJC 17/2012, de 20 de febrero, a la necesidad de que las actividades que se emprendan en los elementos privativos por sus propietarios o por quienes de ellos traen causa se desarrollen dentro de los **límites de la normalidad del uso y tolerabilidad por los restantes vecinos** atendidas las condiciones de lugar y la naturaleza de los inmuebles de acuerdo con las normas de la buena fe».

Prohibición de realizar ciertas actividades dentro de la comunidad de propietarios en Cataluña 1930

El punto de partida de esta acción es la prohibición de propietarios y ocupantes de realizar, en los elementos privativos y en el resto del inmueble, actividades que:

- Sean contrarias a la convivencia normal en la comunidad.
- Que dañen o hagan peligrar el inmueble.
- Que se encuentren prohibidas de forma expresa en los estatutos, en la normativa urbanística o en la ley.

El mentado precepto es interpretado por la **sentencia de la Audiencia Provincial de Barcelona, n.º 240/2020, de 30 de junio, ECLI:ES:APB:2020:6180**, que recoge que:

«De tal regulación resulta que se prohíbe:

a) Efectuar actividades prohibidas por los estatutos. Esta restricción coincide con la prevista en el art. 553-47 CCCat.

b) Llevar a término actividades que estropeen o hagan peligrar el edificio. Se ha de entender que el alcance es análogo a la previsión del art. 553- 47 CCCat, cuando señala que no se pueden efectuar actividades perjudiciales para las fincas.

c) Realizar actividades excluidas o prohibidas por la normativa urbanística. Corresponderá en este supuesto examinar la normativa urbanística aplicable al lugar donde se encuentre el inmueble, a la vez que los usos del sector en relación a las viviendas y locales para determinar si las actividades que los titulares de elementos privativos realizan chocan contra los mismos.

d) Hacer actividades contrarias a la convivencia normal, que es en esencia lo que denuncia la recurrente en su demanda.

Si se llevan a término las actividades contempladas en el apartado primero del art. 553-40, que son las que se acaban de enumerar, se puede llevar a término una acción de cesación de la actividad».

Aunque la ley no nos da más especificaciones sobre las actividades que pueden dar lugar a la acción de cesación, podemos citar aquí la **sentencia de la Audiencia Provincial de Barcelona n.º 319/2021, de 10 de mayo, ECLI:ES:APB:2021:5104**, que se pronuncia sobre las **características generales que deben concurrir para poder considerar que la actividad se encuentra entre las recogidas en el mentado artículo**, citando diversa jurisprudencia del Tribunal Supremo:

«El TSJC se ha pronunciado sobre este precepto en relación con los pisos turísticos, principalmente, pero todavía no hay establecido un cuerpo de doctrina jurisprudencial sobre las **características generales que debe presentar la actividad para que pueda entenderse comprendida en el precepto analizado.**

Sin embargo, puede servir de guía la jurisprudencia del Tribunal Supremo en relación con el art. 7.2 LPH, que también se refiere a las actividades "que resulten dañosas para la finca".

Pues bien, podemos resumir dicha jurisprudencia del modo siguiente:

1) **La actividad ha de darse dentro del inmueble** (en cualquier parte del mismo), no en el exterior (a no ser que tenga su origen en el interior).

2) **La calificación de una actividad como incómoda o molesta no ha de hacerse apriorísticamente**, y sólo por las características generales de la misma (ello es competencia de la autoridad administrativa correspondiente (STS 1 junio 1999), sino atendiendo al modo de realizarse en cada **caso concreto** (STS 16 julio 1993), o el modo de desarrollarse —situación de hecho derivada del uso de una cosa, aunque se cumplan formalidades administrativas, atendiendo a los principios que rigen las relaciones de vecindad y a la prohibición del abuso de derecho ex art. 7.2 CC—, y a la posición contumaz del agente ante las advertencias que se le hayan hecho.

3) La actividad **ha de exceder y perturbar el régimen o estado de hecho usual y corriente en las relaciones sociales, de manera notoria** (evidencia y permanencia de la incomodidad. SSTS 28 febrero 1964, 8 abril 1965, 11 mayo 1998, etc).

4) Se requiere una **prueba concluyente, plena y convincente** atendida la gravedad de la sanción (SSTS 18 mayo 1994, 13 mayo 1995, etc.) y de ahí la interpretación restrictiva en orden a seguir la pauta del menor efecto para el ejercicio de la actividad en cuanto sea posible, frente al efecto drástico del cese o de la privación del uso (entre otras razones, porque las limitaciones a las facultades dominicales han de interpretarse restrictivamente).

5) **No rectificación por el demandado**, en un plazo razonable, cesando o modulando la actividad, tras el requerimiento que le sea remitido a tal efecto (pues la actividad ha de ponerse en relación con el esfuerzo desplegado por el titular de la misma para reducir al mínimo los efectos para la comunidad)».

CUESTIÓN

¿Cabe el ejercicio de la acción de cesación para evitar inmisiones futuras?

En el **auto del Tribunal Superior de Justicia de Cataluña, rec. 186/2019, de 19 de diciembre, ECLI:ES:TSJCAT:2019:712A,** se reconoce esta posibilidad: «Igualmente debe tenerse presente que la acción de cesación como declaramos en la STSJC 28/2014, de 28 de abril puede subsumirse en las previsiones del art. 553-40 CCCat (STSJC de 3-10-2002 y 17-7-2006) contemplándose en el artículo 544.5. a) la **posibilidad de ejercitar la acción para evitar inmisiones futuras**». La **sentencia del Tribunal Superior de Justicia de Cataluña n.º 28/2014, de 28 de abril, ECLI:ES:TSJCAT:2014:4526**, establece que el ejercicio anticipatorio de la acción solo procedería cuando la actividad sea objetivamente molesta en cualquiera de las condiciones o formas en que se ejecute, lo que implica que las perturbaciones no dependerán ni de su forma, ni de la percepción subjetiva que puedan tener los vecinos.

El concepto de actividades contrarias a la convivencia normal en la comunidad que se emplea en el art. 553-40 del CCCat, como concepto jurídico indeterminado que es, ha dado lugar a una interpretación jurisprudencial que lo analiza, pudiendo citar aquí la **sentencia del Tribunal Superior de Justicia de Cataluña, n.º 33/2016, de 19 de mayo, ECLI:ES:TSJCAT:2016:3181**, que, en un supuesto en el que se resolvía sobre el uso turístico de un inmueble, remitiéndose a distintas sentencias del TSJC, recoge:

«En relación con este punto la Sentencia de esta Sala de 28 de abril de 2014 con cita de la STSJC 17/2012, de 20 de febrero, establece la necesidad de que las actividades que se emprendan en los elementos privativos por sus propietarios o por quienes de ellos traen causa se desarrollen dentro de los **límites de la normalidad del uso y tolerabilidad** por los restantes vecinos atendidas las condiciones de lugar y la naturaleza de los inmuebles de acuerdo con las normas de la buena fe.

Ciertamente, como indica la STSJC de 17/2012 de 20 de febrero, la calificación de una concreta actividad como molesta y contraria a la normal convivencia de la comunidad puede dar lugar por su carácter de concepto jurídico indeterminado a un amplio abanico de posibilidades lo que deviene en una cuestión casuística que deberá ser resuelta conforme a las **circunstancias de cada caso concreto debiendo entenderse como "normal convivencia" aquella que se produce en circunstancias estándares o que se ajusta a las normas o reglas de conducta predeterminadas o fijadas de antemano**».

1940 **Procedimiento para instar la acción de cesación en Cataluña**

En los casos de que un vecino esté realizando actividades prohibidas, el presidente de la comunidad por iniciativa propia o por petición de una cuarta parte de los propietarios, debe requerir fehacientemente a quien esté realizando las mentadas actividades para que deje de hacerlas, y cuando el infractor persista, la junta de propietarios estará facultada para ejercer contra los propietarios y ocupantes la acción para hacerla cesar.

Como requisito procedimental se establece que a la demanda deben de acompañarse dos documentos:

- El requerimiento.
- El certificado del acuerdo de la junta de propietarios facultativo del ejercicio de acciones judiciales.

CUESTIONES

1. ¿Qué se entiende por requerimiento?

La **sentencia de la Audiencia Provincial de Barcelona n.° 442/2014, de 13 de octubre, ECLI:ES:APB:2014:11125**, da respuesta a esta cuestión, recogiendo que «(...) el requerimiento se define como "aviso, manifestación o pregunta que se hace, generalmente bajo fe notarial, a alguien exigiendo o interesando de él que exprese y declare su actitud o su respuesta" (...)».

2. ¿Se entiende por realizado el requerimiento si el destinatario no recoge el burofax enviado?

Sí, tal y como se ha establecido jurisprudencialmente, si el destinatario no recoge el burofax correctamente enviado se entenderá que el requerimiento ha sido realizado. Así lo ha afirmado, entre otras, la **sentencia de la Audiencia Provincial de Barcelona n.° 488/2019, de 3 de octubre, ECLI:ES:APB:2019:11771**, que establece que: «La comunicación se envió al domicilio de la demandada, cumplió los requisitos para alcanzar con el fin previsto, llegar a manos de la demandada, y si no llegó a hacerse efectiva fue consecuencia de la propia y contumaz voluntad de la demandada que no recogió la comunicación, por lo que el motivo se ha de ver desestimado».

Con relación a la **legitimación** del presidente para presentar la demanda cabe destacar que, si bien se requiere de un acuerdo previo de la junta de propietarios que autorice expresamente al presidente para el ejercicio de acciones judiciales, no se exige que dicha autorización sea literal para ser válida. Así, podemos citar como ejemplo la **sentencia de la Audiencia Provincial de Barcelona n.° 240/2020, de 30 de junio, ECLI:ES:APB:2020:6180**, que recoge:

«II.- En este sentido, la doctrina del Tribunal Supremo fijada en las Sentencias de 27 de Marzo de 2012, 19 de febrero de 2014 y 5 de noviembre de 2015, entre otras, sientan, como doctrina jurisprudencial, la **necesidad de un previo acuerdo de la Junta de Propietarios que autorice expresamente al Presidente de la Comunidad para ejercitar acciones judiciales** en defensa de ésta salvo que el Presidente actúe en calidad de copropietario o los Estatutos expresamente dispongan lo contrario, esto es, se exige autorización de la Junta para que la Comunidad pueda demandar.

Lo que se trata de impedir con esta doctrina jurisprudencial es que, sin un acuerdo de la Junta de emprender acciones judiciales, el Presidente, por el hecho de ostentar la representación de la Comunidad en juicio y fuera de él, inste un procedimiento judicial y vincule a la Comunidad por su voluntad personal. Y esto se consigue sometiendo al conocimiento de la Junta de propietarios la cuestión de que se trate y se adopte el acuerdo que proceda, pues el Presidente no puede suplir o corregir la voluntad de la Comunidad expresada en las Juntas Ordinarias o Extraordinarias.

(...)

Por todo ello entendemos que **el hecho de que la Ley exija autorización expresa no significa que sólo sea válida si literalmente se recoge en el acta o si se consigna con una fórmula determinada**, que la ley no exige, siendo en su caso, una cuestión de prueba».

CUESTIONES

1. ¿Debe incluirse en el orden del día de la convocatoria de la junta que se va a tratar el asunto del cese de la actividad?

Sí, la jurisprudencia viene exigiendo como requisito para considerar el acuerdo válido, que en el orden del día se incluya el asunto. Cabe citar como ejemplo la **sentencia de la Audiencia Provincial de Tarragona n.º 263/2020, de 9 de julio, ECLI:ES:APT:2020:833**, que establece que: «(...) De la dicción literal del precepto se deduce que la primera acción que debe realizarse en estos casos es efectuar un requerimiento fehaciente, sin que sea necesario acuerdo de la junta para ello, pues bastará que se efectúe por iniciativa propia del presidente de la comunidad o por solicitud de una cuarta parte de los propietarios. Tras este requerimiento, en el caso de que persista la actividad contraria a la convivencia normal en la comunidad, es cuando la comunidad de propietarios, en junta, puede acordar el ejercicio de la acción de cesación. En este caso puede considerarse que existe un requerimiento, pero no puede considerarse que el acuerdo haya sido adoptado de forma válida como para entender cumplidos los presupuestos legales, dado que según indica el artículo 553-21.4 **debe expresarse en el orden del día los puntos que se proponen tratar** y en este caso en el orden del día no figuraba dicho asunto, sino que se introduce su mención dentro del apartado de ruegos y preguntas. En definitiva, no puede considerarse que la parte actora haya cumplido los presupuestos legales para que pueda prosperar la acción ejercitada, sin perjuicio de la racionalidad *a priori* de la demanda, dado que nadie puede utilizar una plaza de aparcamiento más que dentro del perímetro exacto que tiene a su disposición. Toda utilización fuera de dicho perímetro supone una conducta abusiva y si, además, esa conducta impide o dificulta el uso normal de zonas comunes o de bienes privativos de terceras personas, se está causando un daño que incluso podría ser indemnizable. En este caso, se desestima la demanda por un **motivo puramente formal** y debe confirmarse la resolución recurrida».

2. ¿Puede prosperar la acción de cesación en una comunidad de propietarios cuando existen graves tensiones vecinales, pero las pruebas de los actos incívicos imputados a un vecino son básicamente testificales?

No, porque para estimar la acción de cesación es imprescindible una prueba concluyente, plena y convincente de que se han realizado actividades contrarias a la convivencia con la suficiente gravedad, intensidad y permanencia, y no basta con un contexto de conflicto vecinal y testimonios poco precisos o de parte enfrentada (SAP de Barcelona n.º 514/2022, de 5 de mayo, ECLI:ES:APB:2025:4105).

El CCCat regula la posibilidad de que se adopten **medidas cautelares**, estableciendo en el apartado 2 del art. 553-40 que: «(...) Una vez presentada la demanda, que debe acompañarse del requerimiento y el certificado del acuerdo de la junta de propietarios, la autoridad judicial debe adoptar las medidas cautelares que considere convenientes, entre las cuales, el cese inmediato de la actividad prohibida».

CUESTIÓN

¿Qué se entiende por medida cautelar?

La medida cautelar aparece definida en *Diccionario del Español Jurídico de la RAE* de forma genérica como: «Instrumento procesal de carácter precautorio que adopta el órgano jurisdiccional, de oficio o a solicitud de las partes, con el fin de garantizar la efectividad de la decisión judicial mediante la conservación, prevención o aseguramiento de los derechos e intereses que corresponde dilucidar en el proceso». Y de forma más concreta para el proceso civil como: «Medida adoptada judicialmente, antes o durante un proceso, con la finalidad de evitar los riesgos de la duración temporal del juicio en aras de preservar la efectividad de la sentencia que haya de recaer».

Cabe citar en este punto el **auto de la Audiencia Provincial de Barcelona, rec. 792/2010, de 26 de mayo de 2011, ECLI:ES:APB:2011:2565A**, que se pronuncia sobre los requisitos exigidos para la adopción de medidas cautelares, destacando la importancia de la apariencia de buen derecho, y del peligro de mora procesal:

«La concesión de Medidas Cautelares queda supeditada al concurso de determinadas exigencias:

1.- **Situación jurídica tutelable**.

2.- Manifestación del **derecho ejercitado como verosímil**, de forma que de la documentación aportada se ofrezca como cierto y existente.

3.- El **peligro de un daño** inmediato o irreparable determinado por el retraso en percibir la prestación o el riesgo de que la ejecución sea difícil o imposible, cuando proceda.

4.- La **temporalidad de la medida** solicitada.

5.- La **prestación de la fianza** que el Juez señale.

Así viene siendo jurisprudencialmente admitido, que las medidas cautelares sólo podrán acordarse sí quien las solicita justifica, que en el caso de que se trate, podría producirse, durante la pendencia del proceso de no adoptarse las medidas solicitadas, situaciones que impidieren o dificultaren la efectividad de la tutela que pudiera otorgarle una eventual sentencia estimatoria, debiendo presentar el solicitante los datos, argumentos y justificaciones documentales que conduzcan a fundar, por parte del Tribunal, sin prejuzgar el fondo del asunto, un juicio provisional o indiciario favorable al fundamento de su pretensión.

La apariencia de buen derecho "**fumus boni iuris**", está ligada con la pretensión principal de la parte solicitante y sólo cuando se muestre un aspecto de probabilidad, se puede interesar que se asegure la efectividad de una sentencia favorable o probablemente favorable, y esa probabilidad de éxito exige una operación lógica que ha de abarcar al supuesto de hecho en que la pretensión descanse.

El **periculum in mora**, exige la existencia de potenciales riesgos que amenacen y hagan incierta la efectividad de un futuro pronunciamiento contrario a quien ocupa la posición del sujeto pasivo del procedimiento, debiendo el peticionario justificar que durante el proceso podrían producirse situaciones que impidieran o dificultaren la efectividad de la tutela que pudiera otorgar una sentencia estimatoria».

Consecuencias de ejercitar la acción de cesación en Cataluña 1950

Las **consecuencias jurídicas** de ejercitar la acción de cesación, es decir, las medidas que la comunidad de propietarios podrá solicitar en su demanda son:

1. El cese de la actividad prohibida, que sería el fin último de la acción de cesación.
2. La indemnización por los perjuicios que se le causen. Cabe citar aquí la **sentencia de la Audiencia Provincial de Barcelona n.º 2/2014, de 8 de enero, ECLI:ES:APB:2014:1431**, que reconoce el derecho a la indemnización a pesar de la dificultad de su cuantificación.
3. La privación del uso y disfrute del elemento privativo, cuando las actividades prohibidas continúan, durante un período no superior a dos años.
4. Cuando las actividades sean realizadas por los ocupantes, no propietarios, también podrá solicitarse la extinción del contrato de arrendamiento o de cualquier otro que atribuya a los ocupantes un derecho sobre el elemento privativo.

Llama la atención, por su gravedad, la medida consistente en la privación del uso y disfrute del elemento privativo, por un periodo de hasta dos años. Esta privación del uso y disfrute puede realizarse no solo a los ocupantes y causantes de la actividad prohibida, sino también a los propietarios que no hayan promovido actuación alguna para intentar remediar la situación. Así se recoge, por ejemplo, en la **sentencia de la Audiencia Provincial de Barcelona n.º 257/2018, de 5 de junio, ECLI:ES:APB:2018:5739**, que, con relación a este tema, y en un supuesto en el que la sentencia de primera instancia limitaba el periodo de privación a un año por entender que tras la demanda se había atemperado la intensidad de la perturbación convivencial, recoge que:

> «También debe catalogarse como irreprochable aquella decisión. Se subraya al respecto que en el contexto de las acciones de esta naturaleza lo sancionable no es sino el anómalo y antisocial ejercicio del derecho, que resulta patente y notorio cuando quedan justificados actos incívicos, de notoria importancia, que traspasan el umbral de la mera incomodidad para convertirse en actitudes reprobables que conforman una perturbación grave de la convivencia vecinal, por su intensidad y duración.
>
> Como se significa en la sentencia del Tribunal Superior de Justicia de Catalunya de 20 febrero 2012, cuando se trata actividades molestas, el conflicto surgido en un inmueble sujeto a la propiedad horizontal debe resolverse acudiendo a los principios de normalidad en el uso y tolerabilidad de las mismas atendidas las condiciones del lugar y la naturaleza de los inmuebles, conforme los dictados de la buena fe. Y se invocaba la STC 28/1999, de 8 de marzo, que proclamaba que han de considerarse dentro de las actividades molestas no solo las inmisiones intolerables, sino toda actividad que, por la trascendencia de la misma, pueda exceder de lo socialmente admisible, entendiendo por tal el mínimo respeto a la convivencia de los ocupantes del inmueble.
>
> Por lo demás, **resulta también justificada la extensión de la condena a los propietarios del inmueble** NUM002 NUM002 y progenitores de la ocupante, ya que de la documental aportada a las actuaciones se infiere que estuvieron presentes en las juntas de 12 de noviembre de 2010, 21 de marzo de 2011 y 19 de marzo de 2012, y que

en todas ellas se les requirió para que cesaran las molestias. Fueron conocedores desde un principio, consecuentemente, de la problemática suscitada en relación con el comportamiento de la usuaria de la vivienda de su titularidad, y **no consta**, sin embargo, **que promovieran actuación alguna dirigida a afrontar y remediar aquella indeseable coyuntura**».

Sobre la naturaleza de esta medida también se ha pronunciado la **sentencia de la Audiencia Provincial de Barcelona n.º 133/2018, de 22 de marzo, ECLI:ES:APB:2018:2130**, en el sentido de entender que:

«Debe inicialmente precisarse que la sentencia de instancia no adopta la medida de privación del uso de la vivienda a modo de sanción, sino como medio de restauración de la normalidad y el sosiego en la convivencia vecinal y, singularmente, por razones de protección de la seguridad de los integrantes de la Comunidad y de la propia Sra. Beatriz.

(...)

Se trata, en síntesis, de **una manifestación de la preeminencia del interés general en el ámbito de las Comunidades de Propietarios**. Lo subrayaba así la Exposición de Motivos de la Ley de Propiedad Horizontal estatal de 1960: "El sistema de derechos y deberes en el seno de la propiedad horizontal aparece estructurado en razón de los intereses en juego. Los derechos de disfrute tienden a atribuir al titular las máximas posibilidades de utilización, con el límite representado tanto por la concurrencia de los derechos de igual clase de los demás cuanto por el interés general, que se encarna en la conservación del edificio y en la subsistencia del régimen de propiedad horizontal, que requiere una base material y objetiva. Por lo mismo, íntimamente unidos a los derechos de disfrute aparecen los deberes de igual naturaleza. Se ha tratado de configurarlos con criterios inspirados en las relaciones de vecindad, procurando dictar unas normas dirigidas a asegurar que el ejercicio del derecho propio no se traduzca en perjuicio del ajeno ni en menoscabo del conjunto, para así dejar establecidas las bases de una convivencia normal y pacífica"».

A TENER EN CUENTA. La acción de cesación aparece también regulada en el apartado 2 del art. 7 de la Ley 49/1960, de 21 de julio, sobre propiedad horizontal, pero dicha regulación no es de aplicación a los inmuebles ubicados en Cataluña.

ANEXO.
FORMULARIOS

Contestación a la demanda reclamando cantidad por daños derivados de filtraciones (propiedad horizontal)

Procedimiento [NÚMERO] [AÑO]

A LA PLAZA [NUMERO] **DE LA SECCIÓN DE LO CIVIL DEL TRIBUNAL DE INSTANCIA DE** [ESPECIFICAR] **(1)**

D./Dña. [NOMBRE_PROCURADORCLIENTE], procurador/a de los tribunales, en nombre y representación de la **comunidad de propietarios de la C/** [CALLE] núm. [NUMERO] de [CIUDAD], según acredito mediante poder (notarial/*apud acta*) otorgado por su Presidente **D./Dña.** [NOMBRE]**, con DNI NÚMERO] y domicilio en** [DOMICILIO], apoderamiento que acompaño como **doc. núm.** [NÚMERO] así como **doc. núm.** [NÚMERO] se adjunta acta en la que se elige al presidente por la comunidad actora, bajo la dirección letrada de **D./Dña.** [NOMBRE_ABOGADOCLIENTE] colegiado núm. [NÚMERO], por el ICA de [LUGAR], ante la sección comparezco y, como mejor proceda en derecho,

DIGO

Que por medio del presente escrito vengo a formular **CONTESTACIÓN A LA DEMANDA DE JUICIO VERBAL** formulada contra mi representado/a en reclamación de cantidad en concepto de daños y perjuicios, de conformidad con los siguientes,

HECHOS

PRIMERO. Conformes con el correlativo

La adversa es propietaria del piso [NÚMERO] de [DIRECCIÓN].

Mi mandante es la comunidad de propietarios de dicho edificio en régimen de propiedad horizontal.

SEGUNDO.- Disconformes con el correlativo

La terraza a la que se refiere la adversa es común, pero de uso de privativo.

Su titular ha realizado un uso negligente de dicha terraza, por cuanto las baldosas de su pavimento se encontraban absolutamente deterioradas lo que provocó el deterioro de la tela asfáltica.

Por este motivo se produjeron las filtraciones en el piso de la demandante, por causa imputable exclusivamente al titular del inmueble al que corresponde el uso privativo de la terraza.

Se aporta como documento número [NÚMERO], informe de perito técnico en el que puede comprobarse el estado de las baldosas y su conclusión de que el deterioro no se pudo haber producido de forma reciente, sino que es consecuencia de la dejadez y pasividad durante un largo periodo de tiempo.

En conclusión, mi mandante no está obligada al abono de los gastos derivados de la reparación de las humedades ocasionadas en elemento privativo de la actora.

A los anteriores hechos le resultan de aplicación los siguientes,

FUNDAMENTOS DE DERECHO

I.- COMPETENCIA, LEGITIMACIÓN Y PROCEDIMIENTO

Se acepta lo establecido en la demanda.

II.- REPRESENTACIÓN Y DEFENSA

Mi mandante comparece por medio de procurador y bajo dirección letrada tal y como establecen, respectivamente, los artículos 23 y 31 de la Ley de Enjuiciamiento Civil.

III.- FONDO DEL ASUNTO

Conforme establece el artículo 9 de la LPH es obligación de cada propietario mantener en buen estado de conservación las instalaciones privativas en términos que no perjudiquen a la comunidad o a los otros propietarios.

Es jurisprudencia menor consolidada la que establece que, el titular de la vivienda que tiene atribuido su uso viene obligado a sufragar los gastos surgidos de las obras necesarias para su aprovechamiento como tales terrazas y la comunidad los de impermeabilización siempre que los daños no sean causados por la negligencia o dolo del titular del piso:

SAP de Málaga n.° 378/2021, de 9 de junio, ECLI:ES:APMA:2021:1644

> «La naturaleza mixta de dicho elemento común (cubierta del edificio constituida por material pisable), que se constituye como de aprovechamiento exclusivo en beneficio de los propietarios de los pisos, y, por otra parte, su condición de cubierta del inmueble, ha dado lugar a una doctrina jurisprudencial que asigna al titular de la vivienda los gastos surgidos de las obras necesarias para su aprovechamiento (obras de conservación y obras de reparación derivadas del uso de la terraza) y, más concretamente, las que afectan a su superficie o pavimento, y a la comunidad de propietarios las precisas para mantenerlas en buen estado como cubiertas, como las de impermeabilización, cambios de desagües, etc., siempre y cuando tales daños no sean causados por la negligencia o dolo del titular del piso a cuyo nivel se encuentran (sentencias del Tribunal Supremo de 14 de noviembre de 1991, 17 de febrero de 1993 y 17 de diciembre de 1997, recogidas en múltiples resoluciones de las Audiencias Provinciales). La misma doctrina se aplica cuando la consideración de las terrazas sea la de elemento privativo de los titulares del piso a cuyo nivel se encuentran o desde el cual se accede a las mismas si constituyen cubierta del edificio (sentencia del Tribunal Supremo de 30 de abril de 1993)».

SAP de A Coruña n.° 413/2011, de 20 de octubre, ECLI:ES:APC:2011:3191

> «Con respecto al deber de conservación que recae sobre el propietario individual, conviene diferenciar dos clases de obligaciones: las que tiene hacia las instalaciones generales y demás elementos comunes del edificio, sean de uso general o privativo y estén o no incluidos en su piso o local, que no son otras que las de respetar y hacer un uso adecuado de los mismos, evitando que causen daños o desperfectos (art. 9.1 a) LPH); y las que afectan a su propio piso o local e instalaciones privativas, que comprenden la de mantenerlo en buen estado de conservación, en términos que no perjudiquen a la comunidad o a los otros propietarios (art. 9.1 b) LPH), de manera que la obligación, positiva y de hacer, consistente en el mantenimiento de dichos elementos e instalaciones sólo resulta exigible al propietario en el segundo caso, esto es, cuando afecte a su piso o instalaciones privativas, pero no cuando se refiera a los elementos comunes, aunque sean de uso privativo. Por ello, cuando el expresado deber de mantenimiento afecte a las instalaciones generales o a elementos comunes del edificio cuyo uso exclusivo corresponda un propietario individual, o que están incluidos en su piso o local, la obligación que éste tiene de respetarlos y cuidarlos no se extiende, en principio, a la realización de obras de conservación o reparación, salvo que su necesidad provenga de un uso inadecuado o poco diligente de los mismos susceptible de causar daños o desperfectos, según se desprende del art. 9.1 a) y g) de la LPH, sin que baste a tal efecto el simple deterioro producido por el paso del tiempo o por el uso normal dichos elementos o instalaciones. Además, en reciproci-

dad con el derecho de la comunidad a realizar las obras que sean necesarias para el adecuado sostenimiento y conservación del inmueble y de sus elementos comunes, inherente al expresado deber, es obligación de cada propietario consentir en su piso o local las reparaciones que exija el servicio del inmueble y permitir la entrada en el mismo a estos efectos (art. 9.1c) y d) LPH)».

SAP de A Coruña n.º 374/2012, de 24 de septiembre, ECLI:ES:APC:2012:2441

«O dicho con otras palabras es criterio predominante el que asigna al titular de la vivienda, que tiene atribuido su uso, los gastos surgidos de las obras necesarias para su aprovechamiento como tales terrazas y, más concretamente, las que afectan a su superficie o pavimento, y a la comunidad de propietarios las precisas para mantenerlas en buen estado como cubiertas, cuales las de impermeabilización, cambios de desagües, etc. siempre y cuando tales daños no sean causados por la negligencia o dolo del titular del piso a cuyo nivel se encuentran (S.T.S. 14 de noviembre de 1.991 , 17 de febrero de 1.993 y 17 de diciembre de 1.997)».

IV.- *IURA NOVIT CURIA*

En todo lo que no se haya alegado resulta de aplicación el principio *iura novit curia* de acuerdo con lo que establece el artículo 218 de la Ley de Enjuiciamiento Civil.

V.- COSTAS

Se impondrán a la parte demandante de conformidad con el art. 394 de la Ley de Enjuiciamiento Civil.

Por lo expuesto,

SUPLICO A LA SECCIÓN que tenga por presentado este escrito con sus documentos, se sirva en admitirlo y tenga por presentada **CONTESTACIÓN A LA DEMANDA DE JUICIO VERBAL** frente a mi mandante y, previos los trámites legales oportunos, dicte en su día sentencia por la que desestime la demanda, con expresa imposición de costas.

Es Justicia que pido en [LOCALIDAD] a [DÍA] de [MES] de [AÑO].

Firma [NOMBRE_ABOGADO_CLIENTE] Firma [NOMBRE_PROCURADOR_CLIENTE]

OTROSÍ DIGO que, es intención de esta parte cumplir con todos los requisitos legales, conforme al artículo 231 de la LEC.

SUPLICO A LA SECCIÓN que nos dé traslado de cualquier defecto de que adoleciere la presente contestación, para su inmediata subsanación.

Es justicia que pido, fecha y lugar ut supra

Firma [NOMBRE_ABOGADO_CLIENTE] Firma [NOMBRE_PROCURADOR_CLIENTE]

(1) Por la reforma realizada por la LO 1/2025, de 2 de enero, una vez implantados de forma efectiva los tribunales de instancia, todas las referencias realizadas a los juzgados unipersonales se entenderán realizadas a las secciones del orden jurisdiccional correspondiente de los tribunales de instancia. La D. T. 1.ª de la LO1/2025, de 2 de enero, dispone la fecha de culminación del proceso de transformación de los juzgados en las respectivas secciones de los tribunales de instancia que correspondan.

Demanda contra propietario de comunidad por realización de obras inconsentidas

A LA SECCIÓN DE LO CIVIL DEL TRIBUNAL DE INSTANCIA DE [ESPECIFICAR] (3)

D./D.ª [NOMBRE_PROCURADOR CLIENTE], procurador/a de los tribunales, en nombre y representación de la **comunidad de propietarios de la C/** [CALLE] n.º [NÚMERO] de [CIUDAD], según acredito mediante poder [NOTARIAL/APUD ACTA] otorgado por su presidente, **D./D.ª** [NOMBRE]**, con DNI** [NÚMERO] **y domicilio en** [DOMICILIO]**,** apoderamiento que acompaño como **documento n.º** [NÚMERO]**,** así como **doc. n.º** [NÚMERO]**,** se adjunta acta en la que se elige al presidente por la comunidad actora, bajo la dirección letrada de **D./D.ª** [NOMBRE_ABOGADO CLIENTE], colegiado n.º [NÚMERO], por el ICA de [LUGAR], ante la sección comparezco y, como mejor proceda en derecho,

DIGO

Que por medio del presente escrito vengo a formular **DEMANDA DE JUICIO ORDINARIO** frente a [NOMBRE_PARTE CONTRARIA], con DNI [NÚMERO] y domicilio en [DOMICILIO_PARTE CONTRARIA], para que se proceda a la demolición de la obra que ha realizado. Y ello con base en los siguientes,

HECHOS

PRIMERO.- El/La demandado/a es propietario/a de la vivienda [DESCRIPCIÓN], como se acredita con la nota emitida por el Registro de la Propiedad n.º [NÚMERO], que se aporta con la presente demanda como **documento n.º** [NÚMERO].

Como se puede observar del **documento n.º** [NÚMERO] **y** [NÚMERO]**,** escritura de división horizontal y acta de constitución de la comunidad de propietarios, el inmueble del demandado forma parte de la comunidad que represento.

SEGUNDO.- Que en fecha [FECHA] el/la demandado/a procedió, sin aviso ni solicitud de la comunidad de vecinos, a la obra siguiente: [DESCRIPCIÓN].

Se adjunta reportaje fotográfico como **documentos n.º** [NÚMERO] **a n.º** [NÚMERO] en los que se observa las obras que estaba realizando el demandado/a.

TERCERO.- La obra afecta a elementos comunes y, en concreto, [ESPECIFICAR] (1), según se acredita con informe pericial aportado con la presente como **documento n.º** [NÚMERO]**,** en el cual se describe la obra realizada, la afectación que produce en los elementos comunes y el coste de las obras que se deben realizar para restituir el edificio a su estado anterior.

CUARTO.- Para ejecutar la obra realizada por el comunero, habría necesitado no solo la puesta en conocimiento de esta actuación al presidente de la comunidad, sino que se hubiera autorizado en junta de propietarios, ello sin entrar en la preceptiva licencia administrativa que desconocemos si se procedió a su solicitud.

Así las cosas, y en cuanto a lo que nos concierne, el demandado **no procedió a la comunicación de la intención de realizar esta reforma ni pidió consentimiento para ello,** infringiendo la prohibición, ya no solo legal, sino también estatutaria recogida en la norma [NÚMERO], según se refleja en los Estatutos de la Comunidad cuya copia acompaña a esta demanda como **documento n.º** [NÚMERO].

QUINTO.- Requerido por el presidente para que demoliera lo ejecutado y devolviera el elemento común a su estado anterior, el demandado hizo caso omiso no contestando de ninguna manera al requerimiento.

Acompaño como **documento n.º** [NÚMERO] copia del burofax con contenido certificado requiriendo al demandado.

SEXTO.- Que en fecha [DIA] se convocó junta general, en cuyo orden del día se incluía, como punto [NÚMERO] el siguiente: estudio de las obras realizadas por D./D.ª [NOMBRE PARTE CONTRARIA], gestiones a realizar por el presidente para intentar llegar a entendimiento con el ahora demandado/a para que restituyera el elemento común a su estado anterior y la votación para facultar al presidente de la comunidad a nombrar abogado y procurador para interponer la oportuna demanda.

Se acompaña como **documento n.º** [NÚMERO] la convocatoria de la junta de propietarios.

SÉPTIMO.- Habiéndose celebrado la junta se acordó por mayoría de [NÚMERO] votos a favor, que representan una cuota de participación del [NÚMERO] % interponer la presente demanda (**documento n.º** [NÚMERO]).

Una copia del acta de la junta se entregó al ahora demandado, según acredito con el **documento n.º** [NÚMERO].

A los anteriores hechos les son de aplicación los siguientes,

FUNDAMENTOS DE DERECHO

I.- JURISDICCIÓN Y COMPETENCIA

Es competente para conocer de este asunto la jurisdicción civil, conforme a lo dispuesto en el apartado 1 del artículo 21 de la Ley Orgánica del Poder Judicial y el apartado 1 del artículo 36 de la Ley de Enjuiciamiento Civil.

La competencia objetiva para el conocimiento de la presente demanda corresponde a las secciones de lo civil de los tribunales de instancia, puesto que les viene atribuida por razón de la materia, en virtud de lo establecido en los artículos 44 y 45 de la Ley de Enjuiciamiento Civil.

La competencia territorial corresponde a la Sección de lo Civil del Tribunal de Instancia de [LOCALIDAD] que por turno de reparto corresponda, por ser donde se encuentra la finca, de acuerdo con los artículos 45 y el punto 8.º del apartado 1 del art. 52 de la Ley de Enjuiciamiento Civil.

II.- CAPACIDAD Y LEGITIMACIÓN

Ambas partes poseen capacidad suficiente de conformidad con lo dispuesto en los **arts. 6 de la LEC y concordantes.**

Asimismo, ostentan legitimación suficiente, de conformidad con lo preceptuado en la **LEC en sus arts. 10 y concordantes,** como en lo dispuesto en **la Ley de Propiedad Horizontal en sus arts. 7 y concordantes.**

III.- PROCEDIMIENTO

El **punto 8º del apartado 1 del artículo 249 de la LEC** remite al juicio ordinario por razón de la materia aquellas demandas en que se ejerciten las acciones otorgadas a las juntas de propietarios y a estos por la Ley de Propiedad Horizontal cuando no versen exclusivamente sobre reclamaciones de cantidad (2).

IV.- CUANTÍA

De conformidad con el punto 11º del artículo 251 de la Ley de Enjuiciamiento Civil, se estima la cantidad de esta demanda en [NÚMERO] euros.

V.- POSTULACIÓN Y DEFENSA

Mi mandante comparece por medio de procurador y bajo dirección letrada tal y como establecen, respectivamente, los artículos 23 y 31 de la Ley de Enjuiciamiento Civil.

VI.- MASC

Según lo establecido en el art. 5 de la LO 1/2025, de 2 de enero, las partes han acudido a [DESCRIPCIÓN PROCESO MASC] en los términos siguientes [ESPECIFICAR] (4).

A estos efectos adjuntamos los siguientes documentos: (5)

- Documento n.º [NÚMERO].
- Documento n.º [NÚMERO].

VII.- FONDO DEL ASUNTO

El artículo 9.1.a) de la Ley de Propiedad Horizontal señala *«Respetar las instalaciones generales de la comunidad y demás elementos comunes, ya sean de uso general o privativo de cualquiera de los propietarios, estén o no incluidos en su piso o local, haciendo un uso adecuado de los mismos y evitando en todo momento que se causen daños o desperfectos»*.

El artículo 7 de la Ley de Propiedad Horizontal dispone que *«el propietario de cada piso o local podrá modificar los elementos arquitectónicos, instalaciones o servicios de aquél cuando no menoscabe o altere la seguridad del edificio, su estructura general, su configuración o estado exteriores, o perjudique los derechos de otro propietario, debiendo dar cuenta de tales obras previamente a quien represente a la comunidad»*.

Apartado 6 del artículo 17 de la Ley de Propiedad Horizontal

> «Los acuerdos no regulados expresamente en este artículo, que impliquen la aprobación o modificación de las reglas contenidas en el título constitutivo de la propiedad horizontal o en los estatutos de la comunidad, requerirán para su validez la unanimidad del total de los propietarios que, a su vez, representen el total de las cuotas de participación».

La ejecución de una obra que altera la estructura del edificio habría requerido unanimidad y, aunque no se considerara de tal magnitud, debería haber sido objeto de comunicación a la comunidad, que no otorgó autorización tal.

Tanto el Tribunal Supremo como las audiencias provinciales se han pronunciado sobre la necesidad de consentimiento por parte de la comunidad de propietarios para realizar obras que a menoscabe o altere la seguridad del edificio, su estructura general, su configuración o estado exteriores, o perjudique los derechos de otro propietario.

Sentencia de la AP de Madrid n.º 373/2017, de 8 de septiembre, ECLI:ES:APM:2017:11773

> «La STS de 25 de Junio de 2013, rec. 76/2011, recuerda que «La jurisprudencia de esta Sala ha declarado reiteradamente que la ejecución de obras en elementos comunes requieren del consentimiento unánime de la comunidad (sentencia de 17 de febrero de 2010, 15 de diciembre de 2008). Más en concreto la citada sentencia de esta Sala de 24 de octubre de 2011 examina un supuesto muy similar al ahora analizado, en el que se mantuvo la validez del cambio de destino del inmueble de local de negocio a vivienda acordando, sin embargo, la reposición de aquellas actuaciones que habían supuesto una alteración en los elementos comunes del edificio (...). No se discute en el caso examinado que las obras realizadas han afectado a la fachada del edificio ni que no se ha contado con la unanimidad de los propietarios para su válida realización, por lo que el recurso de casación debe estimarse»».

En relación al consentimiento, el Tribunal Supremo ha establecido que el mismo puede ser tácito y delimita lo necesario para que pueda considerarse otorgado el mismo.

Sentencia del Tribunal Supremo n.º 171/2013, de 6 de marzo, ECLI:ES:TS:2013:1609

«El consentimiento que debe ser otorgado para considerar lícitamente realizadas obras que afectan a elementos comunes en edificios sometidos al régimen de propiedad horizontal puede ser tácito. No obstante el conocimiento no equivale a consentimiento como exteriorización de una voluntad, ni el silencio supone una declaración genérica en la que se pueda encontrar justificación para no obtener los consentimientos legalmente exigidos. En definitiva, con valor de doctrina jurisprudencial, se ha declarado por esta Sala que ha de estarse a los hechos concretos para decidir si el silencio cabe ser apreciado como consentimiento tácito o manifestación de una determinada voluntad. De este modo, la resolución del conflicto radica en determinar bajo qué condiciones debe interpretarse el silencio como una tácita manifestación de ese consentimiento. Por ello deben valorarse las relaciones preexistentes entre las partes, la conducta o comportamiento de estas y las circunstancias que preceden y acompañan al silencio susceptible de ser interpretado como asentimiento (SSTS de 23 de octubre de 2008, RC n.º 1332/2003; 5 de noviembre de 2008, RC n.º 1971/2003; 26 de noviembre de 2010, RC n.º 2401/2005, 12 de diciembre de 2011, RC n.º 608/2009; 9 de febrero de 2012, RC n.º 970/2009; 9 de febrero de 2012, RC n.º 887/2009 y 29 de febrero de 2012, RC n.º 1163/2009)».

VIII.- COSTAS

En atención a lo establecido en el **artículo 394 de la LEC,** las costas deberán imponerse al demandado.

IX.- *IURA NOVIT CURIA*

En todo lo no invocado resulta de aplicación el principio *iura novit curia* plasmado en el párrafo segundo del punto primero del **artículo 218 de la Ley de Enjuiciamiento Civil,** en virtud del cual serán aplicables las demás normas que sean de pertinente, especial o general aplicación, y que el juzgador podrá tener en cuenta de oficio sin necesidad de que hayan sido previamente alegados o invocados por alguna de las partes intervinientes.

Por lo expuesto,

SUPLICO A LA SECCIÓN:

Que tenga por presentado el presente escrito, así como sus copias y documentos que acompaño, se sirva admitirlo, y en su virtud tenga por presentada **DEMANDA DE JUICIO ORDINARIO** frente a [NOMBRE_PARTECONTRARIA] y, previos los trámites legales oportunos, dicte en su día sentencia por la que se condene a el/la demandado/a a:

1. Demoler la obra realizada en [DESCRIPCIÓN].

2. Reponer el elemento común afectado por las obras a su estado anterior.

SUBSIDIARIAMENTE, para el caso de no proceder el demandado conforme a lo indicado en el plazo de [MES] desde que se dicte sentencia estimatoria de este suplico, SE AUTORICE a la comunidad de propietarios a ejecutar las anteriores obras por sí misma y a cuenta del propietario.

Todo ello con expresa condena en costas a el/la demandado/a.

Es justicia que pido en [LOCALIDAD], a [DÍA] de [MES] de [AÑO].

Letrado/a D./D.ª [NOMBRE]	Procurador/a D./D.ª [NOMBRE]
[NUMERO_COLEGIADO_ ABOGADO_CLIENTE]	[NUMERO_COLEGIADO_ PROCURADOR_CLIENTE]

OTROSÍ DIGO Y SUPLICO:

Que, de acuerdo con lo dispuesto en el artículo 231 de la LEC, el tribunal cuidará de que puedan subsanarse los defectos en que incurran los actos procesales de esta parte, a tenor de lo cual se manifiesta expresamente la voluntad de esta parte de cumplir en su totalidad los requisitos exigidos por la ley.

Es justicia que reitero, lugar y fecha *ut supra*.

Letrado/a D./D.ª [NOMBRE]	Procurador/a D./D.ª [NOMBRE]
[NUMERO_COLEGIADO_ ABOGADO_ CLIENTE]	[NUMERO_COLEGIADO_PROCURADOR_ CLIENTE]

(1) Menoscabe o altere la seguridad del edificio, su estructura general, su configuración o estado exteriores, o perjudique los derechos de otro propietario.

(2) El RD-ley 6/2023, de 19 de diciembre, modifica el artículo 249.1.8.º de la LEC con entrada en vigor el 20/03/2024. El presente formulario se halla actualizado a la citada reforma.

(3) Por la reforma realizada por la LO 1/2025, de 2 de enero, una vez implantados de forma efectiva los tribunales de instancia (D.T. 1.ª), todas las referencias realizadas a los juzgados unipersonales se entenderán realizadas a las secciones del orden jurisdiccional correspondiente de los tribunales de instancia.

(4) De acuerdo con el segundo párrafo del art. 399.3 de la LEC se hará constar en la demanda la descripción del proceso de negociación previo llevado a cabo o la imposibilidad del mismo, conforme a lo establecido en el ordinal 4.º del artículo 264, y se manifestarán, en su caso, los documentos que justifiquen que se ha acudido a un medio adecuado de solución de controversias, salvo en los supuestos exceptuados en la Ley de este requisito de procedibilidad.

(5) Documentos que acrediten haberse intentado la actividad negociadora previa a la vía judicial cuando la ley exija dicho intento como requisito de procedibilidad, o declaración responsable de la parte de la imposibilidad de llevar a cabo la actividad negociadora previa a la vía judicial por desconocer el domicilio de la parte demandada o el medio por el que puede ser requerido.

Demanda de petición inicial del proceso monitorio. Reclamación de cuotas por comunidad de propietarios

A LA SECCIÓN DE LO CIVIL DEL TRIBUNAL DE INSTANCIA DE [ESPECIFICAR] (1)

D./D.ª [NOMBRE PROCURADOR CLIENTE], procurador/a de los tribunales y de la **Comunidad de Propietarios de** [DESCRIPCIÓN], provista de CIF [NÚMERO], que actúa a través de su presidente y representante legal **don/doña** [NOMBRE CLIENTE], representación que acredito mediante poder [NOTARIAL/APUD_ACTA], copia del cual acompaño como **documento n.º** [NÚMERO], bajo la dirección letrada de **don/doña** [NOMBRE LETRADO], colegiado/a n.º [NÚMERO] por el ICA de [LUGAR], ante la sección comparezco y, como mejor proceda en derecho,

DIGO

Mediante el presente escrito según permite el apartado 2 del **artículo 812** de la LEC formulo **DEMANDA DE PETICIÓN INICIAL DE PROCESO MONITORIO,** contra: **don/doña** [NOMBRE PARTE CONTRARIA], con domicilio en [DOMICILIO] y DNI núm. [NÚMERO], y ello con relación a los siguientes

HECHOS

PRIMERO.- Con fecha de [FECHA] la comunidad de propietarios [NOMBRE], en virtud de acuerdo adoptado por la junta, autorizó la formulación de esta reclamación, tal y como se desprende de la copia del acta que acompaño reseñada como **documento n.º** [NÚMERO].

SEGUNDO.- La persona contra la que se dirige esta petición inicial es propietaria de la vivienda sita en el piso [NÚMERO] letra [CONCEPTO] del inmueble que forma parte de la comunidad actora.

Dicho/a propietario/a ha dejado de atender las cuotas de los meses de [MES] a [MES] del año [AÑO], establecidas y aprobadas como cuotas de participación en los gastos comunes de la comunidad.

Como **documento n.º** [NÚMERO] acompaño nota simple informativa del Registro de la Propiedad n.º [NÚMERO] de esta ciudad en la que consta la inscripción registral de la finca a nombre de don/doña [NOMBRE].

TERCERO.- La junta de propietarios de la comunidad [NOMBRE] aprobó, en junta celebrada el día [FECHA], la liquidación de la deuda pendiente de pago por parte de don/doña [NOMBRE_PARTE_CONTRARIA].

Como **documento n.º** [NÚMERO] acompaño la certificación del acuerdo aprobando la liquidación de deuda pendiente de pago por parte de don/doña [NOMBRE_PARTE_CONTRARIA] ante la comunidad a la fecha del acuerdo, expedida por el/la secretario/a de la comunidad con el V.º B.º de su presidente/a (2).

CUARTO.- Se notificó a don/doña [NOMBRE_PARTE_CONTRARIA] el importe de la deuda pendiente en su propio domicilio.

Acreditamos este extremo con [CONCEPTO] con copia de burofax con certificación de contenido y acuse de recibo que acompaño reseñada como **documento n.º** [NÚMERO].

QUINTO.- Los gastos generados por el requerimiento de pago han ascendido a [CANTIDAD] euros, conforme acredito con el justificante que acompaño reseñado como **documento n.º** [NÚMERO]. (3)

SEXTO.- Las cuotas ordinarias de comunidad reclamadas y los gastos del requerimiento de pago desatendido importan en conjunto, y en consecuencia adeuda don/doña [NOMBRE_PARTE_CONTRARIA] a la comunidad de propietarios [NOMBRE], la cantidad de [CANTIDAD] euros.

FUNDAMENTOS DE DERECHO

I.- JURISDICCIÓN Y COMPETENCIA

Es la jurisdicción civil la que debe entender del presente procedimiento, de conformidad con lo dispuesto en la Ley Orgánica 6/1985, de 1 de julio, del Poder Judicial (LOPJ) en sus arts. 9, 21 y concordantes.

Es competente la sección civil del tribunal de instancia al que me dirijo en virtud de los artículos 45 y 813 de la Ley de Enjuiciamiento Civil (1), por ser el del [ESPECIFICAR] (4).

II.- CAPACIDAD Y LEGITIMACIÓN

Ambas partes poseen capacidad y legitimación suficiente, de conformidad con lo dispuesto en la Ley de Enjuiciamiento Civil (LEC) en sus arts. 6, 10 y concordantes.

A este respecto, está legitimado como parte activa, el/la demandante por ser el/la presidente/a de la comunidad de propietarios, conforme establece el art. 13 de la LPH, así como la legitimación pasiva corresponde a la parte demandada según se previene en el art. 21 de la LPH.

III.- PROCEDIMIENTO

Es de aplicación el procedimiento monitorio de conformidad con los artículos 812 y siguientes de la Ley de Enjuiciamiento Civil, con las especialidades recogidas en el art. 21 de la LPH.

IV.- POSTULACIÓN Y DEFENSA

Tal y como expone la Ley de Enjuiciamiento Civil (LEC) en su artículo 814, en relación con los artículos 23 y 31 (5), en la petición inicial de los procedimientos monitorios **no es preceptiva la intervención de abogado/a ni procurador/a, no obstante, esta parte actúa con ambos profesionales.**

V.- CUANTÍA

Se establece la cuantía de la reclamación presentada en [CANTIDAD EN LETRA] euros ([CANTIDAD EN NÚMERO] euros).

VI.- MASC (6)

Según lo establecido en el art. 5 de la LO 1/2025, de 2 de enero, las partes han acudido a [DESCRIPCIÓN PROCESO MASC] en los términos siguientes [ESPECIFICAR] (7).

A estos efectos adjuntamos los siguientes documentos: (8)

- **Documento n.º** [NÚMERO].
- **Documento n.º** [NÚMERO].

VII.- FONDO DEL ASUNTO

El propietario está obligado a satisfacer los gastos generales de la comunidad, conforme preceptúa el artículo 9 de la LPH y el deudor deberá responder conforme dispone dicha Ley, la LEC y el Código Civil, entre otras.

Artículo 812 de la LEC

«1. Podrá acudir al proceso monitorio quien pretenda de otro el pago de deuda dineraria de cualquier importe, líquida, determinada, vencida y exigible, cuando la deuda se acredite de alguna de las formas siguientes:

1.ª Mediante documentos, cualquiera que sea su forma y clase o el soporte físico en que se encuentren, que aparezcan firmados por el deudor o con su sello, impronta o marca o con cualquier otra señal, física o electrónica.

2.ª Mediante facturas, albaranes de entrega, certificaciones, telegramas, telefax o cualesquiera otros documentos que, aun unilateralmente creados por el acreedor, sean de los que habitualmente documentan los créditos y deudas en relaciones de la clase que aparezca existente entre acreedor y deudor.

2. Sin perjuicio de lo dispuesto en el apartado anterior y cuando se trate de deudas que reúnan los requisitos establecidos en dicho apartado, podrá también acudirse al proceso monitorio, para el pago de tales deudas, en los casos siguientes:

1.º Cuando, junto al documento en que conste la deuda, se aporten documentos comerciales que acrediten una relación anterior duradera.

2.º Cuando la deuda se acredite mediante certificaciones de impago de cantidades debidas en concepto de gastos comunes de Comunidades de propietarios de inmuebles urbanos».

Apartado 2 del art. 21 de la LPH

«La comunidad podrá, sin perjuicio de la utilización de otros procedimientos judiciales, reclamar del obligado al pago todas las cantidades que le sean debidas en concepto de gastos comunes, tanto si son ordinarios como extraordinarios, generales o individualizables, o fondo de reserva, y mediante el proceso monitorio especial aplicable a las comunidades de propietarios de inmuebles en régimen de propiedad horizontal (...)».

En el caso que nos ocupa [DESCRIPCIÓN].

Apartado 5 del art. 21 de la LPH

«Cuando en la solicitud inicial del proceso monitorio se utilizaren los servicios profesionales de abogado y/o procurador para reclamar las cantidades debidas a la Comunidad, el deudor deberá pagar, con sujeción en todo caso a los límites establecidos en el apartado tercero del artículo 394 de la Ley de Enjuiciamiento Civil, los honorarios y derechos que devenguen ambos por su intervención, tanto si aquél atendiere el requerimiento de pago como si no compareciere ante el tribunal, incluidos los de ejecución, en su caso. En los casos en que exista oposición, se seguirán las reglas generales en materia de costas, aunque si la comunidad obtuviere una sentencia totalmente favorable a su pretensión se deberán incluir en ellas los honorarios del abogado y los derechos del procurador derivados de su intervención, aunque no hubiera sido preceptiva».

Con respecto a la notificación del deudor, se ha procedido conforme lo establecido doctrinalmente, a tal efecto, la **sentencia del Tribunal Supremo n.º 108/2016, de 1 de marzo, ECLI:ES:TS:2016:795**:

«Como consecuencia de ello se ha entendido que no cabe prescindir de la llamada a juicio en forma personal cuando existe una posibilidad directa o indirecta de localizar al interesado y hacerle llegar el contenido del acto de comunicación (STS 19 de febrero de 1998). **En consecuencia, el actor tiene la carga procesal de que se intente dicho acto en cuantos lugares existe base racional suficiente para**

estimar que pueda hallarse la persona contra la que se dirige la demanda y debe desplegar la diligencia adecuada en orden a adquirir el conocimiento correspondiente, aunque no cabe exigirle una diligencia extraordinaria (STS 3 de marzo de 2009).

»De no hacerlo así se entiende que el demandante ha incurrido en ocultación maliciosa constitutiva de la maquinación fraudulenta que puede dar lugar a la revisión de la sentencia (STS 16 de noviembre de 2000). En suma, la maquinación fraudulenta consistente en la ocultación maliciosa del domicilio del demandado concurre objetivamente no solo cuando se acredita una intención torticera en quien lo ocultó, sino también cuando consta que tal ocultación, y la consiguiente indefensión del demandado, se produjo por causa imputable al demandante y no a aquel (SSTS 9 de mayo de 1989; 10 de mayo de 2006, 14 de junio 2006, 15 de marzo de 2007)» (STS n. ° 297/2011, de 14 de abril . REV n.° 58/2009)».

Asimismo, la **Audiencia Provincial de A Coruña en sentencia n.° 301/2024, de 16 de octubre, ECLI:ES:APC:2024:2631,** indica:

«(...) resulta la exigencia de que el deudor alegue de forma fundada y motivada, en el escrito de oposición, las razones por las que, a su entender, no debe, en todo o en parte, la cantidad reclamada. Y cambia la estructura del procedimiento cuando la cuantía de la pretensión no exceda de la propia del juicio verbal para que, de modo similar al juicio cambiario, sea el solicitante del monitorio quien pase a impugnar la oposición formulada de forma fundada y motivada por el deudor. De este modo, cuando menos si el monitorio desemboca en juicio verbal, el objeto del proceso queda delimitado con la petición, la oposición y la impugnación de la oposición, sin que sea posible en el acto de la vista que el deudor invoque motivos de oposición distintos de los inicialmente alegados, que lo vinculan definitivamente» (Sentencias de 30 de junio de 2020, 4 de noviembre de 2020 y 7 de octubre de 2021, entre otras).2.La misma argumentación se puede extender a loa relación entre un procedimiento monitorio y un juicio ordinario consecutivo. Aunque la solución no es unánime, la mayor parte de las audiencias provinciales sostienen que el demandado que inicialmente se opuso en el monitorio ha de esgrimir en el declarativo posterior, sea verbal u ordinario, los mismos motivos de oposición que invocó en el procedimiento monitorio precedente (...)».

VIII.- *IURA NOVIT CURIA*

En todo lo no invocado resulta de aplicación el principio *iura novit curia*, plasmado en el párrafo segundo del punto primero del artículo 218 de la Ley de Enjuiciamiento Civil, en virtud del cual serán aplicables las demás normas que sean de pertinente, especial o general aplicación, y que el juzgador podrá tener en cuenta de oficio sin necesidad de que hayan sido previamente alegadas o invocadas por alguna de las partes intervinientes.

IX.- COSTAS

Deben ser impuestas a la parte demandada de conformidad con el artículo 394 de la Ley de Enjuiciamiento Civil (9).

Por todo lo expuesto,

SUPLICO A LA SECCIÓN:

Que tenga por presentado este escrito, con sus documentos adjuntos y copias, los admita, les dé la tramitación oportuna, y tenga por formulada PETICIÓN INICIAL de PROCESO MONITORIO contra don/doña [NOMBRE_PARTE_CONTRARIA] y en su virtud, requiera el/la letrado/a de la Administración de Justicia a dicho deudor para que en el plazo de veinte días pague a la comunidad de propietarios [NOMBRE] el importe de la deuda pendiente por la suma de [CANTIDAD] euros bajo apercibimiento de que de no hacerlo se despachará ejecución por la cantidad adeudada más los intereses de mora procesal pertinentes y costas de la ejecución, acordando además lo siguiente:

1.º Para el supuesto de que el deudor no compareciere ante el tribunal dicte decreto el/la letrado/a de la Administración de Justicia dando por terminado el proceso monitorio y dándonos traslado para formular despacho.

2.º (10) [DESCRIPCIÓN].

3.º Condenar a don/doña [NOMBRE_PARTE_CONTRARIA] al pago de las costas procesales, que deben incluir derechos y honorarios de procurador/a y abogado/a, tanto si don/doña [NOMBRE PARTE CONTRARIA] atiende el requerimiento de pago como si aquel no paga ni formula oposición.

Por ser de justicia que se pide en [LOCALIDAD] a [FECHA].

Ldo. [NOMBRE Y FIRMA LETRADO] Proc. [NOMBRE Y FIRMA PROCURADOR]

PRIMER OTROSÍDIGO: para el caso de oposición de la deudora y se proceda la continuación por los trámites pertinentes derivados de la cuantía de la deuda reclamada, se solicita el embargo de los bienes del deudor, sin necesidad de prestar caución, dejando designados como bien susceptible de embargo la vivienda de la que es titular la persona demandada, así como la condena a la parte demandada al pago de la cantidad que se reclama, más intereses legales y costas del procedimiento.

SUPLICO A LA SECCIÓN:

Que tenga por efectuada la anterior manifestación a los efectos oportunos.

Por ser justicia que se pide en lugar y fecha *ut supra*.

Ldo. [NOMBRE Y FIRMA LETRADO] Proc. [NOMBRE Y FIRMA PROCURADOR]

SEGUNDO OTROSÍ DIGO: siendo intención de esta parte cumplir con todos los requisitos legales, a tenor de lo previsto en el artículo 231 de la Ley de Enjuiciamiento Civil, se solicita se le diere traslado de cualquier defecto que adoleciere la presente demanda, para la inmediata subsanación de la misma.

SUPLICO A LA SECCIÓN:

Que tenga por efectuada la anterior manifestación a los efectos oportunos.

Por ser de justicia, fecha y lugar *ut supra*

Ldo. [NOMBRE Y FIRMA LETRADO] Proc. [NOMBRE Y FIRMA PROCURADOR]

(1) Por la reforma realizada por la LO 1/2025, de 2 de enero, una vez implantados de forma efectiva los tribunales de instancia (D.T. 1.ª), todas las referencias realizadas a los juzgados unipersonales se entenderán realizadas a las secciones del orden jurisdiccional correspondiente de los tribunales de instancia.

(2) El art. 21.3 de la LPH recoge que deberá acompañar a la demanda un certificado del acuerdo de liquidación de la deuda emitido por quien haga las funciones de secretario de la comunidad con el visto bueno del presidente, salvo que el primero sea un secretario-administrador con cualificación profesional necesaria y legalmente reconocida que no vaya a intervenir profesionalmente en la reclamación judicial de la deuda, en cuyo caso no será precisa la firma del presidente. En este certificado deberá constar el importe adeudado y su desglose.

(3) Tal y como se establece en la LPH se podrán incluir en la petición inicial del procedimiento monitorio las cuotas aprobadas que se devenguen hasta la notificación de la deuda, así como todos

los gastos y costes que conlleve la reclamación de la deuda, incluidos los derivados de la intervención del secretario administrador, que serán a cargo del deudor.

(4) En los casos de reclamación de cantidades debidas en concepto de gastos comunes de comunidades de propietarios, la competencia territorial podrá corresponder, a elección de la parte solicitante:

- Al tribunal del domicilio o residencia de la parte demandada o, si no fueren conocidos, al del lugar en el que el deudor pudiera ser hallado a efectos del requerimiento de pago por el tribunal.
- Al tribunal del lugar en donde se halle la finca.

(5) Los artículos 23 y 31 de la LEC han sido modificados por la LO 1/2025, de 2 de enero, en vigor desde el 03/04/2025.

(6) A pesar de que el artículo 814 de la LEC no hace referencia a ello, como consecuencia de la exigencia de MASC en el proceso monitorio, el CGPJ ha señalado la necesidad de acompañar a la petición inicial bien el documento que acredite haber intentado alguno de los MASC o bien la declaración responsable de imposibilidad de llevar a cabo la actividad negociadora. Esta última en el caso de que se desconozca el domicilio de la parte demandada o el medio por el que puede ser requerido.

(7) De acuerdo con el segundo párrafo del art. 399.3 de la LEC se hará constar en la demanda la descripción del proceso de negociación previo llevado a cabo o la imposibilidad del mismo, conforme a lo establecido en el ordinal 4.º del artículo 264, y se manifestarán, en su caso, los documentos que justifiquen que se ha acudido a un medio adecuado de solución de controversias, salvo en los supuestos exceptuados en la Ley de este requisito de procedibilidad.
En el caso específico del proceso monitorio en materia de comunidad de propietarios surgía la duda de si el requerimiento previo al deudor contemplado en el art. 21 de la LPH sería suficiente para dar por cumplido el requisito de procedibilidad del art. 5 de la LO 1/2025, de 2 de enero. Al respecto, se ha pronunciado la **Audiencia Provincial de Málaga a través de su auto n.º 260/2025, de 6 de junio, ECLI:ES:APMA:2025:535A** donde pone de relieve la obligatoriedad del MASC respecto de los procesos declarativos del libro II y de los especiales del libro IV de la LEC, así como las excepciones al mismo que el propio art. 5 de la LO 1/2025, de 2 de enero, contempla y entre las que no se encuentra el proceso monitorio en el ámbito de la propiedad horizontal.

(8) Documentos que acrediten haberse intentado la actividad negociadora previa a la vía judicial cuando la ley exija dicho intento como requisito de procedibilidad, o declaración responsable de la parte de la imposibilidad de llevar a cabo la actividad negociadora previa a la vía judicial por desconocer el domicilio de la parte demandada o el medio por el que puede ser requerido.

(9) El artículo 394 de la LEC ha sido modificado por la LO 1/2025, de 2 de enero, en vigor a partir del 03/04/2025.

(10) Las opciones para el caso de que se formule escrito de oposición por parte del deudor se contemplan en el artículo 818 de la LEC, concretamente en su apartado segundo modificado por la LO 1/2025, de 2 de enero, en vigor desde el 03/04/2025, donde se distinguen dos supuestos:

a) Cuantía no excede de 15.000 euros (juicio verbal): el letrado o la letrada de la Administración de Justicia dictará decreto dando por terminado el proceso monitorio y acordando seguir la tramitación conforme a lo previsto para el juicio verbal, dando traslado de la oposición a la parte actora, quien podrá impugnarla por escrito en el plazo de diez días. Presentado el escrito de impugnación o transcurrido el plazo sin haberse efectuado, se dictará diligencia de ordenación acordando conceder a ambas partes el plazo de cinco días a fin de que propongan la prueba que quieran practicar, debiendo, igualmente, indicar las personas que, por no poderlas presentar ellas mismas, han de ser citadas por el letrado o la letrada de la Administración de Justicia a la vista para que declaren en calidad de parte, testigos o peritos. A tal fin, facilitarán todos los datos y circunstancias precisos para llevar a cabo la citación y podrán pedir respuestas escritas a cargo de personas jurídicas o entidades públicas, por los trámites establecidos en el artículo 381 de la LEC, continuando el procedimiento por los trámites del artículo 438.9 y siguiente de la LEC.

b) Cuantía excede de 15.000 euros (juicio ordinario): si el peticionario no interpusiera la demanda correspondiente dentro del plazo de un mes desde el traslado del escrito de oposición, el letrado o la letrada de la Administración de Justicia dictará decreto sobreseyendo las actuaciones y condenando en costas al acreedor. Si presentare la demanda, en el decreto poniendo fin al proceso monitorio acordará dar traslado de ella a la parte demandada demandado conforme a lo previsto en los artículos 404 y siguientes de la LEC, salvo que no proceda su admisión, en cuyo caso acordará dar cuenta al juez o jueza para que resuelva lo que corresponda.

Demanda de juicio ordinario contra comunidad de propietarios para reparación de elemento (tejado) común y reclamación de cantidad

A LA SECCIÓN DE LO CIVIL DEL TRIBUNAL DE INSTANCIA DE [ESPECIFICAR] (2)

D./D.ª[NOMBRE_PROCURADOR_CLIENTE] procurador/a de los tribunales, colegiado/a núm. [NÚMERO_COLEGIADO/A] en nombre y representación de **D./D.ª** [NOMBRE_CLIENTE]**,** mayor de edad, con DNI/NIE núm. [NÚM. DOCUMENTO], con domicilio a efectos de notificación [DOMICILIO_CLIENTE], en virtud de poder [NOTARIAL/APUD ACTA] que acompaño como **documento número** [NÚMERO], bajo la dirección letrada de **D./D.ª** [NOMBRE_ABOGADO_CLIENTE]**,** ante el a sección comparezco y, como mejor proceda en derecho,

DIGO

Que por la representación que ostento, y siguiendo las instrucciones de mi mandante, formulo **DEMANDA DE JUICIO ORDINARIO** para realización de obras urgentes en el edificio sito en [ESPECIFICAR] y la reclamación de cantidad por la realización de unas obras anteriores en el mismo contra la comunidad de propietarios [DESCRIBIR] con CIF [NÚMERO] domiciliada en [ESPECIFICAR], a citar en la figura de su presidente **D./D.ª** [NOMBRE PRESIDENTE COMUNIDAD]**,** con domicilio en [DOMICILIO] y DNI núm. [NÚMERO], en base a los siguientes ,

HECHOS

PRIMERO. Mi mandante es propietario de la vivienda sita en [DESCRIBIR] integrante de la comunidad demandada.

Se acompaña como **documento número** [NÚMERO] **y** [NÚMERO] nota simple registral de la vivienda y título constitutivo del inmueble donde radica aquella.

SEGUNDO. En fecha [FECHA] se produjeron unos daños en el tejado del edificio, consecuencia de los que surgieron filtraciones en [DESCRIPCIÓN DE LA ZONA], de la vivienda propiedad de mi representado.

Que, consultado con experto al efecto, se determinó la urgente acometida en su reparación, puesto que el estado en que habían incidido en el inmueble produciría una más que gravosa repercusión en el resto del edifico, lo que podría llegar incluso a catalogarlo de estado ruinoso.

Adjunto informe pericial que indica los perjuicios que causaría la no reparación de los daños producidos como **documentos núm.** [NÚMERO]**.**

TERCERO. Mi mandante, ante la pasividad de la comunidad, a la que le puso de manifiesto, por medio de notificación tanto a su presidente como a su secretario/administrador, de la urgencia de la reparación, procedió a la realización de la misma.

Adjuntamos **como documentos** [NÚMERO] **a** [NÚMERO] copia de los requerimientos a secretario y presidente, como notificaciones telemáticas [ESPECIFICAR] enviadas en el mismo momento de la producción de los hechos dañosos.

CUARTO. Que realizada la reparación y costeada por mi mandante, la misma presentó un coste de [CANTIDAD EN LETRA] euros ([CANTIDAD EN NÚMERO] euros), de los cuales, tal y como puede comprobarse en el desglose de los presupuestos y sus correspondientes facturas acreditativas del pago efectuado y que pasamos a aportar como documentos número [NÚMERO] y [NÚMERO], corresponden a la reparación del tejado la cantidad de [NÚMERO euros], y [NÚMERO euros] a la reparación de los daños ocasionados en la vivienda propiedad de nuestro representado como consecuencia del mal estado del elemento.

Dichos presupuestos, con su correspondiente factura, se presentaron al secretario de la comunidad para que procediese a su reembolso, si bien desde la fecha del primer requerimiento, se han negado al pago de los mismos.

Se adjunta como **documento número** [NÚMERO], burofax con contenido certificado con acuse de recibo que mi mandante remitió al secretario de la comunidad.

QUINTO. Pasado el tiempo desde la realización de esta reparación en el tejado del edificio por mi mandante y de los daños ocasionados por el mal estado del mismo en su vivienda, es necesario debido al estado de la cubierta que sigue estando en pésimas condiciones y muy deteriorado, la sustitución del tejado por otro nuevo que asegure el adecuado mantenimiento y conservación del inmueble, por lo que mi mandante, se ha visto obligado a solicitar la ejecución de las obras necesarias para su sustitución en beneficio de toda la comunidad, por tratarse de un elemento común, accionando así mismo la reclamación de las cantidades efectivamente por el satisfechas.

A los anteriores hechos, le son de aplicación los siguientes,

FUNDAMENTOS DE DERECHO

PRIMERO.- JURISDICCIÓN Y COMPETENCIA

Corresponderá a las secciones de lo civil de los tribunales de instancia que por turno correspondan atendiendo al artículo 45 de la LEC, conocer del fondo del asunto.

Territorialmente es competente el tribunal al que nos dirigimos en virtud de lo establecido en el punto 8° del apartado 1 del art. 52 de la LEC, que establece que *«en los juicios en materia de propiedad horizontal, será competente el tribunal del lugar en que radique la finca».*

SEGUNDO.- CAPACIDAD Y LEGITIMACIÓN

Ambas partes se encuentran capacitadas y legitimadas en virtud de los artículos 6 y 10 de la LEC.

TERCERO.- POSTULACIÓN Y DEFENSA

Esta parte interviene con procurador/a (apartado 1 del art. 23 de la LEC) y letrado/a (apartado 1 del art. 31 de la LEC) debidamente habilitados por sus respectivos colegios profesionales.

CUARTO.- PROCEDIMIENTO

El presente procedimiento se tramitará conforme a las normas atinentes al juicio ordinario, artículos 399 a 436 de la Ley de Enjuiciamiento Civil. Se decidirán a través de los cauces del juicio ordinario recabado en el punto 8° del apartado 1 del artículo 249 de la LEC: *«Cuando se ejerciten las acciones que otorga a las Juntas de Propietarios y a éstos la Ley 49/1960, de 21 de julio, sobre propiedad horizontal, siempre que no versen exclusivamente sobre reclamaciones de cantidad, en cuyo caso se tramitarán por las reglas del juicio verbal o por el procedimiento especial que corresponda».* (1)

QUINTO.- CUANTÍA

La cuantía del presente procedimiento asciende a la cantidad de [CANTIDAD] euros, cumpliendo con lo previsto en los artículos 251 a 253 de la LEC.

SEXTO.- MASC

Según lo establecido en el art. 5 de la LO 1/2025, de 2 de enero, las partes han acudido a [DESCRIPCIÓN PROCESO MASC] en los términos siguientes [ESPECIFICAR] (3).

A estos efectos adjuntamos los siguientes documentos: (4)

• Documento n.º [NÚMERO].

• Documento n.º [NÚMERO].

SÉPTIMO- FONDO DEL ASUNTO

De aplicación lo dispuesto en la Ley de Propiedad Horizontal (LPH), así la letra b) del art. 3 de la LPH, en cuanto a que se dispone que existe copropiedad en los elementos comunes, siendo, por lo tanto, competencia de la comunidad el funcionamiento de los mismos.

El apartado 1 del art. 10 de la LPH, el cual establece como obligación primordial de toda Comunidad el mantener en funcionamiento de todos sus servicios, por cuanto se trata de un derecho que tiene todo comunero; el cual tiene como contraprestación a ello su obligación de satisfacer las cuotas de gastos correspondientes.

El apartado 1 del art. 7 de la LPH que en su párrafo segundo indica: *«En el resto del inmueble no podrá realizar alteración alguna y si advirtiere la necesidad de reparaciones urgentes deberá comunicarlo sin dilación al administrador».*

Resulta también de aplicación el artículo 395 del Código Civil que preceptúa que: *«Todo copropietario tendrá derecho para obligar a los partícipes a contribuir a los gastos de conservación de la cosa o derecho común. Sólo podrá eximirse de esta obligación el que renuncie a la parte que le pertenece en el dominio».*

El artículo 9 de la LPH establece como obligaciones de cada propietario:

> «e) Contribuir, con arreglo a la cuota de participación fijada en el título o a lo especialmente establecido, a los gastos generales para el adecuado sostenimiento del inmueble, sus servicios, cargas y responsabilidades que no sean susceptibles de individualización.
>
> (...)
>
> f) Contribuir, con arreglo a su respectiva cuota de participación, a la dotación del fondo de reserva que existirá en la comunidad de propietarios para atender las obras de conservación, de reparación y de rehabilitación de la finca, así como la realización de las obras de accesibilidad recogidas en el la realización de las obras de accesibilidad recogidas en el artículo diez.1.b) de esta ley, así como la realización de las obras de accesibilidad y eficiencia energética recogidas en el artículo diecisiete.2 de esta ley»

El citado artículo 10 de la LPH señala además, lo siguiente:

> «Tendrán carácter obligatorio y no requerirán de acuerdo previo de la Junta de propietarios, impliquen o no modificación del título constitutivo o de los estatutos, y vengan impuestas por las Administraciones Públicas o solicitadas a instancia de los propietarios, las siguientes actuaciones:
>
> a) Los trabajos y las obras que resulten necesarias para el adecuado mantenimiento y cumplimiento del deber de conservación del inmueble y de sus servicios e instalaciones comunes, incluyendo en todo caso, las necesarias para satisfacer los requisitos básicos de seguridad, habitabilidad y accesibilidad universal, así como las condiciones de ornato y cualesquiera otras derivadas de la imposición, por parte de la Administración, del deber legal de conservación.
>
> (...)».

Sobre la **solicitud de reparación del tejado como elemento común del edificio y la reclamación del reembolso de cantidades a la comunidad de propietarios por haber sido sufragadas por mi mandante**, aportamos la siguiente jurisprudencia:

Sentencia del Tribunal Supremo n.º 545/2001, de 4 de junio, ECLI:ES:TS:2001:4685

«(...) en el régimen jurídico de comunidad de bienes los copartícipes tienen que contribuir, con arreglo al criterio de proporcionalidad, a cubrir las necesidades económicas de la cosa común, en virtud de la «obligatio propter rem» determinada en función de su titularidad sobre la cosa. Y así lo ha venido declarando reiteradamente esta Sala en aplicación de los arts. 393 y 395, entre cuyas resoluciones son indicativas las de 30 octubre 1907 (impuestos), 26 octubre 1929 y 30 marzo 1957 (importe y obras), 5 julio 1965 (obras de reparación y mejora), 8 abril 1958 y 12 marzo 1990 (obras y gastos de conservación); 20 octubre 1988 y 20 febrero 1997 (gastos generales de la comunidad); 25 septiembre 1993 y 15 octubre 1996 (gastos y deudas derivadas de la cosa en común) y 12 febrero 1998 (gastos y pagos realmente efectuadas en la reconstrucción de la finca en común). Y en absoluto es óbice a lo dicho que la mayor partida reclamada se configure como pérdidas pues en la misma se comprenden las inversiones y gastos realizadas en la cosa común, habida cuenta además que se trata de un negocio de restauración lo que supone una actividad continua de tráfico sujeta a las contingencias económicas propias de su especial naturaleza, lo que por lo demás debe entenderse sin perjuicio de que deban cumplirse las normas en materia de administración y rendición de cuentas que no constituye tema de debate».

Nuestro Alto Tribunal en relación con la obligación dispuesta en la letra a) del apartado 1 del artículo 10 de la LPH, establece como jurisprudencia en la **s**entencia del TS, n.º 16/2016, de 2 de febrero, ECLI:ES:TS:2016:329**,** que:

«Sólo procederá el reembolso por la Comunidad de Propietarios al comunero que haya ejecutado unilateralmente obras en zonas comunes cuando se haya requerido previamente al Secretario-Administrador o al Presidente advirtiéndoles de la urgencia y necesidad de aquéllas. En el caso de no mediar dicho requerimiento, la Comunidad quedará exonerada de la obligación de abonar el importe correspondiente a dicha ejecución. No quedará exonerada si la Comunidad muestra pasividad en las obras o reparaciones necesarias y urgentes».

En la **sentencia de la AP de Asturias, n.º 553/2018, de 21 de diciembre, ECLI:ES:APO:2018:3430**

«(...) la pericial de la demandada, mucho más motivada y precisa que la de la parte demandante hace deducir con claridad que **la obra es necesaria** y que, acometer una reparación completa de las fachadas y no meramente puntual como se pretende en la demanda contraviniendo además la voluntad de la junta con reiteración expresada no solucionaría el problema derivado de la antigüedad del edificio y de la ausencia de aislamiento térmico que causa las humedades. Es adecuada la cita que hace la parte en la contestación de la Ley 8/2013 para justificar la necesidad de la obra y prescindiendo de la eficiencia energética que la sentencia dice que se introdujo con posterioridad y extemporáneamente en el debate, ya que desde los deberes exigidos a la comunidad por el art. 10 de la LPH modificado por dicha Ley, y concretamente en cumplimiento del deber dinámico de mantenimiento que pesa sobre aquella, ya recogido incluso en su anterior redacción por la jurisprudencia (sentencia TS de 3 de enero de 2007) se halla el de acometer esta clase de obra, tendente a **garantizar la habitabilidad del inmueble** en el sentido que destaca el art 3- 1 de la LOE , precepto que toma como referencia nuestra legislación para evaluar el deber de mantenimiento y conservación los edificios a cargo de los propietarios en cuanto el artículo 3-1 LOE describe las condiciones básicas de la edificación (art 9 del texto refundido de la Ley del Suelo) y entre las de habitabilidad descritas destaca la obligación de garantizar la estanqueidad del edificio evitando humedades y filtraciones, de ahí que sentencias como la de la AP de Madrid de AP de Madrid de 26 de enero de 2012 condena, en aplicación del artículo 10 LPH, en un supuesto que guarda similitud con el de autos aunque el inmueble tenía menor antigüedad, a la comunidad de propietarios por incumplimiento de este deber legal a indemnizar los daños causados a una vivienda por filtraciones producidas debido a un inadecuado aislamiento de los muros de la edificación, al **estar obligada la demandada**, razona la sentencia, **a ejecutar las reparaciones que garanticen la debida estanqueidad del edificio**; es más, dada la edad de la edificación, próxima a los 50 años, es razonable deducir de esta prueba que dicha obra le vendría necesariamente para pasar la Inspección técnica (hoy inspección de evaluación) muy próxima en el tiempo, lo que se añade simplemente para salir al paso de la discusión sobre la aplicación el art 17 de la LPH al supuesto enjuiciado, tratándose de una obra necesaria en la que la demandada no discute las otras posibilidades de reparación integral valoradas por la junta y la aprobada, sino como hemos dicho, entre aquella y una actuación parcial descartada en su día».

Sobre la legitimación del propietario para entablar acciones judiciales al respecto, citamos la sentencia de la AP de León n.º 145/2016, de 8 de mayo, ECLI:ES:APLE:2016:468, que expone:

«La anterior doctrina evidencia, que el actor en su condición de propietario, está plenamente legitimado para ejercer las acciones en beneficio de la comunidad, y en el caso que nos ocupa, las obras como se deduce del informe pericial que se acompaña al escrito demanda, derivan del estado actual del inmueble, y de la falta de mantenimiento y conservación, y van encaminadas a la conservación del mismo e indudablemente se presentan como necesarias. Tales obras encajan en el apartado a) del art. 10.1 de la LPH , que se refiere a: «Los trabajos y las obras que resulten necesarias para el adecuado mantenimiento y cumplimiento del deber de conservación del inmueble y de sus servicios e instalaciones comunes, incluyendo en todo caso, las necesarias para satisfacer los requisitos básicos de seguridad, habitabilidad y accesibilidad universal, así como las condiciones de ornato y cualesquiera otras derivadas de la imposición, por parte de la Administración, del deber legal de conservación». Dichas obras, conforme señala el art. 10.1. Tendrán carácter obligatorio y no requerirán de acuerdo previo de la Junta de propietarios, impliquen o no modificación del título constitutivo o de los estatutos, y vengan impuestas por las Administraciones Públicas o solicitadas a instancia de los propietarios.

Añadiendo el art. 10.2. Teniendo en cuenta el carácter de necesarias u obligatorias de las actuaciones referidas en las letras a) del apartado anterior, procederá lo siguiente: a) Serán costeadas por los propietarios de la correspondiente comunidad o agrupación de comunidades, limitándose el acuerdo de la Junta a la distribución de la derrama pertinente y a la determinación de los términos de su abono.

Pues bien, encontrándose el actor tanto en su condición de propietario, como en virtud de la naturaleza de las obras que se solicitan para el inmueble, legitimado para interesar la ejecución de las mismas y habiéndose tal y como se razona amplia y detalladamente en la sentencia de instancia, en la Junta de Constitución de la Comunidad de Propietarios, de fecha 18 de diciembre de 2010, adoptado el acuerdo respecto a la necesidad de acometer las obras de reparación de la cubierta del edificio de dos plantas, celebrándose nueva Junta el 19 de marzo de 2011, para el examen y elección de los presupuestos, sin llegar a ningún acuerdo, unido a los desencuentros que se evidencia en torno a la ejecución de las expresadas obras por la empresa que encarga la apelante, así como la necesidad de acudir a otro procedimiento anterior, entre el actor y la apelante, para solventar la ejecución de otras obras que fue preciso realizar en el mismo edificio, la posibilidad de un acuerdo de la Junta se presenta inviable, máxime cuando lo que se cuestiona básicamente es la distribución de la derrama, de ahí que se deba coincidir con el Juzgador de instancia, que el acuerdo de la Junta era imposible, y que la única vía que le quedaba al actor como comunero afectado, para lograr que se lleven a cabo las obras que se precisan ejecutar en los elementos comunes del inmueble, y para que se determine el coste que a cada uno de los copropietarios le corresponde asumir, es la judicial, de ahí que resulte indudable su legitimación para promover la demanda».

OCTAVO- COSTAS

Solicitamos las expresa imposición de costas a la parte demandada de conformidad a los establecido en los arts. 394 y 395 de la LEC; toda vez que la parte demandada ha actuado con total pasividad, al no atender los razonamientos y exposiciones que se le hizo en su día intentando solventar esta cuestión.

NOVENO.- *IURA NOVIT CURIA*

En todo lo no invocado resulta de aplicación el principio *iura novit curia*, plasmado en el párrafo segundo del punto primero del artículo 218 de la Ley de Enjuiciamiento Civil, en virtud del cual serán aplicables las demás normas que sean de pertinente, especial o general aplicación, y que el juzgador podrá tener en cuenta de oficio sin necesidad de que hayan sido previamente alegadas o invocadas por alguna de las partes intervinientes.

En su virtud,

SUPLICO A LA SECCIÓN que tenga por presentado este escrito junto con sus copias y documentos adjuntos, los admita, les de la tramitación legal oportuna y, previo los trámites de rigor, dicte sentencia por la que ESTIME la presente demanda y CONDENE a la demandada a que abone a mi mandante la cantidad de [CANTIDAD EN LETRA] euros ([CANTIDAD EN NÚMERO] euros), todo ello con los intereses legales pertinentes y acuerde la ejecución de las obras necesarias para la sustitución del tejado del edificio en cuestión.

Todo ello con expresa condena en costas a el/la demandado/a.

Por ser de justicia en [LUGAR] a [FECHA].

Ldo. [NOMBRE Y FIRMA LETRADO] Proc. [NOMBRE Y FIRMA PROCURADOR]

OTROSÍ DIGO: Siendo intención de esta parte cumplir con todos los requisitos legales, a tenor de lo previsto en el artículo 231 de la Ley de Enjuiciamiento Civil, se solicita se le diere traslado de cualquier defecto que adoleciere la presente demanda, para la inmediata subsanación de la misma.

En su virtud,

SUPLICO A LA SECCIÓN:

Que tenga por efectuada la anterior manifestación a los efectos oportunos.

Por ser de justicia, fecha y lugar *ut supra*.

Ldo. [NOMBRE Y FIRMA LETRADO] Proc. [NOMBRE Y FIRMA PROCURADOR]

(1) El RD-ley 6/2023, de 19 de diciembre, modifica el artículo 249.1. 8° de la LEC con entrada en vigor el 20/03/2024. El extracto mostrado en este formulario constituye la versión vigente desde esa fecha.

(2) Por la reforma realizada por la LO 1/2025, de 2 de enero, una vez implantados de forma efectiva los tribunales de instancia (D.T. 1.ª), todas las referencias realizadas a los juzgados unipersonales se entenderán realizadas a las secciones del orden jurisdiccional correspondiente de los tribunales de instancia.

(3) De acuerdo con el segundo párrafo del art. 399.3 de la LEC se hará constar en la demanda la descripción del proceso de negociación previo llevado a cabo o la imposibilidad del mismo, conforme a lo establecido en el ordinal 4.º del artículo 264, y se manifestarán, en su caso, los documentos que justifiquen que se ha acudido a un medio adecuado de solución de controversias, salvo en los supuestos exceptuados en la Ley de este requisito de procedibilidad.

(4) Documentos que acrediten haberse intentado la actividad negociadora previa a la vía judicial cuando la ley exija dicho intento como requisito de procedibilidad, o declaración responsable de la parte de la imposibilidad de llevar a cabo la actividad negociadora previa a la vía judicial por desconocer el domicilio de la parte demandada o el medio por el que puede ser requerido.

Demanda contra la comunidad de propietarios por daños a elemento privativo

A LA SECCIÓN DE LO CIVIL DEL TRIBUNAL DE INSTANCIA DE [ESPECIFICAR] (2)

D./D.ª [NOMBRE_ PROCURADOR CLIENTE], procurador de los Tribunales, en nombre y representación de **D./D.ª** [NOMBRE_CLIENTE] con DNI [NÚMERO] y con domicilio en [DIRECCIÓN_CLIENTE], según acredito mediante poder [NOTARIAL/APUD ACTA], y bajo la dirección letrada de **D./D.ª** [NOMBRE_ABOGADO CLIENTE], colegiado n.º [NÚMERO] por el ICA de [LOCALIDAD] ante la sección comparezco y, como mejor proceda en derecho,

DIGO

Que por medio del presente escrito vengo a formular **DEMANDA DE JUICIO VERBAL** (1) frente a la comunidad de propietarios del edificio sito en [DIRECCIÓN], con CIF [NÚMERO], a citar en la persona de su presidente D./D.ª [NOMBRE_PRESIDENTE_COMUNIDAD], con domicilio en [DIRECCIÓN_PRESIDENTE_COMUNIDAD], y DNI [NÚMERO], como representante legal de la demandada. Y ello con base en los siguientes,

HECHOS

PRIMERO.- Mi mandante es propietaria del piso [NÚMERO] de [DIRECCIÓN], el cual forma parte de la comunidad demandada.

Se adjunta como **documento n.º** [NÚMERO] nota simple registral del inmueble, y como **documento n.º** [NÚMERO] copia del título de división horizontal del inmueble.

La demandada es la Comunidad de Propietarios de dicho edificio en régimen de propiedad horizontal.

SEGUNDO.- Como consecuencia del estado de [DESCRIPCIÓN], que constituye elemento común del edificio, se causaron una serie de daños en [LA VIVIENDA/EL LOCAL] de mi representado [DESCRIPCIÓN].

Se adjuntan fotografías del desperfecto como **documento n.º** [NÚMERO] e informe pericial como **documento n.º** [NÚMERO].

TERCERO.- La reparación del daño tuvo que ser sufragada por la demandante, como se acredita con las facturas que adjuntamos como **documento n.º** [NÚMERO], y ello ante la inactividad por parte de la demandada, pese a que se le remitió burofax para que se hiciese cargo de la reparación o, en su defecto, debería proceder mi mandante, toda vez que la persistencia de los daños, con el paso del tiempo, se agravarían y harían más costosa su reparación. Se acompaña como **documento n.º** [NÚMERO] copia del burofax remitido.

CUARTO.- Tras la reparación, mi mandante remitió requerimiento a el/la presidente/a de la comunidad para que procediese a su reembolso, si bien dicha solicitud, al igual que el pedimento previo de reparación, resultó completamente infructuoso motivo por el cual se formula la presente demanda.

Se adjunta la comunicación con el/la presidente/a como **documento n.º** [NÚMERO].

A los anteriores hechos les resultan de aplicación los siguientes,

FUNDAMENTOS DE DERECHO

I.- JURISDICCIÓN Y COMPETENCIA

Es competente para conocer de este asunto la jurisdicción civil, conforme a lo dispuesto en el apartado 1 del artículo 21 de la Ley Orgánica del Poder Judicial (LOPJ) y en el apartado 1 del artículo 36 de la LEC.

La competencia objetiva para el conocimiento de la presente demanda corresponde a las secciones de lo civil de los tribunales de instancia, puesto que les viene atribuida por razón de la materia, en virtud de lo establecido en los artículos 44 y 45 de la LEC.

La competencia territorial corresponde a la Sección de lo Civil del Tribunal de Instancia de [LUGAR] que por turno de reparto corresponda, de conformidad con los artículos 45 y punto 8° del apartado 1 del artículo 52 de la Ley de Enjuiciamiento Civil.

II.- CAPACIDAD Y LEGITIMACIÓN

Ambas partes poseen capacidad y legitimación suficiente para ser parte en el presente procedimiento, y ello de conformidad con lo dispuesto en los arts. 6, 10 y concordantes de la LEC.

Así, el demandante está activamente legitimado para promover el presente proceso en calidad de propietario del edificio [DIRECCIÓN], y la legitimación pasiva corresponde a la Comunidad de Propietarios, de conformidad con el art. 10 de la LEC.

III.- PROCEDIMIENTO

El procedimiento se tramitará conforme a lo establecido para el juicio verbal, de conformidad con el punto 8.° del apartado 1 del artículo 249 de la LEC.

IV.- CUANTÍA

De conformidad con el apartado 2 del artículo 252 de la LEC la cantidad de este procedimiento asciende a [CANTIDAD EN LETRA] euros ([CANTIDAD EN NÚMERO] euros).

V.- POSTULACIÓN Y DEFENSA

Ambas partes deben comparecer representadas por procurador y asistidas de letrado, de conformidad con lo dispuesto en los arts. 23 y 31 de la LEC.

VI.- MASC

Según lo establecido en el art. 5 de la LO 1/2025, de 2 de enero, las partes han acudido a [DESCRIPCIÓN PROCESO MASC] en los términos siguientes [ESPECIFICAR] (3).

A estos efectos adjuntamos los siguientes documentos: (4)

- Documento n.° [NÚMERO].
- Documento n.° [NÚMERO].

VII.- FONDO DEL ASUNTO

El **art. 10 de la LPH** dispone que la comunidad debe realizar «Los trabajos y las obras que resulten necesarias para el adecuado mantenimiento y cumplimiento del deber de conservación del inmueble y de sus servicios e instalaciones comunes, incluyendo en todo caso, las necesarias para satisfacer los requisitos básicos de seguridad, habitabilidad y accesibilidad universal, así como las condiciones de ornato y cualesquiera otras derivadas de la imposición, por parte de la Administración, del deber legal de conservación».

Además, el **art. 1907 del CC** dispone que *«El propietario de un edificio es responsable de los daños que resulten de la ruina de todo o parte de él, si ésta sobreviniere por falta de las reparaciones necesarias».*

STS n.º 16/2016, de 2 de febrero, ECLI:ES:TS:2016:329

«Sólo procederá el reembolso por la Comunidad de Propietarios al comunero que haya ejecutado unilateralmente obras en zonas comunes cuando se haya requerido previamente al Secretario-Administrador o al Presidente advirtiéndoles de la urgencia y necesidad de aquéllas. En el caso de no mediar dicho requerimiento, la Comunidad quedará exonerada de la obligación de abonar el importe correspondiente a dicha ejecución. ***No quedará exonerada si la Comunidad muestra pasividad en las obras o reparaciones necesarias y urgentes»***.

SAP de Pontevedra n.º 997/2011, de 23 de diciembre, ECLI:ES:APPO:2011:3292

«La Comunidad demandada, a la vista de la reclamación formulada, procedió a reparar el tramo de la red causante de las filtraciones en el local donde se ubica el negocio del demandante. Es evidente que esa reparación supone un reconocimiento de la responsabilidad en que incumbía a la comunidad demandada con arreglo al art. 10 de la LPH, pues es de su incumbencia mantener las instalaciones comunes en buen estado, y, en consecuencia, debe reparar los daños causados a terceros por las deficiencias o deterioros de esos elementos comunes».

SAP de Murcia n.º 418/2013, de 17 de diciembre, ECLI:ES:APMU:2013:2828

«No obstante, dicha Comunidad no ha procedido de acuerdo con la responsabilidad que le compete del art. 10 de la LPH, pues independientemente de quién sea el causante de los daños y de la reclamación que pueda realizar contra el mismo, es obligación de la comunidad la realización de las obras necesarias para el adecuado sostenimiento y conservación del inmueble, pues no se ha discutido en ningún momento que se trata de defectos de estructura cuya reparación compete a la comunidad. De tal forma, que si la sentencia establece la obligación de pago de la comunidad descartando el motivo de oposición de la junta (de no seguir el procedimiento establecido en la junta de 16/8/2006), la consecuencia no puede ser otra que el pago al demandante de las obras realizadas, de acuerdo con la factura presentada, ya que la misma obedece a una obra real en función del proyecto de arquitecto técnico, sobre los forjados comunes del edificio».

Sobre el concepto de elementos comunes:

SAP de La Rioja n.º 292/2013, de 17 de octubre, ECLI:ES:APLO:2013:563

«Y, dentro de la categoría de elementos comunes hay que distinguir los que son "comunes de uso privativo", ya que, según reiterada jurisprudencia, tal distinción afecta al régimen jurídico de los distintos elementos. Así la STS, Sala 1ª, de 30 de marzo de 2007 establece que "ha señalado esta Sala que, dentro de los elementos comunes, cabe distinguir entre elementos comunes por naturaleza o esenciales, imprescindibles para asegurar el uso y disfrute de los diferentes pisos o locales; y por destino o no esenciales, admitiéndose que estos últimos, entre los que se encuentran las terrazas comunitarias, pueden ser, por esta razón 'desafectados' de su destino común y dedicados a un uso privado o exclusivo, a favor de uno o varios de los propietarios, excluyendo en ese uso al resto... La desafectación de elementos comunes no esenciales es posible en la medida en que el art. 396 no es en su totalidad de 'ius cogens' sino de 'ius dispositivum' (sentencia de esta Sala de 23 de mayo de 1984, 17 de junio de 1988, entre otras), 'lo que permite que bien en el originario título constitutivo del edificio en régimen de propiedad horizontal, bien por acuerdo posterior de la comunidad de propietarios (siempre que dicho acuerdo se adopte por unanimidad) pueda atribuirse carácter de privativos (desafectación) a ciertos elementos comunes que no siéndolo por naturaleza o esenciales, como el suelo, las cimentaciones, los muros, las escaleras, etc., lo sean sólo por destino o accesorios, como los patios interiores, las terrazas a nivel o cubiertas de parte del edificio, etc," (sentencias de 31 de enero y 15 de marzo de 1985, 27 de febrero de 1987, 5 de junio y 18 de julio de 1989, entre otras).

La desafectación de un elemento común no esencial, como las terrazas o patios, no implica que el bien deje de tener tal consideración, tan sólo supone una variación respecto del uso del mismo que podrían hacer todos los copropietarios con arreglo a su cuota, configurándose el uso privado o exclusivo como una excepción a lo que constituye regla general en el régimen de propiedad horizontal».

VIII.- COSTAS

En aplicación del art. 394 de la LEC, deberán imponerse las costas al demandado.

IX.- *IURA NOVIT CURIA*

En todo lo no invocado resulta de aplicación el principio *iura novit curia*, plasmado en el párrafo segundo del punto primero del artículo 218 de la Ley de Enjuiciamiento Civil, en virtud del cual serán aplicables las demás normas que sean de pertinente, especial o general aplicación, y que el juzgador podrá tener en cuenta de oficio sin necesidad de que hayan sido previamente alegados o invocados por alguna de las partes intervinientes.

Por lo expuesto,

SUPLICO A LA SECCIÓN:

Que tenga por presentado este escrito junto con sus copias y documentos adjuntos, los admita, les de la tramitación legal oportuna y, previo los trámites de rigor, entre los que se interesa el recibimiento del pleito a prueba, dicte sentencia, por la que, **ESTIMANDO la presente demanda, CONDENE a la demandada al pago de** [NÚMERO] **euros** en concepto de reparación y de daños y perjuicios, con expresa imposición de costas a dicha parte.

Es justicia que pido en [LOCALIDAD], a [DÍA] de [MES] de [AÑO].

Letrado D./D.ª [NOMBRE]	Procurador D./D.ª [NOMBRE]
[NÚMERO_COLEGIADO_ABOGADO_CLIENTE]	[NÚMERO_COLEGIADO_PROCURADOR_CLIENTE]

OTROSÍ DIGO: siendo intención de esta parte cumplir con todos los requisitos legales, a tenor de lo previsto en el artículo 231 de la Ley de Enjuiciamiento Civil, se solicita se le diere traslado de cualquier defecto que adoleciere la presente demanda, para la inmediata subsanación de la misma.

SUPLICO A LA SECCIÓN:

Que tenga por efectuada la anterior manifestación a los efectos oportunos.

Es justicia que reitero, lugar y fecha *ut supra*.

(1) De acuerdo con la nueva redacción del artículo 249.1.8.º de la LEC dada por el Real Decreto-ley 6/2023, de 19 de diciembre, con entrada en vigor el 20/03/2024:

> «8.º Cuando se ejerciten las acciones que otorga a las Juntas de Propietarios y a éstos la Ley 49/1960, de 21 de julio, sobre propiedad horizontal, siempre que no versen exclusivamente sobre reclamaciones de cantidad, en cuyo caso se tramitarán por las reglas del juicio verbal o por el procedimiento especial que corresponda».

(2) Por la reforma realizada por la LO 1/2025, de 2 de enero, una vez implantados de forma efectiva los tribunales de instancia (D.T. 1.ª), todas las referencias realizadas a los juzgados unipersonales se entenderán realizadas a las secciones del orden jurisdiccional correspondiente de los tribunales de instancia.

(3) De acuerdo con el segundo párrafo del art. 399.3 de la LEC se hará constar en la demanda la descripción del proceso de negociación previo llevado a cabo o la imposibilidad del mismo, conforme a lo establecido en el ordinal 4.º del artículo 264, y se manifestarán, en su caso, los documentos que justifiquen que se ha acudido a un medio adecuado de solución de controversias, salvo en los supuestos exceptuados en la Ley de este requisito de procedibilidad.

(4) Documentos que acrediten haberse intentado la actividad negociadora previa a la vía judicial cuando la ley exija dicho intento como requisito de procedibilidad, o declaración responsable de la parte de la imposibilidad de llevar a cabo la actividad negociadora previa a la vía judicial por desconocer el domicilio de la parte demandada o el medio por el que puede ser requerido.

ÍNDICE ANALÍTICO

ÍNDICE ANALÍTICO

A

ABUSO DE DERECHO
Abuso de derecho, 440
ACCIÓN DE CESACIÓN
Acción de cesación, 390, 920, 930, 1000, 1010, 1020, 1030, 1040, 1050, 1060, 1070, 1080, 1090, 1100, 1110, 1120, 1170
Por animales, 1140
Por asociaciones, 1170
Por fiestas, 1170
Por locales de hostelería, 1160
Por pisos turísticos, 1150
Por prostitución, 1170
Por ruidos, 1130
Por vecinos incívicos, 1170
ACTAS
Contenido del acta, 260
Libro de actas
Custodia del libro de actas, 260
Diligenciación, 260
Exhibición a entidad financiera, 1640
Pérdida del libro de actas, 260
Protección de datos, 260
ACTIVIDADES MOLESTAS, INSALUBRES, NOCIVAS Y PELIGROSAS
Actividades dañosas, 950
Actividades ilícitas, 990
Actividades insalubres, 980
Actividades molestas, 970
Actividades nocivas, 980
Actividades peligrosas, 980
Actividades prohibidas
Acción de cesación, 920, 930, 1000, 1010, 1020, 1030, 1040, 1050, 1060, 1070, 1080, 1090, 1100, 1110, 1120
Irretroactividad del acuerdo prohibitivo, 940
Requerimiento previo, 1020
Calificación jurídica, 900, 980
Concepto, 960

ACUERDOS
Impugnación de acuerdos, 760
Acuerdos impugnables, 770
Legitimación, 780, 790
Plazo, 800
Ver JUNTA DE PROPIETARIOS
ADMINISTRADOR
Administrador de la comunidad, 280
Encargado del tratamiento de datos personales, 1520, 1530, 1540
Órganos de gestión y administración, 230
AGENTES DE LA EDIFICACIÓN
Arquitecto, 690
Constructor, 690
Promotor, 690
Responsabilidad, 690, 700
AGRUPACIÓN DE COMUNIDADES
Agrupación de comunidades, 350
AIRE ACONDICIONADO
Obras para la instalación del aire acondicionado, 590
ALTA CENSAL
Ver TRIBUTACIÓN DE LAS COMUNIDADES DE PROPIETARIOS
ANIMALES
Ver ACCIÓN DE CESACIÓN
ARRENDAMIENTO
Tributación del arrendamiento de elementos comunes, 1350, 1360, 1370, 1380
ARQUITECTO
Ver AGENTES DE LA EDIFICACIÓN
ASCENSOR
Obras para la instalación o reforma de ascensores y salvaescaleras, 540

B

BAJANTES
Humedades originadas por bajantes, 630
BALCONES
Obras para cerrar terrazas o balcones, 580

C

CALENDARIO FISCAL
Ver TRIBUTACIÓN DE LAS COMUNIDADES DE PROPIETARIOS
CALIFICACIÓN COMO COMÚN O PRIVATIVO
Calificación, 290
Pautas, 330
CATALUÑA
Ver PROPIEDAD HORIZONTAL EN CATALUÑA
CERTIFICADO ELECTRÓNICO
Certificado electrónico de la comunidad, 1270

CESACIÓN
Ver ACCIÓN DE CESACIÓN
CITACIONES
Comunicación de domicilio para citaciones y notificaciones, 200
COEFICIENTES
Fijación de los coeficientes de participación, 120
Modificación de los coeficientes de participación, 1210, 1220
COMPLEJOS INMOBILIARIOS PRIVADOS
Concepto, 340
Constitución, 350
Constitución del fondo de reserva, 180
Diferencia con la propiedad horizontal tumbada, 370
Imposibilidad de división, 360
COMUNICACIONES
Comunicación de cambio de titularidad de inmueble, 200
COMUNIDAD DE PROPIETARIOS
Obligaciones, 210
Órganos de gestión y administración, 230
CONSERVACIÓN
Mantener en buen estado las zonas privativas, 200
CONSTRUCCIÓN
Humedades por defectos en la construcción, 680
Ver AGENTES DE LA EDIFICACIÓN
CONSTRUCTOR
Ver AGENTES DE LA EDIFICACIÓN
CONTRATACIÓN
Ver EMPLEADOS
COSTAS
Costas en el procedimiento monitorio, 750
CUBIERTA
Ver TEJADOS
CUOTA DE PARTICIPACIÓN
Concepto, 130
Constará en el título constitutivo, 120
Fijación, 120, 130
Modificación, 130
Regulación, 130

D

DAÑOS
Indemnización por estimación de la acción de cesación, 1100
Responsabilidad de las comunidades de propietarios, 860, 870
DEFECTOS
Humedades por defectos en la construcción, 680
DELEGADO DE PROTECCIÓN DE DATOS
Ver PROTECCIÓN DE DATOS
DERRAMA
Derramas, 460

DESAFECTACIÓN
Modificación de coeficientes de participación, 1210, 1220
DESCRIPCION DEL INMUEBLE
En el título constitutivo, 120
DESTRUCCIÓN DEL EDIFICIO
Extinción del régimen de propiedad horizontal, 220

E

EJECUCIÓN DE SENTENCIAS
Ejecución de procedimiento monitorio, 750
Ejecución de sentencias condenatorias, 890
ELEMENTOS COMUNES
Concepto, 310
Respeto a elementos comunes, 200
Venta de elementos comunes, 1400, 1410, 1440
Ver CALIFICACIÓN COMO COMÚN O PRIVATIVO
ELEMENTOS COMUNES DE USO PRIVATIVO
Concepto, 320
Ver CALIFICACIÓN COMO COMÚN O PRIVATIVO
ELEMENTOS PRIVATIVOS
Calificación, 290
Concepto, 300
Ver CALIFICACIÓN COMO COMÚN O PRIVATIVO
EMPLEADOS
Contratación de empleados por la comunidad, 1300, 1310
EQUIDAD
Ver JUICIO DE EQUIDAD
ESCRITURA DE DIVISIÓN HORIZONTAL
Ver TÍTULO CONSTITUTIVO
ESTATUTOS
Estatutos de la comunidad de propietarios, 140, 910
Actividades prohibidas, 920, 940
Inscripción registral, 930
EXTINCIÓN
Extinción del régimen de propiedad horizontal, 220

F

FACHADA
Obras en la fachada del edificio, 570
FILTRACIONES
Ver HUMEDADES
FISCALIDAD
Ver TRIBUTACIÓN DE LAS COMUNIDADES DE PROPIETARIOS
FONDO DE RESERVA
Concepto del fondo de reserva, 160, 460
Constitución del fondo de reserva, 170
En complejos inmobiliarios privados, 180

G

GALERÍAS
Calificación. 330
GASTOS
Gastos de la comunidad, 460
Exenciones de pago, 470
Impago de gastos, 480
GESTIÓN
Órganos de gestión y administración de la comunidad de propietarios, 230

H

HOSTELERÍA
Ver ACCIÓN DE CESACIÓN
HUMEDADES
Causas de las humedades, 610
Con origen en elementos comunes
Especialidades, 630
Reclamación a la comunidad, 640
Responsabilidad, 620
Con origen en elementos privativos
Especialidades, 660
Reclamación, 670
Responsabilidad, 650
Por defectos en la construcción, 680

I

IMPAGO
Impago de gastos, 480
IMPUESTO SOBRE TRANSMISIONES PATRIMONIALES Y ACTOS JURÍDICOS DOCUMENTADOS (ITPYAJD)
Ver TRIBUTACIÓN DE LAS COMUNIDADES DE PROPIETARIOS
IMPUGNACIÓN DE ACUERDOS
Ver ACUERDOS
INDEMNIZACIÓN
Por estimación de la acción de cesación, 1100
INSTALACIONES COMUNES
Ver ZONAS COMUNES

J

JUICIO DE EQUIDAD
Concepto, 830
Tramitación, 840, 850

JUNTA DE PROPIETARIOS
Actas, 260
Acuerdos
Impugnación de acuerdos, 240
Regulación, 250
Funciones, 240
Mayorías, 250
Orden del día, 250

L

LIBRO DE ACTAS
Ver ACTAS

M

MANCOMUNIDAD
Tributación en ITPyAJD, 1240
MAYORÍAS
Mayorías para la adopción de acuerdos, 250
MODELO 036 (Declaración censal de alta, modificación y baja y declaración censal simplificada en el censo de empresarios, profesionales y retenedores)
Alquiler de zonas comunes, 1370
Contratación de empleado, 1310
Presentación, 1280
Venta de zonas comunes, 1400
MODELO 111(Retenciones e ingresos a cuenta)
Contratación de empleado, 1310
Presentación, 1280
MODELO 184 (Declaración Informativa. Entidades en régimen de atribución de rentas)
Alquiler de zonas comunes 1380
Obtención de subvenciones, 1450
Presentación, 1280
MODELO 190 (Declaración Informativa. Retenciones e ingresos a cuenta)
Contratación de empleado, 1310
Presentación, 1280, 1330
MODELO 303 (Autoliquidación IVA)
Alquiler de zonas comunes, 1350
Presentación, 1280
Venta de zonas comunes, 1400
MODELO 347 (Operaciones con terceros)
Presentación, 1280, 1440
MODELO 390 (Declaración resumen anual IVA)
Arrendamiento de zonas comunes, 1350
Presentación, 1280

MODELO 600 (Impuesto sobre Transmisiones Patrimoniales y Actos Jurídicos Documentados)
Presentación, 1280
MODIFICACIÓN
De elementos arquitectónicos, 300
MONITORIO
Ver PROCEDIMIENTO MONITORIO
MOROSO
Ver RECLAMACIÓN DE DEUDAS
Ver TABLÓN DE ANUNCIOS
MUROS
Calificación. 330

N

NIF
NIF de la comunidad, 1270
NORMAS DE RÉGIMEN INTERIOR
Normas de régimen interior de la comunidad de propietarios, 150
NORMAS REGULADORAS
Normas reguladoras de la propiedad horizontal, 110
NOTIFICACIONES
Comunicación de domicilio para citaciones y notificaciones, 200
Notificación de deuda a propietario, 720
Ver REQUERIMIENTO

O

OBLIGACIONES
De la comunidad de propietarios, 210
De los propietarios, 200, 300
OBRAS
Acción de cesación, 390
Casuística
Obras en la fachada del edificio, 570
Obras para cerrar terrazas o balcones, 580
Obras para la instalación del aire acondicionado, 590
Obras para la instalación de placas solares, 530
Obras para la instalación de tendales, 550
Obras para la instalación o reforma de ascensores y salvaescaleras, 540
Obras para recarga de vehículos eléctricos, 520
Obras que implican el cambio de las ventanas, 560
Pago de las obras, 450
Realización de obras, 440
Responsabilidad por daños por obras, 490
Tipos de obras, 380

Obras en zonas comunes, 400
Obras de mejora, 430
Obras necesarias, 420
Obras obligatorias, 420
Obras urgentes, 410
Obras en zonas privativas, 390

ORDEN DEL DÍA
Ver JUNTA DE PROPIETARIOS

ÓRGANOS DE LA COMUNIDAD
Administrador
Ver ADMINISTRADOR
Junta de propietarios
Ver JUNTA DE PROPIETARIOS
Presidente
Ver PRESIDENTE
Secretario
Ver SECRETARIO

P

PISOS TURÍSTICOS
Ver ACCIÓN DE CESACIÓN

PLACAS SOLARES
Obras para la instalación de placas solares, 530

PREHORIZONTALIDAD
Prehorizontalidad, 100

PRESIDENTE
Presidente de la comunidad, 270
Nombramiento por juicio de equidad, 850

PRESUPUESTO
Presupuesto anual de la comunidad de propietarios, 190

PROCEDIMIENTO MONITORIO
Procedimiento monitorio en materia de propiedad horizontal, 720
Ejecución y costas, 750
Petición inicial, 730
Legitimación, 740

PROCEDIMIENTOS JUDICIALES
Procedimientos judiciales en materia de propiedad horizontal, 710
Procedimiento monitorio, 720, 730, 740, 750
Procedimiento ordinario, 715
Procedimiento verbal, 715

PROMOTOR
Ver AGENTES DE LA EDIFICACIÓN

PROPIEDAD HORIZONTAL
Adaptación, 1250
Concepto, 100
Constitución, 100
Extinción, 220
Normas reguladoras, 110

Título constitutivo, 120
Regulación, 100
Tumbada, 370
PROPIEDAD HORIZONTAL EN CATALUÑA
Acción de cesación, 1920, 1930, 1940, 1950
Acta, 1820
Acuerdos, 1800, 1810, 1830, 1840, 1850
Ámbito de aplicación, 1660
Concepto, 1660
Constitución de la comunidad, 1700
Créditos de la comunidad de propietarios, 1690
Cuota de participación, 1670
Deudas de la comunidad de propietarios, 1690
Estatutos de la comunidad, 1710
Extinción del régimen de propiedad horizontal, 1730
Fondo de reserva, 1680
Junta de propietarios, 1790
Mayorías, 1810
Órganos de gobierno, 1740, 1750
Administrador, 1780
Presidente, 1760
Secretario, 1770
Prohibición de la realización de actividades, 1930
Propiedad horizontal compleja, 1890, 1900
Propiedad horizontal por parcelas, 1910
Propiedad horizontal simple, 1860
Elementos comunes, 1880
Elementos privativos, 1870
Reglamento de régimen interior, 1720
Regulación, 1650
Título constitutivo, 1700
PROPIEDAD ORDINARIA
Conversión de la propiedad horizontal en propiedad ordinaria, 220
PROPIETARIOS
Comunicación de cambio de titularidad de inmueble, 200
Obligaciones, 200, 300
PROTECCIÓN DE DATOS
Análisis de riesgos, 1490
Aspectos normativos, 1460
Datos biométricos, 1590
Datos en el tablón de la comunidad, 1600
Delegado de protección de datos, 1510
Documentación de la comunidad con datos personales, 1630
En las actas de la comunidad de propietarios, 260
Encargado del tratamiento de datos, 1520, 1530, 1540
Evaluación de impacto, 1500
Infracciones de protección de datos, 1620
Libro de actas, 1640
Tratamiento de datos
Con fines de videovigilancia, 1550, 1560
Datos especiales, 1610
Obligaciones y deberes, 1470
Registro de actividades de tratamiento, 1480

R

RECLAMACIÓN DE DAÑOS
Reclamación de propietario contra la comunidad, 870
Reclamación de tercero contra la comunidad, 880
Responsabilidad de la comunidad de propietarios, 860
RECLAMACIÓN DE DEUDAS
Ver PROCEDIMIENTO MONITORIO
RÉGIMEN DE PROPIEDAD HORIZONTAL
Ver PROPIEDAD HORIZONTAL
REGISTRO DE ACTIVIDADES DE TRATAMIENTO (RAT)
Ver PROTECCIÓN DE DATOS
REPARACIONES
Permitir la entrada en piso o local, 200
REQUERIMIENTO
Requerimiento previo de cese de actividad prohibida, 1020
RESPONSABILIDAD
Responsabilidad de las comunidades de propietarios, 860
Responsabilidad de los agentes de la construcción, 690, 700
Responsabilidad del presidente de la comunidad por obras realizadas en la misma, 510
Responsabilidad en materia de prevención de riesgos laborales, 500
Responsabilidad por daños por obras, 490
RUIDOS
Ver ACCIÓN DE CESACIÓN

S

SALVAESCALERAS
Ver ASCENSOR
SECRETARIO
Secretario de la comunidad, 280
SEGURO
Seguro de caución, 700
Seguro de daños, 700
Seguro de hogar, 660
SERVIDUMBRE
Determinación de las servidumbres, 820
Procedimiento de constitución, 810
SÓTANOS
Calificación, 330
SUBCOMUNIDADES
Tributación en ITPyAJD, 1240
SUBSUELO
Calificación, 330
SUBVENCIONES
Fiscalidad de las subvenciones, 1450

T

TABLÓN DE ANUNCIOS
Publicaciones en el tablón de anuncios, 260, 1600, 1610, 1620
TEJADOS
Cubierta causante de humedades, 630
TENDALES
Obras para la instalación de tendales, 550
TERRAZAS
Obras para cerrar terrazas o balcones, 580
Terraza causante de humedades, 630
TITULARIDAD
Comunicación de cambio de titularidad de inmueble, 200
TÍTULO CONSTITUTIVO
Título constitutivo de la propiedad horizontal, 120
TRATAMIENTO DE DATOS
Ver PROTECCIÓN DE DATOS
TRIBUTACIÓN DE LAS COMUNIDADES DE PROPIETARIOS
Alta censal, 1330, 1370
Arrendamiento de elementos comunes, 1350, 1360, 1370, 1380
Calendario fiscal de las comunidades de propietarios, 1280
Contratación de empleados, 1300, 1310
Contratación de empresa o empresario externo, 1320
En general, 1190, 1260
Impuesto sobre Bienes Inmuebles (IBI), 1450
ITPyAJD, 1190, 1200, 1210, 1220, 1230, 1240
Obligaciones fiscales, 1290, 1340, 1350
Operaciones con terceros (modelo 347), 1440
Subvenciones o indemnizaciones, 1430
Tasa de paso de vehículos, 1450
Tributos municipales, 1450
Venta de elementos comunes, 1390, 1400, 1410, 1420, 1440
TUBERÍAS
Humedades originadas por tuberías, 630

V

VEHÍCULOS
Tasa de paso de vehículos, 1450
Vehículos eléctricos
Obras para recarga de vehículos eléctricos, 520
VENTANAS
Humedades originadas en ventanas, 630
Obras que implican el cambio de ventanas, 560
Origen de humedades, 630
VIDEOPORTERO
Sustitución, 160
VIDEOVIGILANCIA
Tratamiento de datos, 1550, 1560, 1570, 1580
Servicios de videovigilancia, 1570, 1580

Z

ZONAS COMUNES
Respeto a elementos, instalaciones y zonas comunes, 200